Bombay Maximum City

Suketu Mehta

Bombay
Maximum City

Traduit de l'anglais par Oristelle Bonis

BUCHET/CHASTEL

Titre original : *Maximum City, Bombay Lost and Found*
© 2004 by Suketu Mehta

Et pour la traduction française
© Buchet/Chastel,
un département de Meta-Éditions, 2006
7, rue des Canettes, 75006 Paris
ISBN 10 : 2-283-02166-9
ISBN 13 : 978-2-283-02166-8

Sommaire

Pour mes grands-parents,
Shantilal Ratanlal Mehta et Sulochanaben Shantilal Mehta
Jayantilal Manilal Parikh et Kantaben Jayantilal Parikh

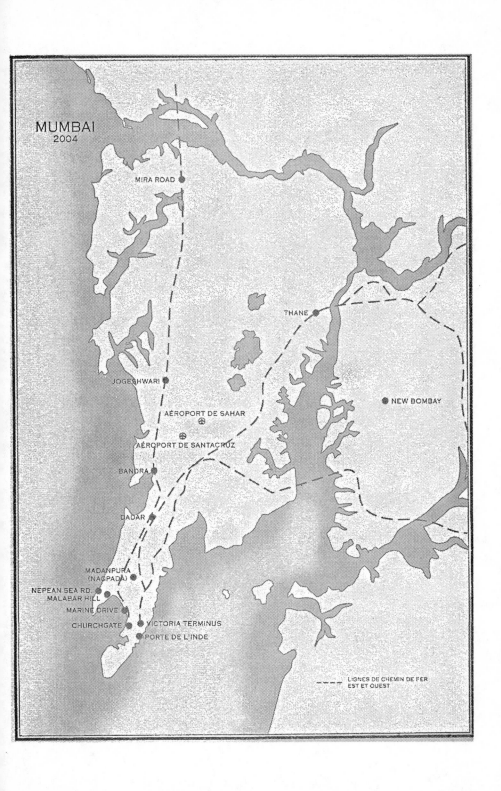

MUMBAI
2004

MIRA ROAD

THANE

JOGESHWARI

AÉROPORT DE SAHAR

AÉROPORT DE SANTACRUZ

NEW BOMBAY

BANDRA

DADAR

MADANPURA
(NAGPADA)

NEPEAN SEA RD.
MALABAR HILL

MARINE DRIVE

CHURCHGATE   VICTORIA TERMINUS

PORTE DE L'INDE

LIGNES DE CHEMIN DE FER
EST ET OUEST

Kabir, je l'ai atteint grâce aux chanteurs nirguna de Malwa, entendus dans le Dewas à un moment où, malade, je devais garder le lit. Je connaissais leur capacité à créer le vide, si cruciale pour un bhajan nirguna *. Ils utilisent les notes sur le mode caractéristique des ermites, de telle sorte que ces notes lancées vers vous ne vous blessent pourtant pas. Ils chantent dans la solitude. En chantant Kabir, je cherche à créer, en même temps que cette solitude essentielle, le sentiment durable d'être parmi les autres. Kabir le dit lui-même magnifiquement : je suis seul solidairement. L'identification totale du dedans avec le dehors est ce qu'il y a de plus stimulant, chez Kabir.

Kumar Gandharva

Nous sommes individuellement multiples.

Kabir Mohanty

---

* Tous les mots suivis d'un astérisque sont expliqués dans le lexique en fin de volume *(N.d.T.)*.

PREMIÈRE PARTIE
Le pouvoir

Géographie personnelle

La ville de Bombay sera bientôt plus peuplée que le continent australien. URBS PRIMA IN INDIS, annonce la plaque apposée sur la Porte de l'Inde. Bombay est d'ailleurs *Urbs prima in Mundis* à un égard au moins, premier indice de la vitalité d'une ville : la taille de sa population. Avec ses quatorze millions d'habitants, c'est la plus grande métropole de la planète colonisée par la race des citadins. Bombay, ou l'avenir de la civilisation urbaine terrestre. Que Dieu nous garde.

J'ai quitté Bombay en 1977. Quand j'y suis revenu, vingt et un ans plus tard, ma ville avait grandi et était devenue Mumbai. Vingt et un ans : le temps qu'il faut à un être humain pour naître, s'instruire, atteindre l'âge requis pour boire, se marier, conduire une voiture, voter, faire la guerre, tuer ses semblables. Au cours de ce long laps de temps, je n'ai pas perdu mon accent. Je parle comme les gens de Bombay ; c'est à cela qu'on me reconnaît à Kanpur ou dans le Kansas. « D'où êtes-vous ? » Quel que soit l'endroit où je me trouve – Paris, Londres, Manhattan – je finis toujours par répondre « de Bombay ». Sous le désastre actuel – une vraie catastrophe urbaine – se trouve, enfouie quelque part, la cité qui a tous les droits sur mon cœur : belle ville de bord de mer, État oasis d'espoir dans un très vieux pays. Je suis retourné la chercher avec en tête une question simple : est-ce bien chez moi, ici ? Au cours de cette quête, j'ai trouvé mes cités intérieures.

Je suis un garçon des villes. Calcutta, où j'ai vu le jour, est extrême à tous points de vue. Après ma naissance, mes parents sont partis pour Bombay où j'ai vécu neuf années. Ensuite ce furent huit ans à Jackson Heights, à New York ; puis un an, avec des coupures, à Paris ; cinq à Manhattan, dans l'East Village ; et quelque douze mois, mais discontinus, à Londres. Seules exceptions : trois ans dans la très peu urbaine Iowa City et deux autres à New Brunswick, dans le New Jersey – guère mieux que des campus universitaires qui m'ont préparé à revenir à LA ville. Mes deux enfants sont nés dans une grande métropole, à New York. C'est par choix que je vis en ville et je suis à peu près sûr que j'y mourrai. À la campagne, je ne sais jamais trop comment m'occuper, même si j'aime assez aller y passer le week-end.

Je suis issu d'une famille de vagabonds doués pour le commerce. Le xxᵉ siècle était encore balbutiant quand mon grand-père paternel quitta son village du Gujerat pour venir à Calcutta rejoindre son frère, bijoutier en gros. La première fois que mon grand-oncle se risqua hors du territoire national, ce fut dans les années trente, au Japon. Vite contraint de rentrer, il dut présenter des excuses aux anciens de sa caste et se prosterner devant eux, le turban dans les mains. Cela n'empêcha pas ses neveux (mon père et mon oncle) de tenter à leur tour leur chance ailleurs, à Bombay, d'abord, puis de l'autre côté des eaux noires, jusqu'à Anvers et New York, histoire de grossir le pécule reçu en héritage. Quant à mon grand-père maternel, jeune homme il émigra du Gujerat vers le Kenya et aujourd'hui il vit à Londres. Ma mère est née à Nairobi, elle a fait ses études à Bombay, elle habite New York. Dans ma famille, choisir de partir s'installer « à l'étranger » n'est jamais une affaire d'État. Nous allons où nous porte le vent du commerce.

Un jour, je suis retourné avec mon grand-père dans la maison ancestrale de Maudha, une localité rurale du Gujerat qui s'est développée de façon conséquente. Assis dans la cour de la vieille demeure aux piliers de bois massifs, mon grand-père entreprit de nous présenter aux nouveaux propriétaires, une famille de sarafs pour qui Maudha était l'image même de la grande ville.

« Voici mon gendre, qui vit au Nigeria.

– Nigeria, acquiesça le saraf.

– Mon petit-fils, établi à New York.

– New York, reprit le saraf en hochant la tête.

– La femme de mon petit-fils, qui vient de Londres.

– Londres.

– À présent, ils sont à Paris.

– Paris », fit consciencieusement écho le saraf.

Pour peu que mon grand-père ait alors dit qu'il vivait sur la Lune, le saraf, sans broncher, l'aurait répété après lui en opinant du bonnet. Nous étions si dispersés, les uns et les autres, que c'en était presque grotesque. Pourtant nous étions là, dans la maison où avait grandi mon grand-père, ensemble, toujours, en famille. Ce lien familial était l'élastique qui, si loin que nous nous soyons aventurés, nous ramenait les uns vers les autres.

C'est à cause de la muqabla *, le jeu de l'offre et de la demande, que mon père dut quitter Calcutta. Dans l'affaire de mon grand-père, les bijoux s'achetaient et se vendaient ainsi : à l'heure dite, un groupe de revendeurs retrouvait le courtier dans le bureau de l'acheteur et les négociations démarraient. Jamais prononcé à voix haute, le prix était indiqué par le nombre de doigts levés sous un pan du dhoti * du vendeur, que l'acheteur saisissait. Ce dernier menait la muqabla en proposant des offres ridiculement basses. « Quoi ? Vous êtes devenu fou ? Vous croyez que je vais accepter ce prix-là ? » L'air furieux, dépité, le vendeur quittait la pièce en pestant haut et fort. Il prenait soin, toutefois, d'oublier son parapluie, qu'il revenait chercher une dizaine de minutes plus tard. Généralement, l'acheteur revoyait alors son offre à la hausse, et à la satisfaction de tous la transaction se concluait sur un accord que le courtier scellait en déclarant : « Allez, serrez-vous la main. » Cette petite comédie dégoûta mon père du commerce de bijoux tel qu'il se pratiquait à Calcutta. Il ne supportait pas les cris, les insultes ; c'était un homme instruit.

Son frère était parti à Bombay en 1966, contre la volonté de mon grand-père qui ne comprenait pas les raisons de ce départ. Du temps où mon oncle était jeune, Calcutta amorçait pourtant son déclin. À Bombay, il se lança dans le commerce des diamants. Trois ans plus tard, peu après la naissance de ma petite sœur à Ahmadabad, mes parents vinrent lui rendre visite. Mon oncle qui s'était récemment marié proposa à mon père de rester à Bombay. Et c'est ainsi que nous avons vécu tous les six – quatre adultes et deux enfants, dont un bébé – dans une pièce où les hôtes de passage ne cessaient d'aller et venir. Notre « famille élargie » partageait le logement, les dépenses, et repoussait les limites de l'espace pour s'en accommoder. Comment quatorze millions de personnes peuvent-elles tenir sur la même île ? De la même façon que nous, dans l'appartement de Teen Batti.

Quand mon père et mon oncle eurent fait leur trou dans le commerce des diamants, nous déménageâmes dans le deux-pièces de Dariya Mahal, au-dessus d'un palais avec vue sur la mer. Le palais appartenait au maharao * de Kutch. Il fut racheté, avec son parc, par une famille d'industriels marwaris * ; ils abattirent les arbres, débarrassèrent les salles de leurs antiquités et transformèrent l'édifice en école. Alentour, ils construisirent un complexe de trois immeubles : Dariya Mahal 1 et 2, des bâtiments de vingt étages qui ressemblaient à de grands livres ouverts, et Dariya Mahal 3, celui où j'ai grandi, le petit dernier, solide et trapu avec ses douze étages.

Mon oncle et mon père se rendaient régulièrement pour affaires à Anvers et aux États-Unis. Mon père m'ayant un jour demandé ce que je voulais qu'il me rapporte d'Amérique, je lui parlai d'un tee-shirt vu dans un magazine américain pour enfants, qui dégageait une odeur quand on le grattait. Il me rapporta un énorme sachet de marshmallows. Pour en apprivoiser la

texture, je m'empiffrai tant que je pus des gros machins coton-
neux avant que ma tante se les approprie. Selon mon oncle, c'est
à la suite d'un de ces voyages qu'un beau matin, en se rasant,
mon père eut une révélation – ce qui arrive parfois quand on
reste planté devant un miroir sans vraiment s'y regarder. Il prit la
décision d'émigrer aux États-Unis d'Amérique. Pas pour leur
liberté ni pour leur mode de vie; simplement pour gagner plus
d'argent.

Nos existences à tous sont dominées par un événement central
qui façonne et déforme tout ce qui vient après et, rétro-
spectivement, tout ce qui l'a précédé. En ce qui me concerne, ce
fut notre départ en Amérique à quatorze ans. Un âge où il n'est
pas facile de changer de pays. On n'a pas tout à fait fini de grandir dans celui d'où l'on vient et on ne se sentira jamais
parfaitement bien dans le nouveau. J'ignorais tout de ce pays,
l'Amérique, où je n'avais jamais mis les pieds. J'appartiens à
une autre génération que celle de mes jeunes cousins, tel
Sameer, qui le jour où il débarqua à l'aéroport JFK au sortir de
l'avion en provenance de Bombay portait une casquette de base-
ball au logo des Mets et avait déjà un accent américain à peu
près correct. En l'espace de vingt-quatre heures, ce voyage me
fit basculer de l'enfance à l'âge adulte, de l'innocence à la
connaissance, de la prédestination au chaos. Tout ce qui s'est
passé depuis, chaque geste dérisoire ou au contraire fondamental
– ma manière à moi de me servir d'une fourchette ou de faire
l'amour, le métier que j'ai choisi, la femme que j'ai épousée –
fut déterminé par cet événement central, au pivot du temps qui
m'est imparti.

Chez mon grand-père, à Calcutta, au fond de la maison il y
avait une pièce sombre, chaude, utérine, où l'on conservait les
vieux numéros du *Reader's Digest*. L'été, je dévorais ces
histoires vraies rocambolesques, me délectais des activités
d'espionnage des ignobles communistes, des blagues tout public
sur les bouffonneries des enfants ou des domestiques. Telle fut

mon initiation à l'Amérique. Imaginez ma surprise quand j'y arrivai. Je ne le savais pas, à l'époque, mais j'eus tout de même de la chance qu'entre toutes les villes où mon père aurait pu nous emmener il ait jeté son dévolu sur New York. « C'est exactement comme à Bombay » : voilà comment on explique New York aux Indiens d'Inde.

L'année qui suivit notre installation en Amérique, je commandai ses trésors jusqu'alors inaccessibles, en l'espèce les gadgets vantés par les publicités qui s'étalaient au verso des pages de couverture de mes bandes dessinées. Pour mes amis de Bombay, j'ai acheté la bague à vibrations, le fantôme planant, l'hovercraft, les lunettes à rayons X. Le paquet est arrivé par courrier. Je l'ai regardé, avant de l'ouvrir : il contenait ce qui nous avait si longtemps été refusé. Puis la camelote en a jailli. Le fantôme planant était un sac-poubelle en plastique blanc complété d'une baguette fixée au fond ; à en croire les instructions, il suffisait de vaguement l'agiter pour semer l'épouvante. Avec leur monture en plastique, les lunettes à rayons X ressemblaient à celles en 3D dont on vous équipait au cinéma pour les films de science-fiction, à cela près que sur les deux verres il y avait un squelette grossièrement dessiné. L'hovercraft, c'était une espèce d'éventail rouge à moteur qui s'élevait effectivement sur les surfaces bien planes. Enfin, la bague à vibrations se résumait à une sorte d'anneau à tenir caché au creux de la paume ; on le remontait avant de serrer la main de la victime, et la pression exercée sur le bouton provoquait comme une décharge électrique. J'ai longuement contemplé ce bric-à-brac éparpillé à mes pieds. Il m'était déjà arrivé de me faire avoir, à Bombay ; la sensation était familière. Je n'en ai pas moins réexpédié le carton à mes amis de là-bas, accompagné d'une lettre leur indiquant les possibles façons d'utiliser les gadgets : ils pouvaient, par exemple, attacher une ficelle au fantôme et le balancer devant les fenêtres des étages inférieurs pour, avec un peu de chance, effrayer les petits enfants, à la nuit tombée.

Mes cadeaux plairaient, je le savais. Peu importait leur qualité : ils étaient « importés », et c'est à ce titre qu'ils seraient appréciés. Dans notre salon de Bombay, il y avait une vitrine où étaient exposés des objets rapportés d'Europe et des États-Unis – le butin des voyages d'affaires de mon oncle : des petites voitures, des mignonnettes de spiritueux, de longues allumettes anglaises rangées dans un cylindre représentant un hallebardier de la tour de Londres, avec son bonnet noir à poil, une tour Eiffel miniature. Des jouets, aussi, pour les enfants (une fusée *Apollo 11* qui marchait avec des piles, une voiture de police au gyrophare bleu, un poupon qui pouvait boire et qui mouillait sa couche), mais qu'on ne sortait pour ainsi dire jamais. Les gosses de l'immeuble s'attroupaient devant la vitrine pour regarder ces trésors auxquels il nous était défendu de toucher car nous aurions pu les casser.

En Amérique aussi il y avait une vitrine, à la maison. On y conservait les souvenirs d'Inde : un couple de poupées âgées, Dada * en dhoti, Dadi * en sari de coton ; une statuette en marbre de Ganesh ; un masque en bois à l'effigie de Hanuman ; un modèle réduit du Taj Mahal, éclairé de l'intérieur par un lumignon rouge ; une danseuse de Bharata natyam * qui penchait la tête à gauche et à droite ; une horloge en bronze en forme de carte de l'Inde élargie aux parties du Cachemire réclamées aux Pakistanais et aux Chinois. Notre petit frère né là-bas n'avait pas le droit d'ouvrir la vitrine et de jouer avec ces objets. Ils étaient trop fragiles, il aurait pu se faire mal. Collé contre la porte en verre comme une guêpe derrière une vitre, il passait son temps à scruter son héritage.

À New York, très vite Bombay m'a manqué autant qu'une partie de moi-même. Avant le départ, je croyais laisser derrière moi le collège le plus moche du monde. Je me trompais. L'école catholique pour garçons dans laquelle on m'avait inscrit dans le Queens était encore pire. Elle se trouvait dans une enclave ouvrière blanche inexorablement grignotée par des immigrés originaires de contrées plus sombres. Étant l'un des premiers représentants des minorités à fréquenter cet établissement, j'y fus perçu comme un spécimen de tout ce à quoi il fallait résister. Peu de temps après mon entrée là-bas, un rouquin frisé au visage couvert de taches de rousseur s'approcha de ma table, à la cantine, et déclara : « Lincoln n'aurait jamais dû libérer les esclaves. » Les professeurs me traitaient de mécréant. La photo prise cette année-là à l'école me montre, le regard fixé sur l'objectif, avec cette légende : « Vingt-quatre heures d'efficacité garantie » – un slogan publicitaire pour une marque de déodo-rant. C'est ainsi qu'on me voyait, à l'école : en sauvage infect qui empuantissait l'atmosphère avec les odeurs nauséabondes de sa cuisine d'indigène. Le jour où j'ai eu mon bac, j'ai franchi le portail surmonté de barbelés, je me suis mis à genoux sur le trot-toir et, de gratitude, j'ai embrassé le sol.

À Jackson Heights, mon meilleur ami Ashish et moi nous efforcions de recréer Bombay. Ashish l'avait lui aussi quitté pour le Queens, à quinze ans. Les plus beaux après-midi de cette période, nous les avons passés au cinéma Eagle, devant des films en hindi. Avant, c'était un cinéma porno du nom de Earle. Son écran autrefois encombré de pénis gigantesques pullulant dans des vagins mutants était désormais dévolu aux prouesses mytho-logiques de Krishna, le dieu bleu de peau ; on n'y entrevoyait plus un sein, pas même l'esquisse d'un baiser. La salle en était peut-être purifiée, mais cela ne m'empêchait pas d'examiner soi-gneusement les sièges, avant de m'asseoir.

Parfois, au détour d'une séquence, il m'arrivait d'apercevoir mon ancien immeuble, le Dariya Mahal. Avec Ashish, nous conversions dans l'idiome de Bombay, l'hindi bambaiyya *, pour parler des gens, dans le métro, ou maudire nos professeurs en leur présence. Cette langue devint pour nous celle du sabo-tage. Parfaite pour blaguer, rigoler, c'était par excellence une langue de garçons. Nous buvions, nous jurions en hindi. Ashish, son voisin Mitthu et moi, nous arpentions les rues de Jackson Heights en chantant des chansons de films hindis des années soixante-dix, contemporaines de notre départ pour l'étranger. Nous revenions au pays par la voie musicale, la moins chère des liaisons aériennes. Les nuits de printemps, l'air radouci nous apportait des nouvelles de là-bas, du passé qu'en gujerati on appelle *bhoot-kal*, le temps fantôme. Un soir, une voiture de police stoppa à notre hauteur, les flics nous interpellèrent. « Qu'est-ce que vous faites, les gars ? – Rien. » Trois jeunes Gujeratis lâchés dans les rues, suspects parce qu'ils chantaient. « Vous savez qu'on peut vous arrêter si on vous prend à rôder ? » Rôder dans le temps fantôme : un délit passible de prison. Nous poursuivîmes notre route, et sitôt les flics disparus nous nous remîmes à chanter pour amadouer le rude environnement de Jackson Heights, l'apprivoiser et le transformer en Jaikisan Heights.

Incapable de lutter contre les forces qui s'opposaient à mon retour, je pris alors toute la mesure de l'exil. Le sentiment d'exil n'est pas la nostalgie, née de l'envie d'échapper à la linéarité du temps. J'avais dessiné au dos d'un cahier un calendrier qui commençait au début du printemps. Mon père m'avait dit, du moins c'est ce que je croyais, qu'à la fin de mon année de première il me renverrait à Bombay pour les vacances d'été. Chaque matin, je barrais le jour de la veille et comptais ceux qui restaient comme s'il s'agissait d'une peine de prison. Et le soir j'étais content, car cela faisait une journée de moins en Amérique, un pas de plus vers ma libération. Une semaine avant les grandes vacances, mon père m'informa qu'il ne pouvait m'offrir ce séjour en Inde et que je n'irais que l'année suivante, avec mon bac en poche. J'étais déboussolé.

J'existais, à New York, mais c'est en Inde que je vivais, transporté là-bas par le train des souvenirs. Les champs au crépuscule. Un vol d'oiseaux migrateurs passe dans le ciel ; la voiture se range sur le bas-côté, tu sors te dégourdir les jambes. Détails infimes qui ne cessent de s'imposer : la complexité du pipal noueux qui pousse au bord de la route, les fourmis qui vont et viennent autour. Tu vas te soulager derrière les buissons, tu lèves la tête et les images défilent. C'est chaud, intime, humide ; une fois de plus tu te sens protégé. Il n'y a pas un chat, personne dans les champs, personne près de la cabane que tu distingues au loin. En ville, le dîner attend, chez ta tante, mais tu as envie de rester là, envie de traverser les champs tout seul, d'aller jusqu'à cette cabane de paysans pour demander de l'eau, envie de voir si tu ne pourrais pas passer quelques jours dans ce village. Deux mouches jaillies de nulle part bourdonnent autour de ta tête : tu essaies de pisser et de les chasser en même temps, tu arroses tes chaussures. Tu pestes. Bhenchod !

Comme je regrettais de ne pouvoir lâcher ce gros mot, « bhenchod », devant des gens qui l'auraient compris. Ce qu'il signifie ? Pas « connard » – c'est trop direct, trop cru. Utilisé pour ponctuer un propos ou l'accentuer, ce juron est en fait aussi inoffensif que « merde » ou « putain ». D'un État indien à l'autre, sa prononciation varie, et il est facile de distinguer le sonore *bhaanchod* des Penjabis du léger *pinchud* des Bambaiyyas, le *bhenchow* du Gujerat du *bhen-ka-lowda* élaboré de Bhopal. Les Parsis l'utilisent à tout bout de champ, aussi bien les vieilles dames que les gamins de cinq ans, sans même y penser et sans intention bien définie, simplement comme bouche-trou. « Hé, bhenchod, va me chercher un verre d'eau. » « Ah, bhenchod, j'ai été à cette bhenchod de banque, aujourd'hui. » Enfant, je m'appliquais à ne pas jurer une seule fois le jour de mon anniversaire. Je m'y engageais solennellement devant mes petits copains jaïns : je ne dirai pas un seul gros mot, aujourd'hui, même pas b...

Au cours de mon premier hiver à New York, j'ai découvert que, hurlé à tue-tête, ce mot dégageait une énergie telle que je cessais de grelotter dans le ciré doublé synthétique que mes parents m'avaient acheté à Bombay, mince vêtement qui au lieu de garder la chaleur de mon corps la dispersait dans l'atmosphère et aspirait les courants d'air glacial au long du trajet de trois bons kilomètres de la maison au collège. La tête rentrée dans les épaules sous les assauts du vent et de la neige, je beuglais Bhenchod ! Bheeeeeen-chod ! Mon itinéraire traversait de paisibles rues résidentielles du Queens. Les braves citoyens irlandais, italiens ou polonais qui se trouvaient chez eux quand je passais devant leurs portes ont sûrement entendu, par les jours de grand froid, ces syllabes étranges criées à pleins poumons par un adolescent fluet et brun de peau, trop légèrement vêtu pour la saison.

Quand, à dix-sept ans, je pus enfin revenir à Bombay, j'eus du mal à reconnaître et la ville et mes amis, qui en l'espace de trois ans avaient furieusement et bizarrement grandi. Tous mes copains fumaient, pour commencer, et moi pas. Ils buvaient aussi comme des trous, moi pas. Nitin me montra un truc, avec la bouteille de Chivas Regal vite transformée en cadavre que j'avais apportée : après avoir longuement frotté le fond entre ses mains pour chauffer le verre, il jeta une allumette dedans. Une jolie flamme bleue jaillit, éphémère. Nitin savait quoi faire d'une bouteille pleine, et quoi en faire quand il l'avait bue.

Délaissant le bord de mer rocheux qui s'étendait devant notre immeuble et le bidonville surgi par-dessus, mes amis fréquentaient à présent une salle de jeux vidéo. Le palais au pied de nos immeubles, transformé en école de filles, avait un étage de plus qu'avant. Je n'arrivais pas à m'y faire. C'est un réconfort de savoir que les lieux de l'enfance sont restés intacts, avec les mêmes images aux murs, le lit toujours à sa place, le rayon de soleil qui chaque jour à la même heure frappe la fenêtre selon le même angle. J'avais l'impression que ces lieux avaient été loués à d'autres et que je ne m'y sentirais plus jamais chez moi. Je n'étais plus un Bombayite ; dorénavant, c'est en NRI (non-résident d'origine indienne), que je devais habiter ma ville. Même à l'époque où j'y vivais, cependant, elle renfermait des mondes entiers qui m'étaient aussi étrangers que les étendues glacées de l'Arctique ou les déserts d'Arabie.

Ma famille essaya de m'intéresser au commerce des diamants. Le matin, j'accompagnais mon oncle à son bureau. Cet apprentissage ne fut pas une réussite. J'en eus très vite assez de l'art de l'« assortiment », la constitution de lots de cailloux scintillants triés en fonction de leurs imperfections. Je les triais mal. « Toi, me déclara l'associé de mon oncle – on était en 1980 –, tu es aussi gaffeur que le président Carter. » Je ne suis pas entré dans l'affaire, mais j'ai continué à aller et venir d'un pays à l'autre, et mes séjours en Inde se sont faits de plus en plus longs, jusqu'à durer six mois d'affilée. Il ne s'agissait pas de voyages à proprement parler ; plutôt d'un boulot de saisonnier. Je prenais mes commandes en Occident (je m'étais mis à écrire sur l'Inde) et je les exécutais en Orient. Au début je revenais tous les quatre ans, puis tous les deux ans, tous les ans. Ces derniers temps je m'y suis rendu deux fois par an, toujours pour des articles. Afin de réconforter un ami rentré définitivement en Inde depuis peu et qui regrette les États-Unis, une de nos connaissances communes lui a déclaré : « Regarde Suketu : c'est presque comme s'il vivait en banlieue. »

Je suis aussi revenu à Bombay pour me marier. Ma femme est née à Madras, elle a grandi à Londres et nous nous sommes connus dans un avion d'Air India. Pour une rencontre entre exilés, la métaphore était parfaite : ni ici ni là, contents d'être en transit. J'allais à Bombay, Sunita à Madras. Nous avons parlé de l'exil et j'ai tout de suite fait le lien.

Ma mère a quitté Nairobi dans les années cinquante pour venir poursuivre ses études ici, au Sophia College. Mon père venait de Calcutta par le train pour passer trois jours avec elle, il allait la chercher à son hôtel et ils partaient se promener à Nariman Point. Arrivés là, le jeune soupirant et sa fiancée encore adolescente repartaient en sens inverse, toujours à pied, jusqu'à Chowpatty où, selon leur humeur, ils s'arrêtaient au Cream Centre pour manger des chana bhaktis (des puris * de pois chiches), allaient boire un milk-shake au Café Naaz ou entraient dans le musée Jehangir. À trente ans d'intervalle et sans que ce soit voulu de ma part, voilà que séduit à mon tour par une fille indienne venue de l'étranger je revisitais la cartographie galante de mon père. Nous marchions le long de la baie, nous prenions

des photos dans le musée. Bombay est la ville des amours familiales. C'est ici que, peu après son départ de Calcutta, mon oncle
repéra ma tante dans une fête foraine. Quittant des villes
lointaines – Nairobi, Calcutta, New York –, nous revenons
débusquer l'amour à Bombay.

Le lendemain de mon premier rendez-vous avec Sunita,
j'ai accompagné au terminus de Victoria un de mes cousins
qui repartait pour Kanpur. Dès son entrée en gare, l'express
Gorakhpur fut pris d'assaut par une horde de saisonniers qui
retournaient dans leurs villages. Les policiers les obligèrent à
reculer à coups de lathi * et une immense clameur jaillit de la
foule tandis que, resté à l'écart, je regardais, consterné. Je pensais à la jeune femme si séduisante, si anglicisée, que je venais
tout juste de rencontrer. Grâce à elle, il m'était possible de me
distinguer de ce troupeau, de ne pas me laisser annihiler par lui.
J'ai alors compris que j'étais amoureux. Être épris d'une femme
aussi belle faisait de moi un individu.

Le lendemain, fou d'amour, je l'ai emmenée à la plage de
Juhu. Les vagues qui lui léchaient les pieds la rendaient langou-
reuse, vulnérable. Je l'ai enlacée et elle a posé la tête sur mon
épaule. Au troisième rendez-vous nous nous sommes retrouvés
au Sangam Bar d'où l'on a une belle vue sur la mer d'Oman
– l'endroit où, je l'ai appris par la suite, mon père avait courtisé
ma mère et mon oncle invité ma tante –, et à la septième bière
(London Pilsner) j'ai demandé sa main à Sunita. Elle a éclaté de
rire.

Dans la cour de récréation de son école de New York, Gautama, mon fils aîné, se tenait sur la défensive, à l'écart des autres
enfants. Il leur décochait des sourires en se balançant d'un pied
sur l'autre, mais lorsqu'ils lui souriaient à leur tour et s'approchaient pour essayer de l'intégrer à leurs groupes, il s'éloignait
d'eux, courait vers moi, gardait ses distances. Très tôt dans
sa vie, beaucoup trop tôt, Gautama a pris conscience de sa
différence.

C'est moi qui, le jour de la rentrée, l'ai emmené pour la première fois à la maternelle située à la bifurcation de la 14ᵉ Rue. Tous les bambins de deux ans parlaient anglais, sauf mon fils. Nous avions fait le choix de l'élever dans notre langue, le gujerati. En classe, la maîtresse a commencé une activité et expliqué aux enfants qu'il fallait lever la main avant de parler ; ils ont chanté des chansons. Incapable de suivre, Gautama était malheureux et cela me bouleversait. « Il parle pas », disaient de lui les gosses de l'immeuble. Lui les regardait en espérant en vain qu'ils l'inviteraient à jouer. Quand il descendait au jardin manger son bol de khichdi * – qui dans la bouche des Britanniques est devenu le *kermesse* – la petite voisine d'en face faisait « Beurk ! » Tel était, un demi-siècle après la fin de l'empire, l'effet du colonialisme sur mon fils : le persuader que la langue de ses parents était innommable, la nourriture que nous lui donnions, immangeable.

Puis le cadet, Akash, vint au monde. L'idée de rentrer avec les enfants nous obsédait, Sunita et moi. Il fallait, pensions-nous, leur donner la chance de vivre dans un pays où ils seraient comme tout le monde. Où nous pourrions aller au restaurant, même dans une petite ville, sans que tous les regards se braquent automatiquement sur nous. En Inde, les garçons grandiraient en confiance ; ils apprendraient, mais autrement, qu'ils étaient uniques, chacun à sa façon, et leur personnalité s'épanouirait. Le pays qu'on a quitté n'est pas un bien de consommation. Manger sa cuisine, regarder ses films à la télé ne suffit pas à le restituer. Vient le moment où il faut se décider à repartir vivre là-bas. Tôt ou tard, le rêve du retour doit se vivre les yeux ouverts. Où revenir, cependant ? À mon Bombay, au Madras de Sunita, dans un coin superbe de l'Himalaya où la vie serait moins chère ? En 1996, j'avais passé deux mois à Bombay pour me documenter sur les affrontements entre hindous et musulmans. Jamais je n'avais séjourné aussi longtemps dans cette ville depuis mon départ, et je m'y étais senti si bien. Sunita pourrait y reprendre ses études, terminer sa maîtrise. Il existe plus d'un Bombay ; c'est pour trouver le mien que j'ai eu envie d'écrire ce livre.

Un soir, peu de temps avant de quitter New York, je suis passé comme souvent chez le marchand de journaux du quartier. Jusque-là, je n'avais jamais échangé deux mots avec lui. J'ai pris un magazine, et au moment où je le posais devant la caisse je me suis rendu compte que j'avais oublié mon portefeuille.

« Je reviens tout de suite, ai-je dit en m'excusant.

– Prenez-le, vous me paierez plus tard, a répondu l'homme. Je vous connais. »

Je suis sorti de là sur un petit nuage. Cinq ans que je vivais dans l'East Village, et j'y étais chez moi ! On est chez soi là où le commerçant du coin vous fait crédit. New York a connu une vraie renaissance depuis que Giuliani en est le maire. La ville que nous allions laisser derrière nous était une ville sûre, où en sortant de boîte à quatre heures du matin on pouvait encore croiser des gens dehors, des couples, des amoureux. Une ville qui tournait rond, où les bennes à ordures passaient quotidiennement, où la neige ne s'amoncelait pas sur les trottoirs, où les conditions de circulation étaient prévisibles, les rames de métro fréquentes et climatisées. Il y avait des fêtes à tous les coins de rue.

Cela étant, dès que nous commencions à nous sentir à l'aise quelque part, nous déménagions. Dès que nous étions intégrés dans un quartier, dans un groupe, nous éprouvions le besoin de nouer de nouvelles connaissances ailleurs. Pour l'heure c'est en Inde que nous partions, et pas en touristes ni pour aller voir la famille. À part un oncle à Bombay et des tantes à Ahmadabad et à Kanpur, je n'ai quasiment plus de parents proches en Inde. Ils ont tous émigré, les uns en Amérique, les autres en Angleterre. L'Inde représentait pour moi le Nouveau Monde – et Bombay, la terre promise des marins.

Chaque fois qu'au retour d'une virée à l'île d'Elephanta, je découvre la pièce montée du vieil hôtel Taj, le pastiche de gratte-ciel auquel ressemble le nouveau et, au premier plan, la Porte de l'Inde, j'ai comme le souvenir atténué de ces battements de cœur que devaient éprouver les voyageurs européens qui, au fil des siècles, ont accosté en Inde. Au terme de mois en haute mer, après le cap de Bonne-Espérance et les mille périls, les tempêtes et les maladies auxquels ils avaient réchappé, ils franchissaient la porte massive donnant accès au sous-continent. Sûrs de rencontrer là des tigres, des sorciers, des famines. Une halte rapide, un bref arrêt, le temps de prendre un bain et de s'octroyer quelques heures de sommeil sur la terre ferme avant d'embarquer, dès le lendemain à l'aube, dans le train qui mène vers l'Inde véritable, l'Inde des villages. Personne, à l'époque, ne revenait à Bombay pour y vivre ; ce n'était qu'une escale entre enfer et paradis. On ne faisait que passer à Bombay.

En 150 avant J.-C., Ptolémée avait baptisé le site Heptanesia, la Cité des Sept Îles. Après lui, les Portugais l'appelèrent Bom Bahia, Buon Bahia ou Bombain, ce qui dans leur langue signifie « la bonne baie ». En 1538, ils le surnommaient aussi Boa-Vida, l'Île de la Belle Vie, pour la beauté de ses arbres, son abondance en gibier et en nourriture. Une autre histoire sur le nom de Bombay vient de Mubarak Shah, le sultan Qutb-ud-din qui régnait sur les îles au XIV⁰ siècle ; il fut transformé en démon, Mumba Rakshasha, pour avoir ordonné la destruction des temples. Les hindous eux-mêmes avaient plusieurs mots pour désigner l'archipel : Manbai, Mambai, Mambe, Mumbadewi, Bambai, et le Mumbai d'aujourd'hui. Comme les gangsters et les putains, la ville a de nombreux pseudonymes. Les maîtres de ce petit essaim d'îles se sont succédé par vagues : d'abord des pêcheurs hindous, puis des souverains musulmans, et les Portugais, les Britanniques, les hommes d'affaires parsis et gujeratis, les sheths * (auxquels se joignirent par la suite les Sindhis *, les Marwaris et les Penjabis), jusqu'à ce qu'enfin l'État de Bombay soit repris en main par les Marathes, les autochtones du coin.

Quiconque survole Bombay et voit la ville d'avion (en écartant le pouce et l'index selon un angle de trente degrés on a la forme de son plan) doit admettre qu'elle est magnifique : la mer la baigne de toutes parts, des palmiers bordent les rivages, les flots reflètent la lumière du ciel. Bombay possède un port et des anses, des criques, des rivières et des collines. Vues d'en haut, ses possibilités subjuguent. À terre, c'est différent. Mon petit garçon l'a remarqué. Nous avions pris une voiture à Bandra Reclamation, et en cours de route il s'est soudain écrié : « Regardez ! D'un côté c'est des villages, de l'autre des immeubles. » Les bidonvilles lui apparaissaient précisément pour ce qu'ils sont : des villages dans la ville. Le choc visuel que procure Bombay tient à cette juxtaposition, et il est très vite suivi par une série de répliques violemment perçues par les autres sens : le vacarme de la circulation, d'autant plus assourdissant qu'on roule vitres ouvertes dans ce pays chaud ; l'odeur de poisson pestilentielle des castagnoles mises à sécher à l'air libre ; l'inévitable contact moite avec tous les corps bruns qui se pressent dans les rues ; le goût cuisant du chutney à l'ail généreusement tartiné sur le vadapav * avalé à l'arrivée, sous l'emprise du décalage horaire.

Sitôt surgi de terre, Bombay devint le centre d'une culture unique en Inde. Tout y est affaire de transaction – dhanda *. Cité marchande dès l'origine, porte ouverte sur le reste du monde, Bombay accueille à bras ouverts les négociants de tout poil. Gerald Aungier, qui fut gouverneur de la Compagnie des Indes de 1672 à 1675, lui octroya les libertés de culte et de circulation, rompant ainsi avec la politique féodale et religieuse des Portugais. Devenue port franc au sens plein du terme, la ville put alors prospérer. Quand la guerre de Sécession américaine priva l'Angleterre de ses approvisionnements en coton, Bombay s'engouffra dans la brèche et, en cinq ans, de 1861 à 1865, les recettes tirées de cette culture augmentèrent de quatre-vingt-un millions de livres. En 1869, avec l'ouverture du canal de Suez qui diminua de moitié les temps de transport dans l'empire, Bombay put se targuer d'être pour de bon la porte de l'Inde et supplanta Calcutta au rang de ville la plus riche des Indes. La ruée date de là : des foules venues de toutes les régions du sous-continent, de l'autre bout de la terre, accoururent à Bombay Portugais, Moghols, Britanniques, Gujeratis, Parsis, Marathes, Sindhis, Penjabis, Biharis... et Américains.

Sur la carte de la Région métropolitaine de Mumbai publiée par l'Office de développement régional, la mention « côte Ouest de l'Inde » s'inscrit en travers des territoires situés au-delà de la limite orientale. Cette étonnante imprécision cartographique a en fait son importance et sa validité, car Bombay n'a effectivement commencé à se penser en ville indienne qu'à la fin du XIXe siècle. Aujourd'hui encore, certains préféreraient d'ailleurs qu'elle jouisse d'un statut de ville-État, comme Singapour. « Oh, soupirent-ils, vous imaginez si on était comme Singapour ! » Alors Bombay ne serait plus obligé de traîner le boulet indien, et ils s'en réjouissent comme un jeune couple qui viendrait enfin de perdre la tante grabataire logée et soignée chez lui pendant un temps infini. Il en coûte d'établir des liens entre une ville et son arrière-pays. Les affrontements entre hindous et musulmans de 1992-1993, les attentats à la bombe qui ont frappé Bombay et les avions venus s'écraser sur le World Trade Center en 2001 ont chamboulé, en même temps que les paysages urbains, une certaine vision de la géographie : l'idée que ces îles-villes pouvaient vivre isolées des terres qui les jouxtent à l'est – l'Inde, dans le cas de Bombay, et le reste du monde dans celui de New York. Tout cela, nous semblait-il alors, ne nous concernait que de très loin.

La Porte de l'Inde, massive structure ogivale en basalte jaune surmontée de quatre tourelles, fut érigée en 1927 pour commémorer l'arrivée à Bombay, seize ans plus tôt, du roi George V ; l'ironie de l'histoire veut qu'elle marque en réalité son départ définitif. Lorsqu'ils quittèrent l'empire, en 1947, les Britanniques défilèrent sous cette arche, les dernières de leurs troupes s'y engagèrent le cœur gros avant d'embarquer dans leurs derniers navires. Pour ma famille aussi Bombay a valeur de seuil ; nous nous y sommes arrêtés une dizaine d'années au cours du voyage de Calcutta en Amérique. Et nous avons attendu notre bateau sous l'arche. Les villes sont des portes qui donnent accès à l'argent, à la position sociale, aux rêves et à l'enfer. L'émigrant du Bihar désireux d'aller aux États-Unis a tout intérêt à suivre un stage dans le camp d'entraînement de l'Occident : Bombay, lieu idéal pour cette acclimatation.

La population du grand Bombay, actuellement estimée à dix-neuf millions d'habitants, est supérieure à celle de cent soixante-treize pays du monde. Si Bombay était un pays, il se classerait en 2004 au cinquante-quatrième rang mondial. Il faudrait étudier les villes comme on étudie les pays. Chacune possède en propre une culture citadine, de même que les pays ont une culture nationale. À l'instar des habitants de New Delhi, des New-Yorkais, des Parisiens, les gens de Bombay ont des qualités typiquement bombayites – la manière dont les femmes marchent dans la rue, les divertissements nocturnes des jeunes, les définitions du plaisir ou de l'horreur. La croissance des mégalopoles est un phénomène asiatique : onze des quinze plus grandes villes du monde se trouvent en Asie. Pourquoi les Asiatiques aiment-ils tellement vivre en ville ? Peut-être apprécions-nous plus que d'autres le contact de nos semblables...

L'Inde n'est pas un pays surpeuplé. La densité de la population y est plus basse que dans bien des pays qu'on ne range pas dans cette catégorie. En 1999, on dénombrait moins de 310 habitants au kilomètre carré en Inde, contre 340 en Belgique et 390 aux Pays-Bas. En Inde, la surpopulation touche uniquement les villes. Singapour compte 6 590 habitants au kilomètre carré ; Berlin, la plus peuplée des villes européennes, 2 940 seulement. En 1990, la densité de population moyenne de l'aire urbaine de Bombay s'établissait à 4 200 personnes au kilomètre carré. Dans certains quartiers du centre, elle approche actuellement les 400 000 personnes. C'est en vain qu'on chercherait ailleurs sur la planète un endroit où se massent autant d'individus. Ils ne se répartissent évidemment pas de façon homogène sur l'île. Les deux tiers s'entassent sur cinq pour cent à peine de la superficie totale, tandis que le tiers des plus riches ou des mieux protégés par les baux locatifs monopolisent les quatre-vingt-quinze pour cent restants.

Il y a cinquante ans, c'est dans les zones rurales qu'il fallait aller pour voir l'Inde active. En 1950, les paysans contribuaient pour soixante et onze pour cent au produit intérieur brut. Aujourd'hui ce dernier dépend à soixante pour cent des villes ; celle de Bombay verse à elle seule trente-huit pour cent des impôts prélevés par l'État. Sa surpopulation est due à l'appauvrissement des campagnes : les jeunes qui rêvent d'avenir prennent le premier train à destination de Bombay pour vivre sur le trottoir. Réglez le problème des campagnes et du même coup, heureuse retombée, vous réglerez le problème des villes.

« Bombay est un oiseau d'or », m'a confié un vieillard logé dans un taudis sans eau ni toilettes pour m'expliquer pourquoi il était venu ici et pourquoi la ville continuait d'attirer les foules. La bouteille de dom pérignon qu'on vous sert au Bayview, le bar de l'hôtel Oberoi, coûte une fois et demie le revenu annuel moyen ; et quarante pour cent des logements de Bombay n'ont pas l'eau potable. Un autre de mes interlocuteurs disait les choses autrement : « Personne ne crève de faim, à Mumbai. » La déclaration est à prendre au pied de la lettre : on meurt toujours de faim dans d'autres parties du sous-continent. Ici, les centres d'amaigrissement se comptent par centaines. Selon un diététicien qui travaille dans l'un d'eux, les mannequins de mode sont à la limite de l'anorexie. C'est ainsi que les Bombayites se démarquent du reste de leurs compatriotes. « Dans toutes les classes sociales de Bombay, m'a raconté ce diététicien, il y a plus de gens désireux de perdre du poids que d'en prendre. »

Bombay est la plus grosse ville de l'Inde, et la plus dissolue, la plus riche. Elle pourrait servir de cadre à ce passage du dixième chant de *La Bhagavad-Gita* où le dieu Krishna célèbre sa magnificence :

> *Je suis la mort qui détruit tout*
> *Et l'origine des choses encore à venir [...]*
> *Je suis l'argent joué par les gredins*
> *La splendeur des splendides.*

Bombay est une maxi-ville, à tous égards excessive.

LE PAYS DU NON

« Je pourrais brancher le gaz chez moi ?
– Non.
– Avoir une ligne de téléphone ?
– Non.
– Inscrire mes enfants à l'école ?
– Impossible.
– J'attends des colis des États-Unis. Ils sont arrivés ?
– Je n'en sais rien.
– Vous pouvez vous renseigner ?
– Non.
– Je pourrais réserver une place de train ?
– Non. »

L'Inde est le Pays du Non. Le non y a valeur de test d'entrée. Il faut le dépasser, franchir cette Grande Muraille indienne qui protège le pays des invasions étrangères. Traquer le non sans répit et l'anéantir, tel est le défi à relever. Dans la tradition d'enseignement guru-shishya (de précepteur à disciple), chaque fois qu'il essaie d'approcher du maître le novice essuie une rebuffade. Puis vient le moment où le maître, cessant de lui opposer des refus sans pour autant acquiescer à ses demandes, tolère sa présence. Au bout d'un certain temps, il commence à lui assigner des tâches serviles destinées à le dégoûter. Ce n'est que si l'élève s'accroche et supporte toutes ces phases de rejet qu'il sera enfin jugé digne de recevoir la connaissance sublime. L'Inde n'est pas un pays pour touristes. Elle ne se révèle qu'à ceux qui y restent envers et contre tout. Le « non » risque de ne jamais se transformer en « oui », mais à la longue on apprend à ne plus poser de questions.

« Vous croyez que je vais trouver un appartement à louer dans mes moyens ?
– Non. »

Moi qui débarque de New York, je suis pauvre, à Bombay. Dans les quartiers Sud où j'ai vécu enfant, un coquet deux-pièces se loue deux mille trois cents euros par mois, plus cent cinquante-huit mille euros de caution, sans intérêt et restituable en roupies. Pourtant les prix de l'immobilier viennent de chuter de quarante pour cent ! Je surprends cette conversation au téléphone, entre un agent immobilier et un autre, représentant le propriétaire d'un appartement que je dois visiter : « Mais l'intéressé est américain, il a un passeport américain, un visa américain. Sa femme a un visa britannique... Quoi ? ... Oui, il est d'origine indienne. » Il raccroche et, désolé, me déclare : « Il ne loue qu'aux étrangers. » Ainsi que me l'a expliqué un autre de ses collègues, en effet, « les Indiens ne veulent pas louer aux Indiens. Les choses seraient différentes si vous étiez cent pour cent blanc ». J'y vois au moins un signe que mon passeport ne change rien à rien. Même à l'autre bout du monde je continue à faire partie de la multitude des voyous basanés. À Varanasi *, je me suis vu refuser l'entrée d'une auberge de jeunesse pour des motifs similaires : je suis un Indien, un violeur potentiel de femmes blanches.

La Terre est ronde, mais l'envie d'en faire le tour ramène toujours au point de départ. « Tu peux chercher partout, mais je te garantis que tu vas t'installer à Dariya Mahal », m'avait prédit mon oncle. Pourtant, il ne me disait rien, cet appartement que j'étais allé visiter dès qu'on me l'avait proposé. J'y suis retourné et il ne m'a pas plu davantage. Il me semblait néanmoins que je ne pourrais jamais vivre ailleurs à Bombay. L'univers est téléologique. J'ai grandi dans le troisième des immeubles bâtis autour du palais. Mon grand-père habitait dans le premier. Et maintenant je vis dans le deuxième, histoire de boucler la boucle. Le temps fantôme et le présent sont sans limites. C'est là qu'une brute m'a tabassé, là que j'ai rencontré la femme de ma vie à Holi *, ici les hommes forment des pyramides pour casser le pot au trésor, à cet endroit la mystérieuse caravane Néfertiti s'arrêtait à chacun de ses passages. Un de ces jours, je le crains, en entrant ou en sortant je vais tomber sur l'inconnu que je porte en moi. Le cadavre inhumé dans son sépulcre de chair va surgir et me sauter dessus par-derrière.

L'employé qui travaille dans le bureau de mon oncle et avec qui j'ai joué petit – il habitait Dariya Mahal 3 – dit de Dariya Mahal 2 qu'il est « cosmopolite ». Les agents immobiliers de Nepean Sea Road qualifient ainsi les immeubles où les Gujeratis ne sont pas majoritaires. Dans leur bouche, l'adjectif n'a rien de flatteur. « Cosmopolite » désigne tout le monde en dehors des Gujeratis et des Marwaris. Il s'applique indifféremment aux Sindhis, aux Penjabis, aux Bengalis, aux catholiques et à Dieu seul sait qui. Des non-végétariens. Des divorcés. Les « cosmopolites » me fascinaient, quand j'étais enfant. Leurs filles, inaccessibles aux garçons comme moi, me paraissaient plus belles. Les Gujeratis parmi lesquels j'ai grandi étaient tous « petits et doués pour le commerce », conformes au stéréotype dont parlait Nehru. La paix des familles gujeraties repose sur l'absence de tension sexuelle ; l'espace familial est une oasis à l'abri de toute forme de luxure. C'est en vain qu'on chercherait en Inde une communauté plus strictement végétarienne et moins martiale. Les Gujeratis prennent la vie du bon côté. Contre vents et marées, tremblements de terre et faillites, à la question « comment ça va ? » ils répondent presque systématiquement « le moral est bon ».

Nous avons dû rencontrer le propriétaire de l'appartement, un diamantaire gujerati, pour négocier le bail. Membre de la communauté jaïn palanpuri *, c'est un végétarien pur et dur. Il demande à mon oncle si nous le sommes aussi. « Arre, encore plus que toi et moi ! Sa femme est une brahmane », rétorque mon oncle, et grâce à cela nous obtenons la ristourne végétarienne : une diminution de vingt pour cent du prix du loyer. Le ton utilisé par mon oncle laisse toutefois transpirer le léger mépris dans lequel les vaishyas, la caste des commerçants, tiennent les brahmanes. Ces derniers sont des pantujis – des professeurs, des gens comme il faut. Ils ne connaissent rien aux affaires et n'imaginent pas, par exemple, qu'un enterrement n'est pas simplement l'occasion de se remplir la panse. Quelles qu'aient pu être les raisons qui, il y a des siècles, ont amené mes ancêtres à changer de caste (brahmanes nagars * ils sont devenus vaishyas), elles nous ont été profitables. Passer d'une caste à une autre est une sorte de mécanisme adaptatif destiné à assurer la survie. Les brahmanes respectés à l'époque où chacun redoutait les dieux avaient tout à gagner à devenir vaishyas quand tout le monde s'est mis à aduler l'or. Nous vivons qui plus est dans une ville naturellement capitaliste – vaishya nagar – , qui saisit au quart de tour les humeurs et les mouvements de l'argent.

Mon père a une règle, pour choisir un appartement : il veut pouvoir s'y changer sans être obligé de tirer les rideaux. Pour peu qu'on la respecte, cette règle simple assure deux choses : une certaine intimité et un apport d'air et de lumière suffisant. Je l'avais oubliée quand j'ai versé la caution du deux-pièces de Dariya Mahal. Des immeubles imposants le cernent de toutes parts et les gens qui passent en bas ou sortent sur les balcons d'en face ont une vue enviable sur ses moindres recoins. Ils nous voient nous déplacer à l'intérieur, cuisiner, manger, dormir, travailler. Dariya Mahal 2 comprend vingt étages, à raison de dix appartements par palier. Chaque appartement abrite en moyenne six résidents et trois domestiques ; quant aux effectifs du personnel de maintenance extérieur (vigiles, ouvriers du bâtiment, gens de ménage), ils représentent environ une personne par logement. Autrement dit, deux mille individus vivent dans cet immeuble. Il y en a deux mille autres dans celui d'à côté, et encore deux mille autres dans celui de derrière. Enfin deux mille élèves, enseignants et employés divers fréquentent l'école située au milieu. Soit un total de huit mille personnes amenées à cohabiter dans un mouchoir de poche. La population d'une petite ville.

L'appartement dans lequel nous avons emménagé a été conçu par un sadique, un blagueur ou un imbécile. La fenêtre de la cuisine n'aère que le réfrigérateur, ou plus exactement le chauffe, car rien n'est prévu pour l'équiper de rideaux alors que le soleil cogne en plein dedans. Quand on le branche, le ventilateur installé dans un renfoncement sombre éteint automatiquement la flamme du gaz, ce qui est logique puisque l'espace destiné à la cuisinière est placé juste en dessous. Pour avoir un peu d'air dans le salon, il n'y a d'autre solution que d'ouvrir la fenêtre du bureau, qui donne vers la mer, avec pour effet d'aspirer à l'intérieur une dune de vilaine poussière épaisse, granuleuse, assortie de cochonneries diverses et variées ; dont des tas d'emballages de lait vides, un couvercle de casserole en plastique maculé de taches de bétel, une couche de bébé (sale), et même, une fois, un cône de glace en plastique encore nappé d'une sirupeuse pellicule de crème. Dehors, la pluie ininterrompue de sacs en plastique bariolés a remplacé les vols de perroquets de mon enfance. Comme nous vivons presque au ras du sol, à cinq heures du soir il fait déjà noir dans le salon. Nous ne pouvons pas plus nous passer de la climatisation que de l'éclairage électrique ; d'où des factures d'électricité exorbitantes, le prix à payer pour tenir l'environnement extérieur à l'écart.

L'appartement est meublé selon les critères du luxe à l'honneur chez les diamantaires, qui cultivent une conception particulière du bien vivre. Pas vulgaire à proprement parler, puisque ces marchands-là sont pour la plupart des jaïns : réservés, sobres, végétariens, ils ne touchent pas à l'alcool et ne jurent que par la monogamie. Dans les fêtes, pour autant qu'ils y aillent, on repère à tout coup ces buveurs de Coca en chemise blanche et pantalon noir. Ils n'ont pas de maîtresse, ils respectent les liens sacrés du mariage et ils élèvent bien leurs enfants. Leurs choix en matière de décoration dénotent cependant une certaine extravagance qui s'exprime sans retenue dans l'appartement que je loue. L'énorme lampe en porcelaine qui écrase le salon est décorée de trois nymphes grecques batifolant, à moitié nues, en se tenant chacune par un sein, tandis qu'une pluie de feuilles en cristal éblouissantes dissimule pudiquement leurs visages. Des filets d'or véritable courent sous le plateau en verre de la table sur laquelle nous prenons nos repas, elle-même flanquée de deux autres lampes, l'une en forme de poire géante, l'autre de monstrueuse fraise rose, qui sitôt allumées se mettent à briller d'une vie intérieure fructueuse. Un lustre agrémenté de feuilles roses pend au-dessus des canapés tapissés de rouge vif – et autrefois munis de cordelettes à pompons dorés que les enfants se sont empressés d'arracher. Fidèle à cet esprit végétal, la chambre parentale s'orne au plafond de deux grosses branches dorées dont les feuilles gigantesques abritent des ampoules de cent watts ; des lianes exubérantes d'un vert vif grimpent à l'assaut de la penderie ; quand on ouvre les portes, la vue se trouble devant la cascade impétueuse peinte à l'intérieur des battants. Sur le miroir de taille impressionnante, un soleil jette des rayons tentaculaires à la surface de la glace. Le miroir de l'autre chambre est une éruption galactique d'étoiles bleues ; des vitraux décorés de vagues turquoise, rouges et vertes garnissent les petites fenêtres. De jour comme de nuit, l'ensemble est affreusement discordant.

Petit à petit, le logement prend forme. Les propriétaires y ont laissé une partie de leurs affaires. Les placards regorgent de divinités hindoues et jaïns. Nous les entassons dans des tiroirs, disposons les nôtres sur une étagère du bureau. Contre l'avis de notre bailleur, nous décrochons le lustre rose, puis la lampe grecque. Il est blessé quand nous lui parlons de cette dernière. « Quand vous avez déposé le lustre, je n'ai rien dit, mais la statue, ça je n'apprécie pas. » J'explique que ce n'est pas son goût que je remets en cause ; j'ai seulement voulu protéger le chef-d'œuvre contre de possibles funestes projets des enfants.

Chaque jour l'appartement est nettoyé et astiqué de fond en comble. Nous nous sommes familiarisés avec le système de caste du petit personnel. La bonne à demeure ne fait pas les sols : cette tâche incombe à « l'indépendante ». Ni l'une ni l'autre ne touchent aux toilettes, domaine exclusif d'un bhangi * qui n'a pas d'autres compétences. Le chauffeur ne lave pas la voiture ; ce serait empiéter sur les fonctions du gardien de l'immeuble. Notre modeste logis grouille en permanence de serviteurs, de subalternes. Tous les matins nous sommes réveillés à six heures, par la dame affectée au ramassage des poubelles qui vient chercher les déchets de la veille. À partir de là, c'est un défilé

continu : il y a le laitier, le livreur de journaux, l'affûteur de couteaux, le récupérateur de papiers et de bouteilles, la masseuse, le
réparateur du câble... Tous les services du monde livrés à domicile, dès potron-minet.

Millimètre par millimètre, la montagne se déplace. Les prises
de terre ont été posées, la télé est branchée sur le câble et nous
avons des lignes de téléphone à l'américaine. D'ici peu nous
aurons accroché des rideaux et nous pourrons aller et venir tout
nus, le test ultime pour se sentir vraiment chez soi. Nous nous
sommes entendus avec un vendeur de noix de coco : tous les
matins il nous apportera du jus de coco frais. Les éléments du
luxe et de la volupté se mettent en place. Nous boirons du jus de
coco au petit déjeuner et du vin au dîner. Le soir où j'utilise la
cuisine pour la toute première fois, j'en tire un repas italien : far-
falle aux champignons et tomates séchées, salade de poivrons,
oignons blancs, tomates et concombres. Nous l'accompagnons
d'un vin blanc des Sahyadris (un chardonnay correct). Les pâtes
et la salade doivent tout à l'huile d'olive sicilienne achetée dans
une épicerie italienne de la 10e Rue Est, le plus volumineux des
articles apportés dans mes bagages.

Dans le mois qui suit l'arrivée de ma famille, tel Werther
pourchassant Lotte je traque les plombiers, les électriciens, les
menuisiers. L'électricien attaché à l'immeuble est un type arran-
geant. Il passe en fin de journée, me décrit dans le détail
l'installation électrique de l'appartement, qu'il connaît par cœur
grâce à maintes visites antérieures, et effectue, par-ci, par-là,
des rafistolages provisoires, gages d'innombrables visites ulté-
rieures. La seule ligne de téléphone dont je peux me servir pour
appeler à l'étranger tombe en panne. La semaine dernière, c'était
l'autre. Les gens qui peuvent se le permettre ont deux lignes, vu
qu'il y en a toujours une qui lâche. Il faut alors contacter le service du téléphone et acheter les techniciens pour qu'ils réparent.
Les défaillances du système font aussi des heureux.

Quant au plombier, il me donne des envies de meurtre. Il est
odieux, il est ignoble, il a les dents de travers, noircies par le

bétel. Il dresse les habitants de l'immeuble les uns contre les autres, raconte à mes voisins du dessus et du dessous que c'est à moi de payer pour les nombreuses fuites qui inondent mes toilettes et en ressortent, après quoi il vient me dire que je dois les convaincre de payer. Le chauffe-eau, les interrupteurs, les robinets, les chasses d'eau, les tuyaux, rien ne marche. Un liquide d'une couleur suspecte suinte à grosses gouttes du plafond. Le président de l'association des résidents m'explique que toutes les canalisations de l'immeuble sont pourries. Les conduites d'écoulement prévues pour être placées dehors ont été encastrées. Les occupants des logements modifient les choses à leur gré et ne font pas appel au plombier de l'immeuble pour réparer les fuites. Il n'y a plus une seule conduite droite ; chaque fois que quelqu'un entame des travaux de rénovation, et cela n'arrête pas, il engage un plombier indépendant pour modifier le tracé des canalisations gênantes. Le trajet naturel des eaux propres et usées en est contrarié, les flux se mélangent. Bref, du vingtième étage au rez-de-chaussée, l'eau sale progresse selon des zigzags et des dénivelés aussi raides que le lacet en épingle à cheveux d'une route de montagne. Les bouchons de saleté qui s'accumulent à tous les coudes bloquent l'écoulement. La municipalité n'applique pas les sanctions prévues pour les travaux non autorisés. Un flot répugnant menace en permanence d'envahir mes sanitaires, comme cela s'est déjà produit dans d'autres appartements de l'immeuble. Les artères de l'édifice sont encrassées, sclérosées. Sa peau part en lambeaux. Et pour le privilège de pouvoir réparer les lieux, chaque mois je dois régler le loyer.

Il faut aussi réapprendre l'art de la patience dans les files d'attente. À Bombay, tout est prétexte à faire la queue : voter, trouver un logement ou un travail, obtenir un visa, réserver une place de train, passer un coup de fil, aller aux toilettes... Et quand enfin votre tour arrive, vous n'êtes que trop conscient des centaines de milliers de millions de personnes qui piétinent derrière vous. Allez, allez, on se dépêche ! Le suivant ne se tient d'ailleurs jamais dans le dos du premier de la file, mais toujours à sa hauteur, comme s'ils étaient ensemble, si bien qu'il suffit d'esquisser un pas de côté pour occuper la place enfin libérée.

L'essentiel de nos journées passe ainsi. Bombay est hostile aux étrangers et aux expatriés nostalgiques. Nos dollars nous permettent de nous tailler une petite place au soleil, c'est vrai, mais la ville les empoche en grommelant. Elle croule sous la pression de ses quatre cent mille habitants au kilomètre carré. Elle n'a pas plus envie de moi que du pauvre Bihari sans ressources, mais comme elle ne peut pas se débarrasser de nous elle s'ingénie à nous rendre la vie dure en nous menant une guerre sans relâche, en nous tirant dans les pattes, en provoquant chaque jour de nouvelles petites crises. Toutes ces contrariétés cumulées peuvent transformer en tueur le plus pacifique des hommes, surtout s'il vient d'un pays où les choses marchent mieux, où les services publics se montrent plus réceptifs.

Longtemps avant le changement de millénaire, les Indiens, à commencer par l'ancien Premier ministre Rajiv Gandhi, pensaient déjà faire entrer leur pays dans le XXIe siècle. Comme si le XXe siècle n'était qu'une parenthèse à refermer au plus vite. L'Inde aspire à la modernité : elle veut des ordinateurs et les technologies de l'information, des réseaux neuronaux, des caméras vidéo partout. Pourtant la fourniture d'électricité est loin d'être assurée en continu sur la majeure partie du territoire national. Dans ce domaine comme dans tous les autres, le pays se rit de l'obstacle des savoirs fondamentaux : ici, on ouvre des écoles d'informatique et de gestion de niveau international, inaccessibles aux millions d'analphabètes ; on est à la pointe de la chirurgie cardiaque et de l'imagerie médicale alors que les maladies infantiles les plus faciles à soigner restent endémiques ; tout le monde n'a pas l'eau courante, loin de là, mais on vend des machines à laver au fond de boutiques plongées dans le noir presque toute la journée à cause des coupures d'électricité ; on subventionne une bonne dizaine d'opérateurs de téléphonie mobile publics et privés au lieu de remettre en état le réseau téléphonique national ; on inonde le marché de voitures neuves capables de passer en dix secondes de zéro à cent kilomètres à l'heure, alors qu'il n'existe pas de routes où cette performance soit réalisable, sauf à tuer tout ce qui bouge, hommes et bêtes.

Selon cette vision optimiste du progrès technologique, il faut vouloir la lune très fort : alors, la distance qui nous en sépare se franchit comme par enchantement. Sa main-d'œuvre technique place l'Inde au troisième rang mondial, mais un tiers de son milliard d'habitants ne sait ni lire ni écrire. Un scientifique indien peut parfaitement concevoir un superordinateur, mais l'appareil ne marchera pas car le personnel chargé de la maintenance n'est pas suffisamment compétent. Ce pays qui forme les plus brillants cerveaux techniques du monde ne juge pas nécessaire d'apprendre à mon plombier à réparer les toilettes une bonne fois pour toutes. Toujours brahmane dans l'âme, le système d'éducation rejette ceux qui travaillent de leurs mains. L'enseignement porte sur la lecture et l'écriture, les abstractions, les grandes idées.

Résultat, dans le Pays du Non rien ne s'arrange du premier coup. Ici, on ne se contente pas d'appeler un réparateur, on entame une relation avec lui. On ne peut pas non plus lui déclarer *ex abrupto* que c'est un nul ou un escroc car on aura bientôt besoin de lui pour arranger ce qu'il vient de casser. Les Indiens sont des artisans de génie, mais la production de masse et la standardisation qu'elle implique n'est pas leur fort. À Bombay, tout ce qui est moderne coince : la plomberie, le téléphone, la voiture, occasion d'embouteillages monstres. Bombay n'a rien de la ville indienne telle qu'on pouvait la concevoir. C'est une imitation de ville occidentale dont le modèle serait le Chicago des années vingt. À l'instar des autres imitations de l'Occident si prisées dans le pays – les chansons pop en hindi, l'électroménager, les accents que les gens se donnent, les soirées chic –, Bombay n'est ni d'ici ni de là-bas.

Une des batailles à livrer pied à pied, au Pays du Non, concerne l'approvisionnement en gaz. Le gouvernement a le monopole du gaz à usage domestique, livré dans de grosses bon-bonnes rouges. Le jour où je me présente au bureau qui s'occupe de la chose pour le quartier de Malabar Hill, l'employé assis derrière le guichet me rétorque que les quotas sont dépassés. Les plans quinquennaux nationaux ne prévoient pas d'ajuster l'offre à la demande.

« Ce sera possible quand ?

– Peut-être en août. »

Nous sommes en mai. Dans l'intervalle, nous n'aurons qu'à manger des sandwichs.

De divers côtés, on me conseille de tenter ma chance au marché noir. Me voilà donc parti avec ma tante pour essayer de kidnapper un livreur de gaz. Justement nous en croisons un sur son vélo, dans Harkness Road. Ma tante bondit hors de la voiture et lui demande de but en blanc combien il me prendrait pour me fournir une bonbonne ; le problème, explique-t-il, ce n'est pas tant cette fameuse bonbonne que la prise de raccordement. Il promet de me rappeler quand il en aura trouvé une au marché noir.

Mon amie Manjeet est d'avis que je dois aller dans un autre bureau du gaz, accompagné de sa mère qui connaît bien les mœurs de Bombay. Sur place, j'expose mon problème – j'ai besoin d'une bonbonne – et explique que le bureau dont je dépends a malheureusement dépassé ses quotas.

« Vous connaissez quelqu'un au Rajya Shabha ? me demande l'employé en faisant allusion à la Chambre haute du Parlement.

– Non, pourquoi ?

– Ça simplifierait les choses. Les membres du Rajya Shabha peuvent se procurer autant de bonbonnes de gaz qu'ils ont les moyens d'en acheter. »

La mère de Manjeet juge alors bon de s'interposer.

« Il a deux enfants, s'écrie-t-elle en prenant à témoin les employées de sexe féminin. Deux petits enfants ! Et il n'a même pas le gaz pour faire bouillir le lait. Du lait, il leur en faut, pourtant ! Ils pleurent ! Comment il peut se débrouiller, lui, sans gaz pour faire bouillir le lait de ses deux bouts de chou ? »

Dès le lendemain matin, nous avions le gaz dans la cuisine. La mère de mon amie avait réussi à ébranler l'administration. Sans s'embarrasser des règlements, des procédures et des formulaires officiels, elle en avait appelé au bon cœur des fonctionnaires qui, apitoyés, nous avaient indiqué la faille du système : si je commandais une bonbonne de gaz à usage commercial, plus grosse et plus chère que celle à usage domestique, je l'obtiendrais sans délai. Personne jusque-là ne m'avait donné cette information qui scella entre nous une affectueuse complicité. Le reste alla comme sur des roulettes. Les employés du bureau du gaz ont bien voulu faire comme si mon appartement était un commerce, et tous les deux mois, tenaillés par la vision d'horreur de mes deux enfants qui réclamaient leur lait en pleurant, ils m'ont ponctuellement livré l'indispensable bonbonne.

Censée durer trois mois, celle-ci s'épuise néanmoins en trois semaines. Parce que dans l'un des maillons de la chaîne de livraison, on en a siphonné la majeure partie pour la revendre au marché noir. Il nous est arrivé de tomber en panne un jour où nous recevions dix personnes à dîner. Le seul moyen d'être sûr de ne jamais manquer de gaz consiste à avoir deux bonbonnes. Tout le monde a sa petite combine pour y arriver ; les plus malins donnent une adresse de complaisance à partir de laquelle organiser le transfert, les autres graissent simplement la patte d'un fonctionnaire. Bombay vit de combines ; nous trempons tous dedans. Celui qui s'enrichit de la sorte est plus respecté que celui qui amasse une fortune à la sueur de son front, car si l'éthique bombayite encourage à s'élever au plus vite dans la société, il est clair que la combine est un ascenseur efficace. Inventer une bonne combine, c'est apporter la preuve qu'on a le sens des affaires et l'esprit affûté. S'échiner à la tâche et gagner de l'argent reste à la portée de n'importe qui. Cela n'a rien de si admirable. En revanche, exécuter une bonne combine, ça c'est du grand art !

Deux systèmes monétaires

Nous envisageons d'acheter une voiture mais la question demande réflexion. Les rues grouillent de voitures, aujourd'hui, et il y en a de toutes sortes : il est bien fini, le temps du duopole Fiat et Ambassador qui régnait sur la ville quand j'en suis parti. Le problème est que toutes ces voitures neuves n'ont à leur disposition que les vieilles routes d'autrefois. Où l'on circule nettement moins vite de nos jours, bien que les véhicules soient beaucoup plus rapides. Le conducteur qui prend possession de sa Suzuki, Honda ou BMW à moteur à injection juste sortie d'usine a intérêt à maîtriser l'engin, vu qu'en règle générale l'allure d'un trajet en voiture dans Bombay n'excède pas les vingt kilomètres à l'heure. Sur Marine Drive, par exemple, la seule artère où l'on puisse vraiment s'amuser au volant, la vitesse moyenne est passée de cinquante-cinq kilomètres à l'heure en 1962 à quarante en 1979, et en 1990 elle peinait à atteindre les vingt-cinq kilomètres à l'heure. Le soir, Marine Drive est envahi de jeunes qui roulent jusqu'à Nariman Point vitres grandes ouvertes, autoradios à fond, en fonçant aller et retour à quarante, cinquante kilomètres à l'heure au maximum.

La situation a cela de positif qu'en ville le nombre des accidents a effectivement diminué : entre 1991 et 1994, il a été ramené de 25 477 à 25 214, avec 319 morts « seulement » au lieu de 365. Ces statistiques confirment une observation que j'ai moi-même constatée : les automobilistes ont beau conduire n'importe comment, il y a très peu de casse. Ils ne vont pas assez vite pour être vraiment dangereux et peuvent toujours freiner à temps.

Les villes modernes n'ont pas su faire la paix avec l'automobile. Elles sont ce qu'elles sont à cause des voitures ; ceux qui roulent dedans vivent de plus en plus loin du centre. Les grandes villes continuent de grandir sous la poussée des autos et Bombay est d'ores et déjà asphyxié. Dans les trois immeubles Dariya Mahal, il y a deux voitures par appartement. En conséquence de quoi le personnel de gardiennage se livre en permanence à un jeu de chaises musicales avec les places de parking. La conversion des garages en supérettes, cabinets médicaux et ateliers de photocopieuses n'a pas arrangé les choses. Sans que rien n'ait été prévu pour, les commerces se sont brusquement multipliés dans le quartier de Malabar Hill. Les trottoirs ont disparu, et les gamins s'aventurent sur la chaussée à leurs risques et périls. Le terrain de jeux de mon enfance était un territoire que nous disputions aux bagnoles. Nous jouions entre, et autour. Or, les voitures ont sur l'intelligence humaine le même avantage que les insectes : la fécondité. Elles ont gagné la bataille. Aujourd'hui les enfants ne jouent plus sur le parking. Ils restent chez eux à regarder la télé.

Peu de temps après mon emménagement ici, mon amie Manjeet est venue me rendre visite. Quand elle arrive, ma place de parking où je lui avais dit de se garer est occupée par un autre véhicule. Alerté, je descends et trouve une Manjeet décomposée qui se cramponne à son volant au milieu d'un cercle menaçant de vigiles et de domestiques. Le gardien à qui je demande des explications m'indique un homme qui se tient dans l'entrée ; petit et trapu, visiblement éméché, ce quadragénaire moustachu veut savoir à qui il a affaire. Je lui retourne la question. « Je suis du comité de parking de l'immeuble ! » hurle-t-il en se penchant vers moi à me toucher.

Pendant ce temps, la bande de voyous jette des capsules de bouteilles et des cailloux sur la voiture de Manjeet. Ayant enfin réussi à arracher au gardien le nom du propriétaire du véhicule stationné à ma place, je vais sonner chez lui, au premier étage. Très détendu, ce type qui me reçoit en dhoti semble penser qu'il peut s'approprier cet emplacement au motif que personne ne s'en est servi depuis longtemps. « Votre appartement est resté inoccupé pendant un an, si ce n'est un an et demi. » J'exige qu'il descende avec moi et déplace sa voiture. Très énervé, je le préviens que je n'hésiterai pas à appeler la police et à faire embarquer l'ivrogne. « Surtout ne faites pas ça », dit-il en me regardant. Il s'arrête un instant et, sans cesser de me fixer, ajoute sur un ton très sérieux : « Vous ne savez pas de quoi cet individu est capable. »

Il libère la place sur laquelle je gare moi-même la voiture de Manjeet. L'ivrogne traîne à nouveau dans les parages, à quelques pas de nous, en compagnie d'un jeune homme curieux de savoir ce qui s'est passé. Refusant de m'attarder davantage, je remonte chez moi avec mon amie. Un peu plus tard, le jeune homme sonne à la porte.

« Un des pneus de la voiture est à plat, annonce-t-il. Ce type a dévissé la valve, je l'ai vu, mais ne descendez pas tout de suite, il est toujours en bas. Je vais l'éloigner, ensuite je vous conduirai à la station-service pour faire regonfler le pneu.

– Ça ne se passera pas comme ça ! Je vais lui montrer de quel bois je me chauffe !

– Non, attendez ! Pensez à votre famille. Où iriez-vous habiter ? »

Le jeune homme me raconte que l'ivrogne est médecin, qu'il habite au huitième et a, de notoriété publique, un fichu caractère. « Pourquoi avoir emménagé ici ? me demande le jeune homme. Tout le monde cherche à partir. »

Il est vrai que, même selon les critères de Bombay, l'immeuble est géré de façon calamiteuse. Cette nuit-là, tout en me tournant et en me retournant dans mon lit, je comprends que la violence à Bombay peut frapper à tout moment, tout près. En l'occurrence la dispute, comme de juste, concerne l'espace – une place de parking pour être précis –, l'usurpation illégale de l'espace et la défense musclée contre cet abus. « Vous êtes ici depuis combien de temps ? » n'a cessé de rugir le médecin. Le locataire du premier, qui trouvait normal de se garer sur mon emplacement, m'a posé la même question. Ces gens sont dans la place depuis assez longtemps pour juger normal de demander aux nouveaux arrivants de quel droit ils osent prétendre à des prérogatives contractuellement établies. Et ils tiennent les vigiles, censés veiller au respect de ces prérogatives que la loi me reconnaît.

Les places de parking seront au cœur des guerres du xxie siècle.

Les premiers temps de notre séjour à Bombay se passent à combattre les maladies qui frappent nos enfants nés sous d'autres latitudes. Cela fait déjà quinze jours que Gautama souffre de dysenterie amibienne. Il se précipite aux toilettes à tout bout de champ, il est maigre à faire peur : on lui voit les côtes sous la peau. La nourriture et l'eau de Bombay, la plus moderne des villes indiennes, sont souillées par la merde, première cause de la dysenterie amibienne. Autrement dit, à cause de nous notre fils a avalé de la merde. Peut-être avec la mangue qu'il a mangée l'autre jour, ou dans la piscine où nous l'avons emmené. Ou en buvant l'eau du robinet, puisque les conduites d'écoulement posées du temps des Britanniques fuient dans les canalisations d'eau propre installées juste à côté. Il n'y a pas de moyen de défense. Tout est recyclé dans ce pays dégueulasse qui empoisonne ses enfants, les oblige à bouffer sa merde.

À Bombay, il y a toujours « quelque chose dans l'air ». Ailleurs, selon les moments et selon les cas, on est bien-portant ou malade. Ici, les deux catégories ne font qu'une, et nous n'arrêtons pas de nous refiler les germes en famille, comme dans un championnat organisé par poules. Sunita et moi sommes tous deux affligés d'un mal baptisé « pharyngite granuleuse ». Pour nous en débarrasser, il faudrait cesser de respirer, car il est dû à la pollution qui sévit ici à fortes doses. Pas besoin de circuler en ville, de prendre le métro ou de bavarder au coin de la rue pour absorber Bombay par tous les pores de la peau, l'inhaler dans la gorge et provoquer ainsi l'éruption des granules. Nous éternuons et reniflons à qui mieux mieux. Le matin, quand on fait la poussière, ce sont de vrais monticules qui s'accumulent sous le balai : des quantités de saletés et de fibres agrémentées de quelques plumes. Mes enfants jouent là-dedans, ils aspirent dans leurs poumons un air dont la teneur en plomb est dix fois supérieure aux normes admises et qui retarde leur développement mental.

Je m'évertue à expliquer aux amis de passage que les choses n'ont pas toujours été comme ça, qu'autrefois Bombay était une ville agréable où l'on respirait sans même y penser. À la faveur d'une grève des taxis et des chauffeurs de maître, la pollution atmosphérique descend de vingt-cinq pour cent en dessous de son niveau habituel. Les citadins profitent de ces magnifiques journées de janvier pour s'oxygéner avec volupté. Il y a une éternité que Bombay n'a pas senti aussi bon en hiver. En temps ordinaire, respirer son air revient à fumer deux paquets et demi de cigarettes par jour. Avant, le soleil se couchait sur la mer. Maintenant il se couche dans le smog. La ville se partage entre zones climatisées et zones non climatisées. Je ne parviens pas à m'habituer à ces passages brutaux d'un monde à l'autre. J'éternue sans arrêt, j'ai le nez qui coule en permanence. On me conseille d'acheter une voiture avec la clim. Nous n'avons pas d'autre choix que de vivre sur un grand pied si nous voulons survivre.

La vie à Bombay nous coûte bien plus cher au début que par la suite. Pour les nouveaux arrivants c'est une ville impossible ; y trouver un logement, une école, est un vrai casse-tête. Ceux qui étaient là avant nous ont fait main basse sur tout. Quiconque envisage de s'installer à Bombay doit savoir qu'il devra démarrer en bas de l'échelle ; en haut, il n'y a pas de place. Pour emménager dans un quartier un peu sympathique il faut acquitter un octroi aux habitants de longue date, les anciens sages et patients. Et les villes, c'est connu, gardent jalousement le secret sur les bonnes adresses où acheter un seau à glace, une chaise de bureau, un sari. Les nouveaux payent plus cher parce qu'ils ne les connaissent pas. Nous chicanons sur des prix ridicules qui ne représentent rien pour nous : dix roupies, cela ne fait jamais que quarante centimes de dollars. À New York, nous aurions perdu quarante centimes sans même nous en apercevoir. Ici cela devient une affaire de principe, car celui qui cherche à nous extorquer ces dix roupies se dit par-devers lui : ils ne sont pas d'ici, ce ne sont pas des Indiens, bien fait pour eux s'ils se font rouler, ils n'ont que ce qu'ils méritent. Raison pour laquelle nous élevons la voix et exigeons qu'on nous facture le juste prix, celui indiqué au compteur, car agir autrement reviendrait à accepter ce statut d'étrangers qu'on nous assigne. Nous sommes indiens, nous paierons le prix demandé aux Indiens !

Le vol constitue une autre manière de taxer les nouveaux venus. Des voleurs, on en trouve jusque devant les portes de la maison de Dieu. Dans le temple de Siddhivinayak, des hordes de fidèles prient d'un cœur sincère pour la santé d'un proche, pour échapper à la faillite, pour être reçu à un examen. Un jour où je m'y rends, je découvre en sortant qu'on m'a volé les chaussures que j'avais laissées à l'entrée. Ce dieu censé accomplir des miracles n'a même pas su les protéger. Force m'est de marcher en chaussettes sur le trottoir dégoûtant.

Sau me ek sau ek beimaan
Phir bhi mera Bharat mahaan.

Traduction : « Sur cent personnes, cent un voleurs/ Mais mon Inde garde toute sa valeur. » Ce message inscrit à l'arrière d'une camionnette dit bien l'essentiel.

Il faut sans arrêt mettre la main à la poche. Le chauffeur nous demande des sous. Les bonnes nous demandent des sous. Les amis qui traversent une mauvaise passe ont besoin de sous. Des inconnus sonnent à la porte pour demander des sous. À Bombay, notre famille est une zone dépressionnaire entourée d'anti-cyclones ; les autres nous ont à l'œil, où qu'ils soient.

Putain de ville, oui. La mer devrait engloutir l'île, se soulever dans un raz-de-marée géant et la rayer de la carte, la submerger sous ses flots. Ou alors il faudrait un bombardement aérien. Tous les matins je pique ma crise, seule solution pour obtenir satisfaction. Les gens d'ici filent doux devant la colère, ils en ont peur. À défaut d'argent ou de relations, la colère fait parfaitement l'affaire. Je commence à comprendre l'utilité de l'accès de fureur simulé, très efficace sur les chauffeurs de taxi, les portiers, les plombiers, les fonctionnaires. En Inde, même mon lecteur de CD s'incline devant l'explosion de rage, la violence physique : lorsqu'il ne réagit pas à la légère pression que j'exerce sur la touche Play, une grande claque sur le côté le convainc de produire les sons attendus.

La nostalgie que j'éprouvais pour mon enfance m'a entièrement quitté. J'en suis venu à détester le territoire où j'ai grandi et où j'ai délibérément choisi de revenir. Qu'est-ce qui m'a pris de me mettre dans une situation pareille ? J'étais pourtant heureux, à New York, j'y vivais bien, on m'appréciait. J'avais deux endroits bien à moi, un logement et un bureau, et j'ai tout envoyé promener pour cette quête insensée, pour les ombres entraperçues dans les brumes du temps fantôme. Je n'ai plus qu'une envie, à présent : retrouver la ville que j'ai tant rêvé de quitter, rentrer à New York. L'hiver me manque, et les humains à peau blanche. Les images de blizzard que je vois à la télé me rappellent comme on est bien, dedans, quand dehors il fait si froid qu'il suffit d'entrebâiller la fenêtre pour sentir comme l'air glacial est solide, comme il force son passage dans les narines avec une âpreté à couper le souffle. Les soirs où ça va mal, il n'y a qu'à sortir pour que le froid piquant vous remette les idées en place et les yeux en face des trous.

Un jour, à New York, exaspéré de m'entendre sempiternellement lui réclamer de me réexpédier dans un lycée de Bombay, mon père se mit à hurler : « Quand tu étais là-bas, tu voulais venir ici. Maintenant que tu es ici, tu veux repartir là-bas. » Ce jour-là, pour la première fois j'endossai consciemment ma nouvelle nationalité : citoyen du pays du manque.

En 1998, peu de temps après notre arrivée à Bombay, l'Inde a fait exploser cinq bombes nucléaires, dont une à hydrogène. Ici, ce test grandeur nature déclenche partout le même sentiment exaltant : on a montré au monde de quoi on était capables, bhenchod ! Instantanément, pourtant, les indicateurs économiques du pays basculent dans le rouge. Les mauvaises nouvelles financières sont un coup dur pour Bombay. Ses habitants ont été amenés à croire qu'ils gagneraient chaque année un peu plus que l'année précédente, et pourraient donc consommer un peu plus : d'abord un grille-pain électrique, puis un téléviseur couleur, un réfrigérateur, une machine à laver, un lustre d'importation en cristal pour le salon, et pourquoi pas une petite voiture, un de ces jours. Ce dernier achat n'est généralement envisagé qu'au sommet de la pyramide, sauf pour ceux vraiment bénis par le sort qui ont les moyens de s'offrir un appartement. La pyramide plafonne à ce niveau. Les heureux propriétaires d'une voiture et d'un appartement s'angoissent à l'idée de l'avenir qui attend leurs enfants. Une fois le sommet atteint, il n'y a qu'un moyen de s'en sortir : oser le grand saut, s'exiler pour les États-Unis, l'Australie ou Dubaï. La transition de la Maruti à la Mercedes, du jean au costume Armani conduit nécessairement à franchir les frontières.

À la suite des essais nucléaires, les opportunistes de la finance internationale commencent à quitter Bombay, pas en masse, mais par petits groupes de deux ou trois. L'Inde n'est plus, pour l'heure, un pays où investir en toute sécurité. Créations récentes au regard de l'histoire, les villes telles que Bombay ou New York n'ont pas une population autochtone très importante et grouillent de gens qui ont la bougeotte. Ceux qui choisissent d'y poser leurs pénates ne trouvaient pas tout à fait les choses à leur goût, ailleurs. Et contrairement à d'autres, qui d'où qu'ils viennent ne se sentent jamais vraiment bien nulle part, ces gens-là n'hésitent pas à s'envoler vers d'autres cieux. Je suis bien placé pour savoir combien il est difficile d'arrêter de déménager, quand le pli est pris. Tout cela pour dire que si les Bombayites rêvent de l'Occident, ce n'est pas seulement à cause des richesses qu'il recèle, mais aussi pour l'excitante fébrilité que suscite un projet de départ au loin.

L'été, les Indiens qui vivent à l'étranger déferlent sur le pays. Hors saison, ils n'oublient pas d'envoyer des pochettes de photos : fiston devant le nouvel écran télé d'un mètre trente ; fifille sur le capot du nouveau monospace ; maman dans la cuisine américaine, la main sur le micro-ondes ; toute la famille s'en donnant à cœur joie dans la petite piscine du jardin, avec le

« pavillon » en arrière-plan. Ces images implantent des mini-bombes à retardement dans l'esprit des frères et sœurs restés sur la terre ancestrale. Ils regardent tour à tour les photos et leur deux-pièces de Mahim, et brusquement le canapé neuf et le combiné stéréo Akaï dans lesquels ils avaient investi avec tant de fierté leur paraissent minables et moches, en comparaison. Il fut une époque où ils pouvaient se rassurer en se disant qu'au moins ils élevaient leurs enfants dans le respect des valeurs indiennes. Sauf qu'aujourd'hui, quand les enfants des exilés arrivent pour les vacances, force est de constater que l'écart qui les sépare des gosses de Bombay n'est pas si grand ; ils portent les mêmes sweat-shirts et puisent dans le même sabir américain internationalisé pour parler des clips vidéo. Il n'est pas rare que les ados venus des pays froids expriment le désir d'aller dans un temple ; ils ont la tête farcie de tout ce qu'on leur a appris sur l'hindouisme dans les écoles réputées qu'ils fréquentent. Les jeunes d'ici préfèrent les emmener en boîte. Notre décision d'inscrire Gautama dans une école où les cours se font en gujerati suscite la stupéfaction, pour ne pas dire l'indignation. « Comment pouvez-vous faire une chose pareille à votre fils ? C'est vraiment lui gâcher ses chances, s'étonne la voisine du bout du couloir. Évidemment, remarque-t-elle après réflexion, pour vous ce n'est pas un problème. Tôt ou tard vous partirez. Si vous deviez vivre ici en permanence vous l'auriez mis à Cathedral. »

Tout un réseau de quasi-inconnus rencontrés récemment se met en place afin de nous aider à trouver une école pour Gautama. Ils connaissent qui un enseignant, qui le principal, qui le propriétaire de l'un des rares établissements comportant une maternelle, et ils s'emploient énergiquement à téléphoner de notre part à ces importants personnages, parfois même à se déplacer en personne pour les caresser dans le sens du poil et obtenir gain de cause. Ils brossent de nous un portrait d'étrangers innocents et mal dégrossis, ignorant tout des procédures d'inscription scolaire. Le fait que nous n'ayons besoin de la place que pour deux ans joue en notre faveur : quand Gautama la libérera, elle sera octroyée à quelqu'un d'autre en échange d'une faveur ou d'un don. Chaque place vacante est donc gage de pouvoir et d'argent. Dans les quartiers Sud de Bombay, il n'y a que sept établissements jugés suffisamment bien pour que les parents y envoient leurs enfants en confiance.

L'un d'eux, l'École internationale de Bombay, héberge huit familles dans ses murs. Locataires de longue date, elles sont protégées par la loi sur les baux locatifs. La porte à côté de l'entrée de la bibliothèque donne accès à un appartement privé. L'école manque cruellement de salles de classe mais il n'est pas en son pouvoir de déloger ces résidents. Elle en a hérité des années plus tôt, quand elle a acheté le bâtiment. On ne trouve plus nulle part de terrains sur lesquels construire de nouvelles écoles ; aucune n'a été créée dans le coin depuis que j'étais gosse, et cela alors que la proportion d'enfants est plus forte que jamais. Le système d'éducation ne peut pas les accueillir tous. Il faut les inscrire en primaire à la naissance. « C'est donc si difficile de mettre son enfant à l'école, à Bombay ? ai-je demandé au principal.

– Pas plus qu'escalader l'Everest. »

Nous voulons donc mettre Gautama dans une école gujeratie, or la seule qui ait une certaine réputation à Bombay est la New Era, fondée par des disciples de Gandhi. Un membre du conseil d'administration écrit une lettre en notre faveur, puis au terme d'une longue série de sollicitations et de supplications notre fils y est enfin accepté. Je vais l'attendre à la sortie, le premier jour, et le spectacle que je découvre m'emplit le cœur de joie : mon fils s'est fondu dans la masse. Je n'arrive pas à le reconnaître dans la foule d'écoliers noirauds en uniforme blanc. Pour la première fois de sa vie, c'est un gamin comme les autres.

Hélas, je vais très vite me rendre compte que là non plus il n'est pas « comme les autres ». Dans le bus qui nous ramène de New Era, la petite Komal me raconte, en gujerati, que sa grand-mère va bientôt venir la voir. Elle me montre des tatouages en décalcomanie qu'elle veut que je lui colle sur la main. De son cartable sortent des trésors merveilleux : une pomme de terre-porc-épic hérissée d'allumettes ; des dessins au trait à colorier ; une feuille de papier découpée en lanières maintenues ensemble par un lien lâche et qui, lorsqu'on les plie, révèlent des surprises. Komal me recommande de donner à la mère de Gautama l'adresse d'un bon magasin de chaussures. Mon fils essaie de lui parler ou de discuter avec d'autres enfants, dans le bus, mais personne ne comprend son anglais. Je lui demande pourquoi il ne s'exprime pas plutôt en gujerati.

« Je ne parle pas très bien le gujerati, m'explique-t-il d'une voix posée. Papa, mets-moi dans une école anglaise, s'il te plaît. » Requête qui plus tard lui vaudra cette remarque de mon oncle : « Tu as brisé le cœur de ton père. »

Gautama rentre de Head Start, sa nouvelle école de langue anglaise, et pour la première fois depuis que nous sommes installés ici il peut décrire sa journée en détail. Avec un piment en guise de pinceau, il a peint une maison et un soleil ; il a joué aux devinettes ; il a mangé un « idli * carré » – en fait un dhokla, un gâteau à la noix de coco qui est une spécialité du Gujerat. Je l'écoute avec ravissement. Il ne nous parlait jamais de ce qu'il faisait, à New Era, parce qu'il n'arrivait pas à suivre en gujerati.

Dès le premier soir, Sunita a au téléphone une mère d'élève qui l'invite à venir avec Gautama à une fête d'anniversaire organisée à l'école le samedi suivant. Le deuxième jour, elle se lie avec une autre (qui vient de déménager de Lagos avec toute sa famille) et prévoit déjà de l'accompagner à la piscine du club Breach Candy, autrefois réservée aux Blancs mais ouverte désormais à tous les détenteurs d'un passeport étranger. Nous sommes tout de suite intégrés dans ce milieu. La mère de Komal n'a pas tenu sa promesse de passer nous voir ; pas une des mères rencontrées à la New Era ne nous a jamais conviés, nous ou notre fils, à un anniversaire, et jamais leurs enfants ne sont venus jouer chez nous. Nous étions trop « cosmopolites », pour elles. Chacun fait partie du club qui l'accepte, et le nôtre se compose de gens aisés, d'anglophones, d'anciens exilés rentrés au pays. Head Start accueille les filles et les fils de gros industriels et de têtes couronnées. Mon fils ne recevra pas la même éducation que moi ; il sera formé au sein de l'élite, du moins de l'élite indienne. Si nous devions rester ici, il entrerait ensuite à Cathedral ou à la Scottish Mission et irait rejoindre les rangs de ces garçons qui me regardaient de haut, quand j'avais leur âge. Il est aussi difficile de descendre les échelons du système de caste que de les grimper.

À Head Start, les mères organisent implacablement les fêtes d'anniversaire de leurs rejetons. Mon fils a ainsi été invité dans un bel appartement de Cuffe Parade : babioles et gâteries venaient droit de Dubaï, un amuseur professionnel a présenté un chien dressé à jouer au basket. Gautama rentre à la maison avec trois assortiments de crayons de couleur et de feutres (articles dont je rêvais, petit) fabriqués à l'étranger. En tout il devait bien y avoir une centaine de gamins, à cette fête qui aura coûté dans les cent mille roupies [1] au bas mot (quelque mille sept cents euros). Quoi qu'il en soit, cela constitue un sage investissement, dans le milieu de la haute société bombayite, une manière de préparer les enfants à la vie de soirées et de réceptions qui les attend. Dans les classes huppées, deux questions taraudent en permanence les esprits de tous âges : Serai-je sur la liste de la prochaine fête ? Qui vais-je inviter à la mienne ?

Une frénésie particulière caractérise ces réjouissances organisées dans un pays pauvre. Pas de soir sans qu'il y ait une fiesta quelque part, aussi les invitations rivalisent-elles d'inventivité : elles vous arrivent dans un gant de laine, un verre à liqueur, une jolie boîte contenant aussi des pâtes, des champignons séchés et des herbes aromatiques d'Italie. Il s'agit là des fêtes des grandes personnes qui reçoivent, ou pas, celles et ceux qui étaient, ou non, reçus chez leurs parents du temps où elles allaient en classe. On y rencontre quantité de bombabes – de jolies femmes habillées court. À ce propos, un vrai changement s'est opéré en Inde

1. 1 euro = 58 roupies (N.d.T.).

où l'on croise maintenant des célibataires endurcis de trente ou quarante ans. Pour justifier son refus de se marier, l'un de ces réfractaires me donne sa version d'une vieille rengaine : « Si tu as du lait à volonté tous les jours, pourquoi t'embêter à acheter la vache ? » La vache, en l'occurrence une Bombabe trentenaire dont la date limite de vente sur le marché matrimonial a expiré depuis un an, si ce n'est trois. Brillante sur le plan professionnel parce qu'elle est célibataire, désespérément seule pour la même raison, c'est une proie toute désignée pour les hommes mariés, les lesbiennes, les obèses – quiconque souhaite l'enlacer jusqu'au bout de la nuit. En public, toutefois, rien ne transparaît de sa vulnérabilité. Il ne faut surtout pas que ça se sache. Les épouses en sont jalouses.

Bombay est bâti sur l'envie : les gens mariés envient ceux qui n'ont pas d'attaches, et vice versa, les petits-bourgeois envient les grands bourgeois, les richissimes envient ceux qui ne payent pas des impôts. Les panneaux publicitaires exploitent ce trait : « Il est à moi et j'en suis fier, les voisins en bavent », proclame le slogan d'une pub télévisée où l'on voit un démon vert cornu serrer un poste de télé entre ses pattes. La page trois du *Bombay Times*, les dernières pages de l'*Indian Express*, les colonnes du supplément dominical de *Mid-Day*, les pages métropolitaines des revues et des magazines sont toutes dédiées à l'envie, conçues pour que le lecteur se sente immanquablement plus pauvre qu'il n'est, plus laid, plus petit et, surtout, plus exclu. La ménagère de Dadar s'arrache à la lecture de la page trois pour regarder son mari à demi-nu dans son lunghi *, les cheveux brillants d'huile, et lui demande pourquoi il n'est jamais invité à ces fêtes, lui, pourquoi tous ces noms ne lui disent rien. Voilà comment se crée dans une grande métropole ce que les publicitaires appellent un marché de consommateurs « exigeants ».

À la vérité, les privilégiés de Bombay qui détestent habiter ici ne pourraient vivre nulle part ailleurs en Inde. Bangalore apparaît comme une possibilité aux plus optimistes, mais de là à s'y installer... Ceux qui partent vont à New York ou à Londres.

Mieux, ils importent New York et Londres ici même, dans des restaurants comme Indigo qui connaît un vrai succès de substitution. Il suffit d'en pousser la porte pour laisser derrière soi la rue pouilleuse et se retrouver à Soho. Personnel, nourriture, décor, rien n'a été épargné pour conférer à ce lieu un cachet étranger. L'Occident prospère au beau milieu du tiers-monde. Certaines de mes relations du Tout-Bombay peuvent m'indiquer le meilleur chocolatier de Paris mais ne savent pas où l'on trouve les meilleurs bhelpuris *, l'équivalent des pizzas new-yorkaises. C'est à croire qu'il faut un visa pour sortir des quartiers Sud de Bombay, franchir la frontière délimitée par l'échangeur de Mahim et passer de la zone des taxis à la zone des rickshaws. Malgré leur refus farouche de s'ouvrir à l'immense majorité de la ville, les plus fortunés en font cependant partie intégrante. Bombay a toujours favorisé les exils intérieurs – les snobs parisiens avaient leur fief à Colaba et Cuffe Parade était le territoire des banquiers londoniens. Dans les villes où ils rêvent d'aller s'installer, ces gens-là seraient largués, déchus. Ici, ils peuvent comme d'autres reproduire en miniature les mondes de leur choix.

Sunita et les enfants ne m'avaient pas encore rejoint à Bombay quand, un après-midi où je me rendais à pied à la librairie Strand, je croisais dans la rue une petite famille : la mère, échevelée, porte dans ses bras un bébé d'un an à peine qui dort comme un ange, et tient par la main un autre garçonnet qui se frotte les yeux de son poing libre. L'aîné doit avoir quatre ou cinq ans. Il marche comme les enfants quand ils en ont plein les pattes, en lançant les jambes de côté et en faisant rouler sa tête sur ses épaules pour rompre la monotonie et distraire la fatigue. Tous trois sont pieds nus. La mère parle gentiment au grand, en le serrant fort par la main. Je les croise, et puis c'est plus fort que moi, je m'arrête. Immobile, je les observe. Ils arrivent devant un étal installé sur le trottoir et là, évidemment, la mère se plante devant, paume ouverte. Le vendeur fait mine de ne rien voir. Machinalement, j'attrape mon portefeuille, j'y cherche un billet de dix mais j'en sors un de cinquante et je rejoins le groupe à grands pas, hors de moi. Je fourre l'argent dans la main de la femme – « Tenez, prenez » – et sans me retourner je m'empresse de filer, ne ralentissant l'allure qu'une fois à l'intérieur de la librairie climatisée où je me réfugie dans un coin et reste là, les yeux fermés.

Je les ai tellement identifiés à ma propre famille – une mère, deux petits garçons – que je leur imagine un passé, un avenir. Ils doivent marcher comme cela du matin au soir, pieds nus dans la chaleur. Cent fois par jour les gosses voient ce geste qu'a leur mère pour mendier. Et devant leurs jeunes yeux clairs cent personnes, toutes inconnues, injurient la mère, lui disent de dégager ou lui jettent quelques pièces. Elle qui pourtant les porte quand ils n'en peuvent plus. Certaines fois aussi, elle les pose par terre pour qu'ils avalent un peu de riz avant de s'endormir sur place, épuisés.

Toute la journée j'ai honte de dépenser de l'argent. Chaque somme que je débourse devient un multiple de ce billet de cinquante roupies. Dans les vingt minutes qui suivent mon geste charitable, je dépense six fois plus pour acheter des livres. La pizza que je commande pour le dîner vaut deux fois mon obole. Mon loyer mensuel, deux mille fois plus. Et ainsi de suite. Qu'est-ce que ça change de donner cinquante roupies à ces malheureux ? Pour moi, ce n'est rien ; de la menue monnaie, même pas le prix d'un jeton de métro à New York. Je n'arrive pas encore à prendre vraiment au sérieux ces coupures bariolées. En revanche, pour la mère (je ne peux me résoudre à l'appeler « la mendiante ») cet argent représente sans doute les gains d'une journée entière. Elle a peut-être emmené les enfants sous les arcades du fort pour leur offrir un de ces jouets que vendent les marchands ambulants. Ou acheté le remède si coûteux, au vu de ses moyens, censé guérir la vilaine toux du petit. Ou remis l'argent à son homme, qui en a profité pour se payer six autres bouteilles d'alcool local. Toute l'obscénité de la situation est là : nos vies respectives sont régies par deux systèmes monétaires incommensurables.

Je suis encore nouveau dans le pays, et cette histoire m'a profondément ébranlé. Je me sens vidé. Le soir, j'appelle Sunita à Londres pour m'assurer que les enfants vont bien. J'aimerais pouvoir les serrer contre moi. Les réactions que cette ville déclenche en moi sont toujours celles d'un étranger. Cela me rappelle ce que m'a raconté un ami français à propos de sa mère, assistante sociale à Paris. La première fois qu'elle est venue en Inde, à peine était-elle sortie de l'aéroport avec ses bagages qu'elle vit accourir vers elle une multitude d'enfants des rues, et parmi eux des bébés que portaient des bambins guère plus âgés. Bouleversée par leur misère, leur jeunesse, leur beauté, elle ouvrit ses sacs à même le trottoir et se mit à distribuer des cadeaux. Tout ce qu'elle avait emporté fut liquidé en quelques minutes. S'étant ainsi allégée, elle se mit debout et partit à la rencontre de l'Inde.

La veille au soir, j'étais passé au Library Bar où avait lieu une petite fête donnée par des milliardaires, des gens autrement plus riches que les Crésus que j'avais pu rencontrer à New York. Je revenais des slums [1] biharis de Madanpura, scènes d'un dénuement hallucinant. À l'heure où je me réveille dans cet appartement qui donne sur la mer, les enfants des taudis de Madanpura sont levés depuis longtemps. Ils doivent travailler sur les chantiers de construction, portant sur la tête des paniers de briques à moitié aussi lourds qu'eux. Ou, sans jamais cesser de courir, ils vont chercher le thé, lavent la vaisselle, s'empressent de satisfaire les désirs d'hommes mûrs. Une autre manière de vivre l'enfance.

Petit à petit, les choses s'organisent dans l'appartement de Dariya Mahal : une bonne, un chauffeur, une femme de ménage sont essayés, puis engagés ; les toilettes réparées sont en état de marche ; les communications avec le monde extérieur (journaux, courrier électronique, téléphones) sont établies. Nous

---

1. *Slum* : « bidonville ». Ce terme anglais est couramment employé dans le contexte indien, y compris par les francophones *(N.d.T.)*.

commençons à mieux maîtriser les grandes fluctuations de la lumière et de l'air, savons à quel moment de la journée il est bon de tirer les rideaux ou d'ouvrir les fenêtres, et dans quel ordre. Nous n'avons pas encore beaucoup d'amis mais déjà nous pouvons compter sur deux ou trois personnes que nous voyons au moins tous les quinze jours, si ce n'est une fois par semaine. Les Gujeratis du quartier ont entamé des travaux d'approche mais je les sens hésitants : ils se demandent comment procéder avec moi qui ne suis pas entré dans l'affaire familiale et ai épousé une fille de Madras.

Ashish nous appelle, de même que d'autres amis indiens restés aux États-Unis : « Tu penses que nous pourrions rentrer, nous aussi ? Ça fait un bout de temps qu'on se le demande, mais est-ce que ma femme va trouver du travail ? » Toute la question est de savoir dans quelle Inde il s'agit de rentrer. Ceux qui comme nous ont quitté le pays adolescents, à l'âge où la voix mue et où l'on ne se voit pas encore faire l'amour ou de l'argent, n'ont de cesse de revenir à leur enfance. Puis ces retours deviennent suffisamment fréquents et suffisamment longs pour nous donner envie d'aller vers l'Inde découverte entre-temps. Mon objectif est autre, cette fois : je veux actualiser mon Inde pour que mon travail ne se résume pas à une perpétuelle évocation de l'enfance, de la perte, ou d'une Inde conservée en mémoire. Je veux l'Inde telle qu'elle est aujourd'hui.

Le terrain, cependant, est miné par les souvenirs. Au moment où je pose le pied sur un certain bout de ciment, dans une certaine ruelle, levant les yeux je vois un arbre se détacher sur le ciel, exactement comme un quart de siècle plus tôt. Une fulgurance – et aussitôt un lien se crée entre cet instant précis et cet autre, vécu autrefois. Maintenant, quand je déambule à travers la ville je marche sur des trappes pleines de trésors oubliés qui s'ouvrent sous mes pas, exhalant leurs parfums.

Voilà pourquoi je ne m'aventure jamais dans la rue sans mon ordinateur portable, que je trimballe dans son sac vert, et pourquoi, chaque fois que possible, je prends un rickshaw ou un taxi pour partir en quête d'un menu détail qui attisait ma curiosité d'enfant. Les gens me parlent et mes doigts dansent sur le clavier. Seulement il faut que je paye. Ma monnaie à moi, ce sont les histoires : une histoire contre une histoire, c'est ce que l'on m'a appris. Histoires venues d'ailleurs, acheminées par des caravanes et des vaisseaux depuis l'autre bout de la terre pour être échangées contre la moisson d'histoires récoltée sur place. Donnant donnant : le metteur en scène n'aura droit à l'histoire du tueur à gages que s'il lui confie la sienne. Les milieux du cinéma et le milieu tout court, la police et la presse, les swamis * et les prostituées, tous vivent d'histoires ; et moi de même, à Bombay. La ville que j'ai perdue se voit ainsi ramenée à l'existence par le verbe qui en déroule le récit.

Powertoni

« Quel effet cela fait de voir un homme brûler vif ? » demandai-je à Sunil.

C'était en décembre 1996, à Andheri, dans un appartement perdu dans les étages où je venais de retrouver un petit groupe de militants du Shiv Sena, le parti nationaliste hindou. La discussion portait sur les émeutes de 1992-1993, consécutives à la destruction de la mosquée Babri Masjid d'Ayodhya.

Les deux compagnons de Sunil s'interrogèrent du regard. De deux choses l'une : soit ils continuaient à se méfier de moi, soit ils n'avaient pas encore assez bu de mon cognac pour être ivres.

« J'y étais pas, fit l'un. Et de toute façon le Sena n'est pour rien dans les émeutes. »

Sunil ne donnait pas dans ces sornettes. Il posa son verre, les yeux fixés sur moi.

« Je vais te dire. J'y étais, moi. Un homme qui brûle tombe, se relève, court pour sauver sa peau, et il tombe, il se relève, il se remet à courir. Tu ne supporterais pas de voir ça, *toi*. C'est l'horreur. L'essence lui dégouline de partout, il a les yeux qui s'agrandissent, s'agrandissent, il devient blanc – blanc, blanc, blanc. Tu lui touches le bras juste comme ça, dit-il en effleurant le sien, et il devient blanc. L'essence dégouline surtout là, sur le nez (et il se frotta énergiquement le nez comme s'il voulait en arracher la peau), on dirait de l'eau, et lui il est blanc, complètement blanc.

« Dans des moments pareils, on ne prend pas le temps de réfléchir. À cinq, on a cramé un musulman. Dès que la nouvelle de ce
qui s'était passé à Radhabai Chawl a éclaté, à quatre heures du
matin la foule s'est rassemblée, une foule comme je n'en avais
jamais vue. Avec des belles dames et des beaux messieurs qui
ramassaient ce qui leur tombait sous la main pour avoir une arme.
On est partis avec eux vers le quartier musulman et en chemin on
a croisé un panwallah * à vélo. Je le connaissais : je lui achetais
du pain tous les jours, précisa Sunil en brandissant le morceau de
pain avec lequel il mangeait son pav bhaji *. Je l'ai brûlé vif. On
l'a aspergé de pétrole et on a craqué l'allumette. Je ne pensais
qu'à une chose : ce type était un musulman ! Lui, il tremblait, il
criait " j'ai des enfants, j'ai des enfants ! " Je lui ai demandé s'il y
pensait, à ses enfants, pendant que ses frères musulmans massacraient les gens de Radhabai Chawl. Ce jour-là, ils ont compris ce
que c'était, le dharma * des hindous. »

LES ÉMEUTES DE 1992-1993

Ayodhya a beau se trouver à des centaines de kilomètres au
nord, les décombres de sa mosquée – démolie en décembre 1992
par des hindous fanatiques persuadés que le Grand Moghol
Babar l'avait fait ériger sur le lieu de naissance du dieu Rama –
ont presque instantanément servi de fondations aux murs dressés
dans Bombay entre les hindous et les musulmans. La métropole
coupée en deux se déclara la guerre ; les émeutes à répétition
firent au moins quatorze cents morts. Quatre ans plus tard, je
suis revenu à Bombay pour écrire un article dessus. J'avais
prévu de me rendre dans une mairie de la ville avec un groupe de
femmes des quartiers pauvres. Quand je leur proposai d'y aller le
vendredi suivant, un 6 décembre, un silence pesant s'installa.
Mes interlocutrices échangeaient des rires gênés en évitant de
me regarder. « Personne ne sortira de chez soi ce jour-là »,
déclara enfin l'une d'entre elles.
    Les émeutes furent une tragédie en trois actes. Dans un
premier temps, des affrontements apparemment spontanés oppo-

sèrent les forces de l'ordre, majoritairement hindoues, aux musulmans. Puis, en janvier 1993, Bal Thackeray, le chef du Shiv Sena, orchestra une deuxième vague de violences beaucoup plus graves, lors desquelles les musulmans identifiés comme tels furent systématiquement massacrés, leurs maisons et leurs boutiques mises à sac et incendiées. Le troisième acte sonna leur revanche : le vendredi 12 mars, à l'heure où les bons musulmans disaient les prières du namaaz, dix bombes de forte puissance déposées par des assassins se réclamant d'Allah explosèrent en différents points de la ville. La Bourse fut touchée, ainsi que le siège d'Air India. Les terroristes avaient piégé des voitures, des scooters. On dénombra au total trois cent dix-sept victimes, dont de nombreuses musulmanes.

Je voulais m'entretenir avec les principaux acteurs de ces troubles, les partisans de Bal Thackeray. Ce dernier a fondé, en 1966, un parti politique ouvertement xénophobe, le Shiv Sena (l'Armée de Shiva), ainsi baptisé en l'honneur d'un roi guerrier marathe du xviie siècle qui, à la tête d'une bande de hors-la-loi et de bandits de grands chemins, parvint à humilier le Grand Moghol Aurangzeb et finit, à la longue, par soumettre la plus grande partie du centre de l'Inde. Rencontrer ceux qui avaient planifié et déclenché les émeutes de 1992 et 1993, découvrir les ressorts qu'ils avaient actionnés, tel était le projet qui me tenait à cœur.

J'en discutais avec Ashish, mon vieil ami du Queens, patron d'une petite boîte d'informatique, quand une voix s'éleva derrière nous : « Si cela vous intéresse, je peux vous présenter des militants du Sena qui ont participé aux émeutes. » Ashish et moi nous sommes retournés d'un même mouvement. Un jeune homme efflanqué d'une petite vingtaine d'années nous souriait de toutes ses dents, des dents très blanches, irrégulières, poussées à la diable en deux rangées serrées. Girish Thakkar travaillait comme programmeur pour Ashish. Il proposa de m'emmener à Jogeshwari, un quartier dont les parties hindoue et surtout musulmane forment pour l'essentiel un grand bidonville. Le 8 janvier 1993, toute une famille hindoue employée dans les filatures dormait, entassée dans une pièce à Radhabai Chawl, petite enclave hindoue au cœur de la partie musulmane. Une main malveillante boucla la porte de l'extérieur, une autre ou peut-être la même jeta un cocktail Molotov par la fenêtre. Les six personnes qui composaient cette famille eurent beau hurler, secouer la porte, s'y agripper, aucune n'en réchappa. Parmi elles, il y avait une adolescente handicapée. Cette tragédie mit Bombay à feu et à sang.

Escorté de Girish, je suis donc allé un soir à Jogeshwari afin de rencontrer sa famille, logée dans une pièce nue, pour parler des événements. C'est ainsi que j'ai fait la connaissance de Sunil, un voisin qui s'était tranquillement approprié l'unique siège du logement. Sunil était un des principaux représentants de la shakha * de Jogeshwari du Shiv Sena. Il avait de bonnes chances d'être promu pramukh *, autrement dit chef de la shakha, si l'homme qui la dirigeait alors était élu aux prochaines législatives. Petit, râblé, portant moustache, ce jeune trentenaire s'habillait avec une certaine recherche et soignait ses manières.

Sortant du slum, nous avons franchi la grand-route pour gagner un large terrain circulaire, le parking dont s'occupait Sunil. Là, le délégué du Shiv Sena m'invita à pisser avec lui. Je le suivis donc jusqu'à un emplacement éloigné et, l'imitant, défis ma braguette. Non sans appréhension, je l'avoue, car je me souvenais des propos qu'il avait tenus chez Girish : « Tous ceux qui venaient ici, le boulanger, le laitier, on leur faisait baisser le pantalon. S'ils n'étaient pas faits comme nous, on les tuait. » Le petit bout de peau dont l'absence risquait d'être fatale aux musulmans me manquait, à moi aussi, mais j'avais une bonne excuse : une infection contractée à l'âge de cinq ans – si, si, je te jure, il a fallu opérer, mes parents étaient aux cent coups ; depuis je me suis racheté : le couteau n'a pas entamé mon fils nouveau-né, je dirai un shloka * sacré à ton intention.

Je dus passer le test avec succès puisqu'il décida de me présenter aux siens. Il y avait de la musique, à l'intérieur – *Ni un temple ni une mosquée...*, une chanson tirée d'un film. Ses parents étaient là, ainsi que sa petite fille de deux ans. En père et dresseur accompli, il lui demanda de nous montrer quelques tours. « Fais namasté », et la petite joignit les mains à hauteur du visage; « Serre-lui la main », et elle me tendit sa menotte. Puis un des militants du Sena l'emmena acheter un ballon.

À quelque temps de là, Sunil et ses deux camarades du Sena sont venus me retrouver chez Ashish, à Andheri. L'endroit, visiblement, leur plaisait : au sixième étage, sur une colline, avec juste en dessous les pulsations bruyantes de la grande artère à la circulation engorgée. Sunil a regardé par la fenêtre : « C'est bien, ici, pour descendre les gens », et il a ponctué la remarque d'un rat-tat-tat saccadé, comme s'il tirait à la mitraillette. Je n'avais pas envisagé l'appartement sous cet angle. Il est vrai que je n'ai pas l'habitude, quand j'entre pour la première fois quelque part, de vérifier la valeur stratégique du lieu, ses entrées et ses sorties.

Sunil est obsédé par l'idée que la jeune handicapée de Radhabai Chawl a été violée, à plusieurs reprises et en public. Il ne peut pas prouver ce qu'il avance; le rapport de police ne contient rien de tel. Sunil prétend que dans le seul quartier de Jogeshwari, seize à vingt femmes hindoues ont été violées – autant de faits qui ne sont pas, eux non plus, confirmés par les rapports de police ou les articles de presse. Qu'importe! L'image est forte, catalytique : une jeune hindoue handicapée maintenue à terre au milieu d'un cercle de musulmans lubriques, pendant que ses parents pris dans les flammes mêlent leurs hurlements aux siens. Bien des guerres ont été déclenchées par un viol, réel ou imaginaire. Et ce sont toujours les hommes que cet acte perturbe assez pour qu'ils veuillent le venger dans le sang.

Sunil ne dit pas « émeutes » mais « guerre », en utilisant le mot anglais *war*. Les scènes dont il a été témoin au J.J. Hospital sont des scènes de guerre : il y avait des monceaux de cadavres des deux sexes, simplement identifiés par des étiquettes numérotées. À l'hôpital Cooper qui recevait indifféremment victimes et émeutiers, les blessés allongés côte à côte sans distinction de confession en sont maintes fois venus aux mains. On en a vu qui arrachaient de leurs bras les flacons des perfusions pour les jeter à la tête de leurs ennemis.

Un des hommes avec nous ce jour-là travaille pour la municipalité. « Ce ne sont pas des musulmans, ces gens-là, mais des hindous, déclare-t-il. Tous des convertis, jusqu'au dernier » ; leur place, selon lui, se trouve au Pakistan. Il dévide la litanie des plaintes et récriminations habituelles : dans les matchs de cricket Inde-Pakistan, ils soutiennent toujours l'équipe pakistanaise ; la loi privée musulmane les autorisant à avoir quatre femmes, ils engendrent chacun une douzaine de marmots alors que les hindous s'en tiennent à deux ou trois. Bombay compte un nombre impressionnant d'habitants, et dans une ville déjà surpeuplée, le sentiment d'être en permanence écrasé par l'Autre devient très prégnant. « Encore quelques années et ils seront plus nombreux que nous », prédit sombrement l'employé municipal. À l'en croire, tous les musulmans trempent dans des activités mafieuses et n'ont aucun scrupule à tuer, contrairement aux hindous qui avant de porter un coup mortel s'interrogent sur le sens de leur geste.

Sunil a pris le temps de sauver une vie musulmane, lui qui a supprimé pas mal de musulmans. Il avait parmi eux une amie, qu'il escorta un soir jusque chez elle pour s'assurer qu'elle rentrait saine et sauve. Dès qu'elle l'eut quitté, il se retrouva cerné par une meute de chiens d'Allah. Il crut sa dernière heure arrivée, mais la grand-mère de la fille parvint à calmer les agresseurs et à le faire sortir du quartier en le cachant sous sa burka. À Radhabai Chawl, m'a raconté Sunil, il y a un pipal au feuillage à moitié vert et à moitié noir : il le sait, car un jour que sa fille était malade il l'a emmenée là-bas. Elle pleurait sans arrêt, les traitements des médecins n'étaient d'aucun secours. Une de ses connaissances lui avait certifié que les musulmans savent écarter le mauvais œil. Il a emmené la petite dans le quartier de Radhabai Chawl. Là, un saint imam a dessiné trois cercles autour du visage de la malade avec sa bouteille d'eau. Le niveau d'eau dans la bouteille baissait à chaque cercle, Sunil l'a vu de ses yeux. Peu de temps après, la petite était guérie. « Il n'a pas demandé d'argent, me dit Sunil en parlant de l'exorciste. Même si tu vas dans leur dargah (mausolée sacré) ils ne te demanderont pas un sou. Sur ce plan-là ils sont désintéressés. »

Sunil ne voit aucune ironie à s'être rendu avec son enfant malade dans une communauté musulmane sur laquelle il s'est acharné par le fer et le feu lors des émeutes. Il s'occupe d'ailleurs d'une station de télévision câblée qui dessert Jogeshwari, il a des musulmans dans sa clientèle et va souvent manger chez eux « pour soigner les relations ». Les émeutes n'ont pas interrompu leur petit commerce réciproque. Le matin, il se rendait dans le centre, sur l'avenue Mohammed Ali, leur acheter des poulets qu'il rapportait à midi à Jogeshwari pour les revendre aux hindous. L'après-midi, il se déchaînait à nouveau contre les musulmans. Cela ne gênait pas les vendeurs de poulets de traiter avec un hindou. À Bombay, le commerce passe avant tout. Ici, hindous et musulmans sont individuellement multiples.

Sunil m'a interrogé sur les buts que je poursuivais, pas simplement à Bombay, mais en général. J'ai répondu que je voulais que mon fils grandisse dans un monde meilleur. Il a opiné. Luimême ne souhaite pas autre chose pour sa fille. « Mais ton objectif, c'est quoi ? s'est-il entêté. Qu'est-ce que tu veux faire de ta vie ? » Mes réponses ne l'ont pas satisfait. Il aspire pour sa part à quelque chose de bien supérieur au bonheur de ses proches : à la grandeur de la *nation*, et il déplore sincèrement la corruption qui sévit partout, jusqu'au sommet du Shiv Sena. « À Bombay, l'argent est roi », peste-t-il en anglais. Les niswarthis, altruistes fervents qui cultivent le désintéressement, incarnent à ses yeux les plus hautes vertus morales. Il se voit volontiers ainsi : en niswarthi accompli prêt à donner sa vie pour une grande cause. Et il aimerait que je poursuive un aussi noble idéal.

Piloté par deux membres du Shiv Sena et par Raghav, un chauffeur de taxi indépendant, j'ai eu droit à une visite guidée des champs de bataille. Petit et trapu, vêtu d'un jean de la marque Saviour [1], Raghav n'a pas sa carte du parti mais le pramukh de la shakha fait souvent appel à lui pour de menues besognes.

Mes trois accompagnateurs m'ont entraîné entre les taudis, dans des passages trop étroits pour que deux personnes y marchent de front. Au début, ils se tenaient sur leurs gardes, mais comme nous passions devant une mosquée, Raghav se mit à plastronner : « Qu'est-ce qu'on a pu s'éclater, dans ce masjid * », lança-t-il dans un éclat de rire qui lui valut un regard d'avertissement de la part d'un des jeunes gens. Sunil devait me donner plus tard la clé du mystère en m'expliquant que ses hommes avaient « explosé le masjid ». C'était un de leurs hauts faits d'armes, et ils jubilaient chaque fois qu'ils l'évoquaient. L'un d'entre eux s'était emparé d'une bonbonne de gaz, il avait ouvert la valve, craqué une allumette et fait rouler l'engin à l'intérieur de la mosquée. Depuis, l'incendiaire est entré dans la police et il y travaille toujours.

Nous parlions de tout cela, non pas en chuchotant dans quelque endroit discret mais dans la rue, en plein jour, au milieu de la cohue. Très ouvert, Raghav racontait les choses telles qu'elles s'étaient passées, sans se vanter ni minimiser son rôle. Les types du Sena, les saïniks, sont ici chez eux : le quartier hindou de Jogeshwari est en quelque sorte leur terrain de jeu. Ils me montrèrent la seule boutique du coin encore tenue par un musulman : un magasin de tissus autrefois à l'enseigne Chez Ghafoor. Au moment des troubles, son propriétaire avait failli être tué par de jeunes émeutiers, mais d'autres, qui le connaissaient depuis toujours, l'avaient protégé et il s'en était tiré sans autres dommages que la perte de son stock. Puis la vie avait repris et il avait rouvert sous un nouveau nom : désormais, le magasin s'appelait Maharashtra Mattress. Raghav m'indiqua la vitrine voisine : « J'ai fait un malheur chez le vendeur de piles. »

1. « Sauveur », en anglais *(N.d.T.)*.

Marchant à sa suite, je découvris bientôt, sur un immense terrain vague bordé au fond par les hangars de la voie ferrée, une scène fantasmagorique : à un bout, un tas d'ordures gigantesque et autour des silhouettes qui fouillaient dedans avec des piques, plus loin une bande de gosses en train de jouer au cricket, des égouts à ciel ouvert, des rails et des bogies sous les hangars, à mi-distance, à l'arrière-plan des empilements de blocs de ciment. Une semaine plus tôt, je me trouvais de l'autre côté de ce décor. Le musulman qui m'accompagnait avait tendu le doigt vers l'endroit où je me trouvais à présent en disant : « Les hindous sont arrivés par là. »

Ici, donc, Raghav et les jeunots du Shiv Sena avaient attrapé deux de ses coreligionnaires qui s'étaient égarés. « On les a cramés. On les a arrosés de kérosène et on les a fait griller, dit Raghav.

– Ils n'ont pas crié ?

– Non, parce qu'on les a bien rossés avant de les cramer. Leurs corps sont restés dix jours à pourrir dans le fossé. Les corbeaux les becquetaient. Les chiens les bouffaient. La police n'est pas venue les enlever parce que les flics de Jogeshwari disaient que c'était à ceux de Goregaon de s'en occuper, et ceux de Goregaon juraient que c'était l'affaire de la police du chemin de fer. »

Raghav m'a encore parlé d'un vieux musulman qui jetait de l'eau bouillante sur les militants du Sena. Ils ont fracassé sa porte et l'ont traîné dehors, ils ont récupéré une couverture chez un voisin, l'ont enveloppé dedans et ont mis le feu. « C'était comme au cinéma : silencieux, pas un chat, quelqu'un en train de cramer quelque part, nous, planqués, et l'armée. Des fois ça m'empêche de dormir. Je me dis que quelqu'un va venir me cramer, exactement comme moi j'en ai cramé d'autres. »

Les yeux perdus sur le terrain vague, j'ai demandé à Raghav si les musulmans qu'ils avaient brûlés vifs les imploraient de leur laisser la vie sauve.

« Oui. " Ayez pitié de nous ", ils disaient, mais nous on débordait de haine. Radhabai Chawl était dans toutes les têtes. Et même s'il s'en trouvait un pour dire " allez, lâchez-le ", il y en avait dix autres décidés à le tuer. Alors on n'avait pas le choix, il fallait qu'il y passe.

– Mais s'il était innocent ? »

Raghav planta ses yeux dans les miens.

« Son pire crime était d'être musulman. »

Les grandes villes sont toutes schizophrènes, disait Victor Hugo. Bombay présente tous les symptômes de la dissociation mentale. Pendant les émeutes, les imprimeries tournaient à plein régime. Elles fabriquaient des doubles jeux de cartes de visite personnalisées : l'un avec un nom musulman et l'autre avec un nom hindou. N'importe quel quidam arrêté en pleine rue pouvait vivre ou mourir selon qu'il disait s'appeler Ram ou Rahim. La schizophrénie devint une tactique de survie.

Le peuple parlait au peuple et le bouche-à-oreille propageait des bruits alarmants : fous de rage à cause de la destruction du Babri Masjid, les musulmans se constituent tout un arsenal de guerre, il va y avoir un bain de sang. Les rumeurs trouvaient un relais chez le panwallah, dans les trains de banlieue, à la pause thé dans les bureaux. Le soir, un petit convoi de véhicules roulait jusqu'à la plage de Shivaji Park pour se ranger face à la mer d'Oman, tous phares allumés, et monter la garde la nuit durant. Il s'agissait de guetter les mouvements de l'armada iranienne censée se trouver à quelques encablures de Bombay, toute une flotte de navires aux cales bourrées de bombes, d'armes à feu et de missiles de toute sorte en prévision du djihad imminent.

Après les émeutes, deux cent quarante ONG s'employèrent à recoller les morceaux de la ville. Des chaînes humaines interminables entendaient en affirmer l'unité. Les comités Mohalla Ekta constitués pour rassembler hindous, musulmans et policiers des deux bords intervenaient à la moindre bagarre pour éviter qu'elle ne dégénère en bataille rangée. Le père de Girish fait partie du comité Ekta de Jogeshwari. Il ne s'est produit aucun incident majeur depuis que ces groupes de vigilance existent, mais les lignes de faille n'ont pas disparu pour autant. Toute une partie de la population se sent désormais étrangère dans cette ville qui l'a vue naître et grandir.

Le discours du Shiv Sena à propos des musulmans est clair : leur place se trouve au Pakistan. Jalat Khan, un habitant des slums musulmans de Mahim, a le sentiment de ne plus avoir la sienne nulle part. À douze ans sa mère a fait le voyage en sens inverse, du Pakistan à Bombay. Étais-je seulement au courant de ce qui se passait à Karachi ? me demanda Jalat. À son avis c'était encore pire qu'à Bombay. Comme il insistait pour me présenter sa mère, je me suis glissé dans la pièce du fond. Un être humain gisait là, allongé sur un lit de camp. Une très vieille dame, enfouie jusqu'au cou sous d'épaisses couvertures. Ses mains étaient toutes déformées, ses jambes complètement paralysées, mais Roshan Jan n'avait pas toujours été ainsi. Sur les quatre-vingt-dix longues années alors totalisées par son séjour ici-bas, elle en avait vécu quatre-vingt-six en paix. Elle gardait un affectueux souvenir des Britanniques. On vivait tellement bien, à l'époque, à Bombay, disait-elle sur ce ton que prennent généralement les très vieilles gens pour évoquer un passé à jamais plus beau que le présent. On pouvait sortir dans la rue avec de l'or dans les mains. Le riz sentait si bon, et la farine était pure.

Quatre-vingt-six ans durant, Roshan Jan a pu se promener dans son quartier. Elle donnait de vrais banquets. Deux chèvres y passaient, et une marmite de riz basmati ; tout le monde était bienvenu et mangeait son content, les hindous comme les autres. En 1948, après l'assassinat de Gandhi, les musulmans ont eu très peur parce que les gens ont d'abord pensé que le meurtrier était sûrement un fils d'Allah. Il n'est rien arrivé, pourtant. Pas d'émeutes, rien.

Une nuit de janvier 1993, des hommes, des hindous, ont enfoncé la porte de Roshan Jan. L'un d'eux a pris la vieille dame de quatre-vingt-six ans à bras-le-corps et l'a jetée sur le sol en ciment, lui brisant la colonne vertébrale. Clouée sur son lit étroit, elle me raconte que d'autres hindous dont elle sait pertinemment qu'ils ont participé aux émeutes viennent la voir pour lui demander sa bénédiction. Les bénir, elle veut bien, mais elle aurait mieux aimé qu'ils la tuent. Ç'aurait été préférable.

Quand les bombes posées en représailles par les musulmans ont explosé, la déflagration a brisé les vitres de l'école que fréquente le fils de Jalat Khan. Le père s'est précipité là-bas, mais malgré sa panique il avait le cœur rempli de fierté. « Ils nous insultaient tout le temps, ils déchiraient les burkas de nos femmes, dans les trains. Si ces bombes n'avaient pas explosé il n'y aurait plus un survivant parmi nous. Les bombes les ont rendus un peu dhilla » – un peu froussards, un peu moins sûrs d'eux.

Durriya Padiwala dirige une grosse maison de tissus d'ameublement. Le soir où la situation s'est brusquement aggravée, elle a suivi de chez elle la progression des émeutes dans Tadeo, dans Byculla, dans l'avenue Mohammed Ali. « On pouvait prédire exactement le moment où ça allait arriver dans le quartier. » À la faveur de la confusion ambiante, elle a réussi à se réfugier avec sa famille chez un voisin marathe installé au rez-de-chaussée, puis à traverser la rue pour se cacher dans un immeuble où une shakha du Shiv Sena avait ses locaux à l'entrée. « On s'est dit qu'ils n'allaient tout de même pas casser leur baraque. » L'immeuble à côté du sien abritait un entrepôt de vieux papiers, combustible rêvé pour la bombe qui lui tomba dessus. Le lendemain, Durriya observa de son balcon un homme qui déblayait une partie du mur de l'entrepôt. Un bras humain tomba parmi les décombres.

« Les événements ont influencé des tas de gens instruits, réfléchis. Leur culture et leur éducation ne les ont pas empêchés de devenir farouchement anti-musulmans. » Durriya qui ne porte pas la burka et se refuse même à sortir en salwaar kameez *, qui ne se teint pas les cheveux au henné et n'a pas un faciès particulièrement « musulman », a saisi des commentaires « dans les endroits les plus incroyables. Le hall d'un hôtel cinq étoiles, par exemple. "Ah, ça leur apprendra. Ils ont eu ce qu'ils méritaient. "» Elle n'osait pas répliquer. « J'avais trop peur », explique-t-elle. Son entreprise a été pénalisée, parce que musulmane : les paiements arrivaient après échéance ; les garanties exigées étaient plus élevées que celles réclamées aux fournisseurs hindous.

Trois mois après les émeutes, Durriya s'était éclipsée de son bureau pour aller chercher des papiers quand soudain un souffle impressionnant a ébranlé les murs ; le plafond de la pièce qu'elle venait de quitter fut pulvérisé par la bombe tombée sur l'immeuble. Son frère travaillait à la Bourse ; l'explosion d'une bombe posée dans les sous-sols réduisit en miettes les verrières de la coursive intérieure et il fut sérieusement blessé par les éclats de verre. Durriya n'en éprouve pas que du chagrin.

« Bien sûr, dit-elle les explosions sont injustifiables. Œil pour œil, c'est une logique terrible. » En même temps, cependant, ses employés musulmans qui prenaient le train pour venir travailler ont compris qu'ils inspiraient une certaine crainte aux hindous et ils ont redressé la tête, « ils ont retrouvé l'estime d'eux-mêmes ». C'est une vieille histoire : le vœu le plus cher des minorités du monde entier est de prendre la place de l'oppresseur. La plupart des musulmans avec qui je me suis entretenu à Bombay admettent que les émeutes ont eu sur eux un effet dévastateur, qu'ils étaient réduits à l'impuissance pendant que sous leurs yeux on massacrait leurs enfants, on incendiait leurs biens. Les bombes vengeresses qui ont tué et mutilé sans discrimination vinrent rappeler aux hindous que les musulmans ne sont pas totalement sans défense. Dans les trains de banlieue, sites d'expérimentation de la dignité, ils se tiennent à nouveau le front haut.

Ceux qui ont orchestré les émeutes n'avaient pas prévu qu'elles auraient, entre autres, pour conséquence de considérablement grossir le vivier de la pègre musulmane. J'ai rencontré l'une de ces jeunes recrues, Blackeye, qui a rallié le gang

Dawood Ibrahim en qualité de tueur à gages. En 1992, Blackeye avait quinze ans et il habitait chez ses parents, dans un vaste ensemble résidentiel nommé Pratiksha Nagar. Un certain vendredi, plusieurs Marathes – leurs voisins, leurs amis – arpentèrent la cité et marquèrent toutes les maisons musulmanes. Ils avaient découvert que près de cinq mille musulmans vivaient parmi eux. Le lendemain ils organisèrent un maha-aarti (une immense puja * en plein air) – les cloches des temples sonnaient à la volée, les joueurs de conque soufflaient à qui mieux mieux. Le dimanche matin, Blackeye regardait un dessin animé à la télé quand on frappa à la porte. « Ouvrez, dit une voix. Nous sommes du gouvernement. On veut voir votre carte de rationnement. » Au lieu d'obtempérer, le père de Blackeye bloqua la porte avec une tringle en fer. Dehors, les coups redoublèrent, les hommes s'acharnèrent sur le battant qui finit par céder. Ils se ruèrent à l'intérieur et, s'emparant de la tringle métallique, s'en servirent pour rosser le chef de famille. « J'ai reconnu le garçon qui frappait mon père. C'était un copain. Il venait manger à la maison pour la fête de l'Aïd. On jouait au cricket ensemble. » Au nom de leur amitié, Blackeye l'a supplié d'arrêter. L'autre l'a simplement dévisagé et lui a conseillé de filer parce qu'il était trop petit pour comprendre. Prenant ses jambes à son cou, Blackeye courut chercher son oncle, qui malgré ses hurlements refusa d'intervenir. Il craignait d'y laisser la vie.

Enfermées à double tour dans la chambre, sa mère et ses sœurs s'étaient armées de flacons de Tik-20, un insecticide, bien décidées à avaler le poison plutôt que de se laisser souiller par les hommes du Sena. Ils n'allèrent pas jusque-là, mais quand ils en eurent fini avec le père de Blackeye ils cassèrent tout ce qui leur tombait sous la main. Contraints d'abandonner leur appartement saccagé, les réprouvés passèrent trois jours dans un camp de transit. Les gargotiers du coin les chassaient sans même leur donner un verre d'eau, ils durent se nourrir de tomates pourries, mais le pire était encore à venir. « Après les émeutes, on a été obligés de mendier, se souvient Blackeye qui semble au bord des larmes. Il fallait tout quémander – des biscuits, des vêtements, l'aide des associations. » Puis Blackeye a grandi. Il a laissé tomber ses études pour entrer au service de mafieux musulmans. À son palmarès de tueur, figure notamment l'élimination de Gulshan Kumar, un riche producteur de musique qui se consacrait avec dévotion à la chanson populaire hindoue. « Après les émeutes, les jeunes de Pratiksha Nagar ont intégré en masse le gang Dawood. C'est surtout à cause de ça que j'y suis aussi. »

La police de Bombay assimile les musulmans à des délinquants, attitude qui n'est pas sans rappeler la façon dont les forces de l'ordre américaines traitent les Afro-Américains. En décembre 1996, un journal publiait ce titre à la une : « La vérité en face : le risque de basculer dans la criminalité est plus fort pour un musulman que pour un hindou ». À en croire l'article, une enquête effectuée dans plusieurs commissariats révélait que les musulmans, qui représentent un peu moins de vingt pour cent de la population de Bombay, étaient responsables du tiers des délits commis dans la ville. De manière générale, les hindous auraient affaire à la justice pour des accidents, des escroqueries, des vols, alors que les musulmans seraient inculpés pour des actes nettement plus violents. L'auteur citait un inspecteur affecté au poste de police de Cuffe Parade : « Les musulmans se font arrêter pour des crimes tels que les extorsions de fonds, les viols et les meurtres, les affrontements entre bandes rivales, le vol organisé de voitures. Les hindous se font prendre pour malversation, attouchement sexuel [une forme d'agression à peine moins grave que le viol], escroquerie, vol et effraction. »

Une confidence que je tiens de Sunil permet de relativiser ces propos : « La police a bien coopéré avec nous, pendant les émeutes. Deshmukh, le policier de Jogeshwari, n'était pas peu fier de pouvoir dire qu'il avait parlé au téléphone avec Balasaheb » – autrement appelé Bal Thackeray.

Du 10 au 18 janvier 1993, l'activiste Teesta Setalvad a enregistré sur la fréquence radio de la police les conversations entre les patrouilles de rue et le centre de contrôle chargé de coordonner leurs activités. Voici un échantillon de ce qui se disait sur ces ondes :

DONGRI I à CONTRÔLE : Deux camions militaires chargés de lait et de rations viennent d'arriver. Ils sont guidés par le chef d'escadron Syed Rehmatullah... C'est la cohue... On a besoin de renforts.

CONTRÔLE : Qu'est-ce qui vous prend, bordel, de distribuer du lait à ces landyas * [enculés de circoncis, autrement dit musulmans] ? Vous voulez niquer leurs mères ? Bhenchod, ça grouille de mias * là-bas.

Un peu plus tard, le même jour :

DONGRI I : Les gens qui étaient venus chercher du lait et des rations se sont dispersés.

CONTRÔLE : À qui il a été distribué, le lait ? Tu m'entends, madharchod * ? Ne distribue pas de lait aux landyas. Tu as compris ?

DONGRI I : Oui, mais les deux camions... c'étaient des militaires. Le chef d'escadron s'appelle Syed Rehmatullah.

CONTRÔLE : Saisis ces véhicules. Fouille-moi ce landya. Et nique sa mère, nique l'imam Shahi.

Un échange avec une autre patrouille :

V.P. ROAD I à CONTRÔLE : Un attroupement s'est formé devant le garage Maharashtra à Ghasgalli, sur Lamington Road, pour y mettre le feu. Envoyez des renforts.

CONTRÔLE : À tous les coups c'est un garage de landya. Laisse-les le cramer. Si jamais c'est à un Marathe, merde, tu laisses rien brûler qui appartient à un Marathe. Mais si c'est à un mia, bhenchod, mets-y le feu toi-même !

Asad bin Saïf, militant dans une ONG qui lutte contre la haine dans les bidonvilles, m'a emmené à Radhabai Chawl, là où la famille hindoue a péri dans les flammes. Comme de juste dans une ville schizophrène, ce quartier a deux noms : sur une plaque apposée à l'entrée il s'appelle aussi Gandhi Chawl. Un groupe de femmes, le Rahe-haq, a accepté de me rencontrer ; leur bureau est situé dans l'immeuble où le crime atroce a été perpétré.

Dans la pièce où je les attendais, celle-là même où la famille a brûlé vive, un vieux musulman m'a adressé cette supplique : « S'il vous plaît, monsieur, faites quelque chose pour ôter la haine du cœur des gens et pour que le Gange et la Jamuna mêlent à nouveau leurs flots. Vous êtes jeune, faites quelque chose. Le poison est en nous. » La pièce avait été transformée en bibliothèque et en salle communale à l'initiative de l'ONG Yuva, et cet homme, ancien voisin de la famille assassinée, en était le bibliothécaire. Les collections dont il avait la charge tenaient dans une antique malle pleine de livres dont les titres suffisaient à expliquer pourquoi la bibliothèque ne comptait que trois lecteurs inscrits : *Projets de construction de logements en partenariat avec les communes et les ONG : programme d'action à l'intention des décideurs politiques.* Le vieux monsieur était né à Bombay – « ma matrubhumi », dit-il en recourant au mot hindou qui désigne la terre natale. Et d'une voix chevrotante il se mit à chanter *Sara jahan se accha, Hindustan hamara...* Submergé par l'émotion, je l'écoutais, les larmes aux yeux. Il n'y avait rien de cynique, chez ce vieillard, pas trace d'ironie. Musulman, il s'occupait d'une minuscule bibliothèque perdue au fond d'un ghetto musulman mais dépourvue de livres en ourdou, et il chantait un hymne à l'Hindoustan.

Le 17 janvier 1993, L.K. Advani, alors président du BJP * (le Bharatiya Janata Party, allié du Shiv Sena et le principal instigateur de la démolition du Babri Masjid) se déplaça à Gandhi

Chawl pour faire la lumière sur cette abomination perpétrée contre des hindous. Arifa Khan était venue voir le célèbre politicien. Il venait de sortir de voiture et examinait le décor du slum. Arifa Khan ne résista pas à l'envie de l'interpeller : « Pourquoi venir ici maintenant ? » Et ce joli petit bout de femme qui avait passé toute sa vie dans les bidonvilles de Bombay se mit à apostropher l'important personnage qui ambitionnait de devenir Premier ministre : « Ça ne serait pas arrivé si vous n'aviez pas fait le kar seva *, le rath yatra *. » Arifa touchait juste, avec cette allusion aux processions organisées dans le pays tout entier quelque temps avant la destruction de la mosquée, dans le but évident d'exacerber la colère des hindous. Incapable de répondre, Advani remonta en voiture et, abandonnant Jogeshwari à son sort, il repartit en convoi avec sa suite et son escorte de gardes armés.

En compagnie d'une vingtaine d'autres musulmanes, Arifa Khan avait pris place dans la petite bibliothèque qui fait aussi office de centre d'accueil. Il y avait également là un couple hindou, et deux ados musulmans en lunghi, l'air pas commode, qui avaient décidé de nous imposer leur présence. Asad me présenta, et tout de suite les femmes se mirent à me parler des violences, de leurs hommes, cibles des policiers et des hindous qui leur avaient tiré dessus à balles réelles ou les avaient agressés à l'arme blanche. L'azan * retentit, lancé d'une mosquée proche, et les femmes se couvrirent la tête. Sans l'avoir choisi, les hindous et les musulmans vivaient désormais à part, dans le slum. Mes interlocutrices m'expliquèrent que pendant le couvre-feu il leur était interdit d'entrer dans les secteurs hindous pour y acheter de quoi manger ; elles en étaient profondément blessées.

Asad leur demanda si elles envisageaient d'aller au Pakistan.

« Notre watan, notre patrie est ici. Elle est ce qu'elle est, mais c'est notre Inde à nous aussi. » L'une de ces femmes revendiquait le droit de vivre dans ce pays en vertu de sa qualité d'électrice : « Si on ne leur donne pas leurs sièges, où est-ce qu'ils iront les chercher ? »

À Bombay, la proportion de musulmans est une fois et demie supérieure à la moyenne nationale : dix-sept pour cent de ses habitants sont musulmans, alors que dans l'ensemble de l'Inde il y en a au total cent vingt millions, soit douze pour cent de la population. L'Inde est ainsi le deuxième pays musulman du monde. Un demi-siècle après la Partition, elle accueille toujours plus de musulmans que le Pakistan. En choisissant d'y rester, ces derniers ont clairement indiqué leur préférence, et pourtant la plupart des hindous de la ville ne croient pas une minute à leur amour de l'Inde. Ils partagent plutôt l'avis de Bal Thackeray, qui juste après la destruction du Babri Masjid écrivait dans le journal de son parti : « Le Pakistan n'a pas besoin de franchir la frontière pour attaquer l'Inde. Les deux cent cinquante millions de musulmans qui y vivent en fidèles sujets pakistanais préparent un soulèvement armé. [Ils représentent] l'une des sept bombes atomiques du Pakistan. » D'ailleurs, « de quelque nationalité qu'il soit, un musulman est d'abord et avant tout musulman. La nation est pour lui d'une importance secondaire ».

Les musulmans de Bombay composent le groupe le plus diversifié qui soit des disciples de Mahomet. La grande division entre chiites et sunnites se ramifie dans les cultes dawoodi bohra, ismaélien, deobandi, barelvi, memon, moplah, ahmadiyya, etc. L'islam tel que le dépeignent les partis de l'Hindutva * est d'autant plus effrayant qu'il paraît monolithique. En réalité, nombre des groupes qui s'en réclament ont entre eux des rapports plus tumultueux qu'avec les hindous. Il n'en est pas moins vrai que les émeutes les ont rapprochés. Les riches dawoodis bohras de Malabar Hill ont découvert qu'ils avaient un point commun avec les sunnites biharis cantonnés dans les bidonvilles de Madanpura : la remise en question très publique de leur identité de citoyens indiens. Ils se sont rendu compte qu'il n'y avait pas, dans ce pays, pire crime que d'être musulman.

L'un des jeunes peu commodes prit la parole pour dire que son frère avait été tué pendant les émeutes et que ses assassins couraient toujours. À l'inverse, après le drame de Radhabai

Chawl la police avait arrêté onze musulmans, condamnés depuis à la prison à vie. Un membre du Shiv Sena – un de ses responsables, à en croire la rumeur –, avait traîné le cadavre de la jeune fille handicapée dans tout Bombay pour enflammer la colère des hindous. « D'accord, une femme est morte à Radhabai Chawl, mais nous avons perdu cinquante des nôtres et il ne s'est rien passé. Ils ont la loi pour eux, ils font ce qu'ils veulent. Si vous avez une justice, il faut que ce soit la même pour les deux camps, ou alors il faut carrément nous dire de nous battre. Se battre, on sait faire. » Peu à peu, les jeunes accaparèrent les débats. Les femmes n'ouvraient plus la bouche ; le couple hindou s'esquiva.

Au bout d'un moment, les deux garçons partirent à leur tour, non sans m'avoir mis en garde : « Écris des trucs corrects. » Et en riant d'un rire dénué d'humour, l'un d'eux me lança : « Si t'écris pas une ligne ça ira aussi très bien. »

Après leur départ, l'atmosphère devint soudain plus légère. Les femmes leur trouvaient des excuses. « Ils ont la rage, vous comprenez. C'est pour ça qu'on ne voulait pas qu'ils viennent. »

Une de mes interlocutrices entreprit de m'expliquer ce que lui coûtait ce moment qu'elle me consacrait. « Je suis là, avec vous, mais mon cœur est chez moi. Est-ce qu'il y aura encore de l'eau ? Combien de temps faudra-t-il attendre ? » Dans le slum, pour avoir de l'eau il faut faire la queue, avec un numéro. On passe par groupes de trente, et chacun a droit à deux seaux pour les besoins du foyer. La religion détermine combien de fois on peut se laver et dans quelles latrines faire ses besoins. « Dans les zones hindoues, il y a un robinet par ruelle ; ici, on n'en a qu'un pour huit ou dix rues. Là-bas, vous avez des toilettes partout. Chez nous, elles ont toutes été supprimées pour une durée d'un an. »

Le slum ressemble à une décharge. Les égouts à ciel ouvert courent entre les maisons ; les enfants jouent dedans, tombent parfois par accident dans leur boue noire aux reflets bleuâtres. Quand les éboueurs municipaux viennent vidanger, ils dégagent cette vase à la pelle et la laissent en tas énormes près des lieux d'aisances. Je n'ai pas pu me résoudre à utiliser ces derniers. J'ai essayé, une fois : il y avait deux rangées de sièges, tous pleins d'excréments qui passaient par-dessus bord pour s'étaler complaisamment autour des cuvettes. Cette vision et la puanteur dont elle s'accompagnait m'ont empêché de boire et de manger pendant des heures. Le désagrément n'est pas seulement d'ordre esthétique. La typhoïde qui sévit à l'état endémique dans le bidonville se transmet par voie féco-orale. Les flaques d'eau croupie, innombrables, favorisent la propagation du paludisme. Quantité d'enfants souffrent aussi de jaunisse. Les carcasses animales jetées sur les étals des bouchers grouillent de mouches – on croirait du poivre qui bouge. Et pourtant, à la longue on finit par s'habituer à l'odeur pestilentielle de ce quartier de misère.

Les femmes que j'ai rencontrées se plaignaient de n'être entendues ni par leur conseillère municipale, musulmane comme elles, ni par leur député, membre du Shiv Sena. C'est cette indifférence qui a conduit Arifa Khan à créer ce groupe avec huit autres habitantes des bidonvilles de Jogeshwari. Le Rahe-haq (le droit chemin) est une association rassemblant une quinzaine de femmes qui ne sont pas toutes de confession musulmane. Il a été fondé en 1988, en réaction au problème crucial de l'absence de toilettes. Il y a, à Bombay, deux millions de personnes n'en disposant pas. Tous les matins, elles se traînent le long des voies de chemin de fer, un gobelet d'eau à la main, à la recherche d'une place vacante. Pour les femmes, en particulier, c'est une chose affreuse, dégradante, que de devoir se mettre en quête d'un coin tranquille pour se soulager ou se laver lorsqu'elles ont leurs règles. Il est impensable qu'une ville aussi riche fasse preuve d'une telle dureté à l'égard de ses femmes. Celles qui vivaient dans ce slum avaient un peu plus de chance. Ici, la municipalité avait construit des toilettes, seulement elles étaient bouchées et les autorités n'intervenaient pas pour les remettre en état. À chaque élection, des candidats d'obédiences diverses passaient dans le quartier avec la promesse de remédier au problème. Lassées de ne rien voir venir, les femmes du Rahehaq s'étaient rendues à la mairie. Là, elles avaient fait « bhagdaud » : ce terme, familier à quiconque a eu affaire à la bureaucratie indienne, signifie qu'elles ont couru d'un bureau à l'autre en exposant leur réclamation inlassablement, aussi longtemps qu'il leur a fallu pour obtenir gain de cause. Elles ont donc fait bhagdaud, et grâce à cette action une partie des toilettes du quartier ont été nettoyées.

Dynamisées par leur victoire, elles se sont ensuite attaquées au problème de l'eau. Le précieux liquide coulant du robinet deux heures par jour à peu près, une longue file de femmes venues avec leurs seaux se forme alors devant le point d'eau municipal. À l'époque, la mairie avait sensiblement réduit la distribution pour satisfaire les exigences des plombiers. Supputant qu'ils s'enrichiraient si la municipalité se montrait moins prodigue, ces professionnels graissaient la patte des fonctionnaires chargés du réseau d'adduction et facturaient seize mille roupies la pose d'un centimètre de tuyau – mais dans le souci d'arranger leurs clients, ils acceptaient que quatre foyers se regroupent et payent quatre mille roupies chacun pour avoir une connexion commune. Résultat, un indescriptible enchevêtrement de tuyaux serpente dans les ruelles du slum. Les femmes du Rahe-haq ont organisé un pani marcha, une manifestation pour l'eau, devant la mairie, et ainsi convaincu les édiles d'augmenter les temps de distribution aux robinets municipaux.

Petit à petit, les gens du quartier ont sollicité le « comité » – selon le terme que les femmes utilisent pour présenter leur groupe –, à propos de difficultés diverses en rapport avec les émeutes. Une veuve devenue folle de douleur après avoir vu le corps calciné de son mari pendu à un arbre avait le plus grand mal à toucher la compensation financière allouée par le gouvernement aux victimes des troubles ; le comité intercéda en sa faveur. Il a progressivement élargi le champ de ses activités en s'occupant notamment d'aider des épouses répudiées ou menacées de l'être. Selon la loi musulmane, l'époux peut rompre le mariage en prononçant à trois reprises la formule « je te répudie » ; le Rahe-haq recruta un avocat capable de conseiller ces femmes sur le plan juridique et, avec cinq de ses membres, forma en son sein un sous-groupe chargé d'amener les couples à surmonter leur mésentente. « On écoute les deux parties, on présente des arguments religieux aux croyants, on essaie de rabibocher les gens. Les hommes violents, on les attaque en justice. » Le comité s'occupe également de régler la kyrielle de problèmes que posent les cartes de rationnement, et aux dernières élections il a apporté son soutien à la candidate du Janata Dal *, une habitante du slum.

J'ai demandé à mes interlocutrices si leurs maris appuyaient leur action. La question a provoqué l'hilarité. « Pensez-vous ! Ils nous traitent de tous les noms. » Des rumeurs inquiétantes, propagées par la section locale de la Ligue musulmane, stigmatisent leur « impudicité », car leur travail les met quotidiennement au contact des hommes. Elles ont ouvertement été accusées d'enfreindre les préceptes islamiques et leur bureau a été vandalisé.

Sans se laisser décourager, néanmoins, elles ont ouvert un centre d'accueil qu'elles géraient elles-mêmes jusqu'à ce qu'une bande de jeunes gens – dont ceux partis un peu plus tôt – se l'approprie sous la menace. Ils s'y réunissent désormais pour fumer le charas * et la ganja * (des préparations à base de cannabis) ; depuis les émeutes, les petites frappes se croient tout permis. Les femmes, pour leur part, ont dû se contenter d'une pièce nettement plus exiguë : le logement incendié en 1993 hébergeait le centre d'accueil dans lequel elles m'ont reçu. Elles comptaient aller une nouvelle fois à la mairie demander un local plus vaste et qui ferme à clé. Si le cas de Bombay n'est pas totalement désespéré, c'est grâce à ce petit groupe d'habitantes du slum dont aucune ne sait ni lire ni écrire, et à toutes celles qui s'engagent dans des actions similaires. Les problèmes d'infrastructure n'ont pour elles rien d'abstrait. Ce sont elles qui, bien plus que les hommes, se trouvent en première ligne. Leur remettre directement les sommes réunies pour soulager la misère est un moyen de garantir que l'argent sera dépensé à bon escient.

J'ai demandé à l'une de ces femmes de Jogeshwari si elle ne préférerait pas un logement décent à son taudis dépourvu d'eau courante, donnant sur une ruelle qui a tout d'un caniveau. On prévoyait justement de construire à proximité un immeuble pour les mal-logés, mais ni elle ni ses voisins n'envisageaient de s'y installer. « C'est bien trop solitaire. Dans ces appartements, quelqu'un peut mourir enfermé chez lui et personne n'est au courant. Ici, au moins, tout le monde se connaît. »

Encore une leçon d'humilité... Nous nous représentons trop volontiers les bidonvilles comme des cancers urbains, des foyers où la misère prolifère, et ce faisant nous oublions que les êtres humains qui vivent ensemble dans ces environnements si inhospitaliers sont aussi attachés à la géographie des lieux, à leurs réseaux de solidarité, au village qu'ils ont recréé en plein cœur de la ville qu'un Parisien peut l'être à son quartier ou que je l'étais moi-même à Nepean Sea Road. « Je me plais, ici, m'a dit Arifa Khan en me parlant de sa maison et de son " basti ", son quartier. C'est chez moi. Je connais tout le monde et j'aime bien comme c'est aménagé. » Si curieux qu'il paraisse, le désir des habitants du slum de vivre en communauté étroite doit impérativement être pris en compte dans les plans d'aménagement urbain. À Jogeshwari, les égouts à ciel ouvert et les toilettes immondes inspirent moins de répugnance que la perspective d'emménager dans un appartement vide et silencieux.

Le Shiv Sena rassemble essentiellement des Marathes hindous qui se présentent comme « les fils de la terre ». Natifs de cette région de l'Inde, les Marathes n'ont pas gaspillé leurs efforts à émigrer vers d'autres cieux. Employés de père en fils, ils ont longtemps caressé des ambitions modestes, terre à terre : du travail, mais pas trop, à midi, un repas substantiel emmené le matin dans la gamelle, le cinéma une ou deux fois par semaine, et, pour les enfants, un poste dans l'Administration assorti d'un bon mariage. Pas de folies pour s'habiller chic ; pas de sorties dispendieuses au Taj où l'on sert des plats étrangers.

Je ne connaissais pas beaucoup de Marathes, quand j'étais petit. Je vivais dans le monde de Nepean Sea Road, vaguement conscient qu'il en existait un autre dont les représentants lavaient notre linge, relevaient nos compteurs électriques, conduisaient nos voitures, peuplaient nos cauchemars. Nous habitions Bombay et n'avions guère de rapports avec Mumbai. Les Marathes, pour moi, c'étaient les domestiques, la vendeuse de bananes, les personnages des livres de classe dans lesquels nous apprenions à lire. Nous avions même un surnom pour eux : les ghatis, littéralement les gens des ghats, autrement dit des collines ; c'était aussi le terme générique qui nous servait à désigner les domestiques. J'étais en quatrième année de primaire quand le marathi est devenu la langue obligatoire. Qu'est-ce que ça a râlé, chez nous, dans les beaux quartiers ! Le marathi n'était qu'un patois de bas étage, assez grossier pour avoir inspiré l'histoire qui suit. Dans le temps, tous les peuples de l'Inde avaient leur langue à eux, sauf les Marathes ; ils sont allés voir Shiva afin qu'il répare cette injustice et le dieu, ramassant une poignée de cailloux, l'a jetée dans un chaudron en cuivre qu'il a copieusement remué. «Tenez, a-t-il dit. Essayez de parler avec ça. » Nous ignorions tout de la langue à la source des trésors de poésie de Namdeo, Tukaram, Dilip Chitre, Namdeo Dhasal.

Lentement mais sûrement, ces Marathes que nous traitions de haut ont su s'organiser, s'imposer. Au point d'avoir maintenant un vrai poids politique et une terrible confiance en eux. Cette force n'a cessé de se rapprocher du monde où j'ai grandi, celui des gens riches et célèbres. Pour un certain nombre des nantis de Nepean Sea Road, le plus atterrant n'était pas que les émeutiers viennent traquer les musulmans jusque dans les beaux quartiers mais qu'ils osent tout simplement envahir ces lieux préservés. Ah, l'insupportable arrogance des ghatis exigeant de consulter la liste des occupants de l'immeuble ! Le Bombay méconnu réclame sa place au soleil. Ces gens-là se faufilent dans nos rues, font comme s'ils étaient chez eux, ne supportent pas de notre part la moindre marque de mépris, répondent et lèvent la main sur nous. Les émeutes de 1992 et 1993 ont durablement bouleversé la vie psychique de la ville en provoquant la conflagration de ses différents mondes. Le monstre des slums est lâché.

Lors des émeutes, mon grand-père, à Calcutta, et mon oncle, à Bombay, ont abrité chez eux des musulmans et leur ont sauvé la vie. Mon oncle participait de plus à la préparation de repas organisée dans un temple jaïn, et, à ses risques et périls, il allait dans les quartiers musulmans les distribuer aux gens bloqués par le couvre-feu – cinq mille portions de riz, de pain et de pommes de terre par jour.

Il n'en estime pas moins que les violences furent une leçon pour les musulmans : « Même les gens éduqués, et j'en suis, pensent que nous avons besoin du Shiv Sena face à des fous pareils. Le Shiv Sena aussi est constitué de fanatiques, mais pour combattre les fanatiques il faut des fanatiques. »

L'employé municipal rencontré par l'intermédiaire de Sunil m'a présenté une autre version de cette théorie : les Marathes seraient partis en guerre pour protéger des communautés commerçantes trop timorées. « Si le Shiv Sena n'était pas intervenu, tous les Gujeratis et les Marwaris qui ont pignon sur rue se seraient fait tabasser et dégommer par les musulmans. Ils ne savent pas se battre, a-t-il ajouté, un rien méprisant. Ils ne connaissent que l'argent. »

Fixant la fenêtre placée derrière moi et le ciel qui s'obscurcissait, mon oncle m'a avoué qu'il avait eu un bon copain musulman, en seconde, dans son lycée de Calcutta. Ils avaient une quinzaine d'années, à l'époque. Un jour qu'ils étaient au cinéma, avant le film ils ont vu les actualités. La caméra s'attardait sur une foule de musulmans en train de faire le namaaz, à genoux, le front contre le sol. Sans réfléchir, parlant tout seul ou peut-être à son ami, mon oncle a lâché à voix haute : « Une bombe, et c'en serait fini d'eux. » Il s'en est aussitôt voulu d'avoir oublié que le garçon assis à côté de lui était musulman, lui aussi. L'autre n'a pas relevé, faisant comme s'il n'avait pas entendu. « Évidemment qu'il m'avait entendu, a repris mon oncle, que cette histoire, à trente-cinq ans de distance, laisse toujours bourrelé de remords. Si tu savais comme j'ai eu honte. J'en ai eu honte toute ma vie. À partir de là, je me suis demandé pourquoi j'avais tant de haine en moi et je me suis rendu compte qu'on me l'inculquait depuis toujours. La Partition a sans doute joué, il y a aussi leurs habitudes alimentaires [les musulmans mangent de la viande et tuent des animaux] mais en tout cas nos parents nous répétaient sans arrêt qu'il ne fallait pas leur faire confiance. Je n'ai pas agi autrement avec mon fils. " Quand tu seras marié, lui ai-je dit, tu seras moins proche de ton meilleur copain musulman. " Les événements qui ont entouré la Partition ont balayé l'enseignement de Gandhiji – le Mahatma Gandhi. Dadaji [mon grand-père] et Bapuji [son frère] le respectaient à la lettre, sauf en ce qui concernait les musulmans. Je n'ai jamais pu amener mes amis musulmans à la maison et je n'avais pas le droit d'aller chez eux. »

Le lendemain, je m'installai avec mon ordinateur dans la pièce où mon oncle se recueillait devant le petit reliquaire.

« N'écris pas ce que je t'ai confié hier, me dit-il alors que j'étais justement en train de le recopier.

– Pourquoi ?

– Je n'en avais encore jamais parlé à personne. »

Ses confidences lui avaient néanmoins permis de mieux saisir les origines de la haine.

Dans le Bombay où j'ai grandi, le fait de s'affirmer musulman, hindou ou catholique passait pour une excentricité personnelle, quelque chose d'assez comparable à une coupe de cheveux originale. Dans ma classe il y avait un garçon, Arif, dont je me rends compte à présent, à cause de son nom, qu'il était probablement musulman. Très fort pour improviser des rimes, il avait inventé une version cochonne d'un chant patriotique bien connu, *Venez, enfants, que je vous conte l'Hindoustan*, où il remplaçait les exploits nationalistes des grands héros du pays par les incartades sexuelles des stars de cinéma de Bombay. Arif n'agissait pas ainsi parce qu'il était musulman, et donc antipatriote ; à douze ans, il se comportait simplement comme les garnements de son âge.

Aujourd'hui, ce serait différent. Aujourd'hui, il y a Bal Thackeray.

À Jogeshwari, la shakha du Shiv Sena occupe un long couloir abondamment décoré de portraits de Bal Thackeray et de sa défunte épouse, d'un buste de Shiva et d'une série de photos sur un concours de musculation. Tous les soirs, Bhikhu Kamath, le pramukh de la shakha, y préside une sorte de durbar * lors duquel il reçoit les doléances d'une longue file de suppliants. J'ai vu un handicapé solliciter un travail de dactylographe ; un habitant du slum venu réclamer un branchement électrique ; des couples en bisbille qui sollicitaient la médiation du pramukh. Devant la porte était garée une ambulance ; le Sena possède une centaine de ces véhicules qui, à toute heure du jour et de la nuit, transportent des malades des bidonvilles à l'hôpital pour un prix dérisoire.

Dans cette ville où les services municipaux sont au bord de la faillite, il est plus sûr et plus efficace de passer par le Shiv Sena. Ses nombreuses sections fonctionnent d'ailleurs comme des pouvoirs parallèles, sur le même mode que les appareils des partis politiques américains qui procuraient des emplois aux immigrés et se chargeaient de réparer l'éclairage urbain. À cette différence près que le Sena se présente plus volontiers en organisme de service social qu'en parti politique. Il abrite en effet sous son aile toute une kyrielle d'associations et d'amicales, dont un syndicat de huit cent mille membres, un mouvement étudiant, une branche féminine, un réseau d'offres d'emploi, une maison de retraite, une banque coopérative, un journal.

Kamath fut assez diplomate pour m'ouvrir de bon cœur son territoire. Il passait pour un dirigeant honnête. Je tenais de Sunil qu'il n'y avait « pas beaucoup de gens comme lui dans le Sena. Il a toujours une télé noir et blanc ». Il n'hésitait cependant pas à faire le coup-de-poing, au besoin. Et grâce à ses relations dans le gouvernement national, il couvrait Sunil et ses semblables. « Les ministres sont des nôtres. On s'est mis la police dans la poche. En cas de problème, le ministre décroche son téléphone », m'avait dit Sunil en plastronnant. Hochant la tête, il avait ajouté d'un air pénétré : « On a le *powertoni*. »

Ce mot revenait souvent dans sa bouche. À propos, par exemple, d'un jeune musulman qu'il avait recruté pour sa station de télévision câblée. « Le gamin a douze frères et six sœurs. Lui, je le paye, et son frère je lui refile de l'alcool. Il ferait n'importe quoi pour moi, même tabasser son frère. Je l'ai engagé pour le *powertoni*. » De même, le saint homme qui avait exorcisé sa fille avait le *powertoni*. Il m'a fallu un certain temps pour comprendre que ce terme était en fait une contraction de l'expression anglaise *power of attorney* [1], et désignait par conséquent la capacité, impressionnante, d'agir au nom d'un autre ou de charger des tiers d'exécuter vos ordres, qu'il s'agisse de signer des documents, relâcher des criminels notoires, soigner des malades, éliminer des gêneurs. Le *powertoni*, c'est le pouvoir exercé par procuration, autrement dit le seul dont puissent se prévaloir les hommes politiques, puisqu'il leur est conféré par leurs électeurs. La démocratie porte sur l'exercice, légitime ou non, du *powertoni*. Aujourd'hui, dans tous les quartiers de Bombay, ce dernier est exclusivement aux mains du Shiv Sena. Et l'homme qui dans cette ville détient le plus grand *powertoni* est bien évidemment le chef de ce parti, Bal Keshav Thackeray soi-même.

Le personnage cultive depuis l'enfance un ego démesuré. Son père, qui aimait se présenter en réformateur social, avait adopté le patronyme de William Makepeace Thackeray, l'auteur de *La*

---

1. « Procuration », ou « pouvoir »; l'expression *power of attorney* désigne aussi bien le document écrit qui donne procuration que le pouvoir ainsi conféré d'agir au nom de son signataire *(N.d.T.)*.

Foire aux vanités. Sa mère avait accouché de cinq filles et le couple voulait ardemment un garçon. Les prières qu'il adressait à la divinité familiale furent enfin exaucées avec la naissance de Bal, ce qui valut au nourrisson d'être considéré comme un navasputra, un don de Dieu. Le Bal Thackeray que j'ai rencontré quelque soixante-dix ans plus tard tient à la fois de Pat Buchanan et de Saddam Hussein. Outrancier jusqu'à la caricature, il prend un malin plaisir à appâter les journalistes étrangers en professant son admiration pour Adolf Hitler. Au plus fort des émeutes, l'envoyé spécial du magazine *Time* lui a ainsi demandé si les musulmans indiens n'avaient pas quelque motif de se comparer aux juifs sous le régime nazi. « Est-ce qu'ils se sont comportés comme les juifs dans l'Allemagne nazie ? a rétorqué Thackeray. Dans ce cas, il n'est que juste qu'ils soient traités comme les juifs de l'Allemagne nazie. » Une habitante des bidonvilles de Jogeshwari eut cette remarque judicieuse : « Thackeray est plus musulman que moi. » Il vit, en effet, dans l'obsession des musulmans. « Il nous observe, regarde comment nous mangeons, comment nous prions. Il faut qu'il mette le mot " musulman " dans le titre de son article, sinon il n'aurait pas un seul lecteur. » L'organe de son parti s'appelle *Saamna* (Confrontation) ; édité en marathi et en hindi, il distille sa prose venimeuse dans tout le Maharashtra.

Comme il est d'usage dans le monde interlope, Thackeray a de nombreux surnoms : le Saheb, le Guide Suprême, Télécommande, ou encore, image la plus usitée, le Tigre, qui est également le symbole du Shiv Sena. Dans les journaux, ses portraits côtoient des photos de tigre. En ville, sur les panneaux publicitaires, sa trogne s'affiche à côté de la gueule d'un vrai tigre. Il s'est démené pour être invité à l'inauguration d'une réserve de tigres. Figure mythique, il soigne consciencieusement les facettes de son personnage, boit de la bière chaude, fume la pipe, entretient une relation des plus étroites avec sa bru.

Sunil et les militants du Sena ne rechignaient pas à me décrire le Saheb. Il est, me disaient-ils, impossible de lui parler d'homme à homme ; même quelqu'un d'aussi éloquent et d'aussi courageux que leur pramukh se mettait à bredouiller en sa présence, ce qui avait le don d'enrager le Saheb. « Tiens-toi, voyons ! Qu'est-ce qui t'arrive ? Tu as perdu ta langue ? » Personne ne pouvait le regarder en face. Cela étant, précisèrent-ils, « il aime qu'on soit direct avec lui. Il faut avoir le cran de lui poser franchement les questions. Ça l'énerve, qu'on tourne autour du pot ».

Un des compagnons de Sunil m'expliqua avec une évidente fierté que chaque année, pour l'anniversaire du Saheb, ils allaient ensemble chez lui assister à l'hommage que lui rendaient les personnalités les plus riches et les plus éminentes de la ville. « Tous ces gens haut placés, des ministres, des grands patrons, ils s'inclinent devant lui et lui touchent les pieds. Tous les Tata-Birlas * viennent lui toucher les pieds et lui dire quelque chose.

– Michael Jackson ne se déplace que pour rencontrer les chefs d'État, mais il est venu voir le Saheb », renchérit son ami. Le P.D.-G. de la multinationale Enron dut passer par Bal Thackeray pour renégocier un contrat d'électricité. Quand Sanjay Dutt, le fils du parlementaire Sunil Dutt (un élu assez ferme sur ses principes pour avoir démissionné tant il était écœuré par les émeutes) est sorti de prison, son premier geste, avant de rentrer chez lui, fut de s'arrêter chez le Saheb pour lui toucher les pieds. Chaque fois qu'un des dieux du monde des affaires, un des manitous de Bollywood, un politicien de Delhi se prosterne ainsi devant lui, ses hommes frémissent d'orgueil et y voient une preuve supplémentaire du *powertoni* tout-puissant que détient le Saheb.

Ils m'ont soufflé ce que je devais dire en présence de leur idole. « Dis-lui : " Saheb, aujourd'hui encore ceux de Jogeshwari sont prêts à mourir pour vous. " Demande-lui ensuite ce que le Shiv Sena va faire pour tous ces gens qui se sont battus pour lui et pour l'Hindutva pendant les émeutes et qui lui ont sacrifié leurs vies. Demande-lui comment ils vont se débrouiller, les vieux parents des frères Pedneka, maintenant qu'ils ont perdu tous leurs enfants. »

Je me sentais dans le rôle de l'entremetteur à qui l'amoureux confie un message à remettre à l'aimée : « Dis-lui que je donnerais ma vie pour elle. » En même temps, ces questions qu'ils me chargeaient de lui poser contenaient un reproche implicite, comme s'ils trouvaient que leur Saheb oubliait un peu vite ceux qui avaient couru à la mort par amour pour lui, comme si le sacrifice ultime consenti par leurs camarades n'était pas reconnu à sa juste valeur.

En mars 1995, le Shiv Sena, parti majoritaire au sein de la coalition formée avec le BJP, accéda au pouvoir dans l'État du Maharashtra (il tenait déjà la mairie de Bombay depuis une dizaine d'années). La nouvelle direction régionale fit le tour des problèmes urbains monstrueux qui affligent la ville, de la corruption qui sévit à tous les niveaux de l'administration et dans le gouvernement, de l'état catastrophique des rapports entre hindous et musulmans, et passa tout de suite à l'action. Elle décida de changer le nom de la capitale de l'État, rebaptisée Mumbai.

Sitôt arrivé aux responsabilités, le Shiv Sena s'en prit aux artistes, en particulier musulmans. Il intenta un procès à Maqbool Fida Husain, le plus grand peintre indien contemporain, pour avoir peint vingt ans plus tôt un nu figurant la déesse Saraswati. Tandis que ses dirigeants sollicitaient la justice, *Saamna*, la tribune du parti, s'employait à mobiliser l'opinion. Les lecteurs de la revue apprirent qu'en peignant une déesse hindoue dans le plus simple appareil, Husain avait « révélé au grand jour son fanatisme musulman », alors que « s'il avait eu quelque chose dans le ventre il aurait peint le Prophète de l'islam en train de copuler avec une truie ». Sanjay Nirupam, rédacteur en chef de *Saamna* et membre du Parlement, attisait la haine en des termes très crus : « Hindous, n'oublions jamais le crime de Husain ! Le pardon ne saurait exister pour les scélérats de son espèce. Quand il reviendra à Mumbai, il faudra le traîner à Hutatma Chowk [1] et le flageller en public jusqu'à ce qu'il devienne un objet d'art

---

1. Grande place du centre de Bombay, dans les quartiers chic *(N.d.T.)*.

moderne de chair et de sang. Ces doigts qui ont peint notre Mère dans sa nudité, il faudra les trancher. » Il est tout de même étrange que les idées de châtiment exposées dans ces pages semblent directement inspirées par la charia – la loi islamique.

Le Shiv Sena a une vision résolument kitsch des productions culturelles acceptables en Inde. Il encense Michael Jackson, par exemple. En novembre 1996, Thackeray annonça que le premier spectacle du chanteur dans le pays aurait lieu avec sa bénédiction. Attitude qui n'est peut-être pas sans rapport avec la promesse de la star de remettre la recette du concert (plus d'un million de dollars) à une association pour l'emploi des jeunes chapeautée par le Shiv Sena. Le passage de Michael Jackson à Bombay a cependant heurté pas mal de gens, notamment le propre frère de Thackeray, d'avis que les valeurs incarnées par le chanteur étaient assez étrangères à « l'indianité » : « Qui est Michael Jackson et quel lien mystérieux le rattache à la culture hindoue tant vantée par le Shiv Sena et par son patron, M. Thackeray ? »

À quoi le Guide Suprême répondit : « Jackson est un grand artiste, il faut accepter l'artiste qu'il est. Il bouge de manière extraordinaire. Il n'y a pas beaucoup de gens capables de bouger comme ça. Ils finiraient par se rompre les os. » Après cette entrée en matière, Bal Thackeray abordait le fond du problème : « Qu'est-ce que c'est, la culture, après tout ? Il [Jackson] représente en Amérique des valeurs que l'Inde ne devrait avoir aucun scrupule à accepter. Nous avons accepté de bon cœur cette part de l'Amérique qu'incarne Jackson. » Pour remercier Thackeray de cet éloge, la star s'arrêta chez lui, sur le trajet de l'aéroport à l'hôtel, et pissa dans ses toilettes. Le Saheb guida les journalistes en bombant le torse jusqu'à la cuvette ainsi sanctifiée.

Thackeray adhère également aux valeurs défendues par les vieilles dynasties industrielles du pays. Il aime les grandes entreprises, et ces dernières le lui rendent bien. Le Shiv Sena s'est fait les dents sur les communistes, dans les chawls * et les usines. Les syndicats sous son contrôle sont beaucoup plus fiables que ceux qui se réclament de la gauche. Ce ne sont pas les adhérents, qui alimentent les caisses du parti, mais les gros patrons de la ville : un concessionnaire de voitures, le propriétaire d'une compagnie aérienne, un marchand de diamants. À l'inverse, loin d'être issus de l'élite, les opposants à Bal Thackeray se recrutent en zone rurale, ou dans une bourgeoisie marathe en pleine expansion et parmi les écrivains marathes. Quant au pouvoir judiciaire, il laisse Thackeray de marbre. « Ras le cul des jugements des tribunaux, a déclaré le Saheb en juin 1993. Les juges ressemblent dans leur grande majorité à des rats porteurs de la peste. Il est temps de passer à l'action contre eux. »

Le juge Srikrishna était souffrant. Assis en face de moi, dans son cabinet du palais de justice néogothique, il se massait le côté en grimaçant. Son médecin lui avait recommandé de moins s'impliquer dans son travail. Depuis près de quatre ans, il formait à lui tout seul une équipe d'investigation censée faire la lumière sur les causes et les responsabilités des émeutes. Le gouvernement lui a confié cette lourde tâche à la fin des troubles. « J'ai entendu ces pauvres veuves, ces orphelins [...] et les policiers qui disaient que tous ces gens s'étaient soulevés spontanément, que tout cela n'était ni programmé ni coordonné... C'était difficile à avaler. Avant d'être juge, je suis un être humain doué de sensibilité. » Il n'avait cependant aucun pouvoir de justice, puisqu'en l'occurrence l'affaire, au lieu d'être portée devant le tribunal, a simplement donné lieu à la constitution d'une commission d'enquête chargée de rédiger un rapport et des recommandations. S'il avait pleinement pu exercer ses fonctions, le juge Srikrishna n'aurait pas hésité à poursuivre pour outrage à la cour ces policiers qui lui mentaient effrontément.

Je lui ai demandé quand il pensait boucler le dossier. « Dans six mois au grand maximum, dit-il en jetant un regard au calendrier accroché au mur. J'en ai plus qu'assez. » Le gouvernement tenu par le Shiv Sena l'a suspendu en janvier 1996, puis, au vu du tollé national déclenché par cette décision, il a rouvert l'enquête mais en l'élargissant aux attentats à la bombe, ce qui a considérablement alourdi le travail du juge. D'autant qu'il était empêché de solliciter des témoignages sur les explosions, la partie criminelle de l'enquête étant du ressort d'une cour d'exception antiterroriste. Le juge estimait avec raison qu'il aurait fallu nommer deux commissions d'enquête distinctes, l'une pour les émeutes, l'autre pour les attentats à la bombe. Il trouvait de toute façon très imparfait le système des commissions d'enquête et, à titre d'exemple, citait la commission jaïn constituée en 1991 pour enquêter sur les causes de l'assassinat de Rajiv Gandhi : il avait fallu attendre 1995 pour les premières comparutions de témoins.

Le juge Srikrishna pensait-il au moins que ce travail accablant pouvait avoir un résultat positif ? « À défaut d'autre chose, il aura au moins été cathartique », répondit-il après y avoir réfléchi un instant.

L'Inde n'a nul besoin d'aller chercher hors de ses frontières des modèles de tolérance. Il existe à Bombay des centaines de communautés ethniques différentes qui, pour la plupart, se détestent cordialement depuis des siècles, mais qui, jusqu'à présent, coexistaient sur un mode somme toute pacifique. Chacune d'elles est parfaitement au courant des codes en usage chez les autres. Mon grand-père n'aimait guère les musulmans en général, mais il connaissait leurs coutumes, portait des sherwanis * bien coupés et me racontait des histoires édifiantes sur les Grands Moghols. Petit garçon, je lui ai demandé un jour pourquoi les musulmans mangeaient de la viande. « Ainsi le veut leur dharma », m'a-t-il expliqué simplement. Le nabab de Palanpur avait pour ministres des jaïns de stricte obédience, qui administraient les affaires de sa province mais ne mangeaient pas à sa table. Cette capacité à vivre ensemble tient peut-être, précisément, aux limites très claires établies par les notions de pollution rituelle : les barrières qu'elles posent suffisent à écarter le risque de métissage.

Toutes les personnes qui assistaient à la réunion de Radhabai Chawl m'ont affirmé que les affrontements intercommunautaires ne se seraient jamais produits dans les campagnes indiennes. Au village, m'ont-elles dit, chacun peut pratiquer sa religion en toute sécurité ; on n'est pas meilleur croyant parce qu'on massacre les infidèles. Comme l'observait une des petites frappes rencontrées ce jour-là : « Au village, s'il y a, mettons, deux familles musulmanes, le patel [le chef du village] veillera sur elles. En ville, les musulmans sont la cible des politiciens et des flics. » Au village, ont poursuivi mes interlocuteurs, les gens vivent en contact étroit avec leurs voisins, on sait ce que font les autres, on connaît leurs familles, leurs penchants. Comme en plus les gens bougent très peu, ils doivent vivre toute leur vie avec les autres et ils ne peuvent pas se permettre d'engager des vendettas sanglantes.

Lors des élections régionales de 1995, près de cinq pour cent des musulmans de Bombay ont voté en connaissance de cause pour le Shiv Sena, car, ainsi que me l'a confié l'un d'entre eux, « quand on remet la clé du trésor à un voleur il ne va pas piquer dans la caisse ». La criminalité est sans conteste le problème social qui pèse le plus lourdement sur le vote urbain. Dans l'anonymat de la grande ville, dans la promiscuité des slums, le maintien de l'ordre et la stabilité viennent loin en tête des préoccupations. Les Bombayites placent l'insécurité avant les équipements de base tels que l'eau courante et l'électricité, avant les problèmes de logement et d'emploi. Le Sena avait tout intérêt à mater les émeutes, et le Dr Ashgar Ali, directeur d'un observatoire sur les conflits intercommunautaires, confirme que ceux-ci ont nettement décru depuis l'arrivée au pouvoir de la coalition Sena-BJP. Les musulmans ne se sentent pas en sécurité pour autant ; « Ils [les hindous] n'arrêtent pas de nous enculer », m'a crûment expliqué Jalat Khan. Susceptible d'éclater à tout moment, la violence est aussi délibérément contrôlée qu'elle a été orchestrée pendant les émeutes. De temps à autre, le Sena s'amuse encore à montrer de quel bois il se chauffe en tabassant le directeur d'un journal, en tuant un locataire récalcitrant. Il s'abstient toutefois de lâcher la meute et d'envoyer Sunil, Raghav et leurs semblables semer la désolation dans une communauté précisément ciblée. C'est devenu superflu, maintenant qu'il détient les clés du trésor du Maharashtra. Le grand calme d'avant la tempête est tombé sur la ville.

LES ÉLECTIONS DE 1998

Ce fut la plus grande passation de pouvoirs jamais opérée sur la planète : un réel transfert de l'autorité à une majorité réelle d'un milliard de personnes. Certes, il y avait eu un précédent notoire avec le départ des Britanniques de l'Inde et du Pakistan, mais il n'avait pas cette envergure. En cinquante ans, l'Inde indépendante a réalisé ce que cinq mille ans d'histoire n'avaient pu accomplir : accorder à la catégorie la plus nombreuse de sa population le droit de participer à l'administration du pays. Les dalits * (qu'on appelle aussi « intouchables »), les « castes et tribus officiellement répertoriées » (nommément inscrites dans la Constitution en raison de la discrimination dont elles ont historiquement été victimes) et les « autres classes arriérées » (mentionnées sans plus de précision mais qui bénéficient également des lois de discrimination positive) forment en bloc la majorité numérique du pays. Écartée du pouvoir pendant des millénaires par des castes et des classes plus privilégiées (hindoues, musulmanes ou chrétiennes), elle dut attendre son heure jusque vers la fin du XXe siècle, lorsque, fait sans précédent, les castes inférieures purent enfin entrer dans le processus politique et apporter leurs suffrages aux candidats de leur choix. En 1997, c'est un intouchable, K.R. Narayanan, qui fut élu à la présidence du pays. Ses ministres brahmanes se bousculaient pour lui toucher les pieds et recevoir sa bénédiction. Et le Parlement examine à l'heure actuelle une proposition de loi qu'il finira forcément par adopter : elle prévoit de réserver un tiers des sièges de la plus haute instance législative à des femmes.

À l'été 2000, les journaux indiens publiaient à la une des gros titres alarmants, du style : « 50 millions de personnes menacées de famine. » Cette année-là, pourtant, l'absence de pluies ne déclencha pas de famine ; le gouvernement avait mobilisé des trains pour expédier aux quatre coins du pays les vivres indispensables à tous ceux dont les récoltes séchaient sur pied. Jusque dans les années soixante, les journaux auraient titré : « La famine fait des milliers de victimes. » On ne meurt quasiment plus de faim dans l'Inde d'aujourd'hui. Chaque fois qu'un décès paraît imputable à la malnutrition, la presse couvre abondamment l'événement, le gouvernement provincial essuie un feu de questions à l'Assemblée, et l'opposition s'empare de l'affaire. L'élimination de la famine n'est pas le moindre exploit qu'ait réussi ce pays. Cette vérité surprend les élites de Bombay, qui à quelques rares exceptions près envisagent avec pessimisme l'avenir de la ville.

Les nouveaux dirigeants sont tous corrompus jusqu'à la moelle, contrairement à leurs prédécesseurs sortis d'Oxford ou de Cambridge, que leurs titres et leur fortune de féodaux retenaient de puiser à pleines mains dans les caisses de l'État. La classe politique n'est d'ailleurs pas seule en cause. Le système de réservations et de quotas ménage la place des « arriérés » dans les autres institutions publiques, notamment dans l'administration. L'écrivain U.R. Ananthamurthy me citait le cas d'un fonctionnaire dalit, qui, pour expliquer la généralisation de la corruption, lui raconta que dans son village, personne avant lui n'avait réussi à entrer à l'université et à partir pour Delhi, siège légendaire du pouvoir. Chaque fois qu'il retournait chez lui, tout le monde s'attendait qu'il arrive chargé des biens et des avantages en nature liés à ses fonctions et qu'il redistribue cette manne, pas simplement à sa famille, mais à toute la population de sa commune déshéritée. Usant d'une image parlante, il se comparait à « un morceau de sucre dans une fourmilière ».

Les élections nationales organisées en février 1998, lors de mon retour définitif à Bombay, pour désigner le chef du gouvernement, sont un simulacre de démocratie. La Commission électorale a si sévèrement limité les budgets des candidats que pour savoir que cette consultation va avoir lieu il faut regarder la télévision. Du moins quand on habite Malabar Hill, car la seule affiche que j'aie vue dans le quartier présente le candidat du « parti pyjama » – un moustachu coiffé du bonnet en coton qu'affectionnait Gandhi – au-dessus de cette profession de foi : « Tout ce que je veux, c'est présenter des motions. » Il est sponsorisé par MTV et les jeans Levi's, deux firmes assez puissantes pour avoir les moyens de traiter ouvertement le scrutin de farce.

Les électeurs doivent choisir entre Sonia Gandhi, italienne de naissance et veuve de Rajiv Gandhi, et Atal Bihari Vajpayee [1], un des piliers du BJP. Les intellos n'aiment pas la première. Patriotes, ils s'insurgent contre l'idée que l'Inde aurait besoin d'importer ses Premiers ministres comme elle importe les combinés radio-CD ou les jeans de marque. Sonia, dont le plus grave défaut est donc de n'être pas indienne, a très peu de supporters à Malabar Hill ou à Jor Bagh. L'Inde rurale, en revanche, l'a acceptée sans réticences. Lorsque, montant à la tribune, elle entame ses discours en disant : « Grâce à mon mari, j'ai eu une vie comblée », ses auditeurs ne voient plus en elle l'immigrée italienne mais Sati Savitri, parangon mythique de l'épouse accomplie. Sonia cesse alors d'être la veuve italienne d'un pilote de ligne moitié kashmiri et moitié parsi qui écorchait le hindi. Dès qu'elle pénètre dans la famille de son époux, la femme perd ses origines. De quelque bout du monde qu'il vienne, chacun peut faire sa vie en Inde. Même celui qui en est parti vingt ans durant.

Quand j'arrive au lieu du rendez-vous, je trouve Jayawantiben Mehta assise à la table en Formica. Femme au foyer, cette dame entre deux âges est députée BJP de la circonscription de Mumbai

---

1. Homme politique indien et poète reconnu, Atal Bihari Vajpayee fut Premier ministre de l'Inde en 1996, pour une durée éphémère de treize jours, puis en 1998. Reconduit dans ses fonctions en 1999, il démissionna le 13 mai 2004 à la suite de la défaite électorale de son parti, le BJP *(N.d.T.)*.

Sud ; en 1996, elle a battu le candidat du parti du Congrès, Murli Deora, qui occupait le siège depuis douze ans. Pour l'heure, elle gère le financement de sa campagne et marchande ferme avec les commerçants censés la soutenir.

« Jusqu'à présent vous avez donné trois lakhs * et soixante-quinze mille roupies. Il vous reste donc à payer un lakh et vingt-cinq mille roupies, exige-t-elle.

– Pas du tout ! Nous vous en avions promis trois au grand maximum.

– Jamais de la vie. Je ne marche pas à moins de cinq. »

Un lakh vaut cent mille roupies, soit à peu près mille sept cents euros. La scène se déroule dans le bureau d'un des dirigeants de l'association des diamantaires. Son père, sa femme et lui sont tous trois de fervents militants de l'Hindutva, mais trop policés pour briguer eux-mêmes les suffrages des électeurs. Le BJP avait approché son épouse pour qu'elle défende les couleurs du parti aux législatives ; elle a refusé car elle ne voulait pas « se salir les mains ».

À un moment donné, ce monsieur respectable attrape sous son bureau un sac de courses en plastique blanc qu'il pose brutalement devant Jayawantiben. Laquelle se garde bien d'y toucher, même pour en examiner le contenu, et demande simplement qu'on le fasse porter dans sa voiture.

Son assistant sort de sa poche un carnet à souche, et les négociations reprennent. Il s'agit maintenant de savoir quelle part du montant sera versée par chèque et combien en liquide. Le thé est servi. Pendant que nous le dégustons, Mme la députée m'invite à l'accompagner dans sa tournée électorale. Puis elle s'en va et je reste assis devant le sac en plastique blanc que personne n'a encore emporté. Je jette un coup d'œil à l'intérieur. Dedans, plusieurs centaines de milliers de roupies en liasses de billets enveloppés de papier journal. Sur le sac on peut lire :

Gourmandises sucrées et salées de Haldiram.

Elles remportent tous les suffrages !

Bien décidé à profiter de l'invitation de Jayawantiben, je me mêle un beau matin à son escorte. Je n'ai pas à aller très loin :

elle fait campagne tout près de Dariya Mahal, dans les villages secrets de Malabar Hill. Je me risque à sa suite sur le bord de mer rocheux où prolifère un immense bidonville dont les habitants, pour la plupart, ne lui témoignent qu'indifférence. « On n'a même pas l'eau, ricane un homme. Ils passent nous voir tous les cinq ans. » À l'entrée d'une maison, quelques femmes, pourtant, accueillent la candidate. Elles apportent une assiette en métal sur laquelle elles ont déposé une noix de coco, une lampe, un bâtonnet d'encens, elles font devant elle un petit puja puis se baissent pour lui toucher les pieds. Jayawantiben leur donne sa bénédiction. Les slogans que lancent ses partisans sont en marathe, en hindi ou en anglais, selon la langue majoritaire dans les différents villages du slum.

Apparemment, Mme la députée inspire plutôt confiance. À quelques pas des Jardins suspendus, une Gujeratie sort de son taudis et tend le doigt vers une canalisation qui passe juste devant. « Le réservoir est là et je n'ai même pas l'eau, explique-t-elle en parlant du réservoir de Malabar Hill qui alimente tout le sud de Bombay. À cause de ça, j'ai été forcée de quitter le travail que je faisais depuis vingt-deux ans. Je commençais à sept heures et demie du matin, à Andheri, à six heures il fallait que je sois partie. » Maintenant elle doit rester chez elle pour remplir ses seaux quand le camion-citerne arrive. Jayawantiben lui promet de se pencher sur la question. Aussitôt la femme lui présente une autre requête :

« Et ma fille ? Vous allez la faire inscrire ?

– Passez à mon bureau, nous verrons ça ensemble. C'est pour la mettre en pension ? Dans le public, dans le privé ?

– À Walshingham. Vous inscrirez ma fille à Walshingham, dites ? »

Walshingham est l'une des écoles de filles les plus chic de Bombay. Mes sœurs y sont allées. La demande de cette femme est carrément osée.

« Cette école privée ne reçoit pas de subventions du gouvernement, mais je ferai mon possible. C'est tout ce que je peux vous promettre. Si je vous disais qu'elle va y entrer sans problème ce serait un mensonge et je n'aime pas mentir. Passez à mon bureau, on essayera de s'en occuper. »

D'autres villages se massent autour du réservoir. L'un est d'ailleurs si beau qu'un des militants du parti glisse à l'un de ses compagnons qu'il devrait demander à y être logé. Jonché de sacs en plastique roses et bleus, il étire à l'ombre des banians ses toits en tôle ondulée et ses murs en brique. Des coqs et des poules picorent l'herbe. La mer toute bleue scintille dans le lointain. Par les portes entrebâillées on entrevoit des récipients métalliques étincelants de propreté, on remarque les vélos à dix vitesses garés devant les cahutes. Les gens sont bien vêtus, les enfants paraissent en bonne santé, les égouts, ici, ne sont pas à ciel ouvert – mais il y a tout de même un gros rat mort couché sur le flanc dans la ruelle ; nous l'enjambons tour à tour. Ces slums n'existaient pas, dans mon enfance. Il s'en est formé dans les moindres recoins et ils ne disparaîtront pas de sitôt ; ils sont équipés de l'électricité, de points d'eau. Jayawantiben passe sa journée à arpenter les quatorze slums qui cernent Malabar Hill ; elle rencontre celles et ceux qui y vivent, elle écoute leurs doléances. Elle ignore délibérément, en revanche, les immeubles huppés qui se dressent au milieu.

Comme je m'en étonne auprès de l'un des membres de son équipe de campagne, il m'explique que les riches ne se donnent pas la peine d'aller voter. Dans les quartiers cossus de Malabar Hill, chez les résidents en titre de la circonscription, la participation est de douze pour cent ; dans les slums occupés par des squatters pour qui le résultat des urnes a une traduction très concrète – avoir un toit ou vivre à la rue –, elle est de quatre-vingt-huit pour cent. Ce soir-là, je vais retrouver un ami journaliste à Bandra. Il me sort une liste électorale de 1995, année où il a assisté au dépouillement du scrutin. Les électeurs sont classés par immeubles, et les votants sont identifiés par des petites croix rouges tracées devant la moitié des noms environ. Mon ami me désigne les « bons » immeubles, ceux des riches : à en juger d'après les marques rouges, seul un cinquième, au mieux un quart de leurs habitants a déposé son bulletin dans l'urne. À l'inverse, tous les noms des habitants de Navjivan Chawl – un ensemble de logements bon marché que d'aucuns assimilent à un slum – sont cochés en rouge. Voilà, à mes yeux, la différence essentielle entre les deux plus grandes démocraties du monde : en Inde, les pauvres votent.

L'auteur d'un meurtre n'est jamais entièrement défini par son acte. Avoir tué un autre être humain en fait certes, et peut-être avant tout, un meurtrier, distinct du plus grand nombre de ses semblables qui n'ont pas commis un tel geste, mais il est autre chose, aussi. Un père, un ami, un patriote, par exemple. Obnubilés par le meurtre, nous prenons la partie pour le tout ; nous ne nous intéressons qu'au meurtrier en nous demandant, encore et encore, comment il en est venu à se différencier si radicalement du commun des mortels. Curieux de découvrir les autres aspects de la personnalité de Sunil le meurtrier et de vérifier dans quelle mesure les émeutes l'avaient changé, j'ai donc décidé de retourner à Jogeshwari le jour des élections de 1998. Aussi mince et souriant que jamais, Girish à qui j'avais passé un coup de fil m'attendait à Churchgate pour me conduire là-bas.

J'ai retrouvé Sunil et les jeunes avec qui j'avais pris un verre au chowk * de Jogeshwari. Au cours des dix-huit mois écoulés depuis cette rencontre, Sunil a grimpé les échelons. Le jour du rendez-vous, il porte une chemise blanche immaculée, un pantalon noir, des lunettes de soleil, et joue ostensiblement avec la chaîne à laquelle est accrochée la clé de sa moto neuve. Âgé maintenant de trente ans, il a un fils, en plus de sa fille. Aussi cordial qu'autrefois, il entreprend tout de suite de me présenter aux uns et aux autres. « Mehta est venu écrire un bouquin sur la guerre », dit-il en guise d'introduction. Ceux que j'ai déjà rencontrés m'accueillent avec de grands sourires. Bhikhu Kamath, le chef de la shakha, fait arrêter son rickshaw et prend mes deux mains dans les siennes.

Sunil m'invite à l'accompagner dans sa tournée de démar-
chage électoral pour le compte de Ram Naik, candidat du
BJP-Sena au poste de député. « Tout ce que tu vas entendre ne
sera pas joli, joli, me prévient Sunil en riant. C'est le démar-
chage qui veut ça. » Autour du bureau de vote, des lignes
blanches tracées sur la chaussée s'étendent sur près de deux
cents mètres dans toutes les directions, délimitant le périmètre à
l'intérieur duquel il est interdit de stationner et de distribuer des
tracts. Tout le monde veut que je voie comment se déroule le
scrutin ; des gens décidés à me prêter main-forte affluent vers
moi tandis que je fais les cent pas devant l'école qui sert de
bureau de vote. Je finis par y pénétrer en compagnie de
Dharmendra, le frère de Girish, mais arrêté à la porte de la salle
je dois me contenter de l'observer à distance. Un assesseur
cherche le nom et le numéro de mon guide sur une liste, découpe
un bulletin de vote à l'aide d'une règle en acier coulissante,
prend l'empreinte de son index. Muni du sceau, Dharmendra se
glisse derrière une barrière en carton érigée à hauteur de poitrine,
appose le sceau sur son bulletin, plie celui-ci et le glisse dans
l'urne. Pour quantité d'autres électeurs, les choses ne sont pas
aussi simples : bien des gens se présentent au bureau de vote
pour découvrir que leurs nom et adresse sont déjà cochés en
rouge sur la liste, autrement dit que quelqu'un a voté à leur
place, les privant ainsi de leur droit à effectuer le seul choix
significatif autorisé en démocratie. Ils peuvent toujours protester,
donner des preuves de leur identité et de leur bonne foi, cela ne
change rien. Ils arrivent trop tard.

Le personnel des états-majors de campagne qui s'active sous
les tentes, devant le bureau de vote, aide les électeurs à trouver
leur numéro d'enregistrement et le leur remet sur un reçu. Ces
gens sont payés par les partis politiques, mais les tarifs varient
du simple au double : cinquante roupies pour ceux qui travaillent
avec le Sena-BJP, cent roupies pour ceux du Congrès, à quoi
s'ajoutent des puris, des légumes, du sheera *, une sucrerie. J'en
déduis tout de suite que le Sena-BJP va gagner : on se fait payer
plus cher pour soutenir un perdant. Bhatia, partisan du Congrès,

confirme mon intuition. Il ne se sent pas très engagé, bien qu'il
milite dans ce parti depuis sa jeunesse, et il m'explique à sa
manière pourquoi les suffrages ne se porteront pas sur les sor-
tants : « Le Congrès a déjà mangé, il a le ventre plein. Le Sena,
lui, n'a pas mangé. Ce sont deux bandes de voleurs mais le
Congrès a fait le plein, il est repu. »

Désireux d'en apprendre plus long sur la vie de Sunil, je
l'emmène avec Girish manger dans un restaurant sélect de
Lokhandwala. Il est éclairé par des bougies – un raffinement qui,
selon Girish, « sert à économiser l'électricité ». Bien décidé à me
montrer que ce décor ne l'impressionne pas, Girish bouscule les
serveurs pour un oui ou pour un non. « Ils en mettent du temps à
apporter la commande », râle-t-il. J'observe alors à haute voix
qu'il a pris du galon, ce que Sunil confirme en ces termes : « Il a
le *powermoni*, maintenant » – le pouvoir de l'argent.
Girish est sorti en 1991 de l'université Ismail Yusuf avec une
licence d'économie. Les employeurs n'ont pas déroulé le tapis
rouge devant lui et, dit-il, « je me suis rendu compte que j'aurais
dû aller dans une meilleure fac ». Après avoir suivi une formation privée en informatique, il est devenu agent de change à la
petite semaine à l'époque bénie où la Bourse flambait, au début
des années quatre-vingt-dix. Tout le monde s'enrichissait et
Girish se vautrait dans le luxe. Il avait de quoi s'offrir un jus de
fruits par jour – « même si on préférait le jus de banane, on choi-
sissait toujours ce qu'il y avait de plus cher ». Les attentats à la
bombe de 1993 ont stoppé net l'envolée des cours. Depuis,
Girish travaille pour diverses boîtes d'informatique, et entre
deux emplois salariés il tente de monter sa propre affaire.
« L'argent est roi », opine Sunil. Il connaît des endroits bien
plus chics que celui-ci. Il a même mangé une fois au restaurant
de l'hôtel Taj. Pour le prouver, il a gardé l'addition qui s'élevait
à deux mille quatre cents roupies, et il la montre aux sceptiques,
à Jogeshwari. À écouter ceux de mes interlocuteurs qui
cherchent à monter en grade ou à s'enrichir, l'hôtel Taj, citadelle

de l'empire, est en quelque sorte le mètre étalon de l'ascension sociale au sein de la société bombayite. L'établissement doit son existence à un affront : il a été créé par un grand industriel indien, le Parsi Jamshetji Tata, qui à la fin du XIXᵉ siècle se vit refuser l'entrée du Watson, un hôtel de luxe, au motif qu'il était indigène. Ulcéré, il jura de se venger et, en 1903, engagea la construction de ce Taj massif qui surpasse le Watson dans tous les domaines. Au vrai, ce n'est pas tant un hôtel qu'un site où tester l'ego. Le lobby et les toilettes du rez-de-chaussée donnent tout de suite la mesure de la valeur personnelle. Théoriquement, n'importe qui peut entrer là pour s'abriter de la chaleur, se prélasser sur les divans richement ornés aux côtés de milliardaires arabes et de femmes du monde, ou aller se soulager dans les toilettes étincelantes, mais il faut une bonne dose de confiance en soi pour affronter l'armée des grooms, des portiers, des dames pipi. Le quidam désireux de les convaincre qu'il n'est pas déplacé dans ce lieu doit d'abord être convaincu d'y avoir effectivement sa place. Or, bien souvent il se rend compte qu'il n'y a pas pire cerbère que celui qu'il porte en lui.

Sunil a grandi dans les slums, loin, très loin du Taj. Il avait huit ans et était en deuxième année de primaire quand ses parents tombèrent tous deux gravement malades. Son père qui travaillait de nuit à l'usine Premier Automobiles ne gagnait pas grand-chose. Il développa d'abord un ulcère, puis une appendicite, tandis qu'au même moment la mère de Sunil se plaignait, dit-il, d'avoir « comme une boule dans le ventre ». Pendant trois ans, ils firent l'un et l'autre des séjours répétés à l'hôpital et l'état de son père fut jugé assez grave pour que les médecins le déclarent « à la dernière extrémité ». Sunil et sa grande sœur à peine plus âgée vivaient seuls la plupart du temps. Personne ne rapportait d'argent au foyer et les autres membres de la famille étaient d'un piètre secours ; le décès de leurs parents risquait d'ailleurs de rapporter quelque trois lakhs à leur oncle. Étant donné la qualité exécrable de la nourriture servie au Cooper Hospital, la plupart des malades comptaient sur les repas que leur apportaient leurs proches. Quand il sortait de classe, à midi et demi, Sunil courait pour attraper le 253 et revenir au plus vite à la maison. Sa sœur l'y attendait avec le déjeuner prêt ; elle partait à l'école à sept heures et demie et rentrait à temps pour le préparer. Sunil fonçait à l'hôpital avec : il fallait qu'il arrive avant quatorze heures, car les visites s'arrêtaient à ce moment-là. Il avait beau se dépêcher, il n'était pas toujours dans les temps et plus d'une fois le gardien lui a dit de repasser à seize heures, moment où les visites reprenaient. Lui le suppliait, faisait valoir que ses parents l'attendaient juste au-dessus, à l'étage, qu'ils avaient faim et qu'ils devaient manger, mais le gardien restait inflexible ; Sunil n'était qu'un gamin et il n'avait pas d'argent. Vaincu, il se résignait à camper à la porte avec le déjeuner qui refroidissait, en observant la procession de gens que le gardien acceptait de laisser entrer en échange de quelques roupies. « Je n'avais rien, pas vingt roupies, pas même dix, et je regardais ça en me disant si c'est trop dur pour moi, si je ne peux même pas porter son déjeuner à mon père, alors la vie ne vaut pas la peine d'être vécue. Quitte à vivre, il faut vivre correctement. À force d'y penser, j'ai compris qu'à Bombay un homme doit gagner de l'argent par tous les moyens, absolument tous, même s'il doit tuer pour ça. »

En Inde, soixante-quinze pour cent de la population ont moins de vingt-cinq ans. Sunil est assez représentatif de cette génération qui a bien l'intention de vivre mieux que la précédente et qui laisse éclater sa colère quand ses attentes sont déçues. Pas une famille, pas un pays ne résiste longtemps à la hargne de la jeunesse.

Un jeune Indien au chômage vit un enfer. Dix-huit ans durant, le fils a reçu la meilleure part de ce que la famille pouvait s'offrir. À table, il était servi le premier, avant son père, sa mère, sa sœur, dans cet ordre. Quand dans le foyer l'argent venait à manquer, le père restreignait au besoin sa consommation de tabac, la mère repoussait l'achat d'un sari neuf, la sœur restait à la maison, mais lui, le fils, continuait d'aller à l'école. Et soudain, à dix-huit ans, le voilà tenu de réaliser les espoirs placés en lui par cette famille qui l'adule. Sa voie est toute tracée, comment oserait-il s'en écarter ? Il sait ce que l'on attend de lui. Témoin de toutes les vexations endurées par les siens pour l'amener où il en est aujourd'hui, il doit se montrer à la hauteur de leurs attentes. Sa sœur va bientôt se marier, sa mère est malade, son père prendra sa retraite l'an prochain. Tout repose sur lui, qui en prime porte le poids d'une culpabilité d'enfant choyé ayant reçu comme un dû ce qu'il y avait de mieux. Quand il s'aperçoit que son certificat d'apprentissage ou sa licence ne sont pas des sésames pour l'emploi (les grandes entreprises ont mis la clé sous la porte et celles qui sont restées en ville n'embauchent plus ; les petites ne recrutent que parmi les proches parents de leurs employés et votre famille qui vient de Raigad ou du Bihar n'a aucune espèce d'influence), il cherche d'autres moyens de gagner de l'argent. Il faut qu'il en trouve, sinon sa famille aura investi sur lui en pure perte. Coups et rebuffades lui font moins peur que l'idée de se présenter devant les siens en fils indigne. Alors il sort le matin et il rentre le soir, au besoin il sort le soir et rentre après le lever du soleil, mais il s'occupe d'eux. Il le leur doit ; ainsi le veut son dharma.

Sunil était adolescent quand il a commencé à frayer avec la bande de Maya Dolas ; il faisait des courses pour les voyous, leur apportait des boissons fraîches, de quoi manger, apprenait en les observant comment les hommes s'enrichissent, à Bombay. Recalé une première fois à l'examen d'entrée en seconde, il s'est accroché, l'a représenté et a été reçu. Deux ans plus tard, au moment de passer son certificat de fin d'études, Sunil avait plus de jugeote. Il trouvait parfaitement stérile de bûcher comme un âne, d'échouer mais de persévérer et de s'obstiner jusqu'à ce qu'il y arrive. Il a engagé un fort en thème qui a passé l'examen à sa place et a obtenu soixante-sept points sur cent. Mention très bien. Au sortir du lycée, Sunil s'est inscrit au Shiv Sena. Le jour où il a fallu le transfuser, les gars du Sena ont donné leur sang pour lui. Ce geste l'a profondément touché : il les considère, littéralement, comme ses frères de sang.

Depuis quelque temps sa situation a changé. Sunil n'est plus un tapori *, un gosse que la misère condamne à la mendicité. Sa station de télé câblée marche fort, assez bien pour qu'il ait également pu ouvrir une petite fabrique de stylos, se lancer dans le commerce des mangues et même dans le tourisme, grâce à l'achat d'un minibus. La police a recours à ses bons offices pour régler des broutilles ; pour dissuader une bande de gamins de démolir un rickshaw, il leur a offert des places gratuites au cirque contre la promesse de rester sages. Il a tout un jeu de cartes de visite à son nom dans sa poche de poitrine ; la plus valorisante, délivrée par le gouvernement du Maharashtra, lui reconnaît le titre d'officier ministériel spécial. « Avec elle, je peux faire tout ce qui me plaît à Bombay. J'ai le bras aussi long qu'un juge », se vante Sunil, alors que cette fonction n'est pas plus valorisante que celle d'avoué. Chaque fois qu'un parti politique arrive au pouvoir, il récompense ses cadres en distribuant par centaines des cartes qui, du jour au lendemain, les promeuvent magistrats ou officiers ministériels. Ce qui est souvent source d'embarras, car une forte proportion des individus ainsi distingués ont des casiers judiciaires fournis. Juridiquement parlant, l'autorité que ce titre confère à Sunil est à peu près nulle, mais sa carte lui donne un statut, une légitimité. Quand il la présente, personne ou presque ne se hasarde à lui demander ce qu'elle signifie ; il suffit qu'elle porte le tampon de l'État du Maharashtra.

Aujourd'hui, on ne le traite d'ailleurs plus de la même façon à l'hôpital. Récemment son père a dû subir une autre opération ; on lui a enlevé le testicule gauche. Sunil a payé l'intervention de sa poche : quinze mille roupies, pas une de moins, et à l'hôpital Hinduja, s'il vous plaît, l'un des plus réputés de la ville, avec des chambres cinq étoiles. Cette fois, il n'a pas été obligé d'attendre à la porte. « Maintenant j'entre comme je veux dans n'importe quel hosto, à l'Hinduja, n'importe où. Je glisse un mot à Balasaheb Thackeray, il passe un coup de fil là-bas et tout le monde s'écrase. »

Sunil est ravi que sa fille l'appelle sur son portable, moins pour le plaisir d'entendre la petite que parce qu'il a l'occasion de sortir le coûteux gadget. Il va jusqu'à me le tendre, pour que je parle, moi aussi, à Guddi. Elle va à Saint-Xavier, une école privée où les cours ont lieu en anglais et où elle est entrée sur intervention du ministre qui, pendant les émeutes, avait relâché Sunil sous caution. En contrepartie, Sunil met ses hommes à la disposition du ministre « quand on a besoin d'eux pour brûler un train ou casser une voiture ».

Sunil est encore un peu dérouté par les mœurs de Saint-Xavier. Lors de la dernière fête des parents d'élèves, il a accompagné Guddi dans son école huppée. Ils se sont arrêtés devant un étal où s'empilaient des livres importés du Japon. Sa fille en a pris un, le professeur qui surveillait le stand a prononcé quelques phrases en anglais auxquelles Sunil n'a rien compris et lui a demandé de signer un papier. Sourire aux lèvres, il tapotait la tête de Guddi en la félicitant d'avoir de « bons parents ». Content du compliment, Sunil a signé sans poser de questions et il est rentré avec la gamine qui tenait le livre serré contre elle. Le lendemain, un livreur s'est présenté chez eux avec une encyclopédie en plusieurs volumes qu'il a déposée dans leur taudis. Sunil s'est alors aperçu qu'il l'avait achetée sans le savoir, moyennant quatre mille cinq cents roupies – plus de soixante-quinze euros.

Il a fait la connaissance de sa femme à l'occasion d'un tournoi de kabbadi * qu'il disputait pour son école. Ils sont sortis ensemble pendant près de dix ans avant qu'il se décide à l'épouser. Issue de la même caste que lui, elle vient cependant d'une famille plus pauvre, ce que déploraient les parents de Sunil. Lui-même trouve d'ailleurs qu'elle n'est pas « ce qu'on appelle une beauté ». Il y a quelque temps, elle s'est présentée sans étiquette aux élections municipales et a bien failli être élue au conseil, à quatre-vingts voix près. Le BJP et le Sena avaient réagi in extremis en lui opposant un candidat unique. Je demande à Sunil s'il a subi des pressions, au sein du Shiv Sena, pour que sa femme retire sa candidature. « On est en démocratie, à la maison. Ma femme

prend ses décisions, je ne m'en mêle pas », répond-il. Lors du prochain scrutin, le Sena devra inscrire la femme de Sunil sur sa liste,
ou lui verser une somme conséquente pour qu'elle n'entre pas en
campagne. Là, elle a simplement « fait ses classes ». Chaque fois
qu'une dispute éclate entre voisines, les dames du quartier
viennent lui soumettre l'affaire. À vingt-trois ans, c'était la plus
jeune tête de liste des élections et dans trois ans il y aura une nouvelle consultation. « Re-essaye encore, re-essaye plus, lui dit
Sunil dans son anglais. Mais ne pleure pas après. »

Sunil est bien placé pour connaître les vertus de la participation politique. Il y a deux jours, il est sorti avec sa femme
acheter des cadeaux pour l'anniversaire de leur fils, et comme ils
s'approchaient d'une station de rickshaws avec leurs sacs pleins
à craquer, ils ont assisté à une scène qui opposait une femme
enceinte à un conducteur de rickshaw. Ce dernier refusait
d'emmener sa cliente dans un quartier de Jogeshwari réputé dangereux, près de Radhabai Chawl. L'épouse de Sunil a aussitôt
signalé à un agent de police que la femme était enceinte et avait
besoin d'un rickshaw. L'agent a fait la sourde oreille. Très
contrariée, elle est venue retrouver son mari qui lui a alors
conseillé d'aller dire au flic : « Je me suis présentée aux élections et j'ai obtenu huit cent soixante-dix voix. Je peux faire
fermer cette station de rickshaws quand je veux. » Au bout du
compte, la future mère a pu monter dans le rickshaw et l'agent
de police a été signalé à sa hiérarchie. « Ma femme a mesuré
grâce à moi le type de pouvoir qu'elle a », se rengorge Sunil.

En me raccompagnant jusqu'à une station de rickshaws, il me
montre un terrain qui lui appartient et grâce auquel il pourra
bientôt arrondir ses fins de mois car un cirque va s'y s'installer.
Sa station de télé lui rapporte cinquante mille roupies par mois et
il en gagne vingt-cinq mille autres avec ses diverses activités,
légales ou illicites.

« Soixante-quinze mille roupies, dis-je après un bref calcul.
C'est plus que ce que touchent bien des cadres.

– Tu comprends pourquoi je m'aime tant », rétorque Sunil.

Il est désormais clair pour moi que Sunil va tôt ou tard hériter de Bombay. Ce sera la conséquence ultime de la mort par le feu qu'il a infligée au vendeur de pain. Deux ans plus tard, avec l'arrivée au gouvernement du Shiv Sena, il a été nommé officier ministériel spécial, et si la fonction est vague c'est en tout cas une marque de confiance publique. Il déborde d'énergie, se met au travail à dix heures du matin, arpente Bombay tous azimuts, de Jogeshwari à Dahisar, se déplace au besoin à Goa, à Raigad, et, quoi qu'il arrive, rentre chez lui à la nuit pour être près de sa fille. Il n'a pas peur de se salir les mains en politique, au contraire, et se réjouit même que sa femme se présente aux élections. Idéaliste à propos de la nation, il est néanmoins assez opportuniste pour se saisir de toutes les occasions d'enrichissement qu'offre la politique. On peut en fait le voir comme un modèle de réussite capitaliste.

Les nouveaux héritiers du pays – et de la ville – sont très différents des premiers successeurs des Britanniques, les lettrés revenus en Inde après avoir étudié à Cambridge ou fait leur droit au Inner Temple [1]. Mal élevés et peu instruits, aussi dépourvus de scrupules que d'urbanité, ce sont des bouffons et des pitres, des petits voyous, souvent, mais ils sont représentatifs et c'est là-dessus qu'ils jouent. Qu'un meurtrier comme Sunil puisse percer à Bombay en s'engageant dans la politique municipale est à la fois une victoire et un échec de la démocratie. Ceux qui nous gouvernent ne sont pas tous aussi compromis que lui, mais ils ont tous besoin de gens de son acabit pour se faire élire. Les politiciens bombayites doivent rassembler des budgets pharamineux pour leurs frais de campagne. Les salaires qu'ils touchent et les sommes officiellement débloquées par leurs partis étant loin d'y suffire, force leur est de chercher de l'argent ailleurs.

Partout je constate des signes de ce changement. Une tristesse profonde ronge le Bombay dans lequel j'ai grandi : elle est liée à

---

1. Inner Temple : prestigieuse faculté de droit londonienne, l'une des quatre plus anciennes de la ville. Gandhi, notamment, y a fait ses études (N.d.T.).

la perte, au transfert des clés de la cité. Il est révolu, le temps où les Parsis, les Gujeratis, les Penjabis, les Marwaris contrôlaient la vie politique de la ville. Le vent a tourné en 1971, année où les électeurs ont boudé le candidat Naval Tata, puissant industriel qui se présentait sans étiquette dans la circonscription Sud de Mumbai, la plus riche et la moins peuplée du pays. Malgré cela, il a perdu. Contrairement à ce que l'on observe aux États-Unis, en Inde les Crésus ne sont pas assurés de remporter les élections. Les membres des classes supérieures qui veulent faire de la politique n'ont guère d'autre solution, aujourd'hui, que de se faire directement nommer à la Chambre haute du Parlement.

Les anciens détenteurs du pouvoir partagent peu ou prou le sentiment qu'on a ouvert les portes de la ville à des barbares qui viennent dormir jusque devant leurs palais. Bombay doit assumer la racaille du pays, et cela les indigne. Seul motif de consolation : la piétaille innombrable forme un inépuisable réservoir de petites bonnes, de chauffeurs, de larbins. C'est un des charmes du lieu : les gages mensuels de la bonne ne coûtent pas le prix d'un petit déjeuner au Taj. Aujourd'hui, la politique fait elle aussi partie des tâches dégradantes assignées aux domestiques, aux subalternes – nettoyer les toilettes, tenir les comptes, répondre au téléphone, patienter dans une file d'attente devant un guichet de l'administration –, de ces activités peu reluisantes que les gens délèguent à d'autres dès qu'ils peuvent se le permettre. Quand j'ai un problème avec mon portable ou besoin d'aller chercher de l'argent, on me conseille systématiquement d'« envoyer mon boy ». Je réponds que je n'en ai pas, que je suis mon propre maître. Je passe pour un excentrique. Dans les milieux d'affaires, les cercles politiques, la fonction publique, ceux qui en ont les moyens ne se déplacent jamais en personne. Ils envoient leurs boys.

Or, ces nantis sont aussi ceux qui créent la richesse, et avec elle les conditions permettant à la mendiante de trouver un toit pour ses enfants. Les nantis doivent bénéficier de leurs superbes appartements et de leur cognac français pour que les pauvres puissent bénéficier d'une pièce propre où se loger et d'une ration quotidienne de riz ou de dal. Personne ne peut plus croire, à l'ère post-marxiste, que la redistribution est la clé de tous les problèmes, que les pauvres s'enrichiront si les riches s'appauvrissent. La fin de l'idéologie a également été fatale aux idées. Le débat national ne repose plus sur aucune conviction forte. À droite, on veut vaguement croire aux retombées des investissements étrangers, qui à gauche suscitent des craintes confuses. La gauche, contrite, ne cesse de se confondre en excuses. Qui aujourd'hui oserait défendre les conditions de travail des employés des banques nationalisées ? Comment soutenir sans ciller que la planification centralisée viendra à bout de la pauvreté, dans un pays qui sort d'un demi-siècle de socialisme ? Garibi Hatao (À bas la pauvreté) : lors de la campagne électorale qui vient de s'achever, ce slogan a brillé par son absence. Comme si tout un chacun reconnaissait désormais tacitement que la pauvreté est insurmontable et que, tant pis, il faut passer à autre chose, s'attaquer à la corruption ou aux multinationales, se demander s'il vaut mieux construire un temple ou une mosquée à Ayodhya.

Les villes indiennes vivent une transition du même ordre que celle qu'ont connue les villes américaines au début du XXe siècle, à l'époque où le parti démocrate avait le vent en poupe et intégrait les nouveaux immigrants au monde de l'emploi et à la vie politique, non sans faire tomber quelques têtes au passage. Ici comme dans les villes américaines, on verra un jour apparaître des mouvements réformistes et des réformateurs qui retrousseront leurs manches pour nettoyer la porcherie. Bombay n'en est pas encore là. « La lie de la société se fait mousser au sommet », me déclare Gerson da Cunha, militant pour les droits civiques, l'une des figures de proue de la vieille garde. Les privilégiés des quartiers Sud de Bombay qui se lamentent sur la disparition de leur « gracieuse » ville pleurent en réalité leur perte d'influence sur les affaires municipales. Ceux qui vivaient dans leur ombre et qui s'échinaient dans leurs grandes demeures n'ont jamais apprécié la « grâce » de Bombay. Ils n'en connaissent que les nuisances. Il faudra à ces nouveaux propriétaires quelques générations pour apprendre à tenir la maison propre et la rendre sûre. Nous sommes toutefois bien mal placés pour leur faire la leçon, nous qui après l'avoir possédée longtemps et nous être ingéniés à la démolir la leur remettons en si pitoyable état.

À ma demande, Sunil m'emmène visiter ses slums. Avec deux de ses amis du Sena, il a installé trois bicoques sur les terrains de la Compagnie des chemins de fer. Au bout d'un passage noir comme un four, nous arrivons à un vague lotissement où des baraques en ciment bâties pour loger les derniers des cheminots se dressent au milieu des vestiges de cabanons récemment démolis. Juste après se trouve une parcelle plus importante, destinée à servir de décharge à la Compagnie des chemins de fer. En face, à l'extrémité opposée, je distingue les lumières d'un train de banlieue qui s'en va. Nous nous risquons sur des planches en bois jetées par-dessus les égouts et finissons par arriver au bord de la décharge ; le sol est détrempé par la pluie et mes pieds chaussés de sandales sont couverts de boue et de Dieu sait quoi d'autre. « C'est là, me signale Sunil. Les trois abris avec les lampes à huile. On s'est approprié le terrain. »

Pour l'heure, ces appentis sont occupés par des manœuvres à qui Sunil les cède gratuitement, afin d'établir son droit de propriété sur le lopin. La Compagnie des chemins de fer les a déjà détruits à deux reprises, et chaque fois il les a rebâtis. Ils sont adossés au mur d'une usine. Deux cannes en bambou plantées en façade servent à caler des cartons, une toile goudronnée noire recouvre l'ensemble. Coût de ces matériaux, que Sunil se procure à Goregaon : quinze cents roupies. Il faut une à deux heures pour remettre sur pied la structure, après démolition. « Tu donnes trois coups de pied dedans, et tout s'écroule », commente Sunil. Si on les lui casse une troisième fois, il a bien l'intention de les reconstruire, mais ce coup-là il les fera en brique.

Un câble électrique tendu entre des poteaux passe au-dessus des bâtiments. « Il est à moi », précise Sunil en m'entraînant à l'autre bout du terrain. Un mur délimite un chantier de construction où l'on édifie des logements pour les cadres des chemins de fer. Voilà pourquoi Sunil pourrait bien toucher le jackpot. Si on ouvre un jour une route, elle sera vite bordée de commerces et d'échoppes qu'on pourra démolir autant de fois qu'on voudra et qui toujours renaîtront de leurs cendres. À l'arrière de l'usine il y a déjà un robinet d'eau. Pour l'électricité, c'est plus problématique, car si les manœuvres de Sunil se branchent sur le réseau leurs voisins légitimes, les employés du chemin de fer, seront accusés de voler l'énergie et cela créera forcément des tensions. D'où les lampes à huile, qui, pour l'instant, éclairent les appentis. Sunil et ses amis protègent le droit de leurs occupants à y habiter. « Les bhaïs * du quartier, c'est nous. Ils n'ont rien à craindre de personne. » Pour le moment ils ne paient pas de loyer ; quand Sunil se décidera à édifier une structure en dur, il leur remettra cinq mille roupies pour libérer les lieux. Nous rebroussons chemin dans l'obscurité spectrale, croisons des ombres furtives juste entraperçues. Sunil continue de m'exposer ses plans ; dès qu'un représentant du Sena sera élu au conseil municipal, il pourra enfin transformer ses abris précaires en maison de brique sans que personne ne lui demande de comptes. Le slum clandestin deviendra alors permanent, et légal. De toute façon, même si le terrain devait être vendu demain, il empocherait tout de même dix ou douze lakhs.

Les dernières démolitions remontent à 1998, juste après l'élection du Premier ministre. La police des chemins de fer, qui est placée sous la juridiction du député BJP de la circonscription, a démantelé une cinquantaine de ces taudis édifiés sur le terrain de la Compagnie des chemins de fer, dont neuf qui « appartenaient » à Sunil. Il n'a pas hésité à aller chez l'élu, et là il a dit à la fille de ce dernier qu'il fallait que son père empêche les flics de casser les cabanes, sinon il réagirait.

« Ah, oui ? Et comment ? » lui a demandé la jeune femme sur le pas de la porte.

Imaginait-elle ce qui se passerait si, lors des élections, le vote était suspendu trois ou quatre heures dans un bureau ? Celui que Sunil contrôlait à Jogeshwari votait massivement pour l'alliance Sena-BJP. Il avait avec lui des gars capables de semer la pagaille et d'interrompre le vote pendant quelques heures. Cela leur vaudrait plusieurs mois de prison, mais est-ce qu'elle imaginait seulement le nombre de voix que son père allait perdre dans ce seul bureau, tout le temps qu'il resterait fermé ?

« Il y a eu un silence, se souvient Sunil, et puis elle m'a fait entrer. " À partir de maintenant, j'ai dit à son père, c'est à vous de décider de démolir ou pas. " » Assez confiant dans l'issue de cet entretien, il pense que ses abris resteront debout, désormais.

Pour prendre toute la mesure de l'influence que Sunil exerce sur le slum, une visite à G.R. Khairnar, dit le Casseur, s'impose. « En vingt ans de carrière, j'ai démoli au total deux cent quatre-vingt-cinq mille structures », déclare posément ce commissaire municipal adjoint qui irrite l'ensemble de la classe politique, Sena compris. Il m'explique le processus de démolition. Bombay est divisé en vingt-trois sections, et dans chacune une équipe est spécialement chargée de surveiller les constructions illégales, « engagées en connivence avec les employés municipaux ou la police ». L'équipe doit en principe laisser aux intéressés un délai de sept jours pour qu'ils produisent le permis de construire. En l'absence de document, elle procède à la démolition, mais, précise Khairnar, « les types travaillent la peur au ventre ». La vénalité entre aussi en ligne de compte : « Une fois l'avis notifié, il est facile de céder tout le dossier aux intéressés contre un lakh ou deux. » Les pots-de-vin qu'il touche sur une affaire permettent à un employé de gagner d'un coup une somme supérieure à l'ensemble des salaires qui lui seront versés au cours de sa carrière de fonctionnaire municipal.

Khairnar se refuse à démolir les immeubles occupés, fût-ce en partie. Quand il patrouille en ville avec son équipe de casseurs professionnels, les conséquences de son travail lui apparaissent clairement. Les gens très pauvres, pour la plupart, qui vivent

dans ces abris illicites n'ont rien à perdre à affronter les démolis-
seurs. Ils les accueillent avec des jets de pierre, vont parfois
jusqu'à mettre le feu à leurs cahutes. Avant toute démolition,
Khairnar ordonne d'évacuer les ustensiles de cuisine qui se
trouvent à l'intérieur. Ce qu'il me décrit de son travail semble
tiré d'un film. « Il faut voir la scène : une femme dans un sari
trop petit, dégueulasse. Elle n'a même pas l'eau potable, alors
comment imaginer qu'elle pourrait laver son linge ? Les enfants
n'ont rien sur eux. J'entre dans la cabane, à l'intérieur il n'y a
pratiquement pas d'ustensiles. Les gars de la municipalité
déboulent là-dedans comme des furies et ils foutent la bicoque
en l'air. »

Il me parle d'une démolition effectuée dans le grand slum de
Dharavi. L'occupante du logement qu'il s'apprêtait à détruire
s'est dressée devant lui, a attrapé sa petite fille, un bébé, par une
jambe, et s'est mise à la faire tourner au-dessus de sa tête à
grands moulinets. Elle aurait lâché l'enfant si on ne l'avait pas
retenue.

Il a beau jeter à bas des zones de peuplement entières, elles
ont tôt fait de resurgir au même endroit, avec leurs matériaux de
bric et de broc. « On ne peut pas vraiment détruire ces colonies
sauvages. Elles réapparaissent forcément. » Il y a de cela quelques années, il avait résolu de nettoyer tout un passage de
Mahim des slums qui l'encombraient. Dès qu'il tournait les
talons, son ouvrage accompli, les baraques étaient reconstruites
dans l'heure. « On y allait deux, trois fois par jour, mais ça ne les
décourageait pas. Ils filaient se cacher de l'autre côté des voies
ferrées et ils revenaient quand on avait fini. » Chaque cabane
démolie par Khairnar coûtait dans les mille roupies à la municipalité. Dans ce seul endroit, il y en avait mille huit cents. Les
chiffres aussi étaient contre le Casseur.

Khairnar est responsable de sa section municipale depuis
1976. En 1985, alors que le Sena contrôlait la mairie, il a été
convoqué par Thackeray à Matoshree, la demeure du Saheb. Il
s'apprêtait à faire démolir un hôtel édifié sans permis de

construire par le gendre du chef de l'exécutif du Maharashtra. À l'en croire, Thackeray lui aurait demandé de s'abstenir, mais il est passé outre et a fait son devoir. Onze jours plus tard, il garait sa voiture sur le parking de son bureau quand une fusillade a éclaté. Un passant qui se trouvait à proximité a reçu les deux premières balles; la troisième a traversé la jambe de Khairnar.

Rétabli, il s'est derechef attaqué au parrain de Bombay, Dawood Ibrahim, qui par le truchement de sa femme était propriétaire d'un immeuble construit sans permis, le Mehejebin. La veille de la démolition, des policiers fouillèrent les lieux avec des chiens dressés à détecter des substances explosives. Le jour dit, Khairnar se rendit sur place en personne, escorté d'une armée de quatre cents hommes, dont des paramilitaires de la force de surveillance des frontières, et il éventra le bâtiment avec un boulet de démolition de trois tonnes. Depuis 1992, il a ainsi réduit en poussière vingt-neuf autres édifices appartenant à Dawood. Plus sensibles que lui aux menaces du chef mafieux, ses hommes le suppliaient de se montrer moins intransigeant; l'entrepreneur qui fournissait le matériel de démolition à l'équipe finit par dénoncer son contrat.

La presse présentait Khairnar en héros, mais son supérieur, le commissaire municipal, ne lui cacha pas qu'il subissait de très fortes pressions pour lui mettre des bâtons dans les roues. La création du haut comité constitué quelque temps plus tard pour superviser les démolitions et le priver ainsi de sa liberté de manœuvre le décida à révéler les agissements de la classe politique. Invité à des réunions publiques par les puissants vertueux qui voyaient en lui un rempart contre les politiciens véreux, il prononça des diatribes enflammées émaillées de folles allégations. Après lui avoir vainement demandé de renoncer à sa campagne de dénonciation, en 1994 le commissaire municipal le suspendit de ses fonctions pour insubordination caractérisée. Sa disgrâce dura quelques années, pendant lesquelles il continua à venir s'asseoir à son bureau, sous un buste de Vivekananda, mais on ne lui confiait plus la moindre tâche. Il avait du temps à ne plus savoir qu'en faire, qu'il mettait à profit pour parler. Il fonda une ONG de défense des prostituées ; il organisait des raids contre les bordels, « sauvait » des mineures de la perdition. Réintégré à son poste en 2000, il se remit d'arrache-pied à son œuvre de démolition et retrouva la une des journaux, héros malgré lui des bourgeois, gros et petits, qui ont la chance d'avoir un toit.

Cinq ans ont passé depuis les émeutes, et la ville entière s'arme de courage en vue de l'autopsie : la publication du rapport de la commission Srikrishna. « On a affûté les couteaux, par ici », me dit un jeune homme du district musulman de Madanpura, la veille du jour prévu pour cette publication. Les forces paramilitaires sont sur le pied de guerre. Le gouvernement Sena ne peut pas ajourner les choses plus longtemps ; le juge Srikrishna a invité les groupes militants à porter plainte contre lui, parce qu'il s'est rangé du côté de ceux qui exigeaient la publication de son rapport.

Ce document a un retentissement qui dépasse, et de loin, le simple effet cathartique qu'en espérait son auteur : il rend sa fierté à Bombay. Le rapport de la commission Srikrishna procède à une étude détaillée des émeutes et en rejette la responsabilité sur leurs fomentateurs : Thackeray et la police municipale.

> *En général expérimenté, Bal Thackeray, le pramukh du Shiv Sena, a donné l'ordre à ses fidèles partisans au sein de cette formation de se venger des musulmans par des attaques organisées. Les saïniks * ont monté ces dernières avec une précision toute militaire, en dressant des listes d'établissements et en s'appuyant sur les listes électorales.*

Le gouvernement Sena dénonce officiellement le rapport en accusant son auteur d'être de parti pris contre les hindous. Or, il se trouve que le juge Srikrishna est un fin lettré, familier des textes sanskrits. L'accusation ne trompe donc personne ; la foi en l'hindouisme de ce magistrat n'a sûrement rien à envier à celle d'un Bal Thackeray.

Dans ces pages, le juge Srikrishna cite nommément trente et un policiers coupables d'atrocités (ils ont tué des gens à bout portant ou ont dirigé des bandes d'émeutiers). En définitive, pourtant, pas un mot de ce qu'il a couché noir sur blanc ne conduira directement un seul de ces individus derrière les barreaux. Selon la loi qui a prévalu à la formation de la commission d'enquête, en effet, les témoignages recueillis ne peuvent donner lieu à des poursuites. Si donc les cinq cents dépositions enregistrées et tous ces témoignages regroupés en un volume de près de dix mille pages devaient aboutir à une action en justice contre un seul des policiers, des hommes politiques ou des voyous qui ont participé aux émeutes, tout le travail accompli par la commission Srikrishna devrait être repris depuis le début par un tribunal. Les mêmes témoins devraient à nouveau être entendus, engager des avocats pour les représenter, déposer par écrit sous serment, puis passer devant le tribunal d'instance, la Haute Cour, la Cour suprême. Les policiers étant des fonctionnaires, il faut l'aval du gouvernement pour entamer des poursuites judiciaires à leur encontre ; de plus, le magistrat chargé de l'affaire doit être convaincu qu'ils n'ont pas commis les actes dont ils sont accusés dans le cadre de leur travail. À cet égard, le rapport n'a d'autre utilité que de permettre de présenter à la Cour les conclusions du juge Srikrishna. Bien des victimes parmi les plus pauvres trouvent déjà bien beau que le juge les ait écoutées et ait reconnu qu'elles avaient subi un préjudice. C'est dire combien elles attendent peu du système judiciaire.

En réponse au rapport de la commission Srikrishna, le *Times of India* publie un éditorial intitulé « Panser les plaies », qui au lieu d'en appeler à la justice insiste sur la nécessaire cicatrisation. Un de ses journalistes me confie que l'ensemble de la rédaction a reçu pour instructions « de mettre la pédale douce » à propos du rapport ; tous les articles qui en parlent – y compris les portraits du juge – ont été soumis au rédacteur en chef, qui s'est lui-même chargé de les réviser. La direction du journal estimait que toute prise de position trop ouvertement en faveur du rapport risquait de provoquer une rébellion des musulmans. À l'époque, la rédaction du *Times of India* comptait en tout et pour tout un journaliste musulman.

Quelques semaines après la parution du rapport, je retourne à Jogeshwari pour la fête nocturne de Ganapati Visarjan, que les fidèles hindous célèbrent dans toute la ville en plongeant dans l'eau des représentations du dieu Ganesh. La multitude a envahi le chowk. Deux chars tirés par des camions avancent à une allure d'escargot, bloquant les carrefours. Amol, un géant aux cheveux longs, conduit une des processions. J'ai eu l'occasion de le rencontrer quand j'enquêtais sur les émeutes : sa réputation de tête brûlée le précède partout. Sa voisine, Raju (la sœur de Girish), est paraît-il la seule à pouvoir le calmer quand il voit rouge ; il la considère comme sa propre sœur. Sunil, avec qui il est associé dans des activités légales et illégales, m'a affirmé qu'il devenait incontrôlable quand il avait bu. « Il a trois meurtres à son actif, m'a-t-il dit en se touchant le nez du bout de l'index pour indiquer qu'il s'agissait de musulmans. Il a chopé un type sur un scooter. Il lui a versé de l'essence dessus et il l'a brûlé vif. » Pourtant cet hindou convaincu effectue régulièrement le voyage de deux jours jusqu'à Ajmer Sharif, au Rajasthan, afin de se recueillir sur la tombe d'un saint musulman. La barbe qui lui mange le visage est la preuve visible de son allégeance au marabout ; voilà huit mois qu'il ne s'est pas rasé, et pour respecter le vœu prononcé dans le sanctuaire il a arrêté de fumer et de boire. Lorsque le moment sera venu, il retournera à Ajmer, se coupera la barbe et l'offrira au saint soufi.

Sur la plate-forme du camion qu'il précède, des effigies de Shiva, de Shirdi Saï Baba et de Lokmanya Tilak émergent de la masse confuse des jeunes agglutinés autour ; ils sont une cinquantaine. Trois d'entre eux portent des casquettes et des bandanas aux couleurs de l'Union Jack qui me rappellent les premiers clips des Spice Girls. Les chars roulent lentement dans la grand-rue qui mène à la gare ; ils se dirigent vers la mosquée. « Il va nous falloir une heure pour arriver au masjid, m'explique Amol, et après on en mettra bien trois à défiler devant. Vingt mètres plus loin, quand on l'aura dépassé, il n'y aura presque plus personne. »

Aux abords de la mosquée, la procession ralentit. On n'avance pratiquement plus. Les joueurs de tambour sont en transe, la foule tout entière danse avec un abandon sans doute facilité par les bouteilles d'alcool que les jeunes sortent de leurs poches. Malgré la présence du petit contingent féminin qui ferme la marche (une jeune femme brandit un grand drapeau safran, la bannière du Sena), les hommes dansent entre eux. Un garçon glisse ses jambes entre celles de son partenaire, qui se penche en arrière tandis que l'autre l'enlace étroitement, se colle à lui en se trémoussant, le rein souple. Un enfant qui se cachait le visage dans les mains se met lui aussi à suivre de tout son corps le rythme cadencé des tambours. Le gulal * jeté par poignées sur les danseurs les enveloppe d'un nuage rouge. Puis les explosions se déchaînent. Bombes atomiques. Menace imminente. Tous les pétards que la foule a pu se procurer éclatent devant la mosquée et l'odeur de la poudre se répand partout, irrespirable, mêlée à la puanteur des égouts à ciel ouvert et aux relents de transpiration, plus prégnants encore. C'est pur miracle si les pétards qui fusent au milieu de la cohue ne transforment personne en torche humaine. Amol qui est grimpé sur le camion s'empare du micro pour lancer des slogans à la gloire des souverains et du pays hindous.

« Chattrapati Shivaji Maharaj ki jai !

– Bharat Mata ki jai ! » clame la foule d'une seule voix pendant que les oriflammes safran claquent au bout de leurs longues hampes. Puis la devise du Sena retentit :

« Jai Bhavani ! Jai Bhavani ! »

Amol est déjà redescendu du camion que les slogans continuent de résonner. Deux icônes, celles de Saï Baba et de Tilak,

ont été oubliées devant la mosquée. Shiva le Guerrier est maintenant le seul à être invoqué. Quelques musulmans observent la
scène en silence, protégés par des rangées de policiers alignés
le long de la rue. Le vacarme est infernal. Et dans les roulements
des tambours, les pétarades des pétards, les claquements des dra-
peaux, les mugissements des klaxons, je comprends soudain
qu'il s'agit en fait d'une marche victorieuse.

Ganesh est un dieu mal choisi pour une pareille provocation.
La mythologie hindoue en fait un gourmand amateur de plaisirs,
pas un dieu irascible porté sur les massacres. Le char de Jogeshwari le représente assis sur un trône, mais à la place de la souris
qui lui sert habituellement de mascotte son siège est flanqué
de quatre lions en plâtre à l'expression féroce. Derrière, sur la
plate-forme, des gens distribuent du prasad (des morceaux de
noix de coco) et du sheera dans des petits sachets en plastique.
Au carrefour suivant, conformément à la prédiction d'Amol la
foule se disperse et les camions accélèrent en direction de la
mer, dont les flots rapides vont vite engloutir les idoles. Le
moment culminant de cette procession, son véritable but, ce fut
la démonstration bravache qui a eu lieu devant la mosquée : le
Sena voulait montrer aux musulmans qu'il avait gagné. La plupart des émeutes du pays trouvent leur point de départ dans ces
célébrations ostensibles en l'honneur d'une divinité tribale,
jalouse, brandie à la face de ceux qui s'inclinent devant ses
rivaux.

Amplifiées par les haut-parleurs, les premières notes du
namaaz sortent de la mosquée. La police a parfaitement assuré la
sécurité. L'inspecteur en chef Dhawle, qui dirige le poste de
police de Jogeshwari, a sorti une chaise sur le trottoir pour profiter de la fraîcheur du soir. Ses hommes nous ont obligés à passer
en un temps record devant la mosquée ; une horde de flics en
civil poussait les marcheurs à presser le pas, les camions à avancer. Massés des deux côtés de la voie, leurs collègues en
uniforme empêchaient les audacieux d'approcher de l'édifice,
tandis que des volontaires musulmans campés par-dessus les

égouts formaient une chaîne humaine pour empêcher les fêtards imprudents de tomber dedans.

Les rapports n'ont pas toujours été aussi tendus. Arfin Banu, membre du comité Mohalla Ekta, se souvient qu'avant les émeutes de 1993 les processionnaires arrêtaient de crier et de faire claquer leurs pétards lorsqu'ils arrivaient en vue de la mosquée, et qu'ils passaient devant rapidement, en silence, par respect pour les musulmans. C'est depuis les violences que la manifestation est devenue tapageuse, et certaines années on a frôlé l'incident. Il est arrivé que les musulmans jettent des pierres aux hindous qui défilent. La menace d'un débordement hante les forces de sécurité qui, l'an dernier encore, étaient beaucoup plus imposantes, de même d'ailleurs que la foule. Perché sur le camion, Amol la galvanisait en braillant ses slogans ; cette année, la police lui a demandé d'en descendre au moment de passer devant la mosquée et il a obtempéré. La procession que j'ai suivie ce soir a eu beau être provocatrice en diable de par l'invocation des grands guerriers hindous, les explosions des pétards, les danses sacrilèges, elle s'est déroulée dans les meilleures conditions possibles. Pas d'invectives contre les fils d'Allah, pas de porcs jetés sur la mosquée. Mieux : quatre musulmans sont venus danser avec Amol et ses amis, des hindous qui cinq ans plus tôt massacraient leurs familles.

Le chauffeur de taxi qui me ramène chez moi a sur son tableau de bord une petite châsse renfermant Shridi Saï Baba sous une ogive illuminée, à côté d'un verset du Coran écrit en arabe.

Au moment de sortir, je lui demande ce que c'est.

« Ça ? fait-il en montrant la petite guirlande de lumières qui éclaire l'objet pieux.

– Non, ça, dis-je, le doigt tendu vers le texte en arabe.

– C'est musulman.

– Et vous avez aussi Saï Baba ? »

Tournant la tête vers moi, il acquiesce avec un grand sourire. J'en suis tout joyeux. Il y a encore de l'espoir.

Je vais rendre visite à Amol, qui vit en famille dans un deux-pièces du slum. Je le surprends au sortir du bain, vêtu en tout et pour tout d'une serviette nouée autour de la taille. Le torse est puissant, les bras musclés. Amol travaille à la grande laiterie de la route principale. Sa belle-sœur m'apporte une tasse de lait chaud sucré. Du lait de bufflonne, crémeux, épais, que j'ai du mal à avaler. Une tache noire s'étale à la surface, un dépôt solide capitonne l'intérieur de la tasse, mais je m'oblige à la vider pour ne pas froisser mes hôtes. Amol me propose de rester dîner. Je décline. Cela fait rire la belle-sœur qui lui glisse en marathi : « Il a vu comment c'est, ici, alors il craint. »

Encore plus exigu que celui du voisin Girish, le logement est néanmoins équipé du confort électroménager de base : frigo, télé, téléphone. Dans un coin, un escalier qui mène à la pièce du dessus. Un adorable bout de chou de sept mois, la nièce d'Amol, se traîne à quatre pattes par terre, tend la main vers une bouteille de whisky remplie d'eau qu'elle n'arrive pas à attraper et éclate en sanglots. On s'empresse de la consoler. Ici la solitude n'a pas droit de cité. Ni les pleurs des bébés ni les beuglements de la télé n'empêchent Amol de dormir. Ces temps-ci, il passe ses nuits dehors et ses journées à roupiller ; il a trouvé un copain pour travailler à sa place à la laiterie. Il lui refile son salaire et peut ainsi se bagarrer à sa guise, le soir venu.

Comme Sunil, Amol vit de la bagarre. Ces hommes qui lui doivent leurs situations, le respect auquel ils ont droit, leurs moyens d'existence n'imaginent pas le monde sans elle. Vitale, la bagarre oblige en permanence à nouer et dénouer les alliances, en conséquence de quoi les mots « ami », « ennemi », « être humain » prennent un sens très relatif. La bagarre que livrent Sunil et Amol concerne la répartition des postes sur l'échelle des allégeances : qui est dans le groupe de qui, qui va se présenter aux prochaines législatives, qui touche une part, et laquelle, du flux d'argent incessant versé aux syndicats, à la police, au gouvernement, à des ennemis jurés en échange de leur parole d'interrompre le cycle de la vengeance.

À Bombay, bagarre se dit lafda – un mot qui peut aussi désigner une liaison amoureuse ou un imbroglio sentimental. Chaque fois qu'une lafda éclate, un attroupement se forme, le plus près possible pour ne rien perdre du spectacle, et chacun regarde de tous ses yeux, en connaisseur. « À Bombay, suppute Amol, il doit bien y avoir une dizaine ou une quinzaine de lafdas par jour. » Les fantassins de ce combat, ce sont les taporis, les voyous des rues. Les bhaïs et les netas * font constamment appel à eux pour défendre leurs positions personnelles. Trop exalté pour faire un bon tueur, trop peu diplomate pour devenir neta, trop limité pour s'imposer en bhaï, Amol est resté tapori dans l'âme. Échauffé par l'alcool, il se bat à mains nues ou avec les armes improvisées placées à sa portée : bocaux en verre alignés dans la devanture d'une boutique, lames d'origine diverse, morceaux de rail de chemin de fer. Il compte de fidèles supporters parmi les taporis mais ne pourra jamais grimper aussi haut que Sunil. Celui-là ne risque jamais sa peau dans une lafda. Amol, lui, fonce en tête, sans se soucier des choses importantes qui se traitent à l'arrière, où les gros malins préparent le prochain coup. Lorsqu'il a fallu nommer un chef divisionnaire pour le parti, Bhikhu Kamath, le pramukh de la shakha, a jeté son dévolu sur Sunil. Dégoûté, Amol a choisi de faire cavalier seul aux élections législatives suivantes. Sunil a saoulé les types qui s'occupaient de sa campagne et Amol a perdu au profit de la coalition BJP-Sena.

Dans le restaurant où nous dînons tous les deux, Amol m'explique que Sunil est une tête politique. « Il se prend pour un député, même aujourd'hui. » Ce jugement n'a rien de flatteur, venant d'Amol qui se veut d'abord fantassin, bien qu'il soit brahmane alors que Sunil est un Marathe. Reste que dans le Bombay actuel le vrai pouvoir appartient aux Marathes, pas aux brahmanes peshwas comme dans l'ancien temps. En règle générale, Sunil se charge de répartir le butin provenant de leurs diverses entreprises illicites et il s'en octroie la plus grosse part. Amol sait qu'il est lésé ; et que leur rivalité se terminera tôt ou tard dans le sang. Malgré cela, il se sent obligé de corriger les impudents qui disent du mal de Sunil. « Je crois qu'il m'est supérieur, avoue-t-il. Dans mon groupe, c'est lui qui commande. »

Amol n'a plus foi dans le Saheb. « Avant, j'avais plus de respect pour Balasaheb que pour Dieu. Maintenant, il glande à Matoshree avec une fille sous une main et un verre dans l'autre pendant que nous on se fait tabasser en prison. Je vais enlever la photo de Balasaheb que j'avais accrochée au mur et je mettrai la mienne à la place. Tout ce que le Congrès n'avait pas bouffé en quarante ans de pouvoir, le Sena s'en est empiffré en trois mois. » Amol a remarqué que les grandes entreprises quittent Bombay ; il voit les effets des licenciements dans son quartier, mais il fait partie des petites gens aux espérances modestes qui ne rêvent pas d'aller vivre à Malabar Hill. Il a délimité le petit espace vacant qui s'étend devant chez lui et aimerait agrandir la maison, construire un balcon. Son plaisir, il le trouve dans les bars à bière, en compagnie de ses semblables. Sans être particulièrement pieux, ils restent volontiers pratiquants, et si la plupart affichent leur loyauté à l'égard de la nation indienne, pour autant ils ne s'engagent pas dans l'armée.

Pensif, Amol engouffre la nourriture en s'aidant d'une cuillère et d'une fourchette. La tête basse il marmonne : « On va entrer dans une époque dangereuse.

– Pourquoi ?

– Les gens n'ont pas de boulot. Les jeunes sont au chômage, ils traînent, et la vie est si chère. Le gamin qui a envie d'aller dans un bar à filles pour y boire un verre ou deux va dépenser tout ce qu'il a, après il n'a plus un sou pour la famille. C'est facile d'habituer les jeunes à fréquenter les bars à filles, à vivre grand style. Après on est sûr qu'ils feront n'importe quoi pour toucher du fric.

– Et quelles en seront les conséquences ?

– Le prix d'un meurtre va baisser à deux cents roupies.

– Comment est-il possible de tuer, Amol ? Comment un homme peut-il faire ça ?

– Tu es écrivain. Quand tu as bu, tu te dis bon, maintenant il faut que j'écrive une histoire. Si tu étais danseur, après t'être torché tu aurais envie de danser. Et si tu étais un tueur, tu te dirais bon, maintenant il faut que je zigouille quelqu'un. » Amol gonfle ses biceps. Ainsi va le monde. À chacun son job, selon sa nature.

En permanence, Bal Thackeray doit canaliser les énergies violentes de ses hommes afin d'éviter de les perdre au profit des gangs mafieux. Aussi s'invente-t-il sans cesse de nouveaux ennemis, en particulier parmi les artistes, d'autant plus faciles à attaquer qu'ils sont incompris par le gros de ses électeurs. En 1998, les militants du Sena ont envahi le théâtre dans lequel se produisait le Pakistanais Ghulam Ali, un des maîtres du ghazal *. « Nous aussi on sait chanter », se mirent-ils à crier avant d'entonner en chœur le *Jai Maharashtra* *. Le diktat du Saheb tomba peu après : la ville n'accueillerait plus ni concert donné par des chanteurs et des musiciens pakistanais, ni compétition sportive avec des athlètes pakistanais. La bonne société de Mumbai accepta l'interdiction sans broncher. Le commissaire principal déclara à la presse qu'il n'y avait pas eu d'infraction et que les organisateurs du spectacle n'avaient pas porté plainte. Après tout, les assassins se promènent sans être inquiétés, ici, et ils siègent même pour certains dans les plus hautes instances législatives de la ville. Ils ont le *powertoni*.

Le Saheb a aussi vigoureusement protesté contre un film d'art et d'essai d'un réalisateur canadien d'origine indienne, *Fire*, ayant pour thème une histoire d'amour entre deux belles-sœurs de New Delhi. « Le lesbianisme s'est-il répandu comme une épidémie pour qu'on le conseille aux femmes mal mariées comme moyen de ne plus dépendre de leurs époux ? » s'indigne-t-il. La société indienne ne saurait tolérer « la culture prétendument progressiste de l'Occident, où on se marie le matin pour divorcer le soir ». En conséquence, les voyous qu'il a sous ses ordres ont tout cassé dans les cinémas qui passaient le film, et ce dernier a été retiré de tous les écrans du pays. Il y a toujours des journaux pour publier des articles contre Thackeray, mais ils sont exclusivement en anglais. Sunil, Amol et leurs copains du Sena ne lisent pas la presse anglaise.

Au mois de janvier 1999, le Sena commet cependant une grosse erreur en s'attaquant à Sachin Tendulkar, le joueur de cricket le plus adulé du pays. Une horde de saïniks prend d'assaut les bureaux de la Fédération indienne de cricket qui a eu le front d'inviter l'équipe nationale du Pakistan, saccage les locaux, détruit jusqu'au trophée de la World Cup ramené en 1983 en Inde. Tandis que les autorités placent aussitôt Tendulkar sous la protection de la police, les responsables du Shiv Sena déclinent toute responsabilité dans l'incident. À les en croire, ce serait le fait d'une foule incontrôlable – autrement dit, le tigre enfourché par Thackeray ne lui obéit plus. L'opération en question n'a aucun rapport avec une personnalité ou même une idéologie précises ; elle a trait au pouvoir, aux images utilisées pour fouetter l'imagination des petits soldats de Bal Thackeray. Les jeunes vandales sont des sous-fifres qui chaque soir prennent le train pour rentrer chez eux, au terme d'une journée de travail de douze heures dans un bureau quelconque, avec son lot d'humiliations et de brimades assorties, qui sait, d'une gifle assenée par un homme plus riche et plus puissant, mais moins marathe. Les wagons dans lesquels ils s'entassent sont imprégnés d'une odeur de transpiration, d'un mélange fétide de sueur et de pets. Et à peine sont-ils de retour au slum que leurs mères, leurs pères, leurs grands-mères leur demandent combien ils rapportent à la maison. Cette existence ancre en eux un profond sentiment d'impuissance – sauf lorsqu'ils rejoignent leurs bandes, forment un contingent de soixante-dix patriotes prêts à se battre pour l'honneur du pays, envahissent sans rencontrer de résistance des salles de spectacle, des appartements grand luxe, les bureaux des dieux du cricket, piétinent les trophées, tabassent d'importants personnages qui roulent dans de belles voitures. Les insultes, les remontrances, les déceptions renouvelées jour après jour dans la mégalopole décadente remontent à la surface dans un déchaînement de fureur cathartique. La foule est un bon support de la colère individuelle ; elle l'alimente et la digère, nourrit la rage autant qu'elle s'en nourrit. Tout à coup, l'humilié se sent puissant. Assez pour s'en prendre à ceux qui le briment. La ville ne leur appartient plus. Il la leur prend.

Sa colère lui donne tous les droits sur cette ville.

Avec Sunil et Girish, je me rends chez un ami qui m'a donné la clé de son appartement, perché dans les étages d'un grand immeuble de Lokhandwala. Il pleut toujours, bien qu'on soit en novembre, et les éclairs qui illuminent le ciel de Bombay nous en mettent plein la vue. Nous buvons un whisky sur le balcon. Sunil a retiré sa chemise ; en tricot de peau, il se prélasse dans son fauteuil en jetant sans arrêt des coups d'œil à sa montre neuve, moins pour vérifier l'heure que pour admirer l'objet. Ce n'est pas la première fois que je remarque combien il a l'air à son aise, dans les hauteurs. La grande majorité des gens de son quartier n'a jamais dépassé le deuxième étage.

« Bombay sera bientôt à feu et à sang », prophétise-t-il. Installé en ville depuis dix ans, il envisage de partir pour Raigad afin de mettre ses enfants à l'abri. Il a entendu dire qu'on enlevait des gamins pour leur prendre leurs reins. La teneur en alcool des boissons ingurgitées par les Bombayites est un bon baromètre des tensions ambiantes. « Du fait que les prix sont très hauts, les gens doivent se battre encore plus, et à cause du stress ils boivent comme des trous. À la Bourse, les types boivent des sixers, maintenant. » D'une qualité à peine supérieure à celle de l'alcool local, un sixer ne coûte que cinq roupies la bouteille.

Il pleut étonnamment fort, pour la saison. « C'est à cause de nos péchés, commente Sunil. Dieu lui-même n'accepte pas Bombay. Il a fait le monde, mais il trouve Bombay inacceptable. » Sunil s'y connaît, en matière de péché. Le mercredi, le vendredi et le dimanche, il propose un film porno dans son bouquet télévisé. La demande pour ce genre de film émane

généralement des téléspectatrices. « Sunil, tu ne t'occupes pas
bien de nous », lui disent les femmes quand il se rend au I.C.
College, l'école des arts ménagers. Le code est le suivant : en
début de soirée, quand il a décidé de « s'occuper » de ses abonnées, un petit symbole – une étoile, par exemple – s'affiche dans
un coin de l'écran, ou bien un message crypté, indiquant un
horaire, défile plusieurs heures durant en bas – du style, « le
canal de la BBC a changé » – et les initiés comprennent qu'un
film coquin sera diffusé à telle heure, sur telle chaîne. Ces productions ne passent que les nuits de beuverie : jamais celle du
mardi, vouée au culte de Ganesh ; pas celle du jeudi, réservée à
Saï Baba ; pas non plus, en principe, celle du samedi que de
nombreux fidèles dédient au dieu Hanuman ; et pas le lundi
« parce que les gens ne boivent pas tant que ça vu tout ce qu'ils
ont éclusé le week-end ». Nuits des soiffards, les nuits des mer-
credis, vendredis et dimanches sont donc aussi, dans le Bombay
de Sunil, celles des amateurs de porno. Qui apprécient d'autant
plus le genre qu'ils ont bu tout leur saoul avant.

Les ménagères abonnées à son bouquet font des proies faciles,
pour Sunil. « Qui a le droit d'entrer dans la maison, je te le
demande ? Le laitier apporte le lait et s'en va ; le repasseur vient
chercher les vêtements et s'en va. Moi, j'y rentre, dans la maison, et même dans la chambre et j'y reste un moment, le temps
de réparer ce qui ne va pas. » Résultat, il peut citer treize
femmes avec qui il a couché – et « qui m'ont plu. Je les ai choisies », précise-t-il. Ses préférences vont aux Gujeraties, car
« leurs maris ne font la chose qu'une fois par semaine ».

Sunil a la santé. « Rien que dans mon quartier, je me fais cinq
bonnes femmes », plastronne-t-il. Fascinante proximité du sexe
et de la mort, puisque se faire quelqu'un c'est aussi bien le tuer
que le baiser. « Combien de fois un type marié se tape sa
femme ? Deux, trois fois par semaine ? Elle, elle en veut. Il faut
lui en donner plus. » Ce n'est jamais lui qui fait le premier pas,
et il n'a pas la main baladeuse. « Je n'ai pas envie de couler ma
boîte. C'est elles qui m'appellent, sous prétexte qu'il y a un

défaut dans le câble. Elles me tripotent, elles s'asseyent tout près de moi, mais je laisse passer deux jours avant d'y aller. » Jeunes ou vieilles, tout lui va ; une de ses conquêtes avait cinquante-trois ans. Il nous promet de nous emmener un jour dans le village des Aghoris, à la périphérie de Bombay. Ces gens ont une technique spéciale, des plus athlétiques, pour faire l'amour : l'homme demande à la fille de s'accrocher à un arbre, il lui soulève une jambe et se la pose sur l'épaule. « Je ne peux pas lâcher mon coup comme ça, mais j'ai déjà baisé une Aghori. Waheguru ! »

Entre deux fous rires, Sunil et Girish me content avec admiration les exploits d'un des jeunes du slum, Santosh, « un vrai madharchod » – un salaud fini. Tout le monde sait que Santosh considère comme sa sœur la femme de son voisin Raj ; chaque année, elle lui noue autour du poignet un fil sacré, le rakhi *. Reçu en frère dans la maison de Raj, Santosh s'est d'abord fait la fille du couple – « sa nièce, donc », signale Sunil. Un beau jour, il a découvert qu'un docteur de la ruelle couchait avec la mère et il a exigé d'elle les mêmes faveurs, sous peine de dénoncer ses rapports avec le médecin. Depuis, Santosh commence sa journée en déboulant chez son ami Raj à onze heures du matin pour se taper la femme qui est une sœur pour lui. Ensuite, de deux à trois il va prier avec sa mère au temple. Après le temple il fait un tour au gymnase, traîne un moment avec ses potes, puis retourne chez Raj où il attend que la fille rentre de l'école, à cinq heures et demie. Dès qu'elle a fermé la fenêtre pour se changer, il entre, « tire son coup » et repart à six heures moins le quart.

Il y a aussi la petite voisine d'à côté, que Santosh a commencé à « se faire » deux jours après qu'elle a eu ses premières règles et qu'il viole régulièrement depuis cinq ans en la menaçant de la tuer si elle tente de résister. Le père de la petite est un ivrogne, et sitôt qu'il sort de chez lui ou se met à ronfler, abruti par l'alcool, Santosh enjambe la fenêtre et fait son affaire. Féroce et furtive, la sexualité n'a rien d'une partie de plaisir, dans le slum. Un soir, une bande de gamins massés derrière une porte espionnait un couple endormi : la main de l'homme reposait sur un des seins de la femme, et pendant ce temps, Santosh qui avait glissé le bras par l'ouverture de la boîte aux lettres pétrissait l'autre sein. Elle, dans son sommeil, devait penser que son mari la caressait, puis l'attouchement énergique de Santosh finit par la réveiller. Elle poussa un cri, mais n'osa pas révéler à son mari ce qui lui était arrivé. En règle générale, les femmes du slum endurent en silence ce qu'elles doivent subir, car, ainsi que le remarque justement Sunil : « Comment pourraient-elles avouer ce qu'on leur a fait ? » Les mauvais garçons s'en prennent aux plus vulnérables : les très jeunes, les filles ou les épouses d'ivrognes, celles qui n'ont pas toute leur tête. Quand leurs hommes, pères ou maris, découvrent la vérité, la plupart du temps eux non plus ne pipent pas mot. Ont-ils vraiment intérêt à mettre tout le monde au courant ? Que penserait-on de leur virilité si le bruit se répandait qu'ils sont incapables de protéger leurs femmes ?

Au moins, Santosh doit être beau gosse pour se faire autant de femmes ? Pas du tout ! s'exclament Sunil et Garish. Il boite, il a quitté le collège en cinquième, il est veilleur de nuit, mais il sait s'y prendre avec les mots. Sa technique consiste à se rendre jour après jour dans la maison où il a repéré sa victime et à parler pendant des heures : il bavarde avec le mari, avec la femme, avec la fille, il se fait bien voir de toute la famille et finit par obtenir ce qu'il veut. « Quand il commence à s'incruster chez moi, je ne suis pas trop tranquille », reconnaît Sunil.

Tout devrait bien se passer, finalement, pour lui comme pour son parti. « Le Sena a un bel avenir devant lui. C'est ça, Bombay », observe Sunil avant de se corriger aussitôt : « Mumbai, je veux dire. » Les fusées du feu d'artifice d'un mariage inondent le ciel d'une soudaine explosion de couleurs à laquelle succèdent les longues zébrures blanches des éclairs. Sa ville se révèle tout à coup à Sunil sous un jour nouveau : pour la première fois de sa vie peut-être, il contemple de très haut le fouillis

étincelant noyé sous l'averse. La voix pâteuse, il s'émerveille :
« Il n'y a rien de pareil au monde. »

Grâce à mon oncle, j'ai trouvé à Bandra un meublé que je loue
en guise de bureau, car il m'est de plus en plus difficile de travailler à la maison avec deux bambins remuants. Le jour où je
prends possession des lieux, une image familière accrochée au
mur arrête mon regard : c'est un portrait de Tilak, le grand
combattant de la liberté. On dirait un dessin au fusain, mais il a
quelque chose d'étrange. Je m'en approche.

« C'est brodé avec des cheveux humains, déclare fièrement la
propriétaire des lieux, médecin de son état. Tilak était un des
ancêtres de mon défunt mari. Je vous laisse le portrait, si vous
voulez. »

Je la remercie mais préfère décliner.

L'appartement est situé au cœur du quartier commerçant de
Bandra : dans Elco Arcade, sur Hill Road. En bas, c'est un méli-
mélo glouton : il paraît qu'on trouve ici les meilleures échoppes
de restauration rapide de la banlieue Ouest. Fatiguées d'avoir
âprement discuté les prix, les acheteuses qui se pressent dans la
galerie marchande s'offrent un pani-puri * assorti d'un kulfi
falooda *. Le jeudi soir, un chant sonore et discordant sort du
temple Saï du rez-de-chaussée, car tout de suite après prasad *
on y sert un pav bhaji – des légumes avec du pain frit. Juste
avant les élections, les autorités ont supprimé les étals en plein
air des gargotiers ; ils ont très vite resurgi en rangs serrés, encore
plus nombreux. Il me suffit pourtant de glisser ma clé dans la
serrure et d'ouvrir ma porte pour être transporté dans un monde
serein : deux-pièces cuisine, plus un balcon devant lequel un
vieil arbre étale ses ramures.

Sunil et Amol viennent m'y rejoindre un soir pour boire un
verre. Amol étant au régime sec, il serait malvenu de lui offrir un
whisky. Je lui propose un verre de vin, qui ici ne passe pas forcément pour de l'alcool. Il le sirote à petites gorgées, en tenant
délicatement son verre entre ses doigts. C'est un spectacle

incongru, que ce géant barbu qui déguste son vin comme s'il était à un vernissage ou prenait le thé en bonne compagnie.

Mes hôtes examinent les lieux d'un œil approbateur. Amol possède un appartement à Nalasopara, Sunil en a un à Dahisar, mais ni l'un ni l'autre n'envisagent de quitter le slum pour y emménager avec leurs familles respectives. Je suis curieux de savoir pourquoi.

« On peut me donner une maison n'importe où, sur Nepean Sea Road, à Bandra, jamais je ne partirai de Jogeshwari, répond Amol.

– Dans nos têtes nous sommes restés des enfants, renchérit Sunil. Nous ne pouvons pas nous faire à l'idée de vivre ailleurs, où que ce soit, de même que tes enfants n'accepteraient pas de vivre dans un slum. Mes enfants peuvent aller frapper chez le voisin à n'importe quelle heure de la nuit, on leur donnera à manger. S'ils n'aiment pas le riz et le dal de leur mère, ils peuvent toujours aller chez la voisine. Un gosse qui vient manger chez toi, tu le reçois comme si c'était Dieu. Dans le chawl ils peuvent manger où ils veulent. Alors que si tes gosses à toi allaient sonner à la porte d'à côté en pleine nuit, tu leur flanquerais deux baffes. " C'est mal ", tu leur dirais. Tu n'as pas envie que ton voisin s'imagine que tu n'as pas les moyens de les nourrir.

– Dans le chawl, on a toutes les commodités », ajoute Amol.

Les agences immobilières utilisent ce terme, « commodités », pour vanter le confort d'un logement raccordé au tout-à-l'égout, accessible par ascenseur, équipé d'une cuisine moderne... Les habitants du slum ont une autre définition de ce mot : « Quand tu rentres du boulot, tu peux rester à discuter avec les gars dans la rue. Dans le chawl, tu n'as qu'à prévenir tes voisins que tu dois aller à l'hôpital et ils viennent tout de suite te voir. »

Comment expliquer que dans ces quartiers les gens soient plus soudés, plus solidaires ?

« À cause des toilettes publiques, avance Sunil. Quand tu vas aux toilettes, tu ne peux pas faire autrement que voir les autres. Tu leur dis, Tiens, salut, ça fait deux jours que je ne t'avais pas vu. Il y a l'eau, aussi. Les femmes remplissent leurs seaux ensemble, au robinet, et ça tchatche : " Le grand-père est malade ", "J'ai encore un fils, au village. Il est alcoolo. " » Dans les immeubles d'habitation, les toilettes sont privées et cela change tout. « Dans un appart, on va plutôt parler du broyeur que le type d'à côté vient d'installer dans sa chambre. Ou de l'autre voisin qui a carrelé ses chiottes en marbre. Dans le chawl, au point d'eau ça discute ferme à propos de la belle-mère qui s'est fâchée contre sa bru parce qu'elle avait préparé à manger pour six alors qu'ils ne sont que cinq à vivre dans la maison. Dans un appart, les discussions sont plus relevées. »

Et pourquoi ne vendent-ils pas leurs logements pour retourner au village où ils pourraient vivre confortablement ? « Dans le village, répond Sunil, les gens sont bouclés chez eux à neuf heures.

– Huit heures, rectifie Amol. Sept, même. »

Un peu plus tard, Amol qui s'est éclipsé pour aller aux toilettes en revient perplexe.

« Il n'y a pas d'eau pour mettre dedans ? » me demande-t-il.

Déconcerté, je lui dis d'appuyer sur la chasse, mais Sunil qui a tout de suite compris l'accompagne au petit coin et lui montre de quoi je parle : il actionne le levier, libérant une trombe d'eau du réservoir placé au-dessus de la cuvette. Ici, pas besoin de vider un seau.

Les affaires de Sunil marchent bien, et maintenant qu'il a fait son trou à Bombay il aspire à la stabilité. La perspective de nouvelles violences n'a rien pour le séduire. « Le type de base veut manger son content et se reposer à la fin de la journée. S'il participe à une émeute, c'est qu'il est payé pour. » Pendant le conflit de Kargil [1], le gouvernement indien a fermé les réseaux câblés

---

1. Le conflit de Kargil, dit aussi « guerre des glaciers », fut déclenché le 9 mai 1999 par l'entrée dans le Cachemire indien de combattants islamistes soutenus par le Pakistan, qui prirent position sur les hauteurs de Kargil. L'armée indienne les en délogea le 12 juillet suivant, mais cette défaite pakistanaise fut à l'origine du coup d'État qui, le 12 décembre 1999, destitua le gouvernement civil de Naveez Sharif pour imposer à la tête de l'État le général Pervez Mucharraf (N.d.T.).

du pays aux chaînes de télévision pakistanaises. Sunil a beau être patriote, il n'a pas apprécié cette décision. Pourquoi l'empêcher de diffuser des émissions pakistanaises si sa clientèle est pour ? « Quand les gens payent pour avoir un truc, il faut le leur donner. » Là encore, son sens des affaires l'emporte sur son hostilité à l'égard des musulmans et sur ses convictions politiques. La couleur de l'argent d'Untel ou Untel prend le pas sur la bannière religieuse derrière laquelle le même homme défile dans les processions. Bombay détourne Sunil de sa haine en le soumettant à l'attrait autrement plus puissant de la cupidité.

Amol est resté plus près de ses racines bombayites. « À tout moment des troubles peuvent éclater, dit-il. Il y aura peut-être des émeutes, ce soir. »

L'alcool nous a creusé l'appétit. Quittant le bureau, nous prenons un rickshaw pour aller au restaurant. Là, Amol lève soudain les yeux de son assiette pour me demander à brûle-pourpoint : « L'eau, tu en as vingt-quatre heures sur vingt-quatre ? » Sans doute pense-t-il toujours à la chasse.

J'acquiesce, mais visiblement cela le dépasse. « Il doit y avoir un réservoir sur le toit de l'immeuble », suggère Sunil.

Au bout d'un moment, Amol reprend la parole : « Tu vas dormir seul, cette nuit ? »

Je crois d'abord que c'est une façon détournée de savoir si je vais faire monter une fille chez moi, après leur départ. Pas du tout, car après m'avoir entendu répondre qu'en effet oui, je vais dormir seul, il déclare : « Moi je n'ai jamais dormi seul de ma vie. Il me faut d'autres gens avec moi dans la pièce. » Le grand méchant tapori ne comprend pas que je puisse dormir sans ma maman, sans ma femme, sans bébés brailleurs. Lui ne pourrait pas ; le maître de la lafda a peur du noir.

À un an d'intervalle, en 1999, l'Inde organise de nouvelles élections législatives, et le jour J, Jogeshwari connaît à nouveau la même effervescence. Le petit crachin n'a pas empêché de longues files d'attente de se former à tous les coins de rue ;

devant les stands du Sena, les militants plient activement les bulletins de leurs électeurs. Bhikhu a chargé Sunil et Amol d'aller convaincre les récalcitrants de voter et je les accompagne à travers les ruelles du slum. Sunil connaît tout le monde par son nom. Les deux compères saluent les Gujeratis dans leur langue (« Kem cho ! »), leurs compatriotes en marathi et les autres en hindi. Ils les engagent tous à donner leurs voix à un parti bien précis, en se fiant, non pas au nom du candidat, mais à un emblème (« Vote pour l'arc ! ») – une nécessité dans un pays où l'analphabétisme touche une personne sur trois. Un étrange silence règne dans les logements du slum. Au bout d'un moment je me rends compte qu'il n'y a quasiment pas de télés allumées, hormis une ou deux branchées sur Doordarshan, la chaîne publique du gouvernement central. Aujourd'hui, jour de scrutin, Sunil a suspendu son offre de bouquet câblé.

« Sunil, remets-nous la télé, le supplie un vieillard.

– Vote, d'abord », rétorque Sunil.

Quand nous revenons au chowk, un cadre du Sena se met à parler avec Amol de la manière dont va s'organiser le ralliement des électeurs dans l'après-midi, après le déjeuner. À ce moment-là, l'agent du Sena présent dans le bureau de vote disposera d'une liste sur laquelle figureront en clair les noms des votants et des abstentionnistes.

« À quatre ou cinq, on n'y arrivera pas. Il faut être toute une bande, dit Amol en utilisant le mot anglais pour bande, *mob*.

– C'est bon, je vous enverrai la mienne », lui promet ce responsable politique.

Ladite bande visitera toutes les adresses dont la liste indique qu'une ou plusieurs des personnes qui y habitent n'ont pas encore voté, et leur présentera de bonnes raisons de le faire. « Le but, c'est de créer une atmosphère », explique Amol.

Parmi les candidats, Sunil est en bons termes avec un des poulains du parti du Congrès, Mama, qui se présente dans une circonscription voisine. Âgé d'une trentaine d'années au plus, il vit de ses investissements dans le câble et du poste envié qu'il occupe dans le réseau mafieux de Chotta Rajan [1]. Mama est né à Bombay où son père est arrivé voici soixante ans, pour fuir le système de castes inflexible de sa région du Nord. Il est issu d'une caste « arriérée », mais Bombay a libéré sa famille. « Au village, ceux des basses castes se prosternaient devant les castes supérieures, ils leur servaient de domestiques. Ici, ce sont eux qui commandent. » Ils ont fait leur chemin en ville, *via* la politique.

Mama a des arguments pour convaincre les donateurs potentiels qu'il est avantageux pour eux de le soutenir financièrement. « Tu me files cinq lakhs, expose-t-il à un entrepreneur de travaux, et une fois que je serai élu, dans les cinq jours je te les rends. Je commanderai un W.-C. complet. » Le contrat sera bien sûr signé avec le généreux bienfaiteur. Sunil s'étrangle de rire lorsqu'il me cite la principale promesse électorale de Mama : « Votez pour moi et vous serez débarrassés des goondas * ! » Chef des truands, Mama est en effet en mesure d'exercer une sorte de racket protecteur dans la circonscription. Et comme la police a lamentablement échoué à freiner les extorsions, autant apporter sa voix à la fripouille qui vous détrousse dans l'espoir qu'elle vous prenne sous son aile. En 1995, une tactique de survie identique a conduit cinq pour cent des électeurs musulmans de Bombay à voter pour leur ennemi juré, le Sena.

Entre-temps, un ami de Malabar Hill qui travaille dans la mode m'appelle sur mon portable. Il vote aujourd'hui pour la toute première fois et d'entrée de jeu l'organisation du scrutin le déroute. « Je suis dans ton ancien quartier, annonce-t-il alors qu'il vient d'entrer dans l'école Walshingham où se trouve le

---

1. De son vrai nom Rajendra Sadashiva Nikhalja, Chotta Rajan est un puissant parrain qui opère à partir de la Malaisie. Il a un temps travaillé avec Dawood Ibrahim, mais s'en est séparé après les événements de 1992-1993 en fournissant aux services de renseignements indiens des informations sur la responsabilité de son ex-allié dans la série d'attentats à la bombe organisés à Bombay en 1993 *(N.d.T.)*.

bureau de vote. Il y a deux boîtes devant moi. Sur l'une il y a écrit Lok Sabha *, sur l'autre Vidhan Sabha *. Quelle est celle du pouvoir central et quelle est celle de l'État ? » me demande-t-il en faisant allusion, dans le premier cas, aux élections nationales.

À Jogeshwari, personne n'irait se poser la question. J'ai envie de savoir ce que représente Bombay pour Mama : la ville des riches de Malabar Hill, ou celle des basses castes dont l'influence va croissant ?

Il part d'un éclat de rire. « Bombay est la ville des mangeurs de vadapav. Elle n'appartient à personne d'autre. »

En trois ans, l'Inde a connu autant de scrutins nationaux. On attend continuellement d'elle qu'elle réaffirme sa loyauté envers le processus démocratique, et démontre, encore et encore, qu'elle est bien, en effet, une démocratie. La patience du peuple me sidère. Confronté d'une année sur l'autre à des choix qui n'en sont pas, il se rend consciencieusement aux urnes. La participation a été de cinquante-sept pour cent en 1991, et de cinquante-huit pour cent en 1996 ; en 1998, soixante-deux pour cent des six cents millions de personnes inscrites sur les listes électorales ont exercé leur droit de vote. Le scrutin de 1999 se justifie d'autant moins qu'après des mois de campagne et des dépenses astronomiques, le « nouveau » gouvernement de New Delhi ressemble étonnamment au sortant. Les analystes avaient pourtant prévu une abstention massive, cette fois. Or, si la participation a légèrement diminué, de longues files se sont formées devant les bureaux de vote malgré la chaleur accablante. Peut-être est-ce là une version du dharma à l'échelle nationale : les citoyens se fichent de savoir pour qui ils votent, ils savent seulement que le devoir leur impose de voter.

Au Maharashtra, l'alliance Sena-BJP qui est à la tête de l'État depuis 1995 perd les élections nationales de 1999. Leurs élus avaient promis de construire quatre millions de logements pour les habitants des slums ; ils en ont livré moins de quatre mille.

LE SAHEB

« Quand vas-tu enfin rencontrer Bal Thackeray ? » ne cesse-t-on de me demander.

À quoi je réponds : « Je passerai le voir un jour sur le chemin de l'aéroport. »

Je n'ai aucune envie de rester coincé à Bombay si d'aventure j'indisposais le Saheb lors de l'entretien. Aussi est-ce seulement un mois avant de rentrer à New York, une fois mes bagages bouclés, mon billet en poche, que je me décide enfin à prendre ce rendez-vous. Le rédacteur en chef d'un journal marathe qui connaît bien le Guide Suprême m'emmène jusque chez lui un soir de juin 2000.

Un nombre impressionnant de gardes surveillent le pavillon. Toute une petite armée assure la sécurité de Thackeray : pas moins de cent soixante-dix-neuf officiers de police au total, dont un bataillon de cent cinquante-quatre agents, dix-neuf sous-inspecteurs, trois inspecteurs et trois commissaires adjoints. Le gouvernement central met à sa disposition des véhicules de police et une voiture blindée pour ses déplacements ; l'hôtel particulier qu'il possède à Bandra est fortifié et surveillé vingt-quatre heures sur vingt-quatre aux frais du contribuable. Le Tigre ne rugit que sous la protection de ses gardiens.

Entouré de nombreux modèles semblables dans un lotissement, Kalanagar, construit par le gouvernement à l'intention des artistes, le pavillon se dresse au fond d'une rue tranquille de Bandra. Peint en blanc, il respecte le style faussement luxueux de mise à Bombay : l'aspect en est calculé pour donner une impression d'opulence supérieure à l'espace réellement occupé. Les Thackeray sortent de la toute petite bourgeoisie ; ils sont bien en peine de dépenser la fortune qu'ils ont accumulée. Ils s'achètent de grosses voitures, des quatre-quatre Pajero inadaptés aux rues de Bombay. À en croire mon ami journaliste, chez eux on tombe partout sur des liasses de roupies.

Une fois ma personne inspectée à l'aide d'un détecteur de métaux et mon sac fouillé, nous sommes introduits dans un couloir aux murs surchargés d'immenses images de Shiva. Une série de chaises sont disposées face à une porte. Les gens qui y sont assis regardent fixement la porte, comme pour l'obliger à s'ouvrir. À peine avons-nous pris place à notre tour qu'elle s'ouvre, en effet, mais juste pour nous, admis avant tout le monde dans un petit salon. Ici les visiteurs peuvent découvrir des photos grand format de la défunte épouse de Thackeray. Sa mort fut, paraît-il, un coup très dur pour lui. Au fil du temps il s'est beaucoup rapproché de sa bru, tellement que la jeune femme a récemment dû quitter le pavillon sur l'insistance d'Uddhav, un des fils du Saheb. Je remarque également deux plaques gravées ; l'une, blanche et de petite taille, posée sur une table basse – « J'apprécie les gens qui obtiennent des résultats ! » – l'autre, plus imposante, en or avec une inscription rouge – « Tolérance zéro pour le non ! »

Le Saheb fait son entrée au salon deux minutes après nous. « Jaï Maharashtra », lance-t-il, et tandis que mon accompagnateur lui retourne son salut, je sers la main au premier responsable de la destruction de la ville dans laquelle j'ai grandi.

Il s'installe dans un fauteuil placé à côté d'une table basse sur laquelle est posée une statue de guerrier massaï avec sa lance et son bouclier. La conversation peut commencer.

« J'écris un livre sur Bombay...

– Mumbai, rectifie le Saheb.

– Mumbai, oui. »

Thackeray s'exprime dans un anglais haché. Sec et décharné, de taille moyenne, il a des cheveux épais d'un noir de jais suspect et porte de grosses lunettes à monture carrée. Il est élégamment vêtu d'un kurta * et d'un lunghi en soie crème, avec sandales assorties. De temps à autre, il glisse une main sous son kurta et on entend un grattement : il desserre les attaches en Velcro du corset qu'il doit porter pour soulager son dos. Vers 1990, Thackeray a traversé une crise mystique qui a ravivé sa foi. Il a troqué ses costumes à l'occidentale contre un kurta et un lunghi, de préférence de couleur safran, et pris pour habitude de se passer autour du cou de longs chapelets de perles, les rudraksha malas *.

Il aime la chaleur, aussi la climatisation est-elle très basse. Je sens la sueur couler dans la petite rigole qui sépare mon nez de ma bouche. Le thé a les mêmes qualités que celui qu'on m'a déjà servi dans d'autres quartiers du Sena : d'une force à susciter une insurrection. Thackeray le boit si coupé de lait que cela donne un breuvage grisâtre. Il s'allume un cigare, fiché dans un fume-cigare. Un cohiba, d'après la bague. Puis il me demande si les gens fument, aux États-Unis, et je lui réponds qu'il y a un embargo sur les cigares cubains.

Il veut savoir pourquoi. J'essaie d'expliquer pendant que, l'air intrigué, il digère l'information.

« Bon, fait-il. Alors, mettons qu'une fille américaine se marie avec un garçon cubain, qu'est-ce qu'ils font ? Ils vivent ensemble depuis des années et après quoi ? On les oblige à se séparer ? »

Pas forcément, dis-je. Les gens peuvent entrer, mais pas leurs produits.

« C'est bien, ça, commente le Saheb. Bonne idée. »

Du coup, j'ai un peu peur de ce que j'ai peut-être enclenché sans le savoir.

Le Saheb se lance dans la belle histoire de sa jeunesse. Son père était professeur : « C'était un réformateur, un écrivain, un homme remarquable. » Sa mère aurait voulu que Bal entre dans la fonction publique, situation prestigieuse, à l'époque, mais le père avait d'autres visées. « Jamais mon fils ne sera employé de bureau. Je veux qu'il devienne artiste. » La parole paternelle avait bien sûr force de loi, et d'ailleurs « quand il donnait un ordre, on mouillait tous notre culotte ». Il acheta donc à son fils un bulbul-tara, un instrument à cordes. Mais Bal se révéla un piètre musicien. Il s'appliquait, mais « quand cette main-là travaillait, l'autre ne fichait plus rien, et quand l'autre travaillait, celle-là se reposait... » Fou de colère, le père coinça un jour la main de son fils dans les cordes et l'y maintint si brutalement que le sang commença à couler. « Je me suis mis à pleurer, alors il a crié : " Dehors ! Je ne veux plus te voir ! Tu n'apprendras jamais à jouer ! " »

La Deuxième Guerre mondiale éclata à peu près au même moment. Bal aimait bien regarder les dessins humoristiques publiés à la une du *Times of India*. Son père s'en aperçut. Changeant son fusil d'épaule, il lui demanda d'exécuter tous les jours des croquis qu'il examinait en soirée. Ce faisant, Bal se familiarisa avec les grands affrontements politiques qui avaient lieu à Bombay, notamment ceux opposant les Gujeratis aux Marathes pour le contrôle de la ville. Les Marathes envisageaient d'en faire la capitale de l'État qu'ils ambitionnaient de créer. Attentif aux propos des partisans du mouvement Samyukta Maharashtra, qui se réunissaient à l'invitation de son père dans la maison de Dadar, Bal entama une carrière de caricaturiste au *Free Press Journal*. En 1960, il lança un hebdomadaire satirique très vite devenu l'un des organes des Fils de la Terre, selon le nom que se donnaient désormais les indépendantistes marathes. (En réalité la majeure partie de la « terre » de Bombay, qui pour l'essentiel s'étend entre les sept îles originelles, a été apportée par les Britanniques.)

La bataille pour Bombay se conclut par la victoire des Marathes sur les Gujeratis, et en 1960 les vainqueurs obtinrent et leur État et la ville. Cela ne mit pourtant pas un terme aux doléances que ses lecteurs adressaient à Bal : « On a le Maharashtra, on a Bombay, d'accord, mais l'emploi marathe, alors ? » L'un d'eux lui envoya un annuaire professionnel pour qu'il constate les choses par lui-même – « et à ma grande surprise, bonté divine, tous les cadres indiens là-dedans venaient des États du Sud. Il y avait des pages et des pages de Patel. Beaucoup de Shah, aussi. » Bal décida alors de créer une association d'aide à l'emploi qui fut au départ de son mouvement. Cette fois, les Marathes se battaient pour défendre le droit d'être dactylo. Ils réussirent à obtenir que quatre-vingts pour cent des emplois leur soient réservés, mais ce quota important ne portait que sur des

postes subalternes de grouillots et d'employés de bureau. Bal
comprit alors que « ça ne nous rendait pas justice. Tant qu'on
n'aurait pas le pouvoir, on n'y arriverait pas ». En 1966, il se
résolut donc à fonder un parti politique – mais à son corps défendant. Le Tigre estime en effet que tous les partis politiques, « y
compris le Shiv Sena », sont responsables de ce panier de crabes
qu'est devenue la ville. À cause essentiellement de la triste
nécessité de gagner des suffrages, qu'il juge répugnante. « Pour
empocher les votes il faut ruiner le pays, ruiner la ville ? C'est
ça ? »

Aujourd'hui, le Shiv Sena est un parti établi, mais la question
des emplois réservés aux Marathes est toujours au centre de ses
priorités. En 1998, le gouvernement du Maharashtra a interdit
l'ouverture d'une filiale de l'école Wharton à New Bombay,
sous prétexte que le prestigieux institut de commerce refusait de
réserver dix pour cent des places à des étudiants marathes. Bangalore et Hyderabad ont aussitôt présenté des offres ne
comportant pas cette clause draconienne et Bombay a dû renoncer à cette école qui aurait pu lui donner un nouveau souffle.

Mon ami journaliste m'a confié qu'il avait été sidéré de
découvrir, lors d'une réunion à laquelle assistait Bal Thackeray,
que le Saheb n'avait aucune notion de la géographie du Maharashtra. Parti surtout influent à Bombay, le Sena est en train de
perdre ses adhérents marathes. De nos jours, il est d'ailleurs abu-
sif de parler de Bombay comme d'une ville marathe. À l'époque
du Samyukta Maharashtra, sa population était à cinquante et un
pour cent marathe. Les filatures, en particulier, employaient
essentiellement des Marathes, mais avec le déclin de cette industrie les ouvriers ont dû aller trouver du travail ailleurs.
Aujourd'hui les Marathes ne représentent que quarante-deux
pour cent des Bombayites, contre dix-neuf pour cent de Gujeratis ; les autres sont musulmans, chrétiens, sikhs ou parsis,
originaires du Sind, de l'Inde du Nord ou du Sud et de Dieu sait
où encore. En juillet 2000, le Sena n'a pas nommé un seul
Marathe au Rajya Sabha, la Chambre haute du Parlement, mais

des Gujeratis, des Bengalis, des Parsis, des Indiens du Nord. Le parti s'efforce à l'heure actuelle d'élargir sa base à l'ensemble des hindous, car il sait qu'il ne peut plus uniquement compter sur le vote marathe pour se maintenir au pouvoir.

Je demande à Thackeray si Bombay est toujours une ville marathe. Il prend tout de suite un ton agressif. « Qu'est-ce que vous croyez ? Personne n'oserait séparer Bombay du Maharashtra. Nous restons vigilants. Tant que le Shiv Sena sera aux commandes, personne ne s'y risquera. » Manifestement, j'ai touché un nerf sensible. Le Saheb monte au créneau pour une question de place, pour déterminer qui a le droit de vivre à Bombay. Le Shiv Sena est avant tout un parti d'exclusion. Depuis les débuts il décrète que tel ou tel groupe n'a pas sa place à Bombay ; il s'en est d'abord pris aux Gujeratis, puis ce fut le tour des Indiens des États du Sud, des communistes, des dalits, et maintenant des musulmans. À l'instar des autres grandes villes indiennes, Bombay grouille de gens qui aimeraient savoir qui ils sont et croient que la réponse, lorsqu'ils l'auront trouvée, leur permettra de préciser également qui n'est pas comme eux. Thackeray et ses semblables abordent le problème à l'envers. Ils identifient d'abord les gens « pas comme eux », puis, procédant par élimination, définissent qui ils sont.

Le journaliste qui m'avait accompagné s'en va, me laissant en tête à tête avec le Saheb. Je lui demande à quoi est dû, selon lui, le pouvoir d'attraction de Bombay.

« Ici, le crime rapporte. Pas besoin de travailler pour gagner gros. Il y a le vol à la tire. Dans les trains, ça marche bien. » Ou les extorsions de fonds, qui sont une activité florissante. « Il suffit de décrocher le téléphone et de dire : " Cette somme il me la faut. Je vous envoie mon homme de confiance " » – pour que les gens terrorisés crachent au bassinet. Voilà une explication inédite à l'afflux des immigrants à Bombay : le crime paye, dans cette ville. C'est en partie vrai. Thackeray attire mon attention sur la nette infériorité numérique des forces de l'ordre, par rapport à la multitude des délinquants. « Cette menace, dit-il en traînant sur la dernière syllabe, ne cesse d'augmenter. La menace incarnée par les mal-logés. Tu joues à cache-cache avec les flics, et tu gagnes. Mettons que tu fasses un mauvais coup, un meurtre, par exemple, même un meurtre : tu peux liquider quelqu'un et t'en aller comme ça, tranquillement, pour aller te planquer dans le zopadpatti *. » Pendant les émeutes, c'est effectivement ce que faisaient ses nervis, Sunil et les autres : ils tuaient et ils allaient se planquer dans le zopadpatti – le slum inextricable.

Il a un plan pour sauver Bombay. « Il faut contrôler l'immigration. Chasser les musulmans du Bangladesh, en débarrasser non seulement Bombay mais le pays tout entier : ils n'ont qu'à retourner d'où ils viennent. Il faut identifier les gredins, ceux qui sèment la zizanie pour le bénéfice de l'ISI [1], et les pendre. Pas les renvoyer, ceux-là, les pendre. C'est ce que je préconise, et je suis sérieux. » Il évoque avec admiration les mesures très strictes appliquées aux États-Unis à la délivrance des visas, qu'il oppose au « permis d'immigrer » si facile à obtenir pour venir en Inde. Il trouve qu'il faudrait un visa pour entrer dans Bombay. Les riches habitants de Malabar Hill ne l'approuvent pas sur toute la ligne mais beaucoup sont d'accord avec lui sur ce point.

« Inde » est un nom qu'il abomine ; on le doit, selon lui « au pandit Jawaharlal Nehru et à son amour inconditionnel des musulmans, après la Partition. On a décrété que le pays s'appelait l'Inde et on a fait de nous des Indiens. J'ai horreur de ça. » À l'en croire, le nom originel de ce pays, son vrai nom, donc, c'est Hindoustan. « Ça vient de l'Indus. Du Sind. Du Sind et de l'Indus qui dans l'Antiquité s'appelait Sindhu. » Du Sind, donc, qui est aujourd'hui une province du Pakistan.

Il prétend qu'il existe dans la Constitution un article qui fait de nous tous des Hindoustanis. « Le 19-a. À mourir de rire : ils n'ont profité que de la première ligne, et les autres, alors, b, c, d, e, f, g ? Là aussi il est clairement précisé que les gens peuvent toujours émigrer d'un État à l'autre mais à une condition qu'ils doivent bien se mettre dans le crâne : ne pas troubler la paix des

1. ISI : les services secrets pakistanais *(N.d.A.).*

gens du coin. Pourquoi ne pas retenir ça, hein ? Pourquoi ne citer que les premiers articles et pas les autres ? »

Peut-être parce que la Constitution ne contient pas l'article dont il parle. Il est possible qu'il fasse allusion aux articles 19-d et e, qui reconnaissent à tous les Indiens le droit de se déplacer librement et de résider où ils veulent sur le territoire national ; l'article 19-a, lui, garantit aux citoyens la liberté de parole et d'expression, une notion sans doute assez peu familière à Thackeray. En fait, il s'est inventé une constitution sur mesure. On imagine mal un de ses hommes prendre la peine d'aller consulter le document authentique pour vérifier la véracité de ce qu'il assène avec aplomb. La Constitution indienne est la plus longue du monde, et probablement la moins lue. Les gens en font ce qu'ils veulent.

Les intrus cesseraient de venir s'entasser dans Bombay s'ils étaient mieux traités dans les États indiens d'où ils viennent. « Qu'est-ce qu'il fait là, leur chef de gouvernement, avec un gyrophare sur sa bagnole, une villa et toutes ces notes de frais ? C'est son boulot de s'occuper d'eux. » Si Bombay est un vaste foutoir, la faute, une fois de plus, en incombe à la classe politique. « Il n'y a pas que Bombay à être cosmopolite, toutes les villes sont dans le même cas. Bangalore est cosmopolite. Calcutta est cosmopolite. Or, il y a des limites à cause des infrastructures. Avec les pluies, on ne sait pas ce qui va se passer. Les pluies, ça va, ça vient. C'est comme dans la comptine, vous savez : " Va-t'en, la pluie, va-t'en. Reviens quand il sera temps " – et tout est comme ça. »

Je commence à soupçonner que je ne saisis pas bien le bonhomme et, changeant de sujet, je l'interroge sur son charisme. À quoi l'attribue-t-il ?

« Mettons que vous tenez une fleur qui a un parfum typique. Mais comment dire où il est, ce parfum, d'où il vient ? Un parfum, ça ne se voit pas. Le charisme, ça ne s'explique pas. Je ne sais pas si j'en ai ou pas. Ni si qui que ce soit en a. Et puis charisme, ça fait penser à Karishma ? Alors si on tient Karishma

Kapoor [1] c'est qu'on a du charisme ! » Ravi de son jeu de mots, le Tigre laisse échapper un gloussement.

Est-ce qu'il pense avoir suffisamment marqué son époque pour laisser son empreinte dans l'histoire ?

Cela lui est bien égal, répond-il. « Je joue avec mes petits-enfants, c'est tout. » Il n'écrira pas son autobiographie, il ne contestera jamais les résultats sortis des urnes. Son refus d'entrer directement en politique est essentiel pour l'image qu'ont de lui les militants du Sena. Le Tigre est au-dessus de la politique, mais il manipule les politiciens à sa guise. D'ailleurs, il s'est publiquement vanté de contrôler à distance les chefs de l'exécutif élus sous la bannière du Sena. « Je déteste la politique, martèle-t-il. Je ne suis pas un homme politique. Je suis un caricaturiste politique. »

Il évoque ses souvenirs de dessinateur et le Mumbai du bon vieux temps. « Quand je travaillais au *Free Press Journal*... la population était nombreuse, bien sûr, mais la vie était belle, elle avait encore du panache. Et puis tout doucement, tout doucement, tout doucement, avec ces masses de gens qui se déversaient ici c'est devenu de plus en plus dur. Je me souviens qu'à l'époque – en quarante-deux, en quarante-quatre – les employés de la mairie venaient chaque fois qu'on leur signalait qu'il y avait des rats, des rats énormes. Ils arrivaient avec des gros tuyaux – évidemment, il y avait des prises d'eau, dans les rues. Ils branchaient leurs tuyaux dessus et on les enfonçait dans le trou, le trou à rats, pendant que d'autres montaient la garde, armés de solides gourdins, des lathis. Naturellement l'eau suit les trajets des bestioles, dans les galeries, elle les déloge. Tôt ou tard, elle les oblige à sortir par un autre trou. Si l'eau arrive de ce côté, mettons, eux vont se réfugier à l'autre bout. Dès qu'ils se pointaient on leur tapait dessus. On en massacrait au moins six, des fois dix ou douze. Maintenant, il y a une telle pénurie d'eau qu'on ne pourrait plus se le permettre. N'empêche qu'à l'époque, dans la cour de la maison où on habitait, à Dadar, on

---

1. Karishma Kapoor, née en 1975, une des stars de Bollywood (*N.d.T.*).

se branchait directement à la prise d'eau et tout de suite on avait une pression terrible. Là, je vous parle de quarante-quatre, qua-rante-cinq, quarante-six. Des prises comme ça, on n'en voit plus maintenant à cause des abus. Les mal-logés s'en servent n'importe comment. Ils les laissent ouvertes, et si on les referme pas l'eau continue à couler, et pas qu'un peu. »

Son récit m'ouvre des horizons inquiétants. « Il y a vraiment un problème de rats ?

– Les rats sont inévitables, confirme le Saheb en adoptant une perspective plus charitable. Ils se chargent des déchets dont la BMC[1] ne s'occupe pas. Oui, oui. Ils trouvent de quoi manger là-dedans. » Arrivé au bout de son soliloque, Thackeray s'inter-rompt abruptement en me laissant libre d'interpréter ses propos.

On annonce l'arrivée d'un visiteur, le réalisateur de cinéma Vijay Anand. Se penchant vers moi, le Tigre murmure : « Ses fils sont derrière les barreaux, sans rire. » Sans rire, il fait erreur, car ce ne sont pas les fils mais des neveux d'Anand qui se sont fait coffrer. Peu importe, le Saheb se frotte les mains : « Si cet homme entre ici, il ne jurera plus que par moi. »

Les neveux du réalisateur sont accusés d'avoir assassiné la maîtresse de longue date de leur père. Au lieu d'aborder le pro-blème de front, toutefois, Anand parle de tout autre chose. Il possède une salle de cinéma. Hier matin, son assistant est allé enregistrer de la musique dans le studio d'un autre producteur, Vinayak Raut, et l'équipement dont il se servait est tombé en panne. Raut a kidnappé ce type, qu'il retient depuis plus de vingt-quatre heures, et il vient d'envoyer une lettre (Anand la tend à Bal Thackeray) dans laquelle il exige trente-cinq mille roupies de dommages et intérêts. Il a qui plus est déclaré à Anand avoir travaillé au service de sécurité du Saheb, pour qui il a à plusieurs reprises collecté des vasulis *, et il s'occupe

1. La BMC, pour Brihanmumbai Municipal Corporation, est la plus grosse administration municipale de l'Inde. Fondée en 1888, elle gère à peu près tous les services publics, police exceptée, d'une zone urbaine qui s'étale sur près de 450 km ^{2} *(N.d.T.).*

toujours de rassembler ces fonds extorqués au profit de Raj Thackeray – le très peu recommandable neveu de Bal.

Le Saheb décroche son téléphone. Il a mémorisé chaque détail de l'histoire alambiquée d'Anand et la répète en substance à son assistant. « Je veux que ce Raut passe me voir à midi, demain. Il va monter en grade, c'est le roi de l'extorsion. » Je découvre soudain le chef tout-puissant, qui répare les injustices d'un bon mot sonnant comme un ordre. Le problème sera bientôt réglé. Il va y veiller.

Il est particulièrement fier d'être sollicité par des vedettes de cinéma, des réalisateurs, des producteurs. « Ils viennent tous me voir. On s'entend bien. Ils m'admirent. Ils me respectent. Moi, je les aide. Je résous leurs problèmes. C'est vrai. » Je tiens du journaliste qui m'a introduit ici que Thackeray se fiche éperdument des hommes politiques de Delhi. Si Vajpayee se présentait chez lui, il ne se mettrait pas en quatre. En revanche, il prendrait le temps de recevoir Amitabh Bacchan et en tirerait gloire. Un tel sens des priorités est typiquement bombayite : ici le cinéma prime sur la politique. Quand Sanjay Dutt, autre star de Bollywood, fut condamné à dix-huit mois de détention parce qu'il était mêlé aux attentats à la bombe, seul le Saheb a eu le bras assez long pour le sortir de prison. Son grand rival, Sunil Dutt, est venu le trouver à l'époque où son fils purgeait sa peine. « Il a fait un aarti * autour de ma femme. » Pendant que Dutt tournait autour de l'épouse de Thackeray avec une lampe à huile, huit à neuf producteurs se morfondaient dans l'antichambre. Leurs projets de tournage avec Sanjay étaient gravement compromis et cette histoire risquait de leur faire perdre des dizaines de millions. Grâce à l'intervention du Saheb, l'acteur fut libéré sous caution.

Était-il coupable, à son avis ?

« On a retrouvé le ressort d'un AK-420 déglingué, et vous trouvez que ça suffit pour le traîner en justice ? » Il pense en fait que Sharad Pawar, alors chef de l'exécutif du Maharashtra, s'est acharné contre Sanjay parce que, comme le père de ce dernier, il briguait la présidence du Congrès. Cela étant, si pour finir le tribunal devait conclure à sa culpabilité, « qu'on le pende ». Une formule récurrente, dans la bouche du Saheb, une solution qui vaut aussi bien pour les musulmans du Bangladesh que pour Sanjay Dutt. Ce chef-là n'a pas de temps à perdre en chicanes théoriques et procédurières, il est pour l'action directe. Qu'on les pende ! Le genre de chef que peuvent comprendre et aduler des jeunes qui n'ont pas été longtemps à l'école et qui ont la rage.

Durant toute sa longue carrière, c'est dans les tranches d'âge de seize à trente ans que Thackeray a trouvé ses plus fervents supporters. « Le sang jeune, les hommes jeunes et les jeunots sans travail, c'est comme de la poudre à canon bien sèche. Ça peut exploser n'importe quand. » Au-delà de la trentaine, ils commencent à avoir envie de se ranger, ils dégainent moins vite. Assez curieusement, pour quelqu'un censé recevoir le soutien de la jeunesse, le Saheb ne semble pas la tenir en estime : « Cette génération ! Ils n'ont aucune culture, ils n'ont pas de sanskar. Il n'y a pas de mot pour dire sanskar, en anglais, pas d'équivalent. » Le terme « valeurs » serait le plus proche. Le Saheb a des goûts culturels assez particuliers ; il approuve le cinéma hindi et Michael Jackson, mais se met dans tous ses états parce que la ville fête la Saint-Valentin. « La Saint-Valentin ! L'an prochain, je la supprime. Non, mais ! Quel culot ! Je vais en faire des confettis, de leurs cartes. C'est quoi la Saint-Valentin ? Ridicule, oui ! Ces petits étudiants qui vivent avec l'argent de poche de papa... On ne sait même pas si c'est de l'argent propre ou sale. Ils profitent de la vie avec les filles, et les filles sont pareilles, elles aussi. Ah, elle est belle la génération Coca, la génération Pepsi. Franchement. Et ces jeans qu'ils mettent... » ajoute-t-il en agitant la main avec dégoût au-dessus de ses jambes.

De fait, ainsi qu'il l'a promis, le 14 février suivant le Saheb met la Saint-Valentin à l'index. Relayant l'appel au boycott, les saïniks pillent les boutiques qui vendent des cartes de la Saint-Valentin, font des irruptions fracassantes dans les restaurants qui

pour l'occasion proposent des menus spéciaux. La presse de
pays aussi lointains que la Turquie, l'Afrique du Sud, l'Australie
fait la part belle à ses imprécations.

Pourtant, l'âge a assoupli le vieux fasciste fatigué. Chacune de
ses déclarations incendiaires est désormais ponctuée d'un rire
aimable qui dissipe la « menace » du discours. À le voir plaisanter à propos des gens du cinéma en tirant sur son cigare, on lui
trouverait presque un air débonnaire. J'ai un peu de mal à relier
l'homme assis en face de moi à la furie meurtrière qu'il déchaînait chez des gens comme Sunil il y a encore quelques années,
mais bon ; il a soixante-treize ans, en effet. « Je peux contrôler le
gouvernement à distance, mais pas mon âge », dit-il avec un clin
d'œil.

Il suffit cependant qu'il revienne à ses cibles de prédilection
pour que sa véhémence resurgisse, intacte : « Les musulmans du
Bangladesh qui viennent ici. À se demander qui est leur parrain
ou leur bonne fée, dans l'Hindoustan ! » Il me parle d'un attentat
à la bombe qui s'est produit il y a peu de temps à Delhi et a fait
une quinzaine de blessés ; le terroriste serait un musulman, la
police l'a arrêté, et quand la nouvelle de cette interpellation s'est
répandue dans le quartier musulman les haut-parleurs de la mosquée ont lancé l'ordre d'attaquer : une foule forte de quelque
cinq cents hommes, selon Thackeray, a envahi le poste de police
et libéré le poseur de bombe. « Et il faudrait tolérer cette gabe-
gie ? tonne le Saheb. C'est qui, ces gens ? De quel droit ils sont
ici ? Qu'ils rentrent dans leur Bangladesh. Tout ça est très triste,
très mauvais. »

Est-ce que ce genre d'incident pourrait arriver à Mumbai ?

« Maintenant que c'est du ressort du Shiv Sena, on les tient en
échec », répond-il en se rengorgeant. Et il me rappelle que
depuis que le Sena est aux commandes il n'y a pas eu un seul
affrontement entre les communautés hindoue et musulmane.

Qu'est-ce qui a provoqué, selon lui, les émeutes qu'a connues
Bombay en quatre-vingt-douze et quatre-vingt-treize ?

« Le Babri Masjid, avance-t-il aussitôt. Même si pas un
musulman de Bombay ne sait où est Lucknow, où est le Babri

Masjid. » Lui non plus, manifestement; le Babri Masjid se trouve à Ayodhya, à des centaines de kilomètres de Lucknow. Cette mosquée, poursuit-il, était désaffectée, mais elle recouvrait un Ram Mandir où, dans le temps, les hindous venaient offrir des prières. Elle a été abattue et les musulmans sont descendus dans la rue. « Ensuite, pour sauver votre sale tête de laïc vous allez prétendre que ce n'étaient pas des musulmans d'ici, qu'ils venaient tous du Bihar, de l'Uttar Pradesh, mais comment ont-ils eu l'audace de venir ici, d'abord? De donner des idées à ceux d'ici, de les inciter à l'action? C'est des pousse-au-crime, forcément. Le Shiv Sena a agi en représailles. Si mes hommes ne s'étaient pas mobilisés, sûr que les hindous se seraient fait écharper. »

Ces représailles, explique-t-il, ont été menées « avec tout ce qui nous tombait sous la main. Des cailloux – oui, des cailloux, ou des tubes néon, des barres de fer. Ils avaient quelques munitions, des armes à feu, mais de toute façon... les hindous auraient été massacrés. Allez interroger n'importe quelle communauté, les Gujeratis par exemple, ou ceux-ci ou ceux-là, et ils vous répondront tous : Oui, Balasaheb nous a sauvé la vie. »

Mon oncle, en effet, ne m'a pas dit autre chose.

« C'est pour cela qu'ils vous ont élu?

– Non. Une fois que vous avez la vie sauve, vous avez la vie sauve. Après, allez au diable si ça vous chante. Nous, on ne marchande pas, on n'attend rien d'eux. Notre devoir c'est de sauver la vie des gens, un point c'est tout. »

Les partisans du Shiv Sena ont fait le sale boulot que les Gujeratis dont je suis étaient trop timorés pour mener à bien. Ils ont rejoué une fois de plus les batailles de Pânipat contre les Afghans. Après nous avoir pris Bombay à la faveur du mouvement Samyukta Maharashtra (à l'époque où ils arpentaient les rues pour taper sur les Gujeratis en braillant : Khem chhe? Saru chhe! Danda leke maru chhe!), ils nous ont magnanimement défendus contre les musulmans.

Thackeray admoneste les musulmans en termes sentis : « Ne vous rendez pas suspects à nos yeux. Vous pouvez vivre libres, affranchis, mais arrêtez de tout le temps répéter que l'islam est en danger. Ici, ce n'est pas un pays islamique, alors on ne va pas s'inquiéter pour l'islam. » Il se dressera contre les musulmans dont il constate « qu'ils ont leur corps ici alors que leur cœur bat pour le Pakistan. Je serai le premier à leur dire de décamper ». D'autant que le statut dont ils jouissent en Inde lui paraît douteux : « C'est quoi, d'abord, cette communauté musulmane ? Après la Partition, ils n'avaient qu'à rentrer chez eux ! »

Je lui demande s'il y a encore un risque d'émeutes, à Bombay. S'il sent un bouillonnement monter de la base à cause des tensions sociales.

« Je ne suis pas astrologue, je ne sais pas lire dans les lignes de la main et je ne fais pas de pronostics, mais je peux vous annoncer une chose – appelez ça comme vous voulez, une prophétie, une intuition : si le gouvernement Vajpayee tombe, ça sera le chaos et on ira droit à la guerre civile. Une guerre civile, notez bien, insiste-t-il avec un calme étonnant, sans élever le ton ni proférer de menaces, sûr de ce qu'il avance. Alors, vous comprendrez mes prêches et mes discours. Je touche du bois, je préférerais que ça n'arrive pas, mais ça va se vérifier, vous verrez. Les musulmans vont y aller. Et ça ne se limitera pas à Bombay. Le pays entier sera touché. Il va y avoir une guerre civile dans tout le pays. »

Quelle sera alors la ligne de conduite du Sena ?

« Nous nous battrons par tous les moyens. Par tous les moyens il faudra nous battre. La vengeance est notre droit d'aînesse. La vengeance est notre droit d'aînesse. »

Je lui rappelle sa mise en garde : à présent les musulmans sont armés.

« On verra, on verra. Chaque chose en son temps. »

Quelque temps plus tard, le rédacteur en chef marathe qui a facilité cet entretien me raconte qu'à l'occasion d'une conférence de presse le Saheb s'est targué de savoir prédire l'avenir. « Il a des hallucinations, m'explique-t-il. Il voit des carnages.

Des bains de sang », et mon interlocuteur se passe la main devant les yeux comme pour chasser des images sanglantes.

Thackeray n'a jamais ouvert un livre, me confie-t-il. Je n'en ai effectivement remarqué aucun dans les pièces où j'ai été admis. Le cinéma et la bande dessinée sont ses deux grandes références culturelles. Il a de mauvais rapports avec les écrivains – avec Pu La Deshpande, par exemple, qu'il compare à un pont écroulé en faisant un mauvais jeu de mots sur son nom ; ou avec le Congrès panindien des écrivains marathes, qu'il a privé de sa maigre subvention et traite de « foire aux bestiaux ». En revanche il aime, et c'est réciproque, les milieux du cinéma, car il s'y sent dans son élément. Il est à l'aise avec les images et l'action, mais les idées ne sont pas son fort. Les propos que j'ai enregistrés sont truffés d'allusions au monde de Bollywood ou à des comptines enfantines, et ils ne découlent pas toujours logiquement des questions que je lui ai posées. Ce sont moins des réponses que des pensées éparses formées dans les profondeurs de son cerveau, qui sans raisons apparentes montent comme des bulles à la surface.

Je suis frappé par la justesse d'une remarque du journaliste à propos de la disparité d'échelle entre cet homme à l'esprit étroit et la ville gigantesque qu'il contrôle. « Il lui manque ce que George Bush appelle " la vision " », a ajouté mon confrère. Au vu des énormes problèmes de Bombay, les solutions du Saheb sont aussi précises que dérisoires : alimenter les prises d'eau pour chasser les rats, interdire la Saint-Valentin pour conserver sa pureté à notre belle jeunesse. Au lieu de chercher les causes globales des maux qui rongent la cité, il s'en tient à des récriminations générales contre les musulmans et l'immigration excessive. Comprendre le processus historique, examiner les grands rouages d'une extrême délicatesse qui alimentent le fabuleux moteur économique, cela ne l'intéresse pas. Tout ce qu'il voit, c'est que ses partisans ne s'enrichissent pas ; pour y remédier, brandissant la menace de la violence de rue il exige qu'on leur réserve tout simplement une certaine proportion d'emplois.

Sa tactique consiste à réagir sur-le-champ, et avec force, à l'actualité. Sous son impulsion, le thème de l'Hindutva donne

lieu à une véritable doctrine raciale, mais en réalité il l'a
emprunté aux nationalistes hindous du RSS * et du BJP.
À l'écouter, les événements sont des faits isolés ; il ne cherche ni
à les mettre en rapport ni à les expliquer à l'aide d'une théorie
ambitieuse ou modeste.

En 1984, il a invité l'ancien dirigeant communiste S.A. Dange
à parler dans un meeting de son parti. Dange était certes un
adversaire déclaré du Sena, mais les deux hommes se respectaient dans la mesure où ils estimaient défendre l'un et l'autre les
droits des travailleurs, et parce qu'ils avaient tous les deux fait
partie du mouvement Samyukta Maharashtra. Quand il prit la
parole, Dange exposa crûment le fond de sa pensée : « Le Shiv
Sena n'a pas de théorie. Or, faute de théorie, aucune organisation
ne peut survivre. »

Le lendemain, Thackeray riposta : « C'est pure arrogance de sa
part de prétendre que le Sena n'a pas de théorie et qu'une organisation qui n'a pas de théorie ne peut pas survivre. Dans ce
cas, comment se fait-il que la nôtre survive depuis maintenant
dix-huit ans ? » Puis, portant le coup fatal qui sapait à la base
l'argument du vieux communiste, il ajouta : « Et comment se
fait-il que votre organisation soit finie, elle qui avait une
théorie ? »

Le Sena a survécu et prospéré grâce précisément à cette
absence de théorie, ou plus exactement parce qu'il a su s'adapter
à des théories fluctuantes : pour l'heure il soutenait vaguement le
capitalisme, mais au début des années quatre-vingt Thackeray ne
jurait que par le « socialisme pratique ». Depuis toujours le Sena
se raccroche à la dernière théorie en vogue : tour à tour et simultanément, il fut anticommuniste, fasciste, socialiste, contre les
immigrés ; aujourd'hui il est spécifiquement anti-musulman et
pro-hindou. Pourquoi s'embarrasser d'une théorie quand la
praxis fait l'affaire ? Ce qui plaît à Bal Thackeray, ce sont les
résultats.

Moi aussi, parfois, je brûle de passer à l'action. La nuit, après
une dure journée où j'ai dû me traîner dans la ville grouillante,
partagé entre la colère et la frustration à cause des délais admi-

nistratifs, des blocages politiques, pour trouver le sommeil je m'octroie des pouvoirs dictatoriaux : j'abolis la loi sur les baux locatifs; je ferme le centre-ville aux voitures; je nomme des juges compétents à la Haute Cour et d'un revers de main je balaie les dossiers en souffrance. Je transfère la mairie à New Bombay, le gouvernement de l'État à Pune. Je démolis les usines, j'ouvre des parcs, des écoles, et surtout je construis des logements : des milliers et des milliers d'immeubles de six étages, avec un terrain de jeux pour six immeubles. Un immense Levittown [1] pas cher et vite bâti, avec d'infimes modifications du schéma. Tous ceux qui vivent déjà sur place auront un toit. Les autres ne peuvent pas venir s'installer tout de suite; je vais m'employer à leur trouver de la place. Pour ces vastes projets, je me passerai de l'aval des légistes. Je sais ce que je dois faire, je n'ai pas besoin de consensus. Assez parlé, à présent. Je vais agir – ça m'aide à m'endormir.

Si le parti du Congrès fut porté au pouvoir au Maharashtra en 2000, c'est entre autres parce qu'il avait promis que le rapport de la commission Srikrishna ne resterait pas lettre morte. Mensonge. Selon Amnesty International, « plus de quatre ans après la publication du rapport de la Commission, en 1998, le gouvernement du Maharashtra n'a pris aucune décision importante pour mettre ses recommandations en œuvre ».

La commission citait nommément trente et un policiers coupables d'avoir tué des innocents, soutenu un des camps en présence, négligé leur devoir ou participé activement aux troubles. En 2001, dix-sept de ces hommes ont été officiellement inculpés, mais en 2003 aucun n'avait été jugé. Dix d'entre eux ont même bénéficié d'une promotion. La plupart des émeutiers ont été inculpés en raison de la loi « sur la prévention des troubles à l'ordre public et des activités terroristes » que la

---

1. Cité-modèle construite au début des années cinquante en Pennsylvanie avec les pavillons individuels du promoteur William Levitt. Aux États-Unis, cette réalisation continue d'incarner le rêve d'accession à la propriété *(N.d.T.).*

presse s'accorde en général à trouver « draconienne ». Au total, deux mille deux cent soixante-sept cas ont été enregistrés ; arguant du manque de preuves, la police en a classé soixante pour cent sous la rubrique « vrai mais non constaté » et a dressé huit cent quatre-vingt-quatorze procès-verbaux. En mars 1998, la justice devait se prononcer sur huit cent cinquante-trois affaires ; les quarante-deux effectivement jugées se sont traduites par trente acquittements, trois non-lieux et huit condamnations en tout et pour tout (pour mille quatre cents meurtres !). Les cerveaux des attentats à la bombe ont été arrêtés ou se sont enfuis à l'étranger parce que les enquêtes les concernant avaient été confiées à la fine fleur des inspecteurs de police ; les cerveaux à l'instigation des émeutes – responsables d'un nombre de morts bien plus important – sont entrés dans le gouvernement du Maharashtra et/ou au Parlement. D'où le constat que dresse Amnesty : « Les dix ans d'impunité accordés aux responsables des émeutes de Mumbai ont envoyé un message des plus troublants à la nation et ébranlé la confiance de l'opinion dans l'appareil judiciaire. »

Le gouvernement à majorité Sena a enterré treize des quatorze affaires qui incriminaient Bal Thackeray pour son rôle dans les émeutes de 1992. Le gouvernement dirigé par le parti du Congrès a ressorti la quatorzième, qui le met en cause pour avoir attisé les passions communautaristes dans ses éditoriaux du *Saamna*. C'est franchement le moindre de ses péchés, et dans un pays comme les États-Unis les défenseurs des droits civiques seraient tous montés au créneau pour le défendre. Thackeray n'a jamais été inquiété. Chaggan Bhujbal, le chef de l'exécutif, un transfuge du Sena entré dans les rangs du parti du Congrès, rêve de voir son ancien mentor en prison, fût-ce une heure seulement. Il déclare que pour arrêter le Saheb, il est prêt à suivre l'une au moins des recommandations de la commission Srikrishna.

« Ça ne s'est jamais produit et ça ne risque pas d'arriver. [...] Si je me retrouve derrière les barreaux, ils [ses détracteurs] ne pourront plus sortir dans la rue », s'emporte le chef du Sena à la tribune, lors de la fête de Dussehra * organisée comme chaque année à Shivaji Park. Et il enfonce le clou dans le *Saamna* : si on osait l'inculper, « l'Inde tout entière, et pas simplement le Maharashtra, s'embraserait. C'est un appel à un soulèvement religieux, chacun doit se préparer à en affronter les conséquences ». Un des députés du Shiv Sena, Sanjay Nirupam, fait un autre calcul : « Après les émeutes de quatre-vingt-treize, aux élections on a remporté trente des trente-quatre sièges à pourvoir. Si on est bien en démocratie, le peuple s'est exprimé. Une nouvelle émeute serait aussi à notre avantage, politiquement. »

Les dirigeants du Sena sont passés à la clandestinité en prévision de cette arrestation. Sunil a reçu l'ordre de se planquer. Il m'appelle à intervalles réguliers. Les gars de Jogeshwari ne dorment plus chez eux, ces temps-ci ; toujours sur le qui-vive, ils se déplacent constamment par groupes de quinze à vingt, dans des petites voitures ou à moto. Ils ont pour instructions de s'en prendre aux biens publics : les bus, les trains, les administrations. Leurs cibles pourraient devenir religieuses, auquel cas tous les hindous s'uniraient, selon le raisonnement que tient Sunil : « Quand on touche à la religion, ça ne compte plus d'être gujerati ou bhaiyya *. Contre les musulmans on est tous des hindous, et cette fois on va les expulser de Bombay. » Le Sena prépare la prochaine guerre.

Un samedi, au beau milieu de la nuit je reçois un coup de fil de Sunil : il s'apprête à paralyser la ville. Lors de la réunion nocturne de la shakha on a appris que le Saheb serait arrêté le lendemain. Les troupes du Tigre ont envie d'en découdre ; leurs rugissements me parviennent en fond sonore, derrière la voix de Sunil, plus ardente, me semble-t-il, qu'à l'ordinaire. Comme au bon vieux temps...

Le dimanche, Sunil m'appelle à maintes reprises sur mon portable pour me tenir informé de ses activités qui, dans un premier temps, consistent à interrompre le trafic ferroviaire. Il a dépêché ses hommes à Goregaon, et la shakha de Goregaon a expédié des saïniks à Jogeshwari. De cette façon, ils ne seront pas reconnus par les policiers affectés à ces différents quartiers, qui selon les circonstances sont leurs complices ou leurs geôliers. À un moment donné, un détachement de deux cents policiers tente d'empêcher les gars de Sunil d'imposer la grève. Inefficaces pour ne pas dire complaisants, ils prennent des noms et menacent de procéder à des interpellations. Puis l'équipe commandée par Sunil s'empare d'un bus que ses passagers désertent aussitôt, sur l'intervention du chauffeur, et qui est détruit dans le quart d'heure qui suit. Les gars entrent dans des boutiques, demandent à leurs propriétaires à combien s'élèveraient les dommages si un caillou venait à briser leurs belles vitrines ; les rideaux de fer s'abaissent les uns après les autres. Les sept à huit cents saïniks déployés dans Jogeshwari arrêtent les trains, obligent taxis et rickshaws à rentrer chez eux à vide. Ils investissent le dépôt de bus, dont le gérant s'offre lui-même à retirer tous ses véhicules de la circulation pour qu'ils ne soient pas endommagés. La ville est paralysée, en effet.

Pour finir, la situation ne débouche pas sur la guerre civile mais sur une farce : le Saheb annonce qu'il se présentera de son plein gré devant le tribunal. Il ira – escorté d'une armée de cinq cents policiers qui donne peut-être à Bhujpal l'illusion que son vœu s'est réalisé –, et le juge prononcera un non-lieu au motif que le délit est prescrit car il aurait dû être jugé dans un délai de trois ans. Thackeray ressortira du palais de justice moins de trois quarts d'heure après y être entré, et Bombay se remettra à respirer.

À Cuffe Parade, le spectacle est tout différent. La nouvelle Miss Univers rentre fêter son triomphe au pays. À en croire la chroniqueuse socialiste Shobha De, « Bombay ne se préoccupe que de savoir qui sera là pour accueillir Lara Datta, de retour dans sa ville natale ».

La pulsion génocidaire naît d'une envie de propreté, d'une aspiration à une homogénéité décrassée, car il est bien connu que le chaos et le désordre sont issus du brassage malsain de l'hétérogénéité. Iqbal et Jinnah ont rompu avec l'Inde parce qu'ils voulaient créer la Terre des Purs [1]. Pour employer un mot hélas trop galvaudé, la philosophie de l'Inde n'encourage pas à l'homogénéité. Il suffit cependant de regarder Bombay d'un œil impartial pour convenir que trop de gens s'y entassent. En bonne logique, certains doivent partir. Lesquels? Ah, ça... Les plus pauvres, par exemple. Ou les derniers arrivés. Ceux qui sont le plus loin de vous, selon la façon dont vous vous définissez. En dernier ressort, tout immigré espère un jour occuper une place qui lui donnera le droit d'interdire l'accès aux nouveaux immigrés, de dire à celui monté après lui de descendre du train, de retourner d'où il vient. Ce jour-là, il sait qu'il fait vraiment partie « des gens du cru ».

Les émeutes de 1992-1993 furent doublement catastrophiques pour Bombay : elles ont encore dégradé les conditions de vie de ses résidents sans diminuer en rien l'attrait qu'exerce la ville sur les villageois de l'intérieur, prêts à tout abandonner pour venir s'y installer. Les troubles qui couvent auront le même effet. On y vivra encore plus mal, mais ce n'est pas pour autant que la population diminuera. Cela ne ralentira même pas l'afflux des nouveaux arrivants.

Le XXIe siècle a mal commencé pour le Sena. À peine s'il a encore les forces de riposter aux gangs musulmans qui s'en prennent à ses pramukhs, en éliminent certains, en menacent d'autres. À Jogeshwari, Bhikhu Kamath reçoit une lettre écrite « en musulman », me précise Sunil, l'informant qu'il est le prochain sur la liste parce qu'il a tué des musulmans lors des émeutes. Chotta Shakeel, l'homme à la tête de ces gangs, effectue le travail dont le gouvernement n'a pas voulu se charger. Il prend sa revanche, et en plus il ne se trompe pas de cible, il s'attaque aux vrais coupables ; tel l'ancien maire Milind Vaidya,

---

1. Poète et philosophe, Muhammad Iqbal (1873-1938), Indien et musulman, fut le premier à concevoir l'idée du Pakistan (la « Terre des Purs »), que devait concrétiser le général Muhammad Ali Jinnah (1876-1948). Natif de Bombay ce dernier fut le premier chef de l'État pakistanais, créé en 1947, après la Partition *(N.d.T.)*.

cité dans le rapport de la commission Srikrishna. Shakeel
connaît ce document. Il est le bras de la justice que Srikrishna
appelait de ses vœux.

Les dirigeants du Sena adoptent le pire comportement possible pour des gens qui veulent gagner le respect des taporis : ils
supplient la police de les protéger. Les chefs de shakha et leurs
adjoints ne sortent plus qu'avec leurs gardes du corps. Le Tigre
lui-même pousse des cris d'orfraie quand le bataillon de sécurité
mis à sa disposition passe de cent soixante-dix-neuf à cent
trente-neuf hommes ; il obtiendra gain de cause après l'assassinat
de quelques pramukhs. Les griffes du Tigre se sont émoussées. Il
a des problèmes cardiaques, on prévoit déjà que son fils et son
neveu s'affronteront pour sa succession. Les vieux cadres du
parti sont trop gras, trop riches, trop mous. Ils ne peuvent plus se
permettre de passer les bornes comme autrefois, maintenant
qu'ils ont des appuis dans les cabinets ministériels de Delhi. Le
BJP a suffisamment d'influence pour calmer l'ardeur des soldats
des rues. Sous la gouverne d'Uddhav, le fils de Thackeray, le
Sena risque de devenir un simple parti régional, un club de politiciens. Ça barde dans les hautes sphères du Sena ; le Tigre
accuse ses partisans d'avoir transformé sa formation en « association de retraités ».

Il faudra bien que la colère des jeunes et des pauvres trouve
un autre exutoire. Les gangs lui en fourniront si le Sena déclare
forfait. Le parti est condamné à rester au diapason de cette rage,
incapable qu'il est de la canaliser, de la stocker, de l'absorber.
Les vagues successives de jeunes gens qui ont mené ses batailles
dans la rue au cours des années quatre-vingt et quatre-vingt-dix
ont été récompensés. Comme Sunil, ils se sont embourgeoisés,
se sont lancés dans les affaires ou sont devenus « officiers ministériels spéciaux ». Ils jouent les importants, mettent leurs gosses
dans des écoles anglaises. Ceux qui sont arrivés après eux ont
plus de mal à s'en sortir. Si le Sena n'exploite pas leur colère, ils
iront la déverser ailleurs. Cette fois, il n'est pas sûr que ce soit
un parti politique qui en profite, ni une religion, ni même la

mafia ou un groupe de malfrats. On assistera peut-être à une explosion de colère urbaine informe et sans cause apparente, portée par de jeunes mâles qui n'ont pas la foi et pas d'idéologie. Des jeunes gens qui vivent en transit dans leur propre ville, enfermés dans leurs moi individuellement multiples.

Mumbai

De même que nos vies à tous s'organisent autour d'un événement central, l'histoire de chaque ville est marquée par un événement catalyseur. Pour le New York contemporain, c'est le 11 septembre 2001 et les attentats contre le World Trade Center. Pour le Bombay de mon époque, ce sont les émeutes et les attentats à la bombe de 1993. Bombay avait été épargné par les atrocités de la Partition, en 1947. Le seul souvenir de guerre que je conserve de mon enfance est cet incident lié au conflit de 1971 avec le Bangladesh : une nuit qu'un avion de ligne avait survolé la ville par erreur, les sirènes de la défense antiaérienne se mirent à hurler, des obus traçants fusèrent de Raj Bhavan, la résidence du gouverneur qui se trouvait à proximité, et pour nous protéger mon père nous a cachés sous des matelas. À l'école, on nous apprenait à nous tapir sous nos bureaux au cas où une bombe nous tomberait dessus.

La psyché de la ville gardait toutefois la trace d'un traumatisme antérieur qui continuait à déterminer un avant et un après, dans les mémoires des anciens : l'explosion du *Fort Stikine*, le 14 avril 1944.

Le *Fort Stikine* était un cargo censé transporter des balles de coton, et comme les centaines de bateaux qui en ce temps-là et aujourd'hui encore devaient attendre d'avoir un mouillage au port, il stationnait au large. La pression intense à laquelle étaient soumises les balles de coton entassées sous le pont et la chaleur torride qui régnait ce jour-là se combinèrent pour provoquer l'embrasement de la cargaison. L'accident n'aurait pas été catastrophique en soi, du moins pour ceux qui ne se trouvaient pas à bord, si les cales du *Fort Stikine* n'avaient pas contenu tout autre chose que du coton, à savoir des explosifs (cela se passait pendant la guerre) et un chargement secret d'or et d'argent d'une valeur de deux millions de livres sterling, acheminé de Londres pour stabiliser la roupie indienne qui chutait sérieusement. Là-dessus, le service incendie prit la pire décision, et au lieu de saborder le navire au large il le remorqua dans le port. À quatre heures moins le quart, une déflagration retentissante, bientôt suivie d'une autre, pulvérisa les fenêtres du quartier du Fort dans un épais nuage de fumée noire. Les munitions avaient pris feu et le bateau amarré explosa alors que le quai grouillait de dockers et de pompiers. Deux cent quatre-vingt-dix-huit personnes moururent sur le coup.

Puis il se mit à pleuvoir.

Le ciel de Bombay déversait sur la ville une pluie d'or et d'argent mêlée de bouts de maçonnerie, de briques, de linteaux en acier, de membres et de torses humains projetés en tous sens à des distances aussi considérables que Crawford Market. Un bijoutier qui travaillait dans son échoppe du bazar Jhaveri vit atterrir sous ses yeux un lingot d'or passé par le toit. Une poutrelle métallique pulvérisa la verrière de Victoria Terminus, la gare centrale. Une plaque en fer tombée sur un cheval décapita à moitié l'animal. Les docks étaient jonchés de fragments de corps épars. Jamais jusqu'alors Bombay n'avait été touché par la guerre. Ce jour-là, on aurait dit que la ville venait d'être bombardée.

Les conséquences de la terrible catastrophe du *Fort Stikine* se font encore sentir aujourd'hui. Dans les années soixante-dix, d'autres lingots d'or remontèrent à la surface lors d'opérations de dragage du port. L'explosion avait aussi créé une montagne de décombres plus ordinaires, que les autorités municipales britanniques décidèrent d'exploiter pour gagner sur la mer. Back Bay, où poussaient autrefois des mangroves, fut en partie comblé pour former ce qui est à présent Nariman Point. Au fil du temps, ce site finit par accueillir la zone de bureaux la plus mal conçue de l'Inde moderne, et la première responsable de l'état du Bombay moderne.

À l'entrée de Cama Chamber, un écriteau accroché en évidence sur le bâtiment n° 23 prévient :

ATTENTION

Cet édifice dangereux est menacé d'écroulement. Quiconque s'y introduit le fait à ses risques et périls. Les propriétaires ne sauraient être tenus pour responsables des dommages corporels et de la dégradation des biens.
Les Propriétaires

Ce dangereux édifice auquel on accède par des marches en bois étroites abrite des bureaux signalés par des panonceaux : des cabinets d'avocats et de comptables, des officines de courtage. Ces lieux de travail sont soignés, modernes, climatisés, équipés d'ordinateurs qui clignotent et scintillent. Seules les parties communes sont délabrées. Au rez-de-chaussée, des trous béants marquent l'emplacement des fenêtres, et à ce niveau les propriétaires ont renouvelé leur inquiétante mise en garde. La loi leur imposant de fixer des loyers d'un montant dérisoire, ils n'investissent pas dans les réparations et s'en tiennent à ces incitations à la prudence qui, espèrent-ils, suffiront à effrayer les clients des entreprises installées à l'intérieur.

Une autre catastrophe s'abattit sur Bombay à la fin de la Deuxième Guerre mondiale : la loi de 1947 sur le contrôle des loyers, du prix des hôtels et des pensions de famille, mieux connue ici sous le nom de « loi sur les baux locatifs ». La ville ne s'est toujours pas remise de cette commotion législative.

Promulguée en 1948, la loi a gelé à leurs niveaux de 1940 les prix de toutes les locations en cours ; quant aux baux locatifs conclus par la suite, ce sont les tribunaux qui en fixaient le montant en fonction d'un « loyer standard » qui, une fois déterminé, ne pouvait plus augmenter. La loi contenait également des dispositions assurant le transfert du droit locatif, sans majoration du montant versé, aux héritiers des locataires en titre. Le locataire qui acquittait régulièrement son loyer n'avait rien à craindre d'une expulsion et son bail était systématiquement reconduit. Au départ il s'agissait d'une mesure d'urgence, adoptée pour une durée de cinq ans afin de mettre les locataires à l'abri de l'inflation et de la spéculation surgies dans le sillage de la guerre. Dès les premiers temps du conflit, Bombay avait accueilli des troupes nombreuses. Les loger n'allait pas de soi, dans cette ville populeuse, mais les soldats étaient riches et cela ne laissait pas les propriétaires insensibles. Ils augmentèrent les loyers au maximum de ce que pouvait tolérer le marché. Ceux qui n'avaient pas les moyens de s'aligner – les Indiens – se retrouvèrent chassés de la ville. Les visiteurs de passage amenés par la guerre menaçaient de déposséder les résidents de souche. La loi sur les baux locatifs est née de ce constat.

Une fois la loi votée, cependant, il se révéla politiquement impossible de l'abroger en raison de la supériorité numérique écrasante des locataires sur les propriétaires. Les deux millions et demi de locataires de Bombay forment le plus puissant des groupes de pression. Tous les partis politiques les défendent bec et ongles, et à ce jour la loi sur les baux locatifs a été prorogée plus de vingt fois. Les locataires ont même fait une offre à leurs bailleurs : pour cent fois le montant du loyer fixé, ils sont prêts à racheter les biens immobiliers qu'ils louent en vertu de contrats vieux d'un demi-siècle. Cela permettrait d'en finir avec les chicanes sur le partage des responsabilités, puisque les locataires deviendraient propriétaires. À ce détail près que les emplacements les plus cotés de la ville changeraient alors de mains moyennant une somme inférieure au prix de vente d'un taudis d'une pièce en bidonville. Les propriétaires ne pouvant que refuser d'entretenir les immeubles, il n'y a à court terme aucune possibilité d'améliorer ou d'augmenter le parc de logements de cette ville bâtie sur la mer, qui sombre un peu plus chaque année. De l'aveu même des pouvoirs publics, vingt mille immeubles très délabrés devraient être rénovés au plus vite ; moins d'un millier par an fait l'objet d'une restauration.

Les revenus respectifs des locataires et des propriétaires ne changent rien à l'affaire, aux yeux du législateur. Les dispositions de la loi sur les baux locatifs s'appliquent également aux locaux commerciaux, pour le plus grand profit de multinationales et d'organismes gouvernementaux qui les louent une bouchée de pain. Les occupants des villas de Malabar Hill comptent parmi les plus grosses fortunes de la ville ; depuis deux générations, ils héritent de père en fils de leurs loyers à taux fixe. La loi sur les baux locatifs étrangle Bombay, au grand dam des nouveaux venus, des jeunes et des pauvres. À cause d'elle, les amants ne trouvent pas un endroit où s'isoler ; et parce qu'elle pousse les bourgeois et les riches à s'incruster, c'est en vain que ceux qui arrivent d'ailleurs cherchent un logement correct à louer. Cette loi est une version extrême de la taxe de séjour, à cela près qu'au lieu de dissuader les gens de venir s'installer en ville elle les condamne à un mode d'existence sordide.

Dans les années trente, les affichettes « Appartement à vendre » fleurissaient dans Bombay. Les acheteurs ne se bousculaient pas, car à l'époque le crédit immobilier n'existait pas. Aujourd'hui encore, il est assez rare d'emprunter pour l'achat d'un logement. La plupart des gens payent comptant, et pour partie au noir : ils versent un chèque d'un montant équivalent à la valeur ayant servi de base au calcul de l'impôt foncier, et complètent en glissant discrètement sous la table des sacs en plastique bourrés de billets. L'entrée en vigueur de la loi sur les baux locatifs est à l'origine du *pugree*, sorte de pas-de-porte à l'envers puisqu'il consiste à payer un locataire pour qu'il libère les lieux. La pratique autrefois considérée comme un délit s'est tellement répandue qu'en 1999 il a fallu la légaliser. Les batailles juridiques autour de la loi sur les baux locatifs dégénèrent en guerre ouverte. Il y a peu, l'annonce de son réexamen par les pouvoirs publics a contraint le directeur de l'Association des propriétaires immobiliers à rester bouclé chez lui un mois durant sous la protection d'un garde armé. Cette situation dantesque n'est pas près de se dénouer, car les activistes professionnels se retrouveraient alors au chômage, ainsi que me l'a confié l'un d'entre eux.

Soit on est pour le droit individuel à la propriété, soit on est contre ; soit le citoyen ne peut prétendre avoir *ad vitam æternam* la jouissance d'un bout de terrain, soit il est fondé à la revendiquer, auquel cas il est normal qu'il puisse s'appuyer sur la loi. Le propriétaire d'un appartement devrait légitimement pouvoir le récupérer à expiration du bail. Et quand la municipalité aménage un jardin public sur une parcelle lui appartenant, elle devrait avoir la liberté d'abattre les bâtiments indûment bâtis dessus. Or, depuis la réforme constitutionnelle de 1979, le droit à la propriété ne figure plus parmi les « droits fondamentaux » du peuple indien, ainsi d'ailleurs que le droit à compensation pour les expropriations décidées par les pouvoirs publics. Le cadre législatif existant (la loi sur les baux locatifs et celle sur le plafonnement du foncier urbain, qui pour l'essentiel permet de transférer à l'État la propriété de vastes terrains situés dans Bombay) crée une situation qui sème le doute dans l'esprit des propriétaires. Ils ne savent plus très bien si ce qui est à eux leur appartient. Cette incertitude alimente la proportion effarante – soixante pour cent ! – de personnes qui vivent dans la rue à Bombay. Quant aux entrepreneurs, ils sont bien loin de construire les logements nécessaires parce qu'à n'importe quel moment on risque de leur dire : ce terrain n'est pas à vous.

Pour l'ensemble de l'agglomération de Bombay, le déficit annuel de logements se chiffre à quarante-cinq mille. Comme il s'en construit deux fois moins qu'il n'en faudrait, chaque année quarante-cinq mille foyers viennent grossir les bidonvilles. Les urbanistes ont un euphémisme pour décrire cette réalité : selon eux, la demande de logements « est satisfaite sur le marché parallèle » – et en effet la population des slums double tous les dix ans. On recense par ailleurs quatre cent mille logements vides en ville, inoccupés parce que les propriétaires ont peur de ne jamais les récupérer s'ils les louaient. En posant l'hypothèse que chaque appartement pourrait, en moyenne, héberger une famille de cinq personnes, ce sont deux millions de personnes (un quart des sans-abri) qui pourraient immédiatement trouver à se loger si la loi était amendée.

On peut néanmoins comprendre l'inquiétude des locataires. La plus grande peur des Bombayites est de finir sur le trottoir. À New York, je travaillais bénévolement dans une association d'aide aux sans-abri et en trois ans j'ai appris à les connaître. Être SDF est une condition ; l'impossibilité matérielle de disposer d'un chez-soi est si obsédante qu'elle finit par prendre le pas sur toutes les autres dimensions de la vie. Avant d'être un ex-salarié au chômage, un père, un époux, un Bombayite ou un être humain, un SDF est d'abord SDF. Cela ne change pas fondamentalement les choses de dormir sous un abri fait de chiffons ou à la belle étoile sur le trottoir. Sans doute, même, respire-t-on mieux à l'air libre, encore que lorsqu'il pleut l'illusion d'être protégé de la pluie soit sûrement source de réconfort. À un âge encore très tendre, nous fabriquions nous aussi des cabanes sur le chantier qui bordait Ridge Road, derrière l'immeuble où j'habitais ; cartons, briques et chiffons, tous les matériaux qui nous tombaient sous la main entraient dans la construction des trois murs et du toit. Nous nous entassions là-dessous à cinq ou six sous les risées des grands. « Hé, Suketu se croit architecte. Et Dilip entrepreneur. » Le monde paraissait différent, plus sûr, sous la petite tente. En classe, nous délimitions aussi nos territoires respectifs sur les bancs des pupitres à deux places. À l'époque, déjà, les bagarres entre gosses avaient pour enjeu l'espace vital. Chacun défendait chèrement le terrain qu'il s'était attribué ; sitôt qu'il avait le dos tourné, d'autres s'en emparaient.

La loi sur les baux locatifs est à l'origine d'une conception du
« foyer » propre à Bombay. Le 1ᵉʳ avril, un cortège de taxis et de
camionnettes déménage les résidents locataires du sanatorium
Petit Parsi, situé à Kemps Corner, au sanatorium Bhabha de
Bandra. Quatre mois plus tard, ils en repartent en bloc pour le
sanatorium Jehangir Bagh de Juhu. Et quand quatre mois se sont
à nouveau écoulés, ils reviennent tous à Kemps Corner. Ces
migrations périodiques qui les ramènent toujours au même
endroit – généralement dans la même pièce – leur sont imposées
par le panchayat * parsi qui administre les sanatoriums ; sachant
que les locataires autorisés à rester dans les lieux en deviennent
de facto les propriétaires, ce conseil de sages les déplace trois
fois par an tout en leur assurant un toit. Certaines familles trans-
fèrent ainsi leurs pénates depuis un demi-siècle. À chaque
déménagement, les « résidents » doivent produire un certificat
attestant que leur état de santé nécessite un séjour en sanatorium.
Ils ont le droit de garder leurs valises et quelques meubles, mais
il leur est interdit de posséder un réfrigérateur : s'ils avaient un
frigo ils ne tarderaient pas à s'installer dans la place. Raison
pour laquelle ils vivent de lait en poudre.

Le système de l'hôte payant est une autre conséquence calamiteuse de la loi sur les baux locatifs. Ma recherche d'un bureau
m'amène sans arrêt à tomber sur ces annonces « pour hôtes
payants » qui correspondent en fait à des sous-locations. Essentiellement constitués de gens jeunes originaires d'autres villes
et qui entament leur vie professionnelle, les « hôtes payants »
forment une catégorie à part, une vaste tribu en butte aux humiliations quotidiennes des logeurs : ceux-là décident de l'heure
à laquelle vous commencez la journée, des visites que vous pouvez recevoir, du nombre de glaçons que vous avez le droit de
prélever dans le frigo, du volume auquel vous écoutez la
musique. La sainte trinité que chaque hindou se doit de révérer
se compose de son père, de sa mère et de ses hôtes. L'hôte
« payant » est un cas à part.

Dans les faits, la loi sur les baux locatifs a institutionnalisé
l'expropriation des biens privés. On touche ici du doigt une des

faiblesses des démocraties : une loi aux effets pervers évidents reste en application dès lors que les sommes en jeu sont importantes ou qu'elle a de nombreux partisans. Ainsi se perpétuent les pratiques les plus absurdes et les plus insensées. Aux États-Unis, même si je suis cinglé, même si je suis un criminel notoire, je peux entrer chez un armurier et acheter un revolver qui ne me coûtera pas le prix d'un bon gueuleton pour deux personnes. À Bombay, je peux occuper le restant de mes jours l'appartement que j'ai loué pour une durée d'un an, je peux le transmettre à mes enfants et tenir tête au propriétaire qui voudrait me flanquer dehors. Dans un cas comme dans l'autre, j'ai la loi pour moi.

La ville est pleine de gens qui revendiquent ce qui ne leur appartient pas. Les locataires s'arrogent les lieux qu'ils occupent. Les ouvriers réclament que les filatures tournent à perte pour conserver leurs emplois. Les habitants des slums exigent le raccordement de leurs constructions illégales aux réseaux d'eau et d'électricité. Les fonctionnaires veulent que le contribuable continue à payer des services depuis longtemps devenus superfétatoires. Les usagers des transports demandent des subventions supplémentaires pour compenser le coût de trajets qui sont déjà les moins chers du monde. Les spectateurs de cinéma multiplient les actions pour obtenir le blocage du prix des places. Le gouvernement indien est depuis longtemps convaincu que l'ajustement de l'offre à la demande est pure chimère ; ici, le prix d'un article, d'un produit alimentaire, d'un service n'a aucun rapport avec le coût de production.

Lors d'une visite des temples rupestres de l'île Elephanta, au sortir de la grotte principale je me suis retrouvé sur un petit terre-plein d'où j'avais une vue imprenable sur deux ensembles de piliers : à ma droite, ceux érigés au VIIIe siècle sous le règne des Rashtrakuta ; à ma gauche, les constructions plus récentes de l'INSA, l'Inspection nationale des sites archéologiques. Un regard panoramique en dit long sur le déclin de la culture indienne. Vieux de plus d'un millénaire, les piliers historiques délicatement cannelés ont des proportions harmonieuses, avec leur léger renflement qui rappelle le ventre dodu des bébés. Les commandes de l'INSA sont des colonnes massives, inexpressives, qui jurent entre elles par la couleur, la forme, la taille. Qu'elles soient dépourvues d'ornements est sans doute un moindre mal, car Dieu sait quelles monstruosités seraient sorties du ciseau des sculpteurs maison. Nous sommes incapables, aujourd'hui, d'approcher le raffinement artistique atteint mille ans plus tôt dans ce pays. Les chefs-d'œuvre édifiés en Inde à cette période reculée comptent parmi les plus grands du monde. Durement ébranlés par les invasions, le colonialisme et des compromis difficiles avec la modernité, nous sommes devenus incapables d'édifier cinq piliers symétriques.

Qu'est-il donc arrivé aux descendants des bâtisseurs du temple de Konarak, de Hampi, du Taj Mahal ? L'histoire architecturale de Bombay atteste la dégénérescence de l'espèce : on construit moins bien de nos jours qu'il y a cinquante ans, et à l'époque on faisait moins bien qu'il y a cent ans. Les édifices publics du Bombay britannique, édifiés dans la troisième décennie de l'ère victorienne, à la fin du xixe siècle, sont dans la tradition du style gothique ecclésiastique. Un historien me faisait remarquer que « cela n'a rien à voir avec la propagation du christianisme. C'est un échantillon de ce qui passait alors pour esthétique et de bon goût ». Les arcades des majestueux immeubles victoriens du quartier du Fort abritent le fourmillement d'un bazar oriental illégal, inamovible, indispensable. La gare, l'université, le palais de justice qui se dressent alentour paraissent admirables ou tarabiscotés, selon les goûts, mais au moins ils ne laissent pas indifférent, contrairement aux réalisations modernes de Bombay.

Ce sont pourtant ces dernières qui dessinaient la géographie de mon enfance : les tours au design Bauhaus abâtardi, qui écrasaient les toits rouges des pavillons autrefois bâtis pour les riches et les privaient de lumière. Devant l'immeuble où habite mon

oncle se dresse depuis dix ans le squelette d'un gratte-ciel monstrueux, inachevé et inoccupé. Il y en a d'autres comme ça un peu
partout dans la ville. Leurs appartements ont été achetés sur plan
pour des sommes folles et ils restent vides parce que la hauteur
du bâti excède la limite maximum autorisée par les règlements
municipaux. Les constructeurs savaient qu'ils enfreignaient les
règles mais cela ne les a pas arrêtés ; ils se disaient qu'ils
auraient bien le temps, une fois la réalité bétonnée sortie de terre,
de s'occuper des points de détail – obtenir les autorisations
nécessaires, déposer les actes, glisser les pots-de-vin... La mairie
qui ne l'entendait pas de cette oreille a, selon les cas, ordonné la
démolition ou interdit la poursuite des travaux. Le sort des réalisations épargnées est désormais entre les mains des tribunaux
qui tardent à se prononcer sur le fond.

Des constructions extrêmement anciennes ont subsisté jusqu'à
nos jours. Ainsi des murs de la citadelle de Mohenjo-Daro, vieux
de cinq mille ans et toujours debout. Ce n'est pas le cas de bien
des bâtiments des années soixante-dix. Autour de chez moi, du
matin au soir c'est un vaste chantier. Des bandes d'hommes et
de femmes armés de marteaux et de pioches s'acharnent sur les
pavillons et les immeubles désertés, pas pour les démolir
complètement mais pour les démantibuler petit à petit, les ronger
comme une armée de souris dans le seul but d'ériger d'horribles
structures qui dureront moins longtemps encore que ce dont elles
ont pris la place. Il n'y a pas, en Inde, d'organisme d'habilitation
des ingénieurs, ni d'école assurant une formation sérieuse. Le
sable utilisé pour fabriquer le ciment est puisé dans les anses qui
entourent Bombay ; il est plein de sel, de vase et de merde, ce
qui explique l'aspect érodé, rongé aux mites, des façades neuves.
On voit quantité d'immeubles très récents drapés sur un côté de
bâches marron qui vont obstruer les fenêtres un an, au bas mot,
pendant que sur l'échafaudage dressé derrière, les ouvriers
injectent du granit pour colmater la toile d'araignée des fissures.
Quand enfin les habitants peuvent ouvrir leurs fenêtres de ce
côté, les travaux commencent de l'autre. Et cela peut durer des
années.

Rahul Mehrotra, architecte dont les projets s'attirent des critiques louangeuses (en particulier pour l'association de matériaux ordinaires et high-tech), opère depuis maintenant dix ans à Bombay. Une bonne part de son travail, effectué à ses heures perdues, concerne un institut d'urbanisme pour Bombay. Il parle à qui veut l'entendre – la classe politique, les journalistes, les membres du Rotary Club – de ce qui manque cruellement à la ville. « À condition de le répéter suffisamment, quelquefois ça devient vrai. » Il me reçoit dans le cabinet qu'il vient d'ouvrir à Tardeo, meublé dans le style résolument moderniste qui est sa marque de fabrique. Les photos de ses enfants en rompent un peu la rigueur.

« Les urbanistes ont un problème particulier, à Bombay, me dit-il. Si nous arrangeons la ville au mieux, avec une voirie, des transports et des logements de qualité, si nous en faisons une ville agréable à vivre elle attirera encore plus de monde. » Le raisonnement est facile à suivre : il y aura trop d'habitants et la situation se dégradera très vite. C'est le vieux dilemme du réseau routier : plus on l'agrandit, plus les automobilistes sont nombreux à l'emprunter et en un rien de temps il est saturé. « En Inde, poursuit Rahul, les plans d'urbanisme doivent prendre en compte le pays tout entier, l'ensemble des autres villes. » Sauf à restreindre l'accès à Bombay, comme le préconise le Shiv Sena, il est parfaitement futile d'essayer de rendre la métropole plus vivable. Les nuées de bhaiyyas qui prennent d'assaut l'express de Gorakhpur continueront à grossir, surtout s'ils peuvent espérer être logés par le gouvernement à la descente du train. Même si la ville aime à croire qu'il n'en est rien, son destin est inextricablement lié à celui de l'Inde.

Rahul estime que la situation s'est détériorée pour de bon à la fin des années soixante. En 1964, une commission dirigée par l'architecte Charles Correa (le beau-père de Rahul) avait recommandé de créer New Bombay afin d'« aimanter » les activités de la ville et de lui servir de soupape de sécurité. L'emplacement retenu se trouvait de l'autre côté de la baie, à l'est de l'île. La planification était le maître mot de ce projet : le gouvernement aurait un droit de préemption sur l'ensemble des terrains et une capacité d'extension illimitée vers l'intérieur des terres.

À la fin des années soixante, toutefois, l'État du Maharashtra revint sur son engagement de transférer à New Bombay ses services jusqu'alors regroupés à Nariman Point, le polder situé à l'extrémité sud de l'île. Les entreprises privées lui emboîtèrent le pas. « Ç'a été un coup fatal pour New Bombay. L'arrogance de l'argent et la complicité entre les politiciens et les promoteurs ont fait passer au second plan les besoins de la ville. » Rahul égrène les noms des cinq promoteurs qui, en concertation avec le gouvernement de V.P. Naïk, ont gâché les chances de Bombay : Maker, Raheja, Dalamal, Mittal, Tulsiani. Leurs patronymes sont immortalisés sur les façades des complexes de bureaux qu'ils ont construits à Nariman Point – un site destiné à devenir, selon le plan d'urbanisme d'origine, un pôle d'enseignement et une zone résidentielle.

Si ces gens avaient respecté le plan d'urbanisme, les bureaux installés à Nariman Point seraient regroupés à New Bombay, et l'impulsion, le dynamisme ainsi créés auraient assuré le succès de la ville nouvelle. Cela aurait également permis de repenser les transports dans Bombay. La ville s'est développée selon un axe nord-sud : les habitants vivent dans le nord, et pour aller travailler dans le sud ils s'entassent dans des trains et des bus bondés au-delà du tolérable. La réorientation de ces trajets selon un axe est-ouest conditionne l'avenir de Bombay. Cette métropole est la plus grande zone urbaine indienne. Trente-deux pour cent de la population vit sur l'île, quarante-deux pour cent dans les banlieues Nord, dix-huit pour cent à New Bombay, mais l'île concentre soixante-douze pour cent des emplois et, du même coup, une part beaucoup trop importante du trafic ferroviaire et routier quotidien.

Les promoteurs ont préféré Nariman Point à New Bombay pour un motif très simple : « Quand l'offre et la demande sont biaisées, les prix grimpent. Les cinq petits malins ont dû prendre le thé ensemble et concocter un plan d'échelle plus réduite pour tout accaparer. » Résultat, New Bombay n'est qu'une ville-dortoir, une création empreinte de mélancolie.

Étalant le plan de Bombay sur la table, Rahul m'indique une autre solution. Il vient de concevoir un nouveau projet de développement de la rive Est de l'île, immense étendue de friches qui pour l'heure appartient au Consortium du Port de Bombay. Cette ouverture vers l'Orient prend le contre-pied des tendances actuelles qui privilégient l'extension vers l'ouest – « là où les couchers de soleil sont superbes et les vents dominants plus purs », convient l'architecte. Reste que l'aménagement de la rive Est permet déjà, « visuellement, de relier la ville à New Bombay : de Ballard Estate on voit New Bombay ». Malheureusement, les autorités du Port freinent des quatre fers et Rahul prévoit que « ces gens-là vont bientôt se comporter comme les promoteurs ».

De la terre, il y en a, sur des hectares et des hectares, à l'est, mais Bombay fait la fine bouche. Il préfère gagner toujours plus vers l'ouest, jusqu'à l'Arabie Saoudite au besoin. Si tous les Bombayites regardent ainsi vers l'ouest, c'est parce que dans cette direction le regard peut enfin errer à l'infini sur la mer. D'une terrasse ou d'un appartement jouissant d'une vue à trois cent soixante degrés, les yeux se portent automatiquement vers l'ouest, horizon des possibles.

Un jour, le répétiteur de sciences que j'avais en classe de troisième s'est planté devant la fenêtre et m'a dit : « Tous ces immeubles, là, devant nous vont s'écrouler dans la mer d'ici peu. » Il m'a fait peur : mon grand-père et la fille dont j'étais amoureux vivaient là, dans ces bâtiments – Dariya Mahal 1 et 2 – qui à en croire mon répétiteur ne resteraient pas longtemps debout parce que leur emplacement avait été récupéré sur la mer ; « récupéré », comme si nous avions légitimement repris à la mer les terres qu'elle nous aurait dérobées.

Bombay se répartissait autrefois entre sept îles au relief vallonné. On les a aplanies et on a déversé la terre des collines dans la mer pour les relier et n'en faire qu'une. La cité y a perdu en hauteur mais gagné en surface. L'histoire de Bombay est une sempiternelle bagarre contre la mer – une histoire de gosses qui jettent des galets au bord de la plage : c'était un de nos passe-temps favoris, autrefois, quand, cédant à la pulsion atavique de prolonger la terre, de conquérir l'océan, nous passions des heures à combler les flaques qui stagnent entre les rochers, derrière Dariya Mahal.

Le cabinet d'architectes Hafeez Contractor, qui conçoit des immeubles d'habitation en forme de coquillage, de champignon, voire dans un cas, de phallus, a l'oreille des autorités munici-pales et il entend bien « récupérer » des terrains supplémentaires sur la mer, à l'ouest : cent quatre-vingt-dix-sept hectares, pas un de moins. Pourtant, l'élément marin s'acharne à contester la vali-dité de pareilles prétentions. L'eau de mer se venge sur nos bâtiments ; elle corrode les façades, rend les frites et les papa-dams * spongieux, imbibe les murs, fuit aux plafonds. Année après année, Bombay essuie l'agression de la mousson. La pluie diluvienne est un juge impitoyable des principes de base de nos constructions. Finissant le travail laissé en plan par la municipa-lité, elle jette à bas les structures bancales. Et partout, charriant nos déchets, le flux des égouts se mêle à la mer, à la pluie. Par-tout : là où je vis, là où je dors, l'eau s'insinue dans ma coquille, envahit goutte à goutte l'espace où je me tiens au sec. L'eau coule de partout, sauf de mes robinets.

J'avais quatorze ans lorsque j'ai été témoin d'un miracle : j'ai ouvert un robinet et un jet d'eau propre en a instantanément jailli. Cela se passait dans la cuisine du studio new-yorkais de mon père, à Jackson Heights. Je n'en croyais pas mes yeux. À Bombay, il n'y avait pas toujours de l'eau au robinet, et ouvrir ce dernier n'était de toute façon que la première étape d'un long processus. Le liquide brut qui en sortait en crachouillant exigeait d'être traité. Il fallait le filtrer une première fois à l'aide d'un tissu fin pour le débarrasser des particules les plus grossières, puis renouveler l'opération dans un grand récipient blanc muni d'un filtre en terre cuite poreuse. Ensuite, on le faisait bouillir, surtout à la saison des pluies. Alors seulement il était possible de le transvaser dans des bouteilles de whisky que l'on entreposait dans le réfrigérateur, ou – chez mes grands-parents – de le verser dans de grands cruchons en terre qui le rafraîchissaient et lui donnaient un goût délicieux. Entre le moment où l'eau sortait du robinet et celui où j'avais le droit de la boire, il s'écoulait au moins vingt-quatre heures. J'ai grandi en buvant de l'eau croupie.

Pour se procurer cette ressource vitale, Bombay dépend de l'arrière-pays. C'est la seule ville indienne qui doive aller puiser l'eau dans des lacs distants d'une centaine de kilomètres, et ce depuis la grande peste de 1896. Au milieu du XIXᵉ siècle, l'alimentation en eau était encore assurée par les puits et les citernes, mais les ravages de l'épidémie entraînèrent leur fermeture. À l'heure actuelle, les services municipaux traitent et distribuent chaque jour quelque trois milliards et demi de litres d'eau, un volume qui ne couvre que soixante-dix pour cent de la demande. Les besoins non satisfaits concernent essentiellement les slums, dont les habitants n'ont donc d'autre choix que voler le précieux liquide en le prélevant dans les conduites qui traversent leur territoire pour l'acheminer vers les zones d'habitat que la mairie en juge dignes. Près du tiers de l'eau traitée par la ville est ainsi raflé par les pauvres. La pénurie d'eau provoque périodiquement des émeutes jusque dans les quartiers bourgeois comme Bhayander. Il y a peu, les résidents de cette banlieue tranquille, des femmes au foyer, des comptables, sont sortis dans la rue et ont brûlé des trains parce que les robinets étaient à sec. La police les a aspergés de gaz lacrymogène.

Selon Rahul, le corps des architectes n'a pas su amener la population de Bombay à s'intéresser aux questions d'urbanisme en lui montrant combien les différents problèmes sont liés. Il trouve « complètement nulle » la J.J. School of Arts, principale école d'architecture de la ville, qui pas plus que ses concurrentes ne dispense de cours d'urbanisme. L'institut qu'il a lui-même fondé n'attire pas les jeunes. Dans ces conditions, comment compte-t-il sauver la ville du désastre ?

Désarmante de simplicité, la solution qu'il préconise consiste à mieux exploiter la superficie existante. Pour désengorger une ville congestionnée, il faut soit l'agrandir en gagnant sur les environs, soit réfléchir à une utilisation plus rationnelle de l'espace. New Bombay illustre la première approche : ici, on a viabilisé des terres agricoles en y installant les équipements en eau, égouts, transports, indispensables pour créer de toutes pièces une extension urbaine. La seconde approche, trop négligée de l'avis de Rahul, privilégie l'aménagement de terrains viabilisés – les anciennes usines de Parel, par exemple, ou les zones autour des docks – pour les adapter à d'autres usages, plus conformes aux besoins actuels. On pourrait pallier les insuffisances criantes des infrastructures de la ville en aménageant les étendues immenses de ces friches industrielles afin d'y construire des écoles, des hôpitaux, des salles de spectacle, des espaces verts. Ce n'est pas l'espace qui manque, poursuit Rahul en citant encore les hectares déjà viabilisés qui appartiennent aux Chemins de fer et qui s'étendent sur des kilomètres de part et d'autres des voies. Les choses étant ce qu'elles sont, ces terrains sont *de facto* réutilisés à des fins d'habitation par l'avancée inexorable des slums – les baraques de bric et de broc de Sunil, par exemple.

Dans cette ville, les notions de superflu et d'indispensable s'inversent. Pas une bicoque de Jogeshwari qui ne soit équipée de la télévision, à en juger par la forêt d'antennes qui déploient sur les toits de tôle leurs rameaux argentés. La classe moyenne nombreuse qui réside dans les slums est largement motorisée, avec des véhicules à deux, voire à quatre roues. Et même lorsqu'on vit dans un slum on mange relativement bien, à Bombay. Les vrais luxes, ici, ce sont l'eau courante, des toilettes propres, un parc de logements et un réseau de transports adaptés aux besoins humains. Le revenu ne change pas grand-chose à l'affaire. Les banlieusards ont tout le temps de s'énerver au volant pendant les

deux heures, au bas mot, qu'il leur faut pour atteindre le centre
– ou de suffoquer dans des compartiments de train bondés,
même s'ils voyagent en première. Le luxe suprême a nom solitude. Aucune intimité n'est possible dans une ville qui connaît
une telle densité de population. Faute d'avoir une chambre à soi,
on ne dispose pas non plus d'un espace où s'isoler pour déféquer, écrire un poème ou aimer à loisir. Une ville où il fait bon
vivre devrait au moins offrir ce minimum... Des parcs, avec des
bancs sur lesquels les amoureux pourraient se bécoter sans risquer d'être piétinés par la foule.

Les urbanistes du gouvernement défendent à l'heure actuelle
l'idée d'une « ville polynucléaire », avec des zones commerciales implantées au-delà de South Bombay, à Bandra-Kurla,
Andheri ou Oshiwara. La plus belle réserve de terrains encore
disponibles à Bombay correspond cependant aux zones industrielles : quelque deux cents hectares idéalement situés, occupés
par des usines dont très peu sont encore en activité. Ces espaces
sont aujourd'hui piquetés de structures sveltes et brillamment
colorées, très postmodernes dans leur conception mais parfaitement hors contexte, mal assorties aux chawls de deux ou trois
étages, perdues au milieu des bananiers, des rues étroites et des
toits des usines qui ondulent à perte de vue. Ce sont pour la
plupart des résidences « de standing ». Quelques milliers de
personnes vivent aujourd'hui sur les lieux où des millions
d'autres travaillaient autrefois. J'ai visité un appartement, dans
un de ces immeubles, et j'ai été consterné de découvrir le
manque d'imagination dont témoignait son agencement : des
pièces exiguës éclairées par des fenêtres plus grandes que la
moyenne, complètement inadaptées à un pays où le soleil est
l'ennemi numéro un la plus grande partie de la journée.

Les ouvriers ne pensent pas qu'il est révolu, le temps où Bombay était un grand centre industriel ; de leur point de vue, il faut
rouvrir les usines, les moderniser. Le gouvernement a élaboré un
projet pour les sites de production : transformer un tiers d'entre
eux en logements pour les classes défavorisées et les ouvriers

licenciés ; permettre aux propriétaires de vendre un autre tiers de ces installations pour en faire des zones résidentielles ou commerciales, tout en consacrant une partie des recettes à la modernisation des usines ; réserver le dernier tiers à la mairie pour un usage public. À ce jour, les usines emploient toujours quarante mille personnes. Leurs responsables jouent la montre et attendent que les travailleurs meurent ou partent à la retraite. Pourtant, avancent ces derniers, le gouvernement ayant cédé ces terrains pour créer des emplois, leurs actuels propriétaires ne peuvent pas en disposer à leur guise. Les ouvriers qui ont accepté de prendre leur retraite avant l'heure empochent un ou deux lakhs, mais cet argent s'évapore vite et quand ils n'en ont plus ils se retrouvent rickshaw wallahs *, alcooliques ou délinquants. Avec la loi sur les baux locatifs, ce problème est celui qui pèse le plus lourdement sur l'administration municipale, et c'est aussi le plus désolant. Comment rendre un tant soit peu justice à ceux qui ont construit la ville, dès lors que la ville n'a plus besoin d'eux ?

Rahul envisage également toute une série de « micro-mesures ». Il devrait être possible de convaincre les entreprises privées d'investir dans l'embellissement de la ville où elles font des affaires ; ou d'améliorer la communication entre la municipalité et les citoyens par le biais d'outils tels que la Charte du citoyen, précisant ce que les gens sont en droit d'attendre des autorités locales. Rahul voudrait avant tout « un vrai plan d'ensemble ». Ceux qui existent sont loin de réaliser cette ambition, insiste-t-il en me donnant l'exemple des échangeurs : le Shiv Sena en a construit cinquante-cinq pour résoudre les problèmes de circulation, mais le résultat laisse pour le moins dubitatif. La plupart de ces passerelles jetées au-dessus des carrefours se trouvent en banlieue, et comme il n'y a pas eu de travaux sur les voies d'accès au centre-ville, leur seul intérêt est de précipiter plus vite les automobilistes dans les embouteillages.

Bombay est ingérable, incapable d'adaptation rapide. La ville s'est bâtie sur le textile, or les temps ont changé et il faut maintenant la repenser sur la base bien différente de l'information. Ceux qui vivent ici depuis des générations ont du mal à se faire à l'idée que cette agglomération pourvoyeuse de cinq millions d'emplois pourrait reposer sur quelque chose d'aussi immatériel que l'information : pas même des bouts de papier palpables, simplement des flashs lumineux évanescents sur les écrans d'ordinateur. La classe ouvrière vit encore au XIXe siècle ; ses représentants organisent des manifestations monstres contre la nouvelle économie. Bombay pourrait vivre et prospérer si ses dirigeants étaient à même de convaincre leurs administrés de passer des biens de production tangibles — le textile, le cuir, les voitures — à des choses moins concrètes : les images filmiques, les pyramides de participations qui partout dans le monde forment des entreprises invisibles. La ville doit s'adapter, tirer un trait sur l'époque de la fabrication manuelle pour exploiter et vendre de l'intelligence : des idées, des données, du rêve. Cela impose de transformer les lieux de travail en bureaux, pas en usines modernisées.

Rahul, qui a fait ses études à Harvard, a récemment eu l'occasion de revenir dans la ville américaine de Cambridge, et il a pu constater qu'en dix ans elle n'avait pas changé d'un iota. De retour à Bombay après un mois d'absence, il n'a pas reconnu les abords immédiats de sa maison. Le paysage urbain est en mouvement perpétuel.

Il est primordial, selon lui, d'assurer la continuité entre le passé et le présent, d'où sa participation active à plusieurs initiatives visant à préserver et à ressusciter les quartiers historiques de Bombay. « Nous réfléchissons aux moteurs contemporains susceptibles de revivifier ces endroits. Un centre artistique du côté de Kala Ghoda ; un complexe bancaire près du Fort ; le tourisme autour de l'hôtel Taj... » Il est donc en partie responsable de l'une des plus belles soirées qu'il m'ait été donné de vivre à Bombay : un concert de chœurs hindoustanis devant le bassin sacré de Banganga, datant du XIIe siècle et restauré par l'Institut de Rahul grâce aux fonds apportés par une banque internationale. Dès que je sors à la fin du concert, cependant, je dois me boucher le nez à cause des remugles émanant des slums qui s'étalent autour de Banganga. La beauté est aux riches : deux banques internationales ont financé, qui la rénovation de Banganga, qui le concert, et c'était magnifique parce qu'on ne risquait pas d'y côtoyer des miséreux dépenaillés ou des gamins morveux. J'ai observé la même chose à Paris, ville superbe depuis qu'on en a chassé les pauvres pour les cantonner dans les cités de banlieue. Et vécu une expérience inverse à New York qui, lorsque j'y suis arrivé en 1977, était une ville comme il y en a tant aux États-Unis, un orphelinat à ciel ouvert, un gigantesque hospice. Bombay réunit ces deux aspects ; le beau et le laid s'y disputent le moindre pouce de terrain, s'affrontent dans une lutte à mort pour la victoire décisive.

Quand je me mets à la fenêtre de mon bureau, le matin, c'est toujours le même spectacle : des gens debout ou accroupis se soulagent sur les rochers face à la mer. Deux fois par jour, à marée basse, une puanteur épouvantable monte de la grève et envahit les appartements à quatre cent mille euros qui se dressent à l'est. Prahlad Kakkar, un réalisateur de films publicitaires, a tourné un film intitulé *Bumbay* [1] sur la défécation dans la mégalopole. Utilisant des caméras cachées, il a filmé en vidéo des gens occupés à faire leurs besoins dans les lieux d'aisances de tout type disséminés sur l'île. Son court-métrage ne révèle cependant qu'une partie de la vérité, m'explique-t-il. « La moitié des habitants de la ville n'ayant pas de toilettes, ils chient dehors. Ça représente cinq millions de personnes. En admettant que chacun produise en moyenne une livre de merde par jour, on arrive à un total quotidien de deux millions et demi de kilos d'excréments. L'autre partie de l'histoire, le film ne la montre pas. Il n'y a pas un seul plan de femme en train de déféquer. Elles, elles sont obligées de faire ça entre deux heures et cinq heures du matin, parce que c'est le seul moment où elles sont un peu tranquilles. » Prahlad a ouvert cette lucarne sur le transit

1. *Bum*, en anglais, c'est le derrière, le postérieur, les fesses *(N.d.T.)*.

intestinal des Bombayites grâce à son chauffeur, qui dès qu'il l'avait déposé quelque part, où que ce soit, filait se soulager. Quand Prahlad regagnait la voiture, invariablement il devait attendre son chauffeur qui revenait à la hâte, en se rajustant. « Saab, il fallait que je chie », avançait-il en guise d'explication. Cet homme, Rasool Mian, connaissait tous les endroits de la ville propices à cette occupation. En éclaireur averti de l'appareil digestif, il avait depuis longtemps repéré les meilleurs coins.

Il y a quelque temps, la Banque mondiale a dépêché un groupe d'experts pour résoudre la crise sanitaire de Bombay. Les bénéficiaires des projets subventionnés par cet organisme ne sont pas des pauvres mais des « clients », selon le jargon des documents officiels. En l'occurrence, le client n'était autre que l'État du Maharashtra. Sur la foi du rapport de ses experts, la Banque mondiale a proposé de faire édifier cent mille toilettes publiques. Une solution absurde. Je sais à quoi ressemblent les latrines des slums et je n'en ai jamais vu qui servent encore à l'usage auquel elles étaient destinées : les gens se soulagent autour parce que les fosses sont bouchées depuis des mois, voire des années. Installer cent mille toilettes publiques revient à multiplier d'autant le problème. L'esprit civique des Indiens n'est pas exactement du même ordre que celui des Scandinaves, mettons. La limite des lieux qu'ils veillent à tenir propres s'arrête où finit l'espace privé. Les appartements de l'immeuble dans lequel j'habite sont impeccables, à l'intérieur ; tous les jours, deux fois par jour, même, ils sont nettoyés, astiqués. En revanche les parties communes – les couloirs, les escaliers, le hall d'entrée, les abords – portent les traces des crachats de bétel ; le sol est jonché de cochonneries qui s'écrasent mollement sous le pied, de sacs en plastique, de saletés d'origine humaine ou animale. Cela vaut pour tout Bombay, pour les quartiers pauvres comme pour les quartiers riches.

Unanimement dénoncé par les Britanniques et les nationalistes du RSS, ce manque de civisme est une tare nationale spécifiquement indienne. On le voit bien à Panchratna, le bastion du commerce des diamants, où la propreté éblouissante des espaces de travail jure avec l'aspect immonde des parties communes. Du rez-de-chaussée au sixième étage, les propriétaires des bureaux ont cessé de payer les factures du système central de climatisation parce qu'ils les trouvaient exorbitantes (jusqu'à cinquante lakhs, dans certains cas). Le service a donc été supprimé. Ceux qui disposent de locaux avec des fenêtres ont branché des climatiseurs dessus et s'en trouvent très bien, mais ceux qui occupent des pièces aveugles ont dû bricoler des systèmes à deux sorties : l'air aspiré à l'extérieur est refoulé dans les couloirs. Circuler dans ces derniers est affreusement pénible à cause des jets d'air chaud et vicié rejeté dans l'espace confiné. Le temps que l'ascenseur arrive, vous êtes en nage et vous avez perdu plusieurs kilos. Qui plus est, tous ces tuyaux brûlants qui serpentent sous les plafonds, entre les fils électriques, constituent un risque d'incendie bien réel. Afin d'obtenir qu'on les retire, mon oncle qui possède un bureau à Panchratna a menacé de porter plainte pour mise en danger de la vie d'autrui. Ce n'est jamais chose facile, à Bombay, d'engager les travaux de rénovation d'un immeuble ; il faut un apport de fonds collectif pour lancer cette opération dont les bénéfices devront être répartis – dilués – entre trop d'individus.

Le gouvernement s'avère impuissant à améliorer les conditions de vie matérielle de la ville, mais il a les moyens de la rebaptiser. La manie de changer les noms des rues, des places, fait des ravages à Bombay. Chaque mois la mairie examine cinquante propositions dans ce sens. Entre le mois d'avril 1996 et le mois d'août suivant, elle en a approuvé cent vingt-trois. La commission municipale chargée des voies publiques consacre quatre-vingt-dix pour cent de son temps à cette activité, rétribuée à hauteur du service rendu par des personnalités locales reconnaissantes d'avoir une rue ou un chowk au nom d'un de leurs chers disparus. La pratique qui consiste à soudoyer des fonctionnaires pour honorer ses aïeux peut paraître perverse, mais les pères, les chefs, les protecteurs qui attendent toujours d'avoir leurs patronymes sur une plaque de rue sont légion. Au point que la ville n'a pas suffisamment de rues pour satisfaire toutes les demandes. Par chance, les édiles se sont aperçus que deux rues qui se croisent forment un carrefour. Pour peu que ces intersections, ou chowks, soient assez bien placées pour attirer des temples et des restos iraniens, il est légitime de leur attribuer un nom. Comment, par exemple, commémorer l'habitude de Shankar-Jaikishen, célèbre duo de compositeurs de musique de films, d'aller tous les matins prendre un café au Gaylord? Va-t-on donner leurs deux noms au croisement le plus proche du Gaylord? Impossible, puisqu'il s'appelle déjà Ahilyabai Holkar Chowk. Deux rues plus loin, il existe néanmoins un emplacement idoine, un bon carrefour que sans tergiverser davantage on s'empresse de baptiser Shankar-Jaikishen Chowk.

Raison pour laquelle il est vain de consulter un plan ou les panneaux de signalisation pour s'orienter dans Bombay. Sous l'effet d'une autre manifestation schizophrénique, deux villes, l'une officielle mais apocryphe, l'autre réelle, évoluent en parallèle sur les relevés topographiques, dans les têtes des gens et sur les cartes postales. Les toponymes de la seconde se transmettent par voie orale, à l'instar des védas sacrés. De nombreux quartiers de Bombay portent le nom des arbres et des bosquets qui y poussaient jadis. Cumballa Hill commémore le souvenir d'une plantation de kambalas [1]; Babulnath, un petit bois d'acacias (*babul*); Bhendi Bazaar, une peupleraie; Tamarind Lane un tamarinier. Tadeo doit son nom aux petits palmiers (*tad*) qui prospéraient à l'ombre des kambalas. Un vallon riche en tamariniers (*chinch*) a donné Chinchpokli. Arbres et arbustes ont depuis longtemps disparu, mais leurs noms continuent d'évoquer des choses plaisantes – jusqu'au moment où on se rend compte de la perte qu'ils représentent.

Le pouvoir d'évocation des noms est assez fort pour qu'on s'attache à ceux avec lesquels on a grandi, d'où qu'ils viennent. Petit, j'habitais sur Nepean Sea Road, devenue depuis Lady

1. Autre nom de l'iroko *(N.d.T.)*.

Laxmibai Jagmohandas Marg. Sir Ernest Nepean m'est tout aussi inconnu que Lady Laxmibai Jagmohandas, mais ce nom m'était familier et je ne vois pas pourquoi il a été rayé de la carte. Au fil du temps il a acquis une résonance sans rapport aucun avec son origine – à l'instar de la rue Pascal, de la 4ᵉ Rue Ouest ou de Maiden Lane pour ceux qui ont vécu enfants à Paris, New York ou Londres. J'en ai apprivoisé les sonorités ; indissociable de mon ancienne adresse, il fait partie intégrante de ma vie onirique. Nepean Sea Road reste pour moi Nepean Sea Road. La décision du fonctionnaire municipal qui, pour se venger de l'histoire, l'a appelé Lady Laxmibai Jagmohandas Marg dessert mes souvenirs.

De tels changements de nom sont très à la mode dans l'Inde d'aujourd'hui. Madras a été rebaptisé Chennai, et Calcutta, ville fondée par les Britanniques, est devenue Kolkata. Un parlementaire du BJP a déposé une motion visant à transformer l'Inde en Bhârat. Ce processus de décolonisation se double de la volonté de « désislamiser » le pays, de remonter le cours de l'histoire jusqu'à un passé aussi lointain qu'idéalisé, et en tout cas exclusivement hindou. Reste qu'il vaut tout de même mieux avoir des arguments solides quand on change le nom d'une personne, d'une rue, d'une ville. À cet égard, la transformation toponymique de Bombay est une absurdité. Il est ridicule de prétendre qu'à l'origine le site s'appelait Mumbai. Bombay a été créé, et dénommé, par les Portugais et les Britanniques à partir d'un archipel infesté par la malaria. Les Gujeratis et les Marathes l'ont de tout temps appelé Mumbai quand ils parlaient gujerati ou marathi, et Bombay quand ils parlaient anglais. Rien ne justifiait de choisir un nom au détriment de l'autre. En 1995, le Shiv Sena nous a imposé d'adopter une bonne fois pour toutes Mumbai dans toutes les langues que nous parlons. C'est ainsi que les ghatis se vengent de nous : en apposant les noms de leurs politiciens partout, en changeant jusqu'au nom de la ville. Ils n'ont peut-être pas les moyens de vivre dans nos quartiers, mais ils peuvent toujours inscrire leur présence sur les plaques des rues.

Les meilleurs après Scotland Yard

Ajay Lal est flic mais ça ne l'empêche pas de rêver. Il rêve du dernier geste qu'il accomplira en tant qu'officier de police. Loin de songer à arrêter le parrain de la pègre Dawood Ibrahim, à recevoir une médaille, à galvaniser une dernière fois ses hommes avec un discours retentissant, il caresse le rêve d'une miction mémorable. « J'irai au commissariat central, je me planterai devant et j'insulterai tous les pourris qui sont au-dessus de moi. Je révélerai tout, je pisserai dans leur direction, et après ça je m'en irai pour de bon. »

Ce geste cathartique, ce point final sensationnel ferait un tabac : imaginez qu'un beau matin, à la veille de son départ à la retraite, le célèbre inspecteur se rend d'un pas guilleret au commissariat central, défait sa braguette et agite son pénis face au bâtiment. De l'autre main il tient un porte-voix : « Va te faire foutre, Mhatre, avec le crore * que t'a filé Shakeel. Va te faire foutre, Shaïkh, avec les trente lakhs d'Abu Salem. Va te faire foutre, Gonsalves, avec les dix lakhs et l'appart payés par Rajan. Va te faire foutre, Chaturvedi, avec tes trois pouffiasses choisies par Dawood. Allez vous faire foutre, messieurs ! » Arrivé au bout de sa tirade, il se met à pisser. Les litres de café qu'il a ingurgités dans la matinée se transforment en jet puissant qu'il lâche au beau milieu de la place, au beau milieu du cercle de plus en plus nombreux formé par ses subalternes, des passants, des journalistes, des photographes. Puis, à l'instant où ses supérieurs en émoi sortent enfin du commissariat, l'inspecteur se rajuste, se cure les dents et, leur tournant le dos, s'éloigne sous le soleil radieux.

AJAY LAL : LES ATTENTATS À LA BOMBE ET LA GUERRE DES GANGS

L'enquête diligente qu'il a conduite sur les attentats à la bombe de 1993 a fait connaître Ajay du grand public. Je l'ai rencontré chez mon ami Vidhu Vinod Chopra, un soir où il l'avait invité à dîner avec sa femme, Ritu. Réalisateur de cinéma, Vinod qui est depuis longtemps lié avec Ajay voulait lui demander des conseils à propos du scénario de *Mission Kashmir*, en particulier pour une scène portant sur l'interrogatoire d'un militant par un inspecteur de police. Ajay Lal a une allure de boxeur intelligent. Sa coupe de cheveux très courte lui donne l'air plus militaire que policier, il a une fossette au menton et c'est un champion d'athlétisme. À la différence des autres flics que je connais, il est subtil et raffiné, à l'aise dans la conversation. Il pourrait siéger dans un conseil d'administration – ou se lancer dans le cinéma et crever l'écran, car il est vraiment beau gosse. Smita Thackeray, belle-fille de Bal Thackeray, l'a relancé jusque chez lui, au téléphone.

« Ajay plaît aux femmes », soupire Ritu.

Très décontracté, Ajay nous expose dans le salon de Vinod les méthodes de l'interrogatoire policier. Il faut d'abord savoir que l'exercice ne se déroule pas toujours dans les locaux de la police. Les personnes interpellées lors de l'enquête sur les attentats de 1993 ont été entendues dans l'enceinte de la force de réserve spéciale. Par souci de discrétion, il lui est également arrivé de procéder à des interrogatoires dans une voiture en marche, aux vitres fumées, où, assis sur le siège avant à côté du chauffeur, il bombardait le suspect de questions pendant que ses hommes utilisaient la manière forte pour le convaincre de parler.

Quand Ajay a le temps, il prive le suspect de sommeil pendant une semaine. Il est assez peu courant, cependant, qu'ils jouissent l'un et l'autre d'un aussi long répit, et force lui est de se rabattre sur des techniques plus rapides. L'une, très usitée, consiste à dénuder les deux extrémités d'un fil de téléphone à l'ancienne mode ; on en applique une sur un bras ou sur les parties génitales du prévenu et on relie l'autre à une dynamo portative capable de produire un courant de haut voltage. Dans une variante plus dramatique, le prévenu est emmené dans une crique tranquille et lesté d'une lourde pierre ficelée à ses jambes, après quoi un flic le prend sous les bras par-derrière et le balance à la flotte, où la pierre l'entraîne vers le fond. Seul le flic a le pouvoir de l'empêcher de sombrer ; il est son sauveur, son dernier espoir. Le manège se renouvelle à plusieurs reprises, jusqu'à ce que le suspect, hoquetant et en larmes, se retrouve enfin au sec et crache à Ajay tout ce qu'il veut savoir.

« Il n'y a pas plus efficace que la peur de mourir. Pour les attentats à la bombe, je me suis contenté d'emmener quelques-uns de ces salopards au parc national Bolivari et de leur tirer dessus pour qu'ils entendent les balles siffler. » La violence ordinaire se révélant néanmoins insuffisante à convaincre un certain nombre des gens qu'il appréhende, il lui faut recourir à des tactiques spéciales. « Les types qui n'ont pas peur de mourir n'ont pas peur non plus de la douleur physique. Ceux-là, on les menace de s'en prendre à leur famille. Je leur raconte que je vais bricoler des preuves pour arrêter leur mère, leur frère. En général, ça marche. »

Quand ses hommes ont affaire à un individu peu loquace, il est assez fréquent qu'ils viennent le trouver pour lui dire : « Saab, on a besoin de vous pour lui flanquer les jetons. » Ils amènent donc leur prisonnier dans l'imposant bureau dévolu à Ajay et lui glissent à l'oreille : « Le Saab ne te fera pas de cadeaux ; ça ne dépend plus de nous. Tu es foutu. » Ils lui laissent entendre que les choses pourraient s'arranger s'ils intercédaient en sa faveur, s'ils présentaient à leur chef le rapport qu'il attend, bref, qu'en coopérant il s'éviterait une longue nuit de tortures atroces. « Tout ça est très classique, résume Ajay. C'est la carotte et le bâton. »

Il nous cite encore un dernier procédé : obliger le suspect à manger un kilo de jalebis * sans lui accorder une goutte d'eau. Ce supplice me paraît étonnamment clément, pour ne pas dire appétissant.

« Vous vous êtes déjà gavé de sucreries sans rien boire ? ironise Ajay. Si vous en avaliez un kilo vous feriez n'importe quoi pour avoir de l'eau. »

Quelques semaines plus tard, Ajay Lal me tend un gros carnet relié en cuir qu'il vient de sortir d'un tiroir de son bureau. Chaque jour, pendant des années, il a consigné dedans les notes relatives à son enquête sur les attentats à la bombe. La lecture de ce journal de bord permet également de retracer les débuts de la guerre des gangs.

Dans la ville de Bombay, le crime organisé est aux mains de deux expatriés, ou Indiens non-résidents dans le jargon officiel. L'un réside à Karachi et l'autre en Malaisie – ou bien à Bangkok ou au Luxembourg, selon les jours. La guerre des gangs est une conséquence directe des attentats à la bombe de 1993, lors desquels les bombes posées par le syndicat du crime musulman que dirige Dawood Ibrahim (la Compagnie-D, comme on dit ici) ont tué trois cent dix-sept personnes en représailles aux pogroms anti-musulmans qui avaient eu lieu quelques mois plus tôt. À la suite des attentats, le bras droit de Dawood, un hindou du nom de Chotta Rajan, a rompu avec son patron pour fonder son propre gang, la Compagnie Nana, ainsi appelée parce que ses hommes considèrent Rajan comme leur « nana », leur grand frère. Rajan a juré d'éliminer tous ceux qui avaient prêté la main aux attentats. Depuis, c'est la guerre entre les deux parrains qui contrôlent leurs organisations respectives de l'étranger.

Ici, l'expression guerre des gangs (*gangwar* en anglais, ou « gengwar » avec l'accent local) ne désigne pas simplement l'affrontement entre deux clans. Ces mots renvoient en fait à la pègre dans son ensemble et dans toute sa complexité. C'est une affirmation identitaire (« Nous, on est dans le gengwar ») qui permet de se démarquer du menu fretin des délinquants voleurs, violeurs et chapardeurs, une façon d'être, une appartenance. « Milieu » est également un terme très usité, associé à la mystique du pouvoir, mais à Bombay c'est presque un contresens de l'appliquer au crime organisé car il recouvre une réalité trop diffuse et clandestine. La pègre de Bombay agit à visage découvert ; loin de se tapir dans les bas-fonds, elle surplomberait plutôt la ville et peut fondre dessus pour frapper où elle veut, quand elle veut. Lorsqu'ils évoquent les centres opérationnels de leurs clans – Karachi, Dubaï, la Malaisie... – les tueurs disent *upar*, « là-haut », alors que dans leur vocabulaire Bombay est *neeche*, « en bas ».

Né en 1955 à Ratnagiri, dans la région côtière de Konkan, Dawood Ibrahim Kaskar est l'un des dix enfants d'un commissaire de la brigade criminelle, Ibrahim Kaskar, connu pour sa brutalité. Les annales ont notamment retenu l'histoire de cette bande de jeunes qui, après avoir braqué une banque, commirent l'erreur d'aller décorer la tombe d'un saint musulman avec des billets de cent roupies et de donner leur butin à des fakirs. La police réussit à épingler quatre des coupables, et sur les instructions du commissaire qui avait ordonné de retrouver l'argent à tout prix, deux des garçons moururent sous les coups des flics.

Dawood a démarré sa carrière en petit truand et exercé d'abord à Nagpada, au centre de Bombay. À l'époque, la ville était sous la coupe de Haji Mastan, expert incontesté de la contrebande de l'or qui exploitait ce filon depuis qu'un naïf lui avait confié la garde d'un sac plein de pièces d'or. Mastan aidait volontiers les pauvres, et de fil en aiguille cette activité charitable le fit basculer dans la politique et les services sociaux. Il fut remplacé par le clan Pathan, des immigrés afghans emmenés par un certain Karim Lala. La rapide ascension de Dawood au sein de la corporation des contrebandiers l'amena à se heurter à deux des chefs de ce gang, Amirzada et Alamzeb Pathan. En 1981, ces derniers éliminèrent un de ses frères, Sabir. Dawood jura de le venger et commandita de fait l'exécution d'Amirzada, tué à bout portant dans un tribunal au moment où il s'avançait vers la barre des témoins. Traqué par la police, Dawood s'exila en 1984 pour Dubaï où il avait noué de puissants contacts grâce au commerce illicite de l'or. Là, il tira avantageusement parti du fait que le précieux métal, importé sous le contrôle de Delhi, se vendait beaucoup plus cher qu'au Proche-Orient. Ce commerce atteignit des sommets en 1991, année où quelque deux cents tonnes d'or furent introduites en fraude dans le pays. En 1992, toutefois, l'État indien n'eut plus le monopole des importations et les prix baissèrent substantiellement. Dawood se reconvertit dans l'extorsion de fonds, l'immobilier et la production de films.

À Bombay, il avait pour second un de ses concitoyens de Nagpada, Chotta Shakeel, qui en 1998, à l'âge de trente et un ans, vint le rejoindre à Dubaï pour échapper à la prison. Shakeel fut remplacé en Inde par un revendeur à la sauvette de billets de cinéma, Rajendra Sadashiv Nilkhalje, né en 1960 et surnommé Chotta Rajan (le petit Rajan) pour le distinguer de son guide spirituel, Bada Rajan; quant à Chotta Shakeel, on l'appelle ainsi parce qu'en effet c'est une demi-portion. Pour son premier coup d'éclat, Chotta Rajan choisit de venger le meurtre de son mentor : il confia un pistolet de fabrication indienne à un tout jeune porteur de thé avec mission de s'en servir pendant un match de cricket auquel assistait le tueur de Bada Rajan. Le gosse descendit ce dernier devant des centaines de personnes, puis, prenant ses jambes à son cou, détala sur six kilomètres pour aller s'abriter en lieu sûr. Par la suite, Chotta Rajan gagna le respect de Dawood en éliminant plusieurs grosses pointures du clan Pathan.

Dawood coulait des jours heureux à Dubaï. Il y recréait Bombay en organisant des fêtes débridées où il faisait venir les plus grandes stars de cinéma de Bollywood et les joueurs de cricket de la ville; il avait pour maîtresse une jolie starlette, Mandakini. Dans le pays qu'il avait quitté, son empire s'étendait toujours davantage et l'avenir devait lui paraître radieux. Las, il fallut que les émeutes éclatent. Puis les bombes, en représailles.

Ajay était alors un brillant officier de police qui, à la différence de la grande majorité de ses collègues de Bombay, avait passé toute sa jeunesse à Bandra. Affecté à Mahim, il y occupait le poste de commissaire adjoint chargé de la circulation et avait donc pour mission de fluidifier le trafic, tâche plus difficile encore sans doute que celle assignée à la brigade antigang. Le 12 mars 1993, une bombe explosa à Dadar non loin du siège du Sena, sur l'aire d'une station-service. Très inquiets, les dignitaires du parti accourus sur les lieux demandèrent à Ajay d'inspecter leurs locaux afin de détecter la présence éventuelle d'autres engins explosifs. Armé d'un simple bâton, Ajay fouilla les moindres recoins sans rien déceler d'anormal. Quinze à vingt minutes plus tard, cependant, une voiture piégée explosait à quelques pas, devant le cinéma Plaza. Comprenant ce qui se passait, Ajay fut le premier à alerter le centre de contrôle à qui il recommanda de bloquer les aéroports et les gares. « C'est une réaction en chaîne, expliqua-t-il en substance. Le but est de pousser les communautés à l'affrontement. »

Au total, dix bombes de forte puissance fabriquées à partir d'hexogène ébranlèrent la ville ; trois autres, placées dans les quartiers du centre où la foule est particulièrement dense, firent long feu. Les cibles avaient été choisies avec soin : Air India, la Bourse, l'hôtel Centaur, le quartier général du Shiv Sena. En l'espace d'une journée, il y eut deux cent cinquante-sept morts et sept cent treize blessés. À l'aéroport international, des individus qui se tenaient sur la passerelle d'accès lancèrent des grenades sur les avions à l'arrêt, mais sans les atteindre. Tard dans la nuit, A.S. Samra, le chef de la police, se rendit sur les sites touchés. Tout cela se passait le 12 mars. Le surlendemain, Ajay reçut un message radio le prévenant qu'on avait trouvé un scooter abandonné devant la gare de Dadar. Il se fit accompagner par des experts en explosifs qui désamorcèrent la bombe placée dedans.

Son supérieur le chargea alors de diligenter l'enquête et de relayer les services de police qui n'arrivaient pas à remonter la piste des attentats. Le 14 au soir, Ajay contacta les vingt meilleurs inspecteurs de la ville pour une réunion d'urgence. À 23 heures 30, ils se retrouvèrent dans la pièce qu'il avait réquisitionnée et entreprirent séance tenante de réunir des renseignements. Cinq heures plus tard, à l'aube du 15 mars, Ajay arrêtait le premier suspect.

Les services de sécurité avaient inspecté une fourgonnette Maruti stationnée devant le siège de Siemens, à Worli (six ans plus tard, Ajay se souvient encore du numéro d'immatriculation : MFC 1972). Ils y avaient trouvé des détonateurs mais ne s'y étaient pas intéressés davantage car ils pensaient que le véhicule avait été laissé sur place juste avant le contrôle de police. Ajay qui n'était pas de cet avis exigea qu'on interroge les fichiers pour savoir à qui appartenait la fourgonnette. Il obtint ainsi un nom – celui du contrebandier Mushtaq Memon, dit le Tigre, domicilié à Mahim, juste derrière le temple. La fouille de son logement ne donna pas grand-chose, mais les policiers confisquèrent pour la forme quelques objets, dont une clé de scooter de la marque Bajaj. Ajay fit tout de suite le lien avec le scooter de Dadar, qui une fois la bombe désamorcée avait été remisé au commissariat de Matunga. Il envoya aussitôt un de ses hommes là-bas, pour essayer la clé. C'était la bonne.

En fait, l'homme qui devait conduire le scooter piégé à l'endroit désigné avait entendu une explosion, pendant le trajet, et il avait aussitôt abandonné le deux-roues de peur qu'il n'explose sous ses fesses. Sa lâcheté devait fournir à Ajay une preuve matérielle solide. Sur son ordre, l'appartement de Memon fut passé au peigne fin, et cette fois les inspecteurs tombèrent sur une paire de chappals * recouvertes d'une sorte de poudre noire collante. Ils l'ignoraient encore, mais il s'agissait en fait d'hexogène, encore appelé cyclonite. Dans les garages de l'immeuble, ils découvrirent plusieurs pains de plastic dans des emballages tamponnés à Karachi. « Nous avions maintenant la certitude qu'il existait un lien entre le scooter, la Maruti et ce logement », explique simplement Ajay.

Memon n'était pas chez lui, mais en interrogeant les gens du quartier, Ajay apprit qu'en son absence il confiait ses affaires à un jeune homme d'Andheri surnommé Manager. Il expédia donc une équipe chez l'intéressé. « Nos types ont cueilli le père, la mère, l'oncle, la tante et ledit Manager, et ils ont ramené tout ce petit monde au poste. " J'ai lâché ce boulot, je travaille plus pour Memon ", me serinait Manager en m'injuriant tout ce qu'il savait. J'étais sûr qu'il mentait, alors je l'ai menacé : " Si tu continues à me mener en bateau ça va retomber sur ta mère et sur ton père. Je vais les inculper eux aussi. " Ça ne lui faisait ni chaud ni froid. Son oncle et sa tante n'arrêtaient pas de l'appeler " fils, fils ", et il avait l'air plus sensible à leurs réactions qu'à celles de ses parents. Voyant ça, j'ai annoncé à l'oncle que je l'inculpais, un de mes hommes lui a flanqué une baffe et Manager a craqué – " Arrêtez, s'il vous plaît. Mon oncle et ma tante m'ont adopté à la naissance, ne leur faites rien. " Ensuite, il m'a craché le morceau. »

Les bombes à base d'hexogène avaient été chargées dans des coffres de voitures dans les garages de Memon. Trois navires ayant quitté Dubaï au début de l'année 1993 avaient embarqué des pains d'hexogène et des armes lors d'une escale à Karachi. Les grenades à main portaient le label Arges, nom d'une société autrichienne qui avait vendu son brevet de fabrication à une entreprise pakistanaise. Un des navires acheva son périple à Mhasla, les deux autres accostèrent plus au sud, dans un port du Gujerat. Les douaniers chargés de surveiller cette partie de la côte avaient été payés pour regarder ailleurs. Les armes furent alors transférées dans des camions en partance pour Bombay par plusieurs petits groupes d'hommes suffisamment formés pour brancher les détonateurs et régler les minuteurs électroniques de couleur différente : les rouges se déclenchaient au bout d'un quart d'heure, les jaunes au bout d'une heure, les verts au bout de deux heures. En ville, des escouades de jeunes musulmans armés de fusils d'assaut AK-56 avaient pour mission de s'en servir en cas d'affrontements intercommunautaires.

Memon le Tigre tira sa révérence le 12 au matin, après avoir donné l'accolade à ses hommes et prononcé ses fortes paroles :

« Vous êtes des soldats. Tirez-vous d'ici. Ça va barder. » Les gangsters musulmans qui avaient préparé les attentats à la bombe espéraient mettre la ville à feu et à sang. C'est ce qui s'était passé un mois plus tôt, quand le déchaînement de violence contre les musulmans avait, pour la première fois dans l'histoire de Bombay, fait des milliers de morts et de blessés. Les cerveaux des attentats à la bombe entendaient venger ces victimes et déclencher une nouvelle vague de troubles. L'opération avait été préparée à Dubaï, lors d'une réunion convoquée par Dawood Ibrahim. Les participants avaient juré sur le Coran de garder le secret.

Sur les cent soixante-huit personnes inculpées à la suite des attentats, cent soixante l'ont directement été par Ajay et ses adjoints, auteurs, notamment, de la plus célèbre de ces arrestations en chaîne, celle de l'acteur Sanjay Dutt. « J'ai personnellement interrogé chacun de ces types, précise Ajay. J'ai mis au jour les connexions de ce réseau. » Le chef de l'État indien l'a décoré de la médaille du mérite des forces de police. Il l'a reçue avant l'heure, car en principe cette récompense n'est décernée qu'aux policiers totalisant quinze ans de service. À l'époque, Ajay n'en avait que treize à son actif.

Contrairement à ce qui s'était passé pour les émeutes (à la suite desquelles le gouvernement Sena s'était bien gardé de poursuivre les membres du parti nommément cités dans le rapport Srikrishna), cette fois l'État du Maharashtra attaqua sans répit les poseurs de bombe, majoritairement musulmans. Les procès-verbaux établis par la police concernaient au total cent quatre-vingt-neuf personnes, dont quarante-quatre avaient pris la fuite. L'équipe d'Ajay a saisi plus de deux tonnes d'hexogène (2 074 kilos), près d'une tonne de gélatine (980 kilos), soixante-trois fusils d'assaut AK-56, dix pistolets Tokarev de 9 milli-mètres, treize chargeurs de 9 millimètres, mille cent détonateurs électriques, deux cent trente chargeurs d'AK-56, trente-huit mille neuf cent dix-sept cartouches pour fusil d'assaut, quatre cent quatre-vingt-deux grenades à main fabriquées sous licence

Arges. Trop important pour servir aux règlements de comptes entre petits truands, cet arsenal avait été amassé en vue d'une guerre civile.

Les attentats n'ont pourtant pas produit les résultats escomptés, sans doute parce que les émeutes qui avaient eu lieu quatre mois plus tôt avaient fourni un exutoire suffisant à la haine des hindous. La ville se remit vite du choc. La Bourse, touchée par une bombe, rouvrit le surlendemain; la destruction des circuits informatiques obligeait les courtiers à communiquer par signes, comme au bon vieux temps, mais dans les deux jours l'indice grimpa de dix pour cent. Ça leur apprendra!

Ishaq, jeune entrepreneur musulman rencontré par l'entremise de l'informaticien Girish, savait que quelque chose se tramait avant même que les bombes n'explosent. Devant le cinéma Maratha Mandir où nous venons de nous retrouver, il aborde spontanément le sujet en me parlant de l'époque où il jouait les durs dans les gangs de Madanpura, ce district qu'on appelle aujourd'hui le mini-Pakistan. Tajul, le bhaï du quartier, les payait quinze mille roupies par jour, ses amis et lui. Ishaq n'a jamais touché à cet argent qui lui paraissait *haraam* (impie), mais il faisait le boulot.

« Quel genre de boulot?

– Aller chercher Untel. Filer quelques baffes à tel autre. Je me baladais avec un Mauser glissé dans ma ceinture. Au moment des attentats, j'avais six AK-56 chez moi. Tajul était passé la veille au soir pour me demander de planquer les fusils, les grenades et le plastic : trente-six kilos de plastic dans une boîte verte, avec un squelette blanc sur le couvercle. J'avais aussi un sac de jute bourré de grenades grosses comme ça, avec leurs goupilles. Tajul m'a filé la moitié d'un billet de dix roupies. J'ai enterré tout cet attirail dans un trou que j'avais creusé dans la terre, j'ai versé une décoction de piment par-dessus, plus une infusion de menthe pour que les chiens ne décèlent pas l'odeur du plastic si jamais on lançait des recherches. Mon père me traitait de tous les noms, il était hors de lui. " Tu sais ce qui va se passer si on trouve cette marchandise ? " Le lendemain, les types sont venus – des grands gaillards aux cheveux en brosse qui m'ont remis l'autre moitié du billet de dix roupies. J'ai vérifié le numéro et je leur ai montré où c'était. Deux heures avant les explosions, Tajul m'a donné un conseil : " Surtout, dis à ta famille de ne pas sortir de Madanpura aujourd'hui, sous aucun prétexte. " On est donc restés là. Tout à coup, il y a eu une déflagration énorme, suivie d'un nuage de fumée au-dessus de la Bourse. On est allés au J.J. Hospital. J'ai vu de mes yeux les monceaux de cadavres empilés par vingt ou vingt-cinq à la fois. »

Ishaq comprit alors qu'en acceptant de cacher les armes il avait prêté la main au carnage. Sa mémoire à jamais impressionnée par cette vision d'horreur lui joue des tours : « Il devait y avoir au moins dix mille cadavres entassés là. »

Ni lui ni Tajul n'ont pourtant été inquiétés, ce qui est étonnant au vu de la participation active de son chef au complot. Ishaq a toujours des cartouches d'AK-56, qu'il conserve au titre de souvenirs. Il a toutefois préféré se débarrasser des fusils d'assaut. « Je les ai rendus dans les trois jours », dit-il avec un frisson.

Bombay a changé, depuis les explosions. Auparavant, les sikhs avaient un quasi-monopole sur les actions terroristes, pour la plupart en lien avec les troubles au Penjab. Les truands de Bombay ne se battaient pas entre eux pour des questions de religion. Maintenant, m'explique Ajay, le terrorisme sert à soutenir les revendications identitaires et « la police a du mal à suivre. Les dirigeants hindous qui ont excité les émeutiers en 1992 sont devenus la cible des gangs musulmans, et les gangs hindous s'en prennent aux responsables des attentats à la bombe libérés sous caution ». Certes, il y a des hindous dans le gang de Dawood et des musulmans dans la Compagnie Nana de Rajan, mais leur présence est due à « des contraintes locales », dit Ajay. Il existe entre les gangs hindous et musulmans une différence cruciale à l'origine de la nette supériorité de ces derniers. « Le groupe de Dawood n'est sans doute pas obligé d'acheter des armes, contrairement à Chotta Rajan. » Les armes des gangs musulmans sont fournies par le Pakistan. La stratégie autrefois observée par l'ISI consistait à introduire des agents dormants dans Bombay, à les maintenir sur place des années durant, avec une couverture de mécanicien ou d'ouvrier, et à les solliciter si nécessaire pour poser une bombe ou éliminer une personnalité politique. Depuis le déclenchement des émeutes, c'en est fini de la mise en sommeil des agents pakistanais infiltrés dans les entreprises de mafieux musulmans qui pleurent la perte de leurs proches et de leurs amis. Non contents de fournir des hommes à l'ISI, les chefs des gangs musulmans lui ont également ouvert leurs réseaux de contrebande et leurs planques.

À la suite des attentats à la bombe, Ajay dut remettre à l'ambassadeur des États-Unis et à Interpol un rapport sur la participation du Pakistan à ces actes terroristes. En épluchant les dossiers des poseurs de bombe interrogés par ses services, il avait remarqué quatre passeports tamponnés au départ de Dubaï ou de Bombay pour une destination inconnue et une absence d'environ quinze jours. Les intéressés expliquèrent qu'on les avait emmenés à Islamabad avant de les conduire vers le nord, près de la frontière avec l'Afghanistan, dans des camps d'entraînement où ils avaient suivi un programme d'endoctrinement anti-indien. On leur passait notamment une cassette vidéo incendiaire sur les violences qui avaient éclaté à Surat après la destruction du Babri Masjid. « Voilà comment on traite nos mères et nos sœurs, en Inde », commentait l'instructeur. Parallèlement, ils s'entraînaient au maniement d'armes sophistiquées et apprenaient à fabriquer des explosifs. Ensuite, on les avait renvoyés au pays avec mission de venger l'islam.

La rupture de Chotta Rajan avec le parrain Dawood Ibrahim date de 1994, année où, quittant Dubaï pour Kuala Lumpur avec quelques hauts responsables hindous de l'organisation, Rajan déclara publiquement qu'il ne voulait plus travailler avec un traître qui avait juré la perte de la nation indienne et promit l'enfer aux poseurs de bombe. Dawood et Shakeel lancèrent des tueurs à ses trousses, pendant que de son côté Rajan envoyait ses hommes de main à Karachi (où la Compagnie-D venait de déménager) avec mission de supprimer Dawood. Entre-temps, à Bombay, les règlements de comptes avec la police, les fusillades entre gangs rivaux et les meurtres crapuleux faisaient chaque année plus de victimes.

À en croire Dawood, la scission n'a aucun rapport avec les attentats. La vendetta qui l'oppose à Rajan résulterait de leurs divergences de vue à propos d'un assassinat commandité, et ce serait pour cela que les gens tombent comme des mouches à Bombay, Dubaï, Katmandou et Bangkok; il ne s'agit pour lui que d'une féroce partie de ping-pong menée à l'échelle internationale. Les deux camps se canardent pour prendre le contrôle des rackets lucratifs qui fleurissent à Bombay, ils se déciment mutuellement parce que chacun de leurs chefs veut la peau de l'autre. La moindre perte essuyée par l'un des gangs augmente le score des points mortels de son adversaire. À ce jour, la Compagnie-D totalise environ huit cents points gagnants, contre quatre à cinq cents seulement pour la Compagnie Nana.

Les pressions exercées par le gouvernement indien sur les Maktoum, la dynastie au pouvoir à Dubaï, pour obtenir l'extradition de Dawood ont amené ce dernier à s'installer à Karachi. Quant à Chotta Shakeel, il dirige les activités de son gang depuis une base pakistanaise. L'influence de Dawood est telle qu'on lui impute en bloc tous les crimes qui frappent l'Inde – des attentats à la bombe à la corruption en passant par les assassinats –, et sa fortune fabuleuse en fait rêver plus d'un. Un portrait de lui paru dans la presse le crédite d'être « plus riche que Bill Gates et le sultan de Brunei », et son auteur lui prête ces propos passablement agacés : « Le gouvernement indien me tient responsable de toutes les calamités qui s'abattent sur le pays, il va jusqu'à me reprocher la mort d'un chien dans la rue. Dieu merci, je n'étais pas là en 1947, sinon on m'aurait accusé d'être à l'origine de la Partition. »

Bollywood, la Partition et le gengwar ont un point commun, ou partagent une même réalité : l'éclatement de la famille. Les parrains exilés vivent à jamais coupés de leurs proches restés à Bombay. La sœur de Dawood et plusieurs autres membres de sa famille résident toujours ici et coulent des jours paisibles. « La police sait qu'elle doit laisser la famille de Dawood tranquille, m'a confié un de ses lieutenants. Ses hommes, elle peut les tuer, ça c'est du troc, du donnant donnant, mais si elle s'en prend à la famille elle s'en mordra les doigts. » Ces séparations familiales donnent lieu à des confidences sentimentales bien dans la tradition filmi [1]. Au journaliste qui l'interviewe, Rajan déclare ainsi : « Oh, mes enfants me manquent énormément, mais je les ai tout le temps au téléphone. Quelquefois on communique aussi par vidéo-conférence. Quand ils fêtent leurs anniversaires, je reste en ligne avec eux du début à la fin de la fête. C'est presque comme si je participais à la boum, moi aussi – on rigole ensemble, on chante, on bavarde. »

Pour marquer le mépris dans lequel ils tiennent Chotta Rajan, Shakeel et ses hommes le surnomment Bhangi. Parfois, quand il a bu un coup de trop, Rajan passe un coup de fil à Shakeel. « Je vais te tuer », annonce-t-il. « Tu sais où j'habite, tu as mon adresse, rétorque Shakeel. Si tu as quelque chose dans le ventre tu n'as qu'à venir me chercher. Sinon, donne-moi ton adresse, c'est moi qui irai te descendre. » Ils ont mangé au même râtelier, tous les deux, Dawood les aimait comme des fils. Il existe une photo de Dawood prise le jour du mariage de Rajan : on y voit la jeune mariée lui nouer un rakhi autour du poignet, geste symbolique par lequel elle le reconnaît comme un frère. Depuis, Rajan a trahi, et c'est une lutte à mort entre les frères ennemis.

Autre ancien vassal de Dawood, Arun Gawli dirige un troisième gang de moindre importance. Entre deux séjours derrière les barreaux, il tient sa cour dans sa forteresse de Dagdi Chawl,

---

1. Ce néologisme désigne un genre musical très populaire en Inde, correspondant à des arrangements et des musiques de film qui mêlent les apports indien et occidental. Il peut aussi s'agir de chansons, souvent très sentimentales, le plus souvent enregistrées en play-back *(N.d.T.)*.

un quartier qui par force lui est entièrement dévoué. Dans les logements sociaux de Dagdi Chawl, dès que leurs fils ont l'âge requis les parents leur conseillent de travailler pour Gawli. La prédilection de son gang pour les culottes courtes lui a valu son surnom de Compagnie Chaddi *. Ses hommes ne lui coûtent pas les yeux de la tête : ils boivent de l'alcool local et se nourrissent de vadapav. Ceux de la Compagnie-D ont des goûts plus sophistiqués : « Il leur faut des bars à bière avec des éclairages », m'a confié un de leurs dirigeants. Le gang Chaddi recrute essentiellement parmi les ouvriers au chômage ; pour joindre les deux bouts, ils vendent des légumes sur le marché de Dadar, mais sur un simple coup de fil ils abandonnent leurs étals une demi-heure, le temps d'aller rosser celui qu'on leur a désigné. Admiratifs, les flingueurs de la Compagnie-D voient en eux « des as du scooter ». Dommage, ajoutent-ils, que Gawli se soit lancé dans la politique, car son gang ne s'en est pas remis. Au fil du temps, en effet, Gawli s'est mis à jouer les fonctionnaires. En 1997, il a renfloué un parti politique, et lorsque ce dernier a commencé à faire de l'ombre au Shiv Sena, Bal Thackeray a su persuader la police de stopper l'ascension de Gawli. Quand il est en prison, c'est sa femme, Asha, qui prend la tête des opérations. Ainsi toutefois que me l'a expliqué un truand de la Compagnie-D : « Il faut un homme pour diriger un gang. »

Le crime organisé tel qu'il existe à Bombay est un cas d'espèce. « Tous les crimes, toutes les activités terroristes sont ordonnés depuis l'étranger, dit Ajay pour m'expliquer l'incapacité de la police de Bombay à mettre définitivement un terme aux agissements de la pègre. On arrête les tueurs, les grouillots qui font le boulot. Quand on a de la chance on remonte jusqu'aux types qui leur ont fourni les armes, mais on ne touche jamais que les bras et les jambes de l'organisation. Les cerveaux vivent à l'étranger. » De Buenos Aires à Bangkok, les vrais maîtres des gangs font le tour de la Terre en présentant de faux passeports, et ils se servent de liaisons satellite, pour déplacer leurs troupes sur le terrain. « Ces lignes de téléphone, ce sont leurs autoroutes à eux », commente Ajay.

Les gangs tirent leurs revenus du racket, des extorsions, du blanchiment d'argent, du jeu, de la fabrication illicite d'alcool, du piratage, de la production cinématographique, de la prostitution à grande échelle, du trafic de drogue. Depuis quelque temps, les gangs de Bombay travaillent en réseau avec des organisations terroristes implantées un peu partout sur le sous-continent, qu'il s'agisse des Tigres tamouls du Sri Lanka, du Front uni de libération de l'Assam, du groupe Guerre du Peuple qui opère en Andhra Pradesh. Ils les financent en leur achetant des armes. Ajay a les noms de plusieurs membres de la Compagnie-D en poste à Guwahati, lointaine capitale de l'Assam.

Les sommes générées par la prostitution et la fabrication d'alcool permettent de subvenir aux besoins de la masse des sous-fifres, de payer les avocats du gang et les pensions versées aux familles des hommes qui purgent une peine de prison. Les fonds extorqués sont partagés en deux parts inégales : soixante pour cent vont directement dans la poche du parrain, à l'étranger, et les quarante pour cent restants tombent dans le pot commun avant d'être répartis sur place entre les troupes. Les transferts à l'étranger se font par l'intermédiaire des réseaux hawala *, un système de blanchiment d'argent sans trace écrite, où le sac de roupies discrètement remis à un commerçant ou un diamantaire de Bombay se transforme illico presto en grosse enveloppe pleine de dollars à Dubaï.

Les gangs ont entrepris de se refaire une virginité en montant des entreprises qui gèrent des chaînes d'hôtels, des complexes touristiques, des grands magasins et même des banques. L'industrie du spectacle les séduit tout particulièrement. Chotta Rajan a investi des millions dans les réseaux câblés de Bombay. Plus généralement, les gangs négocient les droits étrangers des films et des spectacles, et ils ont la haute main sur le secteur de la musique pour la bonne raison que les banques le dédaignent ; de ce fait, il n'y a quasiment aucun contrôle sur les comptes.

Les chefs mafieux ont beau clamer haut et fort le contraire, ils ont forcément partie liée avec le trafic de drogue. S'ils rechignent à faire état de ce commerce et ne tiennent pas à le développer outre mesure, c'est par crainte des autorités américaines et britanniques, particulièrement intraitables à l'égard des trafiquants. Le Mandrax, un barbiturique, est la seule substance produite en abondance en Inde ; de nombreuses officines pharmaceutiques au bord de la faillite la fabriquent sous forme de cachets. Le prix d'un cachet s'élève à quatre-vingt-dix-neuf paises * (pas tout à fait deux centimes d'euro), compte tenu du coût de fabrication, de l'argent versé en sous-main et du coût du transport jusqu'à l'île Maurice, proche des rivages d'Afrique du Sud, sa destination finale. Dès qu'il arrive là-bas, sa valeur centuple pour s'établir à environ deux euros. On peut mettre deux tonnes de cachets dans un seul container. Comme le fait observer Ajay, « pour peu que tu possèdes un container et que tu parviennes à l'envoyer en Afrique du Sud, ton avenir est assuré ».

Quand ils parlent de l'organisation mafieuse pour laquelle ils travaillent, les hommes ne disent pas « gang » mais « compagnie », et de fait on n'est pas si loin du modèle de l'entreprise. Chaque gang est ainsi structuré autour d'une division des tâches très pointue. Certains s'occupent exclusivement de verser les salaires mensuels, d'autres veillent à l'approvisionnement en armes, d'autres encore se chargent de stocker ces dernières. Il existe des cellules spécialisées dans l'intimidation des témoins : leurs agents hantent les prétoires des tribunaux avec mission de retourner les témoins à charge dans les procès impliquant la compagnie. Il y a aussi les médecins, les avocats, les sympathisants, la piétaille des fantassins, éclaireurs et garçons de courses, les gardiens des planques – sans oublier l'infrastructure très élaborée du service d'aide aux détenus. Pour éviter les affrontements entre gangs dans les établissements pénitentiaires, le gouvernement affecte à chacun une prison particulière : celles de Yerawada et d'Amravati sont réservées à la Compagnie Chaddi, celle d'Arthur Road à la Compagnie Nana, celles de Byculla, de Thane et de Nashik à la Compagnie-D. Cette dernière a acheté à proximité de Nashik plusieurs appartements où elle loge des cuisiniers et des livreurs équipés de rickshaws à moteur. Les maîtres queux y préparent les repas du matin, du midi et du soir, que les garçons de courses livrent encore fumants aux récidivistes endurcis. Ce système de restauration est parfaitement rodé. Les types écroués n'ont aucune raison de se plaindre d'un séjour à l'ombre qui leur offre une occasion unique de vivre sur un grand pied. D'autant que dans les maisons d'arrêt, tout le monde, curieusement, rivalise de générosité. Pendant la fête de Ganesh, les membres du gang de Dawood emprisonnés à Thane ont reçu une boîte de bonbons de la part d'Arun Gawli. Là-dessus, m'a raconté mon informateur, « le boss de la Compagnie-D a dit " Accha ! Il a fait ça ? " et il a envoyé à Gawli un grand plat de halva ».

Comme les fédérations sportives et les milieux du spectacle, la pègre recrute des dénicheurs de talents. Ils écument la ville pour repérer les réussites individuelles et prendre la mesure précise du succès avant de transmettre ces renseignements à leurs supérieurs. Si tout se passe bien, ils perçoivent ensuite une part substantielle des versements exigés. Pas plus qu'Ajay, la pègre ne pourrait vivre sans ces informateurs. Elle dévore l'information avec une faim insatiable, la traque dans les journaux, chez les vendeurs de rue, les dirigeants d'entreprise, les hommes politiques – et sur l'Internet, bien sûr.

Les gangs prospèrent parce qu'ils forment un système judiciaire parallèle dans un pays qui arrive en tête du classement mondial pour le nombre de procès en souffrance. La paralysie de la justice est telle qu'en 2003, dix ans après les faits, les instigateurs des attentats à la bombe n'avaient toujours pas été jugés. « La justice pénale est complètement en panne, confirme Ajay, et bien sûr cela profite au monde de la pègre. Alors qu'un tribunal mettra en moyenne vingt ans pour trancher un litige à propos d'un logement, la pègre règle la chose en l'espace d'une semaine ou d'un mois. Ça fait tourner l'économie. »

Les hommes politiques ne durent pas, la ville passe par des hauts et des bas, mais les gangs ont l'éternité devant eux. Ils font partie intrinsèque de la culture locale. Madanpura, Nagpada, Agripada, Byculla, Dongri, Bhendi Bazaar, Dagdi Chawl : le cœur de la ville bat au rythme du gengwar.

Mon oncle m'a invité à dîner avec un de ses amis, un bijoutier polonais installé aux États-Unis qui, depuis vingt-cinq ans, vient régulièrement pour affaires à Bombay. Avant, à chaque déplacement il constatait des améliorations, mais depuis quatre ans la courbe s'est inversée. La ville est d'abord beaucoup plus polluée, dit-il ; ce soir, il a du mal à respirer à cause des rafales de vent qui lèvent des tourbillons de poussière. Surtout, la violence est en augmentation constante. Les derniers règlements de comptes entre gangs ont été relatés jusque dans le *New York Times* ; sa femme restée dans le Connecticut voudrait qu'il abrège son séjour. Le monde vient de découvrir qu'il y a des voyous dangereux à Bombay.

« Vous oseriez vous promener par ici ? Vous vous sentiriez en sécurité ? Et moi, vous croyez que je pourrais m'y promener ? » demande-t-il à mon oncle dans la voiture qui nous conduit du Taj à l'Oberoi. (Il faudrait aménager entre les deux hôtels une chaussée surélevée ou un système de télécabines, vu le nombre de véhicules qui circulent exclusivement de l'un à l'autre.) Il est onze heures du soir, environ, et il n'y a pas un chat sur les trottoirs mal éclairés.

« Bien sûr », répond mon oncle.

Bombay reste une ville où je peux me promener à peu près n'importe où à toute heure du jour ou de la nuit. Les agressions n'existent pratiquement pas et les femmes ne se font pas importuner comme à Delhi. Une Parsie rencontrée dans une réception m'a rapporté cette histoire vraie qui lui était arrivée peu de temps auparavant. Son mari et elle suivaient des amis en voiture quand ils sont soudain tombés en panne devant un slum. Pendant qu'ils sortaient de leur véhicule, des habitants du bidonville se sont approchés d'eux. Elle n'en menait pas large, dans la mini-jupe qu'elle portait ce jour-là. Ces gens leur ont dit de remonter en voiture et à plusieurs ils se sont mis à pousser pour tenter de la faire démarrer. Entre-temps, les amis qui les précédaient avaient rebroussé chemin. Les gens du bidonville leur ont conseillé de partir avec eux et de revenir le lendemain avec un dépanneur. Elle était persuadée qu'ils retrouveraient la voiture désossée, mais ils n'avaient pas le choix. Quand ils sont revenus, pourtant, la voiture était intacte ; deux hommes du slum dûment mandatés par leurs voisins avaient veillé dessus toute la nuit. Bombay n'a pas grand-chose à craindre de la délinquance ordinaire a contrario des activités criminelles qui sont beaucoup plus sérieuses, et mieux organisées.

La saison des mariages bat son plein en décembre, et mon oncle me montre les invitations qu'il vient de recevoir de ses collègues diamantaires. Faire-part luxueux, comme il se doit, dont chacun coûte de cinquante à cent roupies au bas mot et ressemble à un petit livret enluminé de miniatures de Ganesh, enrubanné de soie, contenant autant de cartons que l'orchestration de ces festivités compte de morceaux : un pour Hasta-Milap (la cérémonie religieuse), un pour Dandiya-Raas (le bal), un pour la projection privée, un pour le dîner de gala. Mon oncle en ouvre un. Le lieu de rendez-vous principal figure sur un bout de papier collé sur le carton le plus orné, tel un oubli réparé *in extremis* ; un petit salon de réception dont je n'ai jamais entendu parler. Mon oncle décolle soigneusement le morceau de papier et découvre, dessous, la vraie bonne adresse : le champ de courses. On l'a dissimulée pour ne pas attirer l'attention des gangs. Un autre faire-part aux cartons enjolivés avec exubérance indique également un endroit somme toute modeste : les pelouses de l'immeuble où vit le producteur de cinéma qui marie sa fille. Un précédent mariage dans cette famille a été perturbé par une bande de stars de Bollywood qui se sont mises à danser comme des singes ; cette fois la cérémonie sera célébrée dans l'intimité. Mon oncle connaît un traiteur spécialisé dans les mariages qui, sous la pression, a dû remettre aux gangs la liste de ses réservations pour la saison des noces. Il n'avait pas le choix, évidemment. Pour savoir chez qui se trouve l'argent, la pègre a à sa disposition tout un réseau d'intermédiaires : les entrepreneurs, les domestiques, les décorateurs sont au courant de ces choses-là.

Le *Bombay Times* a publié un article sur les mariages conclus en catimini pour ne pas tenter les racketteurs. Il est signé d'un « envoyé de la rédaction », formule précédée de cette mention : « Tous les noms ont été modifiés à la demande des intéressés. » Ici, l'anonymat est une tactique de survie.

La rumeur enfle, elle se propage sur les ailes de la peur qu'éprouvent les riches ressortissants de ce pays pauvre. Une famille qui vient de dîner dans un restaurant cinq étoiles proteste devant le montant à cinq chiffres de l'addition, et s'entend répondre par le garçon qu'on a ajouté à la note le repas des six hommes assis à cette table, là, dans le coin. À eux de choisir : soit ils payent, soit ils disent adieu à la Ford flambant neuve dans laquelle ils sont arrivés.

Un ami de mon cousin a été approché par des maîtres chanteurs : « Tu viens de t'acheter un nouvel appart et tu as vendu l'ancien huit lakhs. Tu nous en refiles un. » Informé, mon cousin lui conseille de leur donner cet argent pour avoir la paix. « Sauf qu'un lakh ne leur suffit pas, explique son ami. Maintenant ils veulent un crore » (autrement dit cent fois plus).

Excédé, son père a fini par demander un numéro de fax au correspondant qui appelait régulièrement de Karachi pour exiger son « dû », et il lui a faxé ses feuilles d'imposition des quatre dernières années afin de prouver qu'il ne gagnait pas des mille et des cents. C'est un peu comme solliciter une bourse d'une université américaine. La pauvreté est une vertu.

Les privilégiés sont saisis de panique. Ils rivalisent d'imagination pour essayer d'évaluer la baisse abyssale de la valeur d'une vie humaine. Dans une de ses chroniques, la journaliste Shobha De replace les choses dans leur juste perspective : « Aujourd'hui, le contrat d'un tueur se négocie entre cinq et dix mille roupies, somme à la portée de toutes les bourses et nettement plus raisonnable que les cinq à dix lakhs exigés il y a quelques années. Les jeunes sans emploi sont prêts à tuer pour le prix d'un soutien-gorge Gossard. Vous vous rendez compte ? Il y a des statistiques qui font réfléchir. » Par souci de discrétion, les riches se voient contraints d'adopter des modes de vie humiliants. Un autre article de Shobha De décrit la situation délicate dans laquelle se retrouve une jeune résidente des beaux quartiers de South Bombay :

> [Elle] s'est mise à porter de faux bijoux – des babioles en plastique, du toc. « J'ai tout le temps l'impression d'être suivie. C'est peut-être de la parano, mais ma peur est bien réelle. Quand je vais à des fêtes, je rentre assez tard, et il y a un bout de route pour arriver chez moi. Qu'est-ce que je ferais si des gangsters armés décidaient de me voler mes bijoux Cartier et Bulgari sur Marine Drive ? J'ai même changé de voiture. Je laisse la Mercedes au garage et je prends la Maruti. »

Les truands ont sur Bombay le même effet que les bolcheviks sur l'aristocratie russe. À cette différence près que les manifestations de masse de la gauche n'ont jamais obtenu ce que les bhaïs parviennent à imposer en quelques coups de fil : eux, ils ont les moyens d'empêcher les nantis de Bombay de faire étalage de leur fortune.

Dans le monde des affaires, la pratique de l'extorsion est si bien établie qu'un récent arrêté de la Haute Cour de Bombay stipule que les sommes ainsi soutirées sont déductibles des impôts. Ce qui revient à admettre que l'extorsion est une forme de taxe. Après tout, puisqu'il existe un système judiciaire parallèle, pourquoi n'y aurait-il pas un système fiscal parallèle ? Jadis, un seul gang, celui de Dawood, tenait le haut du pavé. Aujourd'hui, la concurrence est ouverte : à partir du moment où une entreprise accède aux demandes de l'un, les autres s'alignent pour la ponctionner et elle finit par arroser quatre ou cinq chefs de bande. Ou même des voyous qui font cavalier seul et ne représentent pas une menace très sérieuse. L'échange, tacite ou non, inhérent au chantage à la protection – tu me files le blé et je te protège contre mon gang et les autres – n'est plus respecté. Aucun gang n'étant désormais en mesure de protéger quiconque de ses rivaux, le chantage à la protection s'est transformé en agression caractérisée : la bourse ou la vie.

« L'extorsion de fonds et l'enlèvement sont l'avenir des truands », remarque Ajay. Deux activités où, en effet, l'investissement net n'excède pas une roupie, le prix d'un coup de fil. Ajay vient d'arrêter deux étudiants en maîtrise de gestion qui faisaient chanter un de leurs chargés de cours (sur l'esprit d'entreprise). « Je leur ai dit, non mais ça ne va pas, vous êtes cinglés ? et ils m'ont répondu qu'ils étaient plus malins que les autres. » L'enlèvement a lui aussi la peur pour ressort. Un des hommes de main de Dawood s'est diversifié dans le kidnapping. Il emmène ses victimes dans une planque en banlieue, leur couvre les yeux d'un bandeau et leur jette dessus des serpents vivants.

En 1999, Ajay a été nommé commissaire en chef suppléant de la région Nord-Ouest, un territoire qui couvre la moitié de Bombay, de Bandra à Dahisar, mais où se commettent les trois quarts des crimes et délits de la ville. À la tête de trente et un des soixante-douze commissariats de Bombay, Ajay Lal a dix mille hommes sous ses ordres. Six officiers ayant plus d'ancienneté que lui auraient pu prétendre à ce poste, dont il a hérité en raison de l'augmentation ahurissante de la criminalité associée à l'extorsion. « Ils pensaient sans doute que j'allais résoudre tous les problèmes d'un coup de baguette magique », commente Ajay. La presse le présente comme un chevalier blanc ; étant donné la manière magistrale dont il a mené l'enquête sur les attentats à la bombe, lui seul semble en mesure de débarrasser la ville de sa pègre. Je suis curieux de voir s'il va y arriver et, par une belle soirée, je propose à mon ami Vinod, le réalisateur, de venir avec moi rendre visite à Ajay qui travaille au bout de la rue. Anu, la femme de Vinod, journaliste de télévision, décide de se joindre à nous.

De son nouveau bureau, Ajay a une belle vue sur la mer. Au moment où nous entrons, un inspecteur accompagné de son informateur nous brûle la politesse pour présenter un rapport sur une fusillade.

« Il y avait qui dans l'équipe qui joue le jeu des suspects ? » demande Ajay. On lui répond que les types impliqués dans le règlement de comptes « poussaient la balle depuis déjà quatre jours ». Tous deux parlent de leur affaire comme s'il s'agissait d'un match de cricket. De fait, le sentiment excitant d'appartenir à un gang n'est pas très différent de ce que ressentent les sportifs d'une même équipe. Dans les deux cas, la stratégie incombe au capitaine qui doit se montrer plus intelligent que l'adversaire, disposer les joueurs sur le terrain en tenant compte de leurs talents, en mettre certains sur le banc de touche et tester les petits nouveaux.

L'inspecteur et l'indic s'engagent à livrer dans les six jours le cerveau de ce « match ». Ajay qui trouve le délai trop long les presse de mettre les bouchées doubles et promet à la taupe de nettoyer son dossier des éléments compromettants. Toute la soirée, les indics défilent dans le bureau pour donner à voix basse au « patron » des informations qu'il note en hochant la tête dans son gros carnet. Et toute la soirée il aboie, montre les dents, menace des pires châtiments – la mutilation, la castration, la mort, l'exécution d'êtres chers –, dans cette chasse incessante au renseignement. Toute la soirée, Ajay tend l'oreille aux chuchotements de la ville en ébullition, il exploite ses contacts, il exploite ses sources.

Il résume ainsi l'essence de l'interrogatoire : « Tu as très peu d'informations mais l'autre doit s'imaginer que tu en as plein. » Le jeu du suspect consiste à le faire marcher, à révéler ce qu'il sait par bribes, à gagner du temps jusqu'à ce qu'il soit en sécurité dans le box des accusés. Ajay, lui, le pressure, de plus en plus : « D'abord il a droit au jus de carotte, ensuite on passe au jus de citron », explique-t-il en actionnant une moulinette imaginaire. Il y a cependant d'autres leviers que la contrainte physique : « Ils ne peuvent pas tous sortir d'ici avec des traces de coups. Le secret du pouvoir, c'est le savoir. » Aussi entame-t-il généralement la séance en suggérant à mots voilés qu'il sait des choses mais préférerait que le suspect passe volontairement aux aveux. « Des fois, ça suffit pour qu'ils se mettent à table, mais pas toujours. Certains essaient de te jauger, ils se demandent si tu en sais si long que ça. » À bien des égards, donc, l'interrogatoire est un jeu où chacun tente d'amener l'autre à se défausser. L'officier de police peut se servir du bâton ou de la gégène, mais il n'a pas forcément tous les atouts en main.

Le portable d'Ajay se met à sonner. Khan, un de ses princi-paux indicateurs, demande à lui parler. Deux minutes plus tard, un jeunot fluet d'une vingtaine d'années pénètre dans la pièce et se penche sur le bureau pour s'entretenir à voix basse avec le commissaire suppléant.

Khan, nous explique Ajay après son départ, est un voleur et un bourreau des cœurs. Il opère sous le nom de Chikna et couche avec les épouses de quatre ou cinq truands de haut vol. « Je suis un peu jaloux », confesse Ajay avant d'ajouter que les jours de Khan sont comptés. Il l'a découvert lors de la toute première interpellation de Khan pour cambriolage. Les flics qui le pas-saient à tabac ne se sont arrêtés que quand il s'est mis à vomir du sang et leur a déclaré qu'il avait le sida. Mis au courant, Ajay leur a aussitôt « ordonné de nettoyer tout ce sang et d'asperger le sol avec du Dettol », après quoi il est allé voir Khan et a très vite constaté qu'il pouvait l'utiliser comme indic.

Pourquoi, cependant ? Avait-il tant besoin d'argent que ça ?

« Non, fait Ajay en secouant la tête. Il a compris qu'il avait tout à gagner à se rapprocher de moi. » Aujourd'hui, Khan a ses entrées dans le bureau d'Ajay, il se pavane dans sa voiture. Le commissaire suppléant se montre généreux. « Il n'a plus que six mois devant lui, mais grâce à moi il vit comme un prince. » Il lui a offert un téléphone mobile et lui a donné le numéro du sien pour qu'il puisse l'appeler jour et nuit.

Et les vols dont il était coutumier ? Il s'y adonne toujours ?

Ajay reconnaît fermer les yeux, parfois. Il l'a tout de même fait arrêter pour deux délits à main armée et obtenu une peine de six mois dans le premier cas, de huit dans le second. De la sorte, les gangs ne soupçonnent pas Khan de lui servir d'indicateur.

Ce soir le jeune vaurien lui a fourni des renseignements intéressants. L'un des truands qu'il rend cocu doit passer voir sa femme chez elle, dans la nuit. Ajay appelle un de ses subordonnés : « Où est passé le rickshaw à moteur qu'on a confisqué ? demande-t-il. Il marche toujours ? » Il a déjà échafaudé son plan : Khan va jouer les conducteurs de rickshaw et monter la garde devant la porte de sa maîtresse tandis que des policiers en civil traîneront alentour comme de simples passants ; quand le truand arrivera, l'indic le leur désignera. S'il ne venait pas ce soir, Khan qui connaît ses habitudes pense qu'il y a de grandes chances pour qu'il aille à l'église dimanche ; les hommes d'Ajay l'attendront devant le porche.

Comme je demande à Ajay ce qu'il va faire de ce type, il nous regarde tour à tour, Vinod, Anu et moi, puis me retourne la question : « À ton avis ? » dit-il en esquissant un sourire ironique.

Anu émet l'idée que Khan a peut-être transmis le sida au truand, par l'intermédiaire de sa femme, et Vinod imagine aussitôt tout un scénario à partir de là : le héros serait un policier qui tue les méchants en contaminant leurs femmes avec le virus du sida. Ajay douche son enthousiasme d'une réplique : « La période d'incubation est de six ans, c'est beaucoup trop long. On peut en faire, des dégâts, en six ans. »

Nous assistons ensuite à l'entretien d'Ajay avec ses chefs de poste, une brochette de bonshommes ventripotents, lisses et fuyants, qui font la pluie et le beau temps sur leurs circonscriptions. Je comprends pourquoi, après leur départ, Ajay les traite de nuisibles. Un agent de police entré sur ces entrefaites informe son patron qu'on vient de saisir une voiture dans laquelle on a trouvé des faux billets.

« Pour quelle somme ? s'enquiert Ajay.

– Quatre lakhs.

– Ils ont donné des explications ?

– Ils refusent de parler.

– Amène-les. »

Il nous fait signe d'aller nous asseoir au fond de la pièce, sur un petit canapé. La porte s'ouvre devant trois policiers en civil encadrant deux hommes. À peine s'est-elle refermée que les coups se mettent à pleuvoir.

« Dis au Saab qui t'a filé ce pognon ! hurle un des flics.

– Je ne sais pas, monsieur. »

La gifle assenée au présumé coupable le laisse à moitié assommé. Ce type est un Sindhi corpulent, à l'air respectable. Son compagnon, plus grand et plus mince, se présente comme son cousin ; c'est lui qui conduisait la voiture. Ils parlent anglais tous les deux, ils sont correctement habillés, et nous avons la désagréable impression qu'ils sont de notre monde. S'ils étaient juste un peu plus riches, un peu plus instruits, ce seraient des gens comme nous. Les policiers empilent sur le bureau d'Ajay des fausses coupures de cinq cents roupies qu'ils piochent dans un sac ; au total, il y en a pour quatre lakhs et demi. Les deux suspects se font à nouveau molester, puis on leur pose la même question :

« Qui vous a donné l'argent ?

– Je ne sais pas, monsieur. Quelqu'un au téléphone m'a dit d'aller chercher le sac.

– Un inconnu t'appelle et il t'envoie chercher quatre lakhs ? s'emporte Ajay. Tu crois qu'on va gober tes mensonges ? Déshabillez-les ! »

Les flics leur retirent leurs ceintures et les cinglent avec, méchamment. Vinod serre la main de sa femme qui se tasse sur le siège.

Le gros craque le premier : oui, il a rencontré le commanditaire par l'entremise de sa « poule » (c'est ainsi qu'Ajay la désigne), danseuse dans un bar de Mira Road.

« Alors, il s'appelle comment ?

– Je ne sais pas, monsieur.

– Allez chercher le câble électrique et la courroie », ordonne Ajay à un agent.

Taillée dans un morceau de cuir épais large d'une quinzaine de centimètres, la courroie qu'on lui rapporte est munie d'une poignée en bois. L'un des flics s'en empare pour blesser sauvagement le Sindhi au visage. Ce bruit du cuir cinglant la chair est indescriptible. L'homme hurle. Le flic frappe de nouveau. Pendant ce temps, l'autre policier s'acharne sur le cousin qu'il tape dans le dos avec son coude replié. Les deux captifs se tassent sur eux-mêmes et se contorsionnent pour tenter d'esquiver les coups de courroie, de ceinture et de poing qui s'abattent sur eux. La courroie laisse des zébrures rouges sur le visage du gros, une goutte de sang vermillon perle sur le front du maigre – à moins qu'il ne s'agisse d'une tika * censée le protéger ; à cette distance je n'arrive pas à juger. Vinod tient entre les siennes les mains de sa femme en lui parlant tout bas à l'oreille.

« Tu as des enfants ? demande Ajay au gros.

– Oui, un.

– Quel âge ?

– Cinq ans.

– Envoyez une équipe chercher la femme et le gosse. On va les battre devant lui puisqu'il ne veut pas parler.

– Non, pitié ! Je vais tout vous dire. Je vous ai tout dit. »

Les trois flics se remettent à frapper au hasard. Le grand mince encaisse mieux ; il bronche à peine quand le policier le plus proche de lui, plus petit et trapu, lui assène un coup de ceinture sur les yeux. « Raconte au Saab ce que tu m'as dit, aboie son bourreau.

– Ça ne rime à rien, proteste le grand mince.

– Décide-toi, ordonne le flic en faisant claquer la ceinture à deux centimètres de son visage.

– Voilà : mes parents sont venus du Pakistan en quarante-sept, au moment de la Partition. »

L'autre se rengorge. De toute évidence, il espère être récompensé pour avoir arraché cet aveu qui, à ses yeux, est une preuve indubitable de la duplicité des Sindhis, établis en Inde alors qu'ils vibrent pour le Pakistan. Ajay reste de marbre. À ce compte-là, des millions de personnes installées en Inde, dont le vice-Premier ministre, seraient des transfuges et des traîtres.

« Conduisez-les dans la salle et appliquez-leur l'électricité, déclare Ajay. Quand tu sortiras de là, poursuit-il à l'adresse du gros, tu auras du mal à satisfaire ta poule. »

L'histoire s'étoffe un peu : le gros a reçu quatre cent cinquante mille fausses roupies d'un agent pakistanais en échange de trois cent vingt-cinq mille roupies authentiques. Les deux types s'adressent à leurs tortionnaires en leur donnant du monsieur – marque de déférence que nos maîtres exigeaient de nous, à l'école, et à laquelle Vinod a droit quand il est sur un tournage. Ils ne commettent aucun écart de langage, ne traitent pas de tous les noms ces gens qui les brutalisent. Ajay n'a pas cette retenue ; pour la première fois je l'entends lâcher des obscénités : « Vous l'avez dans le cul, et on va vous l'enfoncer si profond que ça vous ressortira par la bouche. » Il doit pourtant se maîtriser. Les deux hommes ne vont pas recevoir de décharges électriques sur les parties, pas encore, du moins, pas ici, sous les yeux d'une femme.

« Emmenez-les au parc national Sanjay Gandhi et descendez-les. Après, vous déposerez un revolver près d'un des corps, une mitraillette à côté de l'autre. On invoquera la légitime défense en disant qu'ils ont tenté de fuir dans leur bagnole. »

Une fois qu'ils ont vidé les lieux, escortés par les policiers, nous trois qui avons assisté à la scène quittons notre place dans le fond de la pièce. Vinod pour qui ce n'était pas une première s'amuse de l'émoi d'Anu. À plusieurs reprises il lui a proposé de partir, mais elle a suivi toute la scène les yeux écarquillés, incapable de s'arracher à ce spectacle choquant. « Vous n'avez pourtant rien vu, dit Ajay. Ça, c'est du Walt Disney.

– Maintenant ils vont dérouiller pour de bon, confirme Vinod d'un air entendu. On va les emmener ailleurs.

– En lieu sûr », acquiesce Ajay avec un sourire.

J'ai une petite idée de ce que peut vouloir dire « dérouiller pour de bon », grâce aux confidences de Blackeye, le jeune tueur de la Compagnie-D qui fut un jour inculpé du meurtre d'un producteur de musique. Les policiers le dépouillèrent de ses vêtements dans la salle dite « des interrogatoires » avant de l'allonger à plat ventre sur un banc étroit et de l'y attacher par les poignets. L'un d'eux enfila des gants et ouvrit un petit flacon renfermant un acide spécial : une goutte qui tombe sur la peau fait le même effet que le Destop qu'on verse dans les canalisations pour les déboucher. Les mains gantées écartèrent les fesses de Blackeye. « Ils me l'ont versé dans le trou de balle. Ils m'ont écarté les fesses et ils m'ont tout versé dans le trou de balle. » Plus d'un an s'est écoulé depuis, mais chaque fois qu'il va à la selle il perd des petits lambeaux de chair.

Les deux faussaires n'ont pas été abattus, leurs enfants et leurs femmes n'ont pas été molestés car ils ne représentaient que du menu fretin. Contrairement à certains de ses collègues, Ajay n'est pas un sadique. Il aboie plus fort qu'il ne mord et privilégie la technique du donnant donnant : un maximum de renseignements contre un minimum de mauvais traitements. Toutefois la danseuse du bar de Mira Road, la première personne lâchée par le gros Sindhi, sera convoquée au poste cette nuit et Ajay saura trouver les arguments pour la convaincre de lui livrer d'autres noms. Les malfaiteurs, nous dit-il, donnent toujours leurs « poules » avant les autres.

Grâce à elle, il va arrêter sept personnes, récupérer l'équivalent de soixante-dix-huit mille euros en monnaie indienne, et réussir à démanteler le cartel des faux-monnayeurs. Il découvrira en outre que le gang de Dawood est impliqué dans l'affaire, sur les instructions des Pakistanais. Le but était d'inonder le pays de billets factices. Le passage à tabac des deux suspects a permis de remonter toute la chaîne de distribution : les fausses coupures de cinq cents roupies étaient fabriquées aux environs d'Islamabad, dans une imprimerie du gouvernement pakistanais dont les rotatives produisaient par centaines de milliers les morceaux de papier vert à l'effigie du Mahatma Gandhi ; elles étaient ensuite expédiées à Katmandou, puis chargées dans des trains ou dans des camions pour être distribuées dans diverses régions de l'Inde. Là, elles s'échangeaient en dessous de leur valeur nominale contre du bon argent indien, ou, mélangées à des billets authentiques, elles étaient dépensées dans les bazars, les bars et les night-clubs. On a ici affaire à une nouvelle forme d'agression transfrontalière : le sabotage économique qui touche tout particulièrement Bombay, la capitale financière du pays. Le bruit court déjà que la Banque centrale indienne ne va plus accepter les billets de cinq cents roupies. Anticipant le mouvement, certains commerces ont décidé de les refuser, et les consommateurs se plaignent. L'hôtel où j'ai séjourné l'an dernier à Katmandou m'avait prévenu qu'il ne prenait pas ces coupures car il y en avait trop de fausses en circulation.

« Nous ignorons vraiment tout du monde qui nous entoure, commente Anu tandis que nous rentrons tous les trois à pied. Je n'ai envie que d'une chose : m'enfermer à double tour à la maison et regarder un bon vieux film hindi. » Elle ne savait pas, jusque-là, qu'à deux pas de son bel appartement garni de plantes vertes coule un furieux torrent de violence criminelle, un fleuve de douleur au bord duquel elle vit.

Vinod, lui, enchaîne tout de suite avec une séance de travail sur le projet de *Mission Kashmir*, lors de laquelle il explique à l'acteur Hrithik Roshan, qui tient le rôle du héros, ce qu'il attend de lui dans la scène finale : « Là, tu reçois une volée de balles dans le dos et tu tombes, comme ça », dit-il en s'allongeant de tout son long par terre, mimant la mort telle que se l'imagine un réalisateur de cinéma.

« Fantastique ! » s'exclame la star.

Ajay qui a grandi à Bandra était un champion de cricket dans sa jeunesse. Il est entré dans la police indienne en 1981, après avoir décroché sa licence en histoire et sciences politiques à l'Université de Bombay. Affecté dans divers services de la ville et de l'État du Maharashtra, il a grimpé les échelons petit à petit. Au fil des ans, il a appris à connaître en détail tous les rackets, petits et gros, organisés ici. Il me raconte par exemple que pour tracer à même le trottoir ces dessins à la craie de Jésus-Christ sur lesquels les passants jettent des pièces, il faut verser tous les six mois une patente de soixante-quinze mille roupies aux durs qui contrôlent le quartier.

Son enquête sur les attentats à la bombe lui a valu d'être promu commissaire adjoint à la brigade criminelle où, pendant quatre ans, il fut chargé de traquer les terroristes et les malfrats sur l'ensemble du territoire de Bombay. À ce poste, il prit en 1996 une mauvaise décision professionnelle en ordonnant une perquisition chez Jaidev Thackeray, un des fils de Bal Thackeray. Il aura suffi au vieux Saheb de décrocher son téléphone pour obtenir, en punition de ce coup d'audace, la mutation d'Ajay dans la police du Maharashtra. Il y resta deux ans, à se morfondre en zone rurale et à régler les différends tribaux, jusqu'en 1998. Cette année-là, décidant que sa fâcheuse incorruptibilité était largement compensée par son expérience de la lutte antigang, les autorités le réintégrèrent dans les services de Bombay.

Ajay nourrit une haine tenace envers l'industrie cinématographique. Son père était producteur de cinéma, mais il n'était pas de taille à se défendre et il y a laissé la vie. Il avait engagé Rajesh Khanna pour un film. Après avoir arrêté un calendrier en fonction des disponibilités de la superstar, il avait loué un studio pour une semaine et entrepris de construire un décor pour une séquence chantée. Le lundi, l'acteur ne se présenta pas, le mardi non plus. Le décor était prêt, l'équipe de tournage attendait et chaque jour de retard coûtait les yeux de la tête au producteur. Khanna ne vint jamais, et quand le samedi arriva il fallut démonter le décor de rêve. Le père d'Ajay eut sa première attaque ce jour-là.

Quelque temps plus tard, il signa un nouveau contrat avec un autre grand de Bollywood, Vinod Khanna, et fixa les dates de tournage selon les indications de l'acteur. Mais il jouait de malchance, car son second premier rôle se volatilisa dans la nature. Entré dans la secte de Rajneesh, Khanna avait disparu à Pune, dans l'ashram du gourou. Ses secrétaires n'avaient aucun moyen de le joindre. Voyant à nouveau les sommes qu'il avait investies fondre comme neige au soleil, le producteur eut une deuxième attaque.

« J'adorais mon père, dit Ajay. J'avais pris l'habitude de me réveiller à trois heures du matin, et quand je voyais qu'il n'était pas dans son lit j'allais le retrouver dans le jardin où il était sorti fumer une cigarette. Je lui demandais ce qui n'allait pas. Accablé, il m'expliquait qu'il avait emprunté à trente-six pour cent d'intérêts. Il a perdu vingt-cinq lakhs, avec ces histoires. Je déteste le cinéma, c'est un milieu dégueulasse. Je me suis juré de choisir un métier qui me donne tout pouvoir sur ces gens qui ont ruiné mon père. » Raison pour laquelle il est devenu policier plutôt qu'avocat, médecin, homme d'affaires – ou producteur de films. « L'uniforme donne du pouvoir. »

À son poste de commissaire en chef suppléant de la région Nord-Ouest, il a la haute main sur les fiefs de Bandra et de Juhu, le Beverly Hills de Bombay où vivent et travaillent les gens de cinéma. Chaque fois que la pègre les menace, ils foncent dans son bureau, y compris les acteurs qu'il tient pour responsables de la mort de son père. « Ils ont débarqué ici en prétendant qu'ils étaient de très bons amis à lui. Je leur ai sorti ce que mon père m'avait dit et je ne leur ai pas caché ce qu'on pensait d'eux dans la famille. Ils ne savaient plus où se mettre. J'avais à moitié envie de les foutre dehors, mais la réputation du service aurait pu en souffrir. » Il choisit donc de les aider, passe les coups de fil qu'il estime nécessaires, rappelle à l'ordre les maîtres chanteurs qui dépassent les bornes, fait en sorte que les stars puissent dormir sur leurs deux oreilles. Il y a toutefois une différence entre Ajay et son père : aujourd'hui, c'est lui qui fixe aux stars la date et l'heure des rendez-vous.

Ajay est venu dîner à la maison avec sa femme, Ritu. Tout naturellement je lui ai proposé un verre, mais ce flic est décidément un phénomène : il ne boit pas. « J'ai vu tellement d'alcool, à la maison, quand j'étais gosse. Je ne supportais pas que mon père boive. Un type qui boit ne sait plus se contrôler. Je ne touche ni à l'alcool ni au tabac. Je n'y toucherai jamais. Jamais », répète-t-il à mi-voix, sans doute plus pour lui que pour nous.

C'est également un phénomène pour une autre raison : il n'accepte pas de pots-de-vin. Il plaisante en disant qu'il doit être le seul fonctionnaire indien à payer les factures de téléphone de sa ligne privée – dans les deux mille roupies par mois. Cet incorruptible issu d'un milieu aisé a peu de points communs avec ses collègues. « La plupart des policiers sont jaloux. Les autres, mes supérieurs, j'imagine, ont peur de moi. » Résultat, il n'a pas d'amis parmi les gens avec qui il travaille.

Durant les dix jours qui précèdent Diwali *, les haut gradés de la police qui résident à Worli voient défiler toute une procession de gens venus leur apporter de coûteux paniers de fruits et de confiseries. Ritu refuse en bloc tous ces présents – la bouteille de champagne offerte par un réalisateur de cinéma, par exemple. L'honnêteté d'Ajay tracasse ses collègues, en particulier ses pairs ; craignant de paraître bien complaisants en regard de son intransigeance, ils lui prodiguent des conseils paternels : « Sois réaliste », prêchent-ils à qui mieux mieux.

Je lui demande si les gangs ont déjà essayé de l'acheter.

« Après les attentats, mon supérieur m'a proposé cinquante lakhs pour que je n'amoche pas un truand. " Ne le maltraite pas, il m'a dit, il a des tas de contacts. Je connais quelqu'un qui est prêt à donner cinquante lakhs. Comprends-moi bien, il ne s'agit pas de faire quelque chose d'illégal, simplement ne t'acharne pas. " Je lui ai répondu du tac au tac : " Monsieur, c'est vous qui m'avez formé. Si vous n'étiez pas mon supérieur, c'est sur vous que je m'acharnerais. " Mon problème, c'est que je suis hypersensible sur la question de l'intégrité. »

À son grade d'inspecteur général de police, il touche un peu moins de vingt mille roupies par mois, un salaire inférieur à celui d'une secrétaire de direction dans une multinationale.

« Ils pourraient t'augmenter, non ?

– Je l'ai été. L'an dernier je plafonnais à sept mille roupies.

– Sept mille roupies par mois ?

– En 1981, j'ai débuté à sept cent cinquante roupies (soit moins de soixante euros) en tant qu'inspecteur adjoint. »

Ritu qui vient d'une riche famille de Delhi fut atterrée de découvrir le logement dans lequel ils allaient vivre. Il n'y avait pas un meuble. Ajay ne boit pas, mais il apprécie la viande, saignante de préférence. Chez ses parents, il ne mangeait que ça à table. Quand il est entré dans la police, pendant un an il n'a pas eu les moyens d'en acheter. Il s'est rattrapé après avoir été muté en zone rurale : les bouchers locaux étant trop chers pour lui, il allait à la chasse au sanglier. Il a d'ailleurs accroché deux trophées aux murs de son appartement : une tête de tigre et une tête de cerf.

Il caresse le projet de partir à l'étranger suivre une formation sur le terrorisme. La police de Bombay n'a selon lui que des connaissances superficielles et éparses sur les liens internationaux existant entre les syndicats du crime et les groupes terroristes. De plus, même avec la meilleure volonté du monde, une force de police locale ne saurait à elle seule combattre l'hydre du terrorisme : quand on croit l'avoir décapité à Bombay, il lui pousse une nouvelle tête à Delhi ou à Dubaï. Les policiers n'ont toutefois que des contacts très limités avec leurs homologues étrangers, et Ajay qui souhaite se constituer un réseau de relations efficace envisage donc de quitter le pays un temps, en demandant un congé sans solde. Il a envie d'apprendre comment les autres démocraties luttent contre l'ennemi intérieur.

En 1999, on a découvert que le détournement d'un appareil d'Indian Airlines par des séparatistes kashmiris avait été organisé à partir de Bombay. Les faux passeports de certains des pirates avaient été fabriqués ici. Dans l'avion cloué au sol sur une piste de l'aéroport de Kandahar, en Afghanistan, les indépendantistes étaient régulièrement informés au téléphone par une partie de leur groupe, basé à Jogeshwari, et ils suivaient par le menu les commentaires de la presse indienne sur leur coup de force. Les images retransmises par les télévisions du monde entier témoignaient d'ailleurs de l'état de surexcitation des parents et amis des otages. Le gouvernement indien subit alors des pressions très fortes pour accéder à leurs revendications, et il finit effectivement par plier et par relâcher plusieurs moudjahidin – dont Sheikh Omar qui, trois ans plus tard, devait assassiner le journaliste Daniel Pearl. Les complices des pirates appréhendés par la suite étaient également en possession de listes de personnalités politiques hindoues qu'il s'agissait d'éliminer.

Ajay prévoit que tôt ou tard les organisations de combattants musulmans constituées en Afghanistan, en Tchétchénie et ailleurs s'allieront aux mafias criminelles qui sévissent à Bombay et en Russie. « Bombay est très important pour ces gens-là, explique-t-il. Pour frapper l'Inde économiquement, l'idéal est de paralyser Bombay. Ils veulent faire trembler la ville, y semer la terreur. » Il sait de source sûre que Dawood et son principal bras droit, Chotta Shakeel, ont rencontré Oussama ben Laden au mois d'août 1999 dans les environs de Kaboul, pour négocier une vente d'armes et envisager leur collaboration future. Kamal, le trésorier de la Compagnie-D pour la région de Bombay, m'a de fait déclaré que « la communauté musulmane ne prend pas Oussama ben Laden pour un terroriste mais pour un messie. Il ne pense pas qu'à lui. C'est la deuxième fortune d'Arabie Saoudite, une économie à lui tout seul. On l'admire parce qu'il a renoncé à son mode de vie luxueux pour vivre comme un va-nu-pieds. C'est pour ça que des tas de gens sont prêts à le suivre. »

Ajay est persuadé que de vastes réseaux étrangers surveillent les activités de la police, à l'affût de la moindre brèche pour s'introduire dans sa ville bien-aimée. Les bombes qui ont explosé le 12 mars 1993 ne contenaient qu'une quantité somme toute dérisoire d'hexogène (seize kilos), mais Ajay en a saisi au total près de deux tonnes et demie. Et il soupçonne qu'il pourrait y en avoir deux fois plus : « Nous sommes loin d'avoir récupéré la totalité des arrivages introduits dans le pays avant les attentats. Ces explosifs sont toujours cachés quelque part. »

À en croire un des tueurs de la Compagnie-D, le prochain soulèvement mettra le feu aux poudres : « Pas besoin d'un grand vent pour propager l'incendie d'un endroit à l'autre : au premier prétexte, à la première étincelle, tout va s'embraser. » Et, cette fois, les musulmans seront armés et prêts à se battre.

Il y a quelques années, un gradé de Delhi a appelé Ajay au téléphone : l'Afrique du Sud sollicitait l'aide de pays en développement pour réorganiser ses propres forces de police et Ajay, sur proposition de sa hiérarchie, se voyait offrir une mission de deux ans à Johannesburg, « la capitale mondiale de la drogue », ainsi qu'il la définit. Après y avoir réfléchi toute la nuit, Ajay décida d'accepter. Le matin, il en parla à deux anciens commissaires qui le tenaient en haute estime. Tous deux lui déconseillèrent fermement de partir en lui rappelant que son nom figurait en bonne place sur la liste noire de la pègre. « Les gangs t'envoient là-bas pour te descendre », lui dirent-ils. Ajay n'a pas saisi l'occasion, mais aujourd'hui il le regrette et considère qu'il a commis « une erreur tactique ».

Ritu, qui a fait ses études d'histoire à Oxford, aurait pu obtenir un poste de maître assistant à Cambridge, avec un traitement confortable. À la place, elle a choisi d'épouser Ajay et a donc dû abandonner sa carrière. Aujourd'hui, elle rêve d'émigrer aux États-Unis pour reprendre des études. Chaque fois qu'ils passent à proximité de l'aéroport, leur fils de dix ans se tourne vers Ajay : « Papa, pourquoi on ne prend pas cette route ? » Il sait que son père ne peut se détendre vraiment qu'à l'étranger. Dès que l'avion décolle et qu'il survole Bombay, la tension qui l'habite le lâche : « C'est comme si j'appuyais sur un bouton », dit Ajay.

« Il n'emmène jamais les enfants au zoo, soupire Mme Lal.

– J'y suis tous les jours, au zoo », réplique son mari.

À chacune de nos conversations, Ritu me rappelle qu'elle a sacrifié sa vie professionnelle à sa vie de couple. D'elle-même elle affirme qu'elle a pris la bonne décision en choisissant de se consacrer à ses deux enfants et à son époux. Être la femme d'Ajay l'expose pourtant à des pressions que peu de femmes supporteraient. « Après les attentats à la bombe, je recevais des coups de fil en pleine nuit, du genre : " On sait que tu as un fils qui va à Cathedral. " » Ses correspondants anonymes voulaient qu'Ajay lâche prise. Leurs fils, Rahul et Ravin, sont protégés vingt-quatre heures sur vingt-quatre par des gardes armés. Un jour, après les attentats, des voyous postés sous l'échangeur de Marine Drive, un endroit où les automobilistes sont obligés de ralentir, devaient jeter des grenades sur la voiture qui ramenait Rahul de l'école. Ajay l'apprit à temps, heureusement, et la voiture changea d'itinéraire.

Quand les enfants sont à l'école, des policiers en armes montent la garde devant la porte de leurs classes. L'aîné, Rahul, trouve cela particulièrement pénible. Ajay le comprend : « Il a l'impression d'être en liberté surveillée. Il ne peut pas aller jouer comme ses petits copains. » Rahul était en CE1 quand Ritu reçut un coup de téléphone l'informant qu'une bombe avait été déposée dans la classe de son fils. Complètement paniquée, elle essaya, en vain, de joindre Ajay. Quelques minutes plus tard, le policier affecté à la sécurité de Rahul confirma au téléphone la réalité de la menace en la prévenant que l'école venait d'être évacuée. Ritu dévala l'escalier, sauta dans sa voiture et fonça sur les lieux à une allure folle, malade à l'idée de ce que son fils était en train de vivre. Elle le trouva devant l'école, sain et sauf, et le ramena à la maison. Depuis, il a plusieurs fois été confronté à des situations similaires. Ajay m'a précisé que l'équipe des démineurs inspecte plus souvent qu'à son tour l'établissement où son fils est scolarisé.

Tout cela explique la colère que je l'ai vu manifester au cours des interrogatoires. « À partir du moment où ma famille vit sous tension, terrorisée, automatiquement je suis à cran. » En dehors de Shrikant Bapat qui était commissaire pendant les émeutes (et qui est cité dans le rapport de la commission

Srikrishna pour avoir complaisamment fermé les yeux sur les violences), Ajay est le seul officier de police de Mumbai à bénéficier de la protection des services de sécurité, compte tenu des menaces qui pèsent sur les siens. S'il n'a pas renoncé, c'est entre autres parce qu'il a une femme extraordinaire à son côté. « Ritu encaisse étonnamment bien, m'a-t-il confié. Elle a une force incroyable. Elle ne m'a jamais dit, n'y va pas. Jamais. » À présent, c'est lui qui émet le souhait de partir à l'étranger, deux ou trois ans, pour se soustraire à l'attention des gangs et baisser enfin la garde. « Loin des yeux, loin du cœur, en tout cas je l'espère », lâche-t-il avec un demi-sourire ironique.

Ritu et Ajay prennent congé, et après les avoir raccompagnés à la porte je vais regarder par la fenêtre de la cuisine. Une Ambassador blanche identifiée par le signal lumineux de la police s'arrête le long du trottoir. Ajay et Ritu s'engouffrent à l'intérieur pendant qu'autour plusieurs hommes s'agitent ; certains montent avec eux dans la voiture, les autres se dispersent. Derrière, une Jeep chargée de policiers armés de fusils déboîte et les deux véhicules s'éloignent en convoi dans la nuit silencieuse. Leurs chauffeurs se sont garés devant l'immeuble avant que mes invités soient arrivés au rez-de-chaussée. Sans doute y avait-il des vigiles, derrière la porte ou dans le hall d'entrée, qui depuis le début de la soirée attendaient que nous finissions de dîner. Nous n'avons jamais été aussi protégés – ou autant en danger.

Ce sont les Britanniques qui ont institué la police de Bombay. Du temps de l'empire, son chef le plus célèbre fut un Anglo-Indien, Charles Forjett. Non content de la moderniser, il instaura une double tradition : celle de la main de fer appliquée depuis sans discontinuer sur la ville, et celle aussi de la haine que lui avaient attirée des décisions prises à la demande de ses concitoyens. Forjett estimait que son premier devoir était « d'extirper le mal à la racine ». Il s'est peut-être réincarné en Ajay ; interrogé sur ses motivations, celui-ci me répond simplement qu'il est là pour « combattre le mal ».

En 1857, lors de la révolte des Cipayes contre les Anglais, le commissaire Forjett multiplia les déplacements incognito en ville afin d'arrêter séance tenante quiconque se félicitait de l'action des soldats rebelles. Il fit dresser un gibet dans la cour du bureau de la police, convoqua des personnalités ayant publiquement manifesté leur mécontentement et leur montra la potence. Il fit également enchaîner deux des mutins sur les canons du Maidan et, en présence d'une foule nombreuse, ordonna de mettre les canons à feu. Aux alentours du Maidan, l'air s'emplit d'une odeur de chair brûlée.

Les milieux d'affaires remirent en 1859 une somme de 1 300 livres à Forjett ; cinq ans plus tard, lorsqu'il prit sa retraite et repartit pour l'Angleterre, ils lui donnèrent à nouveau 1 500 livres, « en témoignage de [leur] profonde gratitude envers un homme dont les pouvoirs presque despotiques et le zèle énergique ont si bien étouffé les forces explosives de la société indigène qu'elles semblent matées pour toujours ». L'empire devait se montrer moins généreux. Forjett était un métis. L'auteur d'une histoire de la police de Bombay publiée longtemps après avance qu'il « s'estimait, paraît-il, offensé parce que le gouvernement ne lui avait pas décerné la moindre décoration. On peut assurément s'étonner qu'un fonctionnaire aussi admirable n'ait pas été distingué par le titre de chevalier ou admis dans un ordre émérite ». Sa retraite lui était versée en roupies. Suite à la baisse du taux de change, il demanda à être payé en livres mais cette requête resta lettre morte. Forjett mourut en Angleterre à l'âge de quatre-vingts ans, dans une maison du Buckinghamshire que, dans son amertume, il avait baptisé non pas du nom de l'un ou l'autre des gouverneurs britanniques qu'il avait servis, mais de sir Cowasji Jehangir, un notable parsi de Bombay. Un indigène.

Cent cinquante ans après la professionnalisation voulue par Forjett, la police de Mumbai est toujours tenue, à juste titre, pour la plus efficace de l'Inde, dotée des meilleurs inspecteurs. Ajay se souvient d'avoir un jour piloté une équipe de policiers new-yorkais dans les slums de Dharavi. « Ils n'en revenaient pas », dit-il. Il souligne combien il est difficile, dans une ville si densément peuplée, de ne pas se laisser déborder par les énormes flux migratoires et leur sillage de crimes. « Il faudrait vraiment une baguette magique pour arriver à tous les détecter. À ma connaissance, il n'y a pas une ville au monde qui ait une aussi vaste panoplie de crimes que la nôtre. » Ajay rêve aux installations fabuleuses mises à la disposition des flics américains. « Si c'est comme au cinéma, ils ont des gymnases, des douches... »

Il a eu des mots avec le rédacteur en chef du *Bombay Times* qui, en termes peu élogieux, avait comparé la police de Bombay à Scotland Yard. Ajay lui fit remarquer que s'il avait consulté les statistiques, il aurait pu vérifier que la police de Bombay arrivait à résoudre la quasi-totalité des enquêtes qu'on lui confiait. Pourquoi y avait-il tant d'affaires à traiter ? avait demandé le journaliste. Parce qu'il y avait un nombre incalculable de plaintes. Dans les fonctions qu'il occupe aujourd'hui, Ajay passe la majeure partie de son temps à recevoir chaque jour entre soixante et soixante-dix personnes qui sollicitent ses services pour les problèmes les plus divers, de l'extorsion aux incartades conjugales. « Quatre-vingts pour cent des gens viennent me voir pour me dire qu'il faut expulser Untel de leur appartement ou qu'Untel voudrait au contraire les expulser. Et si j'accède à la demande de celui qui veut se débarrasser d'un intrus, le type expulsé va crier sur les toits que les flics sont des vendus. » Les retombées de la loi sur les baux locatifs accaparent Ajay. Bien plus que la guerre des gangs, c'est cette loi qui bafoue le droit de ses enfants et de sa femme à voir plus souvent leur père et époux.

Il en est ainsi pour la simple et bonne raison que les effectifs de police sont très insuffisants pour cette ville à la croissance folle. En 1951, quatre ans après l'Indépendance, à l'époque où Bombay coulait des jours heureux, on comptait 4,3 policiers pour mille habitants. L'année de mon retour, en 1998, cette proportion avait presque diminué de moitié ; elle est actuellement de 2,6 pour mille. Il n'est donc pas surprenant que les forces de l'ordre croulent sous la charge. « Ici, précise Ajay, du commissaire au planton, pratiquement tout le monde travaille quatorze à quinze heures par jour. Un agent de police est de garde douze heures d'affilée, de huit à huit, mais il ne rentre souvent chez lui qu'à dix ou onze heures. Et il n'y a pas d'heures supplémentaires. » Les agents touchent un salaire mensuel de quatre mille roupies, moins que ce que je verse à mon chauffeur. Plus de dix mille d'entre eux attendent des logements de fonction, auxquels ils ne peuvent prétendre qu'au bout de dix ans d'ancienneté. Le parc de logements de la police ne peut accueillir que soixante pour cent des effectifs ; les quarante pour cent restants habitent dans les slums. « Alors le petit agent de base va trouver le bhaï du slum et il lui propose un marché : " En principe tu prends vingt-cinq mille pour louer un cabanon ; le mien tu me le laisses à vingt mille et je te paye avec des paiements différés ou des travaux. " Tu crois que ce type va sévir contre le truand qui tient le slum ? Il va plutôt se demander ce que la police fait pour lui, oui. » D'autant que l'agent qui se dévoue corps et âme à son métier n'a même pas l'espoir d'offrir une vie meilleure à ses enfants. Le règlement de la police de Bombay stipule qu'un agent peut au mieux viser le grade d'inspecteur adjoint. On comprend bien des choses lorsqu'on sait que le père de Dawood Ibrahim était simple agent dans la police de Bombay. Même si cet exemple reste un cas d'espèce, Ajay estime urgent d'augmenter la proportion de policiers musulmans : actuellement, ils représentent moins de cinq pour cent des effectifs.

Les armes et les laboratoires de la police de Bombay sont antédiluviens. Le gang de Dawood enrichit son arsenal dans les bazars qui fleurissent à la frontière pakistano-afghane. Il s'y procure des AK-47, des grenades à main, des fusils automatiques équipés de silencieux, alors qu'en ce début du xxiᵉ siècle, des sections entières de la police de Bombay n'ont toujours que des

fusils d'assaut datant de la Deuxième Guerre mondiale. « Quand
l'armée a été modernisée, la police a hérité de son vieux stock
d'armes, explique Ajay. Il y avait pénurie de revolvers et de pistolets. » Au début de sa carrière, lorsqu'il quittait le service Ajay
remettait son arme à l'officier qui le remplaçait. Face à un tueur
professionnel qui le braque avec son Mauser, l'agent de base
doit, dans l'ordre : détacher l'impressionnant mousquet qu'il
porte en bandoulière, introduire la cartouche, lever sa pétoire à
hauteur d'épaule, aligner la cible sur la mire et presser la détente.
Dans l'intervalle, le flingueur qu'il visait a eu le temps de mettre
les voiles pour Dubaï.

Même s'il arrive que les policiers soient aujourd'hui mieux
outillés, leur entraînement est loin d'être suffisant, ainsi qu'en
témoigne cette autre anecdote racontée par Ajay. À la fin des
années quatre-vingt, alors qu'il était en poste dans le nord-est de
Bombay, un de ses subalternes l'a appelé parce qu'il avait un
souci avec un éléphant devenu fou furieux. Ajay lui conseilla de
prévenir un vétérinaire. Peu de temps après, il reçut un autre
coup de fil : l'éléphant déchaîné déracinait tout ce qui lui tombait sous la trompe. Ajay, à contrecœur, partit constater les
dégâts. Quand il arriva sur les lieux, le vétérinaire avait endormi
le pachyderme et s'occupait de le charger sur un camion à l'aide
d'une grue. L'agent de police lui montra les dégradations cau-
sées par l'animal et lui confia d'un air contrit qu'il avait été
obligé de lui tirer dessus. Le vétérinaire fut donc averti que l'éléphant avait reçu une balle. En fin de soirée, il appela Ajay pour
lui dire qu'il n'avait pas trouvé trace du projectile. Ajay lui
demanda d'insister : « Je lui ai fait remarquer que ce genre de
bestiole a le cuir épais et que s'il le passait au peigne fin il finirait par récupérer la balle. » La nuit était bien avancée quand le
véto téléphona à nouveau pour confirmer que l'éléphant ne présentait pas la moindre éraflure.

Le lendemain matin, Ajay qui voulait en avoir le cœur net
retourna sur le site, accompagné du tireur d'élite. Il trouva la
balle encastrée dans la porte d'un dispensaire que l'animal

cachait à moitié au moment où l'agent avait fait feu. « Il l'avait tout simplement raté.

    – À quelle distance a-t-il tiré sur l'éléphant ?

    – Trois mètres, environ. »

À supposer qu'Ajay arrête un suspect et mette la main sur son arme, l'infrastructure dont dépend une condamnation éventuelle – des labos de la police scientifique aux dernières techniques de recueil des preuves en passant par le ministère public – est d'une effarante inconsistance. « C'est facile de parler des droits de l'homme quand on ne vit pas ici. À New York ou au Royaume-Uni, les aveux passés devant un officier de police sont recevables. Chez nous, ce n'est pas le cas. On nous refile les avocats de seconde zone, ceux qui ne sont pas assez bons pour avoir une clientèle privée. Les gangs s'offrent les meilleurs. » À l'ère de l'économie de marché, de la mondialisation et des multinationales, « la police reste une institution à but non lucratif : pourquoi irait-on investir de l'argent dedans ? ».

Elle coupe donc au plus court pour mener ses enquêtes. En 1997, le Maharashtra s'est classé au premier rang des États indiens pour le nombre de décès en garde à vue : deux cents au total, soit une augmentation de cinq cents pour cent par rapport à l'année précédente (trente cas signalés). En termes clairs, cela signifie que deux cents personnes ont été torturées à mort dans les locaux de la police ! Plus que dans bien des dictatures militaires de la planète. À en croire un rapport officiel sur les causes de cent cinquante-cinq des décès en garde à vue enregistrés dans le Maharashtra au cours des années quatre-vingt, quinze seulement seraient imputables à « l'action de la police ». Les autres sont consécutifs à des « chutes accidentelles ».

Dans cette partie du monde, la plupart des gens, riches ou pauvres, évitent soigneusement les alentours du poste de police. Le comptable d'un de mes amis lui a volé quarante-cinq lakhs et il est parti se réfugier dans le Sud, où il vit toujours. La plainte déposée par mon ami a conduit la police à arrêter la sœur du comptable. Elle n'était pour rien dans le vol, mais les flics l'ont

tout de même gardée vingt jours en détention provisoire dans
l'espoir de convaincre son frère de se livrer. Quand mon ami est
repassé au poste, l'officier qui suivait l'affaire lui a appris
qu'elle était « au trou » et l'a invité à « faire ce qu'il voulait avec
elle ». Afin d'assurer la sécurité de cette femme, mon ami a
envoyé un de ses employés monter la garde jour et nuit devant la
cellule, pour la protéger des représentants de la loi.

Récemment, mon oncle m'a sermonné parce que j'avais
envoyé Sunita chercher des formulaires au bureau des Renseignements généraux, responsable de l'enregistrement des
étrangers. « On n'envoie pas les femmes chez les flics ! » Effectivement, elle a passé un mauvais quart d'heure, là-bas. Les
inspecteurs ont échangé devant elle des remarques obscènes en
marathi, l'officier chargé du dossier lui a déclaré qu'il pouvait la
traduire devant un tribunal avec les enfants si tel était son bon
plaisir. J'aurais dû prononcer le nom d'Ajay, on m'aurait livré
les fameux formulaires à domicile, mais nous venions d'arriver
et nous respections encore les convenances apprises en Occident.
Nous prenons plus de libertés, maintenant que nous nous
sommes familiarisés avec le Pays du Non.

L'arrivée de ma sœur, venue nous voir de San Francisco avec
son fiancé, m'a fourni l'occasion de prendre la mesure du pouvoir d'Ajay. Nous étions dans son bureau quand je me suis levé
en annonçant que je devais aller les chercher. Il a aussitôt
appelé le chef des services de police de l'aéroport et m'a expliqué la marche à suivre. Arrivé à l'aéroport, je me suis présenté
au poste où l'officier de garde a relayé la consigne : « C'est Lal
Saab qui l'envoie. Vous vous tenez à sa disposition », a-t-il
ordonné à un policier en civil. M'ouvrant les espaces auxquels
le public n'a pas accès, mon guide m'a entraîné au pied de
l'escalator qui dessert la section des arrivées. Ma sœur en était
tout ébahie, et elle le fut plus encore quand nous avons remonté
ensemble la longue file des passagers – ô le bonheur d'échapper à cette attente interminable ! – pour passer la douane les
doigts dans le nez. Le douanier en chef m'a serré la main avant

de poser d'une petite voix la question de rigueur : « Rien à déclarer ? » Rien du tout ! Ma sœur et son fiancé ne transportaient pas d'article justifiant le paiement d'une taxe, mais le simple fait de savoir que nous aurions pu importer à volonté des ordinateurs, des munitions, de l'alcool ou même de l'héroïne nous donnait un sentiment de toute-puissance. Moi qui justement m'étais si souvent senti impuissant en arrivant dans cet aéroport, voilà que je m'y déplaçais en toute impunité avec mon escorte de policiers, franchissais des entrées interdites, toisais des hommes en armes. Les règles ordinaires ne valaient pas pour moi.

J'aurais pu m'y habituer.

Ces jours-ci, à neuf heures du matin, quand la sirène retentit la chaleur est déjà écrasante. Tous ceux qui le peuvent ont fui. Seuls les malchanceux – les étudiants recalés, les hommes d'affaires en mauvaise posture – doivent endurer l'été en ville, prendre les transports en commun, se risquer dans la fournaise des rues. L'été est plus torride chaque année. Le soleil se lève tard, mais son ardeur compense ce répit. Après un hiver passé à rassembler ses forces, il est chargé à bloc.

Un soir, vers sept heures, je passe voir Ajay à son bureau. Il couve quelque chose et a coupé la climatisation ; la pièce sent la sueur rance, elle grouille de moustiques assoiffés qui boivent goulûment mon sang. Il y a peu, Ajay a arrêté plusieurs membres d'un même gang employés dans une fabrique de chaussures de Dharavi où ils gagnaient entre huit cents et quinze cents roupies par mois. Les jeunes gens qui par millions travaillent dans les usines de la ville mènent une vie de misère. Ils s'échinent du matin au soir dans des locaux mal éclairés et surchauffés où il leur est impossible de se tenir le dos droit de crainte de se faire happer par les lames des ventilateurs fixés de guingois au toit de tôle. Venus du Bihar ou de l'Uttar Pradesh, ils travaillent tous les jours quatorze heures d'affilée, bouche cousue pendant que leurs mains s'affairent machinalement. Lorsqu'une commande urgente tombe, ils ne débauchent pas et restent à la tâche toute la nuit. La grande majorité des patrons les rémunèrent à la pièce : un portefeuille, par exemple, leur est payé entre quatorze et vingt-cinq roupies. Engagés dès l'âge de huit ans, ils ne gardent pas leur emploi au-delà de vingt ans car leurs gestes, alors, sont plus lents, et leur vue moins perçante. « Ils n'ont rien, pas de cercle d'amis, pas de projets d'avenir », m'a résumé le propriétaire d'un atelier. Pour oublier leurs malheurs, ils vont voir un film au Maratha Mandir le dimanche soir, ou, se mêlant à la foule qui encombre la plage de Juhu, ils s'émerveillent devant la mer, infiniment libre. Le soir, ils mangent à même un pot, assis sur les talons, puis s'allongent par terre à l'endroit où ils ont trimé quatorze heures durant dans cette salle sinistre. Les plus chanceux peuvent apercevoir un petit carré de ciel et une tour de standing qui, à un jet de pierre, leur barre l'horizon.

Ajay me décrit la manière dont les truands s'y prennent pour attirer ces jeunes gens. Quelqu'un de leur village qui est déjà affilié à un gang les emmène dans un bar à filles et, sous leurs yeux incrédules, jette des billets aux danseuses. Ils voient que ces dernières sont gentilles avec ce type, qu'elles le papouillent et acceptent de passer la nuit avec lui. « Pour ces petits péquenauds, n'importe quelle danseuse de bar vaut Madhuri Dixit [1] », commente Ajay. Alors, forcément, ils se demandent comment un type arrivé à Bombay six mois avant eux se débrouille pour s'en sortir aussi bien. Il est sapé comme un prince, il se trimballe en voiture... Le reste va comme sur des roulettes : on leur donne l'arme déjà chargée et on leur désigne la cible avec pour instructions de l'abattre et de se casser en courant. La grande majorité des tueurs ont entre dix-huit et vingt-cinq ans. « Au-delà, affirme Ajay, ils organisent les coups » — à condition de vivre assez longtemps. Ils ne ressemblent pas du tout aux personnages de

1. Née en 1967 à Bombay, Madhuri Dixit est une actrice indienne très populaire et appréciée. Elle a obtenu à plusieurs reprises le Filmfar Award de la meilleure actrice, une récompense équivalente à un oscar (N.d.T.).

cinéma qu'ils inspirent. « Un tueur doit avoir une apparence absolument quelconque pour se fondre dans la foule sans être repéré. En fin de compte, la légère pression exercée par l'index sur la détente n'exige pas une grande force physique. Tout ce qu'il faut, en réalité, c'est être capable de tuer un homme sans remords et ne pas flancher à la vue du sang. »

Le premier interrogatoire de la soirée est sur le point de débuter. Trois policiers en civil viennent d'introduire dans le bureau une silhouette à la tête encapuchonnée dans un linge. Le suspect, expliquent-ils à Ajay, tue pour le gang qui a commandité le meurtre d'un avocat des émeutiers hindous. Ils retirent la serviette qui le masquait et nous voyons apparaître un être malingre, si insignifiant qu'on passerait devant lui dans la rue sans même le remarquer. Il lève ses mains jointes devant sa figure, esquissant un namasté hésitant.

Ajay commence à l'entreprendre :

« On te l'a commandé quand, ce job ?

– À onze heures... Non avant. Oui, avant. Le bhaï m'a appelé tôt ce matin pour me brancher sur le coup.

– Parce que tu connais un bhaï qui est debout à onze heures, toi ? tonne Ajay pour montrer qu'il n'est pas dupe. Les bhaïs sont encore au lit, à onze heures ! »

Une fois le suspect et ses anges gardiens ressortis, Ajay me dit ne pas croire à la culpabilité du petit homme. Il pense plutôt qu'on l'a payé pour aller en prison à la place d'un autre, quelqu'un que le gang veut protéger. « D'ailleurs, ajoute-t-il en tendant le doigt vers la chaise placée à ma gauche, occupée un instant plus tôt par un des policiers, je soupçonne ce gros flic d'y être pour quelque chose. »

Je crois avoir mal entendu, tant je suis surpris qu'il accuse un officier placé sous ses ordres, mais il insiste : « C'est une taupe » – et déjà il envisage de l'interroger lui-même s'il n'a pas éclairci l'affaire avant le lendemain matin.

La nouvelle direction ne souhaite pas qu'Ajay reste à Bandra. Lui-même pense qu'en septembre elle l'aura muté ailleurs. Son supérieur immédiat va être remplacé d'ici peu et il ne sait pas s'il pourra faire confiance au nouveau. Lorsqu'il ignore si ses chefs ont vraiment les coudées franches par rapport aux gangs, Ajay est obligé d'opérer dans la plus grande discrétion. S'il leur donnait les noms des personnes sur qui il enquête, il suffirait qu'elles appartiennent au gang auquel ils sont eux-mêmes liés pour qu'ils les en informent. Ajay doit agir en cachette, non seulement des taupes qui infestent les commissariats, mais aussi des roués politiques qui ont autorité sur lui.

Depuis deux ans, et plus précisément depuis qu'il a été nommé à Bandra, Ajay a le sommeil perturbé. Il se tourne et se retourne dans son lit, repense aux différentes affaires qui l'occupent, essaie d'anticiper le prochain coup des gangsters. « Le matin, au réveil, je n'ai pas envie d'aller au bureau. Je me dis que je devrais aller voir un médecin, que je me tue au travail. » Les rares dimanches où il ne met pas les pieds au bureau, il est pris de panique à la tombée du jour parce qu'il a l'impression de ne plus contrôler ce qui se passe.

« Ton fils a besoin de toi », lui a rappelé sa femme hier matin. Ajay me tend un journal posé sur son bureau ; dedans, il a coché un entrefilet consacré à Rahul, capitaine de son équipe de hockey et auteur d'un but décisif lors du dernier match. Son fils n'a pas encore lu ces lignes. Sachant déjà qu'il rentrera trop tard pour le féliciter, Ajay appelle Ritu pour qu'elle s'en charge à sa place. « À l'heure où je pars le matin, il dort, et le soir je rentre tard et il dort. Je ne vois jamais mon fils. »

Une Maruti Omni banalisée vient de se garer devant le commissariat et des policiers en font sortir plusieurs hommes qui se cachent le visage. Peu après, un inspecteur entre dans le bureau d'Ajay avec Akbar, un rickshaw wallah d'Andhra soupçonné d'avoir tué plusieurs membres de la Compagnie-D. Akbar est sorti du système scolaire au terme de sa troisième année en primaire à l'école municipale d'Andhra. Son polo d'un blanc douteux s'orne d'un petit crocodile vert. Visiblement, il a l'esprit lent ; il se gratte la tête, dans une vaine tentative d'aviver sa mémoire. « C'était quoi, son nom déjà ? » – et ses doigts s'agitent mollement dans ses cheveux tandis qu'il répète « C'était quoi son nom à çui-là ? » Il ne cherche cependant pas à se dérober et se présente spontanément comme l'auteur des meurtres. Avant, il avait son propre rickshaw. Il l'a vendu parce qu'il avait besoin d'argent frais pour le mariage de sa sœur, à présent il doit en louer un. Les policiers le brutalisent pour la forme mais pourraient s'épargner cette peine. Akbar parle ouvertement de ses contrats. Sa première victime travaillait dans une auto-école. Son complice a tiré à deux reprises, lui une seule.

« Où est-ce que tu as appris à te servir d'une arme à feu ? demande Ajay.

– On m'en a donné une, on m'a montré où il fallait appuyer. Elle était déjà chargée. »

Il semble avoir surtout à cœur de protéger son frère qui a joué un petit rôle dans l'affaire en allant chercher une partie de l'argent promis par le gang sur le trajet de la gare à chez lui.

« Je vais traîner toute ta famille ici, lui promet Ajay. Tu as touché combien, au total ?

– Ce coup-ci, quinze cents roupies. » Ensuite, il a réglé son sort à un membre de la Compagnie-D, abattu de deux balles à un feu rouge alors qu'il essayait désespérément de se cacher à l'arrière de sa Jeep. « J'ai gagné trois mille cinq cents roupies net en tout.

– Qu'est-ce que tu as fait du fric ?

– Je l'ai dépensé pour ma femme et mes gosses. J'en ai deux, un de six ans et un petit de six mois.

– Tu as bousillé la vie de tes mômes ! s'emporte Ajay avant d'enchaîner avec une question que j'ai moi-même souvent posée à Bombay : Ça ne te fait rien de supprimer une vie comme ça ?

– Une fois la balle partie, je sais pas où elle va. Je descends le gars de très près » – et il nous montre, le bras tendu, qu'il tire en effet à bout portant. « Si je devais le viser de loin je pourrais pas.

– C'est un démon, intervient l'inspecteur. Il faudrait l'achever. »

Une fois l'homme emmené, Ajay me raconte que le gang auquel il appartient est derrière les plus grosses fusillades des quinze derniers jours. Il est affilié à la Compagnie Nana, et on a saisi chez ses hommes cinq des armes utilisées pour ces règlements de comptes, selon les conclusions du service balistique. « Quinze cents roupies », murmure Ajay. Le salaire versé à Akbar pour coller deux balles dans la peau d'un être vivant. Vingt-cinq euros. Pour le prix de ce contrat qui lui a permis d'améliorer l'ordinaire de sa femme et de ses enfants, il va passer au moins dix ans de sa vie de misère derrière les barreaux.

Je demande à Ajay jusqu'où peut descendre le coût d'une vie humaine, à Bombay. Après un instant de réflexion, il me raconte l'histoire du chiffonnier.

En 1995, on retrouva un jour des fragments de corps humain dans la décharge municipale de Deonar. Un de ses indics mit Ajay sur la piste de l'assassin, un gamin de seize ans qui récupérait des détritus sur la décharge où il s'était construit une cabane de bric et de broc. Interrogé, l'adolescent fit des aveux complets. Il avait été approché par le locataire d'un couple. Le mari qui travaillait de nuit sur les docks de Mazagaon avait des horaires peu raisonnables pour un homme marié et ce qui devait arriver arriva : sa femme et le locataire tombèrent dans les bras l'un de l'autre. Le mari devint vite une plaie. Devinant qu'il y avait anguille sous roche, il battait régulièrement sa femme. Jusqu'au jour où celle-ci lui fit avaler avec son repas une drogue qui le plongea dans le sommeil. Profitant de son inconscience, le locataire et le chiffonnier lui écrasèrent la tête à coups de pierre et transportèrent son corps à la décharge de Deonar. Le chiffonnier s'affaira ensuite pendant deux heures à découper le cadavre en petits morceaux qu'il éparpilla ensuite parmi les ordures. Quant à la veuve, elle alla au commissariat signaler la disparition de son époux.

Ajay avait voulu savoir combien le gamin avait touché pour tout ce travail – le meurtre sanglant, le transport de la dépouille, sa découpe sauvage, la quête d'endroits stratégiques où dissimuler la tête et les tronçons sanguinolents.

« Cinquante, répondit le petit chiffonnier.

– Cinquante mille ?

– Non, cinquante roupies. »

Cela se passait au mois de mai, juste avant la saison des pluies qui commence en juin. L'adolescent avait besoin de ces cinquante roupies pour s'acheter un sac de jute avec lequel colmater le toit de sa cabane pour qu'il ne pleuve pas trop dedans. Il a donc accepté de tuer un homme pour cette somme dérisoire, pas même le prix d'un café dans un hôtel correct de Bombay.

Après l'interrogatoire, j'invite Ajay à venir dîner à la maison. Là, l'inspecteur me confie qu'il aimerait que nous écrivions un livre ensemble. Il a confiance en moi, il est parfaitement au courant de mon projet. Quand des suspects se font maltraiter dans son bureau, il me voit gribouiller frénétiquement dans mon carnet, sur le canapé au fond de la pièce, compter les gifles, noter au mot près les menaces de mort. Ne craint-il pas d'avoir des ennuis quand mon travail sera publié ? La seule assurance que j'ai pu lui donner est de changer les noms des protagonistes. S'il me laisse assister à ces scènes, c'est peut-être parce qu'il a besoin d'un témoin, d'un scribe qui consigne la triste vérité à laquelle il a voué sa vie. Peut-être aussi, tout simplement, qu'il en a tant vu qu'il s'en fiche.

RENCONTRES

Un matin, juste avant de me réveiller, j'ai fait un rêve. Dans ce rêve, un document posé sur le bureau du commissaire suppléant attire mon regard. C'est un rapport qui me concerne. Ajay n'étant pas là, je m'en empare et découvre qu'ils sont au courant de tous mes faits et gestes, qu'ils ont mis mon téléphone sur écoute, tout cela sur ordre d'Ajay qui dirige cette opération de surveillance. Il projette de m'éliminer, l'équipe spéciale est déjà constituée. Je m'enfuis en courant, saute dans un rickshaw. Il faut que je quitte au plus vite Bombay avec toute ma famille. Ajay va revenir, il s'apercevra tout de suite de la disparition du rapport et il lancera ses hommes à mes trousses. Ils précipiteront la « rencontre ».

D'aspect parfaitement anodin, ce terme, « rencontre », évoque des circonstances fortuites, le hasard, l'imprévu. On l'utilise à Bombay dans un tout autre sens, pour désigner les exécutions sommaires décidées par les autorités en l'absence de procès. Après avoir interrogé le suspect, la police le conduit dans un lieu public et l'abat. C'est cela, la rencontre, car les flics expliquent ensuite à la presse qu'ils ont « rencontré » à l'improviste un truand recherché, qu'au lieu d'obéir aux sommations le dangereux individu leur a tiré dessus et qu'ils l'ont abattu en état de légitime défense. La chose est tellement fréquente que les truands ont abrégé le mot : ils parlent de « contre » et disent du défunt qu'il s'est fait « contrer ».

Naeem Husain tient la rubrique des faits divers dans un des plus grands quotidiens de Bombay. Il a rendez-vous avec l'inspecteur adjoint Vijay Salaskar, qui supervise l'organisation des rencontres au sein de la police de Bombay, et il m'a proposé de l'accompagner. Salaskar a son bureau dans une petite baraque au fond d'une arrière-cour du commissariat de Nagpada. Nous y arrivons avant lui ; il a été retenu au siège et sera là d'un instant à l'autre.

Un hurlement atroce me déchire les tympans. De l'autre côté du couloir, derrière une porte close, un homme pousse des cris de douleur.

« C'est un interrogatoire ? »

L'officier à qui j'ai posé la question acquiesce en silence avec un sourire entendu. Les autres ne bronchent pas, perdus dans la contemplation de leur tasse de thé ou de leur journal.

À la seconde où Salaskar franchit le seuil de son bureau, deux de ses adjoints font circuler à la ronde des boîtes de gâteaux et, sans même savoir ce qu'ils fêtent, je me retrouve en train de mordre dans un peda *. Salaskar vient d'être acquitté pour la rencontre qui fut fatale au bandit Sada Pawale. Ce dernier avait décidé de quitter Bombay en voiture avec sa sœur et ses frères, quand Salaskar et ses hommes les ont interceptés à un carrefour et les ont fait sortir du véhicule. Comprenant ce qui allait se passer, la jeune femme s'accrocha au cou de Sada en implorant les policiers de ne pas tirer. Après l'avoir écartée de force, ils abattirent le voyou sur place, devant ses frères et elle. Cinq des siens ont témoigné sur les circonstances de la rencontre. La police a riposté en plaçant un agent chez eux et en fixant un haut-parleur sur le téléphone, si bien que chaque sonnerie résonnait dans toute la maison. Ils ont menacé la sœur en lui demandant si elle avait aussi envie de perdre son frère cadet. La commission Aguiar, chargée d'enquêter sur les faits, a soutenu preuves à l'appui que Sada Pawale avait été assassiné de sang-froid, alors même que le tribunal venait d'innocenter Salaskar car tous les témoins à charge, y compris les frères de la victime, sa sœur et sa belle-sœur, étaient brusquement revenus sur leurs déclarations. Unanimes, ils affirmaient à présent n'avoir pas dit ce qu'on leur faisait dire, n'avoir pas vu ce qu'ils avaient vu...

Les gradés défilent dans le bureau de Salaskar pour lui serrer la main et le féliciter. L'un déclare en marathi que dès le lendemain matin « les rencontres vont reprendre de plus belle ». Salaskar accepte les compliments avec un sourire modeste. Ce spécialiste incontesté des basses œuvres de la police a d'ailleurs l'air étonnamment affable. À le voir, on le prendrait pour un cadre moyen marathe. Pourtant, il a presque décimé à lui seul le gang de Gawli en éliminant cinq de ses tireurs d'élite. Raison pour laquelle, m'a dit Husain, « on prétend qu'il est très proche de Shakeel ». Ce genre de rumeur circule à propos de tous les policiers de haut rang, Ajay compris. Les truands suivent attentivement leurs carrières. Untel a descendu plus d'hommes de la Compagnie-D, donc il est forcément à la solde de Chotta Rajan. Celui-là s'acharne contre les hommes de Gawli ? Il travaille pour le Sena, c'est sûr. Une fois cette réputation acquise, il est très difficile de s'en débarrasser. Le seul moyen de se laver des soupçons est de frapper dans les rangs du gang avec qui vous êtes censé faire affaire. Quand Husain lui demande s'il a des motifs particuliers de s'en prendre au gang de Gawli, Salaskar lui rappelle qu'il a aussi tué des hommes de Shakeel.

Sait-il à combien de rencontres il a directement participé ? Sourcils froncés, il réfléchit et finit par lâcher : « Des rencontres mortelles... vingt. » Interrogé sur le type d'arme qu'il utilise, il ouvre un placard, en sort une pochette en cuir noir, ouvre la fermeture Éclair et me remet l'objet : un revolver à barillet, crosse marron et canon d'acier, identifié par le logo Titan Tiger avec dessous l'indication du calibre, 38 millimètres, et le lieu de fabrication, Miami, Floride. L'effigie d'un dieu nordique barbu est gravée sur la crosse. On dirait un accessoire du cinéma hollywoodien des années cinquante. Les yeux baissés sur le canon, je pose à Salaskar ma sempiternelle question : est-ce qu'il lui arrive parfois de se sentir mal, après une rencontre, à l'idée d'avoir tué un être humain ?

« Ils ne sont pas humains, répond-il sans l'ombre d'une hésitation. Ce sont des animaux. Des déchets. »

Autrement dit, pour tuer un de ses semblables il suffit de lui refuser le statut d'humain, de le déclasser en le rangeant dans une catégorie inférieure.

Husain lui demande s'il ne court aucun danger, lors des rencontres. Aucun, affirme Salaskar. L'astuce consiste à descendre la cible « sans attendre la riposte ». Pour ce faire, ses hommes et lui s'en approchent au plus près. Il reconnaît d'ailleurs volontiers qu'il n'est pas un tireur d'élite, mais ce n'est pas gênant puisqu'il n'intervient jamais à plus de sept à huit mètres de distance.

À propos de la rencontre qui vient de lui valoir un acquittement, le juge Aguiar notait dans son rapport :

Il est très étonnant qu'alors que Sada Pawale avait sur lui une arme sophistiquée, en l'occurrence un AK-56 d'une portée de 300 mètres, capable de tirer 600 balles à la minute, ni l'inspecteur adjoint Salaskar ni aucun des policiers présents n'aient été blessés. [...] Les officiers de police sont vraiment bénis des dieux.

Jamais les gangs ne s'en prendraient aux forces de l'ordre, pas même à un agent, nous affirme Salaskar. « Ce que l'on voit dans *Satya* n'arrive qu'au cinéma », poursuit-il en se référant à un film policier dans lequel un commissaire est abattu par la pègre. Lui-même ne s'estime pas particulièrement menacé. « Je suis juste. Je sais où trouver les familles des criminels mais je ne m'attaque pas aux innocents. »

Répondant à une question de Husain, il nous dit avoir une petite fille de dix ans. Rêve-t-il qu'elle entre un jour dans la police ? Non, fait-il en secouant la tête.

Pendant cette conversation, le défilé des flatteurs venus lui serrer la main continue. Les hurlements dans la pièce d'à-côté aussi. En dehors de ces cris déchirants, on n'entend rien, pas un mot de la part des tortionnaires. Puis je saisis une série de coups mats, comme si on frappait une surface molle avec un battoir. Moi excepté, personne ne semble remarquer quoi que ce soit. Un inspecteur s'exclame que toute l'équipe présente pour la rencontre avec Pawale doit aller fêter le jugement. Salaskar est libre de reprendre ses activités. Son Titan Tiger fauchera bientôt une vingt et unième vie.

« Où est le cran de sûreté ? s'enquiert Husain en inspectant l'arme sous toutes les coutures.

– Il n'y a pas de cran de sûreté. »

En sortant, Husain me confiera avoir vu de ses yeux un policier abattre un homme qui l'implorait de lui laisser la vie sauve. « Ils appellent ça des rencontres mais ce sont des meurtres commis de sang-froid, oui. » Les flics qui l'avaient amené sur les lieux à l'avance lui avaient recommandé de rester tranquillement dans son coin et de ne surtout pas bouger : il aurait pu se prendre une balle. « Chutiapanthi * », peste-t-il : rien que des conneries.

Il me décrit la scène à laquelle il a assisté. À onze heures et demie du soir, six policiers sont arrivés dans deux taxis. Le type savait comment ça allait finir. Il les a suppliés en rampant : « J'ai des enfants, ne me tuez pas, s'il vous plaît. Je ferai tout ce que

vous voudrez, je vous servirai d'indic, tout ce que vous voulez. »
Pendant qu'il s'adressait ainsi à eux, les policiers se mirent à
tirer selon des angles différents et sans tous le viser, conformément aux consignes qu'ils avaient reçues. Le plan prévoyait que
la victime devait recevoir entre six et sept balles. Tout en actionnant leurs armes, ils l'injuriaient copieusement, mais Husain n'a
décelé ni regrets ni réprobation sur les visages qu'il observait.
Quand ce fut terminé, l'un d'eux s'approcha du cadavre avec un
revolver enveloppé d'un mouchoir, le plaça dans la main du
mort en positionnant l'index sur la détente et appuya dessus à
deux reprises. Les passants qui un peu plus tôt traînaient dans les
environs s'étaient égayés dans la nature en entendant les coups
de feu. Les policiers attendirent quarante-cinq minutes montre en
main, histoire de s'assurer qu'il n'y avait plus le moindre signe
de vie, après quoi ils emmenèrent le corps à l'hôpital. « Cette
nuit-là je n'ai pas réussi à dormir avant trois heures du matin
et je n'ai rien pu avaler pendant trois jours, me dit Husain. Je
venais de voir quelqu'un se traîner par terre pour avoir la vie
sauve, j'avais vu le sang gicler de sa tête. » Cette scène a porté
un rude coup à ses rapports avec la police. « Je hais les flics
et tout particulièrement ceux de Bombay. Il n'y a pas pire
qu'eux. » Husain est probablement le meilleur chroniqueur judiciaire de Bombay, il travaille pour un grand journal et pourtant
il n'a pas écrit une ligne sur cet incident. Maintenant qu'il
sait combien les articles de presse consacrés aux rencontres
sont loin de la réalité, il se compare à un vulgaire greffier.
« Nous sommes les munshis * de la police », reconnaît-il avec
amertume.

Les policiers, les journalistes, les magistrats entretiennent la
fiction de ces rencontres fortuites qui se concluent sur une mort
accidentelle. Ils connaissent tous le scénario par cœur – les
voyous ont tiré les premiers, les policiers étaient en légitime
défense – et ne se donnent pas la peine d'aller chercher plus loin,
de même que les spectateurs ne cherchent pas à comprendre la
logique aléatoire des films hindis. S'il faut en croire les articles

de presse consacrés aux rencontres, les dangereux criminels sont décidément de bien mauvais tireurs. Alors que les policiers, eux, font mouche à tous les coups.

Aux États-Unis, on parle de « mince rempart bleu » pour désigner les flics (en uniforme bleu) censés séparer la société – les hommes et les femmes ordinaires qui ont un travail et qui tous les soirs rentrent dormir chez eux pour repartir au bureau le lendemain matin – des méchants, des salauds qui, tapis dans une encoignure, matent les appartements bien éclairés des gens comme il faut. À Bombay, le mince rempart est de couleur kaki mais personne ne sait très bien ni qui il protège ni de quoi. Il est inégal et plein de brèches, épais et solide par endroits, si rongé et effrité à d'autres qu'il en devient inexistant. Or, *ils* sont constamment à l'affût de la moindre fissure, *ils* guettent la fente entre laquelle se glisser comme des loutres dans un trou d'eau, à la faveur de la nuit.

L'opinion s'accoutume à la violence, la tolère de mieux en mieux. En octobre 1998, la police de Mumbai a créé en son sein six équipes spéciales « ayant exclusivement pour tâche d'abattre des gangsters », ainsi que l'a expliqué Husain aux lecteurs de son journal. Avant la formation de ces équipes, en neuf mois dix personnes avaient trouvé la mort lors d'une rencontre avec la police. Dans les cinq mois qui ont suivi, cinquante-trois malfaiteurs périrent sous les balles des policiers au cours de quarante-trois rencontres. Salaskar dirigeait un de ces escadrons de la mort ; Ajay en commandait un autre. Leurs équipes avaient un rayon d'action illimité ; n'étant pas rattachées à une juridiction, elles pouvaient écumer la ville et choisir leurs cibles à leur convenance. Chacune de ces rencontres mortelles fut officiellement portée au crédit du commissariat le plus proche. Mais tout cela n'a jamais fait la une du quotidien dans lequel travaille Husain ; son reportage exclusif n'a pas été suivi d'autres articles, les lecteurs n'ont pas été indignés d'apprendre que les policiers se transformaient en justiciers.

Ceux qui vivent sous une chape de peur sont prêts à accorder des pouvoirs illimités aux représentants de l'autorité. « Qu'en est-il des droits fondamentaux des patrons innocents assassinés par des criminels ? » s'indigne un homme d'affaires lors d'une réunion publique à laquelle assistent en foule des commerçants et des fonctionnaires venus parler ensemble de la banalisation des pratiques d'extorsion. Quelques récalcitrants qui refusaient de payer ont été tués. Les discours prononcés à cette occasion composent un curieux mélange de soumission servile et de menace voilée. Les Bombayites comparent volontiers leur police à Scotland Yard. Combien de fois n'ai-je entendu, dans mon enfance, que nos services de police étaient « les meilleurs au monde après Scotland Yard » – probablement une formule qui résumait en les déformant les résultats d'une enquête conduite en Occident. Les hors-la-loi eux-mêmes reprennent cette phrase comme s'il s'agissait d'une vérité établie. Le peu recommandable Amol, que des policiers ont un jour attaché à deux pneus suspendus en l'air avant de le battre sauvagement, me le répète avec une fierté évidente : « Les flics de Bombay sont les meilleurs après Scotland Yard. » Les choses semblent d'ailleurs avoir encore progressé, puisque lors de ce meeting entre hommes d'affaires et représentants de la loi d'aucuns affirment que nos forces de l'ordre « surclassent les services de Scotland Yard ». Pourtant, les patrons grands et petits ne décolèrent pas. En représailles, ils menacent de ne plus verser à l'administration fiscale du Maharashtra les taxes sur les produits commercialisés.

Pendant ce temps, la population qui continue de vaquer à ses affaires se persuade de la réalité de la menace. Les gros titres des journaux et les fictions cinématographiques arrangent les gangsters autant que les flics : les premiers parce qu'ils y gagnent en envergure (ils vivent de la peur, après tout, ils en font leur miel) ; les seconds parce que l'opinion leur concède désormais le pouvoir suprême, le droit de vie et de mort en l'absence de procès. Je crois comprendre ce qui se passe : la ville s'évertue à s'imaginer plus violente encore qu'elle n'est.

Un soir, le commissaire suppléant s'est proposé de me raccompagner en voiture jusqu'à Nepean Sea Road. Je lui raconte l'entrevue avec Salaskar. Ajay traite d'« exterminateurs » les spécialistes de la rencontre que sont Salaskar ou Pradeep Sharma et Pradeep Sawant. « Les flics qui font bien leur boulot s'attachent à recueillir les indices et à les interpréter, ils s'obstinent à reconstituer l'ensemble du puzzle. Ces gens-là, dit-il à propos des spécialistes de la rencontre, ce sont des tueurs à gages. Ils reçoivent leurs ordres d'un chef de bande qui veut décimer le gang adverse. » Il a entendu dire que Gawli avait commandité l'exécution de certains de ses hommes, qu'il considérait comme des rivaux potentiels. À cet égard, chaque rencontre organisée par Salaskar ou Pradeep Sharma « s'achève sur un énorme point d'interrogation. Contrairement à ce qu'ils faisaient sans doute il y a quelques années, ils ne peuvent plus dégommer tous azimuts ».

Ajay a beau être à la tête d'une des six équipes spéciales, il n'a pas la réputation de ses collègues. Pour mener ses enquêtes, il exploite cependant non sans succès la peur qu'inspirent les noms de Salaskar, de Sharma et de Sawant. Tous les suspects que je l'ai vu interroger dans son bureau ont pu croire à un moment ou un autre qu'ils allaient être éliminés sans autre forme de procès. Ajay surveille ses hommes de près et tient le compte exact des coups mortels qu'ils tirent. Il leur refuse la liberté de tuer à discrétion. « Je l'ai dit à tous ceux qui sont sous mes ordres : pas de rencontre sans que le commissaire principal et moi-même en soyons informés. Tant que nous n'avons pas donné le feu vert, c'est non. Il y en a eu vingt-trois dans la juridiction depuis que je suis en fonctions. » En moins d'un an, donc.

Comment vit-il cette responsabilité ? Ces décisions qu'il est amené à prendre – supprimer un homme ou l'épargner – requièrent « du courage », répond-il. « Ça tient parfois à un fil. L'officier qui décide des rencontres doit avoir beaucoup de force morale. »

A-t-il lui-même déjà tué quelqu'un ?

« Pendant les émeutes, on a riposté, répond-il prudemment, en choisissant ses mots. Il y a eu quatre incidents de ce genre, et six tués. On vivait un soulèvement. J'étais commissaire adjoint à la circulation. Quand la situation est devenue incontrôlable à Mahim, mon supérieur m'a dit de ramener le calme là-bas. J'y suis allé. »

Cela étant, il y a aussi des raisons à la banalisation des rencontres : « Le système judiciaire penche tellement du côté de l'accusé qu'il n'en a pas peur le moins du monde. C'est très frustrant, pour la police. On arrête un meurtrier pris sur le fait, très bien, mais il ne sera pas jugé avant quatre ans. Entre-temps, les témoins vont se rétracter parce qu'ils recevront des menaces et on sait pertinemment que le type ressortira libre et recommencera. Il peut agir en toute impunité, avec l'aval du juge. » Ces propos confirment ce que j'ai moi-même pu vérifier : les tueurs avec qui je me suis entretenu, tous des assassins récidivistes, ont été inculpés et relâchés après un court séjour en prison. La seule chose qu'ils craignent vraiment, c'est la rencontre.

Chaque fois qu'Ajay remet un truand entre les mains de la justice, il sait que dans le meilleur des cas il a dix pour cent de chances d'obtenir sa condamnation. Le taux de condamnations pour des délits criminels qui, il y a une dizaine d'années, tournait autour de dix-huit à vingt-cinq pour cent, a chuté à quatre pour cent en 2000. Avant d'être jugée, qui plus est, l'affaire traînera en longueur des années, délai qui prolonge d'autant la détention « provisoire » – celle du moins des inculpés trop pauvres pour payer leur caution ou s'offrir un bon avocat. Soixante-treize pour cent des détenus du pays attendent, qui le verdict, qui leur procès ; un quart d'entre eux seulement purgent une peine de prison. Dans la seule ville de Bombay on instruit chaque année quarante mille nouveaux dossiers.

Le droit pénal indien mérite d'être revu de fond en comble, estime Ajay. Le système judiciaire actuel repose toujours sur un code pénal vieux de près d'un siècle et demi (il a été adopté en 1861), et le code de procédure criminelle est en usage depuis cinquante ans. Les installations auxquelles Ajay a accès ont grand besoin d'être modernisées, de même que le personnel. Son service dispose aujourd'hui d'un détecteur de mensonges, mais les policiers ne savent pas s'en servir ; il est équipé d'un système de reconnaissance vocale, mais devant un tribunal les résultats ne sont pas recevables en tant que preuves. Les procureurs du ministère public chargés de défendre les intérêts de la société se recrutent parmi les magistrats les moins brillants, ceux qui n'arrivent pas à décrocher un emploi dans le privé, alors qu'en face d'eux les défenseurs des voyous appartiennent à la fine fleur du barreau.

De fait, l'ensemble de la législation criminelle a besoin d'un sérieux lifting, ainsi que je le constate par moi-même un soir où je dîne avec un de mes cousins de Surat. Petit entrepreneur, il n'a pas l'air dans son assiette et je sais qu'il a des ennuis d'argent. La conversation porte sur mon livre ; je lui explique que je rencontre des truands. Après m'avoir attentivement écouté, il se jette à l'eau et sollicite mon aide. Il a remis à son associé une somme de neuf lakhs, pour partie en liquide et pour partie en actions, en le chargeant de la placer. Cet homme a confié le tout à un promoteur de Bombay qui l'a investi dans l'immobilier et refuse de le restituer. Cela dure depuis maintenant vingt et un mois, et mon cousin aimerait que je demande aux gangs d'intervenir pour qu'il rentre dans ses fonds.

« Pourquoi ne pas traduire le promoteur en justice ?

– Si je dépose plainte demain, les enfants de mon fils de quatre ans connaîtront peut-être le verdict. »

Désespéré, il n'ose pas mettre son père au courant mais il est au bord de la faillite. Ces neuf lakhs représentent un énorme manque à gagner, pour lui. Une nuit que ses soucis l'empêchaient de dormir, il a été tenté d'avaler un flacon de somnifères pour en finir une bonne fois pour toutes. Seule la vision de sa femme et de ses enfants paisiblement endormis l'a retenu d'aller au bout de son geste.

Je peux lui présenter quelqu'un, si c'est vraiment ce qu'il souhaite.

La proposition le fait réfléchir : « Il faut bien savoir à qui on s'adresse, me dit-il, car le promoteur a des contacts, lui aussi.

Les siens ne doivent surtout pas être plus puissants que les nôtres. Il nous faut l'équivalent de la Cour suprême. »

L'appareil judiciaire de son pays ne lui offrant absolument aucun recours pour rentrer en possession de ce qui lui appartient de droit, il s'en remet par force à la justice parallèle. Celle-là est rapide et fiable, mais la note est salée. « On fait tout ce que ne font pas les tribunaux », m'a confié Mama, un des gros bonnets de la Compagnie Nana. La santé insolente des gangs de Bombay s'explique avant tout par la faillite du système judiciaire. Les auteurs d'une enquête menée en 1998 sur l'état de la justice civile en Inde, et publiée par le très sérieux *New York University Journal of International Law and Politics*, reconnaissent que « les arriérés et les retards de traitement accablent de très nombreux systèmes judiciaires » de par le monde. Le problème « cependant, ne paraît nulle part aussi flagrant que dans l'Inde contemporaine ». À la fin du XXe siècle, les dossiers en souffrance dans les tribunaux indiens représentaient au bas mot vingt-cinq millions de cas, soit un procès en attente de jugement pour quarante habitants – hommes, femmes, enfants et eunuques compris.

Aux États-Unis, on compte cent sept juges en exercice pour un million de personnes. En Inde, la proportion est de treize pour un million. Quarante pour cent des postes de magistrats à la Haute Cour de Bombay ne sont pas pourvus, alors qu'un juge a en moyenne devant lui trois mille affaires en suspens. Les avocats qualifiés ne sont pas tentés d'entrer dans la magistrature où les salaires sont très inférieurs aux honoraires du privé. Par ailleurs, le dépôt de plainte ne s'assortissant d'aucun frais d'enregistrement, la grande majorité des poursuites se révèlent pour le moins futiles. Suspensions et ajournements sont monnaie courante. En 1996, les audiences consacrées à des demandes de pourvoi provisoire portaient sur des appels déposés en 1984. Le volume des plaintes traitées chaque année est moitié moindre que celui des plaintes enregistrées, ce qui signifie que, tous les ans, la Haute Cour de Bombay ajoute à la pile de ses dossiers en souffrance autant de cas qu'elle en résout.

Au rythme actuel, il faudra trois cent cinquante ans pour en venir à bout.

L'instruction d'un procès au civil dure en moyenne cinq ans. Dans bien des cas, le verdict définitif n'est pas rendu avant une bonne vingtaine d'années, voire plus : quantité d'affaires qui languissent dans les classeurs des tribunaux ont été portées devant la justice au début des années cinquante. Si ma famille avait déposé une plainte à l'époque où nous avons quitté Bombay pour New York, c'est donc seulement maintenant que le procès arriverait, peu ou prou, à sa conclusion. L'autre solution consiste à aller trouver Mama ou quelqu'un de son acabit. « Si un type te cherche des crosses, adresse-toi aux goondas : en dix jours ils auront réglé un problème qui serait resté à moisir dix ou vingt ans au tribunal. Nous, les goondas, on s'occupe de tout ce qui dépasse la police, la classe politique et les magistrats. Quand les gens en ont marre de la justice, quand ils ont tout perdu et qu'ils cherchent un moyen de s'en sortir, ils viennent nous voir et ils nous disent qu'il faut faire quelque chose. Des fois ils ne se rappellent même plus ce qu'ils avaient, et nous on le leur rend. »

Dans une soirée à Cuffe Parade, je discute avec une femme qui a maille à partir avec le propriétaire de son appartement. C'est une privilégiée, une femme cultivée qui voyage beaucoup à l'étranger. Le consultant qu'elle a engagé dans l'espoir de récupérer les sommes importantes que lui doit son propriétaire lui a récemment déclaré : « On va enlever sa fille. » Elle en est toute retournée. Cette solution expéditive lui pose un cas de conscience : « Même si j'avais le dos au mur, je ne suis pas sûre que je pourrais m'y résoudre. »

Pour survivre il faut enfreindre la loi. Je la bafoue plus souvent qu'à mon tour, sans même y penser, moi qui trouve dégoûtant de graisser les pattes, d'acheter un billet de cinéma au marché noir. Étant donné cependant que la voie légale s'apparente ici à un parcours d'obstacles grotesque – qu'il s'agisse d'obtenir un permis de conduire ou un billet de cinéma –, je coupe au plus court. Or, à partir du moment où la population d'un pays choisit collectivement de couper au plus court, un système frauduleux se met en place, avec ses règles que tout le monde connaît plus ou moins, ses tarifs et ses taux. L'économie « parallèle » colle à l'économie officielle ; elle est partout présente et pas si difficile à détecter. Qui en maîtrise les codes se simplifie considérablement la vie. Si vous avez un enfant en âge scolaire, mieux vaut connaître le montant du « don » que vous devrez verser pour l'inscrire à l'école. Si vous provoquez un accident de la route, mieux vaut également savoir combien les flics peuvent exiger pour étouffer l'affaire, et combien il faut donner au père du gosse que vous venez d'écraser pour ne pas vous faire lyncher par la foule. Si vous louez votre logement, mieux vaut savoir quelle somme le propriétaire est prêt à vous proposer pour que vous vidiez les lieux. L'économie parallèle se nourrit du dépérissement de la justice. Le système judiciaire indien, legs suprême de l'occupant britannique, tombe en loques tant il a été malmené par les gouvernements successifs qui se méfiaient de son pouvoir. C'est un juge de la Haute Cour d'Allahabad qui, en 1975, a annulé l'élection remportée par Indira Gandhi ; laquelle a réagi en invoquant la Constitution pour imposer l'état d'urgence. C'est également un juge qui a enfin eu le courage de dénoncer la main de Bal Thackeray derrière les émeutes de 1992. Seulement les politiciens sont puissants, eux aussi. Assez pour couper les vivres aux magistrats, ne pas pourvoir les postes qui se libèrent dans les cours de justice. L'économie parallèle a donc tout pour réussir, prospérer et engraisser, car les humains sont ainsi faits qu'ils ont besoin d'un système d'échange pour troquer leur force de travail contre des services et des biens matériels.

« C'est une ville parfaite pour le gengwar », observe Mama. À la manière d'une zone de basses pressions atmosphériques, la pègre infiltre tous les espaces abandonnés par la puissance publique : la justice, la protection des personnes, les transferts de capitaux. Les truands se considèrent comme des travailleurs à part entière : « Il y a les cols bleus, les cols blancs et nous, les cols noirs », expliquait Chotta Shakeel à un ami journaliste.

Ajay et moi avons une amie commune, la réalisatrice de cinéma Tanuja Chandra. Ajay vient de s'envoler pour l'Angleterre où il passe ses vacances quand elle m'appelle au téléphone. Son producteur, Mahesh Bhatt, un type en qui elle a toute confiance, a appris d'un policier haut placé que le Bureau central d'investigation avait mis la ligne d'Ajay sur écoute parce qu'on le soupçonne de toucher de l'argent de la mafia. Très troublée, Tanuja voudrait avoir mon sentiment. Ajay mène effectivement un train de vie sans commune mesure avec son salaire, qu'on pense à ses voyages à l'étranger, aux appareils qui équipent sa maison, à sa montre Guy Laroche. Mahesh me confie l'avoir trouvé très nerveux, ces derniers temps, mais il n'a pas envie d'en parler au téléphone. « Qui sait ce qui motive les gens ? » Le policier lui a dit un jour qu'au besoin il pouvait intervenir pour lui auprès des chefs de gang et les amener « à rendre service en échange d'une faveur ».

Dès que je revois Ajay j'aborde directement le sujet avec lui. « En dix-huit ans de carrière je n'ai jamais accepté un verre d'eau de qui que ce soit », déclare-t-il. Il a fait ses choix il y a longtemps, et il s'y tient. « À la longue, ça paye de garder les mains propres. » Son argent provient de vieux amis de fac qui, selon ses propres termes, « ont fait des placements judicieux pour son compte ». Seulement il n'a pas que des amis, au sein de la police. Des bruits courent sur son compte. « En dehors de Ritu, de ma mère et de ma sœur, je ne peux vraiment me fier à personne. » Ajay vient de sortir blanchi d'une enquête interne lancée contre lui il y a quatre ans, sur des allégations de corruption. Ritu a dû justifier toutes ses dépenses à la roupie près, expliquer d'où venait l'argent qui lui a servi à acheter sa machine à laver. Les charges qui pesaient contre Ajay ont toutes été levées.

Comme le commissaire Forjett cent ans avant lui, Ajay en a donc gros sur le cœur. Ce fils de bonne famille qui a choisi un métier auquel il se consacre corps et âme constate avec amertume qu'il n'a aucune récompense à attendre pour son sacrifice.

« Ce matin, en allant au bureau, j'ai vu un père qui apprenait à son gamin à jouer au foot sur les pelouses du parc Shivaji. J'étais très sportif, avant, mais je n'ai jamais eu le temps de jouer au foot ou au basket avec mon fils. Hier, il avait un match de foot à l'école. Tous les parents y ont assisté sauf moi. Je commence à penser que c'est très injuste, pour ma famille. »

Comment envisage-t-il l'avenir ? « Je connais le service par cœur. La hiérarchie m'utilisera jusqu'au bout. À part aller à l'étranger, je ne vois pas. Il n'y a pas de perspectives ici. »

Je l'ai aidé à préparer un C.V. que nous avons aussitôt confié au flux rapide de l'Internet. Très vite il a reçu une réponse de Bruce Hoffman, un des hauts responsables de la Rand Corporation, la plus haute autorité mondiale en matière de terrorisme. Hoffman l'invitait à venir participer à une session de recherche à Washington. Là-bas, il aurait travaillé avec des spécialistes triés sur le volet, et appris ainsi des tas de choses dont il aurait pu faire profiter ses collègues, à son retour. Le commissaire principal ne lui a jamais accordé le congé qu'il sollicitait. Il aurait fallu qu'il fasse viser cette autorisation par les services centraux et par le ministère des Affaires étrangères. Son supérieur se méfiait de Hoffman. « C'est comme ça que la CIA recrute ses agents, a-t-il affirmé à Ajay. Ils leur filent des missions d'étude à l'étranger. » Ajay s'est accroché, il a mis en avant le prestige de la Rand, mais le commissaire lui a opposé un autre argument : « Il m'a dit : "Le combat n'est pas terminé et tu voudrais déjà t'en aller ?" J'avais envie de rétorquer que cela faisait des années que je livrais ce combat. » Gardant néanmoins cette remarque pour lui, Ajay Lal est resté à Bombay où il va poursuivre la lutte incessante contre les nouvelles recrues du gengwar.

En 1999, le gouvernement du parti du Congrès arrivé au pouvoir au Maharashtra catapulte Ajay au poste de commissaire principal de la police des Chemins de fer. Le meilleur inspecteur de la ville emploie ses talents à traquer les voyageurs sans billet. Ajay trouve un peu fort que sa mutation n'ait pas déclenché

« une tempête de protestations » parmi ceux qu'il a protégés des années durant, dans sa juridiction, mais le commissaire principal des Chemins de fer prend néanmoins la vie du bon côté. À présent, il a le temps d'inviter Ritu au cinéma « et en matinée, s'il te plaît ! ». Dans ses nouvelles fonctions, il découvre le petit monde des pickpockets, des voleurs qui droguent les voyageurs pour les plumer, des forçats du vol à l'arraché. À son arrivée, il a demandé qu'on lui communique les dossiers des cinq dernières années et les a épluchés. Il a très vite remarqué que la grande majorité des vols se commettaient dans l'express Santacruz-Khar, et en étudiant les horaires il a compris qu'il fallait surveiller les gares assurant une correspondance entre le rapide et des rames à desserte locale : après avoir dépouillé leurs victimes, les malfaiteurs changeaient tout bonnement de train. Il a donc posté des équipes en plusieurs points stratégiques et a très vite réussi à démanteler un réseau de voleurs. Il y a plus palpitant, comme travail, mais pour la première fois depuis longtemps Ajay peut goûter à la vie de famille. Rahul est ravi. Maintenant son père assiste à ses matchs de foot, le dimanche.

Ajay me demande si je connais l'emploi du temps de Vinod Chopra ; un de ses anciens collègues de la brigade criminelle lui a annoncé sa visite et il aimerait assister à un tournage. Le jour où ils doivent se voir, Vinod tourne justement une scène de *Mission Kashmir* dans laquelle un officier de police essaie de soutirer des renseignements aux indépendantistes qu'il a arrêtés.

« Ça pourrait être intéressant pour ton ami d'assister à cette séquence d'interrogatoire.

— Qui joue le rôle du flic, Sanjay Dutt ? »

D'abord interloqué, je me mets à rire, car la situation ne manque pas de sel, en effet : Ajay a lui-même envoyé Dutt un an et demi derrière les barreaux pour sa participation aux attentats de 1993. « Il serait sans doute mieux placé pour diriger le jeu de l'acteur à qui on arrache des aveux », observe Ajay.

Sanjay me confiera plus tard être resté très proche d'un certain nombre de gens arrêtés comme lui après les attentats. L'un d'eux, Salim Durrani, se faisait appeler le Nabab de Tonk; cet homme « cultivé », insiste Sanjay, lui a clandestinement adressé un pamphlet de sa composition intitulé « Voix », qui détaille les tortures que la police aurait infligées à ceux qu'elle accusait d'avoir participé aux attentats. « Par exemple, me dit Sanjay, ils ont forcé une femme à sucer son beau-père. Après il s'est suicidé. »

Le texte du Nabab a été transmis à l'ONU et à la presse afin d'alerter le monde sur le mépris dans lequel on tient les droits de l'homme, à Bombay. J'ai longtemps essayé de me le procurer, jusqu'au jour où, lors d'un bref déplacement aux États-Unis, j'ai pu l'obtenir d'un ami juriste qui milite dans une association de défense des droits de l'homme. « VOIX – nouvelles des cachots draconiens », annonce la première page de cette liasse de feuillets mal dactylographiés que j'ai lus, épouvanté, dans une ferme paisible du New Hampshire, au milieu d'une symphonie de couleurs d'automne. Plusieurs des interrogatoires ici relatés ont été menés par Ajay ou en sa présence. À en croire l'auteur de ces pages, les suspects, et avec eux leurs épouses, leurs mères, leurs enfants en bas âge, ont été systématiquement torturés. Il s'attarde avec un goût morbide sur les sévices sexuels infligés aux femmes. « Une jolie fille mariée depuis peu, instruite et cultivée, a été dépouillée de ses vêtements et allongée nue sur un bloc de glace où des policiers ivres l'ont violée à tour de rôle. Ensuite ils l'ont brûlée avec des cigarettes. » Cela, encore : « Sous la contrainte, Najma a dû peloter le pénis de son père et manger ses excréments. [...] Nu comme un ver, le jeune Manzoor Ahmed a dû mettre son pénis dans la bouche de Zaibunnisa Kazi, une femme de la génération de sa mère. [...] Des gendres ont été obligés de déshabiller leurs belles-mères. » Maints passages semblent droit tirés d'un roman d'épouvante à deux sous : « De l'urine et des fèces étaient mélangées à la nourriture, quant aux crachats visant la bouche, en particulier les crachats de lépreux à la solde de la police, ils servaient à amuser la galerie et les policiers ne boudaient pas leur plaisir. Devant tant de sauvagerie sadique, Satan lui-même aurait frémi au tréfonds de son être. »

« Voix » contient une part de vérité ; toute la difficulté consiste à démêler le vrai du faux. Dans ses grandes lignes, l'histoire de Rakesh Khurana est effectivement authentique. Propriétaire d'un restaurant et d'une laverie à Bandra, Khurana avait des rapports épisodiques avec un passeur de drogue du nom de Piloo Khan. Peu après les attentats, il dînait un soir en famille quand des policiers l'ont prié de les suivre au poste parce qu'ils avaient des questions à lui poser. Il leur a promis de passer plus tard et ils n'ont pas insisté. Il s'est ensuite conduit très étrangement. Sitôt ressorti du commissariat, il a entraîné sa femme et leurs deux enfants, une fille et un garçon, au fond d'une impasse de Juhu. Tandis que sa femme tentait de protéger les deux petits en les serrant dans ses bras, Khurana les a abattus tous les trois avant de se donner la mort. Qu'est-ce que les policiers avaient bien pu lui dire pour qu'il en vienne à cette extrémité ? La part d'ombre entre la réalité et les on-dit permet toutes les supputations. À lire « Voix », Khurana aurait décidé de tuer les siens après avoir vu un dénommé Maneckshaw, de service au poste ce soir-là, brutaliser devant lui la femme d'un présumé poseur de bombe. « Si d'ici demain tu ne m'indiques pas où se trouve Piloo Khan, je vais convoquer ta femme et j'ordonnerai à mes agents de la violer », lui aurait textuellement déclaré Maneckshaw.

Certains faits cités dans ce document ont été vérifiés. En mars 2000, le Comité national des droits de l'homme a ainsi astreint le gouvernement du Maharashtra à verser cinq lakhs à la famille d'Iqbal Haspatel, en dédommagement du traitement inique qui lui avait été appliqué en avril 1993. Haspatel était un tisserand d'une soixantaine d'années qui vivait à Alibag, dans les environs de Bombay, avec sa famille élargie. Une partie des armes et des explosifs utilisés pour les attentats avait été débarquée sur les plages d'Alibag et la police du canton était sur les dents. L'équipe chargée de perquisitionner la maison d'Haspatel saisit un cylindre suspect rangé dans une valise. Persuadés qu'il s'agissait d'une roquette, les policiers arrêtèrent sur-le-champ tous les membres de la famille et les promenèrent autour de la mosquée en demandant aux musulmans pourquoi ils avaient « nourri des serpents pareils ». Au poste, ils obligèrent Haspatel, son fils et son cousin à se déshabiller devant les femmes de la famille, et pour empêcher ces dernières de se couvrir les yeux ils les frappèrent sur les bras avec leurs matraques. Haspatel qui tentait de dissimuler son sexe derrière ses mains reçut dans le dos un violent coup de pied qui le fit tomber la tête la première sur le coin d'une table. Les policiers s'acharnèrent sur les femmes à coups de pied et de ceinture en cuir. Ils s'en prirent ensuite au fils d'Haspatel, un garçon de vingt-cinq ans, lui lièrent les bras et les jambes et l'attachèrent ainsi saucissonné à une corde tendue entre deux bureaux avant de s'amuser à lui taper dedans comme dans un ballon de foot, si fort que le corps du malheureux pivotait autour de la corde. Devant ce spectacle, Haspatel priait Dieu de lui prendre son fils. Le jeune homme faillit bien y passer ; laissé dans un état semi-comateux dont il n'émergeait que rarement, il fut saisi de convulsions au bout du sixième jour. Tous les membres de cette famille furent mainte-nus deux semaines en détention arbitraire.

Un de leurs proches parents fut assez courageux pour indiquer aux policiers leur méprise. Sur ses instances, ils l'accompa-gnèrent dans une filature où un ingénieur leur montra plusieurs cylindres en tout point semblables à la fameuse « roquette » – en réalité des pièces de métiers à tisser. Libérés, Haspatel et les siens retrouvèrent leur logis dévasté : la police avait détruit tous les meubles et volé ce qu'elle pouvait emporter. Ils portèrent plainte, bien sûr, et il y eut une enquête, mais malgré toutes les preuves accumulées aucun de leurs tortionnaires n'a été inquiété. L'une de ces brutes incapables de distinguer une roquette d'une pièce de métier à tisser fut même mutée dans les services secrets.

À mon retour en Inde, j'ai une conversation avec Ajay sur les faits rapportés dans « Voix ». Il me soutient que l'auteur a presque tout inventé, souligne les contradictions et les inco-hérences du texte. À la suite de son enquête sur les attentats, quarante-sept requêtes faisant état de tortures furent présentées en justice par des suspects qu'il avait interrogés. Elles ont toutes été rejetées.

Qu'est-ce que je fabrique avec ce type ? Il est brutal avec les suspects qu'il interroge, je l'ai constaté de mes yeux, et pourtant j'y pense presque comme à un ami. Il me semble qu'il était sincère quand, avant mon départ pour les États-Unis, il m'a brusquement déclaré : « Tu vas nous manquer, Suketu. On s'était habitués à toi. »

Pousse-t-il jusqu'à la torture ses méthodes musclées ? J'aimerais bien le savoir... Cela me rassurerait de penser qu'il s'acharne uniquement contre les criminels avérés, se contente de leur administrer des coups de ceinturon ou de charger ses hommes de leur appliquer la gégène ; qu'en les maltraitant ainsi il n'a pas pour dessein de les marquer à jamais, simplement de leur arracher, en l'absence de système judiciaire efficace, des renseignements indispensables pour sauver des vies, contrarier des projets d'attentat dirigés contre des innocents n'ayant aucun lien avec le gengwar. Il est évident qu'Ajay ne prend pas plaisir à torturer. Jamais je ne l'ai vu frapper quelqu'un ; cette partie-là du travail, il la laisse à ses subordonnés. Il n'appartient pas non plus à un parti politique, à un gang, à une religion ; jamais je n'ai entendu le mot Dieu, dans sa bouche.

Javed Anand, un fervent partisan des droits de l'homme, estime qu'Ajay a poursuivi les malfrats du Shiv Sena avec une audace rare pour un policier. Et le journaliste Jyoti Punwani m'affirme que la déposition d'Ajay devant la commission Srikrishna, constituée pour enquêter sur les émeutes, avait une autre tenue que les grossiers mensonges débités par ses collègues. Même Sanjay Dutt le respecte, et parmi la population de son district il passe pour un héros. Ils ne sont pas nombreux, les flics qui comme lui défendent les citoyens ordinaires sans contrepartie financière, qui n'exigent pas de dessous-de-table pour simplement faire leur travail. Les habitants de Bandra pressurés par les parrains des slums et les promoteurs ne cachent pas aux journalistes tout le bien qu'ils pensent de lui.

Selon l'échelle de valeurs très mobile de la police de Bombay, Ajay est un bon flic : il n'élimine pas les gens en bloc, et s'il déteste les « exterminateurs » comme Salaskar, Sharma et Sawant, ce n'est pas parce que les exécutions sommaires bafouent les droits de l'homme mais parce que c'est un sale boulot, indigne d'un policier. « Ce n'est pas rien de supprimer une vie, dit-il en parlant des spécialistes de la rencontre. Cela demande un profil psychologique particulier. » Quel type de profil psychologique faut-il avoir pour envoyer des décharges électriques dans les parties génitales d'un type incapable de se défendre ? Ajay est convaincu de lutter contre les forces du mal. Il se voit en protecteur des faibles, ce qui le rapproche des militants du Shiv Sena qui, lors des émeutes, étendaient leur protection à l'ensemble de la communauté hindoue. Comme eux, il peut se transformer en méchant pour combattre le mal et assurer la défense des braves gens – les médecins, les commerçants, les enseignants à qui la voix de leur conscience interdit de rendre coup pour coup. Quand les exigences d'un truand de Karachi leur font craindre pour la sécurité de leurs femmes et de leurs enfants, les braves gens s'adressent à Ajay et lui laissent carte blanche. Peu leur importe qu'il s'en prenne à son tour aux femmes et aux enfants des gangsters.

Ajay reconnaît avoir été ébranlé par les menaces réitérées de tuer sa femme ou de plastiquer l'école de son fils. « J'ai plusieurs fois pensé démissionner, mais le service assure ma protection. Si je pars ailleurs, qui me protégera ? » Ses enfants iraient à l'école sans escorte, il n'y aurait plus de policiers armés devant sa porte. « Ma situation est inextricable. Je ne sais plus où j'en suis. J'aimerais partir et je ne peux pas. » Tant qu'il habitera à Bombay, il ne pourra pas quitter la police. Même si on lui fait un pont d'or, même s'il est définitivement écœuré. Le travail exemplaire qui lui a valu la médaille épinglée à son uniforme l'empêche de remiser cet uniforme et de redevenir un simple civil.

L'an dernier, un gros industriel lui a pourtant offert une porte de sortie en lui proposant de prendre la direction de son service de sécurité. Le salaire mensuel de trois lakhs allait avec un appartement à Bandra, une voiture de fonction, le remboursement de ses factures de téléphone, un voyage par an à l'étranger pour toute la famille en classe affaires, la prise en charge des frais de scolarité des enfants – tout cela pour qu'il abandonne la police et entre dans le comité de direction de l'entreprise. Il a appris par un ami commun que l'industriel était d'ailleurs prêt à le payer jusqu'à cinq lakhs par mois, vingt-cinq fois plus que ce qu'il gagne aujourd'hui. Il a refusé. Pourquoi ? « Pour le moment, ils veulent bien m'attendre. Je les ai fait patienter une demi-heure, là-bas. Si je travaillais pour eux, c'est moi qui devrais attendre trois heures. » Ajay ne se voit pas dans la peau d'un Gurkha *. De toute façon, avec son salaire actuel et les dividendes qu'il perçoit grâce aux investissements judicieux de ses amis, il s'estime heureux de son sort. « On ne vit pas si mal. On a tout ce qu'il nous faut, alors je ne vois pas ce que ça changerait. La voiture, l'appart et tous les défraiements, franchement je peux m'en passer.

– Tu voudrais que Rahul entre dans la police plus tard ?

– Non. Ça, jamais. » Il rêve que son fils fasse des études de gestion ou de médecine, devienne fonctionnaire ou diplomate mais en aucun cas policier. « Il y a un prix à payer et je sais ce que ça m'a coûté. Si c'était à refaire, affirme l'homme décoré de la médaille du mérite pour sa rigueur et sa droiture, je me serais fait porter pâle le jour où j'ai écopé des investigations sur les attentats à la bombe. »

Dans ce cas, pourquoi ne pas tourner la page, changer d'activité ? Il pourrait monter sa propre boîte, non ?

Alors, Ajay consent à l'admettre. Après tous les raisonnements qu'il m'a tenus sur son envie d'aller étudier à l'étranger, sa lassitude de vivre en permanence sous la menace, son désir de remplir ses devoirs de père, en définitive il s'incline devant son destin et me livre l'inévitable mot de la fin : « Puisque tu tiens à ce que je te le dise, je crois que c'est tout ce que je sais faire. Je ne suis pas capable d'être autre chose que flic. »

Les cols noirs

L'abattage durera trois jours. Des milliers de chèvres et autres bêtes à cornes ont été convoyées à Madanpura, dans le centre de Bombay, pour la fête de Bakri *. Girish y a été convié par un vieil ami, Ishaq, qui vient de s'installer à son compte et traite avec lui de temps en temps. Il m'emmène là-bas en taxi. À l'approche de Madanpura, le paysage urbain devient de plus en plus bigarré, kaléidoscopique. Une enseigne plantée à l'entrée de l'autopont menant au centre-ville signale l'existence du « Dr Ganjawala, anesthésiste ». Dans la rue principale de Madanpura, un rebouteux exerce à côté d'un hôtel qui jouxte une pharmacie accolée à une mini-rôtisserie de kebabs grillés sur la braise, à côté de laquelle Ishaq vient d'ouvrir une minuscule boutique où les clients affluent pour passer des coups de fil longue distance. Le quartier regorge de petits ateliers spécialisés dans la fabrication de lampes à souder, de boucles de ceinture, de pièces de métiers à tisser, de milliers de petits rouages vitaux qui concourent à faire tourner la machine économique de la ville. Les slums biharis qui débordent jusque sur les trottoirs menacent d'obstruer la circulation. Des mosquées de diverses obédiences s'alignent à touche-touche dans les ruelles. Tout le monde ici connaît les frontières qui séparent les hindous des musulmans. Avant 1993, il y avait des hindous dans les quartiers musulmans, et vice versa. Après les violences, les membres de la communauté minoritaire ici ou là ont vendu leurs logements et sont partis ailleurs. La ségrégation est presque totale. « Le mini-Pakistan » : ainsi surnomme-t-on Madanpura, à Bombay.

Le beau Shahbuddin, un médecin d'une vingtaine d'années, m'explique dans le bureau sommaire mais climatisé de son cousin Ishaq ce que commémore l'Id-ul-Adha : « Quand Allah mia a demandé à Ibrahim de lui sacrifier son fils, Ibrahim l'a emmené dans la montagne. Il a fermé les yeux, il a levé son couteau, et à l'instant où il allait abattre son bras il a vu qu'un bouc avait pris la place de son fils. Cette fête vient nous rappeler que Dieu exige que nous lui sacrifiions ce qui nous est cher. »

Nous sortons dans la rue.

Des gens traînent un jeune taureau sur un espace dégagé devant les usines. L'animal appartient à un fabricant de tuyaux qui cette année veut rendre grâce à Dieu car il a bien failli être victime d'un gang de racketteurs. Après lui avoir téléphoné, ils étaient passés à son usine et, ne l'y trouvant pas, avaient prévenu ses ouvriers qu'ils le tueraient s'il ne leur versait pas deux lakhs. Le fabricant de tuyaux sollicita l'aide d'Ishaq, venu lui prêter main-forte avec une petite équipe d'hommes armés de barres de fer. Les truands n'osèrent pas se montrer et le fabricant de tuyaux investit vingt mille roupies dans l'achat de ce taureau qu'il veut offrir publiquement à Dieu.

On appelle les enfants à grands cris. « Il ne faut pas qu'ils ratent ça », me dit le Dr Shahbuddin. L'animal est à terre, on lui renverse la tête en arrière, on lui lie les pattes. À un moment, j'entraperçois un bébé de quelques mois couché sur son flanc, puis les bras qui l'ont posé là le reprennent. L'imam s'adresse à la foule pour savoir qui offre le sacrifice ; on lui tend un bout de papier. Il lit à voix haute les sept noms inscrits dessus et récite une prière. Quand il a fini, un homme qui n'est sûrement pas boucher de profession entreprend d'égorger la bête. Perché en haut de l'échelle de meunier qui mène au bureau d'Ishaq, j'ai un point de vue imprenable sur les plaies béantes de l'encolure, le sang qui bouillonne, la folle trémulation des artères qui subitement deviennent blanches. Des mouvements involontaires secouent la carcasse; la tête roule sur le côté, les pattes tressaillent. « La viande tremblera encore sur la table », lance un spectateur à la cantonade. Les contractions réflexes peuvent en effet se prolonger plus d'une heure, le temps d'apprêter les morceaux et de les disposer dans des plats avant de les mettre à cuire. Parfois, des spasmes agitent encore les parties charnues sur la planche à découper.

La grand-rue derrière l'usine est maculée de traînées sanglantes. Sur l'aire du sacrifice, un autre taureau se débat au milieu d'un groupe d'hommes. Ils lui ont passé une corde à travers les naseaux et tentent de le renverser. Accroupis, ils l'entravent en lui liant les quatre pattes, puis se redressent pour le pousser à terre. L'animal tombe, parvient Dieu sait comment à se remettre debout, chancelle, s'écroule. Un des gaillards lui maintient les mâchoires fermées. Le sacrificateur lève son glaive, une lame affûtée qui mesure bien trente centimètres, devant les spectateurs massés autour, le plus près possible. C'est le premier jour et la fête commence à peine. Il y a beaucoup de très jeunes enfants dans la foule. Le taureau tente de résister, un gargouillement terrible monte des profondeurs de son être, mais trop tard : un mouvement preste de la lame vient de lui trancher une veine. Le sang s'échappe de la plaie à gros bouillons tandis que les aides tirent qui sur la tête, qui sur le corps; le sanglant geyser jailli du cou ouvert éclabousse les vêtements des immolateurs. Le sang frais n'a pas l'air vrai, on dirait de la peinture; bientôt il prendra sa couleur habituelle d'un beau rouge profond mais au moment où il s'épanche il est d'un rose vif lumineux. On déverse un seau d'eau sur la gorge béante afin d'empêcher la coagulation. La tête et le corps se débattent séparément et pendant un moment personne n'intervient : tous attendent la fin de l'épanchement. Alors, le dépeçage commence. Une poche éventrée à l'intérieur du ventre libère d'énormes glaviots de bouse au milieu d'un amas d'entrailles sanguinolentes. Tout près gît une autre carcasse écorchée d'où fuse soudain un jet de liquide jaune ; il y a un quart d'heure que la bête a été décapitée mais le cou pisse toujours le sang.

Au fur et à mesure que les couteaux s'attaquent aux strates successives du cuir, de la peau, de la chair, les dépouilles animales révèlent des trésors reconnaissables à leurs teintes vives : brun-rouge du foie ; élégantes rayures rouges et blanches de la cage thoracique ; nuances fauves, blanc, noir du pelage ; cristal des yeux ; blanc crème des tripes déroulées. Sous mes yeux se déploient les merveilleux agencements internes et externes de ces corps de bovins, la corne d'abondance des viscères aux volutes compliquées, les organes parfaitement différenciés, admirablement adaptés à leurs fonctions. Tout cela qui l'instant d'avant œuvrait de concert est désormais soustrait au joug du cerveau, et les différents morceaux qui se tordent, saignent, se gonflent ou durcissent s'activent séparément. Leurs chemins se séparent. Une vache encore vient d'être sacrifiée et des enfants tirent sur la graisse qui nappe l'intérieur de la panse et s'étire comme une gaine élastique. Du bout du doigt, un homme tapote l'œil ouvert de la bête morte et déclenche un mouvement réflexe qui écarte les mâchoires sur la rangée des dents ; il répète son geste, qui reproduit l'effet.

Une chose m'étonne : les animaux morts ou vifs rassemblés par milliers dans ces rues n'émettent pas un son. Les boucs terrifiés ne bêlent pas, le gros bétail ne meugle pas. Le carnage se déroule pourtant à quelques mètres du troupeau toujours sur pied ; un taureau massif rumine tranquillement alors qu'on amène le plus proche de ses congénères sur l'aire du sacrifice. Pareil pour les chèvres et les boucs. Ne sentent-ils donc pas l'odeur fétide de la boucherie ? Hormis une chèvre que je vois trembler un peu et ce silence absolu qu'ils observent, ils restent sans réactions. Ils ont l'air morne, et encore. Un taureau se laisse passivement renverser et, les yeux grands ouverts, tend la gorge au couteau ; quand la lame frappe, il n'a aucun mouvement pour se défendre.

Des gamins excités courent pieds nus dans les flaques de sang en brandissant les têtes coupées aux yeux ouverts. Les équipes d'éboueurs de la mairie s'emploient à ramasser les entrailles inutilisables, les poches ventrales pleines d'excréments. Les carcasses s'amassent dans des bennes gigantesques. Un homme grimpé dans l'une d'elles trie au coutelas des viscères fumants et jette les déchets dont il ne veut pas. Chiens et chats ripaillent avec les restes qu'on leur abandonne. Un coutelier et un rémouleur campent au coin de la rue ; monté sur un vélo, le second pédale pour actionner sa meule, et lorsqu'il lui présente la lame à aiguiser il provoque un crépitement d'étincelles toutes soufflées dans la même direction.

Les musulmans du quartier ne boudent pas les plaisirs sensuels. Les jours de fête ou lors des mariages, les anciens enduisent un linge d'essence de rose, le roulent, déposent une boulette d'opium à un bout et se l'enfoncent dans l'oreille. Avec ça, ils vont planer toute la soirée. Les gamins des slums biharis ont envahi les rues ; tous sur leur trente et un (l'un des petits garçons porte un costume marron et une cravate noire cousue sur la veste) ils ont droit à des tours gratuits dans les grandes roues des forains, actionnées à la main. Des groupes d'hommes et d'adolescents se pressent autour d'attractions innocentes ; l'une consiste à lancer un anneau sur un jouet ou un gadget : si l'anneau retombe en encerclant parfaitement un jeu de cartes, par exemple, l'heureux gagnant empoche le lot. La foule qui encombre les rues étroites patauge dans une boue de sang et d'excréments ; en cette période, le quartier le plus sale de la ville est plus répugnant que jamais. Non loin de l'usine, j'aperçois le cadavre d'un rat sous un essaim de mouches. Des cafards rouges géants pullulent à l'intérieur d'une bouche d'égout ouverte. Les peaux des animaux s'empilent devant les mosquées et partout on croise des hommes aux chemises rougies ; on dirait des hindous qui viennent de fêter Holi.

Selon la législation en vigueur, le bétail ne doit être abattu que dans les abattoirs de Deonar. Massés sur la plate-forme d'un camion, des policiers observent sans broncher les taureaux qu'on égorge devant eux. Il y a surtout des bovins mâles, mais le jeune médecin m'a expliqué que ses coreligionnaires préfèrent la viande de vache, moins chère et plus tendre, et de fait je vois aussi des génisses et des vaches introduites ici au mépris de la loi. « C'est contre les croyances des hindous, remarque Shahbuddin. Si ça se savait, les choses dégénéreraient vite. »

À l'inverse de ce qui se passe en Occident, personne ici n'ignore qu'il faut tuer pour obtenir la tranche de viande servie dans l'assiette. Les animaux arrivent vivants et tout le monde peut constater la différence entre avant et après. On sait exactement de quelle partie de l'animal provient tel ou tel morceau ; on a vu la bête tenter de résister à la poussée qui la couchait sur le flanc ; on l'a vue écarquiller les yeux pendant que des hommes s'installaient sur sa panse ; on n'a rien perdu des hoquets et des tremblements qui la secouaient longtemps après qu'elle s'était vidée de son sang. Tout ce que je savais auparavant de l'abattage, je l'avais découvert sur la chaîne Discovery. Là c'est autre chose : du spectacle *live*, en pleine rue, en plein jour. Le sacrifice du premier taureau m'a tellement retourné que j'ai failli m'avancer pour arrêter le massacre – cela fait tout de même onze ans que je suis végétarien. Mais c'est plus fort que moi, il faut que je reste. Je suis même grimpé sur une charrette à bras pour avoir un meilleur point de vue. Un homme fend une carcasse à la hache et je recule instinctivement, les yeux baissés sur mon jean ; une goutte écarlate atterrie sur le tissu bleu y adhère, grasse et ronde. Je n'ose y toucher. Peu à peu elle noircit et perd son pouvoir maléfique ; ce n'est jamais qu'une tache de plus.

La viande fraîche d'un animal tué sur place est paraît-il meilleure que les pièces de boucherie importées de pays lointains, apprêtées là-bas des mois, voire des années plus tôt. Ce qu'éprouvent les chasseurs est peut-être comparable, mais en moins excitant ; le fusil permet la distance. Ici, on touche ce qu'on tue : le couteau plonge dans le cou de l'animal apeuré, l'équarrissage s'opère à mains nues, les hommes participent

frénétiquement à la curée. Les ouvriers d'Ishaq sont rayonnants :
ils ont devant eux trois jours fériés, trois jours de congé à passer
en ville car le temps est trop court pour retourner au village. Ils
vont tuer et festoyer du matin au soir. Tous les pauvres mangeront de la bidoche à satiété ; les trois quarts de cette manne leur
reviennent de droit. La viande de bœuf est coriace, aussi le plus
gros de la bête part en brochettes et en hachis ; la chèvre est plus
tendre. Les poulets en cages sur les marchés n'ont rien à craindre
pendant quelque temps.

La viande s'étale à l'air libre dans la fournaise des rues. Les
découpes des carcasses restent un moment sur place, à même le
sol, avant d'être traînées sur la chaussée par ceux qui les
emportent chez eux, ou dirigées sur le port, première étape vers
les pays du Golfe qui importent des quantités de viande. Il n'y a
pas un seul camion réfrigéré, alentour. Quantité de ces morceaux
seront cuits et mangés avant la fin de la matinée, l'animal sera
bientôt assimilé par un autre animal. Au fond d'un atelier, un
homme rince un long boyau extrait de l'intérieur d'une chèvre.
Une pluie de billes noires cascade dans un seau, puis l'homme
tranche les parties comestibles et les balance dans ledit seau, au
contact des crottes.

Le festin va durer trois jours sans discontinuer. « Le soir du
troisième jour, me dit le médecin, on ira dîner dans un restaurant
végétarien. »

Dans l'usine, Ishaq exhibe son bouc apprivoisé à qui il donne
du mouton à manger. « Il boufferait n'importe quoi », s'esclaffe-
t-il – y compris du thé et des cigarettes. Ishaq s'est attaché à sa
bête. Après-demain, il l'égorgera.

Dehors, des enfants promènent des chevreaux, les cajolent,
leur tendent des feuilles de laitue. Un ouvrier vêtu d'une tenue
d'un blanc immaculé qui s'apprête à descendre dans la fosse de
lavage pour tuer un bouc aux cornes peintes en vert déclare que
ces animaux ont de la chance (« ils sont heureux »), car on les
tue pour des motifs religieux alors que les autres ne meurent que
pour être mangés. Selon lui, c'est pour cela qu'ils sont si dociles

et silencieux. Il entre dans la fosse, tranche la gorge du bouc d'un coup de hache et le sang qui rejaillit sur ses vêtements blancs les teint en rouge de la tête aux pieds.

Le Dr Shahbuddin a tué des chèvres qu'il aimait bien, au village. « C'est mieux de sacrifier un animal qu'on a soi-même élevé et pour qui on s'est pris d'affection. » Au moment du sacrifice, explique-t-il, le sentiment religieux vainc la répugnance naturelle à abattre une créature chérie. « Il ne faut pas faire ce que font tous ces gens et acheter l'animal la veille. Ils ne sacrifient qu'une somme d'argent puisqu'ils ne le connaissent même pas. Allah n'apprécie pas le spectacle de ce sang qui ruisselle partout. » Shahbuddin et Ishaq se partagent un morceau de mouton (du foie) et saucent le plat avec du pain. Certains raffolent du foie, d'autres préfèrent le cœur, d'autres encore la soupe épaisse confectionnée avec les pieds et les sabots, car il n'y a paraît-il rien de plus revigorant ; le docteur est particulièrement friand du pis de vache.

« Si les animaux parlaient le langage des hommes, on hésiterait à les découper », reconnaît Shahbuddin qui essaie néanmoins de défendre cette pratique rituelle. Il se présente comme quelqu'un de sensible et ne cache pas que tout cela l'affecte, mais sa religion soutient qu'Allah a créé tout ce qui existe sur terre pour le plaisir des hommes, alors si les animaux n'étaient pas massacrés et mangés, à quoi serviraient-ils, hein ? « Si quelqu'un me prouve qu'ils n'ont pas été créés pour satisfaire les besoins humains, je cesserai d'être carnivore. » Il me demande pourquoi certains trouvent normal d'égorger un poulet, mais pas une chèvre. Je réponds que c'est parce que la chèvre a une plus grande capacité à souffrir. Sauf que la fourmi souffre autant qu'elle peut souffrir, me rétorque Shahbuddin, et que sa vie a pour elle autant de prix que celle d'un éléphant. « Toutefois, poursuit-il, vous pourriez trouver illogique que je me refuse à consommer de la viande qui ne serait pas halal et me faire remarquer que c'est toujours de la viande, après tout. Qu'est-ce que ça change, qu'on récite une prière dessus ? » Le docteur

admet assez volontiers que son système de croyance est per-
méable au doute. Quoi qu'il en soit, le carnage qui se déroule
dehors lui donne à réfléchir, et il devance en douceur les questions que je n'ose poser.

Mohsin et la Compagnie-D

Shahbuddin, qui a son cabinet à côté de la boutique d'Ishaq,
vient comme lui d'Azamgarh, une ville de l'Uttar Pradesh
connue pour ses bandits de haut vol ; Abu Salem, un des lieutenants de la Compagnie-D, en est également originaire. Je leur
parle d'un article récent qui présente Azamgarh comme la
capitale indienne du blanchiment d'argent. « Ce n'est pas nouveau ! » s'exclament-ils en chœur. Le grand-père de Shahbuddin
avait un poste important dans les réseaux de la hawala : pour
transférer les sommes qu'on lui remettait en roupies, il passait un
coup de fil en Arabie Saoudite et, à l'aide d'un langage codé,
indiquait à son correspondant de débourser en échange tel montant en rials. « Si on enquêtait sérieusement sur les crimes
commis un peu partout dans le monde, on finirait forcément par
remonter jusqu'à Azamgarh », affirme le médecin. Là-bas, renchérit Ishaq, les panwallahs complètent leurs fins de mois en
vendant des armes. On peut leur acheter pour soixante-cinq mille
roupies un AK-47 fabriqué au Népal et introduit en contrebande.
   Très bien, mais pourquoi les gens s'équipent-ils d'AK-47 ?
   « Comme ça, répond Ishaq. C'est la mode. »
   Madanpura aussi a la réputation d'être un repaire mafieux.
« Les caïds se sont partagé le travail, explique Shahbuddin : il y
a les spécialistes de l'immobilier, les spécialistes de l'assassinat,
les spécialistes des enlèvements. » Les gamins du quartier
acceptent de tuer pour cinq mille roupies. Parce qu'ils sont
pauvres, bien sûr, sauf qu'ils utilisent cet argent pour flamber
dans les bars à bière. Une fois qu'ils ont tué, leur vie est fichue ;
ils sont traqués par la police et, dans certains cas, par les
commanditaires du meurtre.

Un militant du mouvement pour la paix, Asad bin Saïf, a eu ce commentaire intéressant à propos des hindous du Shiv Sena impliqués dans les émeutes : « Les gens qui se conduisent de façon aussi inhumaine se trompent » – ce qui n'est pas exactement la même chose que de dire qu'en agissant de la sorte ils tromperaient Dieu, ou l'humanité. Un abîme insondable sépare le cœur des hommes du geste meurtrier, et je voulais comprendre comment certains d'entre nous s'y prennent pour sauter le pas. Après avoir approché des factieux et des policiers spécialisés dans les exécutions sommaires, j'ai donc entrepris de rencontrer les tueurs professionnels du gengwar, ces individus qui jour après jour s'obstinent à vivre dans l'erreur.

Dans la dhaba * de Madanpura où nous venons de nous retrouver, je commande trois Pepsi pour moi, Ishaq et Anees, un jeune enthousiaste au teint clair qui connaît Ishaq depuis l'enfance. Il me parle des affrontements entre gangs qui à ce jour – nous sommes en 1998 – ont officiellement fait deux cents morts. Anees est un « contact » de la Compagnie-D – pas un membre à part entière, plutôt un associé qui rend service à l'occasion. Un de ses amis est tueur à gages pour le compte de Dawood, qui dirige ce gang. Il accepte de me le présenter à condition que ce soit dans un lieu public qu'il ne m'indiquera qu'au tout dernier moment.

Deux jours plus tard, l'intermédiaire que je retrouve dans la boutique d'Ishaq me conduit au Venus Café, à deux pas du cinéma Maratha Mandir. C'est un bar moderne, brillamment éclairé et ouvert sur la rue, plein de couples venus boire un verre avant ou après la séance. Anees est là, en compagnie d'un petit moustachu fluet qui dit s'appeler Mohsin.

« Il a eu deux contrats, me glisse Anees à l'oreille.

– Sept et demi ! proteste Mohsin sur un ton outragé. Sept et demi ! »

Nous commandons des cafés et des jus de fruits. Le box voisin est occupé par un groupe de jeunes Anglaises, des voyageuses attirées en ce lieu par la gare toute proche. Peut-être vont-elles prendre un train de nuit en partance de Bombay. Personne ne les importune, ici ; on n'est pas à Delhi. Tels des cochers de fiacre, nous tournons le dos à Ishaq et à un autre garçon qui ont pris place sur le banc derrière nous.

Mohsin est un ami d'enfance d'Ishaq, lui aussi, mais ils se sont perdus de vue depuis une dizaine d'années ; lorsque nous nous retrouverons seul à seul, Ishaq me confiera avoir été le souffre-douleur de leur petite bande. À première vue Mohsin pourrait être n'importe qui – le liftier, le garçon de courses de mon oncle, un des innombrables passants qui encombrent les trottoirs des rues où je circule en voiture, mais ses yeux, sombres et brillants, sont des yeux d'assassin. Il les plante dans les miens, et quand je baisse le regard pour prendre des notes, il m'effleure légèrement la main : je dois le regarder en face.

Sur les sept contrats et demi retenus à sa charge – enregistrés par la police – il en a exécuté six et demi à la demande du gang et un « en indépendant ». Le premier remonte à 1991 : il a lardé un homme de quatorze coups de couteau mais comme sa victime a survécu ce crime ne compte que pour un demi-meurtre. Le suivant, réussi, coûta la vie à un marchand d'alcool, Philips Daruwala. Depuis il en a commis cinq autres dont la police est au courant. « Ceux qui ne sont pas dans les dossiers, il n'y a que moi qui les connais », précise Mohsin. S'il se fait prendre, on pourra l'inculper de dix à quinze meurtres. Quitte à tuer, il préfère « viser haut » – exécuter quelqu'un dont la mort « en fera flipper des tas d'autres ».

La compagnie qui l'emploie comporte plusieurs cellules étanches qui ignorent leurs agissements respectifs et « tout est organisé depuis Dubaï ». Pour vivre, il lui faut vingt mille roupies par semaine : dix mille pour payer l'abonnement de son portable, cinq mille pour ses dépenses personnelles – essentiellement la consommation de charas –, et le reste pour sa famille. Quand il a besoin d'une grosse somme d'argent, il sollicite un supari, autrement dit un contrat sur une tête, pour lequel il touchera deux lakhs payés en deux fois, pour moitié à l'avance et le solde à exécution. Si l'homme qu'il doit abattre n'est pas musulman, Mohsin le trucide sans états d'âme. Dans le cas contraire, il prend le temps de s'informer sur lui et, « si le type est correct », il dénonce le supari et renonce à la deuxième partie de la somme.

Il se considère comme un défenseur de l'islam. « Pendant les émeutes, pour nous c'était une question d'izzat * », explique-t-il. S'il n'y avait pas de problèmes entre hindous et musulmans, le gengwar n'aurait pas lieu d'être. Il nous rappelle qu'à la suite des émeutes, Chotta Rajan a promis de châtier ceux qui avaient échappé au bras de la justice. « Je ne suis pas instruit, moi. Si je l'étais je ferais autre chose. Tout ce que je sais, je l'ai appris en prison grâce à ceux qui lisaient le Coran. » Il ne craint pas la mort, car lorsqu'il aura rendu le dernier souffle il rejoindra Allah et deviendra un shaheed. « Les rêves que j'avais autrefois se sont brisés. J'ai tout abandonné pour Allah Malik. La mort est notre lot commun. Des tas de gens que je devais tuer sont toujours vivants, alors si ça se trouve moi aussi je vivrai. »

À côté, le groupe des petites Anglaises entonne à tue-tête *Happy Birthday to You*.

En sortant du café, nous nous promenons un peu dans les rues de Madanpura. Toutes les boutiques sont éclairées, mais chichement, et cela va bien avec les radios qui marchent en sourdine. Sur le trottoir, devant les slums biharis, une classe de petits musulmans récite avec enthousiasme les tables de multiplication, entraînée par un jeune enseignant qui marque le rythme avec sa baguette. Un peu plus détendu, Mohsin me confie qu'il va bientôt se marier; la date a été fixée au 16 de ce mois. Au début, les parents de sa fiancée étaient réticents, mais vu que tous les jeunes du quartier sont enrôlés dans la guerre des gangs ils ont fini par accepter avec cet argument fataliste : « Si c'est le destin de notre fille de l'épouser, elle l'épousera que nous soyons d'accord ou pas. »

Nous convenons de nous revoir ultérieurement, dans un endroit plus discret.

Quelques jours plus tard, après le déjeuner, nous sommes sept à nous entasser dans l'ascenseur d'un petit hôtel de Byculla : Mohsin et moi, plus Ishaq, Shahbuddin, Girish, Anees, et un jeune homme encore plus gringalet que Mohsin qui l'a semble-t-il pris comme apprenti. La présence d'Ishaq et de Shahbuddin m'agace d'abord un peu ; je les soupçonne d'être venus boire et manger à mes frais dans la chambre que j'ai retenue pour la journée. Puis je comprends qu'ils sont là pour me servir de garants et m'éviter au besoin de recevoir une balle dans la tête.

J'apprends également que l'hôtel appartient à un bandit pathan qui fut le maître à penser de Dawood. Ce quartier en plein centre-ville est d'ailleurs un des lieux mythiques de la pègre. Quoi qu'il en soit, la chambre est confortable et climatisée. En chemise légère et jean noir, Mohsin se déchausse et s'arroge d'office le lit. Les autres s'installent sur le canapé ou se pressent autour de lui. Girish ne devrait pas être là ; il a annulé une réunion commerciale à Andheri pour assister à ce rendez-vous qui lui paraît plus important. C'est pour cela qu'il ne réussira jamais en affaires : les dessous de sa ville le fascinent bien trop.

Moi-même je prends place sur une chaise en face de Mohsin et ouvre mon ordinateur portable. Pour m'adresser à lui ou à ses acolytes, je prends soin d'utiliser la forme guindée du vouvoiement – « aap » – au lieu de les tutoyer ainsi qu'il est d'usage à Bombay. En sus de marquer ainsi mon statut d'étranger, je leur témoigne un respect auquel les « bourgeois » des beaux quartiers ne les ont pas habitués.

Les yeux fixés sur moi, Mohsin entame un petit discours sur le thème de la confiance. « Les musulmans sont des gens dignes de confiance mais ils peuvent aussi reprendre leur parole. Quand on travaille dans ma branche, c'est vital de pouvoir faire confiance aux autres. Je suis venu ici parce que j'ai confiance en mon ami Ishaq ici présent. Sans ça, l'ordinateur que tu viens d'allumer, je te le prendrais et je te dirais de te casser. »

Je lui réponds que si je n'avais pas confiance je ne serais pas là, moi non plus, et que je suis parfaitement conscient qu'il peut

me prendre mon ordinateur quand il veut. Il est indispensable
que je lui dise d'emblée ce qu'il a envie d'entendre, à savoir
qu'ici et maintenant, dans cette pièce et dans la ville de Bombay,
il est en position de force, qu'un INR de Malabar Hill ne peut
que s'incliner devant sa supériorité. À partir du moment où je
reconnais explicitement son pouvoir, il sera, je l'espère, moins
tenté de l'exercer.

Mohsin qui a aujourd'hui vingt-huit ans était adolescent
quand il a commencé à travailler pour un contrebandier spécialisé dans les lingots d'or. Assez vite, lui qui n'avait pas le sou a
pu se permettre de fréquenter les bars. Puis le gouvernement a
libéralisé l'importation de l'or, la contrebande des lingots est
devenue moins lucrative et Mohsin qui avait perdu son gagne-
pain a cambriolé une banque à Baroda. On l'a arrêté. « Il y avait
des photos de nous grandes comme ça dans les journaux », dit-il
avec fierté. Le butin du vol ayant été saisi par la police, il n'a pas
pu payer la caution fixée à quinze mille roupies. En prison, un de
ses codétenus lui a donné un numéro de téléphone : « Appelle
Shakeel Bhaï, tu verras bien, il m'a dit. » Il a suivi le conseil, et
c'est ainsi qu'il y a cinq ans il est entré dans la Compagnie-D. Il
s'occupe toujours un peu de trafic d'or mais vit essentiellement
d'extorsions et de rançons. L'organisation qui l'emploie prélève
des taxes comme le fisc les impôts. « Dans l'industrie du
cinéma, tout le monde allonge du fric à Shakeel. La Compagnie
ponctionne les promoteurs, les P-D.G., les financiers. Quand
l'appel vient de Dubaï, ils peuvent toujours essayer de faire
intervenir qui ils veulent, même un ministre ou plus haut : il faut
qu'ils passent à la caisse. »

Mohsin décrit très simplement l'avantage qu'il y a à travailler
pour la Compagnie : « Si quelqu'un me bute, ma famille touchera au moins un lakh. Si je meurs écrasé par un taxi, ils
n'auront pas un sou. » Afzal, un de ses amis, a été tué par la
police ; lorsque sa sœur s'est mariée, six mois plus tard, Shakeel
lui a filé trois lakhs. Quand Mohsin est lui-même sorti de prison,
sa mère était morte et son frère avait une fiancée. Le bhaï a

donné cinquante mille roupies pour le mariage et il a dit au tueur : « Si tu as besoin de plus, préviens-moi. »

Sûr de lui, Mohsin affirme qu'il n'a qu'à « ouvrir la bouche pour que l'argent tombe », que s'il lui faut « une bagnole pour un bout de temps, ça s'arrange ». On gagne bien sa vie, dans la pègre, et d'ailleurs c'est le problème parce qu'il y a pléthore de tueurs à Bombay ; les Biharis envahissent le marché et cassent dangereusement les prix. « Ils foutent la merde. Tout le monde veut entrer dans la Compagnie, maintenant. »

Anees est le seul du groupe à dénoncer l'injustice économique inhérente à l'organisation des gangs : « Les sheths de Dubaï encaissent plusieurs crores pour un job payé un lakh au type qui prend tous les risques ici. »

Mohsin se connaît trois catégories d'ennemis : les hommes de Chotta Rajan, la police et les indicateurs. Quand des gens comme lui s'emparent d'un indic, s'ils ont le temps ils le torturent avant de le tuer, sinon, ils l'abattent séance tenante. De nos jours les policiers confient des armes aux indics pour qu'ils se protègent. Mohsin a eu une commande pour éliminer Husain Vastara, un des informateurs de mon ami Ajay Lal qui a eu recours à lui pour l'enquête sur les attentats à la bombe. Très prudent, Vastara se terrait dans sa tanière de Pydhonie. Les commandos policiers antigangs ne sont équipés de gilets pare-balles que depuis très peu de temps, dit Mohsin. Husain Vastara étant un truand, et à l'époque il avait déjà un gilet pare-balles.

Tueur chevronné, Mohsin a une règle d'or : pour liquider un type il faut savoir ce qu'il aime dans la vie. En effet, explique-t-il, un homme peut s'arrêter de travailler mais il continuera toujours à faire ce qu'il aime. Vastara avait une passion pour le cricket. Il était allé assister à un match, et pendant que ses gardes du corps buvaient le thé, Mohsin est arrivé à moto. « Je me suis planté devant lui et j'ai tiré. Mon arme s'est enrayée. Il avait l'air mort de frousse. On lisait la mort sur sa figure. » Mohsin est reparti à moto sans que personne l'ait reconnu. Cet incident technique permit à Vastara de bénéficier d'un sursis.

Mohsin a pour supérieur immédiat un certain Mohammed Ali, un hindou converti à l'islam dans le but d'améliorer ses perspectives de carrière au sein de la Compagnie-D (« Il dirige tout Bombay pour Chotta Shakeel ») et un parent par alliance de Vastara. Le lendemain de l'assassinat manqué, Mohsin et Mohammed passèrent au bureau de Vastara « histoire de bavarder ». L'indic sortit un pistolet de son tiroir. « Il le bougeait sans arrêt, visant tantôt l'un, tantôt l'autre. » Tel un balancier, son bras décrivait un arc de cercle, s'immobilisait devant l'un de ses visiteurs, le tenait en joue, revenait au suivant. En face, les deux autres n'en menaient pas large. Une fois ressortis, ils appelèrent Vastara d'une cabine publique. « Je sais que vous voulez me descendre », dit l'indic à Mohsin. Raccrochant aussitôt, celui-ci avertit son compagnon qu'il valait mieux ne pas traîner dans le coin.

Ils eurent l'idée d'aller se cacher au Dana Club, sur Grant Road, et entamèrent une partie de cartes. Puis on vint les prévenir que quelqu'un les demandait au téléphone ; c'était Vastara qui, menaçant, leur déclara : « C'est mauvais pour la santé de taper le carton comme ça. » Là, ils ont eu vraiment peur. Comment Vastara avait-il appris où ils étaient ? Ils téléphonèrent à Shakeel pour l'informer de ce qui se passait. « Qui d'autre savait que vous étiez là ? » demanda le bhaï. Une seule personne était au courant, un certain Stanley, « premier tireur » de leur cellule. Shakeel le contacta dans l'heure, et ses explications n'ayant pas eu l'heur de le convaincre il ordonna à Mohsin de l'abattre. Toujours en compagnie de Mohammed, Mohsin partit à la recherche de Stanley. Ils tombèrent sur lui dans la rue.

« Je l'ai touché du premier coup, *dhadam* ! Quand il a vu que je le visais il a levé la main pour arrêter la balle. Tu parles ! Je lui ai collé la première dans le cœur, la deuxième de l'autre côté, la troisième dans le cou, la quatrième dans le ventre. Mohammed Ali l'a attrapé par les cheveux et lui a vidé son chargeur dans la tête. Après, on est partis. Les gens qui traînaient dans le coin avaient détalé au premier coup de feu. Ça s'est passé à Narialwadi, à cinq minutes d'ici. On est allés à pied jusqu'à Rani Bagh, de là on a pris un bus pour Wadala, on a attendu que la nuit tombe et on est revenus dans le quartier pour se taper la cloche à Bhendi Bazaar. On a mangé des cailles, on a joué au billard, on avait complètement oublié le job. »

C'était il y a deux ans. Mohammed Ali a été arrêté pour ce meurtre. Mohsin a appris la nouvelle dans le journal et tout de suite compris que ce serait bientôt son tour. Mohammed Ali l'a effectivement donné aux policiers. « Je ne lui en veux pas, dit simplement Mohsin. Il avait dégusté. » Et Vastara ? « Il est toujours là, mais la Compagnie l'a dans le collimateur et tôt ou tard il y passera. » Quelques mois plus tard, en effet, Vastara est abattu par un autre tueur de la Compagnie-D devant l'entrée de l'immeuble de sa maîtresse. Shakeel a découvert qu'il aimait autre chose que le cricket, dans la vie.

Mohsin m'expose sa méthode de travail : « La plupart du temps on vise la tête pour que le type y passe. Comme ça, c'est réglé, on ne reste pas là des plombes à se demander s'il va vivre ou mourir. » Une fois, cependant, cette technique n'a pas marché. Il devait descendre quelqu'un non loin de la gare centrale. « Je lui ai collé l'arme contre la tempe et j'ai tiré. La balle a ricoché sur son front, il a sauvé sa peau. Qu'est-ce que j'y pouvais ? Mon job, c'est de tirer pour tuer. Je fais ce qu'il faut pour tuer. C'est pas de ma faute si la balle ripe. » Il aime bien avoir du temps devant lui. « Si je peux tuer tranquillement, c'est mieux. Maintenant, s'il faut que je descende le type et que je me casse vite fait, il n'y a que le diable pour savoir s'il est vivant ou mort. »

Il se sert d'un calibre 38 millimètres et tire en moyenne sept à neuf balles. Ceux de ses collègues qui n'ont pas les moyens d'acheter une arme d'importation se rabattent sur le katta, un fusil fabriqué en Inde et en principe utilisé pour le gros gibier. « Le trou qu'il fait dans le front est très petit, mais à l'arrière il est énorme parce que la balle vrille en sortant. Dès qu'on a tiré deux ou trois coups avec, il faut le laisser refroidir autrement on risque de se bousiller les mains. » Quand il n'a pas le choix, Mohsin troque son 38 millimètres contre un rasoir ou un hachoir. Pour le demi-meurtre de 1991, il avait pris un khanjar, une dague de petite taille. Je lui demande s'il faut beaucoup de force pour enfoncer une lame dans les muscles, entre les os. « Tu as déjà coupé une pastèque ? Eh bien c'est pareil. L'être humain est une chose très délicate, finalement. »

En règle générale, il opère avec un assistant (dit « number-kari » dans le jargon de la pègre) qu'il prend en croupe sur sa moto. Chotta Shakeel fut le premier à imposer l'usage de la moto pour l'exécution des contrats ; depuis, toutes les compagnies l'ont copié. « On arrête la moto et on fait ce qu'on a à faire. Le moteur tourne. Le type vise, il tire, il se casse. Il y a toujours un troisième gars dans le coin, discret. Si on a besoin de lui, il bouge, sinon les passants ne se doutent pas qu'il est là. Si on a besoin de lui, il se met à tirer et les gens croient qu'on est partout. » À la différence des tueurs des pays techniquement plus avancés, Mohsin n'a pas à se soucier d'enlever les corps. Il les abandonne à l'endroit où ils sont tombés, met les gaz et s'esquive sur sa moto.

Le jour où il devait tuer Philips Daruwala, Mohsin avait la typhoïde. Sous l'effet de la fièvre, observe-t-il, l'esprit fonctionne différemment, et lorsqu'on n'a pas le choix et qu'il faut se lever pour aller tuer quelqu'un on passe par des moments assez spéciaux. C'était pendant le ramadan et il devait agir seul. Sa cible, Daruwala, avait une certaine classe : il s'habillait comme un chasseur de safari, avec des lunettes noires et un doberman qui ne le quittait pas d'une semelle. Pendant les émeutes, il avait fourni de l'argent et des armes aux hindous. La commande venait d'en haut. Malade ou pas, Mohsin devait exécuter ce job classé prioritaire. S'arrachant à son lit, il se rendit donc à la boutique de Daruwala qu'il trouva en train de bavarder avec des policiers. Il revint dans la soirée. Daruwala avait à nouveau des visiteurs, mais en civil, cette fois, et Mohsin ne pouvait pas se douter qu'il s'agissait d'agents de la brigade criminelle venus encaisser leurs pots-de-vin comme tous les samedis soir. Lorsque Daruwala les abandonna un instant, eux et son chien, pour aller se soulager dans le bar d'à côté, Mohsin le suivit jusque dans les toilettes. Il tenait son arme bien en main, il ne pouvait pas le rater, mais il a brusquement été saisi de scrupules : trouvant répugnant de tuer un homme en train de pisser, il décida d'attendre qu'il ait fini.

Daruwala se rajusta et il s'apprêtait à sortir quand il se retrouva avec l'arme braquée sur lui. « À sa tête il était déjà mort », se souvient Mohsin – et pourtant le coup n'est pas parti bien qu'il ait fait ce qu'il fallait pour. « Moi aussi j'avais la trouille. J'aurais mieux fait de le descendre par-derrière quand c'était facile. » Après avoir rechargé son arme vite fait, il pressa de nouveau la détente et toucha sa cible à la tête. Daruwala franchit la porte en titubant et s'écroula dans la rue. « J'ai pris le temps de recharger et – dhadam, dhadam – je lui en ai collé deux autres et je suis parti. »

Les employés de Daruwala se lancèrent à ses trousses, mais il suffit d'une balle tirée dans leur direction pour les dissuader de continuer. En revanche, les flics de la brigade criminelle lui donnèrent la chasse en voiture. Mohsin se retourna, son arme pointée vers eux. Paniqué, leur chauffeur donna un brusque coup de volant et le fuyard mit ce court répit à profit pour sauter dans un taxi. Quand il arriva enfin chez lui, il avait une fièvre de cheval. « J'ai remonté la couverture sur ma tête et deux minutes après je dormais. »

Le meurtre de Daruwala est resté impuni, mais Mohsin a été inculpé pour d'autres crimes. Si les flics lui mettent la main dessus, ils appelleront Shakeel pour savoir combien il est prêt à payer sa remise en liberté, et si jamais la négociation échoue ils le tortureront. Il décrit un des traitements qu'ils lui ont déjà infligé : les mains menottées dans le dos et liées aux chevilles, un bâton glissé sous les genoux et posé sur les dossiers de deux chaises en vis-à-vis, il se balançait comme un cochon à la broche pendant que les flics alignés de chaque côté lui tapaient dessus à tour de rôle. Ils lui avaient coincé des allumettes sous les paupières pour qu'il ne puisse pas fermer l'œil de la nuit. Il a également eu droit au générateur portatif : des pinces fixées au bout de ses doigts, sur ses oreilles et ses parties génitales, reliées par des fils électriques à une dynamo d'où jaillissaient des étincelles et qui lui envoyait par tout le corps des décharges de douze volts. « Le genre de truc qui n'arrange pas le cerveau », observe Anees.

Une autre fois, les flics lui ont passé les menottes autour d'un pied et l'ont suspendu au plafond la tête en bas. En principe ça n'aurait pas dû durer bien longtemps, mais dehors il y avait une manifestation et ses bourreaux ont été appelés en renfort. « Je suis resté quatre heures pendu. J'avais la jambe toute gonflée. Je ne sentais plus mon pied. »

Il tend la main devant lui, paume en l'air, pour nous montrer les séquelles des attentions de la police. « Pas un doigt qui ne soit déformé », note le Dr Shahbuddin avec un intérêt tout professionnel.

Les flics boivent généralement comme des trous quand ils s'occupent d'un prisonnier, et tous les agents présents à ce moment-là viennent assister au spectacle. « C'est comme quand on égorge une chèvre, ils ne veulent pas rater ça. » L'interrogatoire vise à effrayer le suspect. S'ils ont affaire à un demeuré, ils arrivent avec un couteau et un citron et lui déclarent qu'ils vont le lui presser sur la tête, que ça va lui rentrer dans le crâne et qu'il avouera tout en bloc. Ça marche avec les gens superstitieux, affirme Mohsin ; dès qu'ils sentent qu'on leur coupe le citron sur la tête et que le jus leur coule dans les cheveux, ils passent aux aveux. Mohsin ne s'y est pas laissé prendre. « Pourquoi vous m'avez rossé, dans ce cas ? je leur ai dit. Vous n'aviez qu'à presser votre citron. » Ils n'ont pas apprécié, paraît-il. Goguenard, il leur a rappelé qu'ils ne pouvaient pas non plus organiser de rencontre pour le liquider puisqu'il était déjà passé devant le juge. Une règle bien connue des policiers et des criminels veut en effet qu'à partir du moment où un juge a confié un détenu aux représentants de la loi, il n'est pas question qu'il trépasse à l'occasion d'une rencontre « fortuite ».

Autrefois la cellule de Mohsin comptait neuf membres. Il n'en reste plus que quatre, lui compris ; les cinq autres ont fait une rencontre qui leur a été fatale. Mohsin croit savoir que le gouvernement du Maharashtra a ordonné l'exécution sommaire de tout individu inculpé à deux reprises pour meurtre. À cette aune, il a un arriéré de paiement de cinq unités et demie. L'arme que les policiers glissent entre les doigts de la victime d'une rencontre est fonction de son statut ; s'il s'agit d'un petit voyou, ils laissent un six coups ; quelqu'un de plus important a droit à un Mauser ; les gros poissons, les vrais bhaïs sont retrouvés avec une mitraillette, une AK-47 ou une AK-56.

La conversation est interrompue par deux serveurs qui viennent nous apporter des plateaux de sandwichs. Elle reprend tout de suite après leur départ.

Libéré il y a un an, Mohsin a passé trois années très agréables en prison. Là-bas, les gens des gangs vivent dans des quartiers à part. « J'étais stone du matin au soir », dit-il en avouant sa préférence pour le charas et le Phensydril, un sirop contre la toux. La Compagnie lui accordait sept mille roupies par mois pour ses faux frais et en versait dix mille de plus à sa famille. Confortablement logés, ses hommes ont à leur disposition des tas de petits luxes appréciables, tels la télé et un billard autour duquel ils tuent le temps en planant. Leurs repas sont préparés à l'extérieur et livrés deux fois par jour. Ils peuvent se procurer des filles, de l'alcool, mais pour cela il faut « passer la douane », autrement dit graisser la patte des gardiens. Les prisonniers ne connaissant personne en mesure de payer leurs dépenses quotidiennes se rabattent sur une autre source de revenus : « Ils vendent leur cul. »

Les proxénètes et les dealers de brown sugar (une héroïne de qualité inférieure) sont maltraités et rançonnés par leurs codétenus. La « brown sugar » est écoulée entre quatre et cinq heures du matin derrière la gare Victoria Terminus par des revendeurs africains. La police en a une trouille bleue. Ils n'hésitent pas à bombarder les flics avec leur saloperie ; avant de comparaître devant le juge, ils se tailladent à l'aide de lames de rasoir et prétendent qu'on les a torturés. En 1993, une émeute a éclaté à la prison de Nashik pendant que Mohsin y purgeait une peine. Au moment des repas, les prisonniers indiens étaient servis les premiers, avant les étrangers. Un jour un Africain a jeté son assiette de dal brûlant à la tête d'un maton et les choses ont tout de suite dégénéré. Les gardiens se sont mis à cogner sur les Noirs avec des cannes à bout ferré, un des Noirs a mis un surveillant K.-O. et à partir de là « les Blacks sont devenus incontrôlables ». Les autorités ont alors eu la brillante idée d'ouvrir les grilles séparant le quartier des gangsters de celui des Noirs, et les Bombay wallahs se sont précipités dans la mêlée, armés de couteaux fabriqués avec les moyens du bord. « Ç'a été vite réglé. Deux nègres y sont restés, mais il n'y a pas eu d'enquête sur ces meurtres. En taule, la justice est expéditive. »

Mohsin, donc, doit bientôt se marier. Il envisage de changer d'activité, de trouver un « bon travail » sans rapport avec ce qu'il fait actuellement – « un boulot à l'usine, ce genre-là. Je pourrais changer de nom et partir vivre ailleurs ». Il aura toujours la possibilité de quitter le pays. Il arrive qu'après un gros contrat les bhaïs expédient leurs meilleurs tireurs à Dubaï, et de là à Karachi. Ils sont de mèche avec la police des frontières qui surveille l'aéroport.

Girish juge le moment opportun pour essayer d'amender le tueur à gages. « Tu vas te marier, Mohsin. Puisque tu veux arrêter, arrête tout de suite. »

Mohsin lui oppose un argument de poids : « Il faut que je gagne de quoi payer les dépenses du mariage. » Sa fiancée lui a tenu le même discours, laisse tomber, et il l'a mise au défi : « Oblige-moi à arrêter puisque tu es si forte. » Cette jeune fille est sa cousine et il l'épouse par amour. Quand ils seront mari et femme, il faudra encore qu'il aille à Surat venger l'agression

BOMBAY MAXIMUM CITY

perpétrée contre un de ses hommes, Yasin. Ce dernier buvait un verre d'eau quand ses agresseurs l'ont attaqué au coutelas. « Il a eu la tête ouverte, toutes ses dents lui sont tombées dans la main », il a failli y laisser la vie et maintenant Mohsin doit aller à Surat. La Compagnie n'a rien à voir là-dedans, c'est une affaire d'honneur : « Mon izzat est en jeu.

– Il ne changera pas », prédit Anees.

Le Dr Shahbuddin n'a pas suivi cet échange. Tranquillement assis sur le canapé, il nous a longtemps écoutés parler de torture et de meurtre en regardant fixement la porte de la salle de bains, et tout à coup il s'est levé pour s'enfermer dedans. Un jour, il m'avait expliqué qu'il trouvait difficile de vivre à Bombay à cause des rationnements d'eau à Madanpura : « Tous les matins je dois faire un choix; si je me prépare un bain, je ne pourrai plus boire de la journée. » Il n'a pas résisté au plaisir de se servir d'une salle de bains équipée de l'eau courante, et chaude, qui plus est. Il prend tout son temps sous la douche et ressort de là luisant de propreté.

La conversation porte à présent sur les organisations criminelles de la communauté musulmane, dont Mohsin et Anees parlent avec toute la fierté d'une minorité opprimée qui rend coup pour coup et ose se lancer dans des activités « marginales », autrement dit illicites. « On trouve surtout des musulmans parmi les marginaux, parce que ce sont nos jeunes qui ont le plus de problèmes d'argent. Il y a des musulmans qui tiennent des bars à bière, il y en a dans les gangs... Les musulmans ne sont pas plus nuls que les autres. » Anees précise que pendant le mois du ramadan les bars sont fermés ou à moitié vides, parce qu'à cette période un bon musulman « n'avalerait même pas sa salive », mais que « pour l'Aïd ils sont pleins à craquer ».

La police de Bombay qui ne compte que cinq pour cent de musulmans dans ses rangs est évidemment au courant de l'existence de ces sociétés criminelles. « Ils nous insultent, faut voir comment, s'indigne Anees. Ils nous traitent d'agents de l'ennemi, de traîtres à la nation. » Ces musulmans sont pourtant nés indiens. « Où est-ce qu'on est censés aller si on ne veut pas de nous ici ? » demande Mohsin. Il se dit prêt à défendre le pays et explique que son travail avec la pègre « n'est pas en rapport avec le patriotisme mais avec la nation de l'islam ». Il n'est pas près d'oublier les émeutes et le parti politique qui les a organisées. Bal Thackeray est selon lui « le capitaine de l'équipe ». La Compagnie-D suit de près les tractations en cours à propos du Babri Masjid. Si ça devait mal tourner, les choses ne se passeraient pas comme la dernière fois ; les musulmans sont prêts à riposter et ils ont envie d'en découdre. Il y aura des morts, beaucoup, et très loin. Les gangs disposent de tout un arsenal, y compris « un lanceur de roquettes qu'on n'a pas encore utilisé ». La fin de la guerre en Afghanistan leur a permis de se procurer des missiles infrarouges à courte portée, stockés en prévision du prochain soulèvement.

Dans le groupe, les commentaires vont bon train sur la descente de police effectuée hier soir dans un comité Mohalla Ekta, qui a conduit à l'arrestation de plusieurs têtes brûlées de Madanpura. Il y a eu une lafda ; les forces de l'ordre avaient investi le quartier mais la situation a quand même dégénéré. Mohsin envisage l'avenir avec pessimisme : « On n'imagine même pas ce qui va se passer » – , mais il est sûr que l'islam va engager contre l'ensemble de ses ennemis une guerre mondiale qui embrasera les deux hémisphères. Les musulmans ont pour eux leur supériorité numérique et la géographie ; eux « sont partout, alors qu'il n'y a pas d'hindous en dehors de l'Inde ». L'histoire est donc de leur côté.

Renchérissant, un de ses compagnons me conseille « d'aller en Palestine si tu veux vraiment voir des moudjahidin. Là-bas, même les gamins de neuf ans se trimballent avec des AK-47 » – et il récite le rosaire international du djihad : la Palestine, l'Afghanistan, le Cachemire, la Bosnie... J'ai déjà entendu cette litanie dans la bouche d'un imam d'une mosquée de Brooklyn : lui aussi égrenait les batailles menées de par le monde au nom de l'islam et convoquait les échos de ces lointains combats pour mieux dénoncer l'injustice universelle. Ici nous n'avons encore droit qu'aux escarmouches d'une offensive aux dimensions planétaires, une guerre qui dure depuis des siècles et qui a été déclarée dans un obscur pays chaud par des gens persuadés que le bien est le contraire du mal, qu'il faut combattre le mal afin d'assurer le triomphe du bien. Cette opposition tranchée donne son sens à la vie des jeunes musulmans engagés dans le geng-war, non pour convertir les kafirs *, les infidèles, mais pour défendre leur honneur. Une conviction qu'on retrouve à peu près intacte dans le camp ennemi, chez des gens comme Sunil et les militants du Shiv Sena qui s'imaginent être le dernier rempart « nous » protégeant des hordes islamiques : « Sans nous, disent-ils, il y a longtemps que vous auriez cessé d'exister, vous, les Marwaris, les Gujeratis, les richards de Malabar Hill. » Les affrontements dont Bombay est aujourd'hui le théâtre ne sont qu'un épisode de plus dans la longue série de conflits qui jalonnent le cours de l'histoire. Carrefour propice au choc des civilisations, Bombay est le Poitiers des musulmans, leur Kosovo, leur Pânipat, une caisse de résonance idéale dans cette nation hindoue entourée de pays islamiques.

Un film policier, *Parinda*, passe à la télé ; il a été tourné par Vidhu Vinod Chopra dont je n'ai pas encore fait la connaissance. Sur l'écran, un homme s'écroule, fauché par une balle dans une fabrique d'huile capillaire. « C'est drôlement bien tourné, commente Mohsin. Vous avez vu comment le sang se mélange à l'huile ? » Dans la scène suivante, des policiers interrogent le meurtrier pour savoir ce qu'il a fait du cadavre. « Il est dans le caniveau à Worli », répond l'inculpé. Depuis la sortie du film, cette phrase, « il est dans le caniveau à Worli », est un euphé-misme qui dans l'argot de la pègre signifie qu'Untel a été liquidé.

L'argument que j'utilise pour convaincre les truands de me confier leurs histoires est tout bête : si je les raconte à mon tour, elles passeront au cinéma. Ce n'est pas un mensonge ; plusieurs réalisateurs m'ont sollicité pour participer à l'élaboration de scénarios « documentés » sur le milieu de la pègre. À moi, donc, de recueillir les histoires. La vie des hors-la-loi devient-elle légitime à partir du moment où elle inspire l'art, le mythe ?

Mes interlocuteurs m'expliquent que dans un souci d'authenticité mes personnages doivent s'exprimer dans la langue des frères, l'argot bhaï. Les truands de Bombay n'ont qu'un seul mot pour désigner tout à la fois le travail, le sexe et la mort : kaam. Uska kaam kya signifie, selon le contexte, « je l'ai tué », « j'ai couché avec lui » ou « j'ai travaillé pour lui ».

Au fil du temps, la nécessité de dissimuler leurs activités à la police les a conduits à mettre au point un vrai langage codé ; chaque nombre de 1 à 40 a un équivalent précis dans l'argot bhaï. Une « fille » ou une « poule » est chabbis 26 ; si elle a un copain, elle a un chhava, un « petit » au sens de petit d'animal. Une « fille » se dit aussi paaya, paneri ou chawal – du riz de plus ou moins bonne qualité, le basmati chawal étant le plus prisé ; celles qui fréquentent « le cours de danse » sont des danseuses de bar. Nalli jhatkana désigne précisément l'orgasme masculin ; baiser, c'est faire atkana.

Le mot « arme » a généré toute une kyrielle de synonymes, ce qui bien sûr n'a rien d'étonnant : samaan (attirail), bartan (récipient), mithai (mignonne), baja (un instrument de musique), dhatu (métal), chappal (sandale), sixer, chakri, ou, très souvent, godha (cheval), car un tueur attache autant de prix à son flingue qu'un chevalier du Moyen Âge à son fier destrier. Une mitraillette est aussi une « guitare », ou bien un « pulvérisateur » à cause de son rayon d'action. Une arme de petit calibre sera affectueusement surnommée « amma » (maman) et les balles, sa progéniture, bacche (enfants). Une balle se dit encore « pastille », « capsule » ou dana (graine). Une grenade à main devient une « patate » ou un « caillou » ; un couteau, c'est un lambi, un « grand ».

Une métaphore empruntée au cinéma sublime la tuerie en « prise d'extérieur ». Le sheth qui commandite un meurtre

ordonnera à son homme de main de « ramollir la cervelle » de la
victime désignée ou de la « mettre K.-O. ». S'il veut en outre
qu'il se débarrasse du corps, il ajoutera : Uska potlar kar de
(« Expédie-le dans l'autre monde »), ou, autre variante sur le
même thème : Kamti kar do (« Fais-m'en un négatif »). La coutume qui consiste à offrir du pain et du supari * lors des fêtes est
à l'origine du glissement qui a consacré le supari en équivalent
de « contrat pour meurtre » ; avant de partir en mission, le tueur
se voit d'ailleurs souvent offrir une noix de bétel censée lui
porter chance.

Faire l'amour à une fille – bajaana –, c'est « s'amuser avec
elle », « la buter » (thokna) ou « conduire une voiture » (gaadi
chalana). Le sexe et la mort sont dans une proximité étroite. Un
flingue aussi se dit gaadi, et selon le contexte l'expression « tirer
lena » signifie tirer un coup de feu ou tirer son coup. Un même
terme générique désigne les filles et la drogue : maal, la « cargaison ». Le charas s'appelle également kaka sona, « or noir » ; la
police se dit thola et un fourgon de police dabba.

L'argot de la pègre emprunte largement au vocabulaire sportif et en particulier au cricket, ainsi que j'ai pu le constater en
assistant aux interrogatoires menés par Ajay. Les guetteurs
« surveillent le terrain » ; ils observent les mouvements de la
police pendant que les tueurs « jouent la manche » contre la victime ou « marquent au score ». Les parrains adorent le cricket ;
ce sont des spectateurs assidus des matches et ils n'hésitent pas
à faire venir des joueurs de cricket dans les pays où ils se
cachent. Leur passion pour ce jeu est telle qu'ils doivent savoir
qui va gagner le match avant même qu'il soit disputé ; ils sou-
doient une des deux équipes pour qu'elle perde et gagnent
beaucoup d'argent en pariant contre elle.

Une information, un tuyau, c'est un tichki : « File-moi un
tichki sur Untel, je dois bosser pour lui », disent les truands.
Quant à l'argent, c'est un sujet qu'ils évoquent à mots couverts,
en parlant de « numéro » (« Tu as tiré quel numéro ? » signifie
en clair « Tu as touché combien ? ») ou de « message » (« Tu as

reçu un message dix sur dix » signifie « J'ai reçu dix mille roupies pour toi. ») Le vocabulaire financier de la pègre est
volontiers pudique, voire réducteur ; dans la bouche des truands,
« une roupie » désigne un lakh ; voler une grosse somme, c'est
« lever des fonds ».

Quand un tueur part à l'étranger, que ce soit à Dubaï, en
Malaisie ou à Toronto, il « monte au gaon » ; vu de Bombay le
reste du monde est un village (gaon).

En bas, des musulmans aisés de Byculla s'apprêtent à célébrer
un mariage selon le culte bohra. Nous quittons la chambre et
nous entassons dans ma voiture. Anees m'indique un bar, le
Gold Mine, en plein centre-ville : « Il y a eu deux meurtres, ici.
Ce bar appartient à un sheth. Il avait deux gardes du corps. La
Compagnie lui a demandé de l'argent mais il n'a jamais payé.
Un beau jour il est rentré là et il a trouvé les têtes de ses gardes
du corps alignées sur une table. »

Je les dépose à Kamathipura, au coin de Fifth Lane. Mohsin
qui n'a pas bu une goutte d'alcool depuis cinq ans mais tâte du
haschisch depuis qu'il a quinze ans déclare en se frottant les
mains : « Maintenant on va fumer du charas. C'est sans danger
et ça fait du bien. Quand je plane, j'ai la tête froide. Autrement,
ça bout là-dedans. » Le hasch va leur creuser l'appétit et les
exciter ; pour apaiser leur fringale, ils mangeront des sucreries, et
quand ils auront assez fumé pour être sûrs de bander longtemps
ils iront voir les putes. « On se la coule douce, tu vois. On se
lève jamais avant midi, on dort quand on a envie. » Cette existence très peu structurée leur plaît ; ils se sentent libres, eux qui
vivent à l'ombre menaçante de la mort. Libres de consacrer leurs
journées, leurs nuits surtout, à aller d'un lieu de plaisir à un autre
– d'une gargote à kebabs à un club de billard de Madanpura,
d'un coffee-shop où ils renouvellent leur provision de charas à
un bordel de Kamathipura où ils pourront évacuer la rage qui les
habite. À toute heure du jour ou de la nuit, ils hantent le centre
de Bombay à l'affût de règlements de comptes dont ils pourraient tirer parti. Ils surveillent les rues comme les agents de

change leurs écrans scintillants ou les céréaliers les signes avant-coureurs de la mousson, en quête des frémissements de tendance du marché, des perturbations qui se préparent.

Au sortir de cette réunion à l'hôtel, je me rends à un dîner mondain dans Worli. Une quinzaine d'invités, majoritairement des couples, se pressent dans la pièce haute de plafond décorée de tableaux abstraits – pour l'essentiel des visages sombres – et d'antiquités choisies avec soin. J'ai l'impression de me retrouver à Soho. Le propriétaire a vécu dix ans en Californie avant de rentrer à Bombay. La plupart des convives ont eux aussi effectué des séjours plus ou moins longs aux États-Unis, à Wharton ou à Harvard ; ils sont plusieurs à avoir fréquenté la prestigieuse école Doon, aux confins de l'Himalaya. On parle bébés, on se désole de l'état désastreux de l'économie, on se remémore de vieilles histoires de collège en buvant du vin français et en écoutant Eartha Kitt et Annie Lenox sur la chaîne stéréo dernier cri. Je remarque une blonde au teint très pâle que je prends pour une Américaine jusqu'à ce que j'entende son accent, cent pour cent bombayite. Elle a fait quelque chose à ses cheveux, elle a fait quelque chose à sa peau, elle a les moyens de se protéger efficacement des rayons du soleil.

Étourdiment, je touche un mot à mon voisin de la journée que je viens de vivre. J'aurais mieux fait de m'abstenir, car toute la tablée est bientôt au courant et veut des confidences sur ma rencontre avec les tueurs. Mes commensaux sont aussi fascinés par les détails que je veux bien leur livrer sur Madanpura qu'Ishaq, Girish et Shahbuddin l'ont été deux nuits plus tôt par la description d'une soirée entre grands patrons au Library Bar. « À quoi est-ce qu'ils ressemblent ? Comment s'expriment-ils ? Comment s'habillent-ils ? » Je m'en veux de n'avoir pas su tenir ma langue, d'avoir cédé au besoin irrépressible de déballer des histoires que je connais depuis quelques heures à peine et que je n'ai pas encore assimilées. C'est plus fort que moi ; je n'arrive pas à les garder pour moi, à prendre le temps de les digérer avant de les coucher par écrit. D'une certaine façon, pourtant, cela me sert de les partager avec ce groupe étrange, car, confidences pour confidences, banquiers d'affaires et industriels entreprennent de m'en donner la version qui a cours de l'autre côté de la barrière. Pas un n'admet avoir été directement pris pour cible par un gang ou avoir capitulé devant ses exigences, mais tous connaissent un parent, un ami ou un ami d'ami qui a dû « passer à la caisse ». Mohsin et sa bande ne sont pas si loin de la pièce où nous conversons ; derrière les fenêtres qui donnent sur la rue Worli, si paisible, je remarque des petits groupes d'hommes apparemment désœuvrés, que je soupçonne d'observer nos allées et venues dans l'appartement brillamment éclairé. Ils nous voient mieux que nous ne les voyons.

Le banquier qui me ramène chez moi me demande si je sais où on peut se procurer une arme, à Bombay. Il a déjà tiré à balles réelles, dans la propriété de son beau-frère. « Je ne me suis jamais autant éclaté que ce jour-là », affirme-t-il avec conviction.

À quelques mois de là, j'apprends par Anees ce qui est arrivé à Mohsin. Il ne s'est pas marié, pour finir. Le surlendemain de notre rendez-vous, il s'est fait arrêter par la brigade criminelle. Après lui avoir bourré les oreilles de coton et mis un bandeau sur les yeux, les flics l'ont emmené dans un lieu tenu secret où ils l'ont gardé trois jours. Ils l'ont battu et ont ensuite essayé de le convaincre de travailler pour eux, en les renseignant et en les débarrassant de leurs ennemis. À en croire Anees, « Mohsin aurait préféré mourir plutôt que de devenir indic ». La police a donc prévenu Shakeel qui a versé les trois lakhs de sa caution. Relâché, il est tout de suite parti dans le Nord. De Surat, il a envoyé à Anees un article de journal relatant un meurtre et illustré de sa photo, après quoi il l'a appelé au téléphone : « Tu peux me féliciter », lui a-t-il dit. Mohsin a honoré la promesse qu'il s'était faite d'éliminer l'homme qui avait failli tuer son ami Yasin. Il a ainsi bouclé comme il l'entendait cette « affaire d'honneur » dont il m'avait parlé.

SATISH : LE DAL BADLU

Je patiente dans le petit bureau étouffant de l'entreprise Phone-in Services dans l'espoir d'obtenir un rendez-vous avec le parrain Chotta Shakeel. Si j'y parviens, ce sera grâce à Kamal, autre membre du cercle nombreux des anciens copains de fac de Girish. Kamal est le trésorier des tueurs de la Compagnie-D. Lorsqu'ils sont à court d'argent – ou que leur famille est dans le besoin parce qu'eux-mêmes sont morts ou en prison –, c'est lui qui verse les sommes nécessaires. Un certain nombre de personnages activement recherchés par la police s'adressent à lui avec respect en l'appelant « bhaï ». Kamal, qui dans son physique même a quelque chose du renard, s'habille avec recherche, s'applique à bien parler anglais. Plus instruit que la moyenne (il a un diplôme universitaire) et naturellement doué pour les affaires, il dirige plusieurs entreprises avouables pour le compte de la Compagnie Dawood. Il y a encore trois ans, il participait ouvertement à des activités illicites, d'où sa renommée et la crainte qu'il inspire. Les petits jeunes de Madanpura – Anees, Mohsin et les autres – lui ont longtemps servi le thé. « Quand j'entrais, ils se levaient et n'avaient pas le droit de s'asseoir en ma présence. Ils restaient debout. »

Phone-in Services, une entreprise de services installée en banlieue, est la plus transparente des sociétés dont il s'occupe.

Grâce à Phone-in Services, sur un simple coup de fil le banlieusard toujours pressé qui rentre à Mira Road après un long trajet en train peut faire livrer son dîner à domicile par le restaurant de son choix, envoyer un garçon de courses chercher son poste de télévision chez le réparateur afin de passer une soirée tranquille devant son émission favorite, demander que le costume qu'il mettra pour aller travailler le lendemain lui soit rapporté à l'aube, lavé et repassé.

Les papiers à l'en-tête de Phone-in Services sont établis au nom d'un hindou. Bien que ce monsieur ne détienne que quinze pour cent des parts de la société, le propriétaire en titre, Kamal, préfère rester discret. Avant, il se faisait appeler Shahid. L'ami de Girish a à sa disposition toute une série d'identités dont il se débarrasse comme d'autres de sociétés écrans aux frais annexes trop élevés, quand son nom d'emprunt commence à avoir trop mauvaise réputation. Pour l'instant, Kamal reçoit dans son bureau un couple venu solliciter les conseils du bhaï. Une jeune fille d'Aurangabad a fugué pour retrouver son amant, au grand dam de ses parents qui voudraient la récupérer. Kamal joue les intercesseurs. L'entretien terminé, il sort pour aller appeler de ma part le puissant Chotta Shakeel de la cabine au coin de la rue.

« Tu le connais ? demande ce dernier. C'est un de tes amis ?

– Ce n'est pas un ami à moi mais il connaît bien un de mes bons amis.

– Renseigne-toi sur lui. Je dois savoir qui c'est. »

De retour dans son bureau, Kamal me propose d'écrire un scénario de film qui, loin des « contes de fées » projetés sur les écrans, retracerait l'histoire véridique des gangs de Bombay. Rien de plus facile pour lui que de m'envoyer quinze jours à Dubaï. Sur place, j'observerai le fonctionnement de la structure de commande opérationnelle du gang et verrai combien ses dirigeants ont le mal du pays. Bombay leur manque, ils sont malheureux, ils n'ont pas de vie en dehors du travail. Quand ils ont un moment libre, ils s'offrent un jus de fruits à Pizza Hut, vont au cinéma voir un film hindi. Ils pensent sans arrêt à leurs familles restées au pays, ils se demandent ce que font leurs frères pour telle ou telle fête. Kamal a récemment passé deux semaines à Dubaï avec Chotta Shakeel, et il a remarqué que la cassette de la chanson *J'aime mon Inde* était usée à force d'avoir été écoutée.

Si j'écrivais ce scénario, m'explique Kamal, le gouvernement comprendrait les dessous de la guerre des gangs et pourrait définir des stratégies plus efficaces contre les organisations mafieuses. Cela rendrait service au pays, affirme le contrôleur des comptes de la Compagnie-D. Si le gouvernement veut en finir avec les extorsions de fonds, il faut que la contrebande redevienne lucrative : « Il n'a qu'à limiter à nouveau les importations d'or, de montres, d'appareils électroniques. C'est complètement illusoire de vouloir supprimer l'économie souterraine. » Il arrive que les gangs s'affrontent dans le seul but d'obliger la presse à parler d'eux, pour entretenir la peur qu'ils inspirent aux gens normaux. « Les gangs font la même chose que les commerçants qui réapprovisionnent leurs stocks : ils ne peuvent pas se permettre d'être à court de peur. »

Avant d'aller exécuter un contrat, certains tueurs demandent à leurs frères de leur nouer autour du poignet un fil d'Ajmer Sharif [1] qui ressemble à s'y méprendre au rakhi des hindous. En effet, m'explique Kamal, « ceux qui travaillent pour la mafia sont croyants. Ils ont tout le temps conscience de pécher et ils savent qu'ils doivent respecter Dieu s'ils veulent vivre ». Dieu, le bhaï suprême. Les murs du bureau de Kamal sont garnis de versets du Coran, d'autres s'étalent sur son bureau. Comme la plupart de ses acolytes, le trésorier porte autour du bras un taveez (une bandelette verte), voire plusieurs, et s'en attache également autour de la poitrine. Girish m'a raconté que Kamal, ses employés, ses visiteurs finissent toujours par engager la discussion sur un sujet religieux. Laissant momentanément de côté l'affaire qu'ils examinaient, ils se mettent à parler des Upanishad et du Coran, comparent l'hindouisme, l'islam et le christianisme sans chercher à les rabaisser, pour vanter au contraire leurs mérites respectifs. Girish avoue que ces conversations le barbent.

Le climatiseur neuf qui équipe le bureau de Kamal ne suffit pas à décourager les moustiques. Girish essaye d'en tuer un en frappant dans ses mains, puis il examine ses paumes. Raté : pas de cadavre d'insecte. Kamal se moque de lui : « Même pas fichu

---

1. La ville d'Ajmer Sharif, dans le Rajasthan, est un des lieux saints du soufisme *(N.d.T)*.

d'écraser un moustique. Tu n'as pas beaucoup d'avenir dans la mafia. »

L'air pollué de Bombay ne vaut rien à Girish. Le soir, il se sent oppressé, il respire mal. Il a consulté toute une kyrielle de praticiens traditionnels – des médecins ayurvédiques, des homéopathes, des hakims *, et récemment, sur les conseils de Kamal, une voyante de Mira Road capable de convoquer les djinns, les esprits. Le djinn qu'on interroge en sa présence s'exprime par sa bouche. « Et mes parents en Amérique, est-ce que leur santé est bonne ? » Le djinn a la réponse, plus directe et moins chère qu'un coup de fil. Kamal va régulièrement voir cette médium pour avoir des nouvelles de ses associés de la Compagnie-D exilés à Dubaï. Le réseau djinns qui fonctionne depuis l'au-delà en toute confidentialité est infiniment précieux pour les truands, maintenant que leurs lignes téléphoniques sont sur écoute.

Avec nous dans le bureau de Kamal se trouve Zameer, un jeune homme de vingt-cinq à trente ans, chétif, petit (il mesure moins d'un mètre cinquante), au visage orné d'une fine moustache. Il supervise pour Kamal un projet de construction à Daman, ce qui lui impose sept heures de trajet par jour. Zameer me glisse que les gangs recrutent leurs informateurs parmi les videurs, les danseuses, les propriétaires des bars... et les coiffeurs. Ce garçon en sait long, apparemment, sur les réseaux souterrains de la pègre.

Il me faudra patienter, avant de pouvoir interviewer Shakeel au téléphone, mais en guise de consolation Kamal m'accorde une faveur insigne : il va me présenter à un de ses meilleurs tueurs, un homme « interdit de séjour de Bandra à Borivali » – territoire sur lequel il court les plus grands dangers car la police le traque. L'entrevue devra donc avoir lieu au sud de Bandra ou au nord de Borivali. Kamal va expliquer à ce dangereux individu que je travaille à un scénario de film sur la guerre des gangs.

Le rendez-vous est fixé un après-midi de juillet au terminus de bus de Bhayander, en lisière de la circonscription municipale de Bombay. Je m'y rends avec mon ami Vikram qui écrit un livre sur la mafia et a insisté pour m'accompagner. Dans le petit café proche de l'arrêt de bus, nous retrouvons Zameer, attablé devant une assiette de methi * parathas *. D'un signe, il m'indique un individu en grande conversation téléphonique dans la cabine voisine : « C'est lui. »

Dès que notre contact est rassasié, nous sortons retrouver cet homme. Guère plus vieux que Zameer, trapu et râblé, il porte une chemise à carreaux et un jean, un fil sacré autour du poignet, une bague à un doigt. Plutôt beau gosse, il a des yeux intelligents et les joues mangées par une barbe qu'il a négligé de raser ou se laisse pousser. Le nom sous lequel il se présente ce jour-là changera par la suite, lorsque j'aurai mérité sa confiance ; plus tard encore, à Dubaï, c'est sous une troisième identité qu'on m'en parlera. Ici je l'appellerai Satish, un nom de mon invention.

Un garuda (sorte de grand rickshaw pouvant accueillir huit personnes à l'arrière, sur deux banquettes face à face, et trois ou quatre autres à l'avant, selon l'endurance du conducteur), nous emmène au point de destination choisi. La circulation a beau être fluide, Satish qui a distingué au loin un obstacle sur la route insiste pour que le conducteur accélère : « Fonce-lui dessus, qu'il s'écarte. N'aie pas peur, ça va passer. »

Nous nous arrêtons sous un panneau publicitaire du centre de loisirs Maxwell, illustré de photos de piscine et de reproductions insolites d'un hélicoptère et d'un kangourou. De là, nous poursuivons à pied jusqu'à l'hôtel, distant de près de deux kilomètres. La route suit la crête d'une colline ; à gauche, s'alignent des pavillons vieillots baptisés de noms catholiques, entre lesquels se nichent quelques statues de Jésus ; à droite, par-delà les rizières qui verdoient sous la pluie, s'étend l'infinité blanche de la mer. La bruine de la mousson adoucit les contours du paysage et c'est d'un pas léger que nous effectuons la longue ascension.

À l'entrée de l'hôtel, un mystère m'est dévoilé. Sous un préau d'été, je reconnais l'hélicoptère et le kangourou qui sont en fait des attractions payantes pour les enfants : quand on glisse de la monnaie dans la fente, ils se mettent à bouger en tous sens. Nous nous dirigeons vers l'accueil et commençons à marchander avec le propriétaire de l'établissement, mais pendant que je négocie les tarifs deux employés me coupent la parole pour s'adresser à leur patron :

« Les flics sont en bas. Ils ont un mandat de perquisition. »

Le propriétaire, un petit moustachu, hoche lentement la tête. « Les flics sont là ? Dites-leur que je discute avec Dieu le père. »

La police ne met jamais les pieds ici.

La chambre dans laquelle aura lieu l'entretien me coûte cinq cents roupies. Très fonctionnelle, elle est meublée d'un lit et de quelques sièges en plastique. Je sors mon ordinateur de mon sac à dos et Satish entame le récit de son premier meurtre.

Chotta Rajan, le bhaï de la compagnie à laquelle il appartenait alors, avait procuré à Satish et à un de ses amis sikhs deux mithaïs – deux « bonbons », autrement dit des armes à feu. Ils se sont d'abord contentés de s'amuser avec sans s'en servir pour de vrai, juste histoire d'effrayer les gens et de rendre la menace plus tangible. La petite amie de Satish l'emmena un jour dans un temple et lui noua un fil sacré autour du poignet droit en lui murmurant : « Ne fais jamais de mal à personne. » Le lendemain, les instructions du bhaï tombaient : Satish et son compagnon sikh devaient éliminer un musulman impliqué dans les attentats à la bombe. Cet homme âgé d'une trentaine d'années avait rompu avec le gang et depuis il menait une vie rangée et allait régulièrement à la mosquée.

Lorsque Satish arriva pour le tuer, il a vu « les flammes de la peur dans ses yeux » – et au moment où il levait le bras droit il s'est rappelé le fil noué autour de son poignet et les mots de sa fiancée. Alors, dit-il, « j'ai tiré de la main gauche, mais c'est plus dur, j'ai raté. Je l'ai touché à la jambe. Il s'est mis à courir et j'ai eu pitié de lui. Après tout, il n'avait pas joué un grand rôle dans cette affaire. Si j'avais pris le temps, au bout de cinq minutes il m'aurait baisé les pieds. Je voulais le tuer mais quelque chose m'en empêchait. Il s'est réfugié chez lui et je n'ai pas insisté de crainte de toucher ses enfants ». Satish s'est donc éloigné, mais enivré par le bruit des coups de feu il a continué à vider son chargeur ; il tirait et les gens s'écartaient sur son passage, paniqués.

Les ordres d'en haut se firent plus pressants : la cible devait être abattue. Il fallut donc organiser un nouveau guet-apens. Cette fois, quatre tueurs, dont Satish, vinrent attendre la victime à un arrêt de bus, dans un quartier grouillant de monde. Ils avaient un équipement dernier cri : un 9 millimètres, un Mauser, un calibre 38, un semi-automatique. Ils se communiquaient leurs positions respectives à l'aide de leurs portables. Le plus proche de la cible s'en approcha à l'arrêt de bus, pendant que les autres préparaient la fuite, leurs armes dissimulées dans des sacs en plastique. Quand chacun eut pris son poste, « on a envoyé le signal au copain. Il lui a brûlé la cervelle et on a confirmé en envoyant des giclées de balles. Les gens couraient dans tous les sens, il y a eu des blessés dans la foule. Je suis bien resté une minute à regarder tout ce sang. Une bouillie rouge lui sortait du crâne et le sang bouillait, comme de l'eau qui bout sur le gaz. »

Ce fut son premier meurtre. « Après, dit-il, je m'y suis mis pour de bon. »

Notre conversation se déroule dans un hindi mâtiné d'anglais. Satish est quelqu'un de subtil ; il me regarde dans les yeux et s'exprime bien, avec beaucoup de fermeté, sans solliciter l'approbation ou la compassion. Il a fait deux ans de chimie à l'université ; un de plus, et il aurait obtenu sa licence.

Il avait sept ans quand, en 1981, il a vu sa mère brûler vive. Comment peut-on survivre à un pareil traumatisme ?

« Le lendemain, je mangeais des chocolats », répond Satish. Son père, fonctionnaire aux Impôts, a été accusé de la mort de sa femme, qui à l'en croire s'était en fait suicidée. Suspendu de ses fonctions, écroué et jugé, il fut condamné à finir ses jours en prison. Des années plus tard, il obtint son acquittement en appel.

Satish, entre-temps, poursuivait sa scolarité dans une école anglaise d'Andheri. Bon élève, il se classait dans les dix premiers, « mais à la maison ce n'était pas la joie ». Il se mit à avoir de mauvaises fréquentations, et assez vite les ennuis commencèrent ; une fois, il pissa sur le tableau noir et fut renvoyé plusieurs jours. « Les adultes qui s'occupaient de nous ont compris que ça allait mal finir, ils nous faisaient tout le temps la leçon. » Satish utilise volontiers la première personne du pluriel pour parler de lui, mais c'est moins un nous de majesté qu'un tic né de la nécessité de rester anonyme ou de l'envie de fuir ses responsabilités en se fondant dans un groupe.

L'âge venant, Satish découvrit qu'il avait besoin d'argent pour sortir avec des filles. Il s'en procurait avec sa bande en cambriolant des particuliers, en volant des voitures, en malmenant les victimes récalcitrantes. Ils n'avaient pas toujours le dessus ; parfois, c'est eux qui prenaient les coups. « Ça ne serait pas arrivé si on avait eu un revolver. Nous allions assez souvent au cinéma pour comprendre qu'il nous fallait un ghoda », un flingue. Pour venger un de ses copains de l'Uttar Pradesh qui avait été blessé au cours d'une bagarre, Satish et quelques autres attaquèrent ses adversaires au couteau. Sur ce, l'ami en question, bien placé pour savoir que le clan d'en face était lié aux gangs, acheta un revolver de fabrication indienne. Ce fut le premier ghoda de Satish. « Nous n'arrêtions pas de nous regarder dans la glace. Ça nous donnait de l'allure. Nous ne sortions plus sans lui. » Il ne pensait plus qu'à ça. Les armes qu'il a eues depuis jalonnent le parcours de Satish. Comme d'autres associent les étapes de leur vie adulte à leurs maîtresses, lui se souvient du feu qu'il portait glissé dans sa ceinture à telle ou telle période.

Tout en étudiant à l'université, il s'occupait de vendre des armes et des explosifs utilisés en partie lors des attentats de 1993. Après l'arrestation d'un des membres de sa bande par Salaskar, le spécialiste des « rencontres » que j'ai eu l'occasion d'interroger, la police trouva dix-huit pistolets d'importation dans une cache du groupe. Le jour où les flics se présentèrent chez lui, Satish n'était pas à la maison. Ils menacèrent son père de le tuer s'il ne leur disait pas où il se planquait. Le père de Satish les supplia d'épargner la vie de son fils, il donna même de l'argent à l'inspecteur qui menait l'enquête pour acheter son indulgence.

Satish fut quand même interpellé par les policiers désireux de tirer au clair sa participation aux attentats. Devant lui, ils s'acharnèrent sur un de ses complices avec leur générateur électrique et le prévinrent qu'il aurait sous peu droit au même traitement. Cette nuit-là, dans sa cellule, tremblant à l'idée de ce qui l'attendait, Satish se remémora un mantra appris d'un ami musulman. Quand on vint le chercher, il resta sur sa couchette en feignant le sommeil alors qu'il se récitait intérieurement les mots magiques. Penché sur lui, le policier resta un moment à l'observer puis tourna les talons. « Depuis, dit Satish, je crois à la force de ce mantra. »

L'enquête n'ayant rien révélé de son implication dans la vague d'attentats, il ressortit libre du poste de police. Rentrant chez lui tard dans la nuit, il s'étonna de trouver l'appartement familial éclairé. Son père, son frère et sa sœur – « je n'avais plus de mère, bien sûr » – n'avaient pu se résoudre à aller se coucher, et pour la première fois de sa vie il vit son père pleurer. « Il disait, " et moi qui croyais que tu faisais tes études, que tu voulais devenir médecin "... » Écrasé par la culpabilité, Satish accepta de s'exiler au village ancestral, dans le fin fond du Maharashtra. Là-bas, son grand-père ne lui passait rien et l'obligeait à travailler la terre. Satish poussait la charrue dans les champs et ne mangeait pas à sa faim. Quand il était souffrant, le grand-père lésinait sur les médicaments. Il reçut un jour une lettre de son frère, entre-temps placé dans un foyer, qui le suppliait de venir le voir et lui apprenait qu'il était très malade. Satish demanda à un cousin de lui prêter l'argent du voyage, mais il essuya un refus. « Je me sentais piégé, explique-t-il. À l'époque où je vivais comme un bandit je gagnais de l'argent à la pelle, et maintenant que je faisais un travail honnête je n'avais pas un sou devant moi. » Il décida donc de s'enfuir pour revenir à Bombay.

Là, il trouva à s'embaucher dans une société de fret aérien où la contrebande allait bon train. Avec son premier salaire, il acheta une montre à son père, lui procurant ainsi « un bonheur que je ne suis pas près d'oublier ». Mêlé à une dispute entre employés, il démissionna pour entrer dans une entreprise de messagerie appartenant à un autre de ses cousins. Sa tâche, assez spéciale, consistait à acheminer des paquets par le train ; juste avant la barrière de l'octroi, à l'entrée de Bombay, il devait jeter le colis du train, puis sauter en marche et introduire ensuite la marchandise en fraude, à pied. Cela dura jusqu'au jour où il demanda à un passager de l'aider à pousser le colis, qui tomba sur la voie et fut écrasé par le train. Le lot de saris et de petit outillage d'importation était irrécupérable, et devant le refus de son cousin de payer ce transport, Satish décida de passer la main.

Sur ces entrefaites, il fut contacté par un vieil ami qui sortait de prison où il avait noué des relations avec plusieurs membres de la Compagnie de Chotta Rajan et qui sut le convaincre d'y entrer avec lui. Peu de temps après, on lui confia sa première mission – l'assassinat de ce musulman impliqué dans les attentats à la bombe. À partir de là, les contrats se sont succédé. Satish se souvient en particulier d'un producteur de cinéma que Chotta Rajan avait pris en grippe après avoir financé un de ses films. Le producteur se croyait invulnérable ; il était protégé en permanence par une escorte de trente à quarante hommes. Satish profita d'un moment où il se trouvait dans son bureau pour mettre le feu à sa maison située à deux pas. Tandis que les gardes du corps se précipitaient pour éteindre les flammes, Satish et ses acolytes pénétrèrent dans le bureau où le producteur était en train de téléphoner, entouré de quelques visiteurs. « Nous lui avons dit ses quatre vérités avant de lui tirer une balle dans le cœur. Les autres n'ont pas moufté. Nous sommes tranquillement repartis en voiture. »

Cela se passait au début des années quatre-vingt-dix, à l'époque des émeutes au Penjab. Satish avait un ami sikh impliqué dans les actions terroristes, que ses supérieurs avaient chargé d'engager des tueurs confirmés pour éliminer un policier. Satish exécuta ce contrat avec quatre autres hommes, mais il se fit prendre et passa quatre mois dans la maison d'arrêt de Patiala. La population carcérale de cette prison gigantesque est essentiellement composée de terroristes, qui pour la plupart, de l'avis de Satish, sont des esprits brillants et cultivés. Condamné à l'isolement, il partageait en fait sa cellule avec le fils d'un collecteur de fonds grâce à un pécule de deux mille roupies et « un bon réseau de relations ». Trois autres détenus s'entassaient dans la cellule contiguë. À eux cinq, assis de part et d'autre de la cloison, ils jouaient à antakshari, le jeu des amateurs de chansons de films en hindi qui consiste à entonner chacun à son tour un couplet dont les premières syllabes reprennent celles sur lesquelles le précédent s'est achevé. Toute la prison résonnait des voix mâles des terroristes, chantant des chansons d'amour à pleins poumons.

Le nettoyage des gibets faisait partie des corvées assignées à Satish. Les gibets de Patiala se composent d'une estrade, avec la potence et sa corde, et en dessous d'un espace clos où tombent les corps des pendus. Satish devait d'abord briquer l'estrade, salie par les déjections des vols de perroquets, mais le plus dur du travail concernait le niveau inférieur. Les gens qui assistent à une pendaison n'imaginent pas, m'a-t-il dit, les souffrances qu'endurent les condamnés quand ils basculent sous la trappe. L'espace était jonché d'excréments et de morceaux de langue, car les malheureux qui se débattent au bout de la corde font dans leur pantalon et se mordent la langue si fort qu'ils la sectionnent.

À leur libération, Satish et ses compagnons étaient en excellents termes avec les policiers penjabis ; l'un d'eux avait même accéléré la remise de peine de Satish au motif que son père était un agent de l'État (démis de ses fonctions, mais qu'importe). Maintenant, ils sont « plus ou moins potes » ; quand les flics du Penjab viennent à Bombay, Satish et sa bande vont les chercher en voiture à la gare et les emmènent directement au 007, un bordel de Kamathipura. Satish connaît les tarifs par cœur : « Pour cent cinquante roupies, tu peux t'offrir une jolie fille bien élevée qui pourrait être étudiante. Après, c'est trois cents roupies l'heure et sept cent cinquante roupies la nuit. » Ce faisant, il leur retourne simplement la politesse, dit-il avant de me raconter l'anecdote suivante, sur les lois de l'hospitalité penjabie.

Convié un jour à dîner par un de ses amis flics du Penjab, il eut droit à un somptueux repas en famille. Après le dîner, son hôte qui savait, dit Satish, « que nous adorons la baise », le prit en croupe sur sa Bullet. Au terme d'une course folle, il arrêta la moto dans un village, frappa à la porte d'une maison. Un homme vint ouvrir. Le policier lui posa le canon de son arme sur la tempe et, empoignant de sa main libre la femme venue voir ce qui se passait, il proposa à Satish d'aller « tirer sa crampe avec elle dans la pièce du fond ». Satish ne se fit pas prier – « J'étais chaud, ça n'a pas traîné » –, puis, laissant sa place au policier, il resta sur le bord du lit à les observer. « Il bourrait comme un âne. Rien qu'à le regarder je me suis remis à bander et quand il a eu fini je l'ai encore sautée. Elle, elle pleurait, elle nous sup-pliait, " non, non ", mais mon copain lui conseillait de coopérer. " Fais honneur à notre invité ", il disait. » Le mari et la fille se trouvaient dans la pièce d'à côté. « Des agents tenaient le mec en joue. Au Penjab, les flics font ce qu'ils veulent. » Satish n'a-t-il pas profité de l'occasion pour violer aussi la fille de la maison ? Il jure que non. Elle n'avait que dix-huit ans et, dit-il « je m'en serais voulu de me la farcir ». Quant à la femme, son ami poli-cier devait avoir de bonnes raisons pour la traiter de la sorte : « Elle trompait sûrement son mari, et du coup il a dû penser que puisqu'elle le faisait avec un autre elle pouvait bien le faire avec nous. »

Gardant pour moi les sentiments pénibles que m'inspire son histoire, je change de sujet et lui demande ce qu'il éprouve au moment de tirer sur quelqu'un.

De la peur, répond-il aussitôt, mais qui disparaît à la première détonation. « Dès que le coup part, tout devient clair. C'est le pied. » Tous les tueurs ont leurs petits rituels pour se remettre, après un meurtre. Les uns s'enivrent, d'autres se défoncent, d'autres encore vont voir les putes. Satish, lui, s'offre un repas strictement végétarien. Il n'aime pas l'alcool et ne touche ni au tabac ni aux drogues. Une fois son contrat rempli, il rentre chez lui, se fait couler un bain – « je prends toujours un bain, après » –, offre un puja au dieu Hanuman et s'attable devant un repas non violent. Il ne s'autorise même pas les œufs. C'est en sortant de prison qu'il a commencé à suivre ce régime, pour tenter d'apaiser la colère qui le rongeait de l'intérieur et lui donnait « des envies de meurtre tous les jours ». Ce carnivore endurci capable de manger de la viande au saut du lit a changé du jour au lendemain ses habitudes alimentaires. « Maintenant que je suis végétarien, je n'ai plus l'esprit troublé. Je suis calme, je ne m'énerve pas, je peux me concentrer sur mon travail. »

Quand il est restauré, Satish le meurtrier sombre dans un sommeil profond dont il n'émerge que longtemps après. « Tout le monde ne réagit pas pareil », reconnaît-il cependant. Il a ainsi un ami qui chaque fois qu'il avait commis un meurtre souffrait ensuite d'un étrange contrecoup : « L'âme de celui qu'il avait tué venait le voir et se posait sur sa poitrine pour essayer de lui arracher le cœur » ; elle le tourmentait et l'empêchait de fermer l'œil des nuits et des nuits d'affilée. Le magicien qu'il alla consulter en désespoir de cause lui donna un truc pour décourager les âmes de ses victimes : « Il fallait qu'il dorme sur le côté gauche pour se protéger le cœur. » Le tueur tourmenté a suivi le conseil ; quand il détecte la présence d'une âme dans sa chambre, il se recroqueville en position fœtale.

D'autres basculent dans la folie. Satish me cite le cas d'un de ses collègues, fils unique d'un médecin et qui se destinait à embrasser la carrière de son père. Dès qu'il avait un problème, il fallait qu'il sorte pour faire « des trucs de dingue ». Une de ses manies consistait à ouvrir le crâne de ses victimes pour en extirper la cervelle et la découper en fines lamelles, m'explique Satish en actionnant la main avec délicatesse, comme pour trancher une substance fragile. « Qu'est-il devenu ? » dis-je. Satish me répond en haussant les épaules qu'il a repris ses études de médecine.

Selon lui, la plupart des tueurs ont une sensibilité à fleur de peau et ils prennent les choses trop à cœur. Ce tempérament particulier complique notamment ses histoires d'amour : « Quand j'aime une fille, je ne sais pas comment exprimer mes sentiments. Quand j'aime une fille, je l'aime passionnément alors qu'elle, de son côté, elle m'évite. Si elle a le malheur de parler avec un autre, je le tue, et puis je me mets à penser que je devrais la tuer, elle aussi. Jusqu'ici je n'en ai pas encore buté une seule, mais je crois bien que je ne pourrais pas toujours me retenir. » Réfléchissant, il ajoute que c'est peut-être à cause des films qu'il voit qu'il réagit de la sorte.

De toute façon, les filles qui sortent avec des tueurs savent qu'ils travaillent pour les gangs et connaissent les risques. Certaines se mettent avec eux pour la belle vie, parce qu'ils leur payent à manger et à boire ; d'autres le font par esprit de solidarité. « Celles qui nous comprennent le mieux ce sont les danseuses et les putes. Elles nous aiment bien. Elles comprennent la situation. Ici, soit tu tues, soit tu te fais tuer. Pour elles, c'est pareil. Ce qu'elles n'ont pas, c'est la puissance des armes. Elles cherchent une épaule solide. » Un tueur dans la dèche ou recherché par la police trouvera toujours un refuge chez elles. « On se sent bien avec elles. Elles nous aiment. Le temps passe tranquillement. »

Satish a été sérieusement amoureux au moins une fois, d'une femme médecin de Delhi issue d'une famille de médecins. À l'époque, son ami sikh fréquentait lui aussi une femme médecin et les deux couples sortaient ensemble. « Ça coûtait cher. Elles venaient de la bonne bourgeoisie et il fallait avoir les moyens. On les emmenait au Taj, ou alors au Leela. » Il est resté près de deux ans avec elle. « J'allais bien mentalement, sexuellement, sur tous les plans. » Il suivait alors un cursus scientifique et elle a essayé de l'amender. « Elle aurait voulu que je travaille

dans sa branche, que je me spécialise en pathologie. » Il a fini
par rompre à cause « des trucs de dingue » qui lui passaient par
la tête : « Je m'imaginais qu'elle couchait avec d'autres types de
sa bande, médecins comme elle. Je la traitais de tous les noms, je
la battais, et elle, elle disait, bats-moi mais arrête avec tes grossièretés. » Très ambitieuse, elle était aussi très éprise de lui.
Satish a rompu pour éviter le pire : « J'avais l'impression de
m'enfoncer de plus en plus. Si jamais je me faisais prendre, sa
famille et elle seraient déshonorées, alors j'ai décidé de casser. »

Il a essayé de renouer avec elle, mais elle l'évite. « Il y a quelques jours, je me suis levé tôt pour aller tuer un type. Je ne l'ai
pas trouvé, et pendant que je plantais devant un hôtel, à Dahisar,
elle est venue rendre visite à quelqu'un de sa famille. Elle m'a
vu, mais ni bonjour ni bonsoir. J'ai essayé de l'appeler plusieurs
fois. Mes copains me feraient ma fête s'ils le savaient, mais je
continue quand même à l'appeler. »

En sus du travail qu'ils effectuent pour Chotta Rajan, Satish et
sa bande acceptent des contrats de la Compagnie Manchekar.
Spécialisée dans le « commerce de la poudre » (le trafic de
drogue), cette dernière taxe également les médecins de Kalyan et
de Dombivali [1]. Moins prospère que ses concurrentes, elle passe
pour être le gang mafieux des castes et tribus « répertoriées »,
mais elle paye ses tueurs rubis sur l'ongle. À l'occasion, Satish
lui fournit des armes de contrebande qu'il se procure au Népal
ou dans l'Uttar Pradesh. Il me parle d'un voyage qu'il a effectué
dans cet État : « J'en ai liquidé un paquet, là-bas. » La guerre des
castes fait rage, en Uttar Pradesh où la politique est une voie
obligée pour la jeunesse. Jeunes et vieux mettent tout leur
honneur dans leur fusil. Là-bas, on peut acheter une bombe arti-
sanale pour une roupie et demie : « Les gens qui les fabriquent

1. Les villes de Kalyan et de Dombivali, regroupées sous l'égide d'une même
administration municipale, forment une grande agglomération de plus d'un
million d'habitants à une trentaine de kilomètres de Bombay. Elles font partie
de la Région métropolitaine de Mumbai et s'enorgueillissent de posséder un
des meilleurs services de santé du pays, avec une proportion de médecins nettement supérieure à la moyenne nationale (N.d.T.).

ont l'intérieur du ventre pourri à force de manipuler ces cochonneries. » Satish devait aller voir un député de l'Assemblée
régionale qui les approvisionnait en munitions pour lui proposer
le marché suivant : s'il donnait un coup de main à la bande de
Satish à Bombay, le groupe lui prêterait main-forte en Uttar Pradesh. Un matin, Satish qui s'était isolé pour faire ses besoins
dans un champ en bordure du village entendit des coups de feu.
Des brahmanes avaient pris les thakurs [1] à partie. À la suite de
cet incident, soixante hommes, dont Satish, marchèrent sur le
village brahmane. Les habitants s'enfuirent à leur approche,
mais les affrontements firent un mort et de nombreux blessés.
« On avait l'impression d'être une armée, tellement on avait de
matériel avec nous. »

Satish a des états de service honorables au sein de la Compagnie Nana : deux meurtres à son actif, quatre à cinq tentatives, et
un certain nombre d'exécutions supplémentaires dont il s'est
acquitté en sous-main. Depuis environ deux mois, il a intégré
la Compagnie-D (qu'il surnomme la Compagnie Muchad, par
allusion à la moustache de Dawood) et y a déjà accompli deux
« missions ». Il ne regrette pas son choix, car il est mieux payé et
mieux équipé en armes et en munitions. « Un tueur a deux points
faibles, dit-il : les filles et les flingues. La seconde où la balle
part est un moment de grand bonheur, en un instant tout devient
clair, mais quand l'homme que je visais meurt j'éprouve un bonheur encore plus fort. »

Est-ce que ceux qu'il élimine le supplient de les épargner ?
« Ça arrive. Dans ce cas, il faut les tuer immédiatement, sans
leur laisser le temps de se mettre à parler. »

Décidant d'en rester là pour aujourd'hui, nous quittons l'hôtel.
Tout est calme, alentour, la fraîcheur du soir est agréable.
« J'aime ces endroits, remarque Satish. C'est un peu comme au
village, je me sens bien dans ma tête, et puis au bout de quelques
jours je ne supporte plus et je commence à tourner en rond. »

1. Une des castes supérieures *(N.d.T.)*.

Nous attendons un garuda, quand soudain le tueur pointe le doigt devant lui : « Qu'est-ce que c'est, là-bas, au milieu de la route ? » Assez loin, je distingue un animal en train de traverser lentement. Il me semble reconnaître une mangouste, mais Satish a la vue plus perçante que moi : « C'est un chat qui s'est fait écraser par la bagnole » – une Maruti blanche qui vient de passer à vive allure. Le chat ne pousse pas un cri ; silencieusement, il essaie de se remettre debout et rampe en direction du bas-côté en avançant de façon bizarre : il se propulse maladroitement sur les pattes avant, chancelle, retombe et recule, entraîné par son arrière-train, en s'étirant comme un ver monstrueux.

« Qu'est-ce qu'il faut faire de ce chat, à votre avis ? demande Satish. Vous avez le choix entre le ramener au milieu de la route pour abréger ses souffrances, ou le ramasser et le mettre dans le fossé. Qu'est-ce qui est le mieux ?

– Si j'avais quelque chose pour le tuer, je n'hésiterais pas », affirme Vikram l'écrivain.

Quelques mètres plus loin, l'animal blessé se traîne vers le bord de la route, vacille et repart dans l'autre sens.

« Le chat doit penser la même chose, dit Satish. Tu pourrais tuer un chat ?

– Je ne sais pas, fait Vikram. Je suis déjà allé à la chasse, mais pas très souvent.

– Tu veux que je te dise ? Ce pauvre matou qui se débat, ça me rappelle les fils de bourgeois de Bombay. En les tuant, nous leur apportons le mukti * », la délivrance.

Le garuda démarre, et nous laissons derrière nous le chat que le passage d'un bus ou d'une voiture devrait bientôt délivrer. La scène a inspiré Satish qui se lance dans un soliloque sur Dieu : « Dieu, je le compare à l'odeur de l'argent gagné. En réalité il n'a pas d'odeur, mais il faut sentir sa présence. Dieu joue son jeu avec nous tous. » Dans l'argot des tueurs de la pègre, « jouer son jeu » veut dire tuer, et pour Satish Dieu est le joueur suprême. Décidément très en verve, il m'explique que je me suis trompé de sujet de recherche, que je devrais plutôt entamer une quête spirituelle et m'efforcer d'imiter nos anciens, les jnanis *, ces sages « qui savaient tout et qui ne parlaient jamais, qui ne faisaient que rire ».

Satish pratique-t-il lui-même cette recherche spirituelle ? « Je ne fais pas de recherche, je descends en moi. Tout est en moi. Tu veux que je te dise à quel moment je médite le plus sérieusement ? Quand je suis aux chiottes. Pour moi, c'est un moment très créatif. Aux toilettes, je pense, j'organise mon travail et tout. »

Nous franchissons un barrage de police. Les flics n'ont d'yeux que pour les voitures transportant des couples suspects d'avoir envie de se peloter sur la plage. Ni les gangsters ni moi ne les intéressons. Au restaurant Surahi où nous avons décidé d'aller manger, d'autres collègues à eux fêtent on ne sait quoi dans le fond de la salle. Ils sont ivres, les éclats de voix fusent. L'un d'eux se fâche parce qu'il voudrait que son voisin prenne un autre whisky-Coca, un autre rote bruyamment, un troisième se lève pour retirer sa chemise. Lorsque enfin ils s'en vont, je remarque qu'il en a enfilé une autre, toute neuve, avec l'étiquette encore collée dans le dos. « Ils doivent avoir palpé gros, aujourd'hui », lâche Satish écœuré. Entre eux, les gangsters appellent les policiers « gande log », les dégueulasses.

Toujours grâce à l'entremise de Zameer, quelques jours plus tard, un vendredi, j'ai à nouveau rendez-vous avec Satish. Zameer lui-même a qualifié le premier entretien de « bande-annonce ». Pour la séance qui va vraiment commencer, il a convaincu un autre tueur de se joindre à Satish. Vikram, lui, ne sera pas des nôtres, car il participe à une émission de télévision à Delhi. Je serai donc seul pour cette deuxième entrevue.

J'essaie de dérider Zameer qui est passé me chercher en rickshaw mais il ne semble pas d'humeur à bavarder. Il est tendu pour une raison que j'ignore et son mutisme me met mal à l'aise. En chemin, je repère plusieurs gars à lui, de plus en plus nombreux au fur et à mesure que nous approchons de l'hôtel – deux, d'abord, puis quatre, puis huit. Une véritable escorte. Que font-ils là ? Zameer ne demande pas au conducteur de s'arrêter pour les prendre. À une question que je viens de lui poser, il répond qu'il n'a jamais voyagé hors de l'Inde mais que la semaine prochaine il part pour Dubaï. Pourquoi ? Je sais que les tueurs qui viennent de remplir une mission importante sont mis au vert quelque temps, généralement à l'étranger. Qui Zameer s'apprête-t-il à tuer ?

Est-il sûr qu'il n'y a aucun danger pour moi à me rendre seul à ce rendez-vous ? Laconique, il déclare qu'il ne devrait pas y avoir de problème puisqu'il est avec moi, puis il ajoute : « Remarque, dans notre secteur ça peut changer d'une minute à l'autre. Si d'en haut on m'ordonne au téléphone de t'éliminer, j'ai beau être ton meilleur pote, j'obéirai, parce que si je refusais, c'est moi qui y passerais. »

Pendant que je règle la chambre, à l'accueil, il m'explique que nous ne serons que quatre à assister à la réunion. Dans ce cas, qu'est-ce que tous ses hommes fabriquent dans les parages ? « Ils sont venus se baigner », réplique Zameer. Enfermés dans la chambre, nous attendons en silence. Par la fenêtre, je vois les cimes des arbres. La pièce est meublée d'un lit et d'une armoire métallique, d'un bureau, de deux chaises. Un décor sommaire mais fonctionnel, suffisant pour aimer ou pour mourir. Le genre d'endroit qui me donne le sentiment d'être un élément de décoration incongru. Ici, rien n'est superflu, hormis ma personne.

Rasé de frais, aujourd'hui, Satish a mis un jean et une chemise à grosses rayures rouges et blanches. Il arrive avec un jeune sikh, grand et bien bâti, qui se présente sous le nom de Mickey et s'installe sur une chaise près du lit pendant que je branche mon ordinateur. Son tee-shirt bleu moulant met en valeur ses pectoraux, sa barbe et sa moustache sont bien taillées et il n'arrête pas de tâter ses cheveux coupés très court. Peut-être parce qu'il n'est pas accoutumé à se promener sans turban.

Soudain il se lève, retire son tee-shirt et attrape l'arme glissée sous la taille de son jean pour la tendre à Satish. Lequel l'examine attentivement avant de lever les yeux vers moi et de me la déposer au creux de la main.

Je la soupèse, la retourne. C'est un Mauser gris de calibre 9 millimètres, qu'on a gratté par endroits pour effacer le numéro de série en mettant l'acier à nu. Ces marques qu'on dirait d'usure donnent l'impression qu'il a beaucoup servi. Il me paraît très gros. Satish me montre le cran de sûreté, et Mickey m'explique que le chargeur contient dix balles mais qu'il vaut mieux n'en mettre que sept car le ressort du mécanisme risque de gripper. Il ne faut que dix secondes pour les tirer toutes. Satish vide les balles dans le creux de sa main : leur gaine de cuivre recouvre un noyau d'acier et toutes portent la mention KF, pour Kanpur Factory, l'usine d'artillerie nationale. Dans la rue, ce modèle de pistolet coûte entre deux lakhs et demi et trois lakhs ; les balles, dont le prix varie en fonction de la qualité, valent entre soixante-dix et cent quatre-vingts roupies pièce. Visiblement fiers de cette arme, les tueurs en parlent comme d'un enfant prodigue : « Si tu voyais le trou qu'il peut faire, dans un homme », s'extasie Mickey. Il sait de quoi il parle, lui qui à vingt ans et des poussières avait déjà « troué » six hommes.

Mickey adore les chansons des Backstreet Boys et le son du Mauser. « C'est quelque chose, ce bruit. Un copain de mon frère m'a entendu m'en servir, et il m'a montré son bras : il en avait la chair de poule. » Il m'engage à essayer l'arme : « Même si tu ne tires que trois, quatre coups, ça va te donner confiance, tu verras. À cause de la qualité du son. Plus tu tires avec, plus ta confiance grandit. » Ni l'AK-47 ni des armes plus sophistiquées n'ont « une aussi belle voix », affirme-t-il comme s'il comparait entre eux des chanteurs classiques. Le son du Mauser suffit à convaincre les victimes d'extorsion de payer les sommes exigées ; Mickey en joue en virtuose, devant les entrepreneurs qu'il visite à la demande du bhaï. « Souvent ils ont juste besoin de l'entendre ; d'autres fois il faut que je leur tire dans la jambe ou dans la main », mais dans tous les cas ils finissent par cracher au bassinet. Les voyous ordinaires – les militants du Sena, par exemple – comptent pour rien dans la grande ville ; en tuant ils dépassent leur condition, s'imprègnent du pouvoir de ceux qu'ils assassinent.

« Nous sommes des alchimistes à l'envers, plaisante Satish. Tout ce que nous touchons se transforme en fer. »

Il manipule l'arme comme à l'entraînement. Il enlève le chargeur, appuie sur la détente, remet en place le chargeur – vide – et vise une cible imaginaire, enlève à nouveau le chargeur, loge des balles dedans, tourne sur lui-même en brandissant le pistolet, le braque sur Zameer, sourire aux lèvres, et le tue pour rire dans un soupir très doux. Frouf...

Mickey est cet ami sikh avec qui il est parti au Penjab éliminer un policier. Ils ont quitté Bombay à cinq, dans une Maruti, sont allés récupérer le matériel (un pistolet chacun) et ont accompli leur mission. Pris en chasse, ils ont jeté leurs armes, se sont hissés sur le toit du wagon d'un train de marchandises, ont couru dans une forêt où poussaient des arbres rares, très vieux. La police les encerclait, les éclairs des lampes torches brillaient par intermittence entre les fûts serrés. Les bruits de pas, de voix provenaient de toutes les directions, comme réfractés par le brouillard glacial, et les tueurs ont alors décidé de se rendre à un groupe de policiers. Alignés dans une clairière, ils se préparaient à mourir quand une autre escouade arrivée sur les lieux entra dans une violente querelle avec la première parce qu'elle les voulait vivants pour les interroger. La dispute se prolongea longtemps, chacune des deux équipes voulant s'arroger le mérite de la capture. La seconde finit par avoir gain de cause et les emmena, menottés mais en vie. « On a beaucoup prié Dieu, explique Mickey. C'est peut-être pour ça qu'on n'y est pas passés. » Satish, pendant ce temps, joue avec le Mauser, nous met en joue, l'index crocheté sur la détente.

Mickey raconte l'interrogatoire au Penjab. Les flics n'y sont pas allés de main morte. Ils ont tailladé Satish à l'entrejambe par deux fois, et il nous montre les cicatrices : une incision en diagonale à gauche, de l'aine au pénis, une autre à droite, jusque dans le pli sous les couilles. Ensuite, ils ont frotté les plaies qui saignaient avec de la poudre de piment.

Mickey, lui, a subi la torture du rouleau à pâtisserie. Il était ligoté sur une table et deux grands costauds placés en vis-à-vis lui passaient un cylindre en bois sur le corps en appuyant de tout leur poids. Éperdu de douleur, Mickey appelait à grands cris sa famille à la rescousse, grands-parents compris. Il a tiré la leçon de cette épreuve : « Quand tu tortures quelqu'un comme ça il vaut mieux le tuer, parce que si tu le relâches, il n'y a plus rien sur Terre qui puisse lui faire peur. »

Ils ont ensuite passé un peu de temps derrière les barreaux – pas beaucoup, car le juge chargé du procès avait été soudoyé –, puis ils sont rentrés à Bombay. Après leurs exploits au Penjab, tous les gangs se sont mis à courtiser leur groupe. C'est à partir de là qu'ils ont commencé à travailler en indépendants pour des formations politiques – une activité « free-lance » qui consiste pour l'essentiel à « asphyxier les partis d'opposition ». À l'occasion d'une élection parlementaire nationale, ils ont été recrutés par un député du Congrès qui défendait son siège contre un candidat véreux du BJP, contrebandier notoire et employé au sol à l'aéroport. Il était sous la protection de la police, mais Satish et Mickey réussirent à déjouer la surveillance des agents et à s'introduire dans son bureau. Lors d'une bagarre épique, ils prirent le dessus sur ses hommes et déjà ils sortaient leurs coutelas pour le tuer quand il fut sauvé in extremis. Cet homme était un proche du ministre de l'Intérieur ; à la suite de son assassinat manqué, il y eut des manifestations pour exiger l'arrestation de ses agresseurs. Or, Satish et Mickey connaissaient eux aussi le ministre, suffisamment pour s'être fait prendre en photo avec lui. De plus, ils n'avaient pas d'animosité particulière envers le BJP ; peu de temps auparavant ils avaient exécuté un contrat pour lui, et un autre encore pour le RPI, le parti républicain. Mickey est très clair là-dessus : « Nous ne soutenons pas des partis, mais des individus. » La politique ne les intéresse pas et ils ne veulent pas s'en mêler. « Un membre nous dit qu'il a des difficultés avec

Untel ou Untel. On essaie de rendre le type raisonnable, explique Satish.

– Il y en a qui comprennent tout de suite, renchérit Mickey. D'autres ne réalisent qu'une fois rentrés chez eux, d'autres encore ont besoin d'entendre un pétard claquer. On s'adapte à leurs capacités. »

Un seul homme politique trouve grâce à leurs yeux. « S'il fallait vraiment soutenir un candidat pour le bien du pays, dit Satish, Atal Bihari Vajpayee peut compter sur nous. C'est quelqu'un d'authentique. S'il arrive à déclencher la révolution, nous serons avec lui. Il est célibataire et il n'a qu'une maîtresse : la politique. Il ne trempe pas dans les magouilles. Tous les partis le respectent. » La décision de Vajpayee de procéder à des essais nucléaires les a particulièrement impressionnés. « Maintenant, exulte Mickey, le monde entier a les yeux rivés sur l'Inde. Le pays est devenu une grande puissance.

– C'est aussi Vajpayee qui lancé l'offensive de Kargil, dit Satish. Les autres parlementaires n'auraient jamais osé. » Ils l'estiment pour son autorité et son assurance dans les matières militaires. « Qui aujourd'hui se souvient de Gandhiji ? » demande Satish, dont je remarque toutefois que pour parler du Mahatma il utilise la marque de respect indiquée par le suffixe *ji*.

Ils ont beau s'être battus au côté des terroristes du Penjab ou, du moins en ce qui concerne Satish, travailler pour un parrain basé au Pakistan, ils n'ont pas le sentiment d'œuvrer contre les intérêts nationaux. « Le patriotisme est une chose, la guerre des gangs en est une autre », proteste Satish. Pas plus tard qu'hier, justement, ils ont discuté ensemble du conflit de Kargil, et sont convenus d'un commun accord que si l'occasion se présentait ils iraient au Cachemire se battre pour l'Inde. D'ailleurs, déclare Satish, qu'un bhaï lui passe une commande « antinationale » et il quittera sur-le-champ la Compagnie-D. Son vœu le plus cher est de liquider les responsables des attentats à la bombe : pas les simples exécutants qui vont et viennent librement dans Bombay (« ce n'étaient que des pions, tout ce qu'ils ont fait c'est stocker les armes chez eux »), mais les cerveaux qui ont programmé l'opération. « Je veux tuer Memon le Tigre. Je veux tuer Dawood. Je veux tuer Chotta Shakeel », scande-t-il en énumérant les chefs de la Compagnie-D. En présence de Zameer, de Mickey et accessoirement de moi-même, Satish proclame ni plus moins son intention de supprimer les bhaïs de son propre gang. (Plus tard, Zameer me confiera avoir apprécié que Satish dise tout haut qu'il voulait tuer Shakeel, de qui il reçoit lui-même ses ordres : « Sa langue ne trahit pas son cœur. »)

J'ai envie d'en savoir plus sur la manière dont ils organisent leurs journées, au quotidien.

« En général on se couche tard, répond Satish. On regarde la télé jusqu'à deux heures du matin. On se lève, on déjeune et on fait un puja vers midi. Une grande partie de notre temps se passe au téléphone. On drague les filles, surtout les étudiantes. On est bien habillés, on a des voitures, des mobiles, de quoi séduire soixante à soixante-dix pour cent des nanas. Il y en a disons quinze pour cent avec qui on peut parler anglais. Les autres, on leur file du fric – , enfin, ça, c'est vrai à cent pour cent », rectifie-t-il. De toute façon, les filles aussi essaient de trouver parmi eux des gogos. « Les gens bien élevés comme toi ne draguent pas comme nous. Nous, mettons qu'on leur donne des chocolats la première fois, à la deuxième il faut qu'elles y passent. »

Là-dessus, sans que j'arrive à déterminer s'il est sérieux ou s'il blague, Mickey déclare : « On croit aux bons vieux principes indiens : la nuit de noces d'abord, les enfants en deuxième, la maison en troisième. » Ce désir de se conformer à la tradition indienne est peut-être consécutif à un chagrin d'amour, car il ajoute : « Pour nous il est clair qu'une femme ira toujours avec quelqu'un de mieux, qui s'habille mieux et tout. Elle te quittera toujours pour quelqu'un de mieux que toi.

– L'amour maternel est pur », enchaîne Satish qui en a reçu si peu. « Une mère ne pense pas : " Ce garçon ne réussit pas à l'école, ce n'est pas mon fils ; celui-là est premier de sa classe, c'est vraiment mon fils. " L'amour d'une femme ou d'une copine n'est jamais aussi pur. » L'amour, a-t-il remarqué, est parfois paradoxal : « Le jour où nous faisons quelque chose d'épouvantable, tout le monde nous aime, à la maison. Quand la police arrive pour prévenir la famille qu'on va lui amener le corps d'un fils qui vient de se faire descendre, les gens nous embrassent et nous serrent contre eux en disant : " Je t'aime, fils ! " Chaque fois que je pense à cet amour-là, je me dis qu'il faut arrêter avec le crime. Qu'il faut même arrêter de mentir. » Il s'efforce donc de chasser cette pensée de son esprit.

Mickey, quant à lui, ne se sent pas « attiré par grand-chose » et explique : « Je pense aux gens tant que je suis avec eux. Dès qu'une personne s'écarte un peu, je prends mes distances. Notre chef, par exemple, je ne pense pas du tout à lui, je pourrais le tuer, s'il fallait. Pareil pour les filles : avec elles mes histoires durent au maximum quatre ou cinq jours. Même avec ma famille je suis comme ça : quand je suis loin, je n'y pense presque pas. »

Satish ne comprend pas que leurs parents leur aient donné le jour ; à son avis ils doivent le regretter.

Quand celui qui doit mourir touche les pieds de son tueur en l'implorant de l'épargner sous prétexte qu'il a des enfants en bas âge, il lui présente le plus mauvais argument qui soit. S'imaginer que ce genre de discours va fléchir le meurtrier, c'est en effet présumer qu'il est accessible à la compassion et adhère à des valeurs universelles que tout le monde partage. Or, les tueurs sont rarement pères, et très peu d'entre eux ont eu de bons rapports avec leurs pères. Ce lien paternel qui pour la plupart d'entre nous devrait suffire à arrêter le bras meurtrier – « Ne me tue pas, car tu trancherais ce lien sacré » – ne signifie rien pour eux. Ou plus exactement, ces gens qui gagnent leur vie en tuant s'acharnent depuis toujours à rompre ce lien. De leur point de vue, débarrasser des enfants de leur père est le plus grand service qu'on puisse leur rendre.

Sans autre préambule, Satish déclare soudain : « Ça n'a pas de sens, cette recherche que tu fais. Tu n'en auras jamais fini. Si à la place tu te lançais dans une recherche spirituelle, me conseille-t-il à nouveau, au moins tu irais vers Dieu.

– On a tous la même histoire, tu sais, renchérit Mickey qui trouve aussi que mon travail est une perte de temps.

– Aujourd'hui, quand quatre criminels meurent il en naît huit autres, dit Satish. La criminalité n'a jamais été aussi forte parce qu'il n'y a plus qu'un secteur vraiment rentable : le meurtre. C'est le jeu de Dieu, alors que ça nous plaise ou non on est bien obligés de le jouer. La vie n'a pas de sens. Ça fait peut-être une histoire, mais au bout il y a le mot " fin ".

– Dans deux heures on sera peut-être morts, lui fait écho Mickey qui s'est préparé à cette éventualité. Tout ce qu'il faut voir ici-bas, nous l'avons vu. »

À l'heure qu'il est, Satish et Mickey se cachent au nord de Dahisar. Zameer, auprès de qui je m'étonne qu'ils n'aient pas été arrêtés, évoque les bisbilles d'ordre politique qui opposent les juridictions policières. Lorsqu'un crime est commis dans l'une d'elles, la capture de son auteur est une question de prestige pour le commissariat central de cette zone, mais il ne peut pas toujours compter, loin s'en faut, sur la coopération des postes de police « concurrents » ; il n'aime d'ailleurs pas la solliciter, poursuit Zameer, pour qui cette répugnance est du même ordre que le déplaisir à recevoir des miettes quand on pourrait s'attabler chez soi devant un bon repas. La police est sous la coupe des factions politiques, et les gangsters suivent de près leurs différends. Ils connaissent par leurs noms tous les spécialistes de la rencontre, qui chacun sont l'objet de mythes aussi construits et consistants que ceux qu'alimentent les meilleurs tueurs à gages. Pas besoin de les pousser beaucoup, affirme Zameer, pour qu'ils racontent par le menu les exploits de Vijay Salaskar, Pradeep Sharma et Pradeep Sawant. « Sunil Mane est en grande forme, en ce moment », m'a ainsi déclaré Mickey comme s'il parlait d'un joueur de cricket. Les bouchers de la police n'ont pas moins droit à son respect que les tireurs d'élite des gangs.

Cela étant, l'agitation gronde dans la corporation des flingueurs bombayites. Leurs rangs sont décimés par les rencontres, mais les bhaïs leur interdisent de riposter. « Nous serions prêts à tuer les flics, m'a dit Satish, seulement ceux d'en haut ne veulent pas que leurs relations avec la police se gâtent parce que ce serait la fin de la Compagnie. » En fait, les bhaïs encouragent les forces de l'ordre à éliminer leurs tueurs, quitte à les renseigner sur eux. Satish voudrait rendre aux flics la monnaie de leur pièce : « Si on en supprimait deux, quatre au maximum, les " rencontres " cesseraient. En ce moment, les tireurs ont tout le monde sur le dos, les politiciens comme les chefs des gangs. Le jour où ils comprendront que leurs supérieurs ne les soutiennent plus... » Une sorte de conscience de classe se développe parmi les tueurs.

La Compagnie fait cependant ce qu'elle peut pour protéger ceux qui, tel Satish, sont en cavale. Elle leur procure des planques sûres et confortables, disséminées en divers endroits de la ville, leur fournit des téléphones mobiles et, le cas échéant, une voiture. « Pour l'instant, me dit Satish, je ne suis pas obligé de bouger toutes les nuits, mais les types qui sont avec moi déménagent au bout de deux jours ou d'une semaine. » Il se retrouve dans une curieuse posture, lui qui a travaillé pour trois organisations différentes et ne prétend pas leur être fidèle. Il ne fait pas semblant de se battre pour défendre sa religion, comme les musulmans de la Compagnie-D, ou pour la nation, comme les hindous de la Compagnie Rajan. Ses motifs sont purement vénaux. En ce moment, il cherche à réunir l'argent nécessaire au mariage de la sœur d'un ami, incarcéré à la suite d'une mission foirée. Il n'apprécie pas plus Rajan que Dawood. « La loyauté et la confiance n'ont rien à voir là-dedans », soutient-il.

Kamal m'a un jour parlé des « dal badlus », ces hommes qui passent d'un gang à l'autre sans états d'âme. La plupart du temps, ils agissent ainsi parce qu'ils ne s'entendent plus avec leur bhaï, pour des raisons parfois purement affectives – « par exemple parce que le bhaï a fait descendre leur frère ». Quand un dal badlu signifie au gang rival qu'il est prêt à travailler avec lui, le chef de ce dernier exige « un gage » – en principe la mort d'un

des membres de l'organisation à laquelle appartenait le transfuge. Ce n'est pas pour autant que celui-ci bénéficiera de la
confiance de ses nouveaux comparses; toujours suspect *a priori*,
il risque à tout moment d'être livré à la police. « Ces types-là,
m'a dit Kamal, on s'en sert et après on les élimine. »

Satish qui doit bien avoir vingt-cinq ans est d'ores et déjà trop
vieux pour refaire sa vie en dehors des gangs. « Ce n'est plus la
peine de partir, à présent. Il y a trop de gens contre »,
m'explique-t-il dans une allusion à tous les ennemis qu'il s'est
faits. Le premier homme qu'il a tué − le musulman suspect
d'avoir participé aux attentats à la bombe − était devenu
« quelqu'un de bien » : il avait quitté la pègre, s'était marié,
avait deux enfants, mais cela n'a pas empêché les commanditaires de son assassinat de « le suivre à la trace ». Satish pense
souvent à sa propre mort. « J'ai vu tellement de gens mourir.
Quand mon tour viendra, autant que ça aille vite, qu'il n'y ait
pas de problème. Tout ce que je veux, c'est que l'un de ceux qui
me tueront meure aussi de ma main. »
Satish n'exécute jamais un contrat sans s'être au préalable
livré à un rituel personnel : « Je me donne ma bénédiction. Je
n'accepte pas d'être béni par d'autres. Pour tout le bien et le mal
que je fais, je me donne à moi-même ma bénédiction car je suis
seul responsable de tout ce qui arrive ici-bas. Je ne crois ni au
bien ni au mal. Je crois au karma. » Se tournant vers moi, il
demande : « Tu y crois, toi, au péché et au mérite ? » Et comme
j'acquiesce il a une moue de dédain. « Il n'y a que les gens
faibles pour croire au péché et au mérite. Mon père travaille
énormément, matin et soir il prend le train, il souffre. Et moi,
regarde : je ne travaille pas beaucoup, je reste tranquillement
chez moi. J'ai un coup de fil, je sors coller une balle à quelqu'un
et pour la peine on me file un lakh. Pour moi ce n'est qu'une for-
malité, alors que mon père serait incapable d'en faire autant.
Comme il faut bien qu'il trouve un nom pour sa peur, il l'appelle
pécher. Il dit qu'il y a des principes, et après ? »

Il me parle d'un de ses cousins, ingénieur de son métier, qui a été un petit garçon choyé et qui gagne maintenant des milliers de roupies par mois en travaillant pour un entrepreneur en bâtiment. « Je n'ai jamais été gâté comme lui, mais je gagne aussi très bien ma vie. Lequel de nous deux a le mieux réussi ? Je n'en sais rien. Il y est arrivé petit à petit, régulièrement, moi d'un seul coup, mais ça ne change rien. » Il envie son cousin, tellement plus respectable (la famille doit sans cesse les comparer l'un à l'autre), mais le méprise aussi, dans une certaine mesure, car « il ne lui viendrait pas à l'idée de s'intéresser à autre chose qu'à sa vie ». Satish n'a pas oublié une de leurs disputes enfantines. Le cousin habitait à côté d'une usine automobile où l'on fabriquait à la chaîne les petites Fiat omniprésentes. Ils parlaient voitures, comme tous les garçons de leur âge, et Satish cita les marques de luxe qu'il connaissait de nom – les Toyota, les Mercedes. Ces dernières, précisa-t-il à son cousin, étaient les plus chères du monde. Le cousin qui voyait les petites Fiat étincelantes sortir tous les jours à quelques mètres de chez lui soutint que les Fiat coûtaient bien plus cher encore. « J'avais envie de lui fracasser le crâne, se souvient Satish. Ce type, bhenchod ! C'est une grenouille au fond d'un puits. »

Il m'interroge sur mes études, et, apprenant que j'ai une maîtrise, déclare : « Je dois avoir le niveau maîtrise, moi aussi. Du fait que je suis dans cette branche, je pense vite. Je suis beaucoup plus sûr de moi qu'avant ; ma confiance en moi bat des records. Tu ne peux pas descendre un homme au milieu d'une dizaine d'autres personnes quand tu n'es pas sûr de toi. Si je me mettais aux maths, aux sciences ou à la gestion, j'obtiendrais de très bons résultats parce que je suis sûr de moi. Je suis très, très calé dans le domaine de la confiance en soi. » Il pense d'ailleurs qu'il se débrouillerait bien s'il se lançait dans les affaires à Bombay. « Tu sais pourquoi ? Personne ne s'amuserait à essayer l'extorsion avec nous. Pour réussir dans les affaires à Bombay, il faut être en contact avec les truands. »

Quoi qu'il en soit, voilà un certain temps que Satish ne se sent pas l'esprit en paix. Il n'arrive plus à méditer. Avant, il pouvait méditer des heures durant, mais Bombay le perturbe. « C'est quelque chose dans l'air de Bombay. La mort est partout présente ici » – jusque dans les trains : « Tu as déjà pris le rapide de Virar [1] ? Rien que de monter dedans ça te rend fort. Il faut s'accrocher pour ne pas être éjecté, et quand je suis dedans je suis encore plus tendu que quand je vais tirer sur quelqu'un. »

Il y a quelques jours, il a pris ce train, bondé, bien sûr, comme seuls les trains bombayites peuvent l'être. Écrasé contre un Gujerati qui voyageait avec sa femme, ses enfants et son frère, Satish l'a poliment prié de s'écarter un peu pour lui faire de la place. Le Gujerati s'est aussitôt énervé : « Tu te crois où, espèce d'abruti ? » En se débattant pour échapper au frère qui l'avait empoigné par le col, Satish a par mégarde envoyé un coup de pied au fils. Ce geste malheureux lui valut d'être violemment pris à partie par le père qui, pour frimer devant sa petite famille, se mit à insulter ce Marathe isolé. Il lui agitait son parapluie sous le nez, comme s'il allait le frapper avec. Satish avait la main sur l'arme glissée dans sa ceinture – « J'y vais ? J'y vais pas ? Je n'arrivais pas à me décider. » Il choisit de s'adresser à la femme, pour qu'elle ramène son mari à la raison, mais le Gujerati leva son parapluie avant qu'il soit arrivé au bout de sa phrase. Prêt à dégainer, Satish réalisa cependant que si l'homme l'accusait d'importuner sa femme, la foule des passagers risquait de l'écharper vif. La prudence le décida à sauter du train en marche. « N'empêche, dit-il, nos chemins se croiseront à nouveau, j'en suis sûr. » Il mime en riant le Gujerati qui brandissait son parapluie sans savoir qu'il était à deux doigts de mourir. On n'offense pas impunément un gangster. Alors que la plupart des gens normalement constitués oublient vite ce genre d'incident, si irritant soit-il, pour quelqu'un comme Satish c'est une atteinte insupportable, un affront à laver dans le sang. Sa réaction est sans commune mesure avec l'événement déclencheur. Le narcissisme, mélange complexe d'égoïsme et de haine de soi, entre pour beaucoup dans la personnalité d'un tueur.

1. Localité de la banlieue nord de Bombay *(N.d.T.)*.

Satish répète que l'air de Bombay le perturbe. « Cela fait un moment que je n'arrive pas à me reposer mentalement. Des drôles d'idées me passent par la tête, même quand je dors. » Lorsqu'il mange, un feu brûlant lui court par tout le corps et il se met à penser, « Ma ki chud, ce que j'aimerais tuer quelqu'un ». Il secoue la tête et me demande à brûle-pourpoint : « Tu t'es déjà servi d'un flingue ?

— Jamais.

— Ça te plairait ? »

Je me contente de sourire.

« Ton associé de l'autre jour était un type bien. » Se tournant vers Mickey, Satish lui rapporte certaines des remarques de Vikram : « Il y avait un chat en train d'agoniser au milieu de la route. Je lui ai demandé ce qu'on devrait en faire et il m'a répondu que s'il avait ce qu'il fallait pour il l'aurait tué de ses mains. Lui, au moins, il parlait franchement. » Ce qui n'est pas mon cas. « Tu n'es pas un gentleman ! s'exclame Satish. Tu n'es pas mieux que les criminels, tu es pire !

— Pourquoi ?

— Vous, plus vous êtes cultivés, plus vous êtes criminels. Vous êtes durs, vous ne pensez qu'à vous. Le pouvoir que vous donne votre argent, vous l'utilisez pour causer des ennuis aux gens.

— C'est quoi, un gentleman ? l'interpelle Mickey.

— Quelqu'un qui étouffe le moindre désir dans son cœur, répond Satish. Quelqu'un qui n'a rien dans le ventre. Je n'avais que dix roupies d'argent de poche, à la fac. Mon père disait que de son temps il y allait à pied. Moi, je volais, et j'y allais en rickshaw avec ma copine. Je n'avais pas peur, moi, et je m'envoyais en l'air. »

Pointant son arme sur moi, il me demande de but en blanc : « Tu as peur de mourir ? »

La réponse est cruciale. Vitale.

Satish charge son arme. « Qu'est-ce que tu vas devenir, à ton avis, une fois mort ? »

Levant les yeux de mon ordinateur, je rétorque que ma religion m'a enseigné que toutes les créatures finiront par atteindre le moksha * et par vivre pour l'éternité en Dieu.

« Ce n'est pas si simple. Il ne suffit pas de mourir pour tout de suite connaître le moksha.

– Je sais, je sais. Il faut renaître des millions de fois ici-bas, et avec tous les péchés que j'ai commis dans cette vie je serai probablement réincarné en fourmi. »

Leurs éclats de rire dissipent la tension. Je respire plus librement.

Satish retire son jean et s'en va, en caleçon, piquer une tête dans la piscine de l'hôtel pendant que Mickey et moi continuons à discuter. Mickey qui rêve de quitter Bombay voudrait que je l'aide à s'envoler pour le Canada, l'Amérique ou l'Allemagne. « Tu ne m'emmènerais pas avec toi ? Tu pourrais simplement m'accompagner à l'aéroport, ensuite, je me débrouillerais. » Il a étudié l'informatique dans un institut ; il a de la famille à l'étranger ; il ferait mieux de partir tant qu'il est encore en vie, d'autant qu'à l'en croire il y a de grandes chances que de nouvelles émeutes éclatent à Bombay : « Celles-là seront préprogrammées et ça va barder. »

Revenu de sa baignade une serviette nouée autour des reins, Satish abonde dans son sens : « Les musulmans ont accumulé des armes en pagaille, fournies par les pays voisins. Avec quoi les hindous vont-ils se battre ? Avec des canons ? » fait-il en passant autour de son cou les rangs d'un chapelet de prière.

Pendant les émeutes de 1993, Satish et ses copains ont profité de la confusion ambiante pour piller des navires chargés de bois et des boutiques de vêtements. Mais il a aussi sauvé un ami musulman en lui procurant de faux papiers sous un nom hindou, Amar, et en le cachant. « Nous cherchions à voler, pas à tuer. Certains de mes amis tuaient des femmes. C'est déplorable. » Il accuse carrément Thackeray d'être le premier responsable des troubles et trouve « parfait » le rapport de la commission Srikrishna, violemment mis en cause par le Shiv Sena. Ce commentaire étonne, venant d'un hindou pratiquant et de sur-croît d'un Marathe, mais Satish n'est pas un hindou ordinaire. Si les membres de sa bande sont profondément croyants, ils se réclament tous de confessions différentes. Ce groupe pourrait inspirer une pub sur les avantages de l'esprit de tolérance ; en sus de Satish, il comprend en effet Mickey, un sikh, et Zameer, un musulman. « On a aussi eu des catholiques avec nous, mais ils se laissaient trop facilement distraire par leurs petites copines et ils n'étaient pas assez intéressés par l'argent. »

Assis par terre, son arme posée à sa droite sur le lit, Satish se couvre la tête d'une serviette rose comme si c'était un foulard ou un voile et se met à prier. De mémoire, il récite à toute allure et à voix haute des versets sanskrits en se balançant légèrement d'avant en arrière, les mains en l'air, paumes vers le haut. Étrange spectacle que celui de cet homme quasi nu qui, son flingue à portée de main, prie dans une langue très ancienne tan-dis que je continue à converser avec son compagnon et à taper sur le clavier de mon ordinateur. La prière de Satish dure un bon quart d'heure. Quand il a fini, il se lève, s'incline jusqu'à tou-cher le plancher du front, se redresse et se rassied sur le lit. Aussitôt il reprend son arme, l'appuie contre son front et s'exclame, en anglais : « Voilà Dieu !

— Seul Dieu peut donner la vie et la reprendre, observe Mickey.

— À mon avis tu es un criminel de premier ordre, me lance soudain Satish. Tu n'as jamais tué quelqu'un ?

— Non.

— Ni fait exécuter quelqu'un ?

— Non.

— Pourtant, sa ligne de tête est très marquée », dit-il à Mickey en montrant d'un geste ma paume. À croire qu'il a lu dedans, à cette distance. Cette ligne indique selon lui que je suis criminel dans l'âme.

La nuit commence à tomber et je les sens de plus en plus ner-veux. Cet après-midi et ce soir, ils se sont servis à maintes reprises de mon mobile, dont le numéro est désormais enregistré dans la mémoire des téléphones de leurs contacts. Une autre pensée me donne des sueurs froides : ils peuvent se procurer mon numéro personnel et celui de tous mes amis en entrant dans la mémoire de mon mobile. Il leur suffit de consulter le carnet d'adresses enregistré dedans et d'appuyer sur la touche « OK » pour parler directement à ma femme.

Alors, refermant mon ordinateur je mets fin à la séance. Mickey reprend l'arme qu'il glisse dans sa ceinture et je sors de la chambre la tête et le pas légers, si légers.

Dans le rickshaw qui nous ramène en ville, nous croisons deux types à l'air peu engageant dont l'un tient un fusil et l'autre une lampe torche braqués en l'air, vers les arbres. Une détonation retentit et un oiseau tombe à terre dans un nuage de plumes. C'est sur cette route que nous avons vu le chat moribond, la dernière fois.

Le rickshaw nous dépose non loin d'un poste de police. Mickey avance d'une démarche fanfaronne en se passant la main dans les cheveux. Comme moi, comme nous tous, il n'est que trop conscient de l'objet meurtrier glissé sous la taille de son pantalon. Puis, comme nous traversons les voies à Bhayander, en courant pour éviter le passage d'un train, Satish s'arrête, tourné vers moi : « Tu ne connaîtrais pas quelqu'un qui pourrait répondre à mes questions ? Je me pose des tas de questions. Tu connais un homme qui aurait les réponses ?

— Quel genre de questions ?

— Sur la philosophie, sur la nation. Toi, tu n'es pas capable de me répondre. Tu te contentes d'écouter, et si je peux te parler franchement, soit tu n'es pas assez fort pour me donner les réponses, soit tu préfères les garder pour toi. C'est à cause de ça que j'ai arrêté de méditer et que j'ai interrompu mon puja n'importe comment, très vite. » Nous venons d'arriver devant le restaurant où nous avons déjà mangé ensemble, et Satish parle toujours. « Je ne suis pas tranquille à cause de toutes ces questions qui me trottent dans la tête. Je ne tire plus aucune satisfaction de mon travail. C'est comme si je baisais sans atteindre l'orgasme. »

Une fois que nous sommes installés, je décide d'aborder le sujet de front et lui propose de me soumettre une ou deux questions qui le tracassent. Avec un petit sourire, le tueur se penche par-dessus la table : « Qu'est-ce que Dieu, dis-moi ? A-t-il un commencement ou une fin ? »

Je lui répète ce que m'a appris mon grand-père, que selon *La Gita* Dieu est « anant, akhand, anari » – infini, indivisible, à venir.

Il me raconte un épisode de sa vie : le filet de la police se resserrait autour de son groupe et chacun d'entre eux savait qu'il risquait à tout moment d'être abattu au cours d'une rencontre. « Entassés dans une pièce, on parlait de Dieu tout le temps. On parlait de Dieu comme d'autres parlent des filles, on se demandait s'il avait un commencement ou une fin, comment il pouvait venir de rien. On a fini par renoncer parce qu'on s'était rendu compte que cette recherche sur Dieu ne nous rendait pas heureux. À la place, on s'est simplement mis à réciter Son nom. »

Je lui fais remarquer que, partis du jnana yoga, la recherche de Dieu par la connaissance, ils sont arrivés au bhakti yoga qui est pure dévotion. Tout cela est dans *La Bhagavad-Gita*.

Sa deuxième question est aussi abrupte que la première : « Qu'est-ce qui est bien et qu'est-ce qui est mal ? »

À quoi je réponds qu'il m'est impossible de trancher pour lui. La plupart des gens apprennent à discriminer le bien du mal grâce à leurs parents ou à un enseignement religieux, mais je suis le premier à reconnaître qu'en la matière les règles sont très floues : tuer est un crime, dit-on, mais pas quand il s'agit de défendre son pays. Je déclare donc à Satish que puisqu'il porte ces questions en lui, il n'y a qu'en lui qu'il trouvera les réponses.

Elles le tourmentent, insiste-t-il ; elles l'effraient, elles l'angoissent. Et il m'en propose trois autres : « Pourquoi faut-il respecter les frontières ? Pourquoi appelle-t-on le pays Bharat Ma * ? Pourquoi tous ces chants patriotiques ? »

À ces questions-là non plus je n'ai pas de réponse. Depuis que j'ai dû partir aux États-Unis je ne crois plus aux frontières ou au patriotisme. Deux Penjabis qui vivent de part et d'autre de la ligne de démarcation ont à mon sens plus de choses en commun qu'un Penjabi et un Arunachali [1] vivant dans le même État. Les frontières de l'Inde sont l'œuvre des Britanniques.

Zameer se décide alors à intervenir pour réfuter, très poliment, mes propos, en nous donnant un exemple : quand on a une maison, il est indispensable de tracer une limite entre sa propriété et celle du voisin, qui sinon s'emparera sans hésiter de ce qui ne lui appartient pas. Le Pakistan, ajoute-t-il, ne ferait qu'une bouchée du Cachemire.

Satish aimerait savoir quand il aura enfin la réponse aux questions qui le tracassent et qui l'empêchent de trouver le repos.

Lui arrive-t-il de songer au suicide ?

« Quand je ne suis pas tranquille, j'ai envie de tuer quelqu'un, pas de me tuer, moi. Peut-être que je ne suis pas assez courageux. » Puis il me parle de ce truand musulman dont je lui ai dit qu'il se battait pour défendre sa foi : « Que lui as-tu répondu ? Tu lui as fait la morale ?

– Qui suis-je pour faire la morale à d'autres ? »

Il hoche la tête, l'air approbateur. « C'est la première fois depuis que je te connais que tu t'exprimes franchement. »

Il considère qu'en devenant végétarien il a franchi un premier pas sur la voie de son perfectionnement. Petit à petit, il en viendra à renoncer aux filles, à renoncer à tout, mais en ce moment le désir sexuel le tenaille comme jamais et il ne comprend pas pourquoi. Avant, il se contentait de prendre une fille une ou deux fois de suite, « maintenant c'est cinq, six, sept fois. Comment l'expliquer ? »

Je lui dis que le désir est le mode inventé par la nature pour assurer la propagation de l'espèce. Il réplique qu'il veut suppri-

---

1. État intégré à l'Union indienne en 1987, l'Arunachal se trouve à l'extrême nord-est du pays et il a des frontières communes avec la Birmanie et la Chine. Cette dernière ne reconnaît d'ailleurs pas la souveraineté de l'Inde sur ce territoire qui, selon elle, fait partie de la Région autonome du Tibet *(N.d.T.)*.

mer ses désirs un à un. « La défaite nous est intolérable, argumente-t-il en revenant au nous. Nous ne comptons que sur la victoire. Quand nous allons au travail, nous ne pouvons pas nous permettre de perdre.

– Et si l'homme que vous vous apprêtez à tuer est armé et vous tue ? Appelleriez-vous cela une défaite ?

– L'homme qui a été tué n'admettra pas sa défaite, intervient Mickey, mais il s'en trouvera bien cinq autres pour dire qu'il a perdu. »

Je reviens à la *Bhagavad-Gita*, à son enseignement selon lequel chacun doit simplement agir en fonction de son dharma.

« C'est vrai que la *Gita* soulage de toutes les tensions », convient Satish. Savoir qu'il possède en lui les réponses à ses questions l'a rasséréné et il m'invite à partir en vacances avec eux à Mahabaleshwar. Laissant là les spéculations métaphysiques, il se lance avec Mickey dans les préparatifs de leur prochaine mission à Chembur. Tous deux engagent un conciliabule pressant avec Zameer et cinq minutes après les tueurs se lèvent et s'en vont dans des directions opposées.

Zameer va maintenant me dévoiler leurs vrais noms. La première surprise est de taille : Mickey, m'explique-t-il, travaille en réalité pour la Compagnie Rajan, l'ennemie jurée de la Compagnie-D qui emploie Satish. Quand ce dernier a quitté le gang de Rajan, Mickey ne l'a pas suivi. Aujourd'hui, Mickey est venu prévenir Satish qu'un agent de la Compagnie-D impliqué dans les attentats à la bombe figurait sur la liste des gens à abattre, et il lui a indiqué de qui il s'agissait pour que l'homme puisse se mettre à l'abri. Il lui a donné cette information parce qu'ils sont amis, tous les deux, et parce que Mickey plaignait la cible désignée : un simple pion, dont le seul crime était d'avoir stocké des munitions.

« Les voleurs ont encore le sens de l'honneur », observe Zameer. Il se laisse aller contre le dossier de sa chaise, allume une cigarette et pousse un soupir. « Je peux enfin me détendre pour la première fois de la journée. Ils m'ont vraiment inquiété à tripoter tout le temps leur flingue. Ma tension a dû monter à dix-neuf, vingt. » Quand nous avons quitté l'hôtel, Zameer s'est précipité pour arrêter un rickshaw. Il avait peur que les deux autres finissent par se servir de leur arme sur la route, si nous partions à pied. Ils ont rongé leur frein tout l'après-midi, me confie-t-il, et lui ont même demandé si vraiment ils ne pouvaient pas vider le chargeur de leur arme dans la salle de bains pour se défouler. Dans cette chambre d'hôtel, Zameer m'avoue avoir constamment eu l'œil sur Satish, quand il humait les balles en les passant sous ses narines.

Ce matin, avant de me rendre à mon deuxième rendez-vous avec les tueurs, j'avais écrit « Dieu » sur mon ordinateur, puis j'avais noirci ce mot et l'avais effacé pour qu'invisible mais présent sur l'écran il sous-tende ou lave les récits de meurtre et d'agression que je devrais retranscrire au cours de la journée. Je n'aime pas plus Satish que Mickey et n'éprouverais aucun regret si un flic ou un de leurs collègues les tuait – quand un flic ou un de leurs collègues les tuera. Leur disparition ne sera pas une grande perte.

Et pourtant, pourtant... lors de ces instants passés avec eux à suivre d'un regard anxieux le pistolet qui passe de main en main, le chargeur vidé de ses balles et à nouveau rempli, l'angle de l'arme pointée d'un geste impulsif, le doigt plié sur la détente, leur dextérité de joueurs de bonneteau – si rapides qu'ils risquent, je le crains, d'oublier une balle dans le chargeur qu'ils croient avoir vidé –, dans la chambre d'hôtel où j'écoute ces types me raconter que le bien et le mal, le péché et le mérite sont bons pour les autres, les gens ordinaires, les grenouilles au fond des puits, n'est-ce pas de l'euphorie que je ressens ? Comment expliquer que je ne me lasse pas de les écouter ? Que ces neuf heures d'entretien s'écoulent aussi vite qu'avec un nouvel amour ?

Le lendemain de ce deuxième rendez-vous, et le surlendemain encore, j'ai du mal à reprendre pied dans la banalité quotidienne.

Je descends en ville avec Sunita rendre visite à un vieil ami, je vais au cinéma, au restaurant, mais tout me semble désespérément quelconque. Les conversations tournent autour de préoccupations terre à terre : carrières, impôts, coût de la vie... Dans le Bombay que je fréquente, on ne parle pas de Dieu, du péché et du mérite ou même de la mort, sauf lorsque, imminente, elle plane sur un parent, un ami, et alors on l'évoque à l'aide de formules évasives et apeurées pour évacuer le sujet au plus vite. Autant de questions qu'à mon corps défendant j'ai dû longuement examiner en compagnie de gens qui se les posent chaque jour, et quand j'y repense je me sens euphorique. La dernière fois que j'ai pu explorer ces thèmes de façon aussi approfondie, c'était avec mon grand-père qui vivait ses derniers instants chez mon oncle, à Bombay. À l'époque, je n'étais cependant pas dans une proximité aussi étroite avec la mort que dans cette chambre d'hôtel.

Les conversations ordinaires m'ennuient. Ma femme et mes amis qui s'inquiètent pour ma sécurité n'arrêtent pas de me demander si je suis encore loin de la fin. Question pertinente bien que fondée sur de fausses prémisses, car ils croient que je continue à rencontrer des truands dans le but de rassembler de la documentation pour mon livre.

CHOTTA SHAKEEL : LE PARRAIN EXILÉ

À quelques semaines de là, Kamal m'apprend que Zameer est parti pour le Golfe.

« Il est allé voir le bhaï.

— Il revient quand ?

— Jamais. Tu as fait la connaissance d'un futur parrain. Tu sais, ce tueur que tu as rencontré ? En fait il dépend de Zameer qui rend compte directement à Shakeel. D'ici quelques jours, le nom de Zameer s'étalera dans les journaux. »

Je repense à ce petit homme intelligent. Il n'intervenait que rarement, lors des entretiens avec Satish, mais il était évident que le tueur prenait ses ordres de lui. Sur ses instructions, Satish vient d'ailleurs d'éliminer un musulman, un certain Salim qui avait quitté la Compagnie-D pour le gang de Chotta Rajan. Kamal m'explique que je ne courais aucun danger, à l'hôtel, parce que Zameer assistait aux rendez-vous. Les tueurs, ajoute-t-il, sont tous « un peu fêlés. Si tu avais eu le malheur de poser une question qui fâche, ils t'auraient descendu et ensuite ils se seraient excusés. Ce n'est pas rien, d'avoir une arme : un eunuque armé se prend pour un homme, tu sais ».

Kamal, auprès de qui j'insiste pour aller rencontrer Chotta Shakeel au Pakistan, finit par organiser ce voyage : je dois passer par Dubaï, où je retrouverai un certain Anwar, le jeune frère de Chotta Shakeel que son aîné a toujours tenu à l'écart de ses activités mafieuses et qui dirige une entreprise de fret. Anwar m'emmènera à Karachi, où je pourrai enfin voir Shakeel aussi longtemps que je voudrai. Kamal, qui connaît bien le parrain pour l'avoir beaucoup fréquenté, m'a brossé de lui ce portrait.

On l'appelle parfois le Sheth, ou Haji Saab. De prime abord, il n'a rien d'impressionnant : nettement plus petit que la moyenne, il ne mesure qu'un mètre cinquante et il est plutôt fluet. Ses amis le surnomment aussi Paun Takla, parce qu'il est aux trois quarts chauve. Son père, technicien sur les docks de Mazagaon, se retrouva au chômage et dut se contenter dès lors d'emplois inter-mittents sur différents chantiers navals où il repeignait les bateaux. Sa mère triait des céréales pour tenter de joindre les deux bouts. Ils avaient cinq enfants et toute la famille vivait dans une pièce exiguë. Au terme de ses études secondaires, Shakeel, le deuxième de la fratrie, commença à gagner sa vie en réparant des téléviseurs. Ensuite, il vendit des fausses montres de marque, puis se lança dans les « affaires sérieuses » (le recouvrement de dettes) et attira sur lui l'attention de Dawood.

Le truand en herbe acquit sa notoriété à l'occasion d'une opé-ration de saisie d'un arrivage d'or passé en contrebande. À l'époque, Shakeel n'était qu'un simple exécutant. Au moment où les douaniers de Delhi allaient l'appréhender, il avait sauté par la fenêtre en abandonnant l'or sur place. Les agents de l'État répertorièrent la prise avant de la mettre dans un sac sous scellés. Shakeel les attendait à la sortie ; tenant en joue le premier de ces fonctionnaires à franchir le portail, il leur reprit l'or et les assomma proprement. Dans les heures qui suivirent, les douanes et la police bouclèrent toute la zone de Nagpada et lancèrent un avis de recherche contre « le nabot ». Le gang le tira de ce mauvais pas en faisant intervenir ses relations politiques. En 1989, Shakeel quitta définitivement le pays et partit pour Dubaï.

Shakeel est marié et il a deux filles, qui pour leur plus grand malheur vivent avec lui au Pakistan et rêvent de revenir en Inde. Le reste de sa nombreuse famille bénéficie néanmoins de ses largesses. Au Pakistan, Shakeel tue le temps avec des westerns qu'il regarde chez lui la nuit, sur un écran géant.

Kamal a de bons rapports avec Shakeel. « Il est gentil. Quand il me parlait, c'était toujours avec respect. Un peu comme un grand frère. Il me disait, " Fais-le, beta * " ».

Shakeel pardonne facilement, sauf à ceux qui haussent le ton devant lui. Il a encore un autre surnom, Insaaf ka Tarazu (le Fléau de la Justice), qu'il mérite amplement ainsi que Kamal l'a constaté de ses yeux. Il y avait un vieillard qui s'était endetté pour huit lakhs, et comme il tardait à les rembourser son créditeur saisit Shakeel de l'affaire. Kamal jouait au billard dans le bureau du parrain quand on y introduisit le vieil homme, arrivé seul, et qui expliqua au bhaï qu'il était dans une situation difficile car il allait marier sa fille. « Shakeel a alors décrété qu'il ne devait pas payer une paise. Il lui a même donné deux lakhs de plus, pour la peine. »

Étant donné les carences du système judiciaire légal, les bhaïs se substituent aux juges et font valoir que lorsqu'ils tranchent un différend, ils ne prennent pas parti pour un camp au détriment de l'autre. Si par exemple un homme d'affaires sollicite un parrain pour récupérer de l'argent prêté, celui-ci examinera le cas avant d'intervenir auprès de l'emprunteur. Les milieux de la pègre comprennent cette façon d'agir. Il est beaucoup plus difficile d'amener quelqu'un à débourser une somme qu'il ne doit pas que d'obliger un débiteur indélicat à payer ses dettes. Pour régler ces litiges, les bhaïs empruntent d'ailleurs au jargon des tribunaux. L'idée que la justice règne au sein de la mafia est si répandue que le phénomène a fini par atteindre sa conclusion logique : en novembre 1999, un juge de Bombay sollicita l'aide de Shakeel pour récupérer quarante lakhs engagés dans un *chit fund*, l'équivalent, en Inde, d'une tontine. Un juriste du nom de Shaïkh qui travaille pour les parrains organisa une entrevue entre ce magistrat et Shakeel, ainsi qu'en fait foi cette conversation enregistrée par la police et rendue publique :

SHAÏKH : Saheb, veuillez recevoir le juge, s'il vous plaît. Il siège à la cour et c'est un homme honorable.
LE JUGE : Salam aleikum !
SHAKEEL : Salam, salam. Je vous écoute.
LE JUGE : Je veux récupérer de l'argent qu'on refuse de me rendre. Mes débiteurs sont * * *.
SHAKEEL : Une minute. Fayeem, donne-moi mon stylo et l'agenda. Oui ? Pour quel montant ?
LE JUGE : Environ quarante lakhs. Une somme que nous avons engagée à trois, avec mon fils et mon gendre.
SHAKEEL : Comment s'appelle cette officine ?
LE JUGE : * * *
SHAKEEL : Je vois. Celle qui est à Sion ?
LE JUGE : C'est cela.
SHAKEEL : Je suis au courant. J'ai déjà eu une affaire similaire à traiter avec eux, pour deux crores. Je vais vous obtenir gain de cause. [Il se saisit alors de l'occasion pour évoquer les brutalités policières.] Pourquoi laissez-vous la police organiser les rencontres sans réagir ?
LE JUGE : Il faudrait porter l'affaire au tribunal.
SHAKEEL : Ça sera fait. Mais le rapport du juge Aguiar n'a pas mis fin aux rencontres, loin de là. La police ne tient aucun compte de la loi.

LE JUGE : C'est injuste, c'est atroce.

SHAKEEL : [Il décrit en détail une rencontre précise.] Les rencontres ne font jamais de blessés parmi les policiers.

LE JUGE : Il faudrait, pourtant.

SHAKEEL : Bon. Comment dois-je traiter ces officiers de police ?

LE JUGE : Vous êtes un homme avisé.

SHAKEEL : Je sais, je sais.

La discussion met en présence deux juges, dont l'un est en position d'infériorité car il est aussi plaignant. « J'ai déjà eu une affaire similaire à traiter avec eux », affirme le plus puissant après avoir demandé à son secrétaire de lui apporter stylo et agenda. L'échange comporte les politesses d'usage entre magistrats (« Vous êtes un homme avisé ») ; et si celui qui est en position de force reproche à l'autre de tolérer que la police bafoue la loi, en même temps il le tranquillise (« Je vais vous obtenir gain de cause »). En l'occurrence, toutefois, la médiation de Shakeel ne donna pas les résultats escomptés. Shaïkh, le juriste, fut assassiné par son gang, et la police qui avait mis sa ligne sur écoute intercepta l'échange ci-dessus rapporté entre le magistrat et Shakeel. Si elle n'en avait pas eu connaissance, le juge aurait très probablement récupéré son argent, même s'il lui aurait fallu pour cela acquitter les « frais de justice » habituels, les honoraires réclamés par le défendeur en cas de succès. « Un juge qui n'a plus foi dans le système judiciaire approche un gangster pour régler une histoire personnelle », a déclaré le commissaire principal M.N. Singh pour résumer cette conversation.

Kamal me raconte tout ce qu'il sait sur la pègre parce que, me dit-il, je suis journaliste et qu'il veut transmettre un message au gouvernement, à la société, au système, aux truands mêmes : dans les milieux mafieux, chacun ne pense qu'à soi et personne n'est l'ami de personne. Zameer n'est pas ami avec Satish ; il l'utilise pour ses desseins personnels. Dawood et Shakeel se méfient l'un de l'autre. « Ils sont en bisbille, tous les deux. C'est une affaire interne. » Shakeel a besoin de l'argent de Dawood pour rester en vie, et en échange il protège son parrain des visées de Chotta Rajan. Selon Kamal, cependant, Shakeel n'est pas en sécurité à Karachi : « À mon avis, l'ISI ne va pas tarder à l'éliminer. » Les services secrets pakistanais le soupçonneraient de jouer double jeu et d'être en cheville avec les renseignements indiens. À choisir, le gouvernement indien préférerait d'ailleurs soutenir Shakeel contre Dawood, car, autant qu'on sache, il n'a pas participé aux attentats de 1993. « Shakeel est un gangster très inséré dans sa communauté, il défendra toujours les siens mais jamais il ne s'en prendra à des innocents. » C'est Dawood qui avec l'appui de Memon le Tigre, également réfugié à Karachi, a organisé les attentats. « Dans la mesure où ils sont hébergés par le Pakistan, ils sont aux ordres des Pakistanais », précise Kamal. La police est d'accord sur ce point avec le trésorier du gang : à Karachi, Dawood est à la fois l'hôte et l'otage de l'ISI. Ainsi que me le confirme Ajay Lal : « Pour l'instant, Dawood est prisonnier de lui-même. Il ne peut pas sortir, il a trop besoin de l'ISI, là-bas. Si jamais il rentre, il se fera très vite tuer par ses adversaires ou par ses propres hommes. »

Il n'empêche que Dawood vit sur un grand pied dans son pays d'accueil où il collectionne les maisons, les voitures, les passeports et les femmes. Toujours vêtu d'un costume Armani, il sort en hors-bord à quelques encablures des plages de Karachi et s'amuse à tirer sur les mouettes. Toute sa fortune n'a cependant pas réussi à sauver sa fille, Mariah, neuf ans, emportée en 1997 par une méningite dans une clinique de Karachi. Sa perte a brisé le parrain qui, depuis, a abandonné le contrôle de son empire à son frère, Anees, et à Shakeel. La rivalité entre les deux hommes laisse présager des règlements de comptes sanglants au sein de la Compagnie-D, quand celui à qui elle doit son nom ne sera plus de ce monde.

Quand Kamal reparle avec Shakeel de notre prochain voyage au Pakistan, le parrain lui conseille de l'annuler. De l'autre côté de la frontière, l'atmosphère s'est terriblement assombrie. « Le pays est au bord de la guerre civile, me dit Kamal qui tient ses informations de Shakeel. Les fonctionnaires harcèlent les gens qui viennent d'Inde. » Au lieu de le rencontrer en personne, je l'appellerai au téléphone de Dubaï où je dois faire escale à l'occasion d'un prochain déplacement aux États-Unis. De toute façon, je suis curieux de voir ce que Zameer devient, là-bas.

À la descente de l'avion, je retrouve Zameer, venu me chercher avec un jeune homme. Il m'accueille avec un sourire, mais il n'est pas rasé et a les yeux injectés de sang. Il est encore très tôt et ils m'attendent depuis cinq heures et demie du matin. Le jeune homme taciturne qui accompagne Zameer appelle leur bhaï avec son mobile et nous transmet ses instructions : nous devons prendre un taxi pour nous rendre à l'hôtel indiqué.

Si Bombay a une âme sœur, elle s'est matérialisée à Dubaï, idéal auquel aspire l'immense majorité des Bombayites à l'exception de la petite fraction qui rêve de New York ou de Londres. Comme nous traversons cette ville flambant neuve, je glisse à Zameer qu'elle semble avoir été bâtie la veille. Quel changement par rapport à Mira Road ! La grosse voiture américaine glisse silencieusement dans des rues neuves bordées de gratte-ciel et vides, apparemment, de toute présence humaine. Zameer est à Dubaï depuis un mois, maintenant. Est-ce qu'il s'y plaît ? Non, fait-il en secouant rapidement la tête.

Le taxi s'arrête devant l'hôtel et le jeune homme et le chauffeur se querellent pour un dirham. Dès que la porte de la chambre s'est refermée derrière nous, notre accompagnateur, dont j'ai pu vérifier dans l'ascenseur qu'il était également de Bombay, s'exclame avec irritation : « Quels salauds, ces Pakistanais !

– Pourquoi ? demande Zameer. Le chauffeur était pakistanais ?

– Oui. Le porc. »

Le temps passe, et nous allons déjeuner dans un restaurant indien. Zameer et un ancien condisciple de Girish – un Keralite trapu qui a troqué son nom, Sree, pour celui de Shoaïb lorsqu'il est entré dans la Compagnie-D –, me décrivent leur vie à Dubaï. Ils sont soumis à des vexations quotidiennes. À l'agence de téléphone, par exemple, pendant que la file des Indiens et des Pakistanais s'allonge devant le guichet, le premier Arabe vêtu de la robe traditionnelle passe sans problème devant tout le monde. Les Arabes traitent les Indiens et les Pakistanais de mendiants ou de haramis (salauds). « Chaque fois que quelqu'un arrive de Bombay, dit Shoaïb qui vit ici depuis quelques années, on se jette tous sur lui pour avoir des nouvelles du pays. »

À entendre Zameer, Bombay est devenu une ville merveilleuse : « Cinquante-cinq échangeurs, tu te rends compte ! Tu peux aller d'Andheri à Colaba sans descendre en dessous de la vitesse autorisée. » Il garde des souvenirs nostalgiques des trains qu'il attrapait au vol pour aller de Mira Road à Borivali, de Borivali à Andheri et d'Andheri à Dadar. Il se rappelle comme sa ville est verte, comparée à Dubaï où les arbres sont rares. Par-dessus tout sa famille lui manque, et avec elle la certitude de savoir que dix personnes s'inquiétaient pour lui quand il rentrait plus tard que prévu, et aussi l'apnapan, le sentiment de ne faire qu'un avec un lieu. Ici, comme tous ses compatriotes il lave lui-même son linge, se prépare ses repas, nettoie ses W.-C. Exilés dans une ville qu'ils détestent, ils survivent en recréant un Bombay en fac-similé grâce à la télévision et à d'incessantes conversations téléphoniques avec leurs troupes restées sur le terrain. « Nous n'avons pas d'amis parmi les gens du pays », me confient-ils. L'idée me traverse qu'en réalité, ils n'ont pas d'amis du tout.

Plus tard le même jour, Zameer m'entraîne dans la nuit de néon de Dubaï. Les bars et les rues de l'émirat grouillent de prostituées : des Malaisiennes très jeunes, des Russes très blanches en shorts moulants, qui arpentent à longues enjambées les boulevards déserts. Nous entrons dans un pub où je sirote avec bonheur une pinte de Kilkenny. « Je ne reviendrai pas. C'est fini, pour moi, là-bas », déclare Zameer sur le ton de l'évidence.

L'homme qui sur son ordre devait mourir, Salim, travaillait pour Chotta Rajan. Il avait déjà tué trois individus suspects d'avoir participé aux attentats à la bombe et s'apprêtait à régler son compte à Zameer ; il surveillait son appartement quand les gars de Zameer l'ont repéré. Informé, Shakeel a donné l'ordre de le liquider.

Zameer confia l'affaire à Satish qui enleva Salim en voiture, le traita comme il convenait puis appela Zameer et le lui passa pour qu'il décide de son sort avec lui. Salim suppliait qu'on lui laisse la vie sauve. « Il avait la voix qui clapotait », commente Zameer en agitant la main devant lui. Salim se confondait en excuses, jurait qu'à l'avenir il ne travaillerait plus que pour la Compagnie-D. Tout en discutant avec lui au téléphone, Zameer faisait les cent pas en bas de chez lui, sur l'autre rive de la mer d'Oman. Il maudit Salim pour avoir exécuté les trois suspects des attentats et le traita de renégat.

Il y avait toutefois un petit problème technique, car Chotta Shakeel avait promis à la police de Bombay que son gang ne jouerait pas de la gâchette pendant la campagne électorale. Satish résolut donc de liquider Salim en l'éventrant avec un grand coutelas. « Il faut avoir des tripes pour être capable d'une chose pareille, avec le sang qui te gicle dessus », remarque Zameer. Satish trancha profond pour faire sortir les reins, et une demi-heure après le décès de sa victime, il rappela Zameer pour le prévenir que c'était fini. Trois jours durant, du lundi au mercredi, le corps resta exposé sur une terrasse d'un immeuble de Mira Road. Chotta Rajan, qui avait chargé Salim de tuer Zameer, apprit cependant tout de suite, dès le lundi, que son homme manquait à l'appel, et pour se venger il indiqua aux policiers où ils pourraient trouver la famille de Zameer. Les flics se postèrent en embuscade en prévision d'une rencontre, mais Zameer s'était déjà envolé pour Dubaï.

À Bombay, les siens traversent une passe difficile. Il ne leur a pas parlé depuis qu'il est arrivé ici, de crainte que la police n'ait mis leur ligne sur écoutes. Son frère a été arrêté et torturé jusqu'à ce qu'il ne puisse plus articuler un mot, et par l'intermédiaire de Kamal, Zameer a dû verser cinquante mille roupies pour qu'on le relâche. « S'ils l'avaient tué, je ne sais pas de quoi j'aurais été capable, déclare le petit homme avec une émotion palpable. J'aurais balancé une bombe, j'aurais fait n'importe quoi. » Il a également fallu payer une somme conséquente pour la libération du beau-frère de Satish, également impliqué dans le meurtre. En paiement de ce travail, le tueur a reçu au total deux lakhs de Shakeel. Il y a gagné parce qu'il n'avait pas signé de contrat : dans le cas contraire, m'explique Zameer, s'il s'était engagé à exécuter le job pour un lakh, mettons (prix déjà assez élevé en regard des cinq mille roupies que touchent la plupart des tueurs), il n'aurait pas pu demander une rallonge au bhaï sous prétexte qu'il avait dû payer ses complices plus cher que prévu. Il n'y a pas de prix fixe, pour les meurtres commandités par Shakeel. Zameer paye le tueur selon ses besoins, Shakeel en fonction de son habileté. « La mafia ne prend pas, elle donne », affirme Zameer.

Il me détaille les munificences de la Compagnie. L'appartement qu'il partage à Dubaï avec Shoaïb et quelques autres coûte trente-cinq mille dirhams par mois. Il a une machine à laver, la télévision, une chaîne stéréo et le dernier modèle de téléphone mobile, dont la facture mensuelle s'élève à soixante-dix mille roupies compte tenu de tous les appels qu'il passe en Inde. De plus, les sommes qu'il demande pour sa famille – les frais d'un mariage, par exemple – lui sont versées sans délai par Shakeel. Selon ses estimations, ce dernier débourse dix-huit lakhs par an pour le garder à Dubaï. Zameer, qui a deux cents hommes sous ses ordres à Bombay, consacre la majeure partie de son temps de travail à préparer les assassinats, à prévoir des positions de repli pour les tueurs, à anticiper les retombées de l'enquête de police qui s'ensuit forcément. Il dessine des tas de schémas au crayon, pour mieux visualiser la scène sur le terrain.

Il me propose d'aller dans un autre pub, pour changer, et nous ressortons dans la rue humide. Attirés par des photos de filles affichées à l'entrée d'un hôtel, nous y entrons et nous arrêtons

d'abord aux toilettes pour messieurs. Je me plante devant un uri-
noir pendant que Zameer s'enferme dans une cabine, selon
l'usage entre mecs hétéros qui se retrouvent à deux dans des toilettes publiques. Mais dans la seconde qui suit, Zameer ressort
de sa cabine en balbutiant : « Un cafard. » Je le vois, le cafard
blafard qui a terrorisé le futur bhaï au point de lui couper l'envie
de pisser.

À l'étage, se trouvent deux salles en vis-à-vis d'où sortent des
flots de musique. « Pakistanaises », susurre le portier de la première en nous conviant à aller écouter une chanteuse de ghazal.
« Indiennes », lui fait écho son collègue d'en face qui vante les
charmes de ses danseuses. Plus engageants l'un que l'autre
« – Entrez, entrez » –, ils essaient de nous appâter, mais sans
l'ombre d'une hésitation Zameer pénètre dans la salle indienne
et je lui emboîte le pas. La boîte est minable à souhait. Les
grosses filles importées de Bombay sont assises sur la scène en
tailleur-pantalon. Il y a une machine à brouillard. Les haut-
parleurs diffusent de vieux tubes plébiscités par les INR – *Eena
Meena Deega* et *Bole re Papeehara*. L'endroit est à peu près
vide. « Tout le monde à Dubaï sait que je travaille pour le bhaï
Shakeel. On joue à découvert. À Bombay, on tombe sur des gars
de la Crim dans le moindre bar. Dans un endroit comme ça, à
Bombay, j'aurais quatre ou cinq gardes du corps derrière moi. »
Ici, dans ce pays étrange où il est anonyme, Zameer est en
sécurité mais il broie du noir.

Il vit l'exil dans toute sa signification : une force insurmontable s'oppose à son retour. Si Zameer rentre à Bombay, la
police ou la Compagnie Rajan lui tirera dessus au sortir de
l'aéroport. Raison pour laquelle il passe ses soirées chez lui,
dans ce pays qu'il abomine, à regarder jusqu'à pas d'heure les
programmes de Sony TV et de Zee TV. Il rêve de sauter dans un
train à Mira Road et vante à ses amis les cinquante-cinq échangeurs de Bombay, entre deux coups de fil qui visent à détruire sa
ville chérie. Dans trois mois il pourra partir à Karachi, qu'il
déteste encore plus que Dubaï – au moins, dit-il, les gens de

Dubaï sont disciplinés –, ou bien à Bangkok. Zameer appartient à une catégorie particulière de réfugiés ; ni réfugié politique ni réfugié économique, c'est un réfugié criminel.

Shoaïb appelle sans arrêt le Pakistan de ma chambre d'hôtel, pour essayer de joindre Shakeel. Ou « Chotte Saab », ainsi que le nomme respectueusement le jeune homme. Le bhaï est paraît-il un fervent musulman, un namaazi qui fait sa prière cinq fois par jour et ne boit pas, ne fume pas, ne couche pas, ne jure pas. Mon ami le journaliste Naeem Husain l'a une fois pris à partie un peu rudement. « Comment pouvez-vous prétendre tuer au nom de l'islam ? s'est-il emporté. C'est conforme au Coran de tuer un musulman ?

— Le Prophète est mort et Allah est au ciel, a répliqué Shakeel. Sur terre, chacun fait ce qu'il peut. »

À un moment donné, j'ai son frère, Anwar, au bout du fil. Notre échange est bref. « J'espère que vous n'avez pas de problèmes, à Dubaï ? Il n'y a aucune raison de vous inquiéter », me rassurera-t-il avant que j'aie ouvert la bouche.

Je crois d'abord comprendre que Shakeel est allé rendre visite à Dawood dont la mère vient de décéder à Bombay – de mort naturelle. Résultat, la fraternité de Karachi est en proie à une certaine tension et Shoaïb ne sait pas trop quand l'entretien pourra m'être accordé. J'ai acheté pour trois cents dirhams de cartes téléphoniques dans un supermarché, et le mobile de Shoaïb les engloutit l'une après l'autre. Nous essayons une nouvelle fois – et enfin j'entends Shoaïb changer de ton : « Ji bhaï. Ji bhaï », répète-t-il. Les traits crispés, il reste un moment planté sur place sans bouger, puis il me tend l'appareil et la voix de Chotta Shakeel me résonne à l'oreille.

En guise de préambule, le parrain me signale qu'il n'accorde jamais d'interview – il ne court pas après la gloire – et n'a accepté celle-ci que parce que moi, résident américain, j'ai fait ce long voyage pour lui parler. À plusieurs reprises au cours de la conversation il reprendra cet argument. Il s'exprime sobrement, en ourdou ; les années passées à Dubaï et au Pakistan n'ont manifestement pas été sans conséquences pour son hindi bambaiyya. Du début à la fin de l'entretien, il reste très courtois, détendu et sûr de lui. Jamais il n'hésite ; sa voix est rodée à commander. Calme et posée, elle transmet des suggestions dont il attend qu'elles soient suivies d'effet (« vous n'allez pas écrire cela ») chaque fois que nous abordons des sujets délicats, susceptibles de lui valoir des ennuis. Comme les politiciens, il répond par des circonlocutions aux questions difficiles.

Le parrain regrette-t-il Bombay ?

« Il n'y a pas une ville semblable sur terre. Mon peuple, mon pays me manquent ; et cet air, ce ciel ; ces visages connus, ces parents, proches ou éloignés. » Il tente de communiquer sous une forme poétique, en ourdou, l'immense nostalgie qui l'habite. « C'est comme un mets à la saveur inoubliable. Toute ma famille me manque, mais cela mis à part c'est là-bas que je suis né. L'homme n'oublie pas le lieu de sa naissance. Il n'oublie jamais son enfance, les rues où il jouait petit, son quartier. Il aime tout cela passionnément. Les pique-niques du temps où il allait à l'école... les séances de cinéma... les sorties entre amis. Mon histoire est la suivante, reprend-il sur le ton d'un acteur campant son personnage. J'ai été scolarisé jusqu'au SSC [la classe de première], et j'aurais voulu continuer. J'avais l'intention d'entrer dans l'armée, de devenir officier. Vous savez comment c'est, à l'école, quand on vous donne un devoir sur ce que vous voulez faire dans la vie. Je me voyais devenir officier militaire et j'ai écrit une rédaction là-dessus. Je voulais mourir pour mon pays. L'amour qu'on peut avoir pour son pays... il y a des gens qui l'ont chevillé au corps, vraiment. J'avais ce grand désir, et puis les circonstances et la situation ont évolué et je suis devenu lieutenant dans la Compagnie-D. » D'autres que lui sont responsables de son incapacité à servir son pays : « Les gens de la police ont fait en sorte de me gâcher la vie. Je suis rentré dans cette branche, et voyez le résultat. »

Comment arrive-t-il à contrôler une organisation de cette taille, de si loin ? (Je me garde de prononcer le nom de Karachi ;

ses hommes m'ont chapitré là-dessus à maintes reprises au cours de la journée.)

« N'écrivez pas le nom de ce pays, m'intime le bhaï. Le planning et les activités sont communiqués aux gars sur place, et ils font le travail comme ça les arrange. Nous sommes en liaison. » Shakeel qui passe beaucoup de temps au téléphone trouve l'Internet prodigieux : « Vous appuyez sur une touche, et toutes les nouvelles apparaissent devant vous ! » Le parrain consacre deux heures par jour à naviguer sur la Toile pour passer au crible la presse bombayite : il consulte les pages financières, suit attentivement les cours de la Bourse. « Les médias électroniques sont la première source mondiale d'informations. La deuxième, ce sont les magazines politiques, publiés par des gens comme vous. » En troisième, il cite son propre réseau de services secrets. « J'ai plein de contacts, là-bas, pour me dire ce qui se passe partout en Inde. Je détiens beaucoup d'informations qui vous échappent. » C'est par ailleurs un bibliophile qui avoue son faible pour les romans d'espionnage. Il aime lire depuis le plus jeune âge. « Je suis capable de dévorer un bouquin en trente à quarante minutes. »

Pourquoi est-il à couteaux tirés avec Chotta Rajan ? Est-ce, comme le prétend Rajan, à cause des attentats de 1993 ?

« Écoutez-moi bien, ordonne le parrain. Tout Bombay sait que Chotta Rajan ne fait pas bande à part à cause des attentats à la bombe. Un an avant, de 1991 à 1992, son cœur s'est fourvoyé et il a trahi. Nous avons tué trois de ses gars – Diwakar Chudi, Amar, Sanjay Raggad, tous des hommes à lui – pour trahison envers la Compagnie. Il y avait un quatrième traître : Chotta Rajan. Pendant près de quinze ans, Dawood l'a chouchouté comme un petit garçon. Au lieu de le tuer, il lui a pardonné. Il l'avait élevé comme un fils, alors Rajan lui a touché les pieds, il a beaucoup chialé et il a été pardonné. Il n'a rien fait pour la Compagnie. Après les attentats à la bombe, six mois plus tard il a quitté Dubaï. Comme il fallait qu'il donne une raison, il a raconté que c'était à cause des attentats. Pourtant il la connaît, la vérité sur les attentats, il sait qui les a organisés.

– Qui ?

– Gardez vos questions pour plus tard », suggère le parrain.

Contrairement aux bruits qui circulent, soutient-il, la Compagnie-D ne recrute pas uniquement parmi les membres de la communauté musulmane, pas plus que la Compagnie Rajan ou Gawli ne recrutent uniquement parmi les membres de la communauté hindoue. « Beaucoup d'hindous sont avec nous », affirme-t-il en avançant la proportion élevée de cinquante-cinquante. Les hindous intégrés à sa compagnie reçoivent de l'argent lors des fêtes hindoues. « Notre mot d'ordre, c'est insaaniyat » – l'humanité.

Quand je le sonde à propos de la police, il se montre moins virulent que les tueurs que j'ai interrogés. « Certains officiers sont liés avec des gangs particuliers, mais ce n'est pas le cas de l'ensemble de la force. On trouve encore de bons policiers, même de nos jours. Tous ceux de l'IPS [1], notamment : ceux-là sont neutres et ils font du bon boulot. » Il reconnaît que la police doit remplir sa mission, quitte pour cela à tuer ses hommes. « Les rencontres, dit-il, devraient être réservées aux gens qui représentent un danger public, qui harcèlent la population » – et les policiers devraient suivre les règles de l'éthique : « Ils devraient refuser qu'un innocent meure de leurs mains, parce que lui aussi est l'enfant de quelqu'un, lui aussi fait vivre sa famille. » Ces temps-ci, plusieurs innocents ont trouvé la mort. « Certaines forces de police appliquent la loi religieuse plus que la loi civile. Ces quatre derniers mois, des policiers ont tué des musulmans soi-disant parce qu'Untel ou Untel était dans la Compagnie-D. Les trois quarts de ces garçons ne sont pas sous mes ordres, je ne les ai jamais vus. » Assez juste, l'estimation corrobore ce que j'ai pu observer à Bombay. « La police les emmène et les tue, elle raconte ensuite que c'était un membre de la Compagnie-D, ou qu'il travaillait pour Chotta Shakeel. Ce qui

1. IPS, pour Indian Police Service, une institution créée par le gouvernement central de l'Inde afin de former les hauts fonctionnaires de police des États de l'Union indienne (N.d.T.).

est du pareil au même », ajoute-t-il après une pause. La précision a son importance, car l'équivalence est souvent remise en cause. Il vient pourtant de l'établir sans hésiter. Shakeel n'a pas l'intention de sortir de la Compagnie-D ; il va en hériter.

Quelle est son opinion sur la guerre qui vient d'éclater au Cachemire, lui qui réside dans le pays ennemi ?

« De nos jours, Suketu bhaï, la guerre est une triste affaire, trop coûteuse en vies humaines et ruineuse pour l'économie. La nation va reculer de cent ans en arrière. À qui la guerre profite-t-elle, une fois qu'elle est finie ? On fabrique tellement d'armes, tellement de missiles, pour des millions de dollars. Si on dépensait tout cet argent pour les pauvres, chaque pays, et pas seulement l'Hindoustan, vivrait heureux. » Il affirme qu'en dépit de sa réputation, il aime l'Inde et souhaite mourir pour elle. « Il n'y a aucun doute là-dessus. Un homme ne peut pas trahir le pays où il a vu le jour. Un homme ne peut que donner sa vie pour son pays. Il y gagne de belles décorations. Il y gagne un immense respect. Quand un homme veut entrer dans l'armée, ce n'est pas pour aller jouer au cricket ou pour s'entraîner : c'est pour devenir un martyr. »

Le cerveau du plus grand syndicat du crime du sous-continent enchaîne sur une citation de John Kennedy : « Je veux me poser la question suivante : Que puis-je faire pour mon pays ? au lieu de me demander ce que mon pays peut faire pour moi. » Remarque qu'il ponctue d'un : « Réfléchissez-y. »

Il serait pour un transfert du pouvoir à la jeune génération « qui a un projet d'avenir ». Les dirigeants actuels sont « tellement vieux qu'ils n'ont pas d'autre avenir que la mort, qu'elle survienne dans un an, deux ans ou cinq ». Son ton devient venimeux quand il énumère les magouilles et les scandales dans lesquels la classe politique est impliquée : il cite les arnaques qui ont récemment secoué les filières du cuir et du fourrage. Il insiste sur la différence entre truands et politiciens, qu'il compare en usant de la métaphore cinématographique classique à Bombay : « Tous les criminels s'activent sur l'écran, au vu et au su de tout le monde, alors que les politiques agissent derrière l'écran, sans que le public les voie. Pourtant cela revient au même, de travailler derrière l'écran ou devant. Les politiciens sont plus criminels que nous. Les truands se battent les uns contre les autres mais les politiques amènent le monde entier à sa ruine. » Il ne fait pas mystère du parti qui a sa préférence à Bombay : « Le Shiv Sena a complètement ratissé le Maharashtra. Quand le Congrès était aux commandes, il gouvernait bien. »

Est-il satisfait du cours qu'a pris sa vie ?

« L'être humain est incomplet. Il est sans cesse rattrapé par ceci, par cela. Qu'il fasse du bon travail ou pas, jamais un homme n'est content de lui. J'aurais voulu entrer dans l'armée, devenir officier, mais ce rêve a été brisé dès le départ. À présent, quel rêve pourrais-je caresser, que puis-je souhaiter pour l'avenir ? » demande-t-il avant de revenir au langage bollywoodien : « Il n'y a qu'Allah pour savoir comment la vie s'écoule, avant que le mot fin s'inscrive sur l'écran. »

Il n'a donc pas de regrets ?

« Un homme qui fait le mal ne peut pas le voir en bien. Je me dis que quelque chose a mal tourné, ou que je n'ai pas fait ce qu'il fallait. »

Comment un homme tel que lui, qui se dit bon musulman, arrive-t-il à concilier sa croyance religieuse avec les meurtres qu'il a sur la conscience ?

« L'inimitié et la religion sont deux choses bien distinctes, qui chacune ont leur place dans la vie. La religion nous place devant certains choix et c'est valable pour toutes les religions, y compris la vôtre. » La guerre des gangs ne finira jamais, car « les ennemis meurent, mais pas l'inimitié. Quand un ennemi périt, un autre voit le jour ». Il trouve néanmoins des arguments pour sa défense : « Tout le monde sait que jamais je ne m'en suis pris à un innocent. Je n'ai tué personne pour extorquer de l'argent. » D'ailleurs, affirme-t-il, « je ne pratique pas l'extorsion de fonds. J'ai suffisamment d'affaires qui marchent pour ne pas avoir besoin de ça ». Le chantage à l'extorsion se pratiquant au téléphone, il souligne que des tas de gens peuvent facilement se réclamer de lui. Récemment, deux Marwaris qu'il ne connaissait pas ont été tués en son nom, et quand les policiers doivent clore une enquête ils lui attribuent des meurtres dans lesquels il n'est nullement impliqué. « Ce n'est pas une bonne chose, cette vague de meurtres que suscite l'extorsion », décrète le parrain.

Il semble pourtant intimement convaincu de participer à quelque chose de foncièrement mauvais. « Le mal, c'est le mal. Un péché est un péché. » Pour cela, il recevra son châtiment après sa mort, mais ici-bas, « un homme devrait avoir une chance de s'améliorer. Il ne peut pas revenir en arrière si on lui impute même ce qu'il n'a pas commis. À partir de là, sa vie devient à sens unique ».

Le crédit de ma carte s'épuise, la communication est coupée. Une minute plus tard, le téléphone de Shoaïb sonne et le secrétaire qu'il a au bout du fil lui passe Shakeel. J'entends en fond sonore un concert de klaxons ; le parrain est peut-être pris dans un embouteillage, ou bien ce tapage monte par la fenêtre ouverte devant laquelle il se tient. À nouveau il m'explique que son temps est précieux, mais que « comme vous venez d'Amérique, j'ai pensé... » – et une fois de plus il prend soin de me rappeler sa magnanimité à mon égard. « Il faut montrer au public nos vrais visages. On nous a défigurés, déformés. » Remarque qu'il atténue aussitôt en la généralisant : dans tous les domaines « il y a des gens qui vous aiment et des gens qui vous haïssent ». Et pour finir il me demande : « Dites-moi, maintenant, ce que vous pensez de moi ? » Étrange question. Sollicite-t-il vraiment mon avis parce qu'il est anxieux d'être aimé, ou essaie-t-il de cerner ce que je vais écrire sur lui pour empêcher la publication à temps ? Pendant que je parle à leur patron, ses hommes penchés sur mon ordinateur regardent ce que je tape. Je dois avancer avec précaution.

« Vous vous exprimez en poète », dis-je car je connais mes compatriotes.

La réponse le flatte. En retour, il me fait un cadeau. « Si vous avez besoin de moi pour un travail, pour quoi que ce soit, n'importe quand, appelez. Laissez vos numéros de téléphone à ces gens, ou contactez-moi par leur intermédiaire. » C'est une immense faveur dont me gratifie ainsi celui qui a tout pouvoir pour l'accorder. Sans doute sa manière à lui de flatter les journalistes. Le gouvernement peut fournir un logement, les entreprises des voyages tous frais payés, le chef mafieux m'offre pour sa part la mort de mes ennemis. Je l'en remercie et l'assure n'avoir pour l'instant pas besoin d'un tel service.

« Très peu de gens me comprennent », déclare-t-il à la fin de la conversation avec un soupçon de fierté.

Au moment où nous nous quittons, dans le hall de l'hôtel, Zameer réitère la proposition de Shakeel : « Au cas où vous auriez le moindre problème à Bombay... Ce sera gratuit. Le bhaï l'a dit. »

Enfant, ce n'est pas tant à la violence elle-même qu'à la peur de la violence que je devais me confronter. À l'école, dans mon immeuble, j'aurais aimé que quelqu'un me défende contre les petites frappes. Aujourd'hui, enfin, j'ai des protecteurs : Ajay Lal, Kamal, Shakeel en personne. Ils sèmeront la désolation parmi mes ennemis. Les brutes de mon enfance, les cognes du fond de la classe ont grandi et sont devenues mes amis. J'arpente désormais le monde avec un sentiment de sécurité absolu. Le parrain m'a offert un job gratuit.

Quand, à Bombay ou à New York, il m'arrive de confier cette histoire à des amis, ils me regardent avec envie en dressant la liste de ceux qu'ils élimineraient volontiers s'ils étaient à ma place. Ils plaisantent, mais à moitié, et je suis authentiquement choqué par quelques-uns des noms qu'ils citent, amours de jeunesse ou collègues. La faveur dont je bénéficie intéresse les femmes plus que les hommes. Les seconds, lorsqu'ils rêvent de tuer quelqu'un, s'imaginent en train d'appuyer sur la détente, d'enfoncer la lame. Les premières ont besoin d'un exécutant. La majorité des noms qui leur viennent à l'esprit sont ceux d'êtres autrefois très chers et désormais haïs aussi passionnément. Tous tant que nous sommes, nous avons un petit cercle de proches dont nous fantasmons la perte.

Je m'accroche à la promesse de Shakeel comme à une amu-lette glissée au fond de ma poche. Grâce à elle je me sens protégé quand je me promène dans Bombay, je suis plus calme, plus tolérant avec les individus qui me cherchent noise. Je sais que j'ai à ma disposition une riposte radicale, s'ils me pro-voquent sérieusement, et cette assurance me rend magnanime, conciliant, indulgent. Savoir que je peux faire assassiner la per-sonne de mon choix me rend meilleur.

En avril 2000, deux dirigeants de cellule du Sena sont abattus à bout portant par des hommes de Shakeel. Sunil et Amol écu-ment Jogeshwari, obligent les rickshaws à quitter le quartier et les commerçants à baisser leurs rideaux. Les forces de réserve de la police nationale sont appelées en renfort. À l'Assemblée, le Sena qui a déterré la hache de guerre exige la démission du gou-vernement du Congrès qui selon lui « bafoue la loi et l'ordre de l'État ». De son côté, le gouvernement met tout son poids dans la balance pour retrouver les assassins des pramukhs du Sena. Ajay Lal croit savoir pourquoi l'un d'eux a été tué : « Il se tapait une musulmane », me dit-il avec la jubilation de qui détient une information impubliable dans la presse. « Et Shakeel n'apprécie pas qu'un kafir couche avec une fille de l'Islam. Il a ordonné de le supprimer. »

Girish vit la peur au ventre. Un dimanche soir, il m'appelle au téléphone. « Tu es au courant pour le job du Sena? C'est nos amis communs qui s'en sont chargés. » Kamal lui a montré deux portraits-robots des tueurs publiés dans les journaux à la demande de la police. Quiconque pense pouvoir les identifier doit se mettre en contact avec elle. Girish a reconnu Satish et Mickey.

Kamal à qui je passe aussitôt un coup de fil me confirme que la commande, partie de Zameer, a été exécutée par Satish et Mickey. « Ce sont des superstars, maintenant », commente-t-il. La Compagnie-D a entrepris de venger la mort de quarante à cin-quante de ses membres liquidés par le précédent gouvernement

Sena. Sous l'égide du Congrès, qui lui est plus favorable, elle s'en prend aux dirigeants des shakhas et voit sa tâche facilitée par le soutien tacite des policiers, malmenés en leur temps par les pramukhs du Sena.

Me voilà une fois de plus en possession de renseignements dangereux, puisque je connais les deux assassins recherchés par toutes les forces de police de l'État. Ajay lui-même s'est trompé en appréhendant pour le meurtre des deux pramukhs un certain Nilesh Kokam, abattu depuis. En passant la ville au peigne fin pour retrouver Satish, ses collègues ont tué quantité de gens qui n'étaient pour rien dans ces exécutions; en l'espace de vingt-quatre heures, quatre types ont trouvé la mort lors de trois rencontres distinctes. Je sais, moi, qui sont les coupables; je connais leurs goûts alimentaires, leurs pratiques sexuelles, la relation particulière qu'ils entretiennent avec Dieu. Je sais qui les contrôle, dans des pays lointains. Surtout, je sais précisément qui, sous la torture, pourrait dévoiler leurs planques.

Il est donc temps de mettre un terme à mes recherches sur le monde de la pègre. La guerre des gangs se poursuivra sans moi jusqu'à la fin des temps. Son principal moteur, en effet, n'est pas la lutte qui oppose des gangsters à la police ou les clans mafieux entre eux, mais un jeune fou armé d'un Mauser qui se bat contre l'histoire, personnelle et politique; la révolution avance à pas comptés, un meurtre après l'autre.

DEUXIÈME PARTIE

Les plaisirs

La ville des mangeurs de vadapav

Dariya Mahal appartient à l'histoire. Plaise à Dieu qu'il n'en reste que décombres.

C'était inévitable. Je n'ai pas dit au revoir au Dariya Mahal, ne me suis pas attardé une seconde de plus que nécessaire dans cet appartement où j'avais dû oublier à mon corps défendant combien l'espace matériel dans lequel je vis m'affecte. Deux mois après avoir déniché le bureau d'Elco Arcade, j'ai également trouvé, par l'intermédiaire d'une agence, un logement à Bandra où nous pouvons enfin nous sentir chez nous. Je n'ai pas de lien personnel avec Bandra, une banlieue qui lorsque j'étais enfant me paraissait aussi loin que la Patagonie. Dans le temps, le quartier passait pour un bastion catholique. Les seuls catholiques de ma connaissance, c'étaient les profs de l'école, et ce que je savais de leur mode de vie me venait des films en hindi où les chrétiennes en jupe courte sortent avec des chrétiens grands buveurs. Pour cette raison, ils me plaisaient. En prenant de l'âge, je me suis senti plus à l'aise avec eux qu'avec les Gujeratis parmi lesquels j'avais grandi, ces gens qui lorsqu'ils vous invitent à dîner vous servent d'excellents plats végétariens mais pas une goutte d'alcool pour vous mettre en appétit.

Le nouvel appartement a appartenu à une actrice célèbre, morte prématurément après avoir joué dans plusieurs des meilleurs films du cinéma d'avant-garde des années quatre-vingt.

Nous le louons à sa sœur. L'examen du bail donna lieu à une négociation autrement plus serrée que pour l'appartement du Dariya Mahal, où l'accord avait été pour l'essentiel conclu sur une poignée de main avec le diamantaire. De ma vie je n'avais signé contrat plus long et plus détaillé. Il s'ouvre sur un principe de suspicion et de méfiance mutuelles que l'agent immobilier s'est ingénié à formuler. Les cordelettes des rideaux, le nombre et le modèle des installations électriques fixées au plafond, un distributeur de papier toilette figurent dans la liste des articles que la propriétaire ne veut pas nous voir emporter, quand nous partirons. Il a fallu éplucher ce contrat ligne à ligne, mot à mot, avec autant de minutie que s'il s'agissait d'un traité sur les missiles balistiques. Et quand ce fut fini, la propriétaire ne m'a ni serré la main ni souhaité la bienvenue dans ce logement sis au troisième étage sans ascenseur, à une bonne heure du centre-ville. La loi sur les baux locatifs condamne Bombay à vivre sous un régime de défiance.

Cela étant, l'endroit, nettement plus joli, valait bien le mal que je me suis donné pour l'avoir. Les meubles en bois, discrets et élégants, sont l'exact opposé des horreurs du Dariya Mahal, et d'ici aussi on voit la mer. Un bâtiment rose et moche se dresse devant, mais au-delà, sur la gauche, elle est là, mon immensité marine. Nous pouvons laisser les fenêtres ouvertes sans crainte d'être envahis par des cochonneries. Le ciel est vaste, les pièces calmes et propres baignent dans un éclairage idéal pour la pose de portraits. Au fil de l'après-midi, le jour change, s'adoucit, puis la pluie se met à tomber, amenant avec elle la lumière ravissante de la mousson. À Dariya Mahal, j'en étais venu à oublier que Bombay est une ville à la lumière admirable. Aujourd'hui, lundi après-midi, je ne vois pas âme qui vive dehors quand je me mets à la fenêtre. Je suis en Inde et il n'y a personne dans la rue ! Vue somptueuse, propice aux vagabondages de l'œil qui s'arrête à loisir sur les frondaisons des palmiers, la mer basse qui roule au bout de la plage, les serviettes qui pendent immobiles sur les cordes à linge. Et puis non ! La bonne qui vient d'ouvrir la fenêtre d'en face ramasse la lessive sèche. Je ne suis pas seul au monde. La vie reprend ses droits.

Devant la chambre des enfants pousse un amandier qui un beau matin nous fait la surprise d'une feuille rouge vif, incongrue au milieu du feuillage vert dense; la couleur a surgi du jour au lendemain, peinte dirait-on par un farceur.

Installés depuis un an à Bombay, nous y vivons à bien des égards comme à New York dans l'East Village. Les liens d'amitié que nous avons recommencé à tisser grossissent notre trésor. Nous disposons désormais, sur trois continents, d'une belle collection d'êtres généreux que nous aimons bien sans les aimer tous du fond du cœur. Des amis que nous partageons ou non, Sunita et moi, débarquent d'ailleurs – de Bhopal, New York, New Delhi ou Londres – en même temps que mes sœurs et des cousins et cousines, et la fiesta improvisée s'organise. Cela ne choque pas nos amis que nous attendions leur arrivée pour préparer le repas, ils acceptent volontiers d'émincer les oignons et de râper le gingembre. Pendant que les uns s'affairent en cuisine, d'autres, vautrés par terre dans le salon, câlinent mes fils ou construisent avec eux des voitures Meccano. Nous leur offrons de la bière, du vin, des boissons plus fortes, parfois, et des plats mitonnés avec soin et servis à la bonne franquette. Certains fument un joint devant la fenêtre ouverte. Souvent il y a de la musique, et les enfants dansent dessus. Chacun circule à sa guise d'un petit groupe à l'autre pour se mêler à la conversation en cours – à propos du corridor de déchets toxiques au Gujerat, que dénonce le copain de Greenpeace; de l'expo photos de Dayanita; de la question de savoir si tel ami de Bhopal devrait ou non épouser la dernière en date de ses petites amies. On peut aussi choisir de ne pas dire un mot et se couvrir la tête d'une serviette, à la grande joie d'Akash qui se tord de rire. Se croisent ici des gens qui ne s'aiment guère, qui pour certains ont de bonnes raisons de se détester car ils se sont aimés autrefois, mais qui, se retrouvant par hasard, doivent faire contre mauvaise fortune bon cœur. Au quatrième verre, ils s'aperçoivent que leurs différends sont insignifiants. Ils les redécouvriront le lendemain avec leur gueule de bois, mais pour l'instant seule la camaraderie éméchée a droit de cité entre ces murs. À une heure avancée de la nuit, quand tout le monde aura atteint l'état d'ébriété séant, on s'attaquera au dîner servi dans les casseroles et les plats de cuisson, et pimenté en diable pour que ses saveurs atteignent les papilles assoupies par l'alcool. Les garçons ne se coucheront pas avant le départ des convives, vers une heure ou deux heures du matin, à moins de tomber comme des masses. Ça nous ressemble et c'est agréable. Où que nous soyons nous aimons passer les soirées ainsi.

Des tas d'autres aspects de la vie commencent à changer. À présent nous comprenons des trucs tout bêtes, telles les règles de la négociation avec les commerçants, les chauffeurs de taxi, les parents proches et lointains. Sunita fait des progrès en hindi et le petit personnel a plus de mal à la rouler qu'autrefois. Nous avons appris qu'il est mal élevé d'arriver avant neuf heures et demie chez les gens qui nous ont invités à dîner. La première année, nous nous pointions à huit heures – horaire new-yorkais – et, gênés, buvions verre sur verre pendant que l'hôtesse se mettait littéralement en quatre pour s'habiller, cuisiner, dresser la table et bavarder avec nous. Nous avons nos bonnes adresses pour les tire-bouchons, les draps de lit, l'origan, le matériel informatique. Les gosses ne sont plus malades à tout bout de champ, et quand ils le sont cela ne nous inquiète pas outre mesure. Tous les enfants de Bombay sont mal en point une bonne partie de l'année. À cause de l'air, de l'eau, de la nourriture – et cela n'empêche pas le pays de compter un milliard d'habitants. Un milliard de gens maigres, à la santé souvent chancelante, mais vivants et, pour certains, magnifiquement vivants.

Même dans l'appartement de Bandra les choses tombent régulièrement en panne. Les climatiseurs, par exemple, qui se bloquent avec une fréquence infaillible ; celui de mon bureau fuit au-dessus de ma tête, de préférence quand je suis en train d'écrire. De tout l'été nous n'avons pas eu l'eau courante dans la

journée. Coupée à neuf heures et demie du matin, elle se remettait à crachouiller des robinets à huit heures et demie du soir.
L'arrivée de la mousson n'a rien arrangé. Dehors, il tombe des
rideaux de pluie; à l'intérieur, dans la salle de bains grand luxe,
s'alignent des seaux aux couleurs vives qui attendent d'être remplis. Ce qui nous aurait mis hors de nous la première année ne
nous dérange pour ainsi dire pas, la deuxième. Nous nous levons
de bonne heure pour remplir les seaux et utilisons l'eau avec parcimonie. Quand la bonne ne vient pas de la semaine, nous
faisons nous-mêmes le ménage; quand la chasse des toilettes se
fend, nous appelons non pas le plombier mais l'électricien, fiable
et honnête. L'électricien arrive accompagné d'un plombier, et
après avoir constaté que ce dernier ne vaut pas mieux que ses
pareils, il le fiche à la porte et entreprend de réparer lui-même en
colmatant le réservoir avec du ciment. Il n'est pas sûr que nous
nous fassions moins avoir qu'auparavant, mais, philosophes,
nous acceptons cet état de choses comme une taxe exigible des
nouveaux arrivants et nous plaçons nos espoirs américains de
propriété dans des arrangements financiers. Un soir, je vole un
chauffeur de taxi qui nous dépose à la maison à minuit pile,
heure de majoration des tarifs; ma montre retarde, et je lui
montre ce qu'elle indique : 11:57. Il baisse le prix de la course,
ce que Sunita me reproche vivement dès que nous sommes sortis. Elle a raison, je deviens mauvais.

Nous apprenons aussi qu'il sert d'avoir « de l'influence ».
Téléphonant au club de la WIAA [1] pour réserver une chambre au
nom d'un visiteur de passage, je m'entends répondre que tout est
complet – puis par la grâce d'un coup de fil de mon oncle à un ami
« influent », une chambre se libère par miracle, tel l'univers
créé du néant. J'avais oublié cette différence essentielle : seul,
l'individu anonyme noyé dans les masses gigantesques ne peut
quasiment rien, ici; il doit être « recommandé ». L'employé
chargé des réservations a besoin d'un contact personnalisé avec

1. WIAA   : Western India Automobile Association, l'Automobile Club
indien (N.d.T.).

un être humain qui ne lui soit pas inconnu. Il en va de même pour les billets de train, les places de théâtre, le logement, les mariages. Chaque fois il faut s'adresser à quelqu'un qui connaît quelqu'un qui connaît quelqu'un, et ainsi, de fil en aiguille, on finit par arriver au but; le cheminement de la demande suit impérativement les mailles de ce réseau. Impossible de brûler les étapes et de solliciter directement une personne n'ayant jamais entendu parler de vous, à laquelle vous n'êtes relié que par la ligne téléphonique. Après, tout devient simple : il n'y a plus qu'un acheteur et un vendeur, une transaction et non une faveur. Une amie qui a quitté Bombay pour Londres se désole de passer des journées entières sans jamais solliciter une relation personnelle pour acheter des tickets de métro, aller au théâtre ou au restaurant. Une nuit d'hôtel au Matheran, une place de cinéma au Metro ne s'obtiennent pas sans l'entremise d'une personne bien placée. C'est pour cela que les gens restent à Bombay envers et contre tout. Ils s'y sont construit un réseau, ils ont de l'influence.

Le dimanche, le temps se fige. Dès le matin, les effluves du curry au poisson qui mijote dans des casseroles de taille familiale flottent sur Khar et Bandra. L'intimité et le silence sont des qualités que les métropoles réunissent rarement. Ici, nous jouissons des deux le dimanche. Dormir jusqu'à l'heure du déjeuner, dévorer un repas copieux arrosé de bière, faire l'amour avec son/sa conjoint/e, se rendormir. Le soir, une promenade dans Carter Road, une séance de cinéma avec des billets achetés trois semaines à l'avance. Ou bien on va prendre l'air à Nariman Point, on offre un tour de manège au petit, on contemple l'étendue bleu-vert piquetée de coquilles de noix de coco, les hauts immeubles qui flanquent Walkeshwar Road. Si l'on opte plutôt pour Fountain ou le Fort, en ce jour de repos on peut marcher sur les trottoirs et les rues se révèlent telles qu'elles sont réellement : larges, ombragées, bordées de palais majestueux. L'après-midi dominical éloigne de la grande ville la menace d'insurrection générale. Le reste de la semaine, les gens rentrent chez eux trop tard pour faire autre chose que manger et se coucher, tels des animaux mus par des besoins animaux. Le dimanche restaure l'humanité.

Gautama commence à parler l'hindi bambaiyya, ce rude idiome de charretier. Fâché, il traite sa mère de « bekaar amma », de mère nulle. Il creuse son trou dans le pays de sa lignée. Les enfants de l'immeuble célèbrent Holi, et à ma grande surprise il s'amuse avec eux, attifé et grimé. En bas, sur le parking, se déroule un joyeux carnaval. Les fards multicolores qui parent les visages abolissent toute distinction entre domestiques et sheths. Ceux qui ne sont pas ivres planent. On peut même toucher les femmes ; ce jour-là, on peut toucher toutes les femmes.

En Inde, les gens sont gentils avec mes gamins. Prévenante, la réceptionniste de la salle d'attente de l'aéroport nous apporte du café et des gâteaux pour les deux garçons. Elle engage avec Gautama une conversation sur les jouets qu'ils possèdent respectivement. Un homme d'affaires abandonne la lecture de son journal pour s'adresser à Akash en tamoul. En Inde, mes enfants abordent les étrangers avec confiance, s'appuient à deux mains sur les genoux de nos invités, jouent avec les dupattas * des femmes. Quand nous retournerons en Amérique, il faudra qu'ils apprennent à mettre plus de distance entre eux et les autres, qu'ils se fassent à l'idée que les gens de là-bas n'aiment pas qu'on les touche. Aussi bien, cela arrive également ici, dans les parties occidentalisées de Bombay. Une amie rentrée au pays après avoir vécu à New York est agacée par Akash qui tripote ce qui se trouve à sa portée – en premier lieu la chaîne hi-fi – et grimpe sur la table. Dans le taxi qui nous ramène à la maison, le chauffeur se tourne à moitié vers nous et déclare avec aménité : « Les enfants vivent dans l'ombre de Dieu. Les adultes sont facilement blessés, mais ce qu'ils trouvent insupportable glisse sur les petits enfants sans les émouvoir. »

Les riches ont le théâtre, les fêtes, les voyages à l'étranger ; les pauvres ont leurs enfants pour les divertir et les soutenir. Quand ils descendent du train de Virar, leurs gosses sont encore debout à une heure où ils devraient être au lit depuis longtemps. Demain ils auront du mal à se lever pour aller à l'école, mais les pères y tiennent. Cette demi-heure auprès de leurs enfants les réconcilie avec le travail fourni. Les assassins, les putains, les petits employés, les balayeurs de rue, les galériens de Bollywood, tous vivent pour l'instant passé avec la petite fille qui leur saute au cou ou qui, tirée d'un profond sommeil, leur reproche de n'être pas rentrés plus tôt. Les jours de congé, assis dans la pièce unique ils observent leurs rejetons jouer avec les petits des voisins, y vont de leurs commentaires sur les habitudes, les préférences, les excentricités propres à chacun, brodent sur leurs chicanes tels les bardes des cours italiennes du Moyen Âge. Le soir venu, peut-être emmèneront-ils les gosses, les leurs et ceux des voisins, au cinéma; ils feront entrer subrepticement le grand de plus de cinq ans, le prendront sur leurs genoux et grignoteront les en-cas préparés par les femmes en regardant Amitabh Bacchan se battre et danser au milieu d'un cercle de créatures lumineuses jusqu'à ce que l'enfant, malgré lui, succombe au sommeil, pique du nez, et dans une salle même pas climatisée, en plus, mais le gamin a beau avoir six ans il ne pèse pas lourd sur les genoux de son père; il est léger comme une plume, il ne pèse rien du tout.

À qui appartient Bombay? Pour Mama, un des truands de la Compagnie Rajan, c'est la ville des mangeurs de vadapav – le casse-croûte des habitants des chawls, des charretiers, des garnements des rues, des fonctionnaires, des flics et des gangsters.

Les employés de mon oncle à qui je demande de m'indiquer le meilleur vadapav de la ville n'ont qu'un nom à la bouche : « Borkar! » Ce pour quoi je me risque dans le centre sous la chaleur écrasante, en quête de la fameuse échoppe. Le temps m'est compté : Borkar tient commerce trois heures par jour seulement, de quatre à sept, le temps d'écouler sa provision de vadas *. Cheminant dans les ruelles étroites qui s'enfoncent entre les immeubles, je contourne des trous béants, longe un marché de légumes, dépasse Kotachi Wadi et ses vieilles maisons pleines de charme occupées de longue date par des locataires catholiques, laisse derrière moi la halle aux faire-part de mariage, la clinique jaïn, et arrive enfin à l'étal de Borkar. Une petite foule de gourmands se masse devant, l'argent en main, les hommes d'un côté, les femmes de l'autre. Borkar officie au-dessus d'un récipient où rissole la prochaine fournée. Un écriteau de guingois annonce :

    Vadapav – 4 Rs
    Vada – 3 Rs
    Pav seul – 1 Re
    Propriétaire : Borkar

Comme les dizaines de personnes stationnées là, j'attends qu'il ait terminé et je prépare la monnaie. Dès que la louche émerge de la cuve d'huile bouillante pleine de vadas, ces beignets liés avec des serpentins de pâte jaune épaisse, la folie commence. Les clients tendent l'argent, surtout des billets de dix roupies, pendant que l'aide de Borkar puise dans un thali * rempli de pièces de deux roupies. Personne, apparemment, ne commandant un unique vadapav, la dernière friture ne pourra pas satisfaire tout le monde et les timides devront patienter. L'aide sert d'abord les femmes. Les pavs qui s'entassent en piles sont déjà tartinés de chutney (chutney vert sur la partie supérieure du beignet, chutney à l'ail, de couleur rouge, sur la partie inférieure) ; le bras arrondi en arc de cercle, l'aide les attrape un à un dans un mouvement incessant, colle prestement deux vadas dans le nid du pav et tend le vadapav ainsi constitué aux consommateurs affamés. M'éloignant de l'étal, j'exerce une pression ferme sur la sphère du pav pour écraser les vadas à l'intérieur ; la surface croustillante se fendille, le mélange pommes de terre-pois chiches du vada suinte sur les bords. J'ouvre la bouche. La pâte croquante, la douce mollesse du pav qui tempère le feu du chutney, l'assaisonnement d'épices du vada noirci par le garam masala, truffé de gousses d'ail entières à l'aspect de noix de cajou, tous ces ingrédients délicieux sont mastiqués et avalés en une bouchée. Repu et consolé comme après une crise de sanglots éperdus, j'ai l'impression, enfin, d'être nourri. Borkar a accompli son dharma.

Assoiffé par le piment du vadapav, je me rends ensuite dans la buvette de Sikkanagar. Ses box en Formica sont plaisants et il y règne une ambiance reposante, détendue, qui invite à siroter une boisson fraîche en paix, en contemplant l'agitation de la rue. Une pancarte en marathi accrochée au mur propose la gamme des toniques maison, tous crédités de propriétés salutaires. L'essence d'amla est recommandée pour les problèmes urinaires, la vision nocturne, la contrariété ; le gingembre soulage la flatulence, la bronchite, les douleurs menstruelles. Pour la plupart très savoureuses, ces boissons subvertissent en douceur la domination mondiale des sodas parfumés à la cola. Rien de plus facile que de miner la suprématie du Coca-Cola en commandant un Coca masala : le liquide universellement connu, brunâtre et pétillant, mais agrémenté de citron, de gros sel, de poivre et de cumin. La boisson américaine écume d'une colère stupéfaite au contact des deux cuillerées de masala qui la guettaient au fond du verre. Le serveur planté devant la table attend que la mousse retombe pour rajouter un trait de Coca, laisse le bouillonnement se calmer, vide enfin la bouteille. Et voilà le Coca hindouanisé ! L'envahisseur étranger s'est intégré au pays. Il a été accepté dans le panthéon des élixirs locaux moyennant une pincée d'épices, un zeste de pep. Le Coca récupère sa cocaïne.

J'ai beau avoir le nez à vif à cause de la pollution du centre, je n'arrive pas à m'arracher à la contemplation du chaos psychédélique dont les rues sont la proie. Une succession d'échoppes minuscules s'emploient à fournir la ville en commodités et services ciblés avec une précision microscopique : entretien des meubles en bois, frappe de documents, produits capillaires, feux d'artifice, chapatis * rôtis, cercueils, chaussures sur mesure. Autant de boutiques tenues par la même famille depuis quatre générations. Leurs propriétaires vivent au-dessus, moyennant un loyer de quinze roupies, quarante-cinq pour les plus élevés. Ils accueillent le client de onze heures du matin à neuf heures du soir et savent où trouver le meilleur sorbet à la rose, le meilleur sabudana khichdi, car à l'instar de tous les petits commerçants du monde ils sont intimes avec les bistrotiers et les gargotiers du quartier. Leurs parents de province en visite dans la capitale s'aventurent rarement hors de ce périmètre. Pour eux comme souvent pour moi, une soirée réussie se conclut sur la dernière séance au Maratha Mandir. Ces boutiquiers ne gagneront sans doute jamais de quoi quitter les logements qu'ils louent de père en fils, mais qu'importe puisque cette idée ne les effleure pas. Leurs enfants hériteront à leur tour de l'affaire qui tourne rond depuis la colonisation britannique. Des décennies d'efforts patients les ont ancrés dans une familiarité confortable.

Je redécouvre les restaurants iraniens qui, à Bombay, font partie de ces lieux où j'adore donner mes rendez-vous ou me réfugier simplement à l'abri de la chaleur. Le Café Naaz, sur Malabar Hill, fut un des phares urbains de mon enfance. Né en même temps que l'Indépendance, il offrait sur la ville une des vues les plus belles et les moins chères. J'y allais à chacun de mes passages à Bombay. Montant d'office sur la terrasse supérieure qui dominait Chowpatty à distance respectable de la foule des ventres creux (un privilège assorti d'un supplément de quinze roupies sur l'addition), je retrouvais autour d'une bière des amis de tous les pays. Les forces vengeresses de la municipalité qui s'acharnent à détruire jusqu'au dernier vestige de beauté sur le territoire de Mumbai ont eu raison de cette splendeur. La ville avait le bail commercial du Café Naaz, objet d'une violente querelle entre les membres de la famille qui était propriétaire de l'établissement; le conseil municipal en profita pour dénoncer le bail, raser l'établissement et ériger à sa place une station de pompage. Le charme si peu dispendieux du Café Naaz lui ôtait toute chance de survie dans le Mumbai moderne.

La présence iranienne à Bombay remonte au début du XXᵉ siècle. Zoroastriens, ces premiers Iraniens ne venaient pas des villes de Perse mais de tout petits villages, tel Yezd, qu'ils avaient quittés parce qu'ils y vivaient mal. Durs à la tâche, ils étaient persécutés en raison de leur religion. Ils ne se mêlèrent pas non plus aux Parsis, autres zoroastriens d'Iran arrivés en Inde à partir du XVIIIe siècle.

D'abord épiciers, pour la plupart, les Iraniens se diversifièrent ensuite dans la boulangerie et la restauration. Ils surent tirer parti d'une superstition tenace chez leurs concurrents hindous, persuadés que cela porte malheur d'ouvrir boutique à l'angle d'une rue. Cela fit le bonheur des Iraniens : visibles de deux côtés, leurs établissements sont de plus bien aérés et bien éclairés car ils ouvrent sur un carrefour. Meublés de tables au plateau en marbre et de sièges en teck moulé, ils s'ornent d'effigies de Zoroastre et de grands miroirs en pied fixés aux murs. Dans le fond de la salle, au-dessus du lavabo où on se lave les mains, il y a souvent une liste d'instructions qui est un vrai poème à elle toute seule, de l'avis du poète Nissim Ezekiel :

> Le client n'écrira pas de lettre
> > Sans avoir commandé à boire.
> Il ne se coiffera pas
> > Pour ne pas salir le sol.
> Il ne fera pas des siennes aux cabinets
> > Car le serveur a l'œil.
> Revenez bientôt chez nous
> > Toutes les castes sont ici bienvenues.
> Si vous n'êtes pas satisfait
> > Dites-le, à nous ou à d'autres.
> Dieu est grand.

La carte des restaurants iraniens est d'une extrême simplicité : thé, café, pain et beurre (du Polson [1], toujours), petits biscuits salés, gâteaux, galettes, pains au lait, œufs durs, sandwichs de viande hachée, pilaf de blé, biryani de mouton. La plupart vendent aussi le temps, et l'ombre : la tasse de thé commandée et

1. Fabriqué par la première grande laiterie de Bombay à l'époque de la colonisation britannique et resté d'usage quasiment exclusif jusque dans les années cinquante, le beurre Polson a depuis été détrôné par d'autres marques (N.d.T.).

la table à laquelle vous êtes assis sont à vous pour une heure,
consacrée à lire le journal ou à regarder le cirque dehors. Question prix et atmosphère, ils sont aux antipodes des restaurants
penjabis et chinois, désormais pris d'assaut par les classes
moyennes. Votre famille ne sera pas obligée de se serrer la ceinture si vous venez manger là.

Le gros de leur clientèle se composait jadis de travailleurs
immigrés qui vivaient à huit dans une pièce et ne pouvaient
pas se permettre d'extra : du thé et un brun-maska, simple
galette sèche tartinée de beurre. Ceux qui n'avaient pas les
moyens de s'offrir un brun-maska se rabattaient sur un khara-
biscuit, ultime ressource, aujourd'hui comme hier, des plus
démunis ; le thé leur donnait la chiche énergie des maintes cuillerées de sucre remuées dedans. À partir des années soixante-dix,
des établissements tenus par les Udupis, des Indiens du Sud,
commencèrent à remplacer les cafés iraniens ; à l'heure actuelle,
ceux-là sont à leur tour évincés par les bars à bière. Les héritiers
des Iraniens ont souvent d'autres aspirations que la reprise de
l'affaire familiale ; l'importance que cette communauté accorde
à l'enseignement leur a permis de rejoindre les rangs des profes-
sions libérales ou de partir à l'étranger. Quantité de restaurants
ont ainsi été transformés en banques ou en grands magasins ;
d'autres, par concession à l'esprit du temps, proposent deux
espaces en un : celui où l'on sert de la bière (la « salle sous
licence »), et celui où l'on ne consomme que du thé (la « salle
familiale »).

Le Brabourne, dont l'existence remonte à 1934, l'a longtemps
disputé dans mon cœur au Café Naaz. Ancienne étable réaffectée
à d'autres usages, il doit son nom à lord Brabourne, qui fut
gouverneur de Bombay. Rashid Irani en est l'un des propriétaires. Il n'a ni femme ni enfants mais possède trois à quatre
mille livres qui tapissent les murs de son appartement ; critique
de cinéma, il tient table ouverte pour les écrivains, les peintres
et les réalisateurs de Bollywood. Son café est l'un des quatre
ou cinq restos iraniens de Bombay qui restent abordables et

proposent toujours une carte sans prétention : des œufs, du pain, du steak haché, des biscuits, du thé. Il y a douze ans, Rashid a ajouté la bière à son choix de boissons, si bien qu'en soirée il accueille essentiellement des amateurs de ce breuvage dont certains attendent simplement la fin de l'heure de pointe pour entreprendre le long trajet de retour chez eux. « Quelle façon agréable de tuer le temps ! » commente Rashid.

Rashid aimerait garder le Brabourne tel qu'il est. On y a une impression d'espace introuvable à Bombay dans des restaurants pourtant dix fois plus chers. Au cours des années soixante-dix, pendant deux ans le Brabourne fut équipé d'un juke-box (« on voulait se mettre à la page ») qui pour quatre annas * passait un disque de Pat Boone, d'Elvis Presley ou des chansons de films hindis. Or, l'usage du Brabourne veut que le serveur annonce à voix haute aux clients le montant de l'addition au lieu de leur glisser discrètement la facture. Les consommateurs de la vieille génération, les durs d'oreille, donc, râlaient contre la musique : « C'est insupportable, à la fin, on n'entend pas ce que dit le serveur ! » Tant et si bien que le Brabourne, débarrassé de son juke-box, retrouva son ambiance paisible ; de nos jours, elle n'est qu'occasionnellement troublée par les éclats de marchands de coton éméchés qui discutent cricket.

Le Brabourne suit des rythmes immuables. Ouvert à six heures et demie du matin, il accueille d'abord les habitués venus boire leur première tasse de thé. En milieu de matinée, on y rencontre surtout des chauffeurs de taxi attablés devant leur *doll* [1] – au vrai un dal prononcé à la parsi – qu'ils avalent avec un pav. L'après-midi est « fade », selon l'expression même de Rashid, mais le soir les amateurs de bière déboulent. Il y a un grand marché de tissus, tout près, et les vendeurs arrivent vers sept heures. Ils ne discutent guère qu'entre eux, ils habitent en banlieue et viennent ici avaler les deux bières qu'ils ne pourront pas boire chez eux. À dix heures, Rashid baisse le rideau, bien

---

1. « Poupée », en anglais *(N.d.T.)*.

que de son propre avis, « pour un bar on ferme beaucoup trop tôt ».

La plupart de ses clients ont un âge certain. Surtout Parsis et catholiques, ces vieux habitués accaparent les tables dès l'ouverture. Un groupe de quatre ou cinq Parsis chenus a sa table préférée, et quand par malheur elle n'est pas libre c'est une affaire d'État. Si un consommateur esseulé l'a prise avant eux, ils se mettent à la table voisine, ou à celle d'en face, et le dévisagent sans mot dire ; ou bien ils restent carrément debout, massés autour. « C'est leur fétiche », dit Rashid en riant. Une fois installés à « leur » table, ils commentent avec véhémence les problèmes du jour, mais jamais avant d'avoir consulté la rubrique nécrologique du *Jam-e-Jamshed*, l'organe de leur communauté, le chroniqueur de sa diminution progressive.

À une époque, tous les après-midi à quinze heures un autre vieux Parsi poussait la porte du Brabourne. À peine s'était-il posé sur une chaise que les serveurs lui apportaient trois tasses de thé. Pour des raisons qui lui appartenaient, il voulait qu'elles lui soient servies simultanément, avec trois galettes brun-maska qu'il engloutissait à la file après les avoir plongées dans une seule des trois tasses de thé. Auparavant, son premier geste, immuable, avait été de déposer sur la table une pièce de cinquante paises pour le service. Bien des clients plus fortunés du Brabourne ne laissent pas de pourboire. Ce gentleman avait perdu son logement à cause d'un escroc ; il passait ses journées dans le temple du feu, en bas de la rue, et vivait des aumônes que lui distribuaient les fidèles. En somme, observe Rashid, « cet homme qui vivait de la charité connaissait la valeur de ce que l'on donne et de ce que l'on reçoit ». La photographe Sooni Taraporevala a travaillé sur les Parsis et l'a pris en photo, un jour. Quand elle lui a offert un tirage de ce portrait, il y a à peine jeté un regard et le lui a rendu avec cette question : « À quoi bon ? »

La ville chaude

Bombay est de ces villes qui vivent la nuit, qui le jour rassemblent leurs forces en prévision de la nuit. Quand le soleil s'est couché, la ville voluptueuse se déploie en réceptions, premières, fêtes et dîners dans les bars à bière, les hôtels, les boîtes, les bordels, les venelles. La nuit n'a pas d'heure, libérée qu'elle est de la contrainte salariale du jour. La nuit est aguicheuse. Tu as vu ce beau mec en veston ? susurre-t-elle. Et cette femme à l'autre bout de la pièce qui allume une cigarette ?

« Quand tu te fais pincer par les gars de la Crim, ils veulent d'abord savoir qui est ta poule, explique Mohsin le tueur. Dans notre branche, il n'y en a pas beaucoup qui n'ont pas de maîtresse. » Ils finissent parfois par convoler en justes noces. Seuls les truands épousent les poules, dit Mohsin, car elles n'ont pas plus d'honneur qu'eux : « Si moi je n'ai pas d'izzat, où il est son izzat à elle ? » Les gangsters et les filles faciles ne s'embarrassent pas des conventions et des entraves de l'honneur.

Anees, cet ami de Mohsin qui vit en marge de la guerre des gangs, se lance dans une description de la drague au sein de la « filière bar ». Bombay, déclare-t-il en guise d'introduction, rassemble « tous les goûts, tous les fétichistes ». La ville est moite de sexe. Tout en bas de l'échelle stationnent les putes népalaises payées trente à cinquante roupies la demi-heure par les bhaiyyas du Nord de l'Inde. « Celles-là sont à tout le monde. On ne leur cracherait même pas dessus. » Les membres des gangs ont exclusivement recours aux danseuses de bar, ces établissements qui existent par centaines à Bombay et qu'on appelle indifféremment bars à bière, bars à filles ou boîtes. Ils s'échelonnent tous les cinquante mètres dans des banlieues comme Chembur et Malad. À l'intérieur, sur une scène au décor extravagant, de très jeunes filles décemment vêtues se trémoussent sur des bandesson de films hindis ; les hommes venus regarder les couvrent littéralement d'argent et en tombent amoureux. Unique à Bombay, ce monde qui dans l'argot des danseuses et des clients a nom « filière bar » est à mes yeux un condensé de tout ce qui rend la ville fascinante : l'argent, le sexe, l'amour, la mort et le show-biz.

Imaginez un jeune voyou qui commence à fréquenter assidûment un certain bar. Il y a repéré une fille qui lui plaît et se voit déjà en train de la protéger contre les méchants, ou la prendre dans ses bras pendant qu'elle panse ses plaies suite à une fusillade ou à une « rencontre ». Alors, il aborde la fille quand elle quitte la scène, il lui propose de le retrouver après la fermeture du bar. Elle, très gentiment, lui demande de revenir le lendemain. Le lendemain soir il est là, dans la salle, et il n'a d'yeux que pour elle parmi la foule des danseuses. Elle se souvient de lui, et parce qu'elle lui adresse un ou deux sourires il glisse mille roupies au serveur – cinq mille s'il les a – pour la décorer avec. Tournée vers lui, elle danse un peu plus vite. Il reste jusqu'à la fermeture, à nouveau il lui demande son numéro. Elle lui conseille de revenir, l'assure qu'elle l'attendra. Chaque soir il pousse la porte du bar, les sommes qu'il lui jette sont de plus en plus conséquentes et une nuit, enfin, au moment où il s'y attend le moins elle lui fourre à la hâte un bout de papier dans la main. Dessus elle a inscrit le numéro de téléphone magique et son nom.

Le lendemain, il se jette sur le téléphone au saut du lit, à onze heures. Personne ne décroche ; dans le meilleur des cas, si la fille est particulièrement moderne, il tombe sur un répondeur. Il appelle, encore et encore, jusqu'à ce que vers une ou deux heures de l'après-midi une voix embrumée de sommeil lui réponde : « Allô ? » Leur liaison commence ainsi, au téléphone. Dans la grande ville anonyme, le petit gangster a trouvé une oreille complice. Elle l'écoute lui raconter les problèmes qu'il a avec sa femme, avec ses parents ; elle le comprend quand son travail ne marche pas fort, elle s'inquiète de savoir s'il a mangé.

« Tu as déjeuné ? lui demande-t-elle.

— Oui.

— Qu'est-ce que tu as pris ?

— Oh, je ne sais pas... Un vadapav.

— Tu appelles ça déjeuner ? Tu te nourris n'importe comment, tu joues avec ta santé.

— Si c'est ça, je débarque chez toi et tu me feras à déjeuner, pourrait-il alors risquer, histoire de tenter sa chance.

— Pas aujourd'hui, mon frère doit venir. Mais bientôt, tu verras, je te préparerai un repas de mes mains. Je ne sais pas pourquoi je me sens bien avec toi. Je n'avais jamais rencontré quelqu'un qui me comprenne comme toi. Tu seras au bar ce soir ? Je t'attendrai. »

Il l'appelle tous les après-midi, à présent, il va au bar tous les soirs, et lorsqu'il la regarde sur scène il sent entre eux une vraie intimité. De tous les gens massés dans cette salle, de tous les habitants innombrables de cette ville, elle est la seule à connaître ses secrets. La seule à lui avoir demandé aujourd'hui s'il avait déjeuné. Assis à la table sur laquelle s'empile son argent, il fume, il boit et la couve du regard, la mate pendant qu'elle se déhanche sur le tempo de la chanson payée chaque fois cinquante roupies au serveur pour qu'il continue à la passer. Il l'imagine au lit en train de lui parler, il pense à ce qu'elle lui a dit plus tôt, qu'elle venait juste de sortir de la baignoire quand il a appelé et n'avait pas eu le temps d'enfiler quoi que ce soit.

Soir après soir, il insiste pour la retrouver dans un autre endroit que le bar.

« Si on allait passer deux jours à Khandala ? suggère-t-il.

— Non. Je t'aime beaucoup, mais ce n'est pas mon genre. Je ne suis pas comme les autres filles de la filière bar. »

Il continue à venir au bar. Il la couvre toujours d'argent. Il répète qu'il veut sortir avec elle.

Elle, elle élude. « Pas encore, pas encore. » Elle se garde bien de dire « jamais » et entretient ainsi sa flamme. Lui, tous ses fantasmes tournent désormais autour d'elle. Il remarque que dans le bar elle le regarde autrement que les autres. Il lui arrive de danser devant des clients mais c'est uniquement pour l'argent, bien sûr, alors que quand elle se tourne vers lui, quand elle s'approche de sa table, il est évident qu'elle en a envie. N'est-ce pas d'ailleurs ce qu'elle lui a dit, pas plus tard que cet après-midi ? Un soir il pourrait ne pas se présenter au bar – le bhaï lui a confié un job – et le lendemain elle l'appellerait en tout début d'après-midi, au bord des larmes. « Où étais-tu fourré ? J'étais folle d'inquiétude. C'est tellement dangereux, ce travail que tu fais. Il faut toujours, toujours me prévenir quand tu as un empêchement. Sinon ce sera comme cette nuit, je surveillerai la porte sans arrêt dans l'espoir de te voir arriver. Les autres filles l'ont remarqué, elles n'ont pas arrêté de me charrier. Elles répétaient tout le temps : " Alors, il vient ton chhava ? ". »

Sans se décourager, il lui propose un rendez-vous dans la journée, juste pour boire un café, et un beau soir, après qu'il a claqué un paquet de fric et lâché sur elle des poignées de billets pendant que devant le bar médusé elle exécutait une série de pirouettes époustouflantes, elle accepte de le retrouver le samedi après-midi au centre commercial Heera-Panna. Lorsqu'il arrive, elle est toute contente de le voir et ne le cache pas. Ils se promènent sans se presser, un type normal et sa copine, semblables à tous les couples d'amoureux de Malabar Hill et de Breach Candy, et il croit déceler de l'envie et de l'admiration dans les regards que lui jettent les hommes. Comme ils passent devant un magasin d'électroménager, elle pousse un petit cri et l'attrape par le bras : « Oh, qu'est-ce qu'il est beau ce robot ! Tu sais, le docteur a recommandé à ma mère de se faire un jus de fruits frais tous les matins. » Galant, il entre aussitôt dans le magasin et sans même s'enquérir du prix déclare à la vendeuse : « Ce robot, là. Je le prends. » Il y aura d'autres achats. « Qu'est-ce qu'elle est mignonne, cette chemise. Elle irait super bien à mon petit frère. » Pour le récompenser, elle l'entraînera ensuite dans une boutique de lingerie et demandera au vendeur de leur montrer ses dessous les plus affriolants. Prenant tout son temps, comme pour réfléchir, elle essaiera le soutien-gorge par-dessus son tee-shirt, le string en le tenant sous son nombril, elle s'extasiera sur la finesse des tissus et lui demandera en pouffant s'il ne la trouve pas un peu cochonne. Le vendeur qui a déjà maintes fois assisté à cette scène joue parfaitement son rôle ; il déballe les ensembles les plus chers, s'adresse au soupirant avec la déférence due aux vrais mecs, les hommes à femmes. Les Coca qu'il leur a commandés tardent à arriver. Elle en profite pour mettre d'autres fanfreluches de côté, et chaque fois que le gogo tente un pas vers la sortie le vendeur le retient : « Monsieur, voyons ! On va nous les apporter, ces boissons. » Il gonfle sans vergogne les prix des articles, sachant que l'amoureux plein de tact n'osera jamais les lui demander ; le lendemain, la fille retournera au magasin avec les dessous arachnéens et elle marchandera dur pour avoir sa part du bénéfice, mais pour l'instant le soupirant l'imagine dans ces dessous coquins, le soutien-gorge en dentelle rouge, la culotte qui montre tout. Il est bien décidé à la voir dedans dès ce soir, puis à la voir sans.

L'expédition shopping pourrait lui avoir coûté plus d'un lakh. Il va falloir qu'il réclame une rallonge au bhaï, en échange il devra tuer ou bastonner quelqu'un. En sortant, il glisse à la fille sur un ton sans réplique : « Ce soir, à la fin du boulot tu viens avec moi. » Cette fois il n'est pas question qu'elle refuse. Il sait ce qu'il veut, cette fois, et si elle ne le lui donnait pas elle le perdrait. Il la traiterait de tous les noms, il ne viendrait plus au bar et elle ne verrait plus la couleur de son argent.

Alors, elle se soumet. « Okay. À ce soir. » Et quelques heures plus tard, après la fermeture du bar elle le retrouve dehors et ils prennent un taxi pour un grand hôtel – l'Oberoi, le Taj ou le Marine Plaza.

À moins, si la fille a plus d'imagination et l'esprit poétique, qu'elle ne l'entraîne dans ce jeu auquel Anees le gangster a dû se prêter. Un jeu qui se joue avec des oiseaux.

« D'abord, commence Anees, on est allés à Haji Ali boire un jus de fruits à une heure du mat. » Haji Ali est le tombeau d'un saint soufi. Pour s'y rendre, il faut quitter la route principale et emprunter une digue toujours encombrée par une foule d'hindous et de musulmans venus recevoir la bénédiction du saint. Chaque année, lors des grandes marées de la mousson, des fidèles sont emportés par les vagues qui se brisent sur la digue. Les chauffeurs de taxi se touchent les lèvres et le cœur quand ils conduisent des clients à Haji Ali. Le soir, le lieu se transforme en grande buvette à ciel ouvert. Quand j'étais petit, après un dîner au restaurant mes parents m'emmenaient souvent là-bas, et dans la voiture arrêtée toutes vitres baissées nous buvions les jus de fruits frais achetés sur place à un vendeur. Le petit vent d'ouest venu de la mer est aussi rafraîchissant que le jus glacé relevé d'une pointe de masala, qui désaltère et qui est bon pour la santé. J'ignorais à l'époque ce que j'ai appris de la bouche de Mohsin et Anees, à savoir qu'un des principaux associés de cette buvette lucrative donne dans le trafic d'héroïne et achemine de grosses cargaisons de brown sugar. Pour moi, ce n'était qu'un bel endroit où tout le monde venait déguster des boissons sans alcool.

À une heure du matin, donc, le soupirant qui attend sa danseuse au fond d'un taxi à Haji Ali examine anxieusement les badauds qui vont et viennent, les voitures qui se garent alentour. C'est qu'elle est en retard, il se dit qu'elle l'a plaqué, il commence à l'injurier dans sa tête, mais enfin elle surgit, belle à couper le souffle. Elle est en minijupe, dans le taxi où elle l'a rejoint il s'émerveille de la douceur de ses cuisses blanches, se grise de son parfum. Elle porte un haut qui lui laisse les bras nus, ou bien un sari par-dessus un dos-nu. Elle ne sourit pas, cependant, ne croise pas son regard. Tournée vers la vitre, elle a l'air de chercher quelque chose qu'elle finit par repérer : un homme qui s'avance avec, pendues à son épaule, deux cages pleines d'oiseaux.

Elle glisse une pièce au chauffeur de taxi et lui dit d'aller se promener, de s'offrir un jus de fruits.

Le marchand d'oiseaux s'approche ; elle le hèle. De minuscules oiseaux chanteurs aux becs de couleurs différentes volettent dans les cages. La danseuse supplie son homme de lui en acheter – ils valent cinq cents roupies les six. « Prends la douzaine : plus il y en a plus on s'amuse », conseille Anees – et la fille remonte la vitre du taxi, ouvre la porte de la cage et tous les oiseaux s'envolent et emplissent le sombre habitacle de leur énergie et de leur musique. Ravie, elle éclate de rire et propose à son homme de jouer avec elle à les attraper. Ils agitent les bras en tous sens, claquent dans leurs mains pour essayer de prendre les oiseaux si vifs, tout petits, qui s'esquivent et leur échappent. Pendant que la fille et son ardent soupirant se démènent de la sorte pour s'emparer d'un oiseau, il leur arrive, par accident, de se frôler, de se cogner. Une sensation nouvelle pour l'homme qui, faut-il le rappeler, ne l'a encore jamais touchée. L'oiseau qui vient de se percher sur l'épaule de sa compagne, il doit s'en emparer, et pour peu que la proie s'envole sa main à lui s'abandonne sur cette épaule. Qu'un autre effleure d'un coup d'aile la poitrine ferme, eh, quoi, il joue le jeu, fait de son mieux pour saisir la bête à plumes un peu trop rapide pour lui, sans doute, si bien que sa main, projetée en avant, se referme sur une prise, plus douce, plus pleine. Le taxi Fiat résonne de chants d'oiseau, des gloussements de la fille, des gros éclats de rire du soupirant, scandés, de-ci, de-là, de brefs halètements féminins. Puis au bout d'un long, d'un très long moment, la danseuse et son soupirant patient entament des ébats enfiévrés sur la banquette arrière tandis qu'autour d'eux les volatiles musiciens paniqués se cognent aux vitres.

Une demi-heure ou une heure plus tard, la portière du taxi s'ouvre et quelqu'un jette sur la chaussée une bonne demi-douzaine d'oiseaux morts. Ceux qui peut-être ont réchappé au massacre s'enfuient à tire-d'aile vers les flots noirs et la liberté.

Mona Lisa danse

J'ai commencé à fréquenter les bars à bière pour essayer de résoudre un mystère. Je n'arrivais pas à comprendre ce qui pouvait bien pousser les hommes à y dépenser des sommes colossales. Les soirs fastes, une danseuse de la filière bar gagne deux fois plus qu'une strip-teaseuse aguerrie d'une boîte chic de New York. À cette différence près que la danseuse bombayite n'est pas tenue de coucher avec les clients, doit éviter tout contact physique avec eux dans l'établissement et porte sur elle plus de vêtements que la secrétaire moyenne en plein jour.

Le jeune Mustafa, qui à l'époque faisait tourner la petite entreprise informatique de mon ami Ashish, m'emmène un soir à Worli. Nous suivons en voiture une avenue dans laquelle aucune lumière ne signale l'entrée du Carnival Bar. À cette heure, minuit et demi et des poussières, les bars sont censés avoir fermé. Mustafa, pourtant, roule lentement. Un homme qui plante devant une ruelle nous interpelle – « Hôtel ? » – et tandis que nous sortons de la voiture, d'autres types surgissent pour aller la garer en face. On nous fait signe de nous engager dans le sombre coupe-gorge et je commence à me dire que nous avons dû nous tromper d'endroit quand soudain un éclair lumineux jaillit, à l'autre extrémité. Nous marchons dans cette direction. Un grand gaillard nous salue – « Salam, salam » – et nous guide vers le porteur de la lampe torche posté à la porte de derrière. Elle s'ouvre sur un espace inondé de lumière et de musique mêlées de vapeurs d'alcool, bourré de monde à trois heures du matin : les cinq pièces sont pleines à craquer. Dans l'une, je dénombre une dizaine de danseuses vêtues de manière à peine aguicheuse d'un dos-nu sur lequel est drapé le sari qui leur arrive aux chevilles. Deux d'entre elles ont l'air si jeunes que je les soupçonne de s'être rembourré la poitrine. Le public masculin, me glisse Mustafa, est composé de diamantaires et de banquiers. Il me semble reconnaître un des amis de mon oncle dans le gros lard assis près de nous ; il me dévisage d'ailleurs un tantinet plus longtemps qu'il n'est d'usage entre inconnus.

  Mustafa travaillait à la Bourse du temps des vaches grasses. Vers le milieu des années quatre-vingt-dix, un petit courtier de rien du tout se faisait jusqu'à deux lakhs par jour en roulant le client : il l'embobinait en racontant que ses actions avaient été vendues pour un montant inférieur de quelques paises à la valeur réelle de la transaction et il empochait la différence – pour la claquer le soir venu dans les bars à bière aussi facilement qu'il l'avait subtilisée. L'envolée boursière a fait long feu, mais Mustafa est toujours là et il boit toujours des rhums noyés de Coca.

  Les clients arrosent littéralement les danseuses de fric ; cela s'appelle « paise udana », jeter l'argent à la volée. S'approchant de la piste de danse, ils exhibent une liasse de billets au-dessus de la tête de leur artiste favorite. Maniés d'une main experte, les billets parcourent la distance qui sépare l'admirateur de la fille, se déploient en éventail, en halo, la parent de la grâce suprême de la monnaie dont la valeur ajoute à l'éclat inestimable de ses traits, la magnifie dans cette ville entre toutes commerciale, jusqu'à ce que le sol soit jonché de coupures en roupies que des employés de sexe masculin vont ramasser à quatre pattes pour les déposer dans la corbeille de l'élue.

  Des adorateurs plus timides confient la somme à un serveur qui la lâche sur la danseuse avec la dextérité d'un joueur de cartes professionnel, dans un flot numéraire plus précisément ciblé, plus facile aussi à récupérer et à remettre, intégralement, à sa destinataire. D'autres clients préfèrent le jeu. L'un d'eux joue au loto avec une danseuse prénommée Kajal. Assis au bar, il a étalé devant lui dix morceaux de papier correspondant chacun à une somme déterminée. Entre deux pas de danse, Kajal en chipe un au hasard et reçoit le montant inscrit dessus, qui peut varier de quelques milliers à plus de cent mille roupies. Un homme installé à une table fredonne les chansons d'un air rêveur. Une pile de billets de dix s'amasse à côté de son verre. Il les prend, deux par deux, les agite en l'air sans cesser de chanter et sans un regard pour les filles qui, tout en dansant, s'en emparent prestement avant de filer au loin, tels des poissons rouges venus gober les miettes de pain jetées dans l'aquarium.

Vous pouvez aussi « décorer » la fille de votre choix d'une guirlande de billets de cinquante, cent ou cinq cents roupies glissés dans des enveloppes en plastique attachées bout à bout, ornement qu'elle portera autour du cou aussi longtemps que dure la chanson que vous avez commandée. Et si pour finir elle vous agace, si vous vous dites qu'il n'y a que l'argent qui l'intéresse, vous lui balancez le pognon à la figure, ou, plus méprisant et insolent encore, vous lui tournez carrément le dos et, sourire aux lèvres, vous lui jetez au jugé des centaines de billets. Ensuite, vous levez les mains au ciel histoire de dire : voilà le peu de prix que j'attache à cet argent et à cette fille.

« Pourquoi se comportent-ils ainsi ? Qu'obtiennent-ils en échange ? demande à Mustafa le spectateur que je suis.

– Cinq minutes d'attention. Même un simple mécano peut au moins obtenir l'attention des filles. »

De fait, les différentes classes sociales se côtoient en ce lieu où seule compte la couleur de l'argent. La clientèle n'est pas simplement composée de mécanos et de taporis ; elle comprend aussi des commerçants et des négociants prospères des quartiers Sud de Bombay, des gens qui parlent affaires entre hommes le jour et rentrent le soir auprès de leurs grasses épouses. Il n'y a qu'ici, dans ce genre de bar, qu'ils peuvent à loisir mater de beaux brins de fille dont ils pourraient être les pères. Le premier client venu devient instantanément la vedette de la comédie musicale hindi de son choix. Peu importe qu'il soit laid, qu'il soit gros : ici, pendant deux heures il est une star de cinéma, Shahrukh Khan soi-même. Il s'approprie la chanson diffusée à sa demande, chante les paroles sur la musique. La tête rejetée en arrière, les bras bougeant en rythme, il roucoule pour celle qui interprète la partie féminine du duo. Elle mime les pas du clip original et les mouvements de ses lèvres sont synchrones avec la chanson. Un jeu d'enfant, puisque toutes les musiques de films sont enregistrées en play-back, mais qui permet au client de se distinguer de la masse des centaines de types qui lui ressemblent, d'entretenir l'illusion de son individualité.

Le réalisateur Vinod Chopra a besoin de s'imprégner de l'ambiance des bars à bière pour le film qu'il prépare sur la ville. Comme il n'y a jamais mis les pieds, je me dévoue pour l'accompagner. Mustafa nous a prévu un guide, Paresh, qui passe nous prendre aux alentours de neuf heures. Il est imprimeur de codes-barres. Le Dilbar, la boîte dans laquelle il nous emmène, se résume à une petite pièce basse de plafond, au deuxième étage d'un immeuble perdu au fond d'une ruelle qui donne sur Grant Road. Nous remarquons tout de suite une danseuse au pas plus lourd que les autres ; plus grande, plus charpentée, la peau plus claire, elle a un joli visage et danse très peu. « C'est Honey », nous apprend Paresh.

Le journaliste Naeem Husain est le premier à m'avoir parlé de Honey, la plus célèbre des danseuses de Bombay, et de son grand secret : ce n'est pas une fille mais un garçon. Une fois que nous lui avons été présentés, Vinod et moi, je lui glisse cent roupies et lui explique que j'écris un film : accepterait-elle de me parler ? Elle accueille poliment la requête, mais quand je précise que j'aimerais m'entretenir avec elle ailleurs que dans le bar elle adopte la stratégie du refus classique à Bombay. Au plus tôt elle sera libre la semaine prochaine ; elle préfère ne pas me donner rendez-vous tout de suite car elle a des parents proches qui sont venus lui rendre visite.

Nous déménageons dans un deuxième bar, distant de cinquante mètres à peine. « Dans le temps, on venait à Bombay pour voir la Porte de l'Inde, déclare Paresh tandis qu'un vigile en uniforme s'efface pour nous laisser entrer. Aujourd'hui, on vient pour le Sapphire. »

Sapphire ! Ce mot me restitue tout un monde d'enfance. Je franchis le seuil la faim au ventre et la salive à la bouche en repensant à ce plat auquel je n'ai pas goûté depuis longtemps : le poulet tandoori. Des années durant mon père nous a emmenés là-bas le dimanche et nous nous délections de la délicieuse viande à la couleur rose soutenu, si fraîche que je croyais entendre le caquètement des volailles égorgées dans la cuisine. « Café-restaurant de première classe », annonçait la pancarte placée à l'entrée, au beau milieu du quartier commerçant de Grant Road. Après, pendant la promenade le long de Marine Drive, je me sentais libre de poser à mon père toutes les questions imaginables – comment volent les avions ? pourquoi Indira Gandhi a-t-elle imposé l'état d'urgence ? – et il y répondait en détail, avec beaucoup de patience. Le Sapphire était le clou de nos soirées dominicales.

« On se croirait dans un film hindi », observe Vinod.

Le décor est en effet digne de ces comédies musicales dont Bollywood raffole. Les deux pièces de devant sont chacune équipées d'une scène légèrement surélevée, avec des projecteurs qui éclairent en couleur les filles en train de danser sur des chansons de cinéma. Leurs saris en mousseline semblent droit sortis d'un film de Yash Chopra, leurs cholis * qui leur laissent le dos nu d'un long-métrage de Sooraj Barjatya. Toutes copient les mouvements vus sur le grand écran. Au fond, il y a encore trois autres salles : le théâtre, le salon des VIP et la grande salle de mujra [1]. Le théâtre contient des divans disposés en gradins, si bien que les filles n'ont pas à se pencher pour parler aux clients et que tout le monde y voit parfaitement. Petit et très fermé, le salon des VIP est lui aussi meublé de sofas disposés autour de la piste de danse de façon à autoriser la plus grande proximité possible avec les danseuses. Il me rappelle mon ancien appartement du Dariya Mahal, avec sa profusion de miroirs, de dorures, de sculptures et de fresques de facture « européenne ». Les dessins gravés sur les miroirs montrent des maharajas en train de boire à la régalade le vin que des créatures polissonnes leur versent au fond de la gorge. Dans la salle de mujra, enfin, tout invite à se détendre et allonger les jambes pieds en l'air, avant de s'apercevoir qu'ils reposent sur des seins de femme. Les tables placées devant les sièges ont pour support une sculpture de femme aux seins nus qui soutient le plateau en verre de ses mains et de ses genoux. Volumineuses, les poitrines d'argile pointent vers le

1. Une danse traditionnellement exécutée par des prostituées *(N.d.T.)*.

ciel, semblables à une chaîne de collines basses. Entre les espaces destinés à la clientèle, se trouve la pièce où les danseuses viennent se maquiller. Les employées de la filière bar ont décoré la glace devant laquelle elles se fardent d'une ribambelle d'autocollants à l'effigie des divers dieux et déesses – surtout des déesses – à qui elles adressent leurs prières.

C'est grâce à Jaïman que je l'ai découverte.

Premier Marwari rédacteur en chef de la version russe de *Playboy*, Jaïman, un vieil ami rencontré à New York, s'était mis dans la tête de ramener une Indienne à Moscou pour son magazine. Après Delhi et le Rajasthan, son circuit dans le pays passait par Bombay. Il voulait une fille exemplaire des beautés sensuelles de l'Inde, qui ferait le ravissement de ses lecteurs slaves. J'avais déjà entendu parler du Sapphire par Mustafa, et deux mois avant de venir dans ce bar avec Vinod j'y étais entré en compagnie de Jaïman.

D'emblée son numéro sur l'arrangement de la chanson *Brazil* par les Vengaboys nous avait tapé dans l'œil. Sa taille élancée, sa longue chevelure, son sourire absolument éblouissant la distinguaient des filles qui se démenaient gentiment sur scène. À côté d'elle, toutes les autres devenaient fades et floues, comme au cinéma lorsque soudain l'image se focalise sur l'héroïne en train de flâner dans la rue noire de monde.

Elle a tout de suite subjugué Jaïman. Jamais de sa vie il n'avait vu en Inde de femme plus belle, plus excitante. « Rien à foutre des riches petites nanas de Bombay ! » s'était-il exclamé, enthousiaste, après des nuits passées à draguer sans succès les héritières de la jet-set. Cette fille-là est unique quand, tournant le dos au public, elle se penche en avant et fait lentement tourner sa croupe en mimant l'amour. Elle s'offre, il n'y a pas d'autre mot. Puis elle pivote face aux spectateurs et son visage s'éclaire d'un sourire d'adolescente. Elle a des lèvres pleines et gonflées, un long cou, des yeux immenses, un nez retroussé. Jaïman lui glissait des billets de cent roupies en essayant de lui expliquer par-dessus la musique qu'il était rédacteur en chef de *Playboy* et souhaitait la retrouver après la fermeture de la boîte. Elle le pria de revenir le lendemain. Impossible, s'égosilla-t-il : il prenait l'avion pour Moscou à l'aube. Dommage, répliqua-t-elle, le rendez-vous n'aurait pas lieu.

Elle fut toutefois assez aimable pour lui donner son nom. Moi je ne l'appelle plus que Mona Lisa.

Ce soir, il n'y a plus que des places debout au Sapphire. Une table se libère pourtant dès notre arrivée ; on a discrètement prié les clients de nous la laisser. Mona Lisa arrive, en sari et choli jaunes. Se faufilant derrière nous, elle adresse quelques mots à Minesh, un autre ami de Mustafa. Chauve et trapu, ce binoclard d'une trentaine d'années porte une chemise de même couleur que la tenue de la danseuse. Mona Lisa me reconnaît ou fait comme si, esquisse un sourire et dit, « Salut ». Minesh nous présente puis, désignant mon compagnon, demande à Mona Lisa si elle sait qui il est. « Tu n'as jamais entendu parler de Vidhu Vinod Chopra ? » Elle arrondit la bouche et écarquille les yeux, comme si elle retrouvait un ami cher ou un proche parent depuis longtemps perdu de vue. Minesh nous apprend qu'elle a changé de nom pour prendre celui de l'héroïne d'un des films de Vinod. Puis elle nous abandonne et remonte sur scène en courant. Son rôle dans la chanson qui vient de commencer consiste non pas à danser mais à auditionner. Devant elle, les autres imitent les gestes et la démarche d'actrices connues. L'une prétend incarner Madhuri, une autre Manisha. La danse de Mona Lisa, elle, vient du centre de son corps ; elle a appris à danser en se regardant dans la glace. Vinod qui ne la quitte pas des yeux apprécie le spectacle en professionnel. « Si elle était de Malabar Hill, les gens de cinéma se l'arracheraient. »

À côté d'elle, une jeune fille – mais jeunes, elles le sont toutes – en sari et corsage bleus fixe le public sans danser, la bouche occupée à mâchouiller on ne sait quoi jusqu'à ce qu'une petite bulle rose apparaisse entre ses lèvres, puis gonfle et éclate.

Un Blanc du troisième âge trépigne en agitant un billet de dix roupies boudé par les filles ; l'une se décide quand même à le prendre, plus par politesse que par convoitise. Ce vieillard à la remorque de son ex-empire est le plus pingre de l'assistance.

Mona Lisa revient à notre table. Penché vers elle un billet de cent roupies à la main, je dis que j'écris un scénario avec Vinod et que je serais heureux de m'entretenir avec elle. Elle repousse l'argent (franchement, c'est la première fois qu'une fille de bar refuse mon fric !) inscrit son numéro de téléphone sur un bout de papier, me le tend. C'est ça, la magie du cinéma !

Quelques jours plus tard, Mona Lisa fait son apparition dans le café du Sea Princess, à Juhu, et tandis qu'elle s'avance vers ma table tout le monde la suit du regard, les hommes avec convoitise, les femmes avec dépit. Elle porte un caraco rouge Ralph Lauren, un jean, des chaussures hautes à semelles compensées. La dentelle noire du soutien-gorge apparaît sous les bretelles du caraco. Elle a la poitrine hâlée : un reste de couleur écarlate attestant qu'elle a fêté Holi la veille. Elle s'est attaché les cheveux en queue-de-cheval et s'en excuse : « Je viens juste de les huiler. » Elle s'est levée il y a un quart d'heure à peine.

Elle dit : « Il y a une fille habillée en marron à ta droite. Regarde. » Je jette un coup d'œil discret. « Tu vois l'homme qui est avec elle ? » Un type nettement plus âgé, replet et sombre de peau, avec une moustache. Assis côte à côte, ils étudient le menu. « Elle travaille au bar. On s'est reconnues dès que je suis entrée. »

Elle me parle de l'établissement dans lequel elle se produit et de ses compagnes. Le Sapphire a les plus belles filles de la ville : des danseuses douées, sexy, grandes et pâles, aux beaux visages, aux longs cheveux. La plupart viennent de la campagne et les Bombayites de souche se comptent sur les doigts d'une main. Elles entrent dans la filière bar à treize ou quatorze ans, sur les conseils de leurs parents, d'une sœur aînée ou d'un agent ; au-delà de vingt, vingt-cinq ans, elles sont trop vieilles pour ce métier. Elles habitent autour de Foras Road ou de l'Assemblée, quartiers où le loyer d'une petite chambre sans prétentions atteint le prix exorbitant de dix mille roupies, plus sept lakhs et demi de caution – chiffres astronomiques, mais garants de sécurité. Cette pièce unique, climatisée, il arrive qu'elles la partagent à trois ou quatre. Toutes possèdent un téléphone mobile, certaines ont leur propre voiture, la grande majorité met de l'argent de côté afin d'aider financièrement les parents restés au village, ou de s'acheter un jour une maison. « Une fille qui gagne sa vie, c'est cinquante personnes qui mangent », souligne Mona Lisa.

Les clients du Sapphire sont parfois très jeunes : des gamins juste sortis de l'adolescence qui viennent là en cachette de leurs parents et sans guère d'argent en poche. Mona Lisa n'a pas de temps à perdre avec eux. Viennent ensuite les garçons d'une vingtaine d'années, « les beaux gosses jeunes, gentils. Ceux-là, les filles en tombent amoureuses ». Elles doivent cependant se garder de trop manifester leur affection en public, d'afficher leur fidélité. « C'est une question de respect. Si une fille se met à trop parler avec un client, il va se dire qu'elle est à lui, rien qu'à lui. Il va se croire tout permis. » Pour peu qu'elle ait deux sous de jugeote, une fille qui s'amourache d'un homme s'arrange donc pour que ça ne se lise pas sur sa figure.

Amener le client à tomber amoureux et le persuader que ses sentiments sont partagés, tel est le secret de la réussite dans la filière bar, m'explique Mona Lisa. Comment s'y prend-elle ? Comment fait-elle pour séduire tour à tour les hommes et si bien les obséder qu'ils dépensent sans compter pour ses beaux yeux ?

Elle me dévoile ses techniques, ses secrets de courtisane. Quand elle remarque un nouveau client à qui l'argent semble brûler les doigts, elle l'entoure d'attentions, lui décoche des sourires (et le sourire de Mona Lisa recèle de fait un grand pouvoir : il vous donne l'illusion d'être un peu moins minable que le pauvre type que vous êtes devenu à la longue). « Ils me veulent tous pour mon physique, déclare-t-elle simplement. Les clients regardent d'abord mon corps. Ils regardent comment je suis faite, après ils me regardent danser et ils trouvent que je bouge aussi vite qu'une vraie pro. C'est comme ça. Je n'y suis pour rien. » Elle passe chaque jour des heures au téléphone à écouter son « chéri » exposer ses problèmes domestiques. « Je pique des crises, aussi, j'exige qu'il me donne ça et ça, comme une gamine pourrie gâtée. » Une fois le lien solidement établi, « je lui dis, à partir de maintenant tu ne causes plus aux autres, tu ne parles qu'avec moi. Je soigne mes clients comme une petite femme soigne son mari. . suis tout à toi, je lui dis. Rien qu'à toi, rien qu'à toi ».

Le gogo sait bien, dans un coin de sa tête, que personne dans cette ville n'appartient exclusivement à personne, mais il se berce de l'agréable illusion que Mona Lisa l'aime au point d'être jalouse des femmes à qui il adresse la parole. Le gagne-pain et la sécurité des danseuses de la filière bar reposent sur leur micro-savoir des hommes : ce qui les fait bander et ce qui les attendrit. Un client qui a obtenu ce qu'il voulait d'une fille cesse souvent de la voir. Il joue les fanfarons auprès de ses amis : « Puisque je l'ai eue, tu peux l'avoir aussi. » La fille avisée cédera aux avances d'un type qui sait clairement ce qu'il veut, mais elle ne couchera pas avec un client « correct », un homme qui a des scrupules ou une certaine sensibilité, car celui-là fait une vache à lait sûre. Les gars gentils paient plein tarif.

Quand Mona Lisa n'a pas envie d'avoir des rapports intimes avec un client, elle le traite avec un respect exagéré, devient son amie, sa sœur, sa petite fille, et peu à peu il en vient à ne plus la voir uniquement comme un bon coup. Elle le cajole, le persuade que « dans le fond c'est un mec bien ». Il a beau en pincer sérieusement pour elle, essayer de la peloter, elle en revient toujours aux sentiments. « Dès qu'il commence à s'occuper de moi comme un papa gâteau, c'est sûr qu'il est amoureux. » À la longue, il finit immanquablement par se décourager quand il prend conscience que son amour pour Mona Lisa n'est pas payé de retour. Dans certains cas, jouant les ingénues perdues dans la grande ville, elle en appelle à sa compassion. Cette stratégie marche particulièrement bien avec les hommes d'affaires, les gens qui vont tous les jours au bureau, qui ont des responsabilités importantes et ont mûri à l'école de la vie. Étant donné leur position dans la société bombayite, ils ne peuvent que lui accorder la protection qu'elle implore. Ils se comportent en pères adoptifs et, bien sûr, « on ne baise pas avec sa fille adoptive ».

Lorsque deux de ses clients réguliers arrivent au Sapphire en même temps, force lui est de leur manifester une égale attention. « Si je souris à l'un, je dois sourire à l'autre. » Ses amoureux viennent de toutes les régions de l'Inde et de plus loin encore – d'Amérique, de Dubaï. Elle a un faible pour cette clientèle étrangère à Bombay ; il s'agit pour l'essentiel d'hommes d'affaires d'un certain âge qui ne lui demandent pas systématiquement ce qu'elle a fait la veille au soir. Elle les traite avec l'izzat qui leur est dû, leur passe un coup de fil à l'occasion, se consacre entièrement à eux quand ils sont de passage en ville, mais elle n'est pas obligée de perdre tous les jours son temps avec eux dans ces conversations téléphoniques interminables qui plaisent tant à ses clients de Bombay.

Certaines danseuses ont du succès auprès des Arabes (qui paient royalement), d'autres auprès des Malayalis * ou des sikhs (que Mona Lisa déteste car ils disent trop de cochonneries). Elle-même est surtout appréciée des touristes occidentaux venus passer une soirée au Sapphire et qui la trouvent « terriblement craquante ». Malheureusement pour elle, ils n'ont pas la dépense facile ; ils lui tendent des billets d'un dollar et elle leur rit au nez.

L'homme qui à ce jour a été le plus fou d'elle était un Marathe, patron d'une cimenterie de Latur où quinze mille personnes ont péri lors du dernier tremblement de terre. L'entrepreneur était plus ou moins en cheville avec les autorités, ce qui lui permit de détourner des millions de roupies destinés aux programmes de reconstruction. Mona Lisa a en partie bénéficié de cette manne. Ce type est venu au Sapphire six mois de suite, et chaque fois il claquait pour elle des dizaines de milliers de roupies. Un jour qu'il était en déplacement dans le Deccan, à Hyderabad, il l'a appelée pour lui dire qu'elle lui manquait affreusement et qu'il avait besoin de voir son beau visage. Il lui a envoyé un billet aller et retour pour la grande ville du Sud. Mona Lisa a pris un vol le matin et l'a retrouvé à l'aéroport où ils ont discuté une demi-heure ensemble avant qu'elle rentre à Bombay par le même avion. Pour cette brève entrevue, elle a touché cinquante mille roupies.

Les pros de la filière bar qui veulent arrondir leurs fins de mois assistent à des soirées privées, généralement organisées chez des particuliers. Elles se répartissent en deux catégories : les soirées du parti du Congrès, où le pelotage est interdit et où les invités se contentent de regarder les filles danser ; et celles du Janata Party où les baisers et les caresses sont permis et où la licence est de règle. Les organisateurs prévoient parfois un strip-tease sur scène, avec orchestre, chanteuses et serveuses. Contre rétribution, Mona Lisa a accepté de participer une nuit à ce genre de spectacle, sur un bateau qui effectuait une courte croisière depuis la Porte de l'Inde. Elle s'est mise à danser, et très vite plusieurs hommes se sont levés pour l'accompagner. Ils se trémoussaient tout près d'elle, leurs mains baladeuses, insistantes, glissaient des billets dans son décolleté, dans sa ceinture. Au bout de la première chanson, elle est sortie de la pièce en courant et s'est réfugiée sur le pont supérieur. Deux autres danseuses étaient restées en bas. L'une d'elles était enfermée dans une chambre et les clients s'alignaient devant la porte. En l'espace de deux heures, la fille s'est fait vingt mecs, « des qui y allaient franco, des qui y allaient mollo, sans compter les fauchés ». Mona Lisa n'a reçu qu'un cachet de mille roupies pour sa prestation ; elle se flatte de ne pas être une call-girl.

Pendant l'échange téléphonique lors duquel nous avons pris ce rendez-vous, Mona Lisa m'a fait une confidence : « Nous sortons ensemble, Minesh et moi. Depuis un an. » Je pense à cet homme rencontré dans le bar, un pauvre mec, un ringard, et essaie de l'imaginer avec la superbe Mona Lisa. Ça ne colle pas. Je n'arrive pas à les associer.

« Je ne trouverai jamais de mari, déclare Mona Lisa.

– Bien sûr que si, tu vas voir.

– Non, pas un homme ne voudrait de moi. Même s'il y a de l'amour entre nous, comment veux-tu que j'entre dans sa famille ? Si j'allais quelque part avec lui et si quelqu'un me reconnaissait, un des clients du bar, tu te rends compte ? Il y a des types qui viennent du Rajasthan et de Bangalore pour moi. » De toute façon, elle ne voit pas l'intérêt de se marier. « Je me débrouille toute seule ; je ne vis pas aux crochets d'un autre. Ça ne me dirait rien de demander la charité à mon mari, de mendier cinq cents roupies pour aller faire les magasins. » Après réflexion elle ajoute : « À mon âge, il n'y a pas beaucoup de filles qui gagnent autant. Je gagne largement de quoi, et j'ai mon izzat. » Entendre une femme que la plupart des gens assimilent à une prostituée affirmer qu'elle gagne honorablement sa vie devrait me paraître bizarre, et pourtant non. Mona Lisa enfonce le clou : « Mon izzat, je le tire des hommes. » Dans la filière bar, l'izzat, plus convoité que le plaisir, plus durable que l'amour, prime sur tout le reste.

Mona Lisa adore Bombay et elle a bien raison. Elle trouve ici à s'épanouir bien plus qu'à Delhi et mieux qu'à New York. Contrairement aux filles de Malabar Hill que j'ai côtoyées à l'adolescence, elle n'a aucune envie de partir aux États-Unis. « Bombay, c'est pas mal. » Dans dix ans, la vie en Inde, elle en est sûre, sera aussi libre qu'en Amérique. Mona Lisa apprécie la liberté que lui procure l'argent. Elle s'était acheté une Maruti 800 ; elle l'a bousillée et l'a remplacée par un modèle haut de gamme, une Maruti Esteem. C'est une acheteuse effrénée. Quand elle quitte son travail au Sapphire, elle écume les discothèques de la ville et n'hésite pas à s'y rendre seule. « Je fais ce qui me plaît. Je bois, je vais en boîte, je joue au billard. On ne peut pas s'ennuyer à Bombay. Je m'habille comme j'ai envie. On est tellement libre, ici ! » Mona Lisa se déplace d'un quartier à l'autre sans se départir de sa belle assurance. Dans une discothèque, lorsqu'elle repère un beau gosse accompagné d'une petite amie qui le surveille d'un œil jaloux, elle ne manque pas de lui foncer dessus juste avant de quitter la boîte, elle l'attrape par le col et, le visage collé au sien, lui susurre : « Tu es trop craquant ! » Dans un éclat de rire elle m'assure que « la fois d'après, il vient sans sa nana ».

Parlant d'elle, elle dit qu'elle n'est pas belle mais séduisante et sexy, et elle me donne spontanément ses mensurations : 80-70-90. Un soir elle a été au 1900, la discothèque du Taj ; elle y a croisé l'idole de cinéma Shahrukh Khan, qui à sa vue s'est figé sur place pour la dévisager.

Je tends le doigt vers son cou, ceint d'un fil noir tout simple noué sur le devant : « Qu'est-ce que c'est ?

– Mon mala. Pour prier la déesse Meldima, du temple de Surendranagar. J'ai foi en elle. » C'est sa divinité tutélaire.

Comme je lui demande jusqu'où elle a poursuivi ses études, elle me répond qu'elle s'est arrêtée en seconde, dans une école gujeratie.

« Tu es gujeratie, toi ? » Je n'en reviens pas.

Elle opine avec un sourire qui découvre une dentition irrégulière. Sa famille vient d'Amreli, dans la région du Saurashtra, et de son vrai nom elle s'appelle Rupa Patel. Voilà qui nous rapproche, et je la regarde d'un autre œil. Très peu de danseuses mais nombre de leurs clients sont gujeratis comme moi. Ceux qui connaissent ce détail sur Mona Lisa demandent parfois la chanson *Dil Lagi Kudi Gujarat Di,* ode à une fille du Gujerat, et Mona Lisa danse dessus. Nous avons un autre point en commun, puisque sa famille et la mienne ont tiré leur subsistance du plus précieux des cailloux. Son frère et son père taillent les diamants. Pendant quelques mois, elle a elle-même travaillé dans une taillerie de banlieue où elle polissait des diamants bruts « les cheveux pleins d'huile, en salwaar kameez ». Ce n'était pas son style. Elle en a vite eu assez.

Elle est retournée à Amreli, une fois. Je m'étonne : « Une seule ? Que s'est-il passé ?

– Les chiens se sont mis à aboyer. »

Elle a grandi à Bombay dans un slum de Kalina. « Celle qui m'a donné le jour m'a mise dans la filière. » Le terme « mère », Mona Lisa le réserve à sa déesse. Ses parents sont divorcés et sa mère, serveuse dans un bar à bière, l'a « placée » dans la filière bar quand elle a eu dix-sept ans. Mona Lisa la déteste ; adolescente, elle a fugué de chez elle et vécu pendant six mois d'expédients ; elle ne l'a quasiment pas revue depuis trois ans. Elle lui envoie néanmoins toujours de l'argent de temps en temps. De son père, qui vit à présent au Gujerat, elle ne souhaite pas parler.

Mona Lisa a bien pensé faire autre chose de sa vie que danser dans les bars ; elle aimerait devenir mannequin, par exemple, mais on lui a dit que dans ce métier si elle n'avait pas de piston elle serait exploitée : « Ils veulent bien te pousser jusqu'à un certain point, mais si tu ne couches pas il n'y a plus personne. C'est comme ça, dans ton milieu.

– Ce n'est pas mon milieu ! » dis-je en me récriant.

Et je sors mon portable pour composer le numéro de Rustom, célèbre photographe de mode. J'ai rencontré Rustom à l'époque où j'envisageais de lui sous-louer une pièce pour avoir un bureau. Le projet n'a pas abouti mais je me suis tout de suite lié d'amitié avec lui, séduit par l'angle de vue louche et typiquement parsi qu'il adopte pour photographier Bombay. Rustom promet de venir voir Mona Lisa au bar, et de gâcher un peu de pellicule si le spectacle lui plaît.

L'entretien touche à sa fin quand soudain je découvre les marques.

Elle tend la main pour attraper quelque chose sur la table et j'aperçois la série de zébrures qui lui strient le poignet et l'avant-bras jusqu'au coude. L'autre bras est dans le même état.

« Qu'est-ce que c'est que ces cicatrices ?

– Des marques de coupure, dit-elle, les yeux baissés dessus. Ici, j'ai eu huit points de suture. Ça, poursuit-elle en me montrant une série de petites boursouflures, ce sont des brûlures de cigarette.

« – Qui t'a fait ça ?

– Moi.

– Mais pourquoi ?

– Les premières, c'est quand je suis partie de chez ma mère. Celles-là, c'est à cause d'un chagrin d'amour. »

Elle s'est ouvert les veines à quatre reprises avec une lame de rasoir. La dernière tentative remonte à trois mois.

« Tu étais si désespérée ?

– J'étais toute seule. J'en avais marre. »

Aujourd'hui, le sang ne circule pas suffisamment dans ses mains parce qu'elle s'est trop souvent tailladé les veines. Ses poignets sont pleins de crevasses et de bosses, elle ne peut rien porter de lourd. Elle s'est si bien entaillée, une fois, qu'elle a failli y laisser la main, sauvée par une intervention chirurgicale délicate. Cette fille a tout juste vingt ans.

Comme nous nous levons pour partir, elle me confie qu'elle habite à cinq minutes d'ici et ajoute : « Passe me voir, à l'occasion. » L'invitation me prend de court. S'agit-il d'une proposition « malhonnête » ? Non, car dans ce cas elle ne me demanderait pas de passer chez elle mais de prendre une chambre ici même, dans l'hôtel où nous nous sommes retrouvés. Ce « passe me voir à l'occasion » est typiquement indien, au meilleur sens du terme : viens chez moi et je te préparerai un bon repas, tu seras mon invité.

Je réponds qu'elle peut, elle aussi, venir chez moi quand elle veut.

Nous sortons de l'hôtel cinq étoiles et sitôt dans la rue tous les regards se braquent sur elle – et sur moi, par contagion. Cette manière qu'elle a de bouger la tête... j'ai déjà vu ça quelque part, à New York, chez de très jeunes filles : un sourire et un léger mouvement de cou d'avant en arrière qui évoque l'Afrique. Mona Lisa aime qu'on la regarde, qu'on la remarque.

Rustom a une vraie réputation dans l'industrie de la mode. Les filles l'adorent. Elles lui tombent dans les bras et quand c'est fini elles restent copines avec lui ; on le sent sur les photos qu'elles l'autorisent à prendre d'elles. Il a atteint l'âge où l'actuelle génération de modèles « est la dernière fournée avec laquelle je peux coucher sans avoir l'impression d'être pédophile ».

Je l'emmène au Sapphire voir Mona Lisa, lotus parmi les nénuphars au milieu de la troupe. Dans la séquence à laquelle nous assistons, elle tient le premier rôle ; les autres font le chœur. Ce soir, elle est en noir, la couleur de sa jupe et du choli qui lui couvre les seins mais dégage le dos. Elle met tout son talent dans la danse, et il en faut, du talent et de l'énergie, pour se jeter par terre de la sorte, avec le haut et le bas du corps qui tournoient à des vitesses différentes autour du centre de gravité du nombril, et les sauvages envolées de la longue chevelure. Sur la piste de danse, la jeune Gujeratie se transforme en animal privé d'espace, lutte de tout son corps contre la contrainte qui la dynamise, elle et ses jambes, son cul, sa poitrine et ses bras, ses lèvres, ses cheveux, ses yeux.

Rustom observe la scène en photographe de pub chevronné. « N'importe quel fabricant de shampooing paierait une fortune pour ces cheveux-là, commente-t-il. C'est la nouvelle Protima Bedi [1]. » Toutefois son regard s'attarde plus volontiers sur une fille en rose, à l'arrière-plan, qui danse sans trop de conviction. Plus menue, elle a une fossette au menton. « Celle-là, dit-il, elle bosse pour moi quand elle veut. » Elle a le profil que recherchent les agences de pub pour vendre massivement leurs produits aux classes moyennes indiennes. « Mignonne, le visage plein, filmi à souhait, pas inquiétante pour deux sous. Exactement ce qu'il faut pour les produits de consommation et les films hindis. Agréable. Un reflet idéal de l'époque. Aujourd'hui, tout doit être mignon, gentil, content. »

Mona Lisa est à son avis plus séduisante, mais son énergie débordante n'est pas adaptée à des publicités destinées à vendre des crèmes de beauté ou des saris. Les consommatrices

---

1. Actrice et danseuse, Protima Bedi fut une star du cinéma indien des années soixante-dix et quatre-vingt *(N.d.T.).*

réagiraient de façon négative à l'attrait crûment sexuel qui émane d'elle. Estimant qu'elle « aurait plus sa place au cinéma », Rustom me demande :

« Elle est comment, à poil ?

– Je n'ai pas vérifié. »

Mona Lisa interrompt soudain sa danse sexy pour se mettre à prier sous les regards affamés des hommes qui occupent les tables. Stoppant net la giration des jambes et des cuisses, les puissants balancements de la croupe, le mouvement bien rodé de sa pompe à fric, elle nous tourne le dos pour entrer en communion avec sa déesse. La prière est décidément une activité d'une intimité choquante.

Rustom inspecte la salle pleine de pauvres types malades de désir. « Au fond, dit-il, c'est un lupanar version soft. » Et, réfléchissant à sa profession, les yeux levés au ciel, il ajoute avec un petit hochement de tête : « Je rends grâces à Dieu de m'avoir permis d'entrer dans la mode. Dieu est bon pour moi. »

Au moment où Rustom me dépose au bas de mon immeuble, je remarque un homme que je suis sûr d'avoir vu au bar, tout à l'heure. D'âge moyen, vêtu de la chemise blanche et du pantalon qu'il doit mettre pour aller au bureau, il attend l'ascenseur en tripotant son téléphone mobile.

« Et voilà, dis-je. Maintenant il va réveiller sa femme et remplir enfin ses devoirs conjugaux après ce qu'il a vu au Sapphire.

– Crois-moi : je ne me marierai jamais », réplique Rustom.

J'emmène Mona Lisa au studio de Rustom pour qu'elle voie son travail et constate par elle-même qu'il ne donne pas dans le porno. Marika, le top-modèle le plus recherché du moment, prend l'air devant la porte, et dans son salwaar kameez ce n'est qu'une jolie fille comme il y en a tant. « Dans le clip de Bhatti, c'était toi », lui glisse Mona Lisa d'une toute petite voix, en hindi.

Quand nous ressortons après avoir examiné les photos, elle me reparle de Marika et, sûre d'elle, affirme : « Elle aussi elle s'est tailladée.

– Quoi ?

– Je l'ai bien vu, sur ses bras. »

Interrogé à ce propos, Rustom confirme. J'ai déjà rencontré Marika cinq ou six fois mais je n'avais rien remarqué, alors que Mona Lisa s'en est tout de suite rendu compte. Il ne lui a pas échappé que le top-modèle avait l'air tendu, qu'elle parlait un peu trop, riait un peu trop. Ce pourquoi elle a observé ses poignets. Je finirai par apprendre l'histoire de Marika. C'est la maîtresse d'un homme marié, père de trois enfants. Un beau jour elle a disparu pendant un an, sans que personne sache où elle avait filé et avec qui. Puis elle a refait surface et réintégré les milieux de la pub avec un succès foudroyant : ses traits parfaits, ses yeux lumineux propulsent en haut des ventes tous les types de produits. Elle est en fait plus qu'une maîtresse : elle a épousé son amant lors d'une cérémonie religieuse tenue secrète. Bien introduit dans la mafia, son conjoint doublement marié menace de tuer quiconque serre la belle de trop près. Par crainte ou par amour, Marika lui reste donc fidèle. Elle est capable d'inviter à dîner des tas de gens qui ne se connaissent ni d'Ève ni d'Adam, de leur proposer ensuite d'aller tous ensemble manger chez X ou Y, puis, parce qu'elle a reçu un coup de fil sur son mobile, de s'éclipser pour le reste de la soirée et de les planter là, en les laissant se dépêtrer de cette situation embarrassante.

Son amant refusant de se séparer de sa première épouse, elle coche les jours sur ses poignets. J'imagine dans la ville toute une corporation de femmes qui se tranchent les veines et survivent à leur geste. Une confrérie de balafrées dont les membres se reconnaissent au premier coup d'œil : le premier top-modèle indien et la première danseuse de bar de Bombay ont en commun de porter sur les bras les stigmates de leur angoisse, comme les gangsters leurs tatouages.

Un après-midi, Mona Lisa accepte de venir dans l'appartement de Bandra qui me sert de bureau, au-dessus d'Elco Arcade. Elle est habillée simplement, sans provocation aucune, d'un tee-shirt à rayures et d'un jean noir. Nous avions prévu d'aller au restaurant, mais elle déclare qu'elle n'a pas faim et moi-même j'ai mangé un sandwich il y a peu. Nous avons envie de bavarder dans un endroit tranquille, et l'appartement est idéal pour cela. Au moment d'introduire la clé dans la serrure, je dois me dominer pour empêcher ma main de trembler.

Une fois dedans, je lui propose un café frappé et elle me suit dans la cuisine. Pendant que je verse le lait dans les verres, elle me regarde, perchée sur le plan de travail, en balançant ses longues jambes. J'ai déjà invité des gens à boire un café ici, mais jamais personne qui se conduise avec autant de décontraction et de spontanéité, et je me rends compte alors qu'il y a longtemps que je ne me suis pas trouvé en tête à tête avec quelqu'un de son âge. Elle m'observe avec amusement, s'exclame tout à coup, en riant : « Tu as oublié le sucre ! » À la fin de l'après-midi, le sucrier sera vide ; Mona Lisa aime le café presque sirupeux. Et demain je m'apercevrai qu'elle a fait la vaisselle et l'a rangée sur le plan de travail. Elle ne me laisserait pas cette tâche, pas plus qu'elle n'accepterait que je la serve à table ; ce n'est pas le rôle d'un homme.

Elle m'a ramené un cadeau d'Ahmadabad où elle s'est rendue récemment : un mince porte-documents en tissu, fabriqué à la main dans le Gujerat où elle est née. Sa génitrice l'a accueillie ici-bas en la jetant d'un geste rageur sur la véranda.

Celle qui l'a mise au monde a elle-même grandi dans un orphelinat pour filles où les hommes venaient se choisir une épouse. Entré là dans ce but, le père de Mona Lisa l'a repérée tout de suite et, bravant l'opposition de ses parents, a décidé de la prendre pour femme. Il l'a donc ramenée au village où il vivait avec ses six frères, ses belles-sœurs et leur progéniture. Assez vite, il a commencé à la battre, et elle est bientôt devenue le souffre-douleur de toute la famille.

Mona Lisa avait dix-huit mois quand sa mère accoucha à nouveau, d'un fils cette fois. Cette naissance fut accueillie avec jubilation par un des frères qui n'avait pas d'enfants et qui, à force d'arguments, convainquit le père de Mona Lisa de lui céder le nouveau-né. « Ma mère n'a pas eu son mot à dire », commente Mona Lisa. Cette femme a vécu toute sa vie en sachant que son fils grandissait là-bas, au village, et qu'elle l'avait perdu à jamais. Mona Lisa elle-même n'a pas revu ce frère depuis des années. « Je ne le reconnaîtrais sûrement pas, maintenant. » Cette séparation fut toutefois vite compensée par l'arrivée d'un autre garçon, Viju, que la mère fut autorisée à garder.

Peu après, les parents de Mona Lisa déménagèrent dans un slum misérable de Bombay, un zopadpatti. Là-bas, la mère accepta les avances d'un homme qui la payait pour. Quand le père comprit que sa femme le trompait, il avala du poison. Ce fut elle qui le sauva en l'emmenant à l'hôpital, en le soignant. Dès qu'il fut sur pied, il divorça et repartit pour le village avec les deux enfants. Mona Lisa avait cinq ans, à l'époque. Sa famille paternelle possédait une grande maison dans le village, avec derrière un enclos à buffles. Elle apprit à jouer aux billes. « J'avais beau être une fille, je n'aimais jouer qu'avec les garçons. »

« J'aimais mon père énormément », dit Mona Lisa en utilisant la forme passée. Toute petite, elle était tombée gravement malade, et on s'apprêtait déjà à l'enterrer quand elle se redressa dans son berceau et lança à tue-tête ce cri : « Papa ! » Toute son enfance il la traita comme une princesse. « Dès qu'il me voyait avec une larme au coin des yeux il disait : " Ce n'est pas une larme, c'est une perle. Ne la gaspille pas. " » Les épouses de ses oncles en voulaient à Mona Lisa et à son père, un divorcé, et elles ne s'occupaient pas d'eux. À table, ils avaient droit à la portion congrue. Les chapatis étaient distribués à tout le monde avant même qu'ils aient pris place. Mona Lisa avait dix ans quand son père les ramena, Viju et elle, à Bombay, se remit en ménage avec leur mère puis la quitta définitivement. Cette fois, il lui laissa la garde de Mona Lisa et de son petit frère. Remarié depuis, il a deux autres enfants.

« Je n'avais pas compris que mon père partait pour de bon », explique Mona Lisa. Il lui avait dit qu'il devait revenir au village et serait bientôt de retour. « Quand j'ai appris qu'il en avait épousé une autre, dans ma tête j'ai pensé : Il m'a oubliée ? Lui qui m'aimait tant ? Je ne veux plus jamais le revoir. » Cela fait dix ans qu'elle ne lui adresse plus la parole. Il y a quelque temps, il a téléphoné au Sapphire ; elle a refusé de prendre la communication.

Quant à sa mère, elle se trouva un nouveau protecteur qui l'installa dans un appartement convenable. Mona Lisa en garde le souvenir d'un monsieur qui les traitait gentiment, son frère et elle. La mère finit cependant par le quitter, à moins que ce ne soit l'inverse – Mona Lisa s'y perd. Un jour qu'elle rentrait de l'école pendant la mousson, elle céda brusquement à l'envie d'offrir son visage à la pluie et se fit tremper de la tête aux pieds, aventure par laquelle passent tous les gosses de cette ville. Quand elle la trouva dans cet état, sa mère la gronda, ce qui est assez normal, sauf que dans sa fureur elle décida de la retirer complètement de l'école. À intervalles réguliers, cette femme a essayé d'aller au bout du geste par lequel elle l'avait accueillie au sortir de son ventre. Elle s'acharnait sur elle avec un battoir en bois utilisé pour laver le linge. Mona Lisa a eu des marques sur le corps longtemps avant de s'en faire elle-même. Les coups la laissaient parfois si endolorie qu'elle devait garder le lit plusieurs jours d'affilée. Sa mère la cognait au moindre prétexte – parce qu'elle la soupçonnait de flirter avec les garçons, parce qu'elle n'avait pas suffisamment salé le repas. Et pendant que celle qui l'a mise au monde se distrayait comme elle pouvait, Mona Lisa devait se charger de la cuisine et du ménage. Au mieux, elle était traitée comme une domestique. À dix-sept ans, elle avait tellement l'habitude que sa mère passe sa rage sur elle qu'elle restait assise par terre, les genoux entre les bras, sans même éteindre sa cigarette pendant que les coups pleuvaient. Elle a fini par fuguer, mais la police l'a retrouvée et l'a placée en foyer. L'expérience l'a durablement traumatisée ; elle ne pensait pas qu'il puisse exister un endroit pire que chez elle. La plupart des gamins enfermés là venaient des slums, les filles étaient livrées en pâture à des politiciens; elle en a connu qui à treize ans étaient enceintes.

Adolescente, Mona Lisa restait donc à la maison quand tous ses copains allaient à l'école, et dès que sa mère sortait elle allumait la télé. C'est à la télé qu'elle a découvert un monde merveilleux, à des années-lumière de son bidonville, de sa mère tyrannique et du père qui l'avait abandonnée. Ce monde du petit écran était peuplé de gens jeunes qui s'adonnaient corps et âme à la danse. « Je regardais MTV, Channel Five, et ça me faisait bizarre. De savoir que tout ça existait quelque part. Je me disais qu'il me fallait des copains : pas pour draguer, ni rien, juste parce que ça me paraissait sympa. J'avais envie d'être habillée court comme ça. J'adorais danser. Je voulais être libre. »

Elle a commencé par participer en douce à des concours de danse en banlieue. Adolescente, on la surnommait « la grande gigue » ou « la grenouille » parce qu'elle avait des jambes interminables et dépassait les autres d'une bonne tête. Au fil du temps, ces caractéristiques devinrent des atouts et elle finit par remporter un concours en dansant sur une chanson d'Ila Arung, *Resham ka Rumaal*. Ce succès attira sur elle l'attention des gars du quartier : « Ils faisaient la queue en bas de mon immeuble rien que pour me voir. » Les plus audacieux l'embrassaient, la tenaient sur leurs genoux. Quand sa mère eut vent de la chose, elle informa Mona Lisa qu'elle l'avait fiancée. Le promis avait vingt-huit ans; elle, seize.

Elle fit sa connaissance à Nariman Point. Estimant qu'il valait mieux ne rien lui cacher, elle lui dit qu'elle avait déjà un ami de cœur et le supplia d'expliquer simplement à sa mère qu'il avait des raisons personnelles de ne pas vouloir l'épouser. Au lieu de quoi, trahissant sa confiance il déballa toute l'histoire. Ce qui valut à Mona Lisa une correction particulièrement sévère, à laquelle son frère prêta main-forte. Cette fois, cependant, Mona Lisa se rebella. « J'étais folle de colère, je répétais sur tous les tons que je ne me marierais jamais. » Quelques jours plus tard, sa mère la fit engager dans la troupe du Deepa, un bar de seconde zone. Puisque Mona Lisa ne voulait pas de mari, elle entrerait dans la filière bar.

Le soir où on lui passa autour du cou sa première guirlande de billets de cent roupies, elle éclata en sanglots sur scène. L'argent est une valeur respectable, dans les familles gujeraties, et elle était profondément humiliée par ce qui lui arrivait. Les autres filles surent la consoler, l'entourer de petites attentions. Sur leurs conseils, elle apprit à se maquiller et se fit assez vite à sa nouvelle activité. Les bars de banlieue fonctionnent sur d'autres principes que ceux du centre et il est fréquent que les bonnes danseuses s'y produisent en solo ; les nuits ordinaires, Mona Lisa présentait deux solos et six duos. Bientôt, elle disposa de sa propre loge ; elle avait ses entrées dans le bureau du patron, elle s'installait dans son fauteuil, il lui passait tous ses caprices. Après ses débuts au Deepa, elle a été engagée dans différents bars – le Night Lovers, le Natraj, le Jharna, le Ratna Park. Elle s'est d'emblée acquis une réputation de danseuse sexy. « Danser ne me fait pas peur, je me lâche. » Elle sait parfaitement se révéler en dansant. « S'exposer, c'est tout un art. Il faut être ouverte mais sans le montrer. » Dans le milieu, elle passe pour une awara – une impudique.

Au Jharna il y avait un quadragénaire qui venait la voir tous les soirs. La filière bar n'avait pas de secrets pour lui, il fréquentait en habitué les meilleurs établissements en quête de très jeunes filles qu'il puisse traiter comme des enfants. Chaque jour il gratifiait Mona Lisa de quinze mille ou vingt mille roupies, tant et si bien qu'elle accepta de le voir en dehors du travail. Peu à peu, elle s'attacha à lui. « Il était correct avec moi, dit-elle. Il me gâtait comme une petite fille. » Hari Virani, ainsi s'appelait-il, était producteur de cinéma. La mort de sa femme, qui s'était suicidée en se jetant par la fenêtre du sixième étage, l'avait laissé seul avec deux garçons de huit et dix ans. Généreux, il donnait également de l'argent à la mère de Mona Lisa.

Nath utarna (ôter l'anneau) est un euphémisme couramment employé à Bombay pour évoquer la défloration. Lors de la nuit de noces, il est de tradition qu'avant de pénétrer sa jeune épouse le mari marathe lui retire tendrement l'anneau d'or, dit nath, qu'elle porte dans le nez ; il est le premier à jouir de cette prérogative. S'agissant des filles de la filière bar, le rituel est passablement différent. La formule consacrée, sar dhakna, est une allusion claire au voile dont la jeune fille devenue femme se couvre la tête pour dissimuler sa honte. L'étape préliminaire peut durer très longtemps. Un client qui veut une danseuse vierge contacte d'abord la mère de cette dernière pour savoir combien il lui en coûtera ; le prix de la virginité d'une Mona Lisa a pu aller jusqu'à cinq lakhs. Pour peu que la compétition soit ouverte, la mère essaie de faire monter les enchères et conseille au client « d'attendre un peu, le temps que la petite grandisse ». S'il entre dans le jeu, il couvre de cadeaux tous les membres de la famille, et ce pendant des années, parfois.

Hari n'a pas eu cette patience. Un soir, il a invité Mona Lisa à dîner à l'hôtel Sun'n' Sand et lui a demandé de téléphoner à sa mère pour prévenir qu'elle serait en retard. Arrivée là-bas, elle a découvert qu'il avait pris une chambre. Il l'a allongée sur le lit, s'est couché sur elle. Prise de peur, elle a tenté de résister : « Arrête ça, je lui disais, lâche-moi, ça ne me plaît pas, mais il m'a fait pata. » Pata – quelque chose entre le viol et l'entreprise de séduction, un abus de confiance avec agression. Lorsqu'elle est rentrée chez elle, sa mère a compris au premier coup d'œil – « à cause de ma manière de marcher » – qu'elle n'était plus vierge. Mona Lisa dit s'être donnée gratuitement à Hari par amour. Elle courait le retrouver s'il l'appelait en pleine nuit, elle l'écoutait lui raconter le film de sa vie – ses débuts difficiles, quand il dormait dans la rue, son ascension progressive dans l'industrie du cinéma. Il avait promis de l'installer dans un appartement à Lokhandwala ; il la protégeait, étendait sur elle l'orbe de son pouvoir.

Il remit un jour vingt mille roupies à la mère de Mona Lisa pour le privilège d'emmener sa fille à Indore, où il devait travailler sur un scénario. Le scénariste aussi la trouva à son goût.

Alors qu'elle n'avait jamais touché à l'alcool, ils lui firent boire deux bouteilles de bière forte. Là-dessus, le scénariste déclara qu'il avait envie d'elle. Loin de s'y opposer, Hari l'encouragea à en faire ce qu'il voulait. L'autre n'eut toutefois pas le temps de passer à l'acte, car Mona Lisa, malade d'avoir ingurgité toute cette bière, se mit à vomir. « Là, évidemment, il n'était plus question qu'il me touche. » Sûrement très blessée par cet épisode, elle a cependant pris sa revanche – une revanche enfantine : « Hari a déchu à mes yeux. »

Sûre d'avoir affaire à un gogo, la mère avait progressivement augmenté ses exigences financières. De son côté, Hari était assez averti de la durée raisonnable de ce genre de liaison avec une danseuse pour y mettre un terme au bout de six mois. Fine mouche, Mona Lisa affirme que s'il s'y est pris en douceur, c'est « parce qu'il croyait que je l'aimais beaucoup et qu'il avait peur que je lui attire des ennuis ».

Peu après, la mère de Mona Lisa la tira un matin du lit de bonne heure et la flanqua à la porte. À l'époque où elle vivait chez sa tante, Mona Lisa allait souvent au temple offrir une obole à la déesse qu'elle considérait comme sa vraie mère, ce qui déplaisait souverainement à celle qui l'a mise au monde. Chassée du toit maternel, elle se réfugia un temps chez sa tante avant de trouver à Byculla un logement qu'elle louait mille roupies par mois. C'est là-bas qu'elle a pour la première fois tenté de se suicider en s'ouvrant les veines.

Samar, dit-elle, lui a sauvé la vie. Elle l'a rencontré au Ratna Park le 15 septembre 1996, une date qu'elle n'oubliera jamais. Elle avait alors un ami, Adi, qu'elle considère comme un « frère » et qui est loin d'être le seul dans ce cas, ainsi que je l'ai découvert au fil des mois. Antidote des plus efficaces contre l'attirance sexuelle, la relation stable qu'elle entretient avec ses frères d'élection se pare, en Inde, d'une dimension mythologique. Il suffit que Mona Lisa dise à un homme qu'elle l'aime comme un frère pour qu'il cesse aussitôt de fantasmer sur elle et se sente tenu de la protéger.

Adi avait fauché la voiture de son père. Un bras passé autour des épaules de sa « poule », il proposa à Mona Lisa de l'emmener faire un tour. Elle s'engouffra à l'arrière avec un autre garçon, Samar, un bel adolescent musulman un peu plus jeune qu'elle puisqu'il avait alors seize ans et demi. Partis pour une virée en douce, ils arrivaient dans les environs de Lonavla [1] quand la voiture qui venait de les doubler à vive allure leur barra la route. Le père d'Adi en jaillit comme un diable hors de sa boîte, flanqua deux gifles retentissantes à son fils, deux autres à Samar, et ignora délibérément les filles dont il avait deviné ce qu'elles faisaient dans la vie. Il ramena son rejeton à la maison, la « poule » rentra chez elle par ses propres moyens, et Mona Lisa se retrouva seule avec Samar.

« On est allés chez moi et on y est restés trois jours sans mettre le nez dehors. Après, pendant deux ou trois mois on a fait l'amour non-stop. On n'en avait jamais assez. On le faisait tous les jours. Deux ou trois fois dans la journée, et le soir on buvait et on recommençait. Quatre fois par jour, des fois même six ou dix. On baisait comme des dingues. »

Le troisième jour, Samar fit un saut chez lui pour aller chercher de l'argent. Puis il revint chez Mona Lisa et la lune de miel se prolongea. À la nuit tombée, ils sortaient en boîte, dans un pub, ou marchaient dans la ville illuminée. Il voulait tout savoir de sa vie. Elle n'allait plus au travail ; il avait laissé tomber ses études et sa nombreuse famille. Une quinzaine de jours après leur rencontre, Samar invita Mona Lisa dans un bar joliment nommé Sapphire. Un endroit, lui expliqua-t-il, où elle gagnerait beaucoup mieux sa vie qu'au Ratna Park. Elle ne regrette pas de l'avoir écouté ; c'est le conseil professionnel le plus sensé qu'elle ait jamais reçu.

« Aujourd'hui encore j'ai très peur de la vie. Si j'avais dû me débrouiller seule je n'y serais jamais arrivée. » La déesse bienfaisante a mis Samar sur son chemin, et cela a tout changé :

---

1. Station de villégiature distante d'une centaine de kilomètres de Bombay (*N.d.T.*).

« Mes yeux se sont posés sur lui. En un an il m'a donné tout l'amour que je cherchais depuis dix-sept ans. »

Samar avait pour grand-père le fameux Karim Lala, le plus gros parrain de Bombay dans les années soixante-dix, du temps où il régnait sur le gang Pathan. Le jeune homme tenait peut-être de lui son aplomb et son côté bravache – son shaan. « Tu verras tout ce que je vais réaliser en six mois ! Je vais partir à Dubaï et tu verras le paquet de fric que je vais ramasser ! » se vantait-il auprès de Mona Lisa. Leur liaison était tumultueuse. « On se conduisait comme des gosses, on s'engueulait, on se bagarrait. » Après une de ces disputes, Mona Lisa claqua la porte et sortit dans la rue, court vêtue comme à son habitude. Une nana aussi bien roulée ne se promène pas seule impunément. Deux conducteurs de rickshaw se mirent à l'importuner et, pour leur échapper, elle remonta en courant s'en plaindre à Samar. Fou de rage, il leur tomba dessus à coups de ceinturon jusqu'à ce qu'ils demandent grâce à genoux. « Il est mahométan, explique Mona Lisa. Tous les musulmans ont cette rage au cœur. Quand ils ont quelque chose, ils veulent le garder pour eux. » Il désapprouvait ses tenues vestimentaires mais, dit Mona Lisa en pouffant, « il pouvait toujours causer. Il aurait aimé que je m'habille comme une mahométane. Je répondais : "Pas question, je suis gujeratie." » Elle n'a jamais transigé là-dessus, pas même en l'unique occasion où elle a rencontré les parents de Samar, lors du mariage de sa sœur. Elle avait revêtu pour l'occasion un sari noir et un corsage réduit à l'essentiel. Quand elle fut hors de portée de voix, le père se tourna vers Samar pour lui demander, sourcils froncés : « Qui c'était, cette pimbêche ? »

Samar l'a présentée à sa sœur et à sa grand-mère. « Il me répétait tout le temps, " Avant toi, la seule que j'ai aimée c'est ma grand-mère ". » Comme il était cependant hors de question que Mona Lisa entre dans cette famille, Samar prit une décision des plus rares chez les clients des danseuses : il partit de chez ses parents pour vivre avec elle. Eux, bien sûr, n'en détestèrent que plus Mona Lisa. Par prudence, Samar ne leur avait pas touché mot du métier qu'elle exerçait. « S'ils avaient su que j'étais dans la filière bar, ils l'auraient tué, alors il était bien obligé de mentir. » Quand il s'installa avec elle – elle venait d'acheter dans Mira Road un appartement pour eux deux –, Mona Lisa dut aussi l'entretenir. Samar, encore adolescent, n'avait aucun revenu.

Ils participèrent une nuit à une rave sur l'île de Madh, burent et dansèrent sur la plage avec des centaines d'autres jeunes. En rentrant le lendemain à l'aube, ils passèrent devant une ruelle et Mona Lisa s'arrêta pour la lui montrer du doigt. « C'est chez moi, ici. » Sa mère y habitait toujours. Le jeune homme insista pour la rencontrer. Quand ils se présentèrent à la porte, la mère de Mona Lisa menaça d'appeler la police ; après tout, Mona Lisa était encore mineure et la mère pouvait exiger qu'elle revienne vivre sous son toit. S'interposant, Samar enjoignit à cette femme de laisser sa fille tranquille et lui conseilla de traiter directement avec lui si nécessaire. Pour la première fois de sa vie, Mona Lisa avait à son côté quelqu'un prêt à la défendre contre sa mère.

Elle a plus d'une fois été enceinte de Samar, ce qui l'a amenée à essayer divers remèdes de bonne femme : le régime papayes, ou encore une infusion de piment fort additionnée de sucre de canne à avaler « avant de faire l'amour comme une malade » jusqu'à ce qu'elle se remette à saigner. Elle a poursuivi une de ces grossesses jusqu'à plus de seize semaines et s'était faite à l'idée de garder l'enfant, qu'elle a perdu lors d'une fausse couche survenue sur scène. « J'ai pleuré tout ce que je savais. Je le voulais, celui-là. » Elle a fini par se séparer de Samar au bout de quelques mois de vie commune, pour des raisons dont elle ne se cache pas : « Il ne gagnait pas un sou. Je lui avais dit, Je veux l'argent que tu gagnes toi, pas celui de ton père. » Elle aurait souhaité quitter la filière bar et à cet égard Samar ne lui était d'aucune aide.

Ils se parlent toujours, mais au téléphone car elle refuse de le revoir. Tous les ans, deux mois avant l'anniversaire de Mona Lisa, qui tombe en octobre, Samar lui demande de quoi elle a envie et il lui achète une chaîne en or ou une médaille sur ses économies. Il lui demande également si elle l'épousera, quand il aura un métier. Elle jure que non. « Je ne peux pas me marier avec Samar maintenant que je suis restée un an et demi avec lui pour aller avec un autre après. Ce qui autrefois était tout à lui a appartenu à un autre. J'ai déchu à mes propres yeux. » Telle Sita dans le *Ramayana*, elle se sent souillée parce qu'elle a vécu avec un autre homme.

Mona Lisa avait rompu avec Samar depuis un mois quand un soir un groupe de jeunes gens résidant à Hongkong débarqua au Sapphire. Parmi eux se trouvait un Sindhi beau gosse et flirteur, Vijay, qui sut si bien charmer Mona Lisa qu'elle lui donna son numéro de portable. Vijay avait une femme dans chaque bar à bière, au Dilbar comme au Pinky, au Golden Goose, au Carnival. Aussi charmeur que Samar, c'était un tombeur de première, un garçon sensible, facilement au bord des larmes. Toutes les filles étaient folles de lui. Un soir de Nouvel An, un de ses amis se mit à baratiner Mona Lisa et lui offrit une rose. Vijay le traîna à l'extérieur et le bourra de coups jusqu'à ce qu'une tache de sang s'étale sur la chemise de l'imprudent. « Il peut faire croire à n'importe quelle fille qu'il est amoureux d'elle. »

Vijay mène ses conquêtes par le bout du nez. Chaque fois que Mona Lisa lui téléphonait, il lui promettait de la rappeler dans la demi-heure. Naïve, elle patientait près de l'appareil. Trois heures s'écoulaient, voire quatre, et immanquablement c'est elle qui le rappelait. Ce garçon réussissait à inverser les rapports entre la danseuse et son client. Il se vantait auprès de ses amis de vivre aux crochets des filles et de ne pas leur donner un sou. « Je n'ai jamais touché ne serait-ce que cinq paises de Vijay », avoue Mona Lisa. À l'époque elle ne jurait que par lui, et quand il lui avoua avoir besoin d'argent, elle n'hésita pas à lui donner vingt-cinq mille roupies qu'il ne lui a jamais rendues. « Je ne les lui ai jamais réclamées puisque je les lui avais données par amour. Il était assez malin pour ramasser tout le fric qu'il pouvait. » J'ai entendu maintes histoires similaires, où les filles entretiennent pendant des années le parasite dont elles se sont entichées. En définitive, les vraies poires – ici appelées ulloos, dhoors, chutiyas – ce sont elles, les pros de la filière bar, et ceux qui en font des ulloos (leurs amants, leurs parents, leurs frères et leurs cousins) utilisent la même supercherie qu'elles : l'amour.

La rupture avec Vijay qui l'a quittée pour une autre danseuse fut un coup terrible pour Mona Lisa. Après avoir dansé sur scène une bonne partie de la nuit, elle traînait de discothèque en boîte de nuit, buvait comme un trou, touchait aussi à la drogue : de la marijuana surtout, qu'elle consommait régulièrement, et, une fois, du brown sugar, la pire des saloperies. De retour chez elle, elle s'endormait en pleurant, au réveil elle avalait deux ou trois bières en guise de petit déjeuner. Minesh, un vieil habitué du Sapphire, faisait ce qu'il pouvait pour l'aider ; il payait son loyer, lui donnait de l'argent pour sortir en boîte. « Il a été gentil avec moi à l'époque où tout allait mal. » Il était mordu, elle en profitait. Elle débarquait chez lui fin saoule, prétendait qu'elle mourait de chaud, se déshabillait entièrement et s'affalait sur son lit pour tout de suite sombrer dans le sommeil. Il la recouvrait d'un drap, sans la toucher.

Trois mois avant que je fasse sa connaissance, Mona Lisa s'est rendue une nuit au Carnival. Vijay était là-bas avec sa bande de copains, elle s'est mêlée au groupe et, dix minutes plus tard, Vijay lui présentait sa nouvelle petite amie. Mona Lisa s'est comportée normalement, « mais à l'intérieur ça ne tournait pas rond ». Elle a bu pour se donner une contenance, et elle a continué une fois de retour chez elle. Le lendemain soir, au Sapphire, elle n'était pas dans son assiette : « J'avais peur de l'avenir. » Sur un coup de tête, elle quitta le bar pour rentrer chez elle. Minesh qui était dans la salle la vit partir. Il attendit un peu puis l'appela sur son mobile. Pas de réponse. Il appela son appartement. Toujours pas de réponse. Sautant dans sa voiture, il fit tout le trajet jusqu'à Juhu et sonna avec insistance à la porte. Lorsqu'elle lui ouvrit enfin, il y avait du sang partout ; depuis trois quarts d'heure elle se tailladait sauvagement les bras avec une lame de rasoir. Pour accompagner sa sortie elle avait mis cette chanson du groupe Everything But the Girl, *Missing*, sur laquelle elle avait si souvent dansé dans les bras de Samar, celle qu'à son grand embarras il demandait au DJ de lui dédier publiquement en annonçant : « À Mona Lisa, de la part de Samar qui l'aime. » La chanson passait et repassait en boucle pendant que Mona Lisa, ivre et en larmes, se lacérait les bras.

Minesh lui demanda de lever les mains. Les veines tranchées sortaient de la chair. Il s'empara de la bouteille de RC, le whisky qu'elle avait bu à pleines rasades, et, lui tenant les bras, versa l'alcool sur les plaies. « Je n'ai rien senti du tout », dit Mona Lisa. Là-dessus, elle alla se chercher une cigarette, l'alluma elle-même, et la fuma pendant que Minesh appelait son médecin qui réussit à lui obtenir une chambre d'hôpital.

Lors de sa première tentative de suicide, Mona Lisa s'était elle-même pansé les poignets, et le médecin consulté lui avait simplement posé un plâtre. Elle n'avait pas eu besoin de points de suture, ni cette fois-là ni la deuxième. La troisième tentative en avait nécessité huit. Le soir où Minesh l'a sauvée, en revanche, les veines étaient à nu et elle avait les mains toutes noires. À l'hôpital, on la mit tout de suite sous moniteur cardiaque. Tout en lui parlant comme à un enfant, le docteur lui faisait des piqûres d'elle ne sait quoi et suturait patiemment les plaies. Il ne fallut pas moins de quarante-cinq points pour les refermer. Trois de ses doigts ne fonctionneront plus jamais normalement. Elle n'a pas fait les choses à moitié.

Cette histoire, elle me la raconte les yeux fermés en tirant sur une cigarette, puis, les bras serrés autour d'elle comme pour se bercer, elle se met à marmonner des paroles indistinctes.

« Tu pries ?

– Je ne te le dirai pas. »

Pourquoi se traite-t-elle ainsi ? Pourquoi les lames de rasoir, les brûlures de cigarette ?

« J'étais en colère.

– Contre qui ? »

Contre elle-même. Quand elle en veut à un homme, « quand il ne comprend pas ce qui me plaît à moi, ce qu'il me faut, ça me met en colère contre moi. Pourquoi est-ce que la personne d'en face se conduit comme ça avec moi alors que je ne lui prends pas un sou ? » Elle utilise souvent cette expression, « la personne d'en face », pour parler de ses amants. Puisque la personne d'en face la maltraite sans raisons apparentes, Mona Lisa en déduit qu'elle est elle-même fautive. C'est certainement de sa faute si l'autre se montre si égoïste, si inconséquent.

Lorsqu'elle est sortie de l'hôpital, Minesh a eu peur qu'elle réitère sa tentative de suicide. Il l'aimait, et pourtant il n'a pas hésité à alerter Samar, son grand rival. Les deux hommes se connaissaient ; à un moment ils avaient envisagé de s'associer pour vendre des téléphones mobiles. Minesh a donc mis Samar au courant puis il s'est discrètement éclipsé. Samar s'est tout de suite rendu au chevet de Mona Lisa. Comme ses bras bandés la handicapaient, il lui donnait son bain, faisait le ménage, les courses et la cuisine avec un dévouement pour le moins inhabituel de la part d'un jeune mâle bombayite, petit-fils, qui plus est, d'un parrain de la mafia. Il est resté auprès d'elle sept jours et sept nuits. Ils dormaient pelotonnés l'un contre l'autre comme des petits enfants, et jamais ils n'ont fait l'amour. Minesh n'en savait rien, bien sûr. Fidèle à sa résolution, il se tenait à l'écart mais la jalousie le rendait insomniaque. « Je l'imaginais en train de te caresser », avoua-t-il plus tard à Mona Lisa.

Chacun de son côté, Samar et Minesh lui ont proposé de vivre avec elle. « Oublie le passé. Refais ta vie avec moi. » Petit à petit, Mona Lisa a laissé Minesh entrer dans son intimité. Une nuit, il est resté avec elle jusqu'au matin, et lorsqu'il est rentré chez lui, son père, un notaire plus qu'aisé, lui a passé un savon mémorable. Ulcéré, Minesh a appelé Mona Lisa pour la prévenir qu'il quittait ses parents, se louait un appartement et était donc libre de l'épouser. Restait un seul obstacle.

« Quoi ? j'ai dit. Et lui : " Il faut encore que tu acceptes. " »

Le problème est qu'elle n'éprouve aucune attirance pour lui. Samar, c'est autre chose ; il est beau, il a la finesse de traits des

Pathans, un caractère irascible et fougueux. Minesh n'est qu'un Gujerati quelconque, bas sur pattes et chauve, affublé de lunettes. À côté d'elle, il a l'air d'un cousin de province ou d'un domestique. « Minesh est un ami sûr, reconnaît-elle. Il a droit à l'izzat. » Il y a un mois, elle lui a expliqué avec ménagement qu'elle ne l'aimait pas. Qu'elle allait le quitter le jour même pour qu'il puisse repartir au plus vite sur de nouvelles bases et ne se retrouve pas ruiné. Tous les mois, en effet, Minesh laissait au moins un lakh au Sapphire, sans compter le loyer de l'appartement qu'il gardait pour être avec elle, les vêtements qu'il lui achetait, les sorties en discothèque et les repas qu'il lui offrait dans des restaurants cinq étoiles. Il s'est mis à pleurer quand elle lui a annoncé sa décision, il l'a suppliée de rester avec lui. Elle n'a pas cédé – tôt ou tard ce serait arrivé ; en revanche elle lui a promis qu'ils continueraient à se voir, à discuter, et qu'elle le considérerait toujours comme un ami. « Depuis, on n'a plus eu de rapports. » À présent, Minesh sort avec d'autres filles et il appelle Mona Lisa pour lui raconter ses aventures par le menu.

Mona Lisa mène une double vie : côté pile il y a le bar, le temps qu'elle consacre à ses clients ; côté face, les discothèques, les heures passées devant la télé ou à dormir toute la journée car elle ne se couche pas avant six heures du matin. Si, en discutant avec elle, je mélange ces deux aspects, elle me reprend et précise à propos de son travail : « Cette vie-là n'a rien à voir avec l'autre. C'est un jooth ki duniya » – un monde de mensonges et de faux-semblants.

« C'est tranquille, au bar, pour Muharram [1], me déclare-t-elle un jour au bout du fil. Ça repose du sale boulot.

– Pourquoi dis-tu ça ? Tu trouves vraiment que tu fais un sale boulot ?

– C'est dégueulasse, c'est clair. Se saouler dans un bar aussi, c'est dégueulasse. »

---

1. Le nouvel an chiite, célébré avec ferveur dans tous les États de l'Inde par cette communauté musulmane (*N.d.T.*).

Est-ce qu'elle trouve que le Sapphire profite de la situation pour les exploiter ?

« Tant qu'on ne dépasse pas une certaine limite, ça va. Il m'a fallu deux ans pour le comprendre. Les hommes vont dans les bars quand ils en ont marre de leur famille, marre de veiller sur leurs femmes et sur les enfants, marre de leur travail. Les danseuses sont là pour acheter l'armaan * des clients. C'est très mal. Tu sais pourquoi on n'arrive pas à mettre d'argent de côté, pourquoi on a la poisse ? Parce qu'on achète leurs problèmes. » Se trompant sur le sens de ma question, elle m'explique qu'il y a en effet de l'exploitation, au Sapphire, mais que ce sont les clients qui en pâtissent. Dans ces conditions, ce qui arrive ensuite aux filles – le fait par exemple de tomber amoureuses d'un homme qui les maltraite – n'est que justice : elles méritent leur sort car elles ont exploité le besoin de réconfort des clients.

« Je craque trop vite pour les gens, ajoute-t-elle. Aujourd'hui encore, je continue à aimer Hari parce qu'au moins il a pris soin de moi pendant quelque temps. » Il y a peu, elle est allée danser au Razzberry et l'a reconnu dans la foule. Elle lui a foncé dessus et lui a craché ce qu'elle avait sur le cœur : « Tu as fichu ma vie en l'air, je lui ai dit. Tu m'as appris à boire, à fumer. C'est à cause de toi que je suis dans cet état, maintenant. » Puis sa colère s'est tarie d'un coup quand, dévisageant le vieil homme sous l'éclairage clignotant des projecteurs, elle s'est rendu compte qu'il avait les larmes aux yeux.

Hari a de gros ennuis, en ce moment. « Un producteur de Bollywood sous le coup d'un mandat d'arrêt », titre le journal que j'achète tous les matins. Cette décision de justice, non assortie d'une caution, a été prononcée à l'encontre d'Hari Virani pour défaut de remboursement d'un emprunt de trente-cinq lakhs, contracté auprès d'un organisme de crédit. J'appelle Mona Lisa pour lui lire l'article.

« Je suis à la fois contente et malheureuse », avoue-t-elle d'une petite voix. Contente de penser qu'il n'a que ce qu'il mérite, vu la façon dont il s'est comporté avec elle et d'autres filles, mais « triste d'apprendre qu'il n'est pas devenu meilleur ». Hari n'a pas percé dans le cinéma et « il a quitté la filière bar », ajoute-t-elle comme s'il travaillait dans la branche au même titre qu'elle. Minesh a d'ailleurs utilisé une expression similaire, au Sapphire : « Ça fait sept ans que je suis dans la filière bar. » Ce tout que forme la filière englobe si bien les clients qu'ils se définissent d'abord en référence à elle, à tout le moins pendant la tranche horaire la plus sombre de la journée.

« Tu es mon meilleur ami », me déclare tout à coup Mona Lisa en anglais.

La réciproque est vraie ; je n'ai pas de meilleure amie qu'elle, ces temps-ci.

« Où elle est, ta famille ? poursuit-elle. Tu vis seul à Bombay ?

— Une grande partie vit en Amérique. J'ai de la famille un peu partout, tu sais : en Amérique, en Angleterre, un peu à Bombay, aussi. Du côté de ma mère, c'est au Kenya que ça se passe. » Je ne souffle pas mot de ma femme et de mes enfants, conscient que le protecteur de Mona Lisa est petit-fils d'un parrain. Elle fait partie du monde de l'ombre et je veille à tenir les miens à l'écart des gens qui le peuplent, les tueurs, les danseuses, les petites frappes. Pour eux, je vis seul dans l'appartement d'Elco qui en réalité me sert de bureau. S'il devait y avoir des problèmes, si ce que je suis ou ce que j'écris sur eux suscite brusquement leurs foudres, ils ne s'en prendront qu'à moi.

« Je n'ai jamais parlé de ma vie à personne », dit Mona Lisa. Je ne demande qu'à l'écouter.

Rustom appelle, et ensemble nous convenons d'un rendez-vous avec Mona Lisa qu'il veut photographier dans son studio.

La Maruti Esteem dans laquelle elle passe me prendre est toute cabossée. La climatisation ne marche pas, il n'y a plus d'appui-tête au siège passager, la peinture du capot part en lambeaux. Mona Lisa conduit sans permis et pieds nus, car ses chaussures à semelles compensées l'empêchent d'appuyer à fond sur la pédale d'embrayage. En m'engouffrant à l'intérieur, je remarque d'abord la profusion d'images à l'effigie de la déesse et les autocollants qui proclament : « Jai shri Meldima. » [1] Nous roulons toutes vitres ouvertes et arrivons dans le centre à moitié asphyxiés par les gaz d'échappement. Il fait une chaleur insoutenable, aujourd'hui, mais cela n'entame pas la bonne humeur de Mona Lisa.

Quand nous sortons pour nous mêler à la foule qui piétine devant le cinéma Eros, tout le monde sans exception se retourne sur elle. J'observe les visages de ces hommes et de ces femmes, leurs têtes qui pivotent comme s'ils suivaient un match de tennis. Absorbés dans leurs pensées, certains marchent comme des somnambules jusqu'à ce que Mona Lisa passe à côté d'eux, et brusquement saisis ils la fixent avec des yeux écarquillés. Je m'imagine entendre des crissements de freins déchirants. S'il y avait des chiens dans le coin ce serait un concert d'aboiements. Elle porte une brassière vert pomme, et surtout il y a sa démarche sur les semelles démesurément hautes, son maintien plein d'assurance. Nous entrons dans un café pour avaler un sandwich en vitesse. Ici aussi tous les regards se tournent vers elle, furtivement ou convulsivement. Mona Lisa s'en amuse. Même un salwaar kameez devient révélateur, sur elle. « Que ceux qui ont envie de voir regardent. Les autres n'ont qu'à baisser les yeux », tel est le message qu'elle adresse à Bombay.

Dans le studio, sa nervosité et sa timidité reprennent le dessus et elle se met à glousser bêtement. Rustom lui joue le grand jeu : deux homos au maquillage, deux assistants, les projecteurs, les ombrelles, les accessoires. Il lui demande de retirer son soutien-gorge. Pas parce qu'il veut voir ses lolos – il en a assez vu dans sa vie pour faire gazouiller de plaisir tout un jardin d'enfants –, mais parce que les marques des bretelles élastiques sont trop visibles sur les photos. Elles mettent au moins une heure à disparaître, voire une heure et demie pour les femmes un peu grassouillettes, les beautés suaves plébiscitées par les publicités régionales. Mona Lisa s'exécute et enlève son soutien-gorge

---

1. Gloire à toi, Meldima la Resplendissante *(N.d.T.).*

par-dessous son petit haut. Rustom avance alors une requête plus osée : il voudrait qu'elle détache le fil noir noué autour de son cou. Elle secoue la tête de droite à gauche, sans mot dire. Un peu plus tard, elle oppose le même refus au maquilleur qui vient de réitérer la demande. Mona Lisa ôtera tout ce qu'on veut hormis le gage de sa dévotion à Meldima.

La musique joue à plein volume dans le vaste studio crûment éclairé et Rustom commence à mitrailler. Devant l'objectif, Mona Lisa ne fait pas un bon modèle. Un assistant lui souffle les cheveux dans la figure à l'aide d'un tuyau d'aspirateur, ce qui a pour effet d'agiter furieusement le fil noir qui tressaute autour de son cou et donne l'impression qu'on cherche à l'étrangler ou à la garrotter. Elle a passé un haut en velours noir sous lequel je découvre pour la toute première fois qu'elle a du ventre, un vrai petit ballon. Et son sourire est de traviole, plus appuyé à gauche qu'à droite. Les marques le long de ses bras apparaissent nettement sous l'éclat des puissants projecteurs. Rustom hurle ses instructions en anglais : « Joue avec tes cheveux ! Rejette la tête en arrière ! » Je ne suis pas sûre qu'elle saisisse vraiment, tant la musique est forte, et elle a du mal à se retenir de pouffer. Cette musique – Alanis Morissette, Phil Collins, un mélange de hip-hop – ne fait pas partie de son univers et ici personne ne lui jette de l'argent à poignées. Les planches contact confirmeront qu'elle n'a pas passé le test. Mona Lisa n'a pas ce qu'il faut pour convaincre la masse des Indiennes d'acheter du shampooing, un frigo ou des serviettes hygiéniques.

Après avoir beaucoup vu Mona Lisa pendant deux mois, je suis soudain très occupé par le déménagement de mes pénates et de mon bureau à Bandra. Je ne la rappelle plus systématiquement alors qu'elle me téléphone tous les jours. Elle va pleurer sur l'épaule de Minesh, toujours fidèle au poste. « Suketu est en train de me lâcher. » S'imaginant savoir pourquoi, un beau matin elle me demande au bout du fil : « Il n'y a pas quelque chose que tu attendais de moi et que je ne t'ai pas donné ? »

Je réponds que non. J'ai simplement été débordé.

« Tout le monde me veut, pourtant », affirme-t-elle en anglais sur le ton du constat, sans en tirer de fierté particulière.

Elle n'a pas avalé grand-chose depuis la veille, à part un club-sandwich au Sapphire, et sa tante vient de lui préparer un repas complet. « Et toi ? fait-elle. Tu as mangé ? » J'étais en train d'y songer. Elle m'invite très spontanément. « Viens plutôt déjeuner avec moi. »

Elle habite à Juhu, au rez-de-chaussée d'un immeuble correct. On se déchausse sans plus s'y attarder sous une véranda meublée de deux canapés élimés. Le reste de l'appartement se compose d'une cuisine, de toilettes à l'indienne avec un trou dans le sol, et de deux pièces. Ces dernières étant dépourvues de sièges, Mona Lisa reçoit dans son lit. La télévision allumée en permanence est flanquée d'un radiocassette portatif de taille imposante. Le logement est privé de lumière naturelle, le plâtre des plafonds s'écaille, l'ensemble a besoin d'une bonne couche de peinture, mais Mona Lisa m'accueille avec sa gaieté et son entrain coutumiers. Elle met les roses que je lui ai apportées sur sa table de chevet, près d'un gorille en peluche avachi. Sa déesse trône dans la cuisine, sur un autel impressionnant entouré d'une guirlande de fleurs fraîches, rouges et blanches. Le frigo ne contient que de l'eau, du fromage, un sac de légumes. Dans le séjour-chambre à coucher, il y a toute une pile de verres à liqueur mais pas une bouteille d'alcool depuis sa dernière tentative de suicide.

Que se passe-t-il quand vous rendez pour la première fois visite à une Indienne célibataire ? Elle vous présente la famille par photos interposées, en l'occurrence deux petits portraits de son frère cadet Viju, un beau garçon à la peau claire. Mona Lisa adore Viju, dix-sept ans, un bon mètre quatre-vingts, un physique de jeune premier ; à son avis il a tout pour devenir mannequin. Il a quitté l'école et travaille, par périodes, dans une taillerie de diamants. Il sait comment Mona Lisa gagne sa vie et il la retrouve en cachette le dimanche après-midi, après avoir dit à sa mère qu'il sortait avec des potes. Il vient chez elle, il regarde la télé, elle lui prépare du poulet biryani. Si sa mère le savait, elle serait capable de se ramener elle aussi. Le dimanche, les clients du Sapphire restent en famille, dans leurs foyers légitimes. Par voie de conséquence, les filles se reposent le septième jour.

Son frère est à peu près le seul membre de sa famille avec qui Mona Lisa soit restée en contact. Ses autres proches parents du village, y compris son frère aîné (celui donné à son oncle à la naissance) pensent qu'elle est mariée et ignorent tout de ses activités professionnelles. C'est entre autres pour cette raison qu'elle garde également ses distances avec son père : « Je préfère qu'ils ne sachent pas. » Elle ne retournera pas au village, mais elle a trouvé au bar une famille de substitution. Sur le poste de télé, une photo prise à la plage la montre avec une jeune adolescente qu'elle serre dans ses bras : « C'est ma fille. » Mona Lisa l'a « adoptée » selon les usages de la filière bar. Muskan danse aussi au Sapphire ; elle vient d'Indore, elle a treize ans, elle fait partie des quatre filles encore vierges qui travaillent dans le bar et tout le monde là-bas la traite comme une poupée. Le temps n'est plus bien loin où elle vendra sa virginité pour une somme comprise entre deux et cinq lakhs – peut-être à l'Arabe Mohammed, pilier du Sapphire depuis maintenant cinq ans et qui achète le droit de déflorer les jeunes danseuses. « Toi, tu ressembles à une crème glacée », a-t-il un jour déclaré à Mona Lisa.

Comme j'avoue que j'ai un petit creux, elle m'invite à m'installer sur le lit dans lequel elle dort. Obtempérant, je m'adosse à ses oreillers, pose les pieds sur sa couche. Elle fait de même et s'allonge tout près de moi. Pour la première fois je peux contempler ses jambes, si longues, à peine recouvertes par le short moulant en fibre synthétique. Elle s'empare d'un oreiller, me montre les taches de sang qui le constellent : « Ça, c'est quand je me suis tranché les veines. Je ne l'ai toujours pas lavé. » Le carnet de téléphone posé derrière nous contient des dizaines de numéros commençant presque tous par l'indicatif 98 : des numéros de mobile griffonnés à la suite de prénoms très majoritairement masculins, alors qu'il n'y a que des prénoms féminins en face des fixes. Mona Lisa n'est pas le genre de femme à qui les hommes donnent volontiers le téléphone du domicile.

Elle m'a demandé si j'aimais les plats épicés et j'ai étourdiment répondu oui. Jamais, même en Inde, je n'ai goûté à des plats aussi relevés. Pommes de terre nouvelles saupoudrées de piment, dal aux épinards, chapatis, riz. Pour faire bonne mesure, Mona Lisa apporte deux bocaux de pickles et rajoute des piments dans mon assiette, un vert, un rouge. J'attaque mon repas avec appétit, et le plaisir initial se transforme vite en souffrance ; à l'image, sans doute, de ce que serait une relation avec Mona Lisa. Je ne boude pas les épices, pourtant – dans les différents pays où j'ai vécu, j'ai toujours eu dans un coin de la cuisine une réserve secrète de piments habaneros – mais devant ce feu je dois capituler. Mona Lisa, à l'inverse, n'a pas l'air incommodée. « C'est pour ça qu'on me trouve tellement piquante », plaisante-t-elle en mélangeant du bout des doigts le riz et le dal. Il n'y a que pour parler de nourriture qu'elle passe spontanément au gujerati, la langue dans laquelle nous avons grandi tous les deux. Elle le parle avec un fort accent du Kathiawar, dont elle a conscience et qui explique sa préférence pour l'hindi – l'hindi bambaiyya, l'hindi filmi, l'hindi des taporis. Langue maternelle, langue de l'origine, le gujerati est par ailleurs trop intime pour que nous l'utilisions entre nous, elle la narratrice et moi le chroniqueur.

Elle me raconte comment elle a découvert son corps et les plaisirs qu'il procure. Les filles du village n'avaient rien de petites innocentes ; elles se donnaient du bon temps avec des aubergines, avaient des rapports avec les arbres. C'est à Bombay, au moment de la puberté, que Mona Lisa a commencé à se « trouver intéressante ». Elle a eu ses premières règles à onze ou douze ans et s'en souvient encore. « J'étais en train de dormir. Je me suis réveillée tout à coup et j'ai senti que j'étais mouillée. J'ai pensé, Mais qu'est-ce qui m'arrive ? Qu'est-ce qu'on m'a fait ? J'avais chaud comme tout, je me dégoûtais. Toute la journée je me suis demandé, Mais qu'est-ce qui m'est arrivé ? » Sa mère, bien sûr, ne lui avait rien expliqué ; elle ne lui avait appris que la peur. « Ma mère ne me laissait même pas dormir avec mon père. »

Mona Lisa regardait beaucoup de clips vidéo, à la télé, et la nuit elle en rêvait. « Ce que je ressentais se réalisait dans mon sommeil. Alors, je me suis mise à avoir peur à l'idée que quelqu'un me faisait ça pendant que je dormais, que peut-être j'allais tomber enceinte. » Elle est même allée voir le médecin une fois, à seize ans, parce qu'elle avait un retard de règles et craignait d'avoir été fécondée par ses visions oniriques. Aujourd'hui encore, quand elle n'a pas eu de rapports pendant un mois elle « décharge », dit-elle, dans son sommeil. « Je dors avec un oreiller entre mes cuisses et si par malheur il me touche un peu, je décharge. » Elle a découvert dernièrement qu'elle pouvait aussi « décharger » sous la douche. Le terme est juste ; je ne savais pas qu'on l'employait dans ce contexte mais il m'évoque une pile trop longtemps inutilisée : elle se décharge de l'électricité accumulée dedans, elle fuit ou bien elle explose.

Mona Lisa analyse avec beaucoup de finesse la frustration sexuelle qui prévaut dans les classes moyennes indiennes. « Ce qui se passe, ici, c'est que le garçon vit chez ses parents. Il rentre dans l'entreprise familiale, alors il ne peut pas faire ce qui lui plaît vraiment, et après il faut qu'il se marie avec la fille que ses parents ont choisie. Il n'y a pas d'amour. Il couche avec sa femme mais ce n'est pas ça, c'est juste un besoin physique. Il décharge. Quand il s'en trouve une autre, il fait pareil avec elle. Il aimerait bien autre chose, mais il ne sait pas comment s'y prendre. La femme aussi, à force d'élever les enfants, de faire la cuisine, elle n'imagine même pas qu'on peut vivre autrement. Les femmes doivent accepter quand le mari a envie, pas quand elles ont envie elles. Il y a beaucoup de femmes qui ne savent même pas ce que c'est, décharger. Elles passent leur temps dans la cuisine et devant la télé. La nuit, au lit, tout ce qu'elles savent dire, c'est : " Ta sœur a fait ci, la femme de ton frère a fait ça. " »

Vu sous cet angle, le mariage devient sinistre. Pour y avoir réfléchi, Mona Lisa comprend à quoi tient la misère sexuelle apparemment si répandue en ville. Dès lors qu'aucun autre aspect de la vie d'un individu – le travail, la famille – ne laisse place au libre arbitre, qu'il entre dès la naissance dans un système déjà en place, tout ce qui a trait à la sexualité va être conditionné de même : les positions et les techniques sont prescrites, ou dans le meilleur des cas improvisées à la hâte dans le noir. Celles et ceux qui ont intégré ces contraintes n'atteindront jamais les sommets de plaisir que Mona Lisa et Samar, esprits à tous égards aventureux, escaladèrent si aisément et si souvent.

Les étudiants, dit Mona Lisa, sont les plus doués au lit. Ils se saoulent, ils regardent des films X, ils se mettent en condition et font les choses à leur manière. Ils ne sont pas prisonniers des conventions, et cela lui plaît. Elle-même voudrait que Rustom la prenne en photo nue. Elle parle, elle parle, et j'ai comme l'impression que la clim ne marche pas. Elle parle, et tout en parlant elle serre fort son coussin entre ses jambes.

Je lui dis que je vais changer les noms de toutes les personnes qui risqueraient d'avoir des ennuis si je les citais dans mon livre. « Tu voudrais que je t'appelle comment ?

– Quoi ? Ah, non, non ! » s'écrie-t-elle en battant l'air de ses poings. Elle tient à garder son vrai nom ; elle n'a rien à cacher, l'idée de rendre sa vie publique l'enchante.

J'insiste, je lui explique que publier tous ces détails intimes pourrait avoir des conséquences imprévisibles. Cédant, elle me propose un nom d'emprunt : Finalfi.

« Finalfi ? Mais c'est un nom de chien. »

Peut-être, mais elle l'ignorait et elle le trouve très joli. Quitte à changer d'identité, autant en trouver une qui sorte de l'ordinaire – et puis elle réfléchit et avance une autre suggestion : « Mona Lisa ».

Voilà pourquoi je l'ai ainsi baptisée. Cela lui va bien, Mona Lisa. Beauté, mystère, et une pointe de tristesse.

Un peu plus tard, nous allons prendre un verre au Just Around the Corner, un café branché qui vient d'ouvrir et que Mona Lisa est curieuse de découvrir. Je suis sur des charbons ardents. À tout moment je risque de tomber sur une connaissance qui va me demander si les enfants vont bien. Mona Lisa aimerait que nous allions passer ensemble quelques jours au bord de la mer, à Daman – « avec deux ou trois autres couples ». Dimanche dernier, je lui ai beaucoup manqué ; pour se distraire, elle est sortie et a assisté à la dernière séance au cinéma Sterling. Je ne lui avoue pas que j'étais également dans la salle, en compagnie de Sunita, mais frémis en pensant à la situation gênante dans laquelle je me serais retrouvé si nous nous étions croisés là-bas. Mon amitié avec Mona Lisa dure depuis trop longtemps pour que je puisse mentionner ma famille sans me lancer dans des explications embarrassées. Entretenue dans l'ombre, notre relation a acquis le statut de secret.

Au lieu de l'emmener à Daman, j'ai invité Mona Lisa au restaurant, puis au cinéma. En attendant la séance, nous tuons le temps avec des jeux vidéo en flinguant des cow-boys, en pilotant des bolides. Mona Lisa achète des samosas, deux cornets de pop-corn, et nous nous installons au balcon pour découvrir *1 001 Pattes* qu'elle suit en mangeant sans arrêt. Comme elle a gagné des tas de jetons pour les jeux vidéo, après le film nous descendons encore quelques cow-boys. J'essaie de faire comme si j'avais dix-neuf ans mais ça n'est pas si simple.

Nous nous rendons ensuite à l'Orchid, un hôtel tout neuf proche de l'aéroport où Minesh doit nous retrouver : depuis que j'ai laissé passer l'occasion d'accompagner Mona Lisa à Daman, ce soupirant patient et flegmatique est redevenu son amant en titre. Une cascade gigantesque chute dans un bruit fracassant au milieu de l'atrium. Nous mangeons là-bas en discutant de choses et d'autres, essentiellement des championnats du monde. Je commence à réaliser combien il m'est difficile de parler avec elle du monde qui est le mien. Elle ne situe pas la France ou le Kenya sur la carte, elle n'a aucun désir de quitter Bombay, d'aller en vacances au village et moins encore à l'étranger. Elle ne réagit pas quand je lui annonce que je vais peut-être rencontrer Vajpayee à Delhi où je dois me rendre prochainement.

« Atal Bihari Vajpayee. Tu sais, le Premier ministre ?

– Je ne sais pas qui est Premier ministre, en ce moment. Les seuls que je connais, c'est Indira Gandhi, Rajiv Gandhi et le Mahatma Gandhi. Ces noms-là, on nous les a appris. » Elle n'ouvre jamais un journal, ne regarde jamais les infos à la télé.

Arrive Minesh, vêtu d'un short coupé ample. À trente-deux ans, il fait plus vieux que son âge. Son crâne commence à se dégarnir et, sans doute parce qu'il fume trop, il a la bouche cernée d'une bizarre auréole grisâtre. Il a effectué toute sa scolarité dans des établissements gujeratis («Je suis un vrai gars du pays »), après quoi il a passé une licence en droit qui ne lui a pas servi à grand-chose puisqu'il a monté sa propre boîte, spécialisée dans la fabrication de logiciels exportés aux États-Unis ; l'an dernier, il est allé quatre fois aux States. Il écrit des pièces de théâtre en gujerati, et à l'instar de maints dramaturges amateurs envisage de créer son propre parti politique d'ici une dizaine d'années. Placés de part et d'autre de Mona Lisa, nous parlons en anglais de questions aussi techniques que les problèmes de recrutement, le coût des logiciels et les taxes à l'exportation. Tous deux nous avons quelque chose à dissimuler : tandis que je cache ma famille à Mona Lisa, Minesh la cache à sa famille à lui. Elle, n'ayant pas de famille, n'a rien à cacher. Elle bâille, elle est fatiguée, et je mesure le décalage qui existe entre elle et nous. Cette fille jeune et belle devrait être avec des gens de son âge, des jeunes aussi toniques et insouciants qu'elle sait l'être, des hommes qui profiteraient d'elle autrement que nous deux, avec plus d'innocence.

À la même période à peu près, Dayanita Singh, une amie photographe de Delhi, débarque à Bombay avec l'intention d'y rester deux jours pour des prises de vue. Dayanita a des rapports privilégiés avec les travailleurs du sexe et les personnes au genre mal défini, tels les eunuques et les prostitués. Ce que je lui raconte sur la filière bar lui donne immédiatement envie de voir par elle-même de quoi il retourne. Tant et si bien que son passage éclair se transforme en séjour de plusieurs semaines qu'elle emploie à photographier inlassablement ces gens que j'ai appris à aimer. Au Sapphire, il ne lui échappe pas que le visage de Mona Lisa s'illumine dès qu'elle m'aperçoit, et qu'elle se met alors à danser avec plus d'énergie encore.

« J'ai un peu peur qu'elle tombe amoureuse de toi, lâche-t-elle.

– Ou vice versa.

– Impossible ! » Pourquoi ? La question me brûle les lèvres, mais sans me laisser le temps de la poser Dayanita reprend : « Au fond, c'est vrai. Comment pourrais-tu lui résister ? Moi-même j'en suis déjà à moitié amoureuse. »

Sur ces entrefaites, Mona Lisa nous présente à BK, le gérant du Sapphire, un Parsi affable et tolérant qui était « dans le technique » avant de prendre la direction de l'établissement. Comme je lui demande ce qu'il pense de Mona Lisa, il déclare la trouver « différente des autres danseuses.

– Différente ? En quoi ?

– Je l'aime bien. »

BK est le patron le plus adulé de la filière bar ; les filles se mettraient en quatre pour lui. Danser toute la nuit est très exigeant physiquement. Avant le couvre-feu aujourd'hui imposé à partir de minuit et demi, elles se produisaient jusqu'à huit heures du matin : de vingt et une heures à deux heures et demie, puis après une courte pause dîner elles reprenaient jusqu'à ce que le soleil soit déjà haut dans le ciel. Lorsqu'elles flanchaient, le gérant les engageait à « remonter le ressort » – et les petites poupées se remettaient à danser.

BK se fait une règle de ne jamais poser la main sur elles et s'attire ainsi leur respect. À les entendre lui donner du « monsieur BK », on croirait des lycéennes s'adressant à un prof. La moindre remarque de sa part plonge Mona Lisa dans les affres.

Lors de la mauvaise passe qu'elle a traversée à cause de l'état de sa relation avec le Sindhi Vijay, elle s'était mise à négliger ses autres clients. Un fidèle habitué comme Raj, qui arrivait au bar escorté de quatre gardes armés jusqu'aux dents à seule fin de se délester d'une somme fabuleuse pour elle, supportait assez mal qu'elle passe la soirée à regretter son Vijay. Une nuit où elle devait apprendre les rudiments du métier à une nouvelle, elle s'était contentée de tenir la petite par la main sur scène sans bouger ni danser. BK qui se trouvait dans le fond de la salle et lui en voulait déjà passablement de laisser tomber sa clientèle avait crié : « Lâche-la, bon sang ! » Mona Lisa était partie en courant. Arrivée chez elle, elle s'était jetée sur une bouteille, et tout en sanglotant et en picolant elle avait ressassé les propos du patron. Le lendemain elle était retournée au Sapphire et lui avait montré son bras : six nouvelles brûlures de cigarette meurtrissaient la peau brune et douce. « Regarde ce que tu m'as fait faire », avait-elle dit. Depuis, il ne s'est plus jamais emporté contre elle.

Dayanita photographie Mona Lisa aux heures creuses de la journée, dans une salle vide du Sapphire. Elle parvient à capter sa beauté, mais je doute qu'elle puisse saisir cette expression que je connais si bien, quand sur l'air de *Jalwa* ou de *Brazil* la danseuse se met soudain à tourner en vrille puis s'affale et tend le buste en avant, quasi à ras de terre, en vous regardant à travers l'épaisse crinière qui lui dissimule à moitié le visage. Elle n'esquisse pas un sourire, n'essaie pas de plaire ; les yeux plantés dans les vôtres, elle imprime à ses lèvres un pli presque rageur où se lit une invite purement sexuelle. « Une telle sensualité m'effraie », avoue Dayanita. Il ne faut pas que j'oublie cette expression, moi qui au fil du temps ai découvert les bons côtés de Mona Lisa. Il ne faut pas que j'oublie qu'elle vit d'abord et avant tout pour le sexe. Les hommes contemplent bouche bée le mouvement de ses fesses en s'imaginant arracher le sari qui les recouvre. Inutile de prendre cette peine ; Mona Lisa se charge de tout.

Un peu plus tard, elle pose à nouveau au milieu de la foule qui envahit Nariman Point en début de soirée. Dayanita veut la tester, voir comment elle se comporte devant l'objectif en public. Elle ne manifeste ni angoisse ni timidité, alors qu'autour d'elle les gens s'interpellent : « C'est qui cette fille ? Il me semble l'avoir déjà vue quelque part. » Et pour la première fois, au lieu de reconnaître en elle la danseuse de bar célèbre dans le milieu, ils disent : « C'est pas le mannequin vedette de... »

Quelque temps après, au moment où je sors du Sapphire pour me rendre au Marine Plaza – Mona Lisa viendra m'y rejoindre dès qu'elle se sera démaquillée et changée – le voiturier du parking me délivre un message : « Minesh Saab va vous emmener en voiture. » Effectivement, l'amoureux de Mona Lisa passe la porte du bar et confirme qu'il va me conduire à l'hôtel. Il n'a pas été invité, pourtant.

Tous les trois, nous prenons une table près des baies vitrées derrière lesquelles règne une obscurité insondable, à une heure et demie du matin. Minesh a pas mal bu, ce soir : six whiskys et trois petits verres de tequila. Sans que nous lui ayons rien demandé, il entreprend de nous expliquer pourquoi les hommes fréquentent les bars : « Vanité de pauvre mec. Là-bas, je peux commander... à Mona Lisa, à BK. Chez moi, je commande à personne. J'ai besoin de commander un peu. »

Puis, en anglais, il se met à me raconter son histoire. « J'ai commencé à aller dans les bars il y a sept ans. Je connais une fille dans chaque bar. Avant j'avais la trouille d'y entrer. J'étais pur, à l'époque. Plus maintenant. J'aime cette femme. Avant, je voyais une femme bien, je l'achetais. Il faut être honnête : c'est de la vanité tout ça. » Il se met à parler de lui à la troisième personne pour décrire comment il est tombé amoureux. « Pendant cinq ans et demi le type va dans un bar pour regarder Mona Lisa, il devient très ami avec elle et puis brusquement, au bout de six ans et demi il devient jaloux d'un autre et là, forcément, il doit admettre que c'est de l'amour. » Cela me rappelle les gangsters qui parlent souvent à la troisième personne des meurtres qu'ils ont commis. Difficile de se dire personnellement responsable d'un amour ou d'un assassinat.

« Alors, à ce moment-là j'ai su qu'il me fallait cette femme, poursuit Minesh. J'ai couché avec un nombre pas croyable de danseuses de bar – une bonne douzaine. Quand j'avais couché avec une, je ne retournais plus au bar de peur de m'attacher. Elle, j'ai couché avec et je suis revenu au bar le lendemain. C'est la seule. À une époque elle ne couchait plus avec moi mais elle dormait chez moi tous les jours. Elle voulait sortir. Je la laissais dans une boîte, même à six heures du matin, et elle rentrait fin saoule chez moi. Je ne fermais pas l'œil de la nuit. J'avais peur – pas peur que d'autres couchent avec elle, peur qu'ils se servent d'elle. Si quelqu'un se sert d'elle quand elle a trop bu, je ne supporte pas bien. »

Minesh appelle la filière bar « l'industrie », et considère que les clients réguliers en font partie au même titre que les danseuses et les gérants. « Les types qui vont là-bas ne sont jamais contents de la vie, ou alors ils ont un complexe d'infériorité. Moi par exemple, si j'ai du fric je peux dire à cette femme d'arrêter de regarder les autres. C'est une industrie de service, après tout ; si j'ai de quoi payer j'ai droit au service. Elle, elle sait que quand je suis jaloux ça lui rapporte plus. »

La situation qu'il vit chez lui est à l'origine, estime-t-il, de son complexe d'infériorité, de sa vanité de pauvre mec. « Je ne suis pas content de ma vie chez moi. Je voudrais que ma mère me dise, Allez, mon fils, bois ton thé, mais ce n'est pas comme ça. De l'attention, voilà ce que je veux. Quand je claque de l'argent au bar, deux cents paires d'yeux me regardent. Aujourd'hui, BK m'appelle Minesh bhaï parce que je suis un des plus gros clients du Sapphire. Si j'arrête pendant mettons quelques mois, on dira, Ce type, c'est un chutiya *. » Tout le monde saurait qu'il s'est fait plumer par une danseuse. Minesh a percé à jour les techniques des filles de bar, l'habileté avec laquelle elles flattent la vanité des pauvres mecs. Si par exemple un habitué offre un cadeau à sa chérie, un tee-shirt, mettons, la fille renversera la situation en donnant le cadeau à un autre client, en gage d'amour. Le type ainsi gratifié ne s'en cache pas, au contraire. Il

déboule au bar avec ses potes et se pavane dans son tee-shirt :
« C'est elle qui me l'a acheté », dit-il en se rengorgeant.

Minesh est rompu aux techniques de la drague dans les bars.
Le jeu est serré : tandis que les filles essaient de rendre les
clients encore plus chutiyas qu'ils sont, les clients tentent de leur
côté de claquer le moins de fric possible pour coucher avec elles
ou, mieux, les rendre amoureuses. « Si je suis malin, pendant dix
jours je lui file du blé mais je ne lui demande surtout pas son
nom. Le onzième jour, je lui sors un petit discours : " Jaan, je
sens que je ne vais pas pouvoir fermer l'œil de la nuit. D'ailleurs, même si j'arrive à dormir tu seras dans mes rêves. Et si je
te rencontre en rêve, quel nom vais-je te donner ? Je ne sais
même pas comment tu t'appelles. » Il s'est servi de cette tirade
avec Mona Lisa, après lui avoir donné de l'argent plusieurs jours
de suite sans jamais lui adresser la parole. Ainsi qu'il l'explique :
« Au bar il faut que tu sois plus filmi que d'habitude. » Il admet
que s'il rencontrait une fille comme Mona Lisa dans une discothèque il serait obligé d'inventer autre chose pour la séduire – se
mettre à danser, par exemple. « Mona Lisa ne veut pas le croire,
mais je danse bien. La beauté, ce n'est pas le plus important.
L'aspect physique est trompeur, toutes les femmes le savent. »
Les amis de Mona Lisa ne se privent pas de faire des commentaires sur son chevalier servant, un chauve à lunettes
nettement plus petit qu'elle, et nettement plus vieux.

« Tu veux que je te dise la vérité ? demande Minesh. Tu sais
pourquoi Mona Lisa a couché avec moi, la première fois ? Pour
emmerder le dernier mec avec qui elle avait baisé. »

En ce moment Minesh est tout le temps fourré avec les
copines de Mona Lisa, notamment avec la petite vierge de treize
ans, Muskan, qui à l'en croire a le béguin pour lui. « Je suis le
premier client de toute l'histoire de l'industrie à inviter deux
filles ensemble au cinoche.

– La fille qui t'accepte parce que tu claques du fric pour elle
accepte d'abord ton fric, lui fais-je observer. Ce qui l'intéresse,
ce n'est pas ta conversation, ton physique ou ta gentillesse.

– Peut-être, mais c'est le pouvoir de mon fric. Je suis fier d'avoir tout ce fric ! » Un autre vieil habitué de la filière bar lui a un jour parlé de la relation de longue date qu'il entretenait avec une danseuse du Sapphire : « J'ai dépensé une fortune pour Ranjita et j'ai couché plein de fois avec elle. Si je fais le calcul, j'arrive en moyenne à trois mille roupies la nuit. Et je l'aime. »

Tout en tirant sur sa cigarette, Minesh déclare à Mona Lisa : « Si j'avais dépensé avec plusieurs femmes tout ce que j'ai dépensé avec toi, j'aurais déjà pu coucher avec quinze ou vingt nanas. »

Mona Lisa ne dit rien. Pas un mot. Minesh pourrait aussi bien parler de la pluie et du beau temps.

Il se tourne vers moi : « Mona Lisa a un corps à tomber à la renverse. »

Comme je lui demande ce qu'il ressent lorsqu'elle voit d'autres clients, Mona Lisa ouvre enfin la bouche et, s'adressant à lui plus qu'à moi, lâche sèchement : « Il m'arrive d'aller prendre un café avec des clients. C'est mon boulot.

– Vas-y, acquiesce Minesh en soufflant sa fumée, la tête penchée de côté. Vas-y. Tu sais que j'ai confiance. » Puis il me regarde et ajoute : « C'est ce que je lui répète sans arrêt : dans ma dernière vie, je lui dis, je t'ai pris un paquet de fric ; dans cette vie-ci, je te le rends. »

Comment, à son avis, va évoluer sa relation avec Mona Lisa ? Croit-il qu'elle ait un avenir dans le cinéma ou dans la mode ?

« À ce que j'en sais, il n'y a que des salauds dans ces deux industries, répond-il. Les types se servent de toi sexuellement, physiquement, mentalement. Dans tous les cas elle en sortirait au moins amochée physiquement. Alors, poursuit-il en passant à nouveau à la troisième personne, on craint qu'elle ne tienne pas le coup. Même si elle est parfaitement capable de se débrouiller devant les caméras – de faire le mannequin, ou des films, des séries – je ne la laisserai pas entrer là-dedans. C'est peut-être à cause de mon complexe d'infériorité que j'ai l'impression que je pourrais la perdre. Évidemment si je n'étais pas complexé je n'aurais pas passé sept ans de ma vie dans les bars à danseuses. S'il n'était pas complexé, le pauvre Minesh ne serait pas là. Peut-être que je me raconte des histoires. Je n'ai pas un sou devant moi. »

Il vient de mettre le doigt sur une vérité fondamentale et en est le premier étonné.

A-t-il idée de ce qu'il a dépensé dans les bars, au total ?

« Ne m'oblige pas à compter. Des sommes folles. »

Je ne veux pas qu'il me donne le montant exact, mais au moins une estimation, un chiffre approximatif.

« Ne m'oblige pas à compter. » Son ton est presque suppliant. Il ne veut pas le savoir, ne peut pas se résoudre à calculer ce que lui a coûté sa folie, son obsession. « On devrait parler d'autre chose. »

Penchant la tête en arrière, Mona Lisa rassemble ses cheveux très haut sur le crâne avant de les nouer avec un chouchou pour qu'ils retombent de part et d'autre de son visage. Ainsi coiffée, elle est absolument ravissante, d'une beauté à briser tous les cœurs. Cinquante mille roupies pour seulement entrevoir ce visage.

Nous rentrons en ville en voiture, et au moment de les quitter je remarque deux vilaines balafres sur le bras gauche de Minesh. « Je suis passé au travers d'une vitre, dit-il en haussant les épaules. Ça a saigné pendant trois jours. » Mona Lisa me donnera plus tard le fin mot de l'histoire. Minesh était venu au Sapphire et ils étaient convenus de se retrouver à Juhu. Il était allé chez elle, ne l'y avait pas trouvée, avait compris qu'elle avait menti et était sortie avec un autre client. Sous l'emprise de l'alcool ingurgité ce soir-là et de l'herbe qu'il avait fumée, il s'était tailladé le bras. Les blessures pissaient le sang ; il l'avait épongé avec une serviette avant de repartir. Le linge ensanglanté fut la première chose que vit Mona Lisa en rentrant chez elle. Là-dessus, coup de sonnette : c'était Minesh, revenu sous prétexte de récupérer la serviette. Elle l'avait soigné et il avait dormi dans son lit. Au matin, il était allé chez le médecin qui lui avait posé onze agrafes. Le fidèle habitué avait rejoint la danseuse vedette au sein de la confrérie des balafrés.

Dans la famille de Mona Lisa, tout le monde a tenté de se tuer au moins une fois. Pas plus tard que le mois dernier, son frère a avalé une dose massive de somnifères parce que sa mère le tyrannise. Son père avait essayé d'empoisonner sa mère avant d'ingurgiter lui-même du poison – Mona Lisa, alors âgée de dix ans, avait dû courir en pleine nuit chercher le médecin. Sa mère a d'elle-même goûté une nouvelle fois au poison à cause d'un amant qui la maltraitait. Quant à Mona Lisa, elle n'a pas attendu d'être désespérée par ses déboires amoureux pour essayer d'en finir : à l'époque où elle habitait encore chez sa mère elle a avalé tout un flacon de produit destiné à tuer les puces. « Les enfants copient forcément leurs parents », dit-elle simplement.

Aujourd'hui, Mona Lisa s'apprête à revoir le père qui l'a abandonnée douze ans plus tôt.

Elle s'est rapprochée de sa mère, ces derniers temps. Elles sont allées ensemble au parc à thèmes d'Essel World et elle s'est autorisée à l'appeler « maman ». Récemment, son père a téléphoné à sa mère qui lui a parlé de leur fille. En apprenant qu'elles avaient renoué, il a décidé de venir à Bombay. La mère a demandé à Mona Lisa si elle accepterait de le rencontrer ; Mona Lisa y a consenti. Toute la journée, il a bombardé son ex-femme de questions sur leur fille qu'il appelle par son vrai nom : « Alors, Rupa a appelé ? Tu l'as eue au téléphone ? » Il ne l'a pas vue depuis si longtemps, pas même en photo.

Et Mona Lisa, comment se sent-elle ?

« Je suis très, très nerveuse. Je ne vais rien pouvoir lui dire. – Tu veux que je t'accompagne ? »

Elle réfléchit une fraction de seconde, et accepte : « Oui. Viens. »

Le lendemain matin, je passe la prendre à Juhu en bas de chez Minesh. L'immeuble fait face à un gigantesque Ganesh rouge

affublé de sept têtes divines (je reconnais Shiva, Rama, Hanuman) et de sept paires de bras, tout cela placé sous la protection
du capuchon d'un cobra. Mona Lisa sort sur le trottoir et se
retourne pour envoyer un baiser à Minesh, penché torse nu à la
fenêtre du deuxième étage. Un taxi climatisé nous emmène à
Mira Road. Elle vient de se réveiller, elle dort encore à moitié, la
tête appuyée sur mon épaule, les yeux fermés. Je me souviens,
puis oublie, qu'elle quitte le lit d'un autre, ne s'est probablement
pas lavée et le porte toujours en elle.

Notre trajet suit l'itinéraire de sa progression dans la vie. Il
longe d'abord les slums dans lesquels elle a grandi, et elle me les
désigne au fur et à mesure. Là, dans les immenses complexes
gujeratis de Bhayander, dans ces barres hautes, poussées par
centaines parmi les herbes folles, se nichent les endroits où sa
tante l'a cachée après sa fugue. Et les bars de banlieue où elle a
fait ses débuts à Goregaon, à Borivali, ces bouges fréquentés par
des entrepreneurs marathes dégoûtants et par des bhaiyyas
méfiants qui élèvent des poulets dans des enclos en pleine ville.
Ensuite, c'est Mira Road où elle a acheté son premier appartement, un studio avec terrasse juste en face de chez sa mère. Elle
l'a revendu quatre lakhs, s'en est gardé trois, en a mis un à la
banque, sur un compte-épargne. « Après j'ai zoné pendant deux
ou trois mois. Je buvais. L'argent filait. » Elle lève les yeux au
ciel, les referme.

Beaucoup de ses collègues de la filière bar vivent dans Mira
Road ; les filles de Foras Road déboulent dans la ville nouvelle.
À la station de Grant Road, le train de midi trente charge en
masse ces femelles qui jacassent comme des perdues, le mobile
collé à l'oreille. Elles inscrivent leurs mômes à l'école Sterling,
située en banlieue et qui coûte les yeux de la tête. Mira Road est
une cité surgie du néant, où personne ne pose de questions à personne puisque tout le monde vient juste d'arriver. Comme nous
approchons de l'immeuble où son père l'attend, Mona Lisa murmure : « Ça y est, ça me fait quelque chose là-dedans », et le
poing qu'elle ouvre et referme ressemble à un cœur qui bat. Je la
serre contre moi et prends sa main dans la mienne.

Nous pénétrons dans l'appartement de la mère. En tricot de peau et en lunghi, assis les pieds surélevés dans un fauteuil du salon, le père de Mona Lisa a un début de calvitie et un regard très doux.

« Salut, papa ! lance-t-elle comme si elle rentrait d'une promenade matinale.

— Touche-lui les pieds ! Touche-lui les pieds ! crie la mère du fond de la cuisine. Il y a si longtemps que tu ne l'as pas vu ! »

Elle va vers lui, mais au lieu de toucher ses pieds elle lui serre la main. Elle a peur, ce faisant, de l'irriter ; elle croit déceler de la colère sur ses traits.

À mon tour, j'entre et prends place sur le canapé. Elle vient s'asseoir près de moi, à distance respectable de son père.

« Ça fait combien de temps, hein ? demande la mère.

— Dix ans, dit Mona Lisa.

— Non, tu exagères. Je venais te chercher à l'école, tu te rappelles ? » fait le père.

Elle nie l'y avoir jamais vu. « Tu perds tes cheveux, tu as pris du ventre », observe-t-elle.

Il sourit. S'abstient de tout commentaire sur le look de sa fille.

La mère retourne à la cuisine. Âgée d'une quarantaine d'années et manifestement fière de sa beauté passée, elle n'a toujours sur elle qu'une chemise de nuit en coton. Le frère, Viju, nous a rejoints ; grand et mince, l'air juvénile, il ressemble à la photo que m'a montrée Mona Lisa. Il a le sourire facile ; une de ses dents de devant, sérieusement ébréchée, est jaune foncé.

Le père me fixe intensément, sans mot dire, pendant de longues minutes. La télévision est allumée et personne ne songe à l'éteindre. Nous la regardons par intermittence et avec soulagement, tous tant que nous sommes : le père depuis longtemps perdu de vue, la fille qui danse devant des inconnus pour du fric, la mère qui a vendu sa fille, le frère qui a récemment tenté de se suicider, et moi. Quand ils me demandent, « Qu'est-ce que tu fais dans la vie ? », je réplique : « Je suis écrivain. » Rien de tel pour couper court à la conversation.

L'appartement se compose d'un séjour et de deux chambres fraîchement repeintes en rose. À l'instar de la plupart des logements de Mira Road, il s'adresse aux tout petits bourgeois qui luttent pour s'en sortir et il représente un premier pas hors des slums. C'est propre, la fenêtre ouverte laisse pénétrer l'air et la lumière en même temps que des essaims de moustiques. Un coucou suisse actionné par une pile est accroché à un mur, au-dessus de la vitrine sur laquelle trônent deux tirages grand format des photos de Viju déjà vues chez Mona Lisa.

« Je vais mettre deux autres photos : une sur ce mur, une autre sur celui-là, déclare Viju.

– Des photos de qui ? s'enquiert la sœur.

– De moi. »

Elle détourne le visage.

Puis elle demande à son frère de lui apporter l'album de quand elle était petite. J'y découvre une gamine gujeratie comme il y en a tant à Bombay, qui tient la main de son frère et sourit au petit oiseau ; ce pourrait être ma sœur. Le père n'apparaît sur aucune photo. Il y a également là des instantanés pris il y a quinze jours à Essel World et au Water Kingdom où Mona Lisa est allée avec Muskan, son frère et sa mère. Devant l'appareil que tient Viju, les deux filles en font des tonnes, jouent les vamps et se déhanchent dans leurs tenues jumelles, caraco rouge et pantalon noir moulant. Sur un des clichés elles s'embrassent goulûment ; sur un autre, la plus jeune pose ses lèvres sur le ventre nu de Mona Lisa. Ailleurs, on les voit en maillot de bain. Mona Lisa demande à son père s'il a vu ces photos. Si oui, il a pu se faire une idée de la femme adulte qu'est devenue sa fille. Il opine sans mot dire.

Quelques minutes plus tard, il se lève pour gagner la chambre. Mona Lisa l'y suit. « Il pleure », me glisse la mère avec un sourire. Les laissant à leur tête-à-tête qui dure un quart d'heure environ, j'essaie de m'intéresser au mélo télévisé : sur le petit écran, une famille nombreuse se déchire à belles dents.

Lorsqu'ils regagnent le salon, une discussion animée s'engage sur l'avenir de Viju qui a quitté l'école en troisième. Dans ces conditions, il a le choix entre deux options : soit il se spécialise dans le tri des diamants, travail mieux rémunéré et aux perspectives plus prometteuses que la taille ; soit il part au Kenya, à Nairobi, où sa tante tient un hôtel. L'emploi qu'il occupe actuellement à la taillerie ne le mènera nulle part ; il touche à peu près autant qu'un grouillot ou un chauffeur. Mona Lisa voudrait qu'il aille au Kenya où au moins il apprendrait à se débrouiller par lui-même.

« Je n'ai pas envie d'aller au Kenya », s'insurge Viju en invoquant le taux de criminalité qui sévit là-bas.

Mona Lisa file dans la cuisine faire des chapatis. Elle malaxe le long rouleau de pâte brun clair qui s'étire et s'allonge à la verticale sous ses paumes. Elle le pose sur la planche en bois, découpe une rondelle, la roule en boulette et la jette dans la poêle, d'abord, puis directement dans les flammes où elle se gonfle d'air, se transforme en bulle légère, si légère qu'elle pourrait s'envoler, s'aplatit pour finir sagement sous la couche de ghee * que Mona Lisa tartine dessus.

Pendant le repas, on m'entoure d'égards à la mode indienne. Le père m'invite à manger comme s'il était ici chez lui, et obtempérant je m'assieds à même le sol devant mon assiette. Les plats sont moins épicés que chez Mona Lisa. En sus des chapatis, il y a un curry de pomme de terre et d'aubergine, du dal, du riz, des poivrons verts sautés qui n'arrachent pas la bouche. Une pile de chapatis est posée devant moi. J'ai commencé à manger quand la mère sort de la cuisine avec des chapatis tout chauds et lance à l'adresse de sa fille : « Enlève-lui les froids. » Se penchant par-dessus mon assiette, Mona Lisa prend la fournée précédente et la remplace par la nouvelle. Elle mangera les chapatis froids.

La mère s'excuse de n'avoir pas mis les petits plats dans les grands. « Je ne savais pas qu'il y aurait un homme en plus. Quand Mona Lisa m'a dit qu'elle amenait quelqu'un, j'ai cru que c'était une de ses copines. Si j'avais su, j'aurais fait de l'undhiyu *. »

Tout en mangeant, ses parents et sa sœur grondent Viju de ne pas être allé travailler ce matin.

« Il n'a aucune excuse ! s'exclame le père. Il y a des toilettes à côté de l'usine.

– Comment veux-tu que je travaille quand je suis gêné comme ça ?

– Il fait de la paresse intestinale, m'explique Mona Lisa, mais ce n'est pas une raison pour ne pas aller bosser. »

Le frère m'interpelle : « Est-ce qu'on va travailler quand on est mal fichu ? »

La mère voudrait qu'il se nourrisse : « Mange un peu de riz et de yaourt. Tu as l'estomac vide. » Cela ne lui dit rien, mais la mère l'y oblige et il finit par s'asseoir avec nous malgré ce côlon qui l'embête.

Le repas terminé, le père lâche un rot, puis selon l'usage de la campagne il se lave les mains au-dessus de son assiette avec l'eau qui reste dans son verre. Il me conseille de faire de même, et je m'exécute en passant rapidement les doigts sous le filet d'eau fraîche qui tombe dans la soucoupe de dal où il se transforme en bouillie jaunâtre.

« Tu es un vrai Gujerati, fait le père d'un air approbateur.

– Il est resté gujerati », confirme Mona Lisa qui pour sa part va se laver les mains à l'évier de la cuisine.

Le père se réinstalle dans son fauteuil et s'absorbe dans la lecture de son journal gujerati en formant silencieusement les mots sur ses lèvres. Il est chez lui, c'est évident ; rien n'indique que le couple a divorcé. « Au village, déclare la mère, nous avons cinq maisons. Cinq pavillons. Mon homme a le sien, les autres sont à ses frères. »

Mona Lisa et son frère chahutent, allongés par terre, la tête posée sur des coussins. Il la chatouille, elle lui tire les cheveux. « Ils s'entendent très bien, me confie la mère. Avant ils se disputaient tout le temps, ils me racontaient des craques l'un sur l'autre, et quand je le corrigeais lui, elle allait pleurer dans son coin. Si je la corrigeais elle, c'est lui qui pleurait. Elle est très forte, contrairement à lui. Quand Viju se faisait tabasser par les gosses de l'immeuble, Rupa allait flanquer deux baffes à ces grands costauds et ils filaient sans demander leur reste. Viju, ce n'est pas pareil, il est très sensible. Même si je lui donne une petite tape de rien du tout il se met à crier que je lui fais mal. Quelquefois, la nuit, quand il dort, je le peigne et je lui fais deux couettes, comme ça. (Joignant le geste à la parole, elle tire ses cheveux au-dessus de ses tempes et maintient les mèches en l'air ; on dirait des cornes de démon.) Quand il était petit, on lui mettait des robes, comme à une fille. »

Viju sourit jusqu'aux oreilles.

« Il faisait encore au lit il y a quatre ans, poursuit la mère. On dormait tous ensemble, des fois je me réveillais avec ma chemise de nuit trempée et Rupa en avait plein les cheveux. C'est à cause de ça qu'elle les a si longs, si beaux. Ça lui faisait un après-shampooing naturel. Quand on demande à Rupa si elle a un secret, pour ses cheveux, elle devrait dire : " C'est la pisse de mon frangin ! " » Et elle éclate de rire devant son fils qui a désespérément essayé de l'arrêter. Alors il joue son va-tout et tente de se mettre au diapason, histoire de me prouver qu'il trouve, lui aussi, tout cela follement drôle : « Je devrais peut-être la mettre en bouteille et la vendre », dit-il.

Ainsi réconciliés, mère et frère m'entretiennent de l'appétit féroce de Mona Lisa. La mère énumère tout ce que sa fille est capable d'engouffrer dans la journée : tant de parathas au petit déjeuner, autant à midi, deux fois plus au dîner. « Il lui faut double ration de pav bhaji plus une bonne dizaine de pavs ou même une quinzaine », renchérit Viju.

Mona Lisa opine en gloussant. « Au foyer pour enfants, je pleurais tout ce que je savais mais ça ne m'empêchait pas de manger. Je ne faisais que chialer et bouffer. »

Je suis le spectateur solitaire de la pièce brutale dont cette famille a la clé. Quand je me lève pour partir, la mère insiste pour que Mona Lisa m'accompagne alors que sa fille s'apprêtait à faire la sieste. Tout miel et tout sucre devant moi, la serveuse de bar m'invite à repasser bientôt. Je viens d'Amérique, je suis probablement riche. Mona Lisa doit rentrer avec moi.

Dans le train qui nous ramène, elle reste silencieuse. Nous sommes debout, près des portes ouvertes pour avoir un peu d'air. Puis Mona Lisa me raconte que dans la chambre son père a pris entre ses mains le visage de la fille perdue de vue depuis si longtemps et qu'il a éclaté en sanglots. Elle lui manque ; il le lui a dit.

« Il a dit aussi qu'il regrettait de t'avoir abandonnée ? »

Non, fait Mona Lisa en secouant la tête.

Il lui a rappelé qu'il était parti parce qu'elle l'avait voulu. À dix ans, Mona Lisa avait deviné que sa mère en voyait un autre, que son père avait une liaison, et c'est à lui qu'elle a demandé de partir. « Il m'a toujours obéi, même quand j'étais gamine », ajoute Mona Lisa autant pour moi que pour elle.

Il lui a fait une confidence, sous le sceau du secret : au village il a trois voitures mais il ne faut surtout pas le raconter à sa mère. Ça mettrait le bazar si on apprenait que la deuxième épouse a la vie plus belle que la première. « Mon père aime toujours ma mère, c'est clair, s'extasie Mona Lisa. Pourquoi il lui parlerait, autrement ? Ça me fait du bien de les voir ensemble. »

Assise à ses pieds, la tête posée sur ses genoux, elle lui a longuement parlé, lui a tout avoué sur son métier. Il voudrait qu'elle se marie. « Les filles de la filière ne se marient pas », a-t-elle répliqué. Elle l'a invité à venir chez elle quand il reviendra à Bombay, s'est engagée à lui préparer un repas de ses mains. A-t-elle pleuré, elle aussi ?

« Non, pas du tout. »

Vu les circonstances, pourtant...

« Les larmes ne venaient pas. Elles viendront quand je serai toute seule. Je pleure toujours quand je suis seule, en écoutant des chansons. Dès que la chanson commence, je me mets à chialer. »

Je crois saisir pourquoi on n'a pas la larme facile, dans cette famille. Si Mona Lisa (ou sa mère, son frère) se laissait aller à sangloter chaque fois que la souffrance ou l'émotion est trop forte, elle aurait bientôt épanché toute l'eau de son corps et ne pourrait plus verser que des larmes de sang. Raison pour laquelle, lorsqu'elle rencontre le père qui l'a abandonnée si longtemps – autant d'années qu'elle en avait vécues avec lui –, elle préfère se maîtriser. Ou plutôt non, ce n'est pas une affaire de maîtrise ; la volonté n'a pas grand-chose à voir là-dedans. À vingt ans, c'est tout naturellement que face à une situation éprouvante Mlle Mona Lisa Patel reste forte et calme. C'est une vraie pro.

Plus ça va, plus j'apprécie le Sapphire. C'est un bonheur de voir tous ces gens se remettre ensemble d'une rude journée dans la ville impitoyable, et puis il y a leur musique, l'alcool, les éclairages, les jolies filles qui dansent. Elles aussi passent un bon moment ; elles gagnent bien leur vie et on les adule. La fraternité des buveurs de bière soude les spectateurs. Venus entre amis, ils sont là chez eux. Assez heureux pour oublier leurs instincts commerciaux, ils jettent aux filles le contenu de portefeuilles bourrés des billets qu'ils se sont échinés à amasser. Regardez ! Voilà tout le prix que j'attache à ces bouts de papier gaiement colorés ! Les hommes viennent là pour dévaluer la monnaie.

Le visage de Mona Lisa s'éclaire chaque fois qu'elle me voit arriver avec mes amis. Son nom, sésame magique, nous a permis de franchir sans encombre le barrage des vigiles et d'entrer dans le salon des VIP. Elle glisse un mot à l'oreille du serveur qui tout de suite nous trouve des sièges, alors que les pékins ordinaires patientent debout. Mona Lisa demande les chansons que j'aime et danse dessus devant moi, en renonçant aux milliers de roupies que d'autres agitent pour qu'elle danse devant eux. Les gangsters, les policiers, les hommes d'affaires, les cheiks, les touristes massés alentour se tordent le cou dans l'espoir d'entrevoir l'important personnage pour qui on vient de retirer les affichettes « réservé » des meilleures tables. Qu'obtient-elle, en échange, celle à qui je dois tout cela et qui veille sur mon izzat ?

Mona Lisa est bien placée pour savoir que l'oreille est la meilleure alliée de l'amour.

Un jour qu'elle était seule à seule avec Dayanita, elle lui a expliqué la différence qui existe entre le sexe, l'amour et l'amitié. « Le sexe, c'est quoi ? Ce n'est rien, le sexe. Ce qu'il faut c'est quelqu'un qui reste là toute la nuit, qu'on va entendre respirer toute la nuit, qu'on retrouvera dans son lit le matin après avoir fait l'amour avec lui. Les histoires de sexe et d'amour, ça dure six mois, un an maximum ; un ami on le garde toute sa vie. Je n'ai qu'un seul ami homme : Suketu. Entre nous c'est une histoire d'amitié. Il n'est pas question d'amour.

— Et Minesh, alors ?

— Au début, c'était de l'amitié, et puis l'amour s'en est mêlé. » Comme si l'amour était polluant.

Je suis en train d'expliquer tout cela à un ami, un poète. « Mona Lisa n'a pas son pareil pour que les hommes tombent amoureux d'elle, c'est une vraie spécialiste. Je m'intéresse à sa vie. Depuis janvier dernier, il ne s'est quasiment pas passé un jour sans que je la voie ou que je lui parle au téléphone.

— Elle a réussi, alors.

— Dans quel sens ? » fais-je étourdiment avant de saisir l'allusion.

« Tout le monde a envie de moi », m'a dit Mona Lisa. On pense aussi que j'ai envie d'elle, et l'accueil qui m'est réservé au Sapphire persuade tout le monde qu'elle a cédé à mes avances. Je connais jusqu'à la couleur et au modèle de ses sous-vêtements. Je sais comment elle aime faire l'amour. Je devine au premier coup d'œil si elle est triste, désespérée à mourir ou d'humeur folâtre. Qu'est-ce que le sexe, au regard d'un savoir intime aussi vaste ?

« Dans ma vie, il y a quelqu'un qui sait tout sur moi, a confié Mona Lisa à Dayanita. Je raconte tout à Suketu, même les petits détails sans importance. » Elle se livre à moi, en effet, par bribes ou longues confidences, jusqu'à me transmettre l'intégralité de son existence. Quel effet cela aura-t-il, sur elle comme sur moi ?

À un moment donné, la Mona Lisa que je décris dans ces pages va devenir plus réelle, plus séduisante que l'original en

chair et en os – un ulloo de plus, jugerait Mona Lisa. Quel choc
elle aura en apprenant que la fille que j'adore, qui m'obsède, la
dépasse, et de beaucoup, de l'autre côté du miroir, que c'est pour
ce double magnifié que je claque tout mon fric, jette mes mots-
confettis qui font virevolter et tournoyer la danseuse. Plus j'écris
sur elle, plus sa danse devient endiablée.

GOLPITHA

Madan, un reporter-photographe, m'emmène en balade dans
Golpitha, nom que l'on donne ici au quartier chaud. Bombay en
compte d'ailleurs tellement, de quartiers chauds, que les poètes
dalits surnomment la ville Golpitha. La promenade s'achève
dans un bar noir de monde, ouvert sur la rue. Ici l'expression
« les entrailles de la terre » est à prendre au pied de la lettre. Une
aura malpropre nimbe toute la zone. Des panneaux sibyllins collés aux fenêtres des premiers étages annoncent les chambres :
bienvenue n° 55 AC. Des femmes plantent près du bar sous la
lumière jaune d'un réverbère, et seuls ou par groupes de deux ou
trois, les hommes passent et repassent devant elles en essayant
de trouver le courage de leur adresser la parole, en les jaugeant
du regard – âge, couleur de la peau, tour de poitrine. Des prostituées vieillies et fatiguées assises sur le perron voisin attendent
le bout de la nuit.

Madan se moque ouvertement du jeunot d'une vingtaine
d'années assis en face de nous. Shezan est un Mallu * au regard
vif en partance pour Dubaï où il va travailler dans un hôtel ; il est
en transit à Bombay pour une nuit de sursis. Madan est d'avis
« qu'on devrait lever une poule et se la faire tous les trois. Mon
pote, là, ajoute-t-il en me montrant du doigt, est un excité de première. Il ne pense qu'à ça. »

Shezan vient juste « de se payer une pépée de l'Andhra » :
cent cinquante roupies. Il apprécie que les poules lui donnent un
peu de tendresse. À Dubaï, il paraît qu'on peut avoir des Russes
très affectueuses pour mille roupies la nuit. Il y a des Tadjiks,

aussi et – « c'est des quoi déjà, ces petites ? » – des Philippines. Les Philippines sont super. Pas comme les Saoudiennes, qui elles sont zéro. À Mangalore, il a passé de sacrés bons moments avec des étudiantes africaines qui allaient à l'université là-bas. « Question tendresse elles se posent un peu là, ces Noires. Avec elles il faut être hyper correct. La correction maximum. Pendant disons trois, quatre mois tu dois te tenir à carreau, après tu peux tout leur faire. » Tu t'en tapes une, après tu t'en tapes un paquet.

Un maquereau nabot l'a conduit dans une pièce où patientaient cinq ou six nanas et il a choisi la fille de l'Andhra. Dans la chambre, elle lui a demandé, Je me déshabille complètement ? – Surtout pas, il a dit (toutes ces maladies transmissibles, ça fout les jetons ; la chaude-pisse encore ça va, mais le sida c'est terrible), et c'est lui qui s'est déshabillé avant de s'allonger dans le noir. Elle lui a grimpé dessus, elle lui a proposé une capote ; il en met toujours deux quand il baise. Madan est horrifié. « Je déteste les capotes ! Ton zob devient comme un truc étranger. »

Bien décidé à s'amuser aux dépens de Shezan, Madan lui dit d'aller chercher dehors une pute qui nous prendrait tous les trois. Trois cents roupies pour le lot, accepte l'une avant de baisser ses prétentions à quatre-vingts roupies chacun. La chambre, c'est en plus ; les boissons aussi. À l'occasion d'une de ces sorties, Shezan se voit proposer pour vingt roupies une boulette d'une drogue quelconque – il pensait que c'était de l'herbe mais Madan lui affirme qu'il s'agit de haschisch. « Si tu baises quand tu as fumé, tu arrives pas à juter », observe sentencieusement Shezan.

Au milieu de ces palabres avec les putes, il prend le temps de téléphoner à sa mère, à Mangalore. « Tu es où ? s'enquiert-elle avec inquiétude.

– À l'hôtel. Je suis pas sorti du tout.

– Tu as mangé ?

– Non, je suis même pas sorti de l'hôtel. »

Les femmes ressemblent à celles que l'on croise le jour dans Bombay, à cela près qu'il y a plus de Népalaises, reconnaissables à leurs traits asiatiques. Les autres, camaïeu de peaux sombres, sont originaires du Maharashtra ou de l'Andhra Pradesh. Leurs tenues n'ont rien de provocant. À part la fleur glissée dans leurs cheveux, elles sont habillées comme pour sortir au cinéma ou au restaurant. Des enfants jouent près d'elles. Elles se fâchent quand Shezan leur demande si elles seraient « d'accord pour qu'on les prenne par-derrière » et nous crient de décamper. « Vous acceptez quoi, alors ? » insiste-t-il. L'une d'elles désigne son pubis du doigt en poussant le bassin en avant : « Ta queue dans mon con, un point c'est tout. » Une autre lui fait cette proposition : pour cent roupies elle veut bien lubrifier un bout de bois et le lui enfiler dans le cul. Ces prostituées semblent avoir une totale maîtrise, tant des hommes avec qui elles acceptent de monter que de ce qu'elles feront, ou pas, avec eux. Puis voilà qu'un maquereau aborde deux femmes adossées au réverbère, sort un carnet de sa poche, griffonne des notes dedans. Elles lui remettent des billets ; il les prend, inscrit le montant, s'éloigne. Je me lève moi aussi pour partir. Shezan en est tout déconcerté. La nuit, pourtant, commence à peine, la nuit longue et chaude de Bombay. La belle fille dévêtue connaît huit millions d'histoires [1].

Bombay est une ville qui vibre et palpite d'énergie sexuelle. Pôle d'attraction d'immigrés sans femmes, c'est une ville en chaleur. Les rickshaw wallahs célibataires, les starlettes de Bollywood, les top-modèles, les marins en goguette venus des quatre coins du monde, tous brûlent d'un désir insatiable de s'accoupler à la hâte, furtivement, dans le premier coin un peu discret où la chose est tolérée. Ils font ça dans les trains, dans les gares, sur les sièges arrière des taxis, dans les jardins publics, dans les pissotières. Le bord de mer rocheux s'y prête idéalement. Le long de Carter Road à Bandra, ou à Malabar Hill sur le promontoire bien nommé Scandal Point, les couples enlacés

---

1. Allusion à l'album *8 Million Stories* enregistré par le groupe de jazz-punk Naked City (la ville nue) *(N.d.T.)*.

s'alignent sur les rochers face à la mer. Que les milliers de passants qui se promènent dans le coin les voient n'a aucune espèce
d'importance puisqu'ils ne distinguent que les silhouettes de dos,
pas les visages, et que les amants lovés, à droite et à gauche, sont
trop occupés à s'embrasser et à se peloter pour s'intéresser au
reste du monde. L'anonymat est érotique. Ainsi cette femme qui
suspend son linge au balcon et sort de sa baignoire, à en juger à
la longue chevelure mouillée qui lui nappe les épaules. Ou les
nuées de filles en jupe courte qui se pressent devant le portail
des écoles catholiques. Notre bonne qualifie Bombay de « vaste
chambre à coucher ». Elle sait ce qu'elles ont dans la tête, les
memsahibs * qui vont avec leurs chauffeurs à Haji Ali. Si elle se
trouve seule à la maison, elle a droit aux avances du réparateur
du câble. « Il n'y a rien à grignoter ? demande-t-il.

– Il reste quelques chapatis...

– C'est que je grignoterai bien quelque chose », répète-t-il
égrillard.

La faim de sexe ne tenaille pas seulement les basses classes.
Les dames chic qui vont déjeuner au China Garden, à l'Oberoi,
comparent les avantages respectifs de leurs amants. Les fils à
papa de Walkeshwar se pâment devant les Occidentales maquil-
lées à outrance qui se trémoussent sur les clips vidéo, ils
téléchargent des films porno sur Internet mais ne peuvent pas
obtenir un bisou sur la joue des jouvencelles de la bonne société.
Dans les hôtels cinq étoiles, les jeunes mannequins de sexe masculin prient leurs dieux avant les concours de beauté tandis que
des tantes parsies sur le retour les pourchassent jusque dans les
toilettes pour essayer d'entrevoir leur queue. L'organisatrice
d'une de ces compétitions entre jeunes mâles, par ailleurs épouse
d'un riche industriel, a été filmée en pleins ébats avec un de ses
poulains. La cassette, pornographique, tombe entre les mains
d'un rival de son mari qui convoque d'urgence une réunion
familiale au sommet. Que faire de ce document ? Est-ce une
mine d'or ou une bombe qui risque de leur exploser à la figure ?
La prudence conseille de la mettre provisoirement de côté, telle

une poire pour la soif. Il faut tenir les femmes, les retenir, les contenir : dans la rue, dans les tours de verre des bureaux, dans les bars à bière, dans les chawls. Cette société fermée est la proie d'une frénésie sexuelle qui transforme les femmes de Golpitha en déversoirs des émissions masculines.

L'informaticien Girish a décidé de me présenter à Srinivas, un ancien copain de fac. Il m'emmène un soir dans le sous-sol où ce dernier travaille pour une firme de courtage. Joyeux luron portant lunettes, Srinivas consacre l'essentiel de son temps à télécharger des films porno sur son ordinateur en étudiant d'un œil distrait les dépêches de l'agence Reuters. Il a grandi à Kamathipura, un quartier où les gamins de sixième économisent les sous que leur donnent leurs parents pour s'acheter des bonbons afin de se constituer une cagnotte dépensée ensuite en pipes collectives. Pas plus tard que l'an dernier, Srinivas cotisait encore avec ses potes pour se payer des prostituées à cinq cents roupies qu'ils se partageaient dans une chambre d'hôtel ou dans un appartement vide. Il nous confie en riant les discussions post-coïtales qu'il a avec ces filles : dans neuf cas sur dix elles lui tirent les oreilles, lui disent qu'il ne devrait pas faire des choses pareilles, lui « un garçon de bonne famille ». Le problème est que Srinivas « adore la baise. C'est le truc le plus simple pour prendre son pied, en tant qu'être humain ».

Il y a quelques mois, il est tombé malade ; il a attrapé une jaunisse, a perdu onze kilos et a dû renoncer à courir la gueuse et à boire. Aujourd'hui, il est rétabli, et prévoit en conséquence de reprendre sa vie de débauche d'ici quatre à cinq semaines. Dans l'intervalle, il se console avec son ordinateur. Le dernier CD-Rom qu'il a acheté fait apparaître une femme sur l'écran ; le jeu consiste à la titiller à l'aide de la souris afin de susciter les réactions attendues : quand on déplace la flèche sur le vagin, par exemple, la carte son de l'ordinateur émet des petits gémissements de plaisir programmé. Délaissant ces amusements, Srinivas propose de me montrer où il ira dès qu'il aura retrouvé la forme.

La Maison du Congrès est le plus grand bordel de Bombay, ainsi nommé parce qu'il est situé en face du siège du parti du Congrès. Le vieux portier (quatre-vingt-six ans) qui monte la garde devant ce dernier explique aux visiteurs que le Mahatma Gandhi y avait pris ses quartiers pendant la lutte pour l'Indépendance. Le très chaste leader qui mit plus d'héroïsme encore à mater sa sexualité qu'à combattre l'empire britannique serait consterné de découvrir ce que l'Indépendance a apporté au pays : en l'espèce, juste de l'autre côté de la rue, une « académie de musique » (à en croire l'inscription placée en hauteur) qui est en réalité un bastion de la prostitution. Dedans, des centaines de prostituées et de danseuses et autant de clients sérieusement éméchés – des jeunes gens bien habillés et bien chaussés – se gobergent, flirtent, crachent des jets de tabac dans un décor d'une saleté répugnante : flaques d'eau croupie, moisissures, restes avariés, détritus en décomposition. À Holi, les filles de la Maison du Congrès se déchaînent. Complètement ivres, elles plongent des serviettes hygiéniques usagées dans des baquets contenant un mélange d'eau souillée et de boue, se courent après en s'aspergeant de cette mixture, se jettent à la tête les serviettes ensanglantées.

Les portes et les fenêtres grandes ouvertes nous donnent un aperçu des activités domestiques des femmes occupées à faire leur lessive ou leur toilette intime, à tourner le contenu de fai-touts posés sur des fourneaux. Elles vivent ici ; leurs clients, pour peu qu'ils soient réguliers, passent les prendre et les emmènent à l'hôtel ou dans une chambre « chez l'habitant ». Les tas d'ordures que je contourne avec précaution ne gênent apparemment pas Srinivas. « La saleté est largement compensée par tous ces spectacles magnifiques », déclare-t-il en scrutant en connaisseur cette galaxie de choix où tous les types physiques de l'Inde et du Népal se trouvent réunis. Le prix d'une passe, m'apprend-il, varie de cinquante roupies dans la Maison Pila, tout près d'ici, à dix mille roupies avec les filles pour qui il a un faible ; il peut grimper jusqu'à cinquante mille roupies avec les starlettes de Bollywood.

Comme beaucoup de danseuses, Ranjita, la copine de Mona Lisa, a ses pénates à la Maison du Congrès. Elle a quitté un bel appartement de Lokhandwala pour une pièce crasseuse dans ce bordel – louée quinze mille roupies par mois, plus une caution de plusieurs lakhs –, alors qu'elle possède par ailleurs un logement plus agréable dans Jogeshwari. Selon Mona Lisa, c'est « à cause de la sécurité qu'offre la Maison du Congrès ». Tout le monde ici sait comment les locataires gagnent leur vie et personne n'y trouve à redire. Il n'y a pas de syndic ou d'association de copropriétaires pour s'opposer à leur activité, contrairement à ce qui se passe à Juhu où Mona Lisa commence à avoir des problèmes.

Les prostituées népalaises se concentrent dans ce que l'on appelle la Maison Pila, au vrai un quartier qui s'étend autour d'un théâtre du XIXᵉ siècle. Dans les cages d'escalier des immeubles décrépits, des centaines de filles s'échelonnent le long des marches. « Elles t'attrapent par la manche et te tirent dans les chambres », nous explique le chauffeur de taxi qui nous sert de guide. Je lui demande combien de temps dure la passe de trente roupies. « Cinq minutes, dix minutes, un quart d'heure : ça dépend de toi », répond-il. Les hommes qui sortent de la Maison Pila en lunghi s'allument une cigarette, l'air détendu. Ce sont des ouvriers et des manœuvres, des charretiers, des coolies – des types qui toute la journée peinent physiquement et qui, la nuit, payent les services d'un autre corps au travail.

Bachu-ni-wadi, où nous nous rendons ensuite, est un dédale de ruelles auquel on accède par une porte étroite. On tombe d'abord sur quelques étals qui du crépuscule à l'aube proposent des kebabs garnis d'oignons. Les cubes de glace posés par terre s'ornent de bouquets de menthe fraîche qui finiront hachés menu sur les brochettes. J'ai l'impression de me promener dans un village de maisons de poupées ; les centaines de pièces sont toutes occupées par des musiciens, de sexe masculin, des chanteuses et des danseuses qui interprètent des variantes du mujra, ancienne danse des courtisanes de l'Inde du Nord. Les sons des tablas et des harmoniums produits par les mujrawalli s'échappent dans les ruelles. Le chauffeur de taxi va négocier pour nous dans une maison choisie pour le climatiseur en saillie sur la façade. Il revient avec cette proposition : trois cents roupies pour trois chansons. Nous nous déchaussons dans l'entrée et prenons place sur des matelas à même le sol. Le décor est sommaire : un poste de télé sur le réfrigérateur où l'on tient l'alcool au frais, une mini-chaîne hi-fi et un drapeau indien en papier fiché sur une étagère en hauteur. La chanteuse aux cheveux trop clairs pour être naturels nous demande en hindi, avec un fort accent ourdou, ce que nous désirons écouter : des ghazals ou des chansons, des vieilles chansons ou des chansons modernes ? Accompagnée par une autre chanteuse et deux musiciens assis en retrait, l'un au tabla, l'autre à l'harmonium, elle commence par un ghazal. La voix est quelconque. Plus étonnante est en revanche la manière dont elle tape dans ses mains pour marquer le rythme. Jamais je n'ai entendu mains produire un bruit plus retentissant, d'une qualité métallique bien qu'elle n'ait pas de bagues et ne dissimule aucun ustensile entre ses doigts. Elle en garde un plié selon un angle bizarre, creuse à peine les paumes, et chaque coup retentit comme un claquement de tonnerre. Une danseuse vient de faire son entrée, une fille ravissante vêtue d'une robe en soie coûteuse, mais si pataude que nous ne pouvons nous empêcher de pouffer. Agitant les bras en tous sens, elle tourne sur elle-même dans une piètre imitation des mises en scène de mujra dont le cinéma hindi est friand. La plupart des danseuses de la filière bar travaillent dans leur établissement attitré jusqu'à minuit et demi, heure de la fermeture, après quoi elles vont finir la nuit à Bachu-ni-wadi. L'heure légale de fermeture ne s'applique pas ici, comme si le lieu relevait d'une juridiction particulière.

La pièce est décorée d'une photo de la chanteuse, prise des années plus tôt, lors d'un concert dans une vraie salle de spectacle. Elle vient de Bénarès, de même que les musiciens, et nous parle des nababs d'antan qui confiaient l'éducation sexuelle de leurs fils aux tawaïfs, les courtisanes ; cette époque est révolue et le mujra que l'on peut voir au cinéma est tout sauf authentique. « Avant, Dawood venait ici et il restait toute la nuit. Il prenait la fille qui lui plaisait et il payait le prix demandé sans mégoter. » Que le puissant parrain ait fréquenté leur maison est une source de grande fierté pour ces gens ; ils ne seraient pas plus honorés de recevoir une vedette du grand écran ou un homme politique.

La ruelle dans laquelle nous venons de ressortir est d'une saleté ahurissante. Après m'être assis sur le petit lit de camp placé devant le seuil pour lacer mes chaussures, j'ai senti sous ma main gauche quelque chose de suspect ; méfiant, j'ai reniflé : ça sentait le vomi. Dedans, on baigne dans la lumière, la musique, la poésie ourdoue ; dehors, on patauge dans les humeurs dont les corps ne veulent plus.

Le chauffeur de taxi connaît un club où les femmes se produisent complètement nues mais où l'alcool est interdit ; et un autre particulièrement prisé des étrangers et des Arabes, où les clients font leur choix parmi les quatre cents filles qui dansent devant eux avant de s'éclipser avec la belle dans l'hôtel adjacent. Dans la ville noctambule, chacun peut trouver son bonheur, dans toutes les gammes de prix ; c'est un péché de rester seul à se morfondre en ressassant sa frustration. Il paraît même que des hommes louent à plusieurs un appartement où on leur amène des nourrices allaitantes aux yeux bandés, à la poitrine découverte, qu'ils tètent à tour de rôle.

Au petit matin, le taxi dans lequel je suis monté seul m'emporte à vive allure vers la banlieue ; les voies qui desservent l'aéroport sont encore complètement dégagées. Heures creuses de l'aube précédant l'arrivée des premiers trains qui vont déverser en ville les pêcheuses venues de Virar. Après la fermeture des bars, un même calme s'étend sur toutes les villes du monde. Les gens aimés cette nuit vont bientôt rentrer chez eux.

Honey/Manoj : deux vies en une

Quand j'ai parlé à Mona Lisa de Honey, l'homme qui danse habillé en femme, elle m'a aussitôt répondu : « Honey est une femme déclarée par erreur garçon à la naissance. C'est une très bonne amie à moi. » Ce soir, Mona Lisa doit me retrouver après son travail au café du Marine Plaza, ouvert toute la nuit. Dès qu'elle arrive, elle se penche vers moi pour me murmurer à l'oreille : « Il y avait une fête à Dilbar. Honey est toujours en tenue de travail, elle a juste passé une robe par-dessus. Ça ira ? » Elle a dit à Honey tout le bien qu'elle pensait de moi, l'a convaincue de se joindre à nous, et son amie l'a accompagnée dans ce café tranquille et cossu aménagé à l'étage. C'est la première fois que je vois Honey sous un éclairage correct. Elle a le teint très clair et pas l'ombre d'un duvet sur les joues. Sindhi, elle est née à Bombay voici vingt-cinq ans. De son vrai nom elle (il) s'appelle Manoj. Entre deux gorgées de café frappé et deux frites, elle nous raconte sa vie dans les bars.

Manoj est entré dans la filière bar par l'entremise d'une voisine, Sarita Royce, une danseuse qui se produisait un peu partout dans le monde. « J'étais l'ange gardien de Honey », me dira cette dernière lors d'un entretien ultérieur. La mère de Sarita veillait sur Manoj et sur son petit frère, Dinesh, pendant les absences répétées de leurs parents. « Tu es au courant, n'est-ce pas ? Ils n'avaient pas la vie trop facile. » La mère de Manoj gagnait sa vie en introduisant subrepticement en Inde des articles fabriqués à Singapour. À partir de neuf ans, Manoj participa à trente-quatre de ces expéditions à Singapour, destinées à rapporter du matériel de contrebande.

Séduite par la gestuelle très féminine du petit garçon, Sarita l'invitait volontiers à danser avec elle sur des chansons de films. Elle organisait aussi des fêtes privées, et lorsqu'elles avaient lieu chez elle Manoj venait regarder les danseurs. En lui-même il se disait qu'il pourrait faire mieux. Un jour où Sarita présentait un spectacle dans un hôtel, l'une des danseuses qu'elle avait recrutées déclara forfait au dernier moment. Très ennuyée, elle chercha vainement quelqu'un pour la remplacer puis, songeant soudain à Manoj, demanda à sa mère de venir avec lui sur place. Là, elle le déguisa à la hâte en lui attachant une fausse tresse dans les cheveux et l'expédia illico sur scène. La natte se détacha dans les cinq minutes mais la réaction du public fut très positive. « Quelle belle fille! Douce comme le miel! » s'écriaient les spectateurs. Dès lors la mère de Sarita n'appela plus Manoj que Honey [1]. Des hommes qui assistaient au spectacle lui demandèrent si « elle » accepterait de danser dans des bars pour de l'argent. Ainsi commença la carrière de Honey et sa dissociation en Honey/Manoj. « J'avais le sentiment que les gens n'attendaient que moi, dit Honey. Il leur fallait une héroïne. »

Manoj était en quatrième quand il fut renvoyé du pensionnat anglais de Khandala où il poursuivait sa scolarité. On l'avait surpris enfermé dans les toilettes avec un autre élève qui s'apprêtait à le violer. Honey débuta sa carrière avec un contrat de cent roupies par jour – somme non négligeable pour sa mère qui, interpellée au retour d'un voyage à Singapour, avait écopé d'une très forte amende : en un jour elle avait perdu les gains amassés en trois ans et se retrouvait avec cinquante mille roupies de dettes. Elle sacrifia sans hésiter ses saris de mariage pour confectionner des vêtements de fille à son fils de treize ans et le mit aussitôt au travail.

Un des clients du bar dans lequel Honey fit ses débuts lui laissa un jour un mot pour l'avertir que son patron l'exploitait et qu'il était lui-même prêt à en discuter avec sa mère. Il était penjabi et possédait un hôtel à Vashi, le Maya Bar. Là-bas, Honey connut un tel succès qu'il lui proposa un lakh pour qu'elle subisse une opération qui la rendrait définitivement fille. Il posait néanmoins une condition : après cette intervention, elle devrait coucher avec lui. Honey lui rit au nez et trouva sans difficultés un nouvel engagement à l'Indraprashta, un bar de Saki Naka. Elle s'y fit très vite un nom et y resta trois ans. Le propriétaire de l'établissement s'en était follement entiché, au point de se taillader un jour les veines par amour pour elle. Le personnel la surnommait amicalement « faux frère ».

Le père de Manoj gagnait sa vie en encaissant les recettes des théâtres pour le compte du producteur G.P. Sippy et se refusait à

_____

1. Miel, en anglais (N.d.T.).

toucher à l'argent illicitement gagné par sa femme. Sûrement
très mal à l'aise de savoir que son fils enfilait une robe pour danser devant des inconnus, il prit ses distances avec lui alors que la
mère, au contraire, encourageait l'adolescent à poursuivre dans
cette voie si rémunératrice. La première fois qu'un de ses clients
emmena Honey faire du shopping, elle lui réclama des cadeaux
pour son père : des bermudas, des chemises et des bouteilles de
Fanta de deux litres. De retour à la maison, elle déposa ces présents aux pieds de son père, lui offrant ainsi ses premiers gains
en nature. Il les accepta, et pour fêter ça ils partagèrent un verre
de Fanta. La mère arrivée sur ces entrefaites en fut agréablement
surprise. « Voyez ça, s'exclama-t-elle. Le père et le fils boivent
ensemble ! » À quoi le père répondit : « Puisque mon fils gagne
sa vie, je dois trinquer avec elle », et il donna sa bénédiction à
Manoj. Honey s'en souvient comme si c'était hier : « Il a mis sa
main sur ma tête et il a dit : " Tu vas te faire un nom et tu
connaîtras la gloire. " » Tel que Honey me rapporte la scène, son
père utilisait donc le féminin pour parler d'elle, ce qui était probablement sa manière à lui d'approuver son curieux mode de
vie. Le soir même, au moment où il descendait du bus à Dadar
un camion qui arrivait trop vite en sens inverse le faucha et le
projeta sous les roues d'un autre véhicule ; il mourut sur le coup.

C'est une autre danseuse logée à la Maison du Congrès qui a
proposé à Honey de venir avec elle dans un nouveau bar, le Sapphire, ouvert depuis peu. Honey se fit prier : le bruit courait que
les maquereaux de la Maison du Congrès allaient choisir des
filles là-bas pour renouveler leur écurie. L'ovation qu'elle y
remporta d'emblée eut toutefois raison de ses doutes. Sa première prestation sur la scène du Sapphire déclencha un tonnerre
d'applaudissements. « Encore ! Encore ! » hurlaient les spectateurs. En principe elle aurait dû regagner les loges à la fin de la
danse, mais ni le public ni Pervez, le propriétaire, ne voulaient la
lâcher. Ledit Pervez ignorait tout de la véritable identité de
Honey ; lorsque Sarita le mit au courant, il appréciait déjà trop la
danseuse pour s'en offusquer. « Le Sapphire ne serait pas
devenu ce qu'il est sans Honey », m'a confié BK.

Honey avait seize ans quand elle y est entrée, et c'était à l'époque la plus jeune de la troupe, et la plus douée. Elle répétait ses numéros en essayant de reproduire fidèlement ce qu'elle avait vu au cinéma, elle changeait de costume entre chaque passage sur scène, dansait en tenue indienne traditionnelle ou habillée à l'occidentale selon les thèmes des chansons. Sur une mélopée orientale, elle apparaissait enveloppée de voiles vaporeux et marquait la cadence des airs folkloriques avec des ghungroos, des grelots fixés sur des bracelets de cheville. Sur l'air de *Tirchi Topiwale*, une chanson dédiée à un collectionneur de couvre-chefs, elle arrivait sur scène avec une pile de chapeaux qu'elle jetait adroitement sur la tête de ses clients préférés. C'est elle, aussi, qui a lancé la mode du dialogue entre la danseuse et son public. « Oye ! Oye », lançait-elle, et les spectateurs répondaient d'une seule voix : « Oye-o-oooaah ! » Sautant d'un bond sur une table, elle se mettait à danser et s'imaginait être Helen, l'incomparable vamp de cabaret du cinéma hindi des années soixante et soixante-dix. Dans ses jupes orientales qui découvraient largement ses mollets épilés à la cire, elle s'approchait en dansant d'un client et, levant haut la jambe, lui posait le pied sur l'épaule. « Dans le bar, c'était la folie. »

Puis elle a inventé autre chose. « J'ai tiré une flèche au hasard et touché la cible » ; en d'autres termes, elle s'est mise à inviter les clients à danser. « C'est moi qui te le demande. Allez, s'il te plaît, juste une seconde » – et ensuite elle leur jetait son argent à la tête. Ils étaient ravis d'être ainsi choisis devant tous les autres clients. Chaque fois que Honey jetait cinquante roupies dans l'assistance, elle en recevait cinq cents en échange. Elle a tout fait pour inverser l'équation entre artiste de bar et spectateur, parce qu'elle ne trouvait « pas ça drôle quand les filles dansent et que les hommes restent assis à les regarder ». Pour l'anniversaire d'une des danseuses, son principal admirateur avait décoré le hall d'entrée avec des guirlandes de vrais fruits – des ananas, des mangues, des pommes, des oranges suspendus à des ficelles courant d'un mur à l'autre – afin de créer l'illusion que la reine de la fête dansait dans un verger. Honey se mit à décrocher les fruits pour en affubler les clients les plus âgés qui à la grande hilarité des danseuses et des autres consommateurs déambulaient avec une banane collée sur le pantalon et deux oranges sur la poitrine. Les billets de cinq se changeaient si facilement en billets de cent que les premiers n'eurent bientôt plus droit de cité dans le bar. Quand Honey jetait de l'argent à un client, il ripostait en la bombardant de liasses de cent roupies. L'averse de grosses coupures qui lui tombait dessus était telle qu'elle ne pouvait toutes les ramasser. Les gens faisaient la queue pour la couvrir de fric. « Je le lançais et je partais en courant. Comme ça tout le temps. » BK trouvait parfois qu'elle exagérait ; il la tançait : « Ne laisse pas traîner tes gains par terre ! » Honey a tellement fait pour le Sapphire que la direction lui a accordé la distinction suprême, dans une ville où le prix du mètre carré est parmi les plus chers du monde : elle avait sa loge particulière.

Ses collègues de travail cessèrent de lui adresser la parole. Elles formaient des vœux pour que leur vengeance s'accomplisse et qu'un client amoureux et jaloux lui interdise à jamais de danser. Mais Honey était moins attirée par l'appât du gain que par le goût de la performance, le plaisir d'entendre le public la bisser en applaudissant à tout rompre. Il lui arrivait de danser jusqu'à la fermeture, et quand elle s'arrêtait, ruisselante de sueur, elle se sentait enfin rassasiée, « comme si j'avais mangé mon content ». Elle s'est produite devant des célébrités aussi différentes que Steven Seagal et Chotta Shakeel, elle est partie deux mois en tournée à Nairobi, elle a des admirateurs en Afrique, à Djakarta, à l'île Maurice, à Singapour. Elle a eu droit à un article dans le magazine *Savvy* et a été invitée à l'émission télévisée de Priya Tendulkar, chaque fois en tant que danseuse de bar, femme à part entière. Son secret était bien protégé.

Elle m'a raconté son opération des seins. Elle gagnait dans les trente-cinq mille roupies par jour, à l'époque, mais elle s'était convaincue que les clients seraient plus généreux si elle leur montrait ses seins et qu'ainsi elle pourrait percer dans le cinéma.

« Il me fallait un décolleté. » Longtemps elle avait triché avec des bandes enroulées autour de son torse et collées avec du sparadrap ; le public s'y laissait prendre, on la sifflait, mais quand elle retirait les bandages elle s'arrachait aussi la peau. Manoj se transformait en Honey dans le taxi qui la conduisait au bar. Elle enfilait un soutien-gorge dont elle garnissait les bonnets avec des mouchoirs, des éponges ou, faute de mieux, des feuilles de journal roulées en boule qui la démangeaient affreusement. À la longue, l'idée de l'intervention finit par s'imposer ; Honey prit rendez-vous avec le meilleur chirurgien plasticien du sous-continent pour qu'il lui pose des implants en silicone. Le réveil fut difficile ; elle éclata en sanglots, elle ne supportait pas ces deux poids énormes qui l'écrasaient. Elle avait ce qu'elle voulait, un tour de poitrine de quatre-vingts centimètres, et elle hurlait : « Enlevez-moi ça ! Enlevez-moi ça ! » Le médecin l'engagea à la patience, lui promit qu'elle n'y penserait plus au bout d'un mois. Honey quitta la clinique en taxi.

Au cours du trajet le chauffeur passa trop vite sur un ralentisseur.

« Sous le choc, mes nichons ont rebondi, j'ai dû les retenir. » Elle a aussitôt demandé au chauffeur de la conduire dans une autre clinique ; elle souffrait le martyre, il fallait qu'on lui retire sur-le-champ ces glandes mammaires flambant neuves. Les médecins consultés en urgence refusèrent cependant d'y toucher en apprenant le nom du grand chirurgien qui les lui avait posées. Le soir même, les filles du Sapphire se massèrent autour d'elle pour tâter les protubérances dont s'ornait désormais son buste. « Honey, didi *, qu'est-ce que c'est que tu as là ? Ben dis-moi... » Après plusieurs semaines de recherche, elle trouva enfin un médecin qui accepta de lui retirer ses implants. Elle soulève sa chemise pour nous montrer les cicatrices qu'elle a sur la poitrine. Une poitrine de garçon.

La voie dans laquelle Honey s'est engagée a terni la réputation de sa famille au sein de la communauté. Au début de sa carrière, elle a dansé un temps dans un bar d'Ulhasnagar, un bastion sindhi au fin fond d'une banlieue où vivait une partie de sa parentèle. Son oncle y tenait un petit commerce, et les clients du bar venaient cancaner chez lui : « Ton neveu s'habille en fille et danse pour du pognon. » Il a fini par s'en plaindre au père de Honey : « Empêche ton fils de faire le clown en face de chez moi ! Je suis la risée du quartier. » Bien qu'elle l'ait très mal pris, Honey a respecté le désir de son oncle et cessé de se produire dans ce bar. Plus tard, quand elle fut devenue riche et célèbre, ce même oncle a eu le front de lui demander trois lakhs pour s'acheter une autre boutique, et Honey lui a avancé l'argent. Elle a également acheté plusieurs appartements pour divers membres de sa famille, et un magasin de téléphonie à son frère Dinesh.

Le videur du Dilbar, un grand escogriffe efflanqué, est amoureux d'elle. Tous les soirs il lui donne cent roupies, il l'appelle régulièrement et s'adresse à elle sur un ton déférent et soumis. Quand au bout du fil la voix de Honey est un peu trop grave, il s'excuse aussitôt de la réveiller. Histoire d'entretenir la conversation, il lui demande avec sollicitude si elle a bien mangé, si elle a bien dormi. Il sait, pour elle, selon la formule sibylline qui revient régulièrement dans la bouche de Honey : « Il sait, pour moi. » Comme s'il n'y avait rien d'autre à savoir, la concernant ; comme si le seul fait de savoir que Honey est un homme qui s'habille en femme résumait la totalité de son existence. C'est tout l'intérêt des secrets, et la raison aussi qui nous pousse à vouloir les percer. Une fois révélés, ils nous donnent la fausse impression de connaître le fond des choses.

Parmi les clients qui fréquentent le bar, il en est qui s'imaginent tout savoir sur Honey : ils croient dur comme fer qu'il s'agit d'un eunuque. Chotta Shakeel, le patron de la Compagnie-D, est de ceux-là. Il est venu deux ou trois fois au Sapphire. Honey garde de lui le souvenir d'un homme étonnamment petit qui lui témoignait beaucoup de respect ; au lieu de jeter lui-même l'argent, il chargeait ses hommes de cette tâche – « et l'argent, il en filait à la pelle » – après quoi il demandait

à Honey de prier pour son âme. Le parrain la saluait poliment
– « Salam » – et lui rappelait de dire une dua, une prière, à son
intention. Jamais il ne la traitait d'eunuque en public, ce qui
aurait été insulter le talent de la danseuse.

Honey nous sort son book, garni de photos prises par un photographe professionnel. Ce sont d'abord des dizaines de portraits
sur lesquels elle pose en femme dans des robes osées aux impri-
més criards. Suivent quelques instantanés de petit format où
nous la découvrons en garçon. La différence est frappante. Le
jeune homme, Manoj, porte une barbiche et s'habille en jean ou
en costume-cravate. Il n'est pas franchement efféminé. « Deux
vies », résume Honey. Homme le jour et femme la nuit. Quel
effet ce conflit a-t-il eu sur Honey ? Il l'a précipitée dans la boisson, dans la drogue, dans le mariage.

Elle était encore toute jeune quand Sarita Royce l'a initiée à la
vodka. D'elle-même elle n'avait pas de penchant pour l'alcool,
elle se fâchait contre son père quand il buvait de la bière. Après
la vodka elle essaya d'autres alcools, et assez vite elle ne put
plus se passer de boire. Une nuit, pendant une de ces périodes
d'abstinence qui mettent régulièrement la population du Maharashtra au régime sec, trois clients déboulèrent au Sapphire dans
un état d'ébriété avancée. Comme Honey leur demandait ce
qu'ils avaient bu, ils sortirent de leurs poches des flacons de
Corex, un sirop contre la toux très riche en codéine. Honey en
avala une gorgée qui la plongea dans une torpeur agréable. Elle
prit très vite le pli, au point d'en descendre huit à neuf flacons
par jour. Ils se vendent en principe trente roupies l'unité ; les
coursiers qui approvisionnaient Honey les lui faisaient payer
cent roupies tant son état de manque était criant. Tout le monde
était au courant, y compris les clients qui, pour s'attirer ses
faveurs, se mirent à lui offrir des bouteilles de Corex. Cet anti-
tussif est un narcotique très en vogue dans la filière bar ; à partir
d'une heure du matin, on peut voir devant certaines pharmacies
du centre-ville des attroupements de jeunes femmes ravissantes
qui titubent sous l'emprise de leur remède favori.

Honey s'est bousillé la santé avec ce sirop. Elle y avait renoncé depuis longtemps quand elle dut se faire opérer de calculs biliaires. Au beau milieu de l'intervention, elle commença soudain à reprendre conscience ; il fallut doubler la dose d'anesthésiques car le cocktail qu'on lui avait administré ne suffisait pas à son organisme accoutumé aux puissants effets sédatifs du Corex. L'abus de cette drogue détruisait Honey. À l'époque où elle était accro, elle prenait les verres des clients comme pour porter un toast et en avalait le contenu cul sec. Entre-temps, ses relations avec Sarita s'étaient gâtées, car les invités des soirées privées organisées par son ombrageuse marraine préféraient aller applaudir Honey au Sapphire. Sarita se mit alors à répandre partout l'histoire de la véritable identité de Honey. Les relations entre les anciennes voisines en ont durablement pâti ; aujourd'hui encore, Honey détourne la tête quand elle croise celle qui l'a introduite dans la filière bar. Les clients informés de son histoire lui faisaient des remarques en public, la traitaient d'eunuque ou de pédé. « Hé, chakka * ! criaient-ils. Hijda * ! Gandu * ! »

La dernière nuit que Honey passa au Sapphire, elle planait sous l'effet du Corex. Un spectateur se mit à l'insulter : « Tu n'as pas ta place ici ! Fous le camp, espèce d'enculé ! » Honey s'adressa au videur, d'abord, puis à BK, mais le client ne fut pas mis dehors. C'était plus qu'elle n'en pouvait supporter. Attrapant la première bouteille qui lui tombait sur la main, elle l'abattit sur la tête du malotru et lui déchira la paupière. Là-dessus, elle alla chercher ses affaires de maquillage et partit sans demander son reste. Elle travaillait au Sapphire depuis neuf ans ; dans la semaine qui suivit elle fut engagée au White Horse.

Cet esclandre la rendit encore plus dépendante du Corex. Elle dépensait chaque jour quatre cents roupies pour s'acheter du sirop. Inquiets, sa mère et son frère cessèrent de lui donner de l'argent ; en représailles elle s'ouvrit les veines avec une lame de rasoir. D'elle-même, elle précise toutefois qu'elle a fait sa tentative de suicide devant chez elle, à une heure où il y avait du monde dans la rue pour qu'il y ait des témoins et que sa famille soit tout de suite alertée. « Si je m'étais ouvert les poignets toute seule dans un coin, personne ne s'en serait aperçu », dit-elle en riant. Les entailles étaient d'ailleurs si superficielles que le médecin qui l'a soignée n'a pas jugé bon de la recoudre.

L'histoire personnelle des danseuses de bar est écrite le long de leurs bras. Honey me montre une autre cicatrice et me raconte l'histoire qui se cache dessous. Parmi les habitués du bar, il y avait un Iranien qui prétendait n'aimer que Honey et claquait chaque nuit jusqu'à quarante mille roupies pour ses beaux yeux. Jusqu'au soir où il se mit à en donner également à une autre fille, Sonali, qui aussitôt tenta de l'accaparer ; elle lui chuchota à l'oreille que sa collègue ne s'intéressait qu'à son argent. Il demanda à Honey si c'était vrai ; au lieu de répondre, celle-ci cassa un verre et, s'emparant d'un tesson, entreprit d'écrire « je t'aime » en lettres de sang sur sa peau pour prouver la sincérité de ses sentiments. Il la supplia d'arrêter, promit d'en passer par ses quatre volontés si elle le pardonnait d'avoir douté d'elle. « Dans ce cas, déclara Honey, demande à Sonali de t'attacher un rakhi. » L'Iranien héla Sonali et lui donna cinq mille roupies pour qu'elle déchire sa dupatta et lui en noue un lambeau autour du poignet devant toute la salle, ce qui les rendrait à jamais frère et sœur. Honey, triomphante et blessée, dut essuyer les injures de sa rivale, mais depuis trois ans maintenant l'Iranien conserve comme un trésor le bout de verre avec lequel elle s'est coupée.

« Alors il a arrêté de donner de l'argent à Sonali ?

– Il lui en file toujours, mais pas trop. Un homme ne donne pas autant à sa sœur qu'à son amour. »

Au plus fort de sa période de défonce, sa mère et son frère insistèrent pour qu'elle les accompagne à Pune, allant jusqu'à l'appâter avec deux flacons de sirop. Honey accepta de les suivre, et à la fin du voyage elle se retrouva officiellement fiancée à une certaine Jyoti, une Sindhi comme elle. Hébétée par le Corex, elle avait consenti à tout. « Une vraie vache, j'étais », commente-t-elle en mimant la scène avec un air bovin, la tête mollement relâchée. Elle est mariée depuis quatre ans. « Il n'y a pas d'amour entre ma femme et moi. L'amour, je connais : quand tu aimes tu sais tout ce que l'autre pense et l'autre sait tout ce que tu ressens. » Manoj, donc, n'aime pas son épouse mais il veut tout de même des enfants : deux garçons, car « les garçons préfèrent leur mère, alors ils s'occuperont de moi ». Réalisant ce qu'elle vient de dire, Honey se reprend aussitôt : « Les garçons préfèrent leur père. »

Lui arrive-t-il d'avoir des rapports sexuels avec ses clients ?

« Les fois où ça me titille, j'ai ma femme et ça me suffit. » Elle autorise cependant des privautés à certains de ses clients, surtout quand ils sont jeunes et beaux. « Les pelles, j'accepte. » Après un temps de réflexion elle ajoute : « Ça fait tellement bizarre, non, de sentir une langue qui frétille à la recherche d'une autre langue ? Au moins, ça nettoie les dents. Je le dis aux clients : demain matin je n'aurai pas besoin de me brosser les dents.

— Les hommes ne s'aperçoivent pas que tu n'es pas une femme quand ils te serrent de près ?

— Ils n'ont pas toute leur tête. Un type qui a faim bouffe n'importe quoi, même si ce n'est pas de la première fraîcheur. » Elle nous mime la comédie qu'elle joue au téléphone avec un nouveau client à qui elle n'a pas envie de parler. Elle décroche, se présente comme sa propre sœur et déclare à l'interlocuteur énamouré : « Honey ne peut pas prendre l'appareil pour l'instant. Elle est aux chiottes. » L'image pulvérise l'enrobage de délicatesse indispensable à l'histoire d'amour naissante et le client raccroche tout de suite.

Ce sont ses collègues danseuses qui ont appris à Honey à embrasser sur la bouche. « Une de ces petites salopes m'a montré, et sur le coup ça ne m'a pas plu. Elle était saoule, j'ai cru que j'allais vomir. » C'est cependant une faveur qu'elle ne peut refuser à ses clients. Ils font ça dans une voiture à l'arrêt; ils la prennent sur leurs genoux, glissent une main sous son tee-shirt, cherchent à tâtons l'agrafe du soutien-gorge. Elle proteste avec des arguments tout féminins : « Non, pas ce soir. Je ne suis pas très en forme. » Cela ne les freine pas forcément; certains essaient de tirer sur la fermeture Éclair de sa jupe. À l'instant crucial qui précède la découverte, Honey les arrête. Ils l'obligent à poser la main sur leurs sexes en érection ou l'empoignent par les cheveux et écrasent son visage entre leurs cuisses. « Les enfoirés, les cochons d'enfoirés! jure-t-elle. Si je les laissais faire, ils se lâcheraient, ils me déchargeraient dessus. On peut toujours faire prendre son pied à un type qui ne demande que ça et arrêter là. Après il se sent mieux, il est content. » Les relations de Honey avec ses clients ne vont pas jusqu'à la pénétration même si d'aucuns se vantent du contraire. Honey ne s'en formalise pas. « Ça me fait de la pub. Grâce à ça, il y en a toujours d'autres qui ont envie de monter avec moi en voiture. » Cet homme est une allumeuse qui passe son temps à aguicher les hommes et à se refuser au dernier moment.

Ni Mona Lisa ni Honey n'ont de protecteur attitré, ce qui les place parfois – surtout Honey – dans des situations très dangereuses. Le plus tristement célèbre des habitués des bars à bière, le tigre à dent de sabre qui hante les cauchemars des danseuses, est un dénommé Mehmood. Toutes les filles ont entendu parler de lui. « Une fois qu'il avait baisé avec elles, raconte Honey, il écrasait sa cigarette ici, à l'endroit sensible, et après il enfonçait des aiguilles dedans. C'était un vrai maniaque sexuel. » Mehmood s'était amouraché d'une locataire de la Maison du Congrès. Il lui pissait dans la bouche pour lui prouver son attachement. Elle est tombée enceinte de lui, a accouché d'une fille et s'est enfuie à Dubaï. Pour se venger, dès que la petite est devenue pubère il l'a « placée » à la Maison du Congrès.

Un jour, Mehmood a demandé à Honey d'assister à une fête privée organisée à Chembur. « C'était un musulman, commence Honey. Vous savez comment sont ces gens. » Elle a dans sa clientèle des Gujeratis et des Marwaris prodigues, issus de riches familles. « Il n'y a pas plus dur que les musulmans. Tous des enculés, des enfoirés. » Je me rappelle alors ses origines sindhies : après la Partition, sa famille a dû quitter le Pakistan pour se réfugier en Inde. Quand elle est arrivée chez Mehmood, ses hommes étaient en train de rouer de coups un type qu'ils avaient enlevé. Ils lui brisaient les jambes avec des crosses de hockey, on pataugeait dans le sang. Quand ils eurent terminé, Mehmood se tourna vers elle : « Tu es danseuse ? Eh bien, danse, montre-nous ce que tu sais faire. » Peu rassurée, elle essaya de se dérober mais ce fut peine perdue. La scène se passait à l'extérieur, dans un chowk entouré d'immeubles. Elle se résolut donc à danser dehors, sous les regards curieux des habitants du quartier qui, penchés aux fenêtres, lui jetaient de la menue monnaie, des piécettes de vingt-cinq ou cinquante paises. Puis Mehmood l'entraîna dans une cabane, ferma la porte à clé et déclara qu'il allait coucher avec elle. Honey imagina tous les arguments possibles pour l'en dissuader. « Je lui ai même dit que j'avais juré sur le Coran de ne jamais faire tous ces trucs dégoûtants. » À quoi Mehmood répliqua qu'il avait lui aussi juré sur le Coran qu'elle serait à lui. « Il m'a proposé le choix : tu couches avec moi ou c'est dix de mes hommes qui te passent dessus. » La suite est plus incertaine, car selon les cas Honey raconte soit qu'il l'a violée, soit qu'elle a pu s'enfuir. Ce soir, elle nous présente la deuxième version : elle lui a échappé en prétendant qu'elle devait retourner au Sapphire pour un dernier numéro et qu'elle reviendrait tout de suite après ; Mehmood l'a laissée partir et le lendemain elle a quitté Bombay pour aller se cacher dans un village.

À quelque temps de là, j'apprends en lisant l'article du *Savvy* que Mehmood l'a violée ce soir-là et qu'elle a tenté de se suicider en avalant du Baygon. Où est la vérité ? « Il m'a sauté dessus, dit alors Honey. Il me tripotait. Il est tombé du lit.

— Et après, tu as essayé de te tuer ? dis-je en lui rappelant l'histoire relatée par le magazine, qui décrit avec une foule de détails comment Honey a tenté de s'empoisonner avec un plein flacon d'insecticide, comment elle s'est ensuite ouvert les veines et traînée par terre en dansant avec une telle rage que ses genoux saignaient. Ce récit déclenche son hilarité. « Me tuer, moi ? C'est les filles qui font ça. Quand c'est paru dans le journal, on était pliées de rire, ma mère, Sarita et moi. " Oh, la pute ! Un viol ! Un viol ! " On n'en pouvait plus. »

Ses victimes avaient décidé de se venger de Mehmood. Un jour où il était venu se chercher une fille à la Maison du Congrès, plusieurs femmes s'approchèrent de lui, le visage voilé. Unissant leurs forces, elles le frappèrent, le traînèrent à l'extérieur et l'obligèrent à boire les eaux usées du caniveau. Puis elles constituèrent une cagnotte et mirent sa tête à prix. Le tueur qu'elles avaient engagé rata malheureusement sa cible et tua le meilleur ami de Mehmood, qui jura bien sûr de laver l'affront. Là-dessus, il commit un impair que la police ne pouvait pas laisser passer : il viola une fille de bonne famille, crime inadmissible qui lui valut d'être arrêté, passé à tabac et jeté en prison. « Ça l'a un peu refroidi », commente Honey.

Elle se tait un instant puis déclare soudain : « On devrait tous avoir deux cerveaux. Comme ça, on pourrait en mettre un au congélo pour le rafraîchir quand il commence à fumer, et le temps qu'il refroidisse on se servirait de l'autre. »

Les histoires de Honey nous ont tenus toute la nuit en haleine, Mona Lisa et moi. Après lui avoir dit au revoir, nous allons nous asseoir sur le parapet de la corniche de Marina Drive. La ville s'ébroue, quelques joggers matinaux passent au petit trot. Mona Lisa glisse un peu de monnaie dans la paume du mendiant qui vient de nous aborder. Elle donne de l'argent à tous les mendiants qui la sollicitent. Pour la première fois de ma vie je vois les lumières du Collier de la Reine s'éteindre, secteur après secteur, le long de la baie. Les yeux baissés sur les vagues qui clapotent en contrebas, Mona Lisa me montre les crabes qui crapahutent sur les rochers. Elle demande : « Tu crois que c'est

Kalyug [1] ? Que Kalkiavatar va apparaître et que le troisième œil de Shiva va s'ouvrir ? »

Elle estime que le monde a encore deux siècles devant lui avant l'arrivée de Kalkiavatar le destructeur, car « il y a encore beaucoup de gens bien sur Terre ». Elle a envie de rester devant la mer, de continuer à parler des gens bien qui existent de par le monde, de ce qu'il faudrait faire pour pacifier les autres, du temps incroyable que nous passons à bavarder. Elle sait toujours précisément combien d'heures nous sommes restés ensemble, comme je l'ai su autrefois avec une fille d'un pays lointain. Et chaque fois elle s'étonne que nous trouvions toujours de nouveaux sujets de conversation. Elle est assise tout près de moi, la bretelle de son soutien-gorge apparaît sous l'encolure lâche. Mais c'est une enfant. Elle voudrait aller à Essel World, s'ébattre avec moi sur les toboggans aquatiques. Tranquillement perchée sur le muret dans son jean et son gilet de gamine, elle contemple la mer qui monte en laissant ses jambes pendre dans le vide – ce vide dont je me détourne avec précaution pour ne pas voir la pente abrupte qui dévale sous nos pieds.

« À un moment je voulais mourir, mais j'ai changé d'avis. Maintenant j'ai envie de vivre.

– Qu'est-ce qui t'a fait changer d'avis ?

– Rien. Ça ne tournait pas rond dans ma tête. »

Je comprends alors pourquoi les hommes mûrs s'éprennent de femmes beaucoup plus jeunes. Ce n'est pas pour leur physique, car si la beauté des formes suffit à exciter le désir, il en faut plus à l'amour. Ils sont séduits par leur façon de penser neuve et propre, ni cynique, encore, ni endurcie. Cette fraîcheur les désaltère.

---

1. Kalyug (ou Kalyuga) : quatrième et dernière période d'un cycle du monde. C'est l'ère du déséquilibre que nous vivons aujourd'hui, quand, le dharma n'étant plus observé, le monde chancelle sur ses bases et se précipite vers sa destruction. Laquelle sera opérée par Kalki, dixième et dernier avatar de Vishnou, qui sur son cheval blanc descendra du ciel pour porter le coup de grâce à la planète en perdition *(N.d.T.).*

Honey aimerait que Dayanita la prenne elle aussi en photo au Sapphire, mais BK ne veut pas la revoir dans le bar, même en tant que spectatrice. Lui qui est tout prêt à aider ses filles quand elles ont des ennuis ne pardonne pas à Honey. Elle est aux cent coups. Elle ne touche plus au Corex et au tabac à chiquer ! Plus jamais elle ne finira les fonds de verre des clients ! Elle s'est excusée pour sa conduite passée, en plus, alors qu'est-ce qu'il lui faut encore, à BK ? J'ai la nette impression que ses écarts passés n'ont pas grand-chose à voir avec le veto que lui oppose le gérant du Sapphire. « Tu aurais dû la voir il y a cinq ans, m'avoue BK. Personne à l'époque n'aurait pu se douter que ce n'était pas une femme. »

Honey se résigne donc à nous inviter chez elle un après-midi, Mona Lisa, Dayanita et moi ; elle nous présentera sa femme et Dayanita prendra des photos. Elle habite près du zoo ; à quatre heures du matin, elle entend les lions rugir et les chouettes ululer. C'est un bel immeuble ancien, édifié à la demande de l'inventeur de la Neige Afghane, une crème de beauté réputée pour éclaircir les peaux basanées. Honey y possède plusieurs logements en enfilade : un pour sa mère, un pour son frère, un qu'elle occupe avec sa femme, le dernier pour sa grand-mère. Les portes qui les relient entre eux étant toujours fermées à clé, on circule de l'un à l'autre par le long couloir qui dessert l'étage. Honey passe l'essentiel de ses journées dans le sien, une pièce sombre et fraîche où elle prend ses repas, reçoit ses visiteurs, regarde la télévision. Il y a une salle de bains, un petit salon avec un divan où elle dort avec son épouse, un balcon partagé entre le coin cuisine et l'espace de prière. Deux gros bébés de race blanche sourient sur les posters punaisés au mur.

Vêtu d'un jean et d'un tee-shirt noir, Manoj est assis sur le lit. Les seules traces qu'il garde de Honey, ce sont les longs cheveux attachés en catogan, le vernis à ongles et quelques plaques rouges sur les maxillaires, là où il s'épile. Sa voix elle-même est descendue d'une octave ou deux. Il me montre l'album de noces de son frère, marié en 1995. On y voit Honey enlacée par Pervez, le propriétaire du Sapphire, et de nombreux habitués du bar que Manoj désigne tour à tour : comme ils avaient payé en partie la cérémonie, il y a assisté sous les traits de Honey.

« Et pour ton mariage à toi ? Tu étais aussi Honey ?

– Manoj, bien sûr. Honey n'a pas envie de s'enterrer dans le mariage. »

Jyoti, sa femme, vient d'entrer dans la pièce. Grande, le teint pâle, c'est une jolie Sindhie d'une petite vingtaine d'années. Elle n'ouvre guère la bouche – moins par timidité que parce qu'elle n'a pas grand-chose à dire. Le couple qu'elle forme avec Manoj serait harmonieux s'il n'y avait cette réserve entre eux. « Chaque fois qu'elle me donne son avis, si mes amis me conseillent la même chose de préférence c'est eux que j'écoute », m'a dit Manoj avant qu'elle n'entre.

Il y a eu quelqu'un d'autre, dans la vie de Manoj, « une fille, il y a longtemps » qu'il n'a évoquée qu'à une seule reprise devant moi : elle était belle, elle habitait Foras Road et Manoj n'était pas encore marié quand il l'a rencontrée. Ils faisaient de longues virées en voiture, ensemble ; ils allaient parfois jusqu'à Khandala. Après avoir passé la nuit à danser, ils rentraient se reposer chez lui. « C'est la seule à qui j'ai raconté toute ma vie, tout ce qui m'est arrivé. » Bien qu'attirés l'un par l'autre, ils restaient relativement sages : « On se caressait, on se faisait des mamours mais ça n'allait pas plus loin. » Leur relation a duré deux ans, puis ils ont rompu à cause de leurs parents. La belle vit toujours à Foras Road, encombrée de deux ou trois marmots.

Vers cinq heures, Manoj se plante devant le miroir en maillot de corps, la poitrine encore plate. Comme chaque jour en fin d'après-midi, il s'apprête à enfiler un soutien-gorge rembourré et trois gaines superposées qui lui donnent de l'eczéma. Soulevant sa chemise, il me montre la peau à vif, mais la décence m'oblige à détourner les yeux. Puis, pour la première fois de ma vie, j'entends un mari lancer à sa femme : « Passe-moi mon soutif. » Jyoti aide Manoj à se transformer en Honey avec beaucoup de patience, d'habileté et, me semble-t-il, d'amour. Elle ajuste le corsage de son époux, elle lui attache son sari, elle sait précisément comment maintenir la perruque en place pendant qu'il l'assujettit sur sa tête à l'aide d'épingles. « Quelquefois, dit Manoj, quand je suis en train de bavarder je m'aperçois par hasard dans une glace et je me demande, Mais qui c'est ? » Tant le maquillage est impeccable, l'illusion parfaite.

C'est fascinant d'observer Honey et Manoj tracer les frontières de leurs moi respectifs, de voir comment le personnage de la danseuse les dissocie l'un de l'autre. Les clients qui savent que Honey n'est pas une femme se partagent pour moitié entre ceux qui pensent qu'elle est gay et ceux qui la prennent pour un eunuque. Elle n'est pourtant ni l'un ni l'autre : pas plus homosexuel ou eunuque que travesti ou transsexuel, elle est un homme qui s'habille en femme par nécessité économique. Au mieux, on pourrait la comparer aux comédiens jatra ou tamasha, ces hommes qui gagnent leur vie en interprétant les rôles féminins du théâtre populaire, qui leur vie durant interprètent un personnage de femme jusqu'à se confondre avec lui.

Les gens qui connaissent le secret de Honey établissent les distinctions qui s'imposent entre la danseuse et Manoj. Ainsi de Minesh, qui nous a rejoints sur Marina Drive un matin de bonne heure pour regarder Dayanita photographier Honey et Mona Lisa. À un moment donné, adossée à la rambarde qui sépare la large avenue en deux, Mona Lisa a serré contre elle Honey qui lui tournait le dos et l'a embrassée sur la joue.

« Tu n'es pas jaloux ? ai-je demandé à Minesh devant cette démonstration d'affection.

– De Honey, non. De Manoj, peut-être un peu. »

La famille de Manoj semble passablement perturbée par sa double identité. Un jour où je l'appelais au téléphone, sa mère a décroché : « Elle dort, m'a-t-elle dit. Elle tombait de sommeil. » Dans la journée, Manoj est généralement vêtu d'un short et d'un tee-shirt, comme la plupart des hommes de son milieu. Quand il s'adresse à sa femme en sindhi, jamais, même par mégarde, il ne parle de lui au féminin. De même, quand Honey discute dans le bar avec des clients ou ses collègues, jamais elle ne parle d'elle au masculin. Comment s'y prennent-ils, elle et lui, pour se dédoubler de la sorte et rester chacun dans leur case ?

« C'est parce que je n'ai jamais été amoureux, ni d'une femme, ni d'un homme, explique Manoj. Si j'avais connu l'amour, même un instant, j'aurais vécu une vie complètement différente. » Si Manoj avait connu l'amour, il n'aurait pas pu parler à l'élue de son cœur par la bouche de Honey. Il aurait « pris une voix d'homme ». Il lui aurait parlé tout le temps, il l'aurait appelée du bar et il n'aurait pas pu mentir, faire semblant d'être une femme avec elle. L'amour oblige à s'exposer, il rend vulnérable, il fait tomber les masques derrière lesquels s'abrite le vrai moi. Si Manoj tombait amoureux, Honey disparaîtrait, tuée par l'amour de Manoj. Jyoti n'incarne pas cette menace puisque Manoj ne l'aime pas d'amour. Au vrai, Jyoti aide Manoj à se transformer soir après soir en Honey. J'ai d'ailleurs le sentiment que l'épouse de Manoj a une préférence pour Honey.

Les filles qui travaillent dans les bars se donnent corps et âme à l'amour. C'est leur pain quotidien, leur dharma. Elles tombent amoureuses plus souvent qu'à leur tour, ce qui est un vrai mystère pour Manoj. « Maintenant Mona Lisa a plus la tête à l'amour qu'au boulot. Je ne comprends pas les gens comme elle. L'amour scie la branche sur laquelle tu as grimpé pour atteindre ton but dans la vie. Je ne peux pas tomber amoureux. Quand on travaille dans la filière bar, on perd son identité. » Or, pour pouvoir aimer vraiment, il est indispensable de savoir qui on est.

Nous sommes montés sur la terrasse de l'immeuble de Honey, où la lumière du soir est parfaite pour l'objectif de Dayanita. Mona Lisa est éblouissante dans sa petite robe noire toute simple. Ses cheveux relevés en gros chignon sur la nuque dégagent un cou extraordinairement gracile, de l'avis de Dayanita. Sous le regard de la photographe, elle se révèle dans tout son éclat. La prise de vue l'a affamée et elle dévore avec appétit tout ce que la maîtresse de maison lui propose. Jyoti la trouve sympathique. « Elle a un grain, déclare-t-elle, mais ça fait du bien un petit grain de folie. » Je me sens heureux dans cette petite pièce qui réunit tout le spectre des états civils et sexués : aux deux bouts de la chaîne, il y a moi, l'hétéro marié et père de famille, et Mona Lisa, immariable pour cause de féminité exubérante ; entre les deux, il y a Dayanita dont le cœur balance entre Mona Lisa et Honey ; Honey, comme chez elle ou comme chez lui dans le no man's land de la différence ; et sa femme qui voudrait tant avoir un bébé.

Mona Lisa et Honey ont entrepris de se maquiller mutuellement en prévision de la soirée, un rituel qui de toute évidence les enchante.

« Mon visage n'est pas trop blanc ? Tu ne trouves pas que j'ai l'air d'un fantôme ?

– Mets-toi le nez dans ce que je pense, ça ira mieux », rétorque Honey.

Elles se préparent pour aller travailler, mais à les entendre rire et plaisanter on pourrait penser qu'elles vont à une boum. Je les envie. Les hommes ne connaissent pas ces moments de complicité entre individus du même sexe, ces échanges de compliments qui donnent confiance en soi avant la fête.

« Oh, que tu es jolie !

– Whaou, vise un peu la robe ! Tu vas faire un malheur dans Bombay ! » Ces instants-là sont souvent plus plaisants que la fête elle-même.

En tout cas, c'est vrai pour Honey dont les affaires ne marchent pas fort au Dilbar. « Hier, je n'ai touché que quatre cents roupies », confesse l'ancienne reine du Sapphire qui à l'époque de sa splendeur empochait cent fois cette somme. Honey attribue ses maigres gains au fait qu'elle ne peut, ni ne veut, coucher avec les clients. « Les autres filles ne sont pas si regardantes. » BK qu'elle supplie de la reprendre ne la rappelle pas, et elle en est profondément blessée. La danseuse à qui le Sapphire doit sa gloire n'y a plus ses entrées. « Si encore il n'y avait que l'argent, soupire Honey. Le vrai problème c'est que je ne danse plus comme avant : par rapport au Sapphire je suis à cinquante pour cent de mes moyens, au Dilbar. » L'artiste sur la touche n'arrive pas à trouver un public à la hauteur de son talent.

Le Sapphire la mène en bateau – à moins qu'elle ne se berce elle-même de l'illusion de remonter un jour sur la scène de son triomphe. Honey n'en peut plus, elle est prête à tout, y compris à danser en matinée ou à la pause de midi devant des fonction-naires, des bons à rien, des hommes qui ont du temps à revendre mais pas grand-chose en poche. Quand elle parvient à toucher BK ou Pervez, ils ne lui opposent pas un refus catégorique mais lui conseillent d'attendre – que les élections soient passées, que la nouvelle salle soit prête, que l'heure de la fermeture soit repoussée, que ce commissaire qui veut nous coincer ait été muté. Depuis le temps que j'habite Bombay, j'ai appris à déco-der cette stratégie d'évitement très en vogue au Pays du Non. La pauvre Honey passe ses après-midi chez elle devant la télé et ses nuits dans un bar de seconde zone à attendre le coup de fil du Sapphire.

Il paraît impossible que les spectateurs qui composent le public du Dilbar et du Sapphire n'aient pas remarqué que Manoj n'était pas une femme. N'est-ce pas cela, justement, qui les a appâtés et qui a hissé le Sapphire au rang d'institution ? Honey aurait-elle capté à son insu un formidable courant de désir homo-sexuel dont Bombay refuse de reconnaître la source, qu'il déguise sciemment en tolérant qu'on paye un homme qui danse pourvu qu'il soit déguisé en femme outrageusement femelle ?

Au détour d'une conversation, j'ai parlé du Sapphire avec Sunil, le militant du Shiv Sena. Il a tout de suite fait le lien : « Ah, oui, la boîte où il y a cet eunuque. » Il connaît ; il y est allé et il a vu l'eunuque danser sur une chanson dont il se souvient encore. Le grand secret de Honey, je m'en aperçois peu à peu, est un secret de Polichinelle. Des hommes qui savent ce qu'il en est viennent au bar avec des copains, ils les regardent se pâmer devant elle et ensuite ils les charrient parce qu'un mec leur a tapé dans l'œil. Des tas de gens savent, pour Honey : des manne-quins, des gangsters, des chauffeurs de taxi, des journalistes. Et chacun par-devers soi pense être le seul, ou l'un des rares, à connaître le secret.

Honey me montre une photo d'elle à quinze ans : elle porte une jupe courte et une veste qui lui va à ravir. J'aurais pu sortir avec cette fille mince et plutôt mignonne, conforme au stéréotype de la jolie nana. En prenant de l'âge, Honey a dépassé ce stade. Son pas s'est fait plus lourd, sa mâchoire s'est affirmée. Elle a pris du poids, et son corps y a gagné un attrait sexuel troublant. Que penser de ce nombril insolent, ce trou dont l'ourlet saille au milieu du ventre blanc grassouillet ? La plupart des femmes livrent une course contre la montre pour pallier les ravages du temps. Honey est engagée dans une course bien différente et plus désespérée encore : en vieillissant elle perd son identité sexuelle.

Honey et Manoj se disputent férocement leur corps. Manoj veut des muscles, une barbe, des couilles ; Honey rêve d'avoir des seins, la peau soyeuse, un cul à tomber par terre. Elle s'applique à déjouer les plans de Manoj avec l'aide d'une cohorte de chirurgiens bombayites. Elle vient d'adopter les coupe-faim, en gobe trois d'un coup pour mincir. « Une fois qu'on est marié, qu'on a une vie sexuelle, on prend du ventre », déclare-t-elle. De temps à autre, cependant, l'envie de transformation la tire dans l'autre sens. Il lui est arrivé de manger du sindhoor, cette poudre rouge que les femmes se mettent sur le front, en croyant qu'elle aurait ainsi la voix plus grave, plus proche de ce que l'on attend de Manoj. L'an dernier, Honey s'est coupé les cheveux très court après avoir décidé qu'elle allait quitter la filière bar et essayer de trouver du travail comme mannequin homme. Un photographe lui a constitué un book, tout un jeu de photos sur lesquelles elle pose en Manoj. Puis Manoj a fait le tour des agences publicitaires pour vendre son image. Là, dans les salles d'attente, il a vu ses rivaux : des beaux mecs à la virilité agressive, avec des biceps et des pectoraux, et il a vite compris qu'il n'avait aucune chance. Manoj n'a pas sa place sur le marché du travail. Bien malgré lui, il s'est donc rabattu sur les bars à bière, a remis sa perruque, son soutien-gorge, et il a réintégré Honey dans sa vie.

La vie sexuelle de Honey paraît aussi dédoublée que son identité de genre. Le jour, Manoj essaie de féconder sa femme ; la nuit, Honey aguiche des hommes au fond des voitures, les pelote, les tripote et les laisse se frotter contre elle jusqu'à ce qu'ils éjaculent. Manoj/Honey me fait penser à ces vers de terre qui sont simultanément mâles et femelles aux extrémités opposées. Cette particularité va de pair avec une terrible solitude. « Toute ma vie j'ai cherché un ami qui ferait pareil juste pour bouffer. » Honey n'ignore pas que certains voudraient lui ressembler ; elle connaît deux, trois garçons qui se maquillent – mais ne vont pas jusqu'à s'habiller en fille – et dansent dans des bars assez nuls où ils passent pour des bêtes curieuses. Seulement eux, ils sont homos.

Le fil rouge qui ceint le poignet de Manoj m'intrigue. Interrogé, il m'explique que des eunuques récemment venus dans l'immeuble pour bénir le bébé de son frère lui ont noué autour du poignet cette amulette qui protège du nazar, le mauvais œil. La communauté eunuque a bien sûr entendu parler de Honey. Sonam, un eunuque de Kamathipura célèbre pour sa beauté, est venu la voir danser au Sapphire « parce qu'il croyait que j'étais comme eux ». Selon Sonam, au lieu de continuer à se gâcher la vie Honey n'avait qu'à changer de sexe. Lui-même s'était fait pousser des seins, et il indiqua à Honey le nom d'un médicament qui provoque une montée de lait chez les jeunes mères ; il suffisait, expliqua-t-il, de s'en injecter soi-même deux cent cinquante millilitres. Honey doubla carrément la dose. Au bout de deux semaines, deux boules grosses comme des citrons apparurent sur son torse ; le port du soutien-gorge devint douloureux. « Je voulais travailler dans la photo de mode, à l'époque. J'étais mal. » Manoj a eu peur de l'effet de ces hormones sur sa pulsion sexuelle. Le médecin qu'il est allé consulter lui a prescrit une autre série de piqûres pour se débarrasser des seins.

Honey a même réussi à obtenir un passeport « de femme » en graissant la patte des employés de l'état civil. La photo figurant sur ce document a été prise du temps où elle était imberbe. Depuis quelques années, les choses ont changé et elle passe tous les soirs deux ou trois heures à s'épiler ; résultat, elle a des plaques et des boutons sur tout le bas du visage, des poils sous-cutanés, aussi, qu'elle ne peut extraire qu'en s'égratignant la peau. Peau qu'elle a « dure comme une coquille d'œuf » et qui saigne dès qu'elle se gratte. Les clients s'en sont aperçus. Ses amis eunuques lui ont conseillé de se raser au lieu de s'épiler. Ils se rasent depuis des années et n'ont jamais d'ombre bleue sur les joues. Manoj a donc envoyé Jyoti lui acheter un rasoir Gillette. « Il paraît qu'il ne faut pas le passer de bas en haut, dit Manoj. C'est vrai ? » Je montre à ce jeune homme de vingt-cinq ans comment tenir un rasoir, ce que je sais moi-même depuis l'âge de seize ans grâce aux explications de mon père, et lui recommande en effet de toujours se raser de haut en bas, dans le sens du poil.

Son hypothétique statut de castrat a valu à Honey de bien étranges propositions. Récemment, elle a ainsi eu un client qui, après lui avoir donné de l'argent pendant quinze jours, a souhaité lui parler en privé. Elle s'attendait à tout, mais pas à ce qui a suivi. « J'aimerais qu'avec une vingtaine de tes frères et sœurs tu ailles voir Untel, à qui j'ai prêté trente-cinq lakhs, lui a dit ce type. J'ai besoin de récupérer cet argent. » Pour lui, Honey était un eunuque, et il se disait que si elle allait trouver son débiteur avec tout un groupe de gens comme elle – ses « frères et sœurs » – et qu'ensemble ils se mettent à danser, à chanter, à dévider des grossièretés en soulevant leurs jupes, l'emprunteur indélicat aurait la honte de sa vie et rembourserait ce qu'il lui devait.

Furieuse d'être prise pour un eunuque, Honey a refusé le marché, mais son client avait de l'intuition. Peu après qu'elle m'eut raconté cette histoire, un encart rédigé comme suit parut dans la section « Services » des petites annonces d'un journal de Bombay :

On vous doit trop d'argent ? ? ?
Simplifiez-vous la vie ! !
Rentrez dans vos frais grâce à notre
SERVICE DE RÉCUPÉRATION UNIQUE !
Un groupe d'eunuques charmants
formés pour vous restituer
DANS LES MEILLEURS DÉLAIS
l'argent que vous doivent vos débiteurs.
Particuliers, banques, entreprises : venez nous voir.

L'adresse indiquée en dessous se trouve à Matunga Est, et il y a aussi un numéro de téléphone. Quand je me décide à appeler, il est aux abonnés absents.

LE NOUVEL AN

En décembre 1999, Honey est enfin reprise au Sapphire. Le gouvernement du Congrès élu depuis peu gère la ville d'une poigne moins lourde. Les bars ferment plus tard, certains ne ferment pas du tout et le Sapphire doit engager de nouvelles danseuses pour faire face à l'allongement des horaires. Honey avait promis au dieu Hanuman qui a un temple tout près de nourrir les affamés si elle revenait au Sapphire. La grâce divine lui a été accordée depuis déjà deux semaines quand, une nuit, son frère Dinesh voit en rêve cinquante et une noix de coco. Dès le lendemain, Honey et Dinesh se rendent au temple avec une offrande de cinquante et une noix de coco, puis achètent pour onze mille roupies de nourriture et sillonnent la ville en voiture pour donner à manger à ceux qui ont faim. De la sorte, l'argent jeté aux danseuses est réinjecté dans l'économie locale.

Au Sapphire, d'emblée Honey gagne au minimum deux mille cinq cents roupies par soirée, dix fois plus qu'au Dilbar. Elle s'y est fait de nouveaux clients, qui dans l'ensemble « ne savent pas, pour elle ». Au lieu de s'épiler les sourcils, elle les coiffe en entortillant les poils ensemble et attribue à cette singularité le fait que la chance lui sourie à nouveau. Pour Honey, le système pileux c'est le destin.

« Tu es nouvelle, ici ? veulent savoir les clients.

– Oui, et je suis vierge. »

Dans la bonne société bombayite, je passe désormais pour un des meilleurs cornacs du Sapphire. Les gens bien me harcèlent pour que je les y emmène et je m'y résous parfois. Certains sont fascinés, d'autres dégoûtés, d'autres encore déçus. Un écrivain insiste pour que j'entraîne Mona Lisa dans les soirées du gratin. Il faut que je lui explique comment elle doit s'habiller, comment elle doit se conduire et quels propos elle doit tenir. Mes amis voudraient lui ouvrir les portes de mondes fabuleux, la guider, la protéger, mais tous les bourgeois n'ont pas ces attentions. « C'est la Tendulkar des bars à bière », déclare un agent sportif en la comparant à la gloire nationale du cricket. « Elle a des lèvres comme des coussins », salive le directeur d'une chaîne musicale. « Ses yeux sont des lacs où l'on voudrait se noyer », s'extasie un journaliste. Je crains qu'ils ne se contrôlent plus si je la leur présentais pour de bon. Une dame chic m'a mis en garde : « Ils vont la manger toute crue. » Mona Lisa sait parfaitement s'y prendre avec les types qui fréquentent les bars, la couvrent d'argent et voudraient coucher avec elle, mais c'est une proie facile pour les charmeurs des quartiers Sud. Elle leur donnerait son cœur, et une nouvelle entaille marquerait bientôt son poignet. Ce pourrait bien être la dernière. Il n'y a plus de place, sur ce poignet, où inscrire la triste fin d'une autre histoire d'amour ratée.

Mona Lisa m'a donné un laissez-passer pour le réveillon du Nouvel An organisé au Sapphire. Le petit carton bleu bordé de blanc n'indique que l'adresse de l'établissement, pas son nom. Un lutin campe à califourchon sur la marge du bas. « Entrée sur invitation uniquement », est-il précisé : seuls les vrais privilégiés, les clients les plus prodigues seront de la fête.

Le soir du nouvel an, le Sapphire est plein à craquer d'amoureux. La plupart des chansons qu'ils demandent sont des maudlin, des ballades larmoyantes tirées de vieux films, des chansons qui expriment au plus juste les sentiments liant les hommes ici présents à l'amour de leur vie, des tubes qu'ils ont écoutés en enlaçant tendrement leur bien-aimée et qui ont pour thème, non pas l'urgence du désir, mais le sujet même de la poésie tel que défini par le grand poète Faïz : la perte de l'objet adoré. Tous les amants réunis ce soir dans le bar auront rompu le mois prochain ou dans un an, dans cinq ans. Tous sans exception. Le Sapphire est le palais des amours impossibles.

« On essaie de faire marcher les ulloos jusqu'à la nuit du Nouvel An, m'explique Mona Lisa. On leur dit, si tu viens le 31, je sortirai avec toi. » Le client prêt à croire qu'il occupe une place à part dans le cœur de sa chérie a intérêt à être là cette nuit pour le prouver à la face du monde, sinon il risque fort d'être moins chouchouté dans l'année qui vient. L'an passé, Soni, une autre danseuse du Sapphire, a reçu l'hommage appuyé de son principal client, un dénommé Sajid : au cours de la soirée il a dépensé neuf cent mille roupies pour elle.

Je suis Mona Lisa qui fend avec assurance la foule des fêtards massés dans la salle de mujra. On se pousse pour me faire place, on apporte deux autres coussins tandis que l'homme assis à ma gauche rassemble les piles de billets de dix roupies entassées près de lui ; quelques coupures tombent entre les coussins, se perdent sous les traversins. Il s'affaire à regrouper ses liasses pour m'éviter de m'asseoir dessus. Il y a longtemps que je n'ai pas vu Honey danser et je comprends enfin pourquoi on en fait toute une histoire. Cela n'a rien à voir avec sa plastique ; ce soir, pour la première fois, mes yeux découvrent l'homme derrière la danseuse. Le ventre rebondi s'orne d'un trèfle à quatre feuilles dessiné au henné. Un voile recouvre la perruque, la robe qui tombe sous les genoux ne cache rien des jambes, puis la danse commence – sa fameuse danse à genoux, et l'illusion reprend le dessus.

Quand les premières mesures de sa chanson retentissent, Honey tombe à genoux sur le plancher et file comme une toupie d'un bout à l'autre de la piste en exécutant, toujours sur les genoux, trois rotations d'une rapidité à couper le souffle. Un tonnerre d'applaudissements salue la performance. Honey est, de loin, la plus énergique des danseuses du Sapphire. À une heure et demie, elle est épuisée. Penchée vers moi, elle me glisse à l'oreille qu'elle est sur scène depuis sept heures du soir. Elle croule sous les guirlandes de billets de cent. Au total, la soirée va lui rapporter cent dix mille roupies, largement l'équivalent de plusieurs mois de turbin au Dilbar. Il faut que nous déjeunions ensemble, glisse-t-elle, et cette fois c'est elle qui invite.

« J'ai mes raisons. » Elle s'interrompt, hausse les sourcils en réprimant un sourire. « Tu ne devines pas ?

– Tu vas être père !

– Oui ! » Sa femme est enceinte. Si tout va bien, Manoj connaîtra les joies de la paternité avant la fin de la nouvelle année. Honey va devenir mère.

Pour le Nouvel An, les filles ne s'habillent pas à moins de cent mille roupies. Kavita, une toute petite danseuse, porte sur la tête des joyaux qui à eux seuls valent dans les trente-cinq mille roupies. « Tu ne trouves pas que c'est un peu trop ? » fait Honey avec une moue. Il m'est difficile d'abonder dans son sens, étant donné qu'elle a elle-même noué autour de ses cheveux un foulard bleu lesté de boules d'or véritable qui pèsent leurs poids. Elle s'est offert de surcroît des lentilles de contact de couleur avec une jolie fleur gravée dessus : « C'est siiii sexy !» Tout, ce soir est « un peu trop », et c'est très bien comme ça.

Muskan est là elle aussi, plus grande que Mona Lisa, plus claire de peau et tellement plus jeune. Elle vient de fêter ses quinze ans. Perdra-t-elle sa virginité par amour ou pour de l'argent ? Mohammed l'Arabe et un ado qui lui plaît bien se disputent ses faveurs. Mona Lisa lui fait la morale : la première fois, elle doit les accorder à celui qu'elle aime. Seulement il y a un troisième larron en piste, Raju, bien décidé à lui prendre son pucelage. Il vit en Amérique, il lui a donné un lakh en guise d'acompte mais il a cinquante ans. Mona Lisa conseille à sa protégée de se tenir encore tranquille pendant un an, un an et demi. Elle ne voudrait pas la voir s'engager dans cette voie. Muskan se tâte ; cet homme d'Amérique met une fortune à ses pieds.

Dans le salon des VIP, des Gujeratis s'encanaillent avec leurs putes. L'une d'elles les drague tous sans discrimination. Un type la prend sur ses genoux, deux autres la caressent en même temps. Elle porte un sari noir. Un moment plus tard, elle gît au sol. Pour rire ou pour lui donner une leçon, celui qui la tenait l'a balancée par terre, elle s'est cogné la tête contre la table et a perdu connaissance. Une tripotée de bonshommes l'évacuent de la salle. Sans doute est-elle encore inconsciente. Quel traitement lui réservent-ils ? Cette fille n'a pas plus de vingt ans ; ils vont abuser d'elle à tour de rôle.

Mona Lisa est également aux prises avec deux de ces Gujeratis, deux solides costauds fiers de leurs grosses moustaches de flic. L'un danse avec elle en se trémoussant au ras du plancher. « Ils me paient bien », me glisse Mona Lisa en aparté. C'est tout un art, cependant : elle doit danser avec eux pour que le flux d'argent ne tarisse pas, mais sans les exciter outre mesure ; les solliciter ouvertement en se gardant de les provoquer. Elle s'abstient par exemple de faire onduler ses fesses vers eux, et chaque fois qu'ils tentent de la toucher elle les repousse avec un sourire. Ils la suivent de pièce en pièce.

Mona Lisa ne gagne pas autant d'argent qu'elle l'aurait pu. À force d'aider ses collègues à ajuster leurs saris et leurs robes, il est onze heures et demie lorsqu'elle sort de la pièce d'habillage, en ayant laissé filer deux heures qui lui auraient rapporté gros si elle les avait passées avec les VIP gujeratis. La collection de ses admirateurs du Sapphire n'est plus « si rentable qu'avant » ; beaucoup savent qu'elle est fidèle à Minesh et qu'ils n'ont pas grand-chose à attendre d'elle, en dehors d'un café. Et il y en a tant d'autres, des danseuses auprès de qui l'horizon des possibilités sexuelles et romantiques paraît illimité. Mona Lisa essaie donc de se tailler une place au soleil ailleurs. Tout le monde lui ayant seriné que pour devenir mannequin il fallait maîtriser l'anglais, elle a engagé un professeur particulier qui vient lui donner des leçons à domicile. Le message de son répondeur est en anglais, à présent. « Vous avez composé le numéro des Patel. Désolé, nous ne pouvons pas vous répondre pour l'instant. » Minesh la fait répéter, corrige jusqu'aux inflexions de voix et au rythme d'élocution. Elle s'exprime maintenant comme une réceptionniste bien dressée.

Quel avenir attend Mona Lisa ? À quelles portes pourra-t-elle frapper si elle quitte la filière bar ? Je me décide à interroger Rustom sur ses chances éventuelles de décrocher des contrats dans la pub. « Je ne pense pas qu'elle y arrive, répond-il. C'est ce visage et tout le reste... » Mona Lisa ne sera jamais mannequin vedette. Son visage peut provoquer des embouteillages mais pas servir à vanter les mérites d'une crème de beauté Pond. Elle n'a aucun diplôme, elle baragouine en anglais. Elle pourrait danser dans des films ou des clips vidéo – et en un an elle gagnerait ce qu'elle gagne aujourd'hui en une semaine. Là, sur la piste de danse du Sapphire, elle brille de tous ses feux, mais il lui reste trois ans, quatre au mieux, avant qu'on la décrète trop vieille ou que la filière bar devienne autre chose.

La réaction des filles du Sapphire est tout sauf enthousiaste lorsqu'elle leur montre les photos prises par Rustom et par Dayanita. Ce sont des tirages en noir et blanc, ce qui pour commencer n'est pas au goût de ces jeunes femmes. Dans les villages d'où elles viennent, pour la grande majorité d'entre elles, le noir et blanc était réservé à ceux qui n'avaient pas les moyens de s'offrir la couleur. Mona Lisa tente bien de leur expliquer qu'il s'agit de photos artistiques mais elle est de plus en plus seule, au bar.

Je l'emmène un soir à un cocktail que donne mon amie Manjeet dans son grand appartement avec vue imprenable sur l'Oval [1]. Journaliste pour un magazine américain, Manjeet reçoit des diplomates et des avocats. Ils échangent avec Mona

1. L'Oval, de son vrai nom Oval Maidan, est un vaste terrain de cricket où des matchs se disputent presque tous les jours (N.d.T.).

Lisa les banalités de mise entre gens du monde. Elle n'en revient pas que ces gens au courant de son métier la traitent comme « quelqu'un de la famille ». Ce n'est pas exactement le cas ; Manjeet qui ne lui a offert qu'un verre de jus d'orange bavarde avec elle de choses anodines en prenant soin d'éviter les sujets difficiles, dont son travail, justement. Quant à Mona Lisa, pour elle c'est déjà énorme de se sentir acceptée dans le cercle fermé de la bonne société et elle est pleine de gratitude à mon égard. Ici, personne ne s'amuserait à la peloter, à lui jeter de l'argent à la tête, à lui déclarer sa flamme en termes crus. Elle quitte la réception pour aller travailler au Sapphire. Dans le quart d'heure qui suit, une de ses collègues l'accuse d'avoir essayé de lui piquer un client la veille (Mona Lisa lui a donné son numéro de téléphone) et se met à l'agonir d'injures devant la troupe au grand complet. Mona Lisa lui donne la réplique à gorge déployée et l'assaut verbal tournerait au pugilat – morsures, griffures, coups de poing et crêpage de cheveux dont les filles de bar sont assez coutumières – sans l'intervention de BK. Mona Lisa est écartelée entre deux mondes : celui auquel elle aspire mais qui ne l'intégrera jamais, celui dont elle voudrait sortir et qui la retient contre son gré. En transit entre les deux, elle vit un voyage solitaire en diable.

Elle rêve de marier son petit frère. « Je lui paierai un mariage extraordinaire. Je danserai pour lui. Sans rire, je danserai à en mourir.

– Et ton mariage à toi. Quand vas-tu te marier ?

– Jamais. »

L'éventuelle porte de sortie que lui offrait Minesh est en train de se refermer. Il n'est pas venu au Sapphire pour le réveillon du Nouvel An parce que son associé a craché le morceau : il est allé raconter au père de Minesh que ce dernier en pinçait sérieusement pour une danseuse de la filière bar. Le père a aussitôt exigé que son fils retourne dans le giron familial et quitte l'appartement de Juhu, il lui interdit de sortir le soir et surveille les factures de son téléphone mobile. Minesh est obligé d'aller dans une cabine publique pour appeler Mona Lisa. Ils ne se voient quasiment plus.

Minesh a terminé l'année dans le rouge. Il a failli laisser sa chemise dans sa boîte d'informatique et n'a toujours pas remboursé au Sapphire une ardoise de vingt-cinq mille roupies. Il supplie Mona Lisa de l'attendre. Sa sœur aînée et la plus jeune sont toujours célibataires et leurs chances de trouver un bon parti seraient anéanties si l'on apprenait que leur frère tourne autour d'une danseuse de bar. Dès qu'elles auront trouvé un époux, il s'opposera à ses parents et s'affichera ouvertement avec Mona Lisa. Oui, mais sa sœur aînée va sur ses trente ans, et vu qu'elle n'a pas trouvé d'homme depuis toutes ces années il y a peu de chance qu'elle s'en dégote un demain. Mona Lisa en a marre de rester chez elle à attendre que Minesh lui consacre un peu de temps. Aussi a-t-elle recommencé à sortir avec ses clients – « pour un café, pas plus » –, des Gujeratis et des Marwaris dans la fleur de l'âge.

Elle n'a pas revu son père. Il a toujours le projet de venir à Bombay mais le voyage ne s'est pas fait. « Il a sa famille, bien sûr. Je ne veux pas l'embêter. » Elle accepte cette distance, elle l'a intériorisée. Aujourd'hui Mona Lisa n'a pas d'amis, uniquement des clients. Et Minesh, une fois de temps en temps; sa mère et son frère; moi. C'est tout. Elle me propose des plans : elle a envie d'essayer un nouveau restau, d'aller danser au Fire & Ice, la discothèque qui vient d'ouvrir. Après le départ de ma femme et de mes enfants pour les États-Unis, elle débarque chez moi par un après-midi pluvieux et reste jusqu'à huit heures du soir à manger, dormir, regarder la télé, bavarder. Elle appelle Minesh pour lui dire comme elle se sent bien, ici. Dans la période d'isolement qu'elle traverse en ce moment, je suis pour elle cette perle rare qui n'est ni un client ni un amant.

J'ai fini par lui parler de ma famille. Je lui ai montré des photos de Sunita et des enfants, lui ai expliqué pourquoi je préférais les tenir à l'écart de la plupart des gens décrits dans ce livre, et combien, en définitive, je regrettais qu'elle n'ait pas rencontré les garçons. Ça passe comme une lettre à la poste. Mona Lisa est une vieille routière de la déception et du *jooth ki duniya*, ce mix de tromperies et mensonges. Elle ne m'en veut pas ; elle ne dit pas : « J'aurais bien aimé les connaître. » Tous ceux qui font partie de sa vie ont une part d'ombre, une pièce fermée à double tour à laquelle elle n'a pas accès ; ainsi de son père avec sa deuxième épouse, ou de Minesh avec ses parents. Cette jeune femme de vingt et un ans a une opinion bien à elle sur le mariage : « C'est comme un élastique », dit-elle en tirant sur un bout de caoutchouc imaginaire avant de ramener les mains l'une contre l'autre. « Toi, tu n'es pas du genre à boire, à manger et à te laver les mains sans dire merci. Vu que tu t'occupes si bien de moi, j'imagine comme tu dois tenir à celle que tu as choisie. »

Manoj ne se tient plus de joie. Il vient de voir l'échographie de son bébé. « J'ai réussi à localiser une petite tête et deux petites taches : ses mains. » La grossesse s'accompagne cependant de son lot de problèmes. Manoj doit rester éveillé toute la nuit pour satisfaire les envies subites de Jyoti, prise de fringale à des heures indues. Les trois premiers mois, elle est tellement à cran que Manoj envisage de l'envoyer quelque temps chez sa mère, à Pune. Il a perdu pas mal de clients au Sapphire, qui selon l'humeur des autorités ferme ses portes à minuit et demi ou beaucoup plus tard. Honey qui se remet à peine de son opération de la vésicule biliaire a de plus en plus de mal à danser.

La filière bar n'est plus ce qu'elle était. « Ça redevient comme au début, remarque Honey. Les gens nous refilent des billets de cinq roupies. » L'euphorie boursière a fait long feu et maintenant les hommes ne se contentent plus de regarder les filles danser dans des saris pudiques ou, pour les plus audacieuses, onduler de manière suggestive ; ils veulent plus qu'un sourire, plus qu'une caresse furtive sur la joue. « La mode, maintenant, c'est frotti-frotta et les pelles ! s'exclame Honey avec dégoût. La filière bar s'est prostituée, il n'y en a que pour le sexe. » Dans ce domaine, Honey ne peut pas rivaliser avec les filles.

Elle a un désir qui lui tient à cœur : « Une fois dans ma vie au moins, j'ai envie de me présenter devant tout le monde dans la peau de Manoj, sans rien cacher. » Elle voudrait donner à Manoj une chance de se faire un nom et, qui sait, de devenir maquilleur ou costumier pour la mode ou l'industrie du cinéma. Les économies de Honey pourraient permettre à Manoj de suivre l'exemple de son frère, de fonder une entreprise de transport avec au départ une petite flotte de voitures et de camions de location. Ou de partir en Amérique avec moi, et après il travaillerait dans le magasin de sa tante ou se travestirait en Honey pour danser dans les bars gay. Dès que le petit aura un an, Honey quittera la filière bar. D'une manière ou d'une autre, Honey aura cessé d'exister d'ici deux ans au maximum. À la fin, c'est donc Manoj qui gagnera la partie. Les choses étaient claires dès le départ, mais c'est magnifique d'avoir pu admirer Honey de son vivant.

Mona Lisa aussi se donne deux ou trois ans pour se reconvertir. Elle va peut-être suivre des cours pour devenir styliste de mode ou esthéticienne. Si elle arrive à mettre cinquante lakhs de côté, elle aura de quoi ouvrir une boutique de vêtements. Selon elle, tout le problème de la filière bar tient à son « occidentalisation ». Ça devient comme dans les discothèques, comme dans les facs. Les filles vont bientôt remiser leurs saris et leurs robes longues pour s'habiller « hyper court ». Les clients ont des idées très arrêtées, maintenant. Dans le temps, ils venaient au bar quinze soirs de suite avant d'oser demander son nom à une fille ; à l'heure actuelle ils lui demandent de but en blanc, « Alors, tu viens ou quoi ? »

Le grand rêve de Mona Lisa serait de prononcer un discours après avoir remporté le titre de Miss Inde.

Elle anticipe l'onde de choc qui secouerait le pays quand on apprendrait que l'idéal de la féminité indienne élu à l'unanimité par le jury est en fait une danseuse de bar, une représentante du demi-monde venue damer le pion aux petites snobs des beaux quartiers de Bombay et de New Delhi. « Je vois d'ici les titres des journaux. Ça ferait l'effet d'une bombe. » Elle y pense très sérieusement, à son discours. Elle a commencé à y travailler, elle prend des leçons de diction, elle va chez le dentiste se faire arranger les dents. Seulement elle a vingt-deux ans, ce qui n'est plus tout jeune pour concourir.

Elle ne rêve pas de décrocher le titre mais de déclamer son discours devant des millions de téléspectateurs. « Je leur dirai la vérité. Je suis une fille de la filière bar et si ça ne vous plaît pas vous n'avez qu'à reprendre tous vos trophées et votre argent. Je voulais simplement me prouver que j'étais capable d'y arriver. Je voulais prouver que les travailleuses de la filière bar sont des citoyennes comme les autres. J'ai choisi ce métier par nécessité ; personne ne m'oblige à faire des choses sales. » Mona Lisa dévide le reste de son discours en anglais, dans la langue qu'elle apprend depuis des mois pour, le moment venu, se tenir sous le feu des projecteurs face à la salle gigantesque et déclarer au pays : « Je travaille dans la filière bar mais je ne fais rien de mal. Je danse, c'est tout. »

Les distillateurs du plaisir

Madanpura est en ébullition. Le cinéma débarque dans le quartier. Les stars ont glissé à bas du grand écran pour se mêler au commun des mortels, si tu tends le bras tu peux presque les toucher. Les rumeurs les plus folles circulent : Karishma Kapoor serait là, et peut-être aussi Shahrukh Khan.

Le film, qui s'appellera *Sangharsh*, a pour réalisatrice une jeune femme menue et pleine d'assurance, Tanuja Chandra. Son dernier long-métrage n'a pas très bien marché mais cette fois ce sera différent, car, m'explique-t-elle, « dans cette histoire le héros fait partie intégrante de l'intrigue ». C'est un remake hindi du *Silence des agneaux*, façon comédie musicale. Preity Zinta interprète le rôle de Jodie Foster, celui d'une inspectrice fraîche émoulue de l'école de police qui tombe amoureuse d'un gangster. Grâce à mon entremise, Tanuja et Mahesh Bhatt, son célèbre producteur, ont désormais leurs entrées dans ce quartier glauque qu'est Madanpura, et ils ont recruté des vrais voyous pour protéger les lieux du tournage.

Anees a engagé une quarantaine de ses hommes pour contenir la foule. Ils s'acquittent de leur tâche en cognant. Devant moi, un grand type nommé Farid vient d'assener quatre bonnes claques à un bhaiyya qui regardait le spectacle bouche bée. Le frêle bhaiyya lève les yeux sur son agresseur en essayant de puiser dans sa rage et sa douleur la force de lui cracher ses quatre vérités. Un policier témoin comme moi de l'incident arrive au pas de charge, avec son lathi à bout ferré qu'il abat sur le bhaiyya – et sur quiconque se trouve à proximité. La canne en bambou frappe au hasard, semant la débandade dans la foule qui reflue au milieu des cris et des injures. Il y a des petits enfants parmi ces gens qui fuient la grêle de coups.

C'est un grand jour pour Madanpura.

« Dans cinq minutes ils seront tous revenus », prédit Anees. Cinq minutes après, ils sont effectivement tous là.

Les karkhanas, les ateliers innombrables de Madanpura, ont débauché, les bouchers et les tailleurs se croisent les bras, mais le vendeur de rotis * installé en face de la maison où a lieu le tournage n'a jamais pétri sa pâte avec autant d'énergie. Les badauds s'attardent devant son échoppe, et lorsque les flics ou les gars d'Anees leur disent de circuler ils rétorquent qu'ils attendent la prochaine fournée. Il faut utiliser la manière forte pour qu'ils dégagent. Un toit de tôle qui grésille au soleil sert de perchoir à des dizaines de gens massés tout près du bord, pour la plupart pieds nus sur cette plaque chauffée à blanc. Trois bouilles d'angelots se pressent derrière une fissure du karkhana qui jouxte la maison. D'autres gamins étaient grimpés sur les toits qui dominent la petite cour intérieure ; il a fallu les sortir du cadre. Un policier, campé sur sa moto devant l'entrée, distribue les bons mots : « Circulez, y'a rien à voir. Allez travailler pour nourrir vos parents. Circulez ! Shilpa Shetty et Amitabh Bacchan seront là à quatre heures. Rompez ! »

Seule femme à s'être taillé une place de réalisatrice dans le secteur des grosses productions, Tanuja trouve très excitant de tourner la première prise à Madanpura. Alors que les hommes de l'équipe n'en mènent pas large, Tanuja, Preity et sa secrétaire bravent crânement la foule. Je réalise pleinement le sens du mot « populace » quand je vois Preity sortir de la camionnette dans laquelle elle vient d'arriver ; son portable collé à l'oreille, elle traverse rapidement la cohue rugissante au milieu d'un cordon de gardes du corps. Sa secrétaire, un tout petit bout de femme, repousse vigoureusement les curieux qui battent en retraite devant ce farfadet plus efficace que la police ou les gros bras d'Anees. « Démonstration du pouvoir féminin », observe la secrétaire avec un clin d'œil.

Dans la scène que l'on s'apprête à tourner, Preity Zinta doit rencontrer un puissant parrain dans un quartier pauvre de la ville. Elle prend place à côté de moi et, sitôt les présentations faites, m'interroge sur les hommes d'Anees. « Ils ont vraiment tué des gens ? » Oui, sûrement, pour beaucoup d'entre eux. L'actrice ouvre de grands yeux. « Tu peux m'en montrer un qui a tué ? » Sa fascination pour les gangsters vaut largement celle qu'ils éprouvent à son égard. Tous ces gens massés dehors jouent des coudes pour entrapercevoir son visage, sa silhouette, son sweat-shirt blanc Old Navy, ses baskets blanches à grosses semelles. Elle, elle veut voir un tueur en chair et en os.

Les voyous et les prostituées du monde entier sont fascinés par le cinéma, et vice versa. Le cinéma est foncièrement trans-gressif ; il nous donne accès à des domaines interdits. La grande majorité des citoyens ordinaires ne verront jamais que dans les salles obscures un de leurs semblables en tuer un autre ; ou deux de leurs semblables faire l'amour. Média hors-la-loi, le cinéma est un faisceau lumineux braqué sur la part d'ombre de l'huma-nité. Pour les criminels et les prostituées qui vivent en marge de la loi, il a un côté réaliste. Des gens comme Mona Lisa ou le tueur Mohsin trouvent dans les films l'équivalent de ce que les romans de John Cheever ont apporté aux hommes d'affaires de Westchester : une description empathique, à peine exagérée, de leurs occupations et de leur vie quotidiennes.

« Regarde un peu mes pieds ! » s'exclame Anees. D'une cou-leur franchement suspecte, ils sont tout fripés à force d'avoir été foulés par les badauds que leur propriétaire s'acharnait à écarter du lieu de tournage. Ses gars vont en avoir, des choses à raconter à la fin de la journée ; ils ont repoussé la foule à coups de poing et de lathi, d'accord, mais surtout ils ont été associés à l'équipe, ils se sont frottés à l'univers du cinéma, ils ont contribué à la réalisation de leurs rêves.

Une escouade de policiers déboule dans la rue. Le chef exige que l'équipe remballe tout au motif que les permis nécessaires n'ont pas été délivrés. Un responsable de plateau improvisé négociateur lui parle à voix basse quand soudain le député de la circonscription, un costaud aux allures de repris de justice, fait irruption un bâton à la main et se met à vociférer : « Arrêtez-moi ça tout de suite ! Remballez ! Remballez ! Vous perturbez tout le quartier ! » Tanuja est toujours en train de filmer une séquence montrant un truand attablé devant un plat de biryani. On vient de poser devant lui une énorme assiette de riz bien gras et la réalisatrice lui hurle : « Khate raho ! Continue à manger ! » L'inspecteur qui dirige l'escouade se calmerait si on lui glissait une enveloppe, mais cela échappe à Tanuja. Il faudra qu'elle soit partie à midi. Dans quelque temps, elle renoncera d'ailleurs aux scènes de rue car la multitude qui se masse dans le champ l'oblige en permanence à rétrécir le cadre. Bombay est le dernier endroit au monde pour travailler à l'écart de la foule !

Bien que le film en garde à peine trace, cette matinée à Madanpura va marquer durablement les esprits. Anees s'en souviendra longtemps, de même qu'Ishaq, le propriétaire de la boutique de téléphonie, ou son cousin le Dr Shahbuddin et tous ceux qui ont donné un coup de main à Tanuja. Ishaq est sans arrêt sollicité par des gens qui voudraient rencontrer les acteurs ou jouer un petit rôle dans le film. Depuis le tournage, Ishaq et Shahbuddin sont montés dans l'estime des habitants. Le coiffeur qui rase Shahbuddin tous les matins ne veut pas de son argent ; il a un immense service à lui demander : la prochaine fois que des vedettes du cinéma viendront dans le quartier, il aimerait bien être pris en photo avec l'une d'elles. La femme de Shahbuddin qui est en voyage en Malaisie refuse de croire que son mari a vu de près tant de célébrités ; elle pense qu'il lui raconte des craques. Tous en parleront encore quand ils seront devenus vieux, et après eux leurs enfants entretiendront le souvenir : « Mon père a connu Preity Zinta. Mahesh Bhatt est entré dans la boutique, ici même. Il est resté un moment, il a bu un Coca. »

Qu'ils réalisent des films artistiques ou des superproductions masala visant à flatter les goûts du public, les gens de cinéma appartiennent tous à l'espèce des rêveurs incorrigibles. En Inde il leur revient de fabriquer des rêves collectifs ; quand ils dorment, ils doivent rêver pour un milliard de personnes. Cette responsabilité qui modifie sensiblement leurs personnalités explique aussi qu'ils aient une si haute opinion d'eux-mêmes. Question d'échelle, sans doute. Les réalisateurs de Bollywood sont tous mégalomanes. « Voici venir l'amorce d'un changement d'orbite de la planète Inde, la vengeance ultime qui va permettre aux Indiens de vaincre la mentalité occidentale. Il faut encourager l'agressivité culturelle du XXIe siècle », écrit par exemple le producteur Amit Khanna dans un quotidien. En ce début de XXIe siècle, l'industrie indienne du spectacle pèse près de trois milliards d'euros. Cela ne représente qu'une part infime des deux cent trente milliards d'euros qui y sont investis chaque année dans le monde, mais l'Union se classe tout de même au premier rang mondial pour le nombre de réalisations et de spectateurs. Elle produit en moyenne mille longs-métrages, quarante mille heures d'émissions télévisées et cinq mille albums de musique qui sont exportés dans soixante-dix pays. Chaque jour, quatorze millions d'Indiens voient un film dans les treize mille salles du sous-continent ; et les films indiens attirent dans le monde un milliard de spectateurs de plus que les productions hollywoodiennes. La télévision n'est pas en reste : soixante millions de foyers possèdent un téléviseur, et près de la moitié (vingt-huit millions) étant câblés, les ruraux comme les citadins ont le choix entre une bonne centaine de chaînes. « Il y a maintenant plus de chaînes de télévision à Mumbai que dans la plupart des villes américaines », observait Bill Clinton en 1999 à l'occasion d'un déplacement dans la capitale du Maharashtra.

L'Inde est un des rares territoires où Hollywood n'ait pas réussi à se creuser mieux qu'une petite niche ; les films américains comptent à peine pour cinq pour cent du marché. Les cinéastes hindis font d'ingénieux saboteurs. Alors que partout ailleurs le cinéma a été terrassé par Hollywood, l'Inde a absorbé Hollywood dans la grande tradition hindoue : elle l'a accueilli à bras ouverts, n'en a fait qu'une bouchée et l'a régurgité. Joyeux métissage de tous les genres connus jusqu'alors, le produit de cette digestion est une nouvelle divinité à dix têtes.

Bollywood est un terme qui déplaît souverainement aux réalisateurs hindis ; ils rappellent que l'industrie du cinéma existe à Bombay depuis plus longtemps qu'à Hollywood, puisque les premiers studios américains se sont créés sur la côte Est avant de déménager en Californie au début du xxᵉ siècle. Les frères Lumière ont amené le *cinématographe* [1] à Bombay en 1896, quelques mois seulement après avoir présenté leur merveilleuse invention à Paris. Dès l'année suivante, un Marathe du nom de Bhatvadekar tournait des petits films sur des rencontres de lutte ou des singes savants. Grâce au cinéma, tous les Indiens connaissent Bombay par cœur même s'ils n'y ont jamais mis les pieds. La courbe majestueuse de Marine Drive, la plage de Juhu, cette porte donnant sur l'Occident qu'est l'aéroport Andheri... À Kanpur comme au Kerala, chacun reconnaît ces sites au premier coup d'œil. Cela confère à Bombay une dimension mythique qui manque à Los Angeles : si les budgets hollywoodiens permettent de recréer des villes entières en studio, les cinéastes indiens filment de vraies rues, de vraies plages, de vraies barres d'immeubles.

La grande majorité des films hindis sont des comédies musicales comprenant entre cinq et quinze séquences chantées. Les Occidentaux ont cessé d'apprécier ce genre quand ils ont délaissé le cinéma en faveur de la télévision. Les comédies musicales ont besoin de grand angle et d'espace ; elles s'accommodent mal d'un écran de quarante-huit centimètres. La critique et le public du cinéma hollywoodien ont par ailleurs poussé le bouchon vraiment loin en exigeant que les chansons

---

1. En français dans le texte.

cadrent avec l'intrigue. Cette consigne fasciste ne s'applique pas au cinéma hindi. Avant de pénétrer dans la salle, le public indien est prêt à accueillir toutes les invraisemblances. Il est assez facile de laisser son esprit critique au vestiaire dans les régions du monde où la croyance est encore très répandue et très vivace. Cela ne vaut pas seulement pour l'Inde ; les spectateurs du Proche-Orient, de Russie et d'Asie centrale en sont restés à l'âge précynique. Ils croient toujours aux vertus de la maternité, du patriotisme et de l'amour partagé ; Hollywood et l'Occident ont dépassé ce cap. Dans l'immeuble de Jackson Heights où j'ai vécu, à New York, les familles russes entonnaient d'aussi bon cœur que nous les chansons de Raj Kapoor. « Ces films-là sont propres, m'a un jour déclaré un Égyptien chauffeur de taxi new-yorkais. On peut les voir en famille sans être gêné. »

Le cinéma hindi commença à se fragmenter vers la fin du XXe siècle, quand des esprits éclairés prirent conscience que l'informaticien de San José n'a pas exactement les mêmes goûts que le paysan de Bilaspur. Des cinéastes comme Yash Chopra, Subhash Ghai, Mani Ratnam ou Karan Johar modifièrent donc leurs scénarios pour se conformer aux tendances en vogue à l'étranger, source de rentabilité à long terme. Tanuja paraphrase ainsi le credo de ces réalisateurs : « Nous ne voulons plus de pauvres dans nos films, nous ne voulons que la beauté. »

Avant de venir en Inde pour le séjour que j'y fais actuellement, je regardais en moyenne un film hindi par an. Les intrigues me lassent dès les premières images. Le marché d'outre-mer est de plus en plus preneur de comédies musicales au scénario quasi inexistant, de films totalisant une bonne douzaine de séquences chantées avec une tension réduite au minimum, comme dans *Hum Aapke Hain Kaun*, qui n'est qu'une longue vidéo de mariage avec pas moins de quatorze chansons. Dans ma famille éparpillée en Angleterre et aux États-Unis, ces productions ont évincé les antiques traditions des mariages hindous. Les costumes, le cadre de maintes cérémonies s'inspirent des films que nos compatriotes exilés regardent le soir sur leur magnétoscope. Aujourd'hui, la mariée et ses demoiselles d'honneur ne dansent plus sur les complaintes d'adieu des villageois mais sur les airs alertes de Bollywood.

Les Indiens de la diaspora ont envie de contempler l'image d'une Inde urbanisée, riche, séduisante, l'Inde où ils s'imaginent avoir grandi et où ils aimeraient revenir vivre. Ils veulent des histoires d'amour lisses et sans heurts, y compris entre rivaux. Au pays, en revanche, les cinéastes exploitent le nouveau sentiment d'insécurité des enfants de la bourgeoisie indienne ; délaissant le rôle qui leur incombait depuis des générations, leurs parents n'arrangeront pas leur union. De nos jours, chacun doit se débrouiller comme il peut pour rencontrer l'amour à la fac, au travail. Les femmes sont censées savoir flirter, jouer avec les sentiments. Les films le leur apprennent.

Les Indiens expatriés veulent pouvoir emmener leurs gosses au cinéma le samedi après-midi, histoire de leur inculquer par l'exemple les « valeurs indiennes ». N'importe quel mélo à l'eau de rose avec mariage à la clé fait l'affaire. La violence, ils la laissent à d'autres. Le désir de fiction, c'est au Bihar ou dans l'Uttar Pradesh qu'il faut aller le chercher, dans ces campagnes où *Le Ramlila* – l'adaptation théâtrale du *Ramayana* – attire des foules avides d'écouter des histoires. D'où l'existence d'une deuxième catégorie de cinéastes qui, dans le sillage de la série B, tournent des films exclusivement destinés au marché intérieur, des films plus violents et plus crus, plus riches aussi en divinités féminines. Ces productions hindies réunissent le Bihar et Delhi, voire le Bihar et Karachi, mais sûrement pas le Bihar et Londres.

J'ai grandi dans un Bombay d'avant la télé, et mes rêves étaient plus vastes que ceux des enfants qui y vivent aujourd'hui car ils se projetaient sur un grand écran sans commune mesure avec la lucarne du téléviseur. Le cinéma me procurait la matière première de ma vie fantasmatique, celle où j'arrachais ma bien-aimée aux mains des méchants et lui épargnais juste à temps les derniers outrages. Ces rebondissements s'inspiraient étroitement de mes films préférés, qui à l'époque collaient aux récits épiques. Les petits citadins comme moi n'avaient pas la chance de pouvoir écouter le prêtre réciter le Harikatha[1] au crépuscule. Nous allions au cinoche pour avoir notre dose de fiction. Quelques vedettes du cinéma habitaient sur Nepean Sea Road, mais elles étaient peu nombreuses et c'étaient surtout d'anciennes gloires à la retraite. En ce temps-là, je ne connaissais personne dans le cinéma. Il est vrai que je ne connaissais non plus personne dans les milieux du crime organisé, de la prostitution ou de la politique. Le ciné se parait d'une irréalité rassurante ; les acteurs restaient suffisamment distants pour ne pas interférer avec ce que mon imagination en faisait.

Après le déménagement en Amérique, j'allais voir des films hindis par nostalgie : petits voyages aller et retour au pays pour pas cher, quatre dollars la place à l'Eagle de Jackson Heights. J'ai arrêté en entrant à l'université, tout cela me paraissant de plus en plus absurde, sans queue ni tête. Lors de mon retour à Bombay, je me suis rendu compte que j'allais devoir suivre un cours de rattrapage accéléré en cinéma hindi si je voulais avoir une conversation intelligente avec ceux qui le fabriquent. La perspective ne m'enchantait pas vraiment.

À l'été 1998, j'ai fait un saut dans l'Arunachal Pradesh, ce territoire où les Indiens eux-mêmes ne peuvent entrer qu'avec un permis. Là-bas, une femme qui vendait du thé au bord de la route m'a vanté les hauts lieux sacrés de la région. « Et dans ce village, juste à côté du réservoir d'eau, on a tourné *Koyla*. Shahrukh Khan en personne est venu. » C'est là que les nouveaux mythes trouvent leur source. Les dieux de Bombay ont supplanté les anciennes divinités tribales. Au Bhoutan voisin, dans un petit village-rue de montagne, j'ai repéré le nom de Tanuja sur une affiche de cinéma. Les habitants de ce pays du bout du monde connaissent les stars de Bombay aussi bien que leurs voisins ; ils connaissent leurs plats préférés, savent avec qui elles filent le parfait amour.

---

1. La lecture ou la récitation des textes sacrés sur Hari, le Seigneur en sanskrit *(N.d.T.)*.

À quoi reconnaît-on un Sud-Asiatique ? C'est quelqu'un qui va voir les films hindis. Quelqu'un dont le cœur se gonfle de plaisir à l'écoute de *Mere Sapnon ki rani* ou de *Kuch Kuch Hota Hai*. Ces chansons qui nous réunissent sont notre langue nationale.

MISSION KASHMIR

Assez peu de temps après mon installation à Bombay, il est prévu que j'aille prendre le thé au Sea Lounge avec l'écrivain Vikram Chandra, mais quand je l'appelle sur son mobile il est encore à Bandra. Comme je dois me rendre dans cette banlieue dans la soirée, je lui propose de l'y retrouver quelque part. Il m'invite alors à assister à la préparation d'un scénario auquel il travaille avec son beau-frère, le réalisateur Vidhu Vinod Chopra.

L'adresse qu'il m'a indiquée se trouve dans une venelle qui serpente en bord de mer, au milieu des petits villages composant le fief catholique de Bandra. J'entre dans la bâtisse de six étages où un ascenseur privé me transporte au quatrième, directement dans un séjour agréable et bien aménagé, éclairé par d'immenses baies vitrées donnant sur les palmiers et la mer. Le cadre est luxueux, mais pas dans le goût filmi si prisé à Bombay. Pas de miroir allant du sol au plafond, pas de lustre chargé de pendeloques. J'échange une poignée de main avec Vinod, la cinquantaine alerte, mince, débordant d'énergie. À la maison il ne porte pas la casquette de base-ball qui est devenue son insigne sur les photos publicitaires et qui dissimule un début de calvitie. Avec Vikram et un jeune scénariste gujerati, Abhijat Joshi, il travaille à l'écriture d'un film sur le conflit du Cachemire. Amitabh Bacchan, héros incontesté de mes rêves adolescents, en sera la tête d'affiche. Il jouera le rôle de Khan, un officier de police, tandis que Shahrukh Khan incarnera Altaaf, un militant séparatiste qui à la fin, comprenant qu'il s'est fourvoyé, se convertit au patriotisme indien. Hindou du Penjab, Vinod a grandi à Srinagar, dans la maison de ses ancêtres incendiée depuis par les séparatistes. Son dernier film, *Kareeb*, était une histoire d'amour qui n'a pas remporté le succès escompté.

Anu, la femme de Vinod (et la sœur de Vikram et de Tanuja), tient avec compétence la rubrique cinéma de *India Today*, et je l'appelle le lendemain pour parler boutique avec elle. La voix de Vinod retentit à l'autre bout du fil. « Tu nous manques, yaar ! Tu ne viendrais pas nous aider pour la séance d'écriture ? » Et me voilà reparti pour Bandra où je passe la journée à discuter de l'intrigue, des personnages, des motifs avec Vinod, Vikram et Abhijat. Au cours des deux ans qui vont suivre, sans y être engagé par un contrat officiel ou même une promesse verbale, je vais me retrouver associé à la mise au point du scénario de *Mission Kashmir*. Je fais ce que des millions d'Indiens rêvent de faire : je travaille sur un film bollywoodien.

Comme pour la très grande majorité des films hindis, il s'agit moins de rédiger le scénario que de le développer oralement, en reprenant les idées exposées avec un bel enthousiasme par le réalisateur. Vinod s'anime et s'échauffe quand il s'exprime en penjabi, mais l'essentiel de nos conversations sur le scénario, dialogues compris, se déroule en anglais. Les milieux du cinéma étant très largement dominés par les bourgeois éduqués des classes moyennes et supérieures, l'aspirant cinéaste ou l'acteur qui ne parle pas couramment l'anglais doit rapidement s'employer à pallier ce handicap. Dans les films hindis auxquels j'ai participé, même de loin, les tâches décisionnelles – l'élaboration du scénario, la direction d'acteurs, les ordres aboyés à l'équipe de tournage – s'effectuent en anglais. Il y a de cela deux ans, j'ai eu l'occasion de déjeuner avec les acteurs Shahrukh Khan et Madhuri Dixit ; après m'avoir parlé des films américains et des séries télé qu'ils aimaient – *Sleepers, Jack, X-Files* –, ils se sont plaints de la chaîne publique Doordarshan qui lors d'un récent passage à l'antenne leur avait imposé de s'exprimer en hindi. Ils disaient ne même pas connaître tous les mots de cette langue.

Le bureau de Vinod est plein de livres en anglais, surtout des scénarios de réalisateurs étrangers. *Mission Kashmir* sera son dernier film hindi; s'il marche comme il l'espère, il investira l'argent gagné dans une production hollywoodienne. Il joue sa carrière, sur ce coup. Après *Kareeb* il se retrouve endetté de près d'un crore. Si son prochain film ne lui permet pas de se renflouer, il n'aura plus d'avenir dans le cinéma. « Si jamais il fait un bide, il faudra que je vende la maison. » Le mieux serait que les spectateurs connaissent les grandes lignes de l'histoire avant d'entrer dans la salle – en principe la presse soutiendra sans problème un film portant sur un sujet d'actualité –, mais Vinod n'a pas plus l'intention de contester la position officielle de l'État sur ce conflit que celle des séparatistes cachemiris, capables de faire sauter sa maison si le film leur déplaisait. Cela oblige à complètement passer sous silence la complexité politique de la situation au Cachemire, les sentiments d'injustice et d'aliénation éprouvés par la majorité des habitants de cette région disputée, les raisons économiques et administratives qui depuis longtemps poussent à la rébellion. « Je ne veux pas faire un film polémique, répète sans arrêt Vinod. Je ne veux pas de menaces de mort et je ne veux pas qu'il soit interdit. La commission de censure est composée de petits merdeux. Ils vont visionner le film, ils vont me féliciter – je les entends d'ici : " Bravo, Chopra Saab! Génial, magnifique! " – et au moment de voter, un sur deux refusera de m'accorder la licence tous publics. » L'interdiction aux moins de dix-huit ans anéantirait les perspectives commerciales du film. Les Indiens vont au cinéma en famille.

Tous les après-midi, installés dans le bureau à la vue admirable nous buvons des litres de thé en échangeant les idées qui nous viennent. J'apprends à construire un scénario. Il ne s'agit pas seulement de dérouler l'intrigue ou d'en livrer petit à petit les clés : chaque scène doit être chargée d'intensité dramatique. « Je ne devrais pas être là! grommelle Vinod. Je devrais être en train de tourner. Vous savez ce qui me plairait? Que vous partiez tous les trois quelque part, où vous voulez, et que vous reveniez avec un scénario bien ficelé. » Il a deux remarques rédhibitoires pour écarter les propositions avec lesquelles il n'est pas d'accord : « trop filmi » (pour celles qui heurtent sa sensibilité d'artiste), et « le public hindi n'acceptera pas » (pour celles qui comportent un risque financier). Les idées qui trouvent place dans le scénario lui sont en partie soufflées par ses collaborateurs, mais Vinod arrive si bien à se les approprier qu'il pourrait y avoir pensé tout seul.

Vikram a imaginé plusieurs changements qui étoffent sensiblement l'intrigue. Vinod n'est pas convaincu. « N'oublions pas qu'il s'agit d'un film hindi. S'il était en anglais, ce serait différent. »

Vikram qui adore *L.A. Confidential* dit s'être inspiré de la structure de ce thriller pour apporter ses modifications. « Je l'ai vu sept fois et je le reverrai volontiers autant.

– Si *L.A. Confidential* était un film hindi il n'aurait pas tenu l'affiche un jour, rétorque Vinod. C'est bien trop cérébral. »

Je lui fais remarquer que le public indien est parfaitement capable de comprendre des choses subtiles. Après tout, il n'y a pas au monde de récits mythiques plus complexes que le *Ramayana* et le *Mahabharata*, qu'on commence à inculquer aux enfants dès l'école primaire. Le moindre personnage de ces épopées a des dimensions multiples, l'intrigue repose sur des ressorts innombrables et il faut des capacités de réflexion affirmées pour saisir la morale ambiguë du message. Ces deux chefs-d'œuvre tout sauf faciles se terminent mal, par la mort des principaux protagonistes. Reste que le projet qui nous occupe n'est ni le mien, ni celui de Vikram ou d'Abhijat, mais celui de Vinod. Il le porte, le défend, et manifestement il est habité par son sujet. À un moment, pour illustrer le type de chanson qu'il veut introduire dans une séquence, il se met à entonner avec Abhijat le grand succès de Kishore Kumar, *Aa chal le tujhe*. Et ils le chantent jusqu'au bout, le visage radieux. Cet intermède peu productif est un détour du côté du plaisir. Quand il mime une scène violente, Vinod devient violent. Rouge de colère, il vous attrape par le col et vous crache sa tirade préférée à la figure : « Madharchod ! Putain je vais te tuer ! » Son agressivité est contagieuse. Le jour où Sunita me raconte qu'un malotru a sonné à la porte avant de partir en courant, je me mets à hurler : « Ah, les enfoirés ! Je vais les tuer, ils vont voir ce qu'ils vont voir ! » – et puis je me prosterne pour dire mes prières du soir.

Les explications de Vinod sur ce qui est, ou non, politiquement acceptable me fascinent beaucoup plus que l'écriture du scénario. Il faut en particulier éviter de « heurter de front telle ou telle communauté », pour reprendre la formule dont la presse se gargarise. Vinod se tâte, hésite, tergiverse sur la religion que devront observer les premiers rôles féminins ; il ne faut pas choquer, il faut rester crédible. Pour finir, il coupe la poire en deux : Mme Khan, l'épouse de l'inspecteur, sera hindoue, et Sufi, la petite amie du militant séparatiste, musulmane. Les contraintes dont nous devons tenir compte sont spécifiques à ce pays. Vinod ne peut pas se permettre les fondus noirs ; il en avait introduit cinq dans un de ses premiers films, à l'époque où il sortait de l'Institut du cinéma, et les spectateurs se sont mis à siffler, persuadés qu'il s'agissait d'une panne. En cabine, les projectionnistes coupent les fondus pour empêcher le public de tout casser dans la salle.

Une des premières moutures du script s'achève sur une image de l'héroïne en train d'attendre l'hélicoptère qui ramène le héros, mort ou vif. À sa vue, son visage s'illumine et elle lance les mots de la fin : « Tu es vivant ! » Vinod revoit ce passage et secoue la tête. « Trop tard, décrète-t-il. Il n'aura pas le temps de monter dans l'hélicoptère que déjà les lumières seront allumées et les portes ouvertes. » Le public des salles indiennes a un sens inné des derniers plans d'un film, une sorte de prescience facilitée, cinq minutes avant la fin, par l'ouverture des portes et l'éclairage éblouissant des lumières jusqu'alors tenues en veilleuse. Les gens venus avec des jeunes enfants doivent partir tôt pour trouver un taxi ou un rickshaw. Si bien que tout le monde rate la fin des films hindis, même les spectateurs restés sagement dans leurs fauteuils puisque ceux qui sont déjà debout leur masquent l'écran. La plupart des films se terminent donc sur une chanson ou une récapitulation des moments forts qui défilent dans une rapide succession d'images comme, dit-on, la vie d'un mourant sous ses yeux. *Mission Kashmir* se conclura sur le rêve absurde d'un match de cricket dans la neige et la reprise d'une chanson.

L'influence des mythes épiques y est nettement perceptible. Dans le *Mahabharata*, la mère a nom Kunti, et c'est tout naturellement que nous baptisons ainsi la séquence où Mme Khan implore le jeune terroriste de déposer les armes et d'épargner son époux. Comme la plupart des productions bollywoodiennes, le film est un hymne à la maternité, seul thème que le cinéma hindi ne se permette pas de traiter par la dérision. Quantité de longs-métrages brodent sur les dissensions déchirantes surgies au sein d'une grande famille qui à la fin retrouvera sa belle unité. Ils s'attachent pendant deux heures et demie à décrire, et réparer, l'éclatement des structures familiales traditionnelles en petites cellules citadines monoparentales ou divorcées. Ce genre de films se classent dans la catégorie dite « sociale ». Il attire essentiellement des femmes au foyer qui viennent en matinée et mouillent abondamment leurs mouchoirs en coton blanc brodés de fleurettes multicolores. Tels les bons fils de ces films hindis, Vinod est tout dévoué à sa mère. Il annule un projet de dîner avec nous parce que sa maman dit qu'il ne faut pas manger de plats préparés pendant l'éclipse.

Les principes narratifs qui sous-tendent l'intrigue n'ont rien à voir, par exemple, avec ceux de l'atelier d'écriture de l'Iowa que j'ai suivi deux années de suite. Je m'amuse à imaginer ce qu'il adviendrait du scénario si on le confiait aux élèves de l'atelier. Je n'y contribue de toute façon que de manière minimale, et encore. Chaque fois que je propose une idée qui s'écarte un tant soit peu des normes en vigueur dans le cinéma hindi, Vinod l'examine puis décrète : « Impossible. Si on mettait ça dans le film, les spectateurs brûleraient la salle. Ils casseraient les fauteuils et après ils mettraient le feu. »

Je retire donc ma suggestion.

Vinod n'exagère pas. En Inde le cinéma est une affaire aussi sérieuse que l'opéra en Italie. Quand le public estime que les héros sortent du droit chemin, il n'hésite pas à exprimer concrètement son mécontentement. Nous travaillons toujours sur *Mission Kashmir* quand nous apprenons qu'un film, *Fiza*, a déclenché une émeute à Ludhiana : à la première projection, les spectateurs ont été affreusement déçus par le personnage qu'y incarne leur idole (le héros est un terroriste) et ils ont complètement saccagé la salle. Ma responsabilité de scénariste me paraît maintenant écrasante. Nous bâtissons le film en gardant un œil inquiet sur le rickshaw wallah assis au parterre avec son jerrycan d'essence.

Vinod n'a pas une très haute opinion des films d'art et d'essai réalisés en Inde. « Faire ces films-là en Inde, ça revient à parler grec ou latin à l'Indien moyen. C'est notre complexe colonial. Le cinéma d'art et d'essai s'adresse aux Occidentaux, à la seule exception de Ghatak qui tourne en bengali pour les Bengalis. C'est l'Occident, pas le Bengale, qui a porté Ray au pinacle après *Pather Panchali* [1]. »

Vinod sait de quoi il parle. Quiconque le rencontre pour la première fois apprend au détour de la conversation qu'il a été nominé pour un oscar. Quand il a commencé à voler de ses propres ailes, une fois son diplôme en poche, il a réalisé un court-métrage sur les enfants des rues de Bombay, *An Encounter with Faces*, nominé dans la catégorie documentaires. Ses deux films suivants ont été applaudis par la critique mais sont restés assez confidentiels. Changeant son fusil d'épaule, il s'est alors rabattu sur des réalisations ouvertement commerciales, polars et comédies sentimentales. *Parinda*, son premier film grand public, a fait un tabac chez les truands et les voyous parce qu'il brosse d'eux un portrait fidèle. Je me souviens encore de Mohsin le tueur, qui en regardant une scène de *Parinda* à la télé, dans la chambre d'hôtel, a eu ce commentaire élogieux : « C'est drôlement bien tourné. »

Depuis, Vinod n'a signé que deux films : *1942 : A Love Story*, et *Kareeb*, soit un total de cinq longs-métrages en vingt ans de

---

1. Ce film, réalisé en 1955 par Satyajit Ray, est sorti en France sous le titre *La Complainte du sentier (N.d.T.).*

carrière. Pourquoi les pond-il si lentement, alors que certains réalisateurs de Bollywood en sortent un ou deux par an ?

« D'abord à cause de l'écriture. Je ne suis pas très bon pour l'écriture. » Il s'en veut de rabâcher toujours les mêmes vieux clichés pour un « public d'ulloos », il se plaint « d'être coincé par des spectateurs complètement analphabètes en matière de cinéma. Un peu comme si j'essayais de parler de Shakespeare avec Khem Bahadur » – son cuisinier népalais. « À force de tout simplifier et d'essayer de parler de Shakespeare avec Khem Bahadur, j'ai peur de n'être plus capable de parler de Shakespeare avec les gens qui le connaissent. »

C'est une des vérités que je découvre peu à peu sur Bollywood : les gens qui y travaillent sont beaucoup plus spirituels que ce qu'ils réalisent. « On tire un trait sur notre intellect pour plaire aux amateurs de films hindis. Toi qui écris un roman en anglais, essaie un peu de l'écrire en hindi et tu comprendras mieux la tragédie que je vis. Tu te retrouveras dans la dèche ! Tu n'auras plus un rotin pour payer la scolarité de tes mômes ! »

Il s'autorise parfois à imaginer ce qu'il serait devenu si ses premiers films avaient marché ou s'il avait choisi de s'installer aux États-Unis après sa nomination aux oscars. Il a parfois le sentiment d'être passé à côté de sa vie, de faire fausse route depuis trop longtemps. « Je voudrais signer des films qui percent sur le marché mondial. J'ai envie de grandir. Où est-ce que ça me mène de rester ici ? Si je ne bouge pas, je passerai le restant de mes jours dans mon beau bureau en bois, avec mon jacuzzi. »

Il existe en réalité deux Vinod irréconciliables, comme il aime à le dire à propos de Khan et d'Altaaf, nos deux principaux protagonistes. L'un est le réalisateur d'avant-garde sorti avec les honneurs de l'Institut du cinéma de Pune, l'élève de Ghatak et de Mani Kaul, l'admirateur inconditionnel de Kurosawa. L'autre est un artisan de films à gros budgets qui a quelque chose à prouver à son beau-frère, écrivain à succès, et qui bannit de ses films les finesses et les subtilités ne pouvant qu'échapper à son public d'ulloos. Il serait moins torturé s'il faisait une bonne fois pour toutes allégeance à l'un de ces personnages, tranchait enfin entre Vinod le réalisateur engagé et Vinod le tâcheron de Bollywood. Il en est loin ; ce conflit qui transparaît dans ses films l'empêche et d'obtenir un oscar, et de crever les plafonds du box-office.

Vinod aime sa maison mais abomine Bombay. « Bombay ne m'a jamais excité. Ça me tenterait assez de partir en Floride si je pouvais emmener tous mes amis là-bas. Bombay ressemble à un camp retranché depuis que le Shiv Sena et Bal Thackeray sont au pouvoir. Bombay est foutu, et par la faute d'un seul homme : Bal Thackeray. » Il s'est entendu dire par un fonctionnaire que s'il voulait être exempté de taxes pour *Kareeb* il devait aller solliciter Thackeray. Pour contrôler le cinéma populaire, le gouvernement a imaginé plus efficace encore que la censure : le fisc. L'exemption de charges accordée au cas par cas permet de diviser le prix des billets par deux, une différence assez significative pour signer l'arrêt de mort ou le succès d'un film. Vinod se refuse cependant à aller lécher les pieds de Thackeray. Il quittera plutôt le pays si jamais le Guide Suprême lui met des bâtons dans les roues.

Vinod me parle du « New Quit India Movement [1] ». Regroupant une cinquantaine de célébrités bombayites, dont des danseurs, des comédiens, des diplomates, le mouvement est vaguement animé par une coiffeuse parsie qui a la haute main sur certaines des têtes les plus célèbres de la ville. Elle a invité Vinod et Anu à s'associer à l'exode envisagé au Canada, et plus précisément à Vancouver. Les gens de l'association assistent à des conférences où des experts leur expliquent par le menu comment partir à l'étranger et comment y vivre. Ils ont tous un bon niveau de vie et les moyens de payer les cent cinquante-huit mille euros qu'il en coûte pour obtenir des papiers canadiens. Leur rêve d'exil est typiquement bombayite : ils veulent fuir la ville mais comptent bien emmener leur Bombay avec eux. Le mouvement caresse l'idée de partir à l'autre bout du monde dans une bulle sociale

---

1. En référence au célèbre slogan de Gandhi « Quit India » (Abandonnez l'Inde !), adressé à la puissance coloniale anglaise dans les années quarante (*N.d.T.*).

afin de recréer Malabar Hill et Pali Hill dans un environnement plus salubre.

Dans des années on me demandera : « Il était comment, dis ? Il marchait comment ? »

Je viens d'arriver chez Amitabh Bacchan, je lui serre la main. Sa main de chair et d'os, pas la copie en cire du musée de Mme Tussaud. Cet homme – ou plutôt son image – m'a accompagné tout au long de mon enfance. Pour la deuxième fois de ma vie je le vois aujourd'hui en vrai. La première c'était en 1979, dans un vieux Cinéma Deluxe à Woodside, dans le Queens, où il était venu pour le lancement de *Kala Patthar*. Je l'avais admiré de loin pendant que sur la scène il prononçait son discours. Bacchan était alors la plus grande star du cinéma hindi ; le jour où une de ses cascades s'était mal terminée, le pays tout entier avait prié pour sa guérison et des dizaines de milliers de personnes prêtes à lui donner leur sang avaient campé autour de l'hôpital Breach Candy.

L'homme paraît étonnamment plus grand que son double à l'écran, dans son ample costume traditionnel pathan en soie blanche. Il assortit sa poignée de main d'un sourire ; jamais je n'ai vu tant de dents de ma vie. Ni joyeux ni satisfait, ce sourire n'est pas non plus destiné à me mettre à l'aise. C'est un éclat lumineux, comme si on avait appuyé sur un bouton, et quand il s'éteint, deux secondes plus tard, le visage se fige, replonge dans la torpeur.

Devant chez lui, il y a en permanence des petits groupes de gens venus « prendre son darshan », une vision porte-bonheur. L'idole se tient dans son bureau au luxe à peine ostentatoire, tout de cuir beige et de bois noir. Un grand tableau figuratif représentant un vieux projectionniste en train d'actionner son antique appareil au milieu d'une nuée d'enfants domine la pièce. Sur le bureau, des piles de vidéocassettes et deux livres : un recueil de poèmes de son père et, posé dessus, le best-seller de Paul Reiser, *Couplehood*.

Quand nous serons ressortis, Vinod me demandera : « Tu crois qu'il a une permanente ? Ça fait bizarre, devant. » Derrière aussi, ça fait bizarre, ces cheveux qui tombent anormalement bas dans le cou. Au vrai, Bacchan a perdu plus que sa crinière et il est désormais prêt à tout. Ses deux derniers films n'ont pas tenu l'affiche et l'avenir d'ABCL Ltd, sa société de production, paraît compromis. Le jour où Bacchan a appelé Vinod de l'île Maurice, le réalisateur fut tellement emballé par l'idée de Vikram de tourner un film sur le conflit du Cachemire qu'il lâcha un tonitruant : « Putain, mais c'est génial, bordel ! » Bacchan convint poliment que c'était génial, en effet. Cette nuit-là, Vinod se reprocha d'avoir été si grossier avec un homme bien plus célèbre et plus âgé que lui. L'échange lui parut cependant assez révélateur de la nouvelle situation de la star : Bacchan avait lui-même décroché son téléphone pour le joindre et il ne l'avait pas raccroché au nez de ce réalisateur qui jurait comme un charretier. Depuis le flop de ses deux derniers films, c'est lui qui appelle pour solliciter des rôles.

Contrairement à la plupart de ses collègues du cinéma hindi, Vinod tourne à partir d'un scénario rédigé du début à la fin, document qui n'est toutefois ni nécessaire ni suffisant pour recruter le rôle-titre. Il faut aller trouver les stars en personne et leur dévider le récit par le menu. C'est pour cette raison que nous sommes chez Bacchan. Nous allons lui raconter une histoire.

Il nous donne son opinion sur l'effet que le film doit produire sur le public : « Il faut prendre les spectateurs là où je pense et ne plus les lâcher. » L'œuvre à laquelle il va participer doit se démarquer de la production ambiante, adopter un autre paradigme en suivant, par exemple, la voie tracée par *Bombay* et par *La Reine des bandits*. Il a aussi des idées très précises sur la suprématie de son rôle de héros – héros incontesté, cela va de soi. Il faut penser l'intrigue de façon que Khan puisse démontrer « sa finesse, son intelligence absolue ».

Il nous écoute lui raconter l'histoire et quand nous avons fini il émet une autre suggestion : « Si on faisait jouer le rôle du méchant au système ? » Nos compatriotes, ajoute-t-il, « sont complètement désinformés ». Depuis qu'il a vu *JFK*, le film d'Oliver Stone, son regard sur le monde a changé. Bien que les citoyens indiens ne soient pas des abrutis, ils ont longtemps cru aux mensonges des politiciens et des cinéastes véreux ; maintenant, ils commencent enfin à ouvrir les yeux et comprennent que le système est responsable de leurs souffrances. Ils ne sont plus prêts à gober comme par le passé le cliché de la fin heureuse, le triomphe du héros qui renvoie tout le monde dans ses foyers.

Bacchan voudrait que nous réalisions un film dont le déroulement, fin comprise, éclairerait l'homme de la rue sur les perversions du système. Il verrait bien les deux rôles principaux, le flic et le militant, mourir tués par une même balle dans le dernier plan, au moment où ils se donnent l'accolade. « Ça, au moins, ça ferait réfléchir le public, continue la star. Les gens vont rester assis dans leurs fauteuils un bon quart d'heure à se demander qui a tiré sur ces deux types, et tout à coup la lumière jaillira. Ils se diront : " Merde ! C'est le système... " »

Repensant à la volonté affichée de Vinod de ne pas faire un film polémique, j'évoque le problème de la censure.

« On s'en fiche, de la censure ! » s'exclame Bacchan en agitant la main comme pour chasser des mouches. Il nous parle alors de ce qui s'est passé à l'École militaire, cadre de son dernier film, *Major Saab*, où il interprète le commandant de l'académie. Après avoir visionné les bobines, certains officiers qui trouvaient à redire à des scènes selon eux peu conformes à la réalité l'ont menacé à mots couverts d'alerter la commission de censure. « J'ai répondu que si c'était ce qu'ils voulaient ils n'avaient qu'à l'interdire, mais que je ne me priverais pas de faire un film sur ce qui se passe réellement au sein de l'armée : le trafic d'armes dans les avant-postes, les coucheries des haut gradés avec les femmes des petits lieutenants. » Les officiers ont aussitôt cédé et lui ont proposé de poursuivre la discussion autour d'un verre. Ce jour-là Amitabh Bacchan a remporté une vraie victoire de héros. Il a affronté l'armée à lui tout seul et l'armée a reculé. Ça me fait chaud au cœur.

Perturbé par cette réunion avec Bacchan, Vinod arpente sa terrasse de long en large et finit par me demander ce que je pense des suggestions de l'acteur. Je doute, et le lui avoue, qu'une histoire se concluant sur la mort des deux rôles principaux emporte l'adhésion du public. C'est toute la différence entre un film d'art et d'essai et un film commercial : dans le premier, le héros meurt à la fin. Vinod qui n'a pas envie de verser dans la tragédie préférerait que le film s'achève sur les retrouvailles du militant séparatiste avec sa fiancée et son père. Devant moi, il répète ce qu'il compte dire à Bacchan au téléphone : « Vous avez raison, monsieur, le citoyen ordinaire se fait sûrement avoir par le système. Mais si je tue mes deux héros à la dernière image, à tous les coups c'est moi qui serai baisé par le système. »

D'où vient la paranoïa de la star ? L'incursion de Bacchan sur la scène politique s'est terminée de façon humiliante ; en 1988 il a dû démissionner de son siège de député parce que son nom avait été cité dans l'affaire Bofors [1]. Sa maison de production fait les gros titres des journaux, son banquier exige qu'il vende sa propriété pour rembourser les emprunts souscrits par l'entreprise, ses films déçoivent à gauche comme à droite. Le pays, pourtant, l'a porté aux nues, la population aurait donné son sang pour lui. Il n'est pas possible que tous ces gens aient brusquement cessé de l'aimer ; les gens ne sont pas si inconstants. Non, la cause est à chercher ailleurs : le vrai responsable c'est le système.

Nous revenons chez Bacchan avec le scénario remanié. Il est tard. Sa femme, Jaya Bacchan, assiste à la réunion, de même que son fils, l'acteur Abhishek, et le comptable de la famille. Jaya est une grande dame. Séduisante et très digne, elle ressemble toujours à l'actrice que j'avais adorée dans *Guddi* et dans *Mili*. Nous piochons dans le plateau d'amuse-gueules en parlant du

1. Scandale qui éclata en 1986, quand on apprit que le groupe suédois d'armement Bofors avait acheté des fonctionnaires et des hommes politiques indiens en leur versant en sous-main plus de trente et un million d'euros afin d'obtenir un important contrat d'équipement de l'armée indienne. Cette affaire de corruption sans précédent entraîna la chute du gouvernement de Rajiv Gandhi *(N.d.T.)*.

rapport Starr qui vient juste d'être publié. Pour Bacchan, c'est clair : les récents attentats à la bombe contre les ambassades américaines d'Afrique de l'Est sont un complot visant à détourner l'attention des ennuis de Clinton avec Mlle Lewinski. Encore un coup, c'est sûr, de la main invisible du système.

Nous continuons ainsi à deviser jusqu'à trois heures du matin, puis nous souhaitons bonne nuit à Jaya et montons à l'étage, dans le bureau de Bacchan. La star regarde les photos de repérage prises par Vinod au Cachemire : vues d'un pays superbe et paisible, avec bungalows anciens et fontaines jaillissantes dans des jardins bien tenus. Il parcourt la dernière version du scénario en hochant çà et là la tête avec des grognements approbateurs. Manifestement, il est claqué et a envie d'en finir au plus vite. Nous le quittons au bout d'une heure environ. Jaya est toujours là, au pied des marches dans la pièce à peine éclairée, silhouette qui glisse à pas légers sur les tapis jetés au sol. Abhishek et le comptable sortent également de l'ombre.

« Je ne me couche jamais avant quatre heures et demie du matin, dit Jaya comme nous nous étonnons de la trouver debout.
– On est tous insomniaques, dans la famille », renchérit Abhishek qui semble en tirer un motif de fierté.

Assis dans un fauteuil, Bacchan grignote ses sempiternels biscuits salés, accompagnés cette fois d'une assiette de sucreries du Rajasthan. Ces couche-tard semblent tout disposés à bavarder encore une heure. Nous prenons congé, laissant les fantômes à leur veillée.

Shahrukh Khan, l'acteur à qui va notre préférence pour le rôle d'Altaaf le séparatiste, s'est déplacé chez Vinod pour parler du scénario. Ce n'est pas un modèle de beau gosse au sens traditionnel du terme, mais il est vif, concentré, énergique. Sa chemise noire déboutonnée découvre un torse imberbe, son jean trop long et effrangé comme le veut la mode plisse sur ses baskets. Nous nous sommes déjà vus, tous les deux. La première fois c'était sur le tournage de *Dil To Pagal Hai*, quand le héros rencontre l'héroïne : elle est en train d'acheter des légumes et discute le prix d'une pastèque. Shahrukh vient à son aide ; il prend le vendeur de légumes par l'épaule, glisse tout bas quelques mots à ce noiraud affublé d'une énorme moustache et aussitôt le type se calme et met la pastèque dans un sac en plastique. Dans les films de mon enfance, les héros arrachaient les héroïnes aux mains des brigands ; aujourd'hui ils négocient pour elles le prix des légumes.

Ce jour-là, dans le salon de Vinod, Shahrukh nous trouve en grande conversation avec Ajay qui s'est invité à déjeuner. La star s'adresse au flic avec beaucoup de respect ; Ajay l'a soustrait à l'appétit des gangs qui le menaçait d'extorsion. En l'absence de Khem, leur cuisinier, Anu se lève pour aller préparer le thé. Shahrukh l'arrête aussitôt – « Je m'en charge. Je fais très bien le thé » – et il s'éclipse dans la cuisine afin de ne pas interrompre la discussion avec Ajay.

Le cuisinier revient peu de temps après. « Si Khem va directement dans la cuisine il va avoir une attaque », prédit Vinod. En trouvant dans son domaine un inconnu en train de piler de la cardamome pour le thé, Khem, nous le saurons plus tard, s'offusque à l'idée que cet intrus, un nouveau domestique si ça se trouve, sans doute pris sa place. Il ne s'apercevra de sa méprise qu'en voyant la façon dont nous accueillons Shahrukh lorsqu'il ressort de la cuisine avec le plateau de thé. L'éclat éblouissant des stars ne leur est pas intrinsèque ; elles brillent de la lumière réfléchie sur les visages de leurs fans. Shahrukh est pour l'heure la plus grande vedette de cinéma du pays et de toute l'Asie du Sud. Récemment, deux jeunes Pakistanais ont été arrêtés par des soldats indiens pour franchissement illégal de la frontière ; vérification faite, il s'est avéré qu'ils n'entraient pas en Inde pour rejoindre le djihad, mais qu'ils avaient bravé la mort dans le seul but de voir leur idole en chair et en os : ils comptaient aller jusqu'à Bombay pour apercevoir Shahrukh Khan.

Beaucoup moins crucial, le choix de l'héroïne ne figure qu'en troisième position sur la liste de Vinod. Dans un film d'action, l'héroïne est à peine plus importante que le décor. Vinod a déjà approché Tabu, mais il hésite ; bien que l'actrice soit excellente, un producteur lui a conseillé « de taper dans le glamour ». Preity Zinta, que j'ai croisée à Madanpura lors du tournage du film de Tanuja, a un charme pétillant qui la rend irrésistible. En plus, c'est une Pahari, une vraie fille des montagnes native de l'Himachal Pradesh. Elle obtient donc logiquement le rôle de Sufi, la jeune amoureuse.

Vinod offre le rôle du méchant à un ami de longue date, Jackie Shroff. J'ai entendu parler de Jackie et de sa bande de copains à chacun de mes voyages à Bombay. Ils glandaient toute la journée dans les parages de Wonderworld, la salle de jeux vidéo de Nepean Sea Road, à draguer les filles. Contrairement à la plupart des célébrités du cinéma hindi, Jackie regarde son interlocuteur dans les yeux. C'est un costaud guetté par l'embonpoint ; sa secrétaire le gronde quand il avale une poignée de biscuits secs. Vinod et Jackie (Jaggu pour ses amis) ont une relation de vieux potes affectueux et blagueurs. Ils ont vécu pas mal de choses ensemble. À une époque, nous dit Vinod, Jackie lui devait cinq lakhs. Il l'a payé en lui remettant vingt-deux chèques, tous en bois.

À la différence des films hindis dont je me délectais, adolescent, dans le nôtre il n'y aura pas de vamp pour donner la réplique au méchant. Pourquoi ce personnage a-t-il disparu de Bollywood ? Tanuja à qui je pose la question me répond que « l'héroïne a endossé ce rôle ». Du temps glorieux de Bindu et d'Helen, les femmes fatales étaient les seules à apparaître à l'écran dans des tenues osées, à onduler érotiquement, à boire du whisky. Toutes choses désormais permises à l'héroïne ; les films d'aujourd'hui comportent au moins une séquence chantée au cours de laquelle la femme destinée à devenir l'épouse soumise séduit le héros en lui montrant ses cuisses. Les premiers rôles ont également évincé la figure de l'éternel second, le vieux pote ou le vieux con magnifiquement incarné par Asrani, Paintal et Johnny Walker, qui distribuait les coups de poing au hasard dans la scène de la grande bagarre. Bacchan a détruit ce bouffon en l'intégrant à ses personnages. Il est le seul acteur qui ait assez de prestance pour y parvenir sans cesser de paraître héroïque.

La proportion de films populaires portant sur des questions politiques et notamment sur le terrorisme augmente régulière-ment. Je ne me souviens pas d'en avoir vu un seul, enfant ou adolescent. Aujourd'hui, c'est par le biais du cinéma que l'Inde traite ce qui menace son intégrité. Quantité de films hindis brodent sur le thème d'un vaste complot international tramé contre la mère patrie par un méchant originaire d'un ailleurs imprécis. Des bombes explosent, posées par des terroristes géné-ralement de mèche avec des hommes politiques reconnaissables à leur petit couvre-chef gandhien. C'est que les révoltes innom-brables qui secouent le pays ont une explication simple : elles sont fomentées hors du territoire national par ce que le gouver-nement appelle depuis l'Indépendance « la main de l'étranger ». La vie serait belle, si seulement on appréhendait le cerveau qui veut détruire le pays. Dans sa fabuleuse résidence cachée au fin fond du Pakistan ou de la Suisse, l'abominable Mogambo [1] our-dit avec ses laquais des plans pour anéantir l'Hindoustan.

Je me sens très loin de bien des scènes de *Mission Kashmir*. Quand je dois les coucher noir sur blanc, je me fais avocat et mets des mots auxquels je ne crois pas dans la bouche des per-sonnages. Politiquement parlant, je suis à gauche du synopsis. Je trouve qu'il faudrait insister sur les conditions socio-écono-miques qui font le lit du terrorisme, en particulier au Cachemire. J'évoque le voyage effectué là-bas en 1987, qui m'a laissé sur l'impression que le gouvernement de cet État était sans doute le plus corrompu de l'Union indienne. Je parle du désir de sortir de l'Union exprimé par la plupart des habitants que j'ai pu ren-

1. Mogambo : non pas le film de John Ford, mais un des plus célèbres per-sonnages du cinéma hindi, interprété par Amrish Puri dans *Mr. India* (1987). Fou dangereux et richissime à la tête d'un arsenal de destruction massive, Mogambo met le pays à feu et à sang pour se procurer l'élixir d'invisibilité mis au point par un savant de génie *(N.d.T.)*.

contrer ; de la double injustice dont l'Inde s'est rendue coupable en gardant le Cachemire à majorité musulmane sous prétexte que le maharadjah nous avait rejoints après l'Indépendance, tout en interdisant aux princes de Hyderabad et de Junagadh de se rallier au Pakistan au motif que leurs États étaient majoritairement peuplés d'hindous. Je ne m'obstine pas, néanmoins. Je n'ai pas assez d'autorité ou d'influence sur la petite équipe des rédacteurs pour enfoncer le clou.

Vinod voudrait que le film défende le concept du Kashmiryat, cette idéologie séculaire qui laisse aux musulmans et aux hindous la possibilité de pratiquer leur foi dans le même pays, les uns à la mosquée Hazratbal, les autres au temple de Shankaracharya. Il n'essaie pas d'enjoliver l'histoire récente de sa terre natale. « Les Indiens ont mis le Cachemire dans la merde, soutient-il. Je suis bien placé pour le savoir puisque je suis né là-bas. Ça fait cinquante ans qu'ils foutent le merdier au Cachemire. » Le scénario expose toute la panoplie des opinions politiques des musulmans cachemiris, de Khan, le policier pro-indien à Altaaf, le terroriste aveuglé, en passant par Hilal, l'agitateur fanatique formé en Afghanistan. À un moment donné, Khan s'oppose à un fonctionnaire hindou qui doute de sa loyauté. « M. Deshpande, lui dit-il, c'est un grand malheur pour le pays tout entier, et pas seulement pour les musulmans qui y vivent, qu'un soldat qui pendant vingt et un ans a bravé le feu de l'ennemi soit constamment obligé de donner des preuves de son patriotisme pour la seule raison qu'il ne s'appelle pas Deshpande mais Inayat Khan. [...] Je n'ai pas besoin du certificat d'un bureaucrate pour savoir que j'aime mon pays. »

Le film s'efforce aussi tout du long, mais mollement, de contrebalancer la position de l'État indien en exposant le point de vue des Cachemiris. Il tempère sans arrêt, ménage la chèvre et le chou. Dans une scène, un terroriste explique ainsi les raisons de son action : « Ils ont jeté la honte sur ma mère. Alors, j'ai pris un fusil et je suis venu ici. » Cette déclaration courageuse est aussitôt neutralisée par la tirade suivante, que le garçon prononce en tenant à la main la lettre qu'il vient de recevoir de chez lui : « Maintenant, de l'autre côté de la frontière ils viennent de faire subir la même chose à ma sœur. » L'équivalence en toutes choses. L'équivalence a le pouvoir de retenir le ciseau des censeurs, d'arrêter la balle du terroriste à un centimètre de la poitrine de la cible.

Nous présentons l'une après l'autre les différentes moutures du scénario à des officiers de police et à des gradés de l'armée qui évaluent la fiction en regard de la réalité. Au Cachemire, Vinod le soumet à un haut responsable des services secrets. Lequel s'interroge sur la scène d'interrogatoire au cours de laquelle Khan abat deux séparatistes sans autre forme de procès. Il reproche au cinéaste de « saboter le boulot. En ce qui me concerne, je ne coupe jamais un bout de doigt parce que ça me laisserait moins de surface corporelle pour bosser. Si je coupais un bras j'en aurais encore moins, et si je zigouillais le type je n'aurais plus de quoi travailler. » Pour ce chef des services secrets, le corps est une ressource inestimable, à préserver pour sa valeur de réservoir de souffrance ; chaque organe, le moindre bout d'orteil est précieux.

Presque du jour au lendemain, Amitabh Bacchan retire sa participation. Il en informe Vinod par fax : estimant que « trop de problèmes de fond n'ont pas encore été abordés », il est au regret de lui annoncer qu'il préfère en rester là. Vinod scrute d'un regard dégoûté le bout de papier écrit à la main. « Problèmes de fond, tu parles. Problèmes de fonds avec un *s*, oui ! » Il se précipite chez la star avec un bouquet de cent roses blanches pour la persuader de signer le contrat. Bacchan lui apprend qu'il s'est engagé sur un autre projet dont Shahrukh fait également partie. Nous voilà donc obligés d'imaginer le film sans lui. Les vieux acteurs portant beau sont une denrée rare, hélas. En Inde, les ex-jeunes premiers du cinéma vieillissent mal ; ils s'empâtent, ils deviennent chauves, mais ça ne les empêche pas d'exiger des rôles non de pères, mais d'amants, avec des partenaires dans la fleur de l'âge.

Peu après, Vinod m'apprend que Shahrukh, à son tour, se retire de *Mission Kashmir*. Le réalisateur envisage désormais de consacrer le restant de l'année à des films publicitaires. Rien de tel que les pubs télé pour renflouer les caisses. Le cachet proposé au départ à Shahrukh s'élevait à trente lakhs, en échange de quoi il s'engageait sur plusieurs mois de tournage, avec déplacements à la clé. Quand il signe pour trois jours pour Pepsi il touche dix fois plus. Reste que s'il n'y avait pas le cinéma, Shahrukh serait un illustre inconnu dont les marques ne voudraient pas. Le secteur de la publicité subventionne le cinéma en finançant le mode de vie des stars. En retour, les films font la promotion des produits. Le placement de ces derniers dans les longs-métrages touche des espaces inconnus d'Hollywood. Coca-Cola, par exemple, peut payer intégralement une séquence chantée de sept minutes, montre en main, où l'on voit le héros et l'héroïne batifoler dans une forêt de canettes géantes ornées du célèbre logo rouge. Personne ne s'en offusque ; la distinction entre le sacré et le profane n'a pas cours dans le cinéma indien.

De passage à Lonavla, célèbre station d'altitude, j'ai enfin l'occasion de voir un des films de Vinod, *Kareeb*.

Les salles de cinéma indiennes n'ont rien de commun avec les caissons de relaxation collective proposés aux cinéphiles occidentaux. D'abord, il est hors de question ici d'intimer aux autres de se taire. Chacun dit ce qu'il a envie de dire, et souvent le public converse avec les personnages. Quand une divinité apparaît à l'écran, certains lui jettent de la monnaie ou se prosternent dans les allées. Les bébés braillent. Pendant les séquences chantées, un spectateur sur quatre sort acheter une boisson fraîche ou une friandise dans le hall d'entrée. Dans ces conditions, tout dialogue un peu subtil est exclu parce qu'il serait simplement inaudible. La plupart des salles ont d'ailleurs un son si déficient que, pas plus qu'au théâtre, les acteurs ne peuvent se permettre de parler à voix basse, et qu'il faut pousser le volume de la bande-son au maximum. Il n'en a pas toujours été ainsi. Aujourd'hui, quand vous demandez dans la rue où se trouve le cinéma de Lonavla on vous indique « le parlant ».

Kareeb n'émeut pas les spectateurs. Ils conspuent l'écran, sifflent dès que l'héroïne fait mine d'approcher le héros. Je profite d'une tendre scène entre l'héroïne et sa mère pour aller me chercher un esquimau. « Ils ont été vraiment ignobles, me dit Sunita quand je reviens. C'était vanne sur vanne à propos de l'intimité mère-fille. » Le public n'apprécie pas les moments d'humour. Quand pour plaisanter la mère dit à sa fille qu'elle doit avoir une sœur jumelle – scène en principe comique, selon les conventions du genre –, la salle fait silence. Un silence lourd de dangers.

Kareeb n'est pas un bon film. L'histoire avance péniblement au moyen d'artifices. Le jeu des acteurs frise la caricature, en particulier celui du premier rôle féminin qui enchaîne les scènes comme si elle était stone. À en croire Vinod, cette fille serait responsable de l'argent qu'il a englouti dans *Kareeb* à cause des kilomètres de pellicule gâchés pour cette incapable. Le script prévoyait notamment un plan où elle devait porter la main droite à sa tête ; elle l'a saboté d'innombrables fois en levant la main gauche. Au bout d'un moment, excédé Vinod s'est approché d'elle et l'a mordue à la main droite avant de lancer : « Maintenant que tu as mal, tu arrêteras de confondre ta droite et ta gauche. » Vinod, c'est le Werner Herzog du cinéma indien ; il a vraiment un grain.

Le retrait d'Amitabh et de Shahrukh l'amène à me proposer de collaborer avec lui sur un autre projet. Tourné pour partie à Londres, il explorera les possibilités de réconciliation entre Indiens et Pakistanais exilés. Ce film qui revient sur la Partition doit s'appeler *Mitti*, « la terre ». Vinod compte l'axer sur la rencontre de deux soldats, l'un indien et l'autre pakistanais, ayant grandi dans des milieux similaires à Bombay et à Lahore. Après s'être mutuellement blessés sur un champ de bataille, ils échouent dans le même hôpital, en Angleterre. Là, ils se rendent compte petit à petit qu'ils n'ont pas vraiment de raisons de se haïr puisqu'ils sont du même « mitti ».

C'est un peu tiré par les cheveux mais baigné de bons sentiments. Ça vous a un petit côté angélique en harmonie avec les états d'âme de la presse. L'heure est à l'entente cordiale, ressort de tous les possibles. L'idée de ce scénario a sa genèse dans un voyage de Delhi à Lahore effectué en 1999 par le Premier ministre Vajpayee, avec arrêt à Wagah ; de là, il a gagné Lahore en bus (en bus ! ni en avion, ni en limousine) pour aller faire la paix avec Nawaz Sharif, notre ennemi juré. Bollywood a très vite compris qu'il s'agissait d'un « moment capital » dans l'histoire du sous-continent. Le producteur Mahesh Bhatt et le réalisateur Vinod me harcèlent au bout du fil pour que je les aide à faire aboutir des projets centrés sur le cataclysme survenu il y a un demi-siècle. La Partition les a touchés personnellement tous les deux, Vinod parce que c'est un hindou penjabi du Cachemire, Mahesh parce que sa mère était musulmane. Ce n'est pas d'aujourd'hui que Bollywood se penche sur la vivisection de la mère patrie. Il y a à cela plusieurs raisons, dont le fait que le cinéma est un des rares secteurs d'activité où les hindous et les musulmans sont également représentés. Les scénaristes musulmans concoctent des films épiques à partir des mythes hindous tandis que les dieux à dix têtes déclament des poèmes en ourdou.

L'industrie bollywoodienne, qui est très largement aux mains des Penjabis et des Sindhis, a été fondée après la Partition par des réfugiés assez audacieux pour investir dans un secteur boudé par les élites bombayites des années quarante. À cet égard, son histoire est assez similaire à celle d'Hollywood et des juifs américains. La saga de la Partition croise les grandes histoires d'amour de cette partie du monde – Laila Majnu, Heer Ranjha –, reprises dans des milliers de films hindis : amoureux qui passent outre la volonté d'un père ou d'un souverain tyrannique, jumeaux séparés à la naissance par un accident de l'histoire. De par l'immense émotion qui lui reste associée, de par son ampleur et la tragédie qu'elle représente, la Partition ne pouvait qu'inspirer Bollywood. Ce thème colle à merveille à sa formule. Peut-être même que la formule est née de la Partition, au tréfonds de la psyché durement marquée des réfugiés qui ont fait Bollywood.

La guerre du Kargil qui éclate en 1999 entre l'Inde et le Pakistan signe l'arrêt de *Mitti*, condamné à rester dans les cartons. Les

Pakistanais ne sont plus nos frères mais nos ennemis jurés et des tas de films censés aborder le problème inondent les écrans. Des films sans rapport avec les affrontements au Cachemire, mais qui ont pour héros un militaire ou un policier aux prises avec le terrorisme transfrontalier, et sont donc présentés à grand renfort de publicité comme prophétiques du conflit. Il faut d'urgence reprendre le scénario de *Mission Kashmir* pour l'adapter vaille que vaille au revirement de l'opinion. Impossible, cependant, de prévoir dans quelles dispositions sera le public quand le film sortira, s'il aura à nouveau envie de fraterniser avec les Pakistanais ou les assimilera au contraire à de dangereux fanatiques. Le pire cauchemar de Vinod est que la situation dégénère et que l'impensable se produise : l'un des pays finira par lâcher une bombe atomique sur l'autre. « Tu imagines ? Le film serait complètement dépassé ! » Pourvu que la bombe n'éclate pas ! *Mission Kashmir* perdrait toutes ses chances d'exploser le box-office.

Il reste encore à choisir les nouvelles têtes d'affiche du film. Amitabh Bacchan est remplacé par Sanjay Dutt, la star pas très nette relâchée sous caution pour sa participation aux attentats de 1993. Sa carrière n'est pas des plus brillantes, en ce moment; après avoir touché le sommet, il dégringole doucement la pente. Pour suppléer Shahrukh, Vinod a jeté son dévolu sur un petit nouveau. Fils d'un acteur à la gloire elliptique dans les années soixante-dix, ce garçon de vingt-cinq ans a joué en tout et pour tout dans un film – dirigé par son père – qui sortira d'ici à quelques mois. Il s'appelle Hrithik Roshan.

Il vient un matin chez Vinod pour se faire raconter le scénario. La première chose qui me frappe, c'est sa beauté, si parfaite qu'elle en est presque gênante : des yeux verts, le nez et la mâchoire affirmés, des biceps à la Popeye, un corps mince et musclé travaillé avec zèle pour saillir en tous les points voulus. En sus de ça, il est poli, il est modeste, il écoute l'histoire avec beaucoup d'attention. Vinod prend cependant un risque énorme en le recrutant. Pour peu que *Kaho Na Pyaar Hai*, le film de son père, fasse un flop, il risque d'entraîner *Mission Kashmir* dans l'abîme. Son personnage, Altaaf, est tout de même un premier rôle. Mais Vinod a vu les rushes de *Kaho Na Pyaar Hai* et il a arrêté son choix, dicté probablement en partie par des exigences financières. Hrithik n'est pas cher.

Hollywood ne peut pas produire de films bollywoodiens pour une bonne raison : en voyant comment les contrats se négocient ici, n'importe quel juriste de Wall Street spécialisé dans le show-biz se jetterait par la fenêtre de sa suite, au vingt-sixième étage de l'Oberoi.

Vinod a contacté plusieurs compositeurs de musique de film pour savoir si son projet les inspire. Anu Malik, qui a travaillé avec lui sur *Kareeb*, déprime complètement quand il apprend que le cinéaste se livre à cette prospection. Un dimanche matin, il l'appelle pendant deux heures pour lui annoncer qu'il est prêt à travailler à l'œil. Pleurant et gémissant, il jure qu'il n'exigera rien, pas une paise. Qu'est-ce que l'argent au regard de leur amitié ? réussit-il à articuler entre deux sanglots. Soudain, Vinod entend un crissement, dans l'appareil. « C'est quoi, ce bruit ?

– Je croque un radis, répond le compositeur. Attends. J'en ai pour deux secondes. »

Quand il a fini de mastiquer, il reprend la conversation là où il l'avait laissée avec des trémolos dans la voix. « Pas une paise, je te dis ! Je ne te prendrai pas une paise si tu en fais une question d'argent. »

Les distributeurs de cinéma indien opèrent sur cinq grands territoires délimités dans l'Union indienne et un sixième représentant l'ensemble des marchés étrangers. L'un d'eux, qui convoite le territoire du centre, vient trouver Vinod et lui tend un chèque en blanc. « Inscrivez vous-même le chiffre, monsieur. Vous savez, cette scène de *Parinda*, quand il regarde dans le rétroviseur ? Je la connais par cœur, monsieur ! Par cœur ! » Dans l'industrie du film hindi, la négociation en appelle plus au cœur qu'à la raison. La flatterie est toujours au rendez-vous.

Vinod accueille avec effusion M. Bagadia, un distributeur de Calcutta qu'il n'a pourtant encore jamais rencontré, ainsi que je l'apprendrai plus tard. « Toutes mes félicitations », dit M. Baga-dia sans préciser s'il parle du fils de Vinod, qui vient de voir le jour, du projet de film sur le Cachemire ou des deux. Comme nous discutons avec lui du choix des acteurs, M. Bagadia nous recommande « de taper dans le glamour », d'engager des stars qui ont le vent en poupe et, qualité primordiale, la chance de leur côté. Pour avoir analysé des centaines de films, il sait maintenant qu'il existe des doublés qui portent bonheur, des couples acteur-actrice qui chaque fois qu'ils jouent ensemble assurent le succès de l'œuvre. Ils ne sont pas forcément la clé de la réussite, mais c'est un plus, un heureux présage. « Prenez Raakhee et Suresh Oberoi. Pas un film où ils jouent tous les deux ne s'est jamais cassé la figure. Engagez-les, même si vous leur donnez un petit rôle, même si dans l'histoire ils ne sont pas ensemble. » M. Baga-dia a passé sa vie à réfléchir aux secrets de la réussite ou de l'échec des films. Les vedettes, nous explique-t-il d'un air péné-tré, il faut les recruter quand elles sont en vogue. En effet – et je pressens qu'il va nous livrer la quintessence, la perle rare de sa longue expérience – « une star, c'est comme du rouge à lèvres. Quand elle s'efface, elle s'efface ».

Venu là pour parler d'argent, il affirme que s'agissant de l'ensemble du circuit du Bengale et du Bihar les recettes de par *Kareeb* plafonnent à moins de quinze lakhs. La bonhomie qui préside à la réunion est à peine troublée par la tension sous-jacente. M. Bagadia est le premier à admettre que *Kareeb* a lamentablement échoué et lui a coûté cher, mais il tient à dire à Vinod qu'il distribue des films pour le prestige, pas pour des motivations bassement matérielles. Même s'il sait d'avance qu'il ne touchera pas un sou dessus, à partir du moment où le projet est prestigieux – et tous ceux de Vinod le sont – il est partant. « Des piliers du cinéma comme Vidhu Vinod Chopra, ça ne court pas les rues », ajoute-t-il en se tournant vers moi.

Sitôt la porte refermée derrière lui, Vinod me demande ce que je pense de lui. J'avoue ne pas l'avoir trouvé très franc du collier. « Ce salaud m'a estampé, oui ! » s'emporte Vinod. Sur le territoire

dont s'occupe M. Bagadia, *Kareeb* a rapporté entre trente et quarante lakhs, et le distributeur touche en principe dix pour cent de
ce qu'il déclare. Il s'agit pour l'essentiel d'argent liquide ; aucun
mécanisme comptable ne permet à Vinod de vérifier les sommes
effectivement générées par la vente de billets. C'est le réalisateur
Yash Chopra qui lui a recommandé M. Bagadia, et en partant le
distributeur a lâché qu'il avait rendez-vous avec lui et allait le
voir de ce pas. Vinod demande à son assistante d'appeler Yash
Chopra. Yash Chopra n'est pas en ville.

Vinod rédige des contrats mais n'y appose généralement pas
sa signature, vu que « ces engagements n'ont aucune valeur ».
Le contrat qui lie un acteur et un réalisateur est toujours susceptible d'être révisé, dans la mesure où le cachet effectivement
versé dépend avant tout du succès ou de l'échec du dernier film
de la star. Pour se couvrir, il est fréquent que les acteurs travaillent sur trois ou quatre films à la fois, le policier du matin se
transformant en terroriste l'après-midi et en bourreau des cœurs
le soir. Vinod me tend une feuille de papier qu'il vient d'attraper
sur son bureau – faveur insigne car il s'agit là d'un des secrets
les mieux gardés de Bollywood : un contrat couché noir sur
blanc. Consacré aux émoluments du premier rôle, il est rédigé
dans un style qui passerait pour une curiosité au tribunal mais
qui retranscrit simplement par écrit le mélodrame que Vinod ins-
tille dans la négociation orale.

> *Sujet :* Mission Kashmir
> *Cher Sanjay,*
> *1. Il me semble que ce qui s'est passé ces dernières*
> *semaines autour de* Mission Kashmir *confère une tour-*
> *nure tout à fait extraordinaire au projet, que l'on pense*
> *au scénario, à la musique ou, surtout, à l'intérêt et au*
> *sérieux que vous lui portez. Je crois très sincèrement que*
> *ce projet est d'ores et déjà en train de prendre une*
> *dimension stupéfiante.*
> *2. Je me félicite que vous vous soyez engagé à y parti-*
> *ciper, mais je tiens à vous dire que votre amitié et nos*

relations ont pour moi plus de prix encore. Je ne voudrais donc surtout pas qu'elles soient ternies par des malentendus, en particulier s'agissant de questions matérielles telles que la rémunération, etc. C'est pourquoi j'ai discuté de ce problème avec vous en toute franchise. Je me contenterai de rappeler brièvement ci-après, pour mémoire, ce dont nous sommes convenus.

3. Je ne demanderai pas mieux que de vous verser ce que vous pourriez toucher ailleurs, mais étant donné que je n'ai pas recours aux habituels canaux financiers douteux, je vous paierai vingt-cinq lakhs en roupies. Notez cependant que si le film remporte un succès mitigé, je ne vous remettrai qu'une somme symbolique. J'espère que vous en serez d'accord,

Avec mes meilleures salutations,

Très cordialement,

Vidhu Vinod Chopra

Au-dessous, une ligne manuscrite stipule : « Prime de vingt-cinq lakhs en cas de succès du film. »

Les contrats des trois premiers rôles reprennent peu ou prou le même langage. Les cachets prévus pour le deuxième personnage masculin, interprété par Hrithik, se montent à onze lakhs si le film tient l'affiche, un lakh dans le cas contraire, et une prime de dix lakhs si c'est un triomphe ; ceux de l'actrice principale, Preity, sont identiques, sauf dans le premier cas où elle doit toucher quinze lakhs. Par la suite, l'augmentation concomitante du budget et de la célébrité de Hrithik vont faire évoluer ces chiffres, mais Vinod a parfaitement couvert ses arrières ; si *Mission Kashmir* connaît le même triste sort que *Kareeb*, il n'aura déboursé pour ses stars que la somme dérisoire de deux lakhs. Il a passé des accords similaires avec les compositeurs de musique, le cameraman en chef et le reste de l'équipe. Personne ne touchera d'avance. Au pire, personne ne sera payé. « Après le bide de *Kareeb*, mon directeur artistique n'a pas touché un sou », m'avoue Vinod. Il s'est débrouillé pour le dédommager autre ment, en le recrutant pour le tournage d'un spot publicitaire et en le payant trois fois le tarif normal. « Ce n'est pas très américain, comme procédé, admet Vinod. En Amérique ça ne se fait pas. »

Il nous faut un minimum de quatre chansons pour *Mission Kashmir*. Dans l'idéal, les maisons de disques préfèrent qu'un film en comporte huit de façon à remplir les deux faces d'une cassette. Convenant toutefois que le Cachemire écartelé entre deux adversaires sanguinaires n'est pas le décor idéal pour un numéro bollywoodien, Vinod songe au début à un ensemble de quatre chansons qui tiendront sur la moitié d'une cassette. « On pourra toujours enregistrer de la musique de fond sur l'autre face. » Au fur et à mesure de l'avancée du film, ce nombre va presque doubler pour finalement s'arrêter à sept, une décision créative imposée, elle aussi, par la loi d'airain de l'économie. Les tout premiers revenus que perçoit un producteur de films hindis viennent en effet de la vente préalable des droits musicaux à une maison de disques. Les films de Vinod marchent en général assez bien à l'étranger, et leurs bandes-son font recette. En réalité, c'est surtout grâce à elles qu'ils sont connus ; des gens qui n'ont jamais vu *1942* reconnaissent dès les premières mesures l'air de *Ek Ladki ko Dekha* et se mettent à le fredonner. Avant d'avoir réalisé la prise de vues, Vinod a cédé la musique de *Mission Kashmir* pour trois crores – dont deux à titre d'avance – qui financeront en partie la production du film.

Il nous lit les paroles composées pour les chansons par Rahat Indori. Il y est question de fleurs, de la patrie, de destructions, de bombes. Elles sont en ourdou, et je lui demande si c'est la règle. « Difficile de dire ce qui est hindi et ce qui est ourdou », répond-il avec une moue. Dans la mesure où le film se passe au Cachemire, il penchera en faveur de l'ourdou. Réalisateur nationaliste, comme tous ses semblables, Vinod ne fait pas ses films en hindi mais en hindoustani.

Au nombre de trois, les musiciens jeunes et branchés viennent du monde de la pub. Shankar, Ehsaan et Loy sont respectivement hindou, musulman et chrétien; je les surnomme Amar Akbar Anthony. Dans le studio où nous les avons rejoints, ils nous interprètent trois morceaux qui empruntent à toutes les musiques du monde. Ehsaan réclame à un de ses copains « les percussions burundis » qu'il veut postsynchroniser avec un appel à la prière sénégalais tiré de l'album *Passion Sources*, lui-même une compilation de musiques du monde réalisée par Peter Gabriel en collaboration avec Martin Scorsese pour *La Dernière Tentation du Christ*. La conversation roule sur Nino Rota, Vangelis, John Coltrane, pendant que le mixage combine les sonorités des tablas, des guitares, d'un piano, de clochettes et le bruit d'une rame plongée dans l'eau calme d'un étang. La musique des films hindis battait au rythme de la planète longtemps avant que Peter Gabriel ou Paul Simons redécouvrent le tama. « Pendant des siècles, souligne Loy, ce sont les rythmes, pas les instruments, que les gens ont importés des quatre coins du monde. » Il cite en exemple la musique des zones côtières où l'on retrouve souvent les mêmes tempos de base, qu'il imite avec des bruits de bouche.

La musique dont résonne aujourd'hui Bombay n'est plus celle de mon enfance. Elle fait plus appel aux instruments électroniques, d'une part, aux rythmes et aux timbres d'Afrique de l'autre. Dans nombre de séquences dansées, une voix mâle à l'accent noir émerge soudain du flot sirupeux des paroles pour déclarer son amour à la voix féminine qui gazouille en hindi. Les Indiens aiment autant que les voix d'homme soient graves et les voix de femme haut perchées, mais presque plus personne de nos jours ne peut citer les noms de ceux et celles qui chantent en play-back; les sœurs Mangeshkar n'ont plus le monopole. Grâce à la technique, les arrangements musicaux rivalisent désormais avec les performances vocales, dans les chansons de film hindi, à tel point que le synthétiseur est souvent plus important et plus remarquable que les chanteurs. Les masses adorent; le grand public des panwalli danse sur ces airs. Les vieux tiquent et râlent, comme toujours; ils poussent les hauts cris quand les petits jeunes déforment les vieilles chansons avec leur électronique, les remixent en y mêlant au choix les pulsations assourdissantes du disco, des voix reggae, des samples de rap. D'un coup d'un seul, un air très lent, une complainte ou une tendre ballade se transforme en appel au rassemblement.

L'électronique a ouvert aux compositeurs de musique des films hindis un univers jusqu'alors insoupçonné. Ça les rend un peu dingues. Ils n'ont plus besoin de chercher des musiciens capables de swinguer sur un air de samba ou de merengue : il leur suffit de piquer le rythme voulu sur le synthé, à partir des compilations gravées sur des CD. Les messages numériques qui s'affichent sur les synthétiseurs de Loy précisent quels sont les instruments qu'ils imitent : violons doux, tambours africains. Ou alors ils indiquent : zouk, chant sénégalais, zydeco. Tout ce qui a du rythme est bon à prendre, y compris la musique classique européenne. Les musiciens indiens n'oublient pas Mozart; ils parent le prodige viennois d'un habit de bongos et de congas. La musique de film hindi est fille de l'hindouisme : elle absorbe, digère et régurgite tous ses envahisseurs potentiels. Rien de musical ne lui est étranger.

J'emmène un soir ma petite famille voir *Kuch Kuch Hota Hai*, film merveilleusement distrayant bien qu'il ne tienne pas ses promesses jusqu'au bout. Fleur bleue comme seuls les Penjabis savent l'être, c'est un hymne au plus bel âge des bourgeois indiens, celui des amours de jeunesse. Ce campus me dit quelque chose, j'ai la nette impression d'avoir déjà vu ces personnages quelque part, mais où ? Cela me revient après coup, à la lecture d'un article sur le décorateur de plateau. Deux mots suffisent à me rafraîchir la mémoire : *Riverdale High*. Ce film est la réincarnation en hindi de la BD américaine où Betty et Veronica se disputent les faveurs d'Archie. Comme moi à l'âge tendre, les concepteurs de *Kuch Kuch Hota Hai* ont découvert l'Amérique à travers la bande dessinée. Les banlieues du Nouveau Monde agissent comme un aimant sur ceux qui rêvent de quitter l'Inde.

Mon fils Gautama chante aussi bien *Kuch Kuch Hota Hai* et *Chal Mra Ghoda* que *I'm a Barbie Girl* et *Twinkle Twinkle Little*

Star. Il découvre ses sources de plaisir en Orient comme en Occident, il étoffe son vocabulaire avec cette musique de film hindi que je porte en moi depuis toujours. Quand on lui demande ce qui va lui manquer quand il repartira en Amérique, il répond sans hésiter : « Les films hindis. » À New York, quand Bombay lui manquera il chantera à tue-tête *Kuch Kuch Hota Hai* sur les trottoirs de la ville lointaine. Un petit Indien exilé aux États-Unis fredonne une chanson de film hindi inspiré par une BD américaine. C'est du ping-pong, le kitsch en plus. À l'instar de la *Bhagavad-Gita* et de l'essai de Thoreau sur la désobéissance civile, cela aussi donne des ailes.

Au fil des mois que nous passons à travailler sur *Mission Kashmir* Vinod m'ouvre et sa maison et son cœur. Il s'est marié trois fois, mais comme par un fait exprès « il n'y en pas une qui sache faire une omelette ». Ses deux ex-femmes passent régulièrement le voir. Un jour où il avait mal au dos, je l'ai vu de mes yeux allongé sur le sol pendant que ses trois femmes – son harem, selon l'expression d'Anu – massaient chacune une partie différente de son corps. Quand il a épousé Anu, il l'a emmenée chez la première de ses belles-mères qui a apposé le tilak sur le front de la jeune mariée et lui a donné sa bénédiction en ces termes : « Tu auras toujours ta place sous ce toit. » Il ne voit pas pourquoi il cesserait d'aimer ses ex-femmes sous prétexte qu'il n'est plus leur époux ; surtout, il ne voit pas pourquoi elles cesseraient de l'aimer.

Après m'être longuement interrogé sur les raisons qui ont poussé Vinod à solliciter mes services, j'ai compris petit à petit qu'il voulait un ami plus qu'un collaborateur. Je suis de plus en plus souvent invité chez les Chopra pour des occasions festives, anniversaires et autres. Le reste de l'équipe n'y assiste pas ; le plus souvent, il n'y a que les proches d'Anu et de Vinod, ma famille et moi, Ajay Lal et la sienne. Vinod est un vampire masqué qui suce la vie des autres pour se l'approprier. Il m'appelle tous les matins pour savoir à quelle heure je compte arriver à la séance d'écriture ; le soir, dès que je fais mine de m'en aller il se décompose comme si mon départ le condamnait à une longue nuit solitaire. Au début, me pliant à sa demande j'étais là à onze heures du matin ; puis, m'apercevant peu à peu que je me présentais à sa porte avant qu'il soit tombé du lit, j'ai pris mon temps, moi aussi.

Peu après que ma famille s'est envolée pour les États-Unis, me laissant seul pour deux mois, Vinod me convoque chez lui en présence de son cuisinier à qui il ordonne : « Dorénavant, Khem, il faudra envoyer son déjeuner et son dîner à Suketu. » Je me récrie, mais il ne veut rien entendre. Tous les soirs, son chauffeur me livre un récipient contenant un repas chaud d'inspiration penjabe, chinoise ou italienne, selon les jours ; le matin, un autre commissionnaire passe prendre la gamelle vide. Dans un pays pauvre doté d'un système de santé publique très insuffisant, la nourriture revêt une extrême importance. De manière très improbable, j'ai trouvé une espèce de deuxième foyer au sein de cette famille filmi.

Pour fêter mon anniversaire, j'ai lancé quelques invitations. La soirée est tendue ; beaucoup de ces gens ne s'apprécient pas. Vinod a modifié son programme de tournage pour venir. Il arrive tard, la pièce s'est en partie vidée mais il réussit à la remplir à lui tout seul. Il sort d'une fête filmi, il a trois bières dans le nez et des tas d'histoires à raconter. Je lui sauterai presque au cou tant sa présence réchauffe l'atmosphère. Depuis deux ans que je suis à Bombay, cet homme est le seul à ne m'avoir jamais mégoté ni son temps ni son affection. Il fait ça en vrai Penjabi, certes ; il lui faut une contrepartie et il sait me rappeler ce que je lui dois, mais sa faconde et sa sociabilité dérident ceux qui se sont attardés à ma fiesta par trop guindée. Près de lui, tout semble-t-il devient possible : se marier et divorcer, gagner un paquet de fric, acheter une grande baraque à Bandra, vivre grand train. Vinod a quelque chose des piles alcalines, des sous-marins nucléaires : il est sa propre source d'énergie.

La blessure de Mahesh Bhatt

Mahesh Bhatt est de mauvaise humeur. Nous sommes sur le plateau de *Mumbai meri Jaan*, un film qui raconte l'histoire d'un petit-bourgeois de province venu s'installer à Bombay où il réussit en restant fidèle aux valeurs de sa bourgade natale. Tanuja Chandra assiste le réalisateur, mais ce n'est pas ça. « Je ne suis pas content ! gronde le cinéaste dans son micro. Ça manque complètement d'enthousiasme ! »

Le décor représente l'appartement de Chunky Pandey – « mon Taj Mahal en plein ciel », ainsi que le qualifie une réplique. Il réunit pêle-mêle les signes extérieurs de la réussite petite-bourgeoise : un bar garni de bouteilles de Chivas Regal, un poste de télé, une cuisine « moderne », des toilettes « de style allemand à l'occidentale », selon une autre tirade de Chunky qui précise en outre : « J'ai piqué la housse du siège dans un hôtel cinq étoiles. » Cette profusion d'éléments visuels se déploie sur le toit du Foyer d'accueil et d'instruction des aveugles de Worli. Au-dessus de nos têtes, l'enseigne géante de la marque de pneus CEAT scintille dans un flamboiement rouge vif, meurt doucement, se ranime. Cent cinquante personnes au moins s'affairent sur le plateau : éclairagistes, preneurs de son, acteurs, assistants divers et variés, plus une quantité non négligeable de gens qui se tournent les pouces. « Dans le tas, il n'y en a que deux ou trois qui connaissent leur boulot, peste Mahesh, l'air écœuré. C'est pour ça que nos films ont ce côté bâclé. On n'est pas à Hollywood où ils ne recrutent que des pros. Je pourrais aussi bien diriger une agence pour l'emploi. Ces types ne travaillent qu'au fouet. » Comme tous les autres secteurs d'activité du pays, l'industrie du cinéma indien emploie une main-d'œuvre largement excédentaire. Les acteurs, à commencer par Chunky, ânonnent leurs répliques et il faut sans arrêt reprendre la scène depuis le début. « Bhatt Saab, vous pouvez venir, s'il vous plaît ? » lance Chunky après une énième reprise. Mahesh ne bouge pas d'un pouce. « À quoi ça servirait que je me déplace ? Tu n'as qu'à apprendre ton texte. Apprends ton texte, compris ? »

Mumbai meri Jaan appartient à la lignée prolifique des longs-métrages qui dépeignent un Bombay facile à vendre en province : richesse et opulence, femmes décidées au volant de voitures rapides, truands, flics, abondance de biens de consommation. L'immigré bihari qui déambule dans les quartiers Sud de Bombay découvre une ville irréelle, un décor de cinéma. Les prix des appartements y atteignent des sommets si vertigineux que l'étranger éberlué à la vue de Malabar Hill n'imagine pas une minute vivre un jour ici. Il marche comme dans un rêve – un rêve aussi absurde que ce plateau grotesque qui, s'il était réel, serait emporté à la première pluie : le lit, le bar, le siège des toilettes, la cabine de téléphone rouge « volée à la MTNL » (la compagnie du téléphone), tout fondrait sous l'averse.

Je ne sais pas bien qui je comptais découvrir en Mahesh. Un artiste de qualité vendu au plus offrant? Un séducteur impénitent? Il passe pour une grande gueule, un bavard qui ne perd pas une occasion de se répandre dans la presse sur tout et n'importe quoi, y compris des sujets sans rapport aucun avec le cinéma. Je me suis retrouvé face à un gros type braillard, négligé, à moitié chauve et vieilli avant l'heure (à quarante-neuf ans il fait beaucoup plus que son âge), mais charmeur, néanmoins, aimable et très à l'aise avec les jeunes.

Le projet de film sur lequel il travaille en ce moment se passe pendant les émeutes et il est consacré à sa mère. Cette femme a eu deux grands secrets dans sa vie : elle n'a été que la maîtresse du père de Mahesh, enfant illégitime comme ses frères et sœurs, et c'est une musulmane chiite. Passant un jour devant un salon de mariage avec sa fille aînée, elle la poussa à entrer, puis la pressa de questions : comment était la mariée? et le marié, il était bien? Elle pleura ensuite toute la soirée, toute la nuit. Le marié était son amant, le père de Mahesh, qui venait d'épouser une femme plus respectable qu'elle.

Leur relation se poursuivit néanmoins toute sa vie. Le père de Mahesh est un brahmane gujerati, producteur de films de série B. « Quand il venait chez nous, dit le fils devenu lui aussi producteur, il faisait toujours les choses à moitié. Il ne prenait jamais la peine de se déchausser. Il n'a jamais enlevé sa chemise, comme tous les autres pères, pour lire tranquillement le journal en maillot de corps. » Mahesh adore sa mère, qui aujourd'hui a plus de quatre-vingts ans. « Je lui ramenais des vers luisants dans une bouteille pour les mettre dans ses cheveux », raconte-t-il en riant de bon cœur.

Zakhm (blessure), ce film sur sa mère et les émeutes, sera, il l'a juré, le dernier de sa carrière. En un quart de siècle il en a fait un peu plus d'un par an en moyenne, vingt-sept en tout. Mahesh en a par-dessus la tête du boulot de cinéaste. Un travail de forçat, sept jours sept, pour un exercice inutile. Il en est au stade où il dirige certains de ses films « à distance » : ne supportant plus de débouler sur les plateaux avec l'air faussement enthousiaste, il donne ses instructions aux acteurs par téléphone, sans bouger de chez lui ou en conduisant sa voiture.

« Dans mon tout premier souvenir de cinéma, je suis dans une salle pour une avant-première. Je suis assis sur les genoux de quelqu'un – ma mère, ma tante, la bonne, je ne sais pas –, je regarde l'image en noir et blanc sur l'écran et je me lève pour essayer de la toucher. (Il mime le geste d'un enfant qui tend sa menotte vers un écran immense.) Mais au fur et à mesure que je m'approche, l'image se brouille, je ne vois plus que des points noirs et des points blancs, et puis on me tire en arrière pour m'obliger à m'asseoir. Ma vie a fini par ressembler à ça. Je ne vois plus la magie du cinéma. Je me contente de fabriquer le film et personne ne vient plus me chercher pour que je puisse le voir dans son ensemble. »

Il me raconte la trame de *Zakhm*, où le secret de la religion de la mère n'est dévoilé qu'à la fin, quand le héros doit décider selon quel rite l'enterrer. Le scénario est construit autour d'un long flash-back sur les émeutes de Bombay, au cours desquelles le héros vient voir sa mère à l'hôpital pendant que les bandes de Thackeray sèment la panique en ville. Le Tigre n'est toutefois pas nommément cité. Mahesh n'avait « aucune envie de faire un film politique ».

L'industrie du film hindi est depuis toujours aussi tolérante que les maisons closes. Ceux qui ont de l'argent ou qui en font y sont accueillis à bras ouverts. Le financier est peut-être un nationaliste hindou endurci et le parolier un sunnite fondamentaliste, le premier rôle hindou est peut-être joué par un musulman et si ça se trouve sa chérie musulmane à l'écran est en réalité une hindoue... Oui, et après ? Le public s'en fiche royalement. En revanche les pyramides du pouvoir bollywoodien n'ont pas résisté aux émeutes de 1993. Enhardis, les techniciens du bas de l'échelle sont devenus plus exigeants et ils ont contesté l'autorité. Les militants du Sena faisaient des incursions dans les studios pour traquer les employés musulmans. Des hindous haut placés qui ignoraient que la mère de Mahesh est musulmane insultaient les enfants du Prophète devant lui. Un de ses éclairagistes s'est fait piéger comme un rat à Behrampada, un des quartiers les plus touchés par les violences. Complètement affolée, sa femme a appelé Mahesh au secours pendant que les émeutiers hindous cernaient la maison. Le producteur essayait de trouver un moyen de leur faire porter des vivres quand un des électriciens est venu le prévenir que le syndicat lui demandait instamment de ne pas prendre parti pour les musulmans. Mahesh s'est mis en colère : « Ce n'est pas un musulman, c'est un type qui travaille avec nous ! » a-t-il sèchement répliqué.

Nous essayons de voir ensemble comment introduire tout cela dans *Zakhm*. Le héros tel que Mahesh l'imagine est amoureux de sa mère et déteste farouchement l'homme qui vient la retrouver dans son lit. « C'est un triangle », m'explique le producteur. À l'enterrement de la mère, le fils suit le cortège en se récitant intérieurement des passages des grands textes sacrés de l'hindouisme, de l'islam et du catholicisme. « J'ai la bande-son dans la tête », dit Mahesh. Enfant, sa mère l'emmenait dans une église et lui disait : « Embrasse le sang du Christ, embrasse le sang de Jésus. » Puis elle le traînait dans un sanctuaire musulman où sous sa gouverne il récitait « Lahilla Allah Lahilla ». Quand elle lui donnait le bain, elle lui racontait par le menu ses origines de caste : « Tu es un Nagar de la gotra * de Bhargava. » Se considérant mariée devant Dieu à son amant hindou, elle restait très discrète sur sa foi musulmane. Lui-même honteux de cette identité religieuse, le petit Mahesh la dérangeait systématiquement pendant le namaaz. À présent qu'il est devenu adulte, il veut au contraire lui rendre hommage dans ce film, mais sa mère est troublée, elle a peur. À cause des émeutes, elle l'a trouvé très imprudent d'avoir donné à ses filles des prénoms musulmans. Mahesh compte mettre beaucoup de sa vie dans ce film. Le personnage de sa mère sera interprété par la petite-fille de cette dernière, Pooja, la fille de Mahesh.

Semblable en cela à Vinod, Mahesh voue aux gémonies le métier qui a fait sa fortune. « Le cinéma est pourri, malade de son succès. On passe son temps à courir après le fric. » Chaque fois qu'il se lance dans un nouveau projet, d'emblée il est hanté par la perspective de l'échec, du bide total, car sur onze films qui sortent aujourd'hui, neuf se traduisent par des pertes sèches. Il n'a plus comme autrefois l'instinct de la formule gagnante. « J'analyse, j'analyse, mais les idées ne me viennent plus. » Il sait toutefois exactement quelle est sa raison d'être de producteur de cinéma : « Nous sommes les distillateurs du plaisir. »

Pour nous remercier de l'avoir aidée sur le tournage à Madanpura, Tanuja nous a invités, mes amis et moi, à une projection privée de *Sangharsh*. Rencontre des plus étranges, comme si ce livre auquel je travaille prenait vie. Mona Lisa est venue, de même que Girish et Sunil, Kamal, Rustom, Ishaq, et avec eux des tas de gens de Madanpura. Quand les lumières se rallument, ils se massent dans le couloir et, gauches et embarrassés, s'alignent le long des murs tandis que je reste devant la porte à bavarder avec Tanuja et Mahesh. Ils sortent eux-mêmes du cinéma Novelty : une salle comble, des centaines de spectateurs captivés par le film, alors que *Sangharsh* est éreinté par la critique. « N'empêche, dit Tanuja. Quand je vois tous ces gens, je me souviens que c'est pour eux que je tourne, pas pour les intellos.

– Tu n'as pas d'autre public qu'eux ! tonne Mahesh. Ne l'oublie jamais. »

Tous ensemble nous allons manger au restaurant du champ de courses. À table, la réalisatrice du film sur les émeutes se trouve en face d'un émeutier notoire. Sunil donne patiemment la becquée à sa fille qu'il a emmenée voir les gros bonnets. La conversation languit. Les différences de classe sont trop considérables.

Cette projection privée aura néanmoins des retombées inespérées pour Tanuja. Elle m'appelle le surlendemain, hystérique parce qu'elle vient de s'apercevoir que son film, sorti en salle il y a moins de trente-six heures, est déjà programmé à la télé : il est diffusé en toute illégalité par les opérateurs des chaînes câblées de Bandra et de Borivali. Les distributeurs étrangers n'ayant pas directement accès au marché indien, ils s'arrangent pour vendre des copies des dernières productions aux chaînes câblées locales. Or, le sort d'un film hindi est quasiment scellé dès la première semaine, puisque c'est dans ce laps de temps qu'il est censé rapporter le plus. À partir du moment où les gens peuvent le voir tranquillement chez eux à la télé, pourquoi iraient-ils acheter un billet de cinéma ? Tanuja veut que j'intervienne auprès de Sunil pour qu'il ne le passe pas sur sa chaîne. Alerté, Sunil me donne le nom d'un « distributeur » du câble à qui, selon lui, Tanuja devrait s'adresser. L'accord sera vite trouvé. Parce que Tanuja est une amie de Sunil à qui elle a fait l'honneur de l'inviter à une avant-première, les opérateurs du réseau câblé Bombay and Thane acceptent, conformément aux instructions du distributeur, de retarder d'un mois la diffusion de ce film auprès de leurs abonnés. Au passage, ils empochent cinquante mille roupies.

« Quoi ? fais-je estomaqué. Mais c'est du chantage !

– Le deal est correct », répond Tanuja.

Les cinéastes ont toutes les peines du monde à empêcher leurs réalisations de tomber entre les mains des pirates qui parfois, avant même la sortie du film, inondent le marché de DVD. Pour

Kareeb, Vinod s'est déplacé un peu partout en Inde afin de
demander aux polices des différents États de l'Union de protéger
son film des pirates opérant sur le câble. À Ahmadabad, m'a-t-il
raconté, un policier de haut rang convoqua les principaux opérateurs du câble de la ville, coupables d'avoir diffusé illégalement
Kareeb à leurs abonnés.

« Vous voulez que j'en fasse quoi ? demanda-t-il à Vinod.

– Je ne sais pas moi... Cassez-leur les jambes.

– Pas de problème », répondit le policier.

La photo grand format de cette vieille dame a tout de suite
attiré mon regard, quand j'ai ouvert le journal lundi matin. Shi-
rin, indique la légende : un nom musulman alors qu'elle porte le
tilak hindou sur le front. La mère de Mahesh vient de mourir,
mais d'ici peu elle rena...ra sur le grand écran en version
Celluloïd.

La date de la sortie du film approche et la polémique fait rage
sur la bâtardise réelle ou supposée de Mahesh. Il a bâti son film
– et une bonne partie de sa vie – sur la première hypothèse. Son
père qui prétend le contraire va jusqu'à publier un encart publicitaire dans les journaux affirmant qu'il s'est marié en bonne et
due forme avec la mère de Mahesh. Échange de noms d'oiseaux
entre le père et le fils. Mahesh ne décolère pas. « Ma mère a toujours été sa maîtresse. Ils racontaient à qui voulait entendre qu'ils
étaient mariés, d'accord, mais aucun papier ne le prouve. »
Depuis qu'il est tout petit il vit avec la certitude d'être un enfant
illégitime. À présent, c'est un homme important. Le bâtard
devenu célèbre et puissant peut combattre ses démons en
soixante-dix millimètres, devant un public d'un milliard de personnes. Sa mère qui a toujours dû cacher ses amours – celui
qu'elle vouait à son Dieu, celui qui la liait à son amant – s'est
réincarnée sous les traits de sa propre petite-fille ; elle est désormais déesse, objet de culte et de vénération. Son fils la rend
légitime. Il célèbre leur double illégitimité pour mieux la vaincre.
L'art est cette arène où l'homme triomphe de ses démons.

J'accompagne l'artiste à la projection de *Zakhm* devant la commission de censure. Nous attendons dehors, sur la terrasse du cinéma Liberty, que les membres de l'éminente instance aient fini de disséquer l'œuvre. Quand nous entrons dans la salle, la présidente de la commission déclare d'emblée : « Nous voulons vous féliciter pour ce film d'une grande sensibilité. »

Mahesh, Tanuja et moi prenons place dans les premiers rangs, le dos à l'écran et face aux censeurs : cinq hindous – quatre femmes, un homme – convenables, bourgeois mais sans plus, médecins ou comptables.

La présidente commence par demander pourquoi le policier musulman joue le rôle du gentil. Tanuja s'étonne : le policier est hindou. La présidente insiste : « Comment s'appelle-t-il ? » Mahesh et Tanuja s'interrogent du regard. C'est un policier hindou, expliquent-ils, même s'il s'appelle Sharad, du nom de l'acteur, tout simplement. Il va falloir éclaircir ce point ; les censeurs y tiennent parce qu'il ne faudrait pas donner l'impression que le communautarisme sévit jusqu'au sein de la police – « même si tout le monde sait que c'est le cas », ajoute la présidente. Dans le même ordre d'idées, une des répliques du méchant flic hindou qui à un moment donné dit : « Cette mauviette de musulman... » doit être coupée pour devenir : « Cette mauviette... »

Mahesh acquiesce avant qu'elle ait fini sa phrase. C'est son dernier film, et des séances de marchandage de ce genre il en a déjà vécu des dizaines. Tout à l'heure, dans l'ascenseur, il m'a décrit son premier passage devant la commission ; âgé de vingt et un ans à l'époque, il avait bataillé ferme avec les censeurs, refusé toutes les coupes qu'ils exigeaient, et il était sorti de là avec une telle rage qu'il avait marché à pied du Liberty à Mahim. En vingt-cinq ans, m'a-t-il confié en soupirant, on aurait pu espérer que les choses changent, mais non ! En fait c'est lui qui a mis de l'eau dans son vin.

La présidente se lance dans un long exposé d'où il ressort que *Zakhm* aura l'aval de la commission parce qu'il ne comporte pas de scène de nudité, de violence, de profanation, et qu'il aborde avec beaucoup de délicatesse le difficile sujet de la bâtardise. Néanmoins, poursuit-elle, dans la mesure où il traite également des tensions entre communautés religieuses, il sera interdit aux moins de dix-huit ans.

Cette mention signe l'arrêt de mort du film. Elle signifie que les gens ne pourront pas aller le voir avec leurs gosses, autrement dit qu'ils n'iront pas le voir du tout.

Mahesh se lance dans un plaidoyer au ton très mesuré pour essayer de faire revenir les censeurs sur leur décision. « Je ne conteste pas votre jugement, mais il me semble tout de même que mon film s'adresse aussi aux enfants et aux adolescents. » La tolérance qu'il prêche, l'idéal d'unification qu'il propose ont de quoi séduire les jeunes de quatorze ou quinze ans, et le pays aurait tout à y gagner. À son humble avis, du moins, mais le dernier mot appartient aux membres de la commission. La présidente lui promet qu'ils vont réfléchir à ses arguments et lui communiqueront dès demain le résultat de leurs cogitations. S'ils s'en tiennent à leur décision première, cela aura également une incidence sur les ventes aux télévisions. Les cinéastes ont donc de solides raisons économiques de ne pas se mêler de politique. La réalité, ce n'est pas pour les enfants – pas plus d'ailleurs que pour les adolescents.

La commission de censure maintient l'interdiction aux moins de dix-huit ans, contre l'avis de sa présidente qui a énergiquement défendu la mention « tous publics ». Les autres membres voudraient aller encore plus loin et soumettre le film à l'approbation de la police, car il risque, selon eux, d'attiser la haine entre hindous et musulmans. Si tel était le cas, la commission porterait la responsabilité d'avoir autorisé sa diffusion sans exiger de coupures.

Très vite, cependant, l'interdiction aux moins de dix-huit ans devient le cadet des soucis de Mahesh. Sans avoir vu le film, en se fondant uniquement sur un synopsis, l'actrice oubliée qui préside le tout-puissant Bureau de la censure envoie une copie du film au ministère de l'Intérieur du Maharashtra. Un des employés du Bureau – essentiellement composé de femmes au foyer et de retraités qui s'ennuient chez eux – n'a pas pu fermer l'œil de la nuit après avoir visionné *Zakhm*, et en conséquence la présidente a jugé qu'il était de son devoir de demander l'aval des autorités de l'État. En bonne logique, cependant, le film étant promis à une diffusion nationale elle aurait dû le soumettre au gouvernement de l'Union. Demander à une administration impliquée dans les émeutes de se prononcer sur un film en partie consacré aux émeutes n'est pas exactement neutre. Les autorités de l'État du Maharashtra peuvent vraiment compliquer la vie de Mahesh, si ça leur chante ; elles peuvent très bien, par exemple, interdire tous ses projets, y compris les séries télévisées. *Zakhm* est le dernier film que Mahesh compte réaliser et il n'a pas l'intention d'y perdre sa dignité ; pas question qu'à l'instar de certains de ses collègues cinéastes il se présente devant Bal Thackeray la casquette à la main.

Pooja, la fille de Mahesh, a tenu à assister à la réunion à laquelle nous a convoqués M. Subrahmanyam, ministre délégué au Budget dans le gouvernement du Maharashtra. J'y suis pour ma part en qualité de coscénariste. L'entrevue a lieu dans le bureau du dignitaire, une belle pièce éclairée par deux grandes baies derrière lesquelles on ne voit que le ciel et la tour Air India. C'est un privilège rare que cette vue de Bombay non contaminée par le grouillement humain. Le ministre souffre d'obésité et d'un problème de peau qui lui strie la figure de rouge et de blanc. Pooja, notre star, est essentiellement là pour l'éblouir, mais M. le Ministre est insensible à son éclat. Carré dans son fauteuil, il fait son important. Dans la mare aux grenouilles, il est un dieu et il faut que ça se sache.

Il nous parle du film *Bombay* : il est sorti en salles grâce à lui qui, seul contre le gouvernement tout entier, a soutenu qu'un artiste avait le droit d'avoir ses opinions. La police aussi s'y opposait. Pour obtenir l'autorisation de le diffuser, il a fallu que son auteur en appelle à Thackeray ; Amitabh Bacchan en personne s'est rendu chez le chef du Sena et l'a supplié de donner son feu vert. Encore un film qui portait sur les émeutes, en en rejetant à égalité la responsabilité sur les hindous et les musulmans. Quand le Saheb l'a visionné avant de donner son imprimatur, il a simplement exigé qu'on en supprime une scène : celle de la fin qui montrait sa doublure implorer le pardon pour les massacres et les pillages. Thackeray ne va sûrement pas s'excuser de sa bravoure.

« Il a acheté la paix », observe M. le Ministre pour suggérer à Mahesh d'en faire autant. Mahesh refuse tout net. L'assistant du ministre lui explique alors qu'il va devoir demander à la présidente du Bureau de la censure une lettre justifiant sa décision de ne pas autoriser le film, mais que les choses vont traîner en longueur. La présidente arguera que le film devrait être examiné par une instance supérieure, et l'affaire, justement, est entre les mains de l'administration de l'État. « Étant donné qu'ils ne se sont pas encore prononcés, vous ne pouvez pas faire appel », observe finement le ministre avant de rappeler à Mahesh que le temps joue contre lui. Le rapport de la commission Srikrishna vient tout juste de sortir. « Si votre film est anti-hindou – et il l'est forcément si vous dites la vérité sur les émeutes –, il ne verra jamais le jour. »

Mahesh dit qu'en effet il dénonce les menées des hindous.

« Dans ce cas, déclare le ministre, il restera en boîte. Nous l'interdirons. » Pour lui, c'est de la routine, poursuit-il ; pas plus tard que ce matin il a mis son veto à une pièce de théâtre. Il ne veut pas cacher le fond de sa pensée : lui aussi pense que les hindous ont déclenché les émeutes, mais quoi qu'il en soit « l'actuel gouvernement est pro-hindou. Vous n'auriez pas eu ce problème avec le gouvernement du Congrès ».

Mahesh et Tanuja s'efforcent d'expliquer que les émeutes n'ont qu'une place très marginale dans le film qui ne contient d'ailleurs aucune scène de violence. M. le Ministre reconnaît volontiers ne pas avoir visionné *Zakhm* mais répète qu'il « ne verra jamais le jour » s'il dit la vérité et prend position contre les hindous. « Les hindous aiment penser qu'ils sont laïques, mais c'est du bla-bla, s'esclaffe-t-il. Quant aux musulmans, ils ne sont pas laïques du tout. » Évoquant l'émotion soulevée par de précédents films de Mahesh tels *Saaransh* et *Arth*, il ajoute : « Si celui-là est aussi chargé d'émotion, vous avez du souci à vous faire. » Les œuvres de Mahesh ne pèchent ni par la subtilité ni par la retenue : les sikhs ne sortent jamais sans un coutelas glissé dans la ceinture ; les musulmans ont une calotte sur le crâne et des babouches aux pieds. Mahesh croit aux vertus des larmes ; ses acteurs en versent à la moindre occasion. Tanuja, qui a travaillé avec nous sur le scénario de *Zakhm*, m'a donné la clé du succès d'un film hindi : « Il faut que les gens en sortent remués. » Le public indien pense avec son cœur. La passion qui l'anime est capable de renverser des gouvernements, des empires. L'État peut encaisser un documentaire sur les émeutes mais pas un long-métrage de fiction qui libère des torrents d'émotion. Le rayonnement des Lumières n'a pas atteint ces rivages ; son incidence est nulle, dans ce pays où la démocratie est un équilibrage de passions antagonistes.

Mahesh rétorque qu'il ira à Delhi s'entretenir avec le Premier ministre ; il l'a rencontré récemment et ce haut personnage lui a confié tout le bien qu'il pensait de son œuvre. M. le Ministre éclate de rire : « Vous saviez que c'est un faucon qui dirige l'Intérieur ? En dernier ressort c'est lui tranchera », et il interdira le film.

Mahesh et Tanuja remuent ciel et terre, y compris pendant la fête de Diwali, pour pousser *Zakhm* au long de ce parcours d'obstacles politico-administratifs. Ils ont saisi la presse de l'affaire. Un comité composé d'une brochette de fonctionnaires territoriaux a passé le film au crible ; le chef de la police de Bombay en était, et depuis il exige qu'un représentant de son corps siège au Bureau de la censure dans le but avoué d'expurger les descriptions donnant une image négative des forces de l'ordre. « La présence d'un mauvais flic à l'image échauffe les

esprits, alors qu'un bon flic a au mieux un effet neutre »,
explique le chef de la police.

Mahesh cède ; il opère les coupes voulues, reprend certaines
scènes pour complaire aux censeurs. Les bandeaux safran qui
ceignent le front des émeutiers et « représentent un parti politique précis », selon un rapport tamponné par le Bureau de la
censure, sont remplacés par des bandeaux noirs. Un plan montrant « un personnage musulman en train d'exposer ses motifs de
contrariété » est jugé « superfétatoire ». La rencontre lors de
laquelle les policiers tirent sur un fuyard ne passera jamais à la
postérité. Pas plus que le discours où l'on entend la doublure de
Thackeray déclarer : « Il y a assez longtemps que nous tolérons
ces gens-là. Il est temps de procéder au grand nettoyage national. » Mahesh veut le beurre et l'argent du beurre : il veut que la
presse le présente en héros, lui qui brandit le flambeau de la
méfiance contre l'establishment fasciste, mais il veut aussi que
son film sorte. Il joue des crores, dans cette affaire.

Ainsi politiquement expurgé, *Zakhm* peut enfin sortir et recevoir la consécration des mains du président de l'Union : le prix
du meilleur film de fiction sur l'intégration.

Le galérien et la déesse

Attablé à la terrasse du Sun'n' Sand de Juhu, je contemple le
soleil sombrer peu à peu dans la mer. Les stars de cinéma et les
princes des voyous fréquentaient autrefois cet hôtel très couru,
celui où Mona Lisa a perdu sa virginité au profit du producteur
Hari Virani.

Ali Peter John se prélasse toujours volontiers au bord de la
piscine, surtout quand une âme charitable lui offre une vodka et
un sandwich au poulet. C'est à tort cependant qu'on le prendrait
pour un parasite ; ses repas, il les rembourse au centuple avec des
histoires. Selon la formule qu'utilise à son propos son ancien
compagnon de beuverie, Mahesh Bhatt, Ali Peter John est « le
Dieu des galériens ». Son perchoir de chroniqueur au magazine

Screen lui laisse assez de liberté pour parcourir les avenues et les passages dérobés de Bollywood.

Ali, c'est un combinard, un messager entre deux univers, un saute-ruisseau qui relie le Bombay des hauteurs au Bombay des bas-fonds. En apparence le personnage ne paye pas de mine; chafouin, désordre, passablement louche, il a la vue « désunie », pour emprunter au vocabulaire des agences matrimoniales, particularité qui lui permet de vous regarder en regardant ailleurs. Sa barbiche lui donne une allure d'homme de main et il néglige la plupart du temps de boutonner le haut de sa chemise. Cela étant, ses articles dans le *Screen* se lisent presque comme des sermons, tant leur finalité morale est évidente.

Ali est une autorité en matière de films B et C – équivalents des sudras * et des intouchables, au cinéma, et ses placements les plus sûrs. La rubrique « sexe et horreur » des magazines de cinéma regorge de leurs publicités pleine page couleur. Tournés à la vitesse grand V, en une semaine au plus, dans des pavillons de l'île Madh loués pour la circonstance, ils sont ensuite visés pour accord par le Bureau de la censure de Madras, plus indulgent que celui de Bombay. Avec leurs titres accrocheurs du genre *Le Diable et la Mort*, *Une âme assoiffée*, *Vampires*, ils tiennent la dragée haute aux films à gros budget dans tout l'intérieur du pays – dans des régions comme l'Uttar Pradesh ou le Madhya Pradesh et dans les petites salles du Vieux Delhi. « C'est un mélange d'horreur, de sexe et de musique assourdissante », explique Ali à leur propos. Les propriétaires des salles où ils sont projetés insèrent souvent au hasard, pour les dernières séances, des séquences porno sans rapport aucun avec le film annoncé mais qui agissent comme un aimant sur un public presque exclusivement masculin.

À écouter Ali, on a l'impression qu'il est hanté par tous les galériens débarqués à Bombay avec leurs rêves de gloire et qui n'ont jamais réussi à crever l'écran. Les femmes, surtout, s'attirent sa sollicitude. Sur cent actrices en herbe, « dix auront de la chance, les quatre-vingt-dix autres mordront la poussière ».

Les auditions se tiennent pour la plupart dans des endroits comme l'hôtel Seaside, à Juhu, qu'Ali a rebaptisé Hôtel du Suicide à cause de la pulsion fatale qui saisit les candidates recalées par le jury.

Tel que le voit Ali, le cinéma est à jamais lié au sexe et à la mort, l'un et l'autre sources d'opportunités. « À l'école, on avait congé chaque fois qu'il y avait un décès et on allait au cinoche. » Il a grandi à Andheri East, quartier peuplé de chrétiens pauvres et de membres de la tribu warlie. L'arrivée des premiers jeunes artistes qui s'installèrent là-bas, signa, dit Ali, « l'invasion d'une certaine culture ». Les femmes warlies sont d'une grande beauté, et les galériens débutants les draguaient aisément en déclarant tout fiérots « on est dans le cinéma ». Le petit Ali était très impressionné par ces acteurs flamboyants, et plus tard ce fut un choc pour lui d'apprendre qu'ils « travaillaient comme grouillots dans des bureaux ». Il les croise à présent dans les bars clandestins de Yaari Road, à Andheri, à l'Urvashi ou Chez Leo ; assis à l'abri du rideau en guenilles devant une bouteille de tord-boyaux à neuf roupies, ils épatent les autres galériens en exposant leurs plans pour conquérir le monde : « Demain j'ai une prise de vues avec Amitabh Bacchan. »

Ali trouve « franchement choquant de voir des gens dans le pétrin depuis des années réussir à si bien se masquer la réalité. Jamais ils ne montreront qu'ils sont déçus ou frustrés. » Les mieux lotis logent dans des pensions ou des hôtels réputés porter chance ; la Marina de Bandra, par exemple, où Rajendra Kumar a vécu dans le temps. Ali me décrit leur menu ordinaire : l'assiette de riz garnie. « Pour huit roupies. Du riz, six puris ou deux chapatis, un dal, et si le patron est généreux, du lait caillé plein de flotte et deux légumes. Pourvu que la cantine soit bonne, il n'y a pas plus équilibré, comme régime alimentaire. Les jours fastes, ils ont même droit à un dessert. » Les galériens qui décrochent un petit rôle peuvent viser les hôtels tenus par des musulmans ; pour vingt roupies on y sert un biryani excellent.

Nous prenons un rickshaw, Ali et moi, pour gagner Yaari Road, grouillante d'activité à la tombée du jour, avec ses petits restaus qui débordent sur les trottoirs. Ali me montre le serveur d'une de ces gargotes. « Ce type a huit histoires dans ses poches, il ne demande qu'à les raconter. Il doit y avoir des lakhs de scénarios en souffrance, à Bombay. » De même qu'il y a des comédiens galériens, il y a des scénaristes galériens. Toujours à l'affût d'un producteur ou d'un réalisateur prêt à les écouter, ils dévident leurs élucubrations en temps réel, en mimant chaque scène, en pleurant à chaudes larmes aux endroits indiqués. Quand l'action l'exige, ils virevoltent dans le bureau du cinéaste avec de grands moulinets de bras. Au moins, cela épargne au réalisateur le problème du casting. La star est toute trouvée. « Alors Vinod Khanna se met à courir, à courir... il tombe par terre, il roule sur le côté... mais à la fin il se fait prendre..., récite Ali en joignant le geste à la parole. Sauf que dans l'intervalle Vinod Khanna sera allé se terrer Dieu sait où pour boire. »

Les officines d'appels longue distance de Yaari Road sont pleines de jeunes gens qui, l'appareil collé à l'oreille, expliquent à leurs parents, leurs grands frères, leurs petites sœurs qu'ils vont bientôt décrocher le gros lot. La plupart d'entre eux font partie de la corporation des jeunes artistes et, m'explique Ali, ils sont régis par un système de caste précis. Un acteur qui apparaît vêtu d'un costume dans une scène de fête est classé rang A et touche en conséquence un cachet deux fois supérieur à celui versé à l'acteur relégué au rang C. Les galériens dotés par la nature d'une ressemblance avec Amitabh Bacchan ou Shahrukh Khan leur servent de doublures. Les galériennes dans le même cas travaillent au bordel. Le péquenaud qui arrive en ville fait son choix dans l'album de photos maison, jette son dévolu sur un sosie d'héroïne de film et paye les yeux de la tête pour jouir de ses faveurs. Grâce à l'éclairage très tamisé et à son état de surexcitation, il rentre chez lui persuadé d'avoir passé la nuit avec une actrice de Bollywood. À l'avenir, chaque fois qu'il la verra à l'écran il rougira en secret de fierté.

Ali promet de me présenter à un « authentique galérien », un dénommé Eishaan.

Quelques jours plus tard, nous nous retrouvons à la cantine des studios Filmalaya. Guère mieux qu'une baraque, mais une baraque cinq étoiles, observe Ali, équipée de cinq ventilateurs. En face de moi, de l'autre côté de la table fabriquée avec un panneau Coca-Cola, est assis un jeune homme au teint clair et au regard étincelant qui porte un anneau dans une oreille et, autour du cou, une chaîne au bout de laquelle se balance un petit ours en or. Son frère, Hitesh, installé à côté, lui ressemble si peu qu'on doute qu'ils aient le même patrimoine génétique. Eishaan le galérien est un des protégés d'Ali. « S'il ne s'était pas démené il n'aurait jamais mis les pieds dans cette cantine », déclare ce dernier. Eishaan n'a pas fui un misérable village du Bihar pour tenter sa chance dans le cinéma. Avant de venir à Bombay, il était à Dubaï où pendant cinq ans il a dirigé un commerce de tissus florissant. Sindhi, ce galérien au statut d'INR a connu le pire et le meilleur depuis vingt-cinq ans qu'il est au monde. Il a roulé en Mercedes et en Rolls-Royce, et pris plus souvent qu'à son tour les trains de Bombay. Enfant, il partageait avec les douze membres de sa famille un logement d'une pièce à Andheri avant que sa mère vende ses bijoux et achète une maison à Jaipur. Il rêve de jouer les héros depuis qu'il a seize ans et qu'il a découvert le cahier central du magazine *Screen*. À l'époque, un de ses oncles qui travaillait dans une maison de production de Bombay l'avait fait engager comme modèle pour une séance de photo, prestation payée huit cents roupies. Pour l'adolescent de Jaipur, cette somme royale avait une valeur bien supérieure à ce qu'elle représentait en termes de pouvoir d'achat.

Le jeune homme a poursuivi ses études jusqu'en classe de terminale, puis sa famille a déménagé pour Dubaï. Là, un Arabe lui a confié la gérance d'un magasin de tissus contre un salaire de soixante-dix mille roupies par mois. La guerre du Golfe a éclaté, les affaires s'en sont ressenties. Eishaan retournait régulièrement à Bombay ; il aurait aimé faire autre chose de sa vie, quelque chose qui lui plaise vraiment. Dans son magasin de Dubaï, il avait pour client un directeur de supermarché répondant au doux nom de Starson [1]. « Quand tu rencontres un type qui s'appelle comme ça, tu te dis qu'il doit s'y connaître en stars. Il me répétait tout le temps : " Toi, tu n'es pas comme les autres. Tu as quelque chose, je le vois. " » M. Starson lui expliquait que son travail au magasin ne représentait qu'une étape sur le chemin, une halte le temps de se refaire. « Ce n'est pas le bout du voyage. Tu iras loin. »

Mis en confiance, le jeune homme finit par lui confier son rêve. « Il m'a dit : " Fonce. Ça n'ira pas tout seul mais tu vas t'accrocher. " »

Il a donc rendu son tablier de marchand de tissus et quitté Dubaï pour devenir vedette de cinéma à Bombay, entre-temps rebaptisé Mumbai. La ville venait de changer de nom et il décida d'en faire autant. À sa naissance, ses parents, des petits-bourgeois typiquement dépourvus d'imagination, l'avaient baptisé Mahesh, prénom dont la banalité le chagrinait depuis toujours. Dans les années cinquante et soixante, les acteurs musulmans prenaient des noms hindous – Dilip Kumar, par exemple – pour obtenir un rôle. Les années quatre-vingt-dix avaient inversé la tendance. Malgré la montée en puissance du BJP et du Shiv Sena, le trio des trois Khan – Shahrukh, Aamir et Salman – formait une constellation de stars musulmanes. Mahesh choisit de s'appeler Eishaan, prénom très filmi à la résonance ourdoue.

Eishaan commença par s'inscrire à une multitude de cours afin de s'initier à l'action, à la comédie et à la danse. Le cours de danse coûtait mille roupies par mois, le cours d'action cinq mille roupies par trimestre et le cours de comédie quinze mille roupies. Pour leur apprendre l'action on leur enseignait le tae kwon do, et quand ils en maîtrisaient les bases on les emmenait à la plage pour les perfectionner en action filmi, cet enchaînement rapide de plongeons, de roulades et de bagarres à poings nus. Il se lève pour faire une démonstration : « Il fallait passer à ça du type », l'effleurer au risque de le toucher pour rendre criant de

1. « Fils d'étoile » ou « fils de star » *(N.d.T.).*

vérité l'impact sonore – *dishoon!* – enregistré au bruitage. Son professeur de combat lui trouvait quelque chose de spécial, il en est sûr. La preuve ? « Pendant un an et demi j'ai servi d'assistant à maître Roshan Taneja, se rengorge-t-il. Gratuitement. C'était un honneur pour moi. »

On lui proposa des rôles dans des navets et dans des séries télévisées, mais lui visait « les films de première catégorie ». Il expose très clairement les ambitions qui l'animaient : « J'étais venu ici dans l'intention de devenir un héros, pas de devenir un acteur. » Un jour il rencontra un producteur qui lui promit un rôle dans le projet qu'il essayait de monter. Tous les deux ou trois mois, Eishaan passait le voir pour lui demander où il en était et chaque fois il s'entendait répondre : « On cherche un réalisateur. » Cette perle rare resta introuvable. Entre-temps, persuadé qu'il allait bientôt percer, Eishaan avait cessé de faire la tournée des maisons de production. L'attente dura un an et demi, suffisamment pour qu'il perde tous ses contacts.

Obligé de repartir de zéro, il tira toutes les sonnettes possibles et, au bout de quatre à cinq mois, la chance lui sourit. Il rencontra Chetan Anand chez un photographe de mode et lui donna son book. Réalisateur légendaire, membre d'une prestigieuse dynastie de cinéastes, Chetan Anand avait quitté le Pakistan après la Partition. Le film sur lequel il travaillait se situait à cette période et décrivait les amours tourmentées d'une jeune musulmane et d'un jeune hindou. Eishaan était chez un ami le soir où Chetan Anand le rappela pour lui annoncer qu'il était engagé. « J'étais sur un petit nuage, se souvient le galérien. La nuit, je rêvais de ce que j'allais faire quand j'entendrais : " Action ! " » Sa collaboration avec Anand dura neuf mois, au cours desquels il enregistra sept chansons. Puis le vieux réalisateur – il avait quatre-vingt-sept ans – tomba malade. « Il avait un problème au foie. Les deux lobes étaient touchés. » Anand mourut, emportant son film avec lui.

Sa famille et ses amis auraient trouvé sage qu'Eishaan reprenne pied dans le commerce du textile. « Ils n'arrivent pas à comprendre comme c'était important pour moi de discuter d'une scène pendant des heures et des heures avec Chetan Anand. L'acteur que je porte en moi trouvait ça agréable, mais si ton père et ta mère habitent à Jaipur ils ne savent même pas qui est Chetan Anand. " Donne-lui l'intelligence et fais qu'il revienne ", voilà ce que mes parents demandaient à Dieu dans leurs prières. »

Eishaan décida néanmoins de rester à Bombay, sûr que s'il partait il ne reviendrait jamais. « Je vais vous dire la vérité : tu as beau te prosterner plus bas que terre, le monde en veut toujours plus. » À présent le galérien n'arrivait même plus à se faire engager à la télévision, lui qui jadis ne la trouvait pas assez bien pour lui. Avec la crise économique des années quatre-vingt-dix, les acteurs de cinéma ne boudaient plus les séries télévisées, et du coup les producteurs de télé voulaient des têtes connues pour le petit écran. Tous les jours, Eishaan se présentait vaillamment dans différentes maisons de production à qui il laissait deux photos de lui, pas plus. « Je sais ce qu'ils en font, des photos, quand plus de dix mille personnes ont défilé dans leur bureau. »

Mon ami Vinod a un gros album plein de ces photos, qu'il feuillette lorsqu'il cherche des figurants. Dedans, il y a tout ce qu'on veut : des jeunes et des vieux, des enfants, des mères, des grands-pères ; des spécimens très réussis, d'une beauté frappante, parfois ; d'autres repoussants, sidérants de laideur. Il y a des naris * hindoustanis très convenables et des vamps mauvais genre aux seins qui débordent de corsages ajustés. Ces pages rassemblent un jeu complet d'échantillons d'humanité utiles au cinéma. Elles représentent la première étape d'un long parcours vers le but tant désiré, l'écran à la surface duquel les images s'animent dans un déclic.

Eishaan va au gymnase chaque matin, ou bien il fait un jogging histoire de garder la forme et, plus important, d'avoir l'air en forme. Il a un gros budget vestimentaire parce qu'il doit soigner sa présentation tant qu'il n'a pas fait ses preuves au cinéma ; après, il pourra tranquillement imiter les vieux acteurs de films hindis qui ne surveillent plus leur ligne et s'habillent comme des ploucs. Sa voiture est dans un état de désolation avancé. Blanche et de marque Maruti, elle a une énorme tache de rouille sur le capot et la portière a du mal à fermer. Elle lui coûte les yeux de la tête mais il tient à la garder. « Pour être admis dans un studio il faut être motorisé. Quand tu arrives en voiture, le portier te salue. En taxi, passe encore, il te laissera entrer, mais en rickshaw il te posera des questions et si tu es à pied il t'interdira l'accès. À l'époque où je travaillais à Dubaï, j'étais le patron ; maintenant je dois tout le temps dire, " Oui, monsieur, merci monsieur ". Dans la galère, il y a une règle d'or : tu t'écrases. »

Il vit le sempiternel dilemme du débutant en quête d'un travail. « Franchement, ça me dépasse qu'ils te demandent, " Et qu'est-ce que vous avez fait, avant ? " Si tout le monde me pose la même question, je vois mal quand je vais pouvoir commencer. » Il envie le sort des galériennes : « Pour les filles, c'est facile. Elles n'ont qu'à coucher » – mais il ne court pas après les emplois de mannequin à cause des homosexuels qui sévissent dans les milieux de la mode. Il en veut parfois aux centaines de milliers de gens qui rêvent de devenir stars et lui font concurrence tout en bas de l'échelle, quitte à travailler sans être payés. « Pierre, Paul ou Jacques est là, en train de se brosser les dents devant la glace, et dans sa petite tête il se dit, " Si Nana Patekar y est arrivé, pourquoi pas moi ? " Il ne voit pas que ça complique drôlement la vie de ceux qui ont un vrai talent. »

Eishaan est arrivé à Bombay exalté par ce qu'il savait de grands acteurs tel Mithun Chakraborty, qui ont vécu à la dure avant de connaître le succès. « Chakraborty, c'était mon idole à cause de tout ce qu'il a fait pour y arriver. Il a dormi dehors, il calmait sa faim avec un quignon de pain. » Eishaan lui vouait un tel culte qu'il a bien failli se brouiller avec son père. Il avait décoré le salon de leur maison de Jaipur d'un immense portrait plastifié de la star. Son père le découvrit au retour d'un voyage à Dubaï et le décrocha sans lui demander son avis. Eishaan entama une grève de la faim. Placés devant l'alternative de vivre avec l'effigie encombrante du sombre acteur ou de laisser leur fils mourir d'inanition, les parents cédèrent. Le portrait retrouva sa place sur le mur du salon.

Eishaan place désormais tous ses espoirs dans le Bon Rôle. Les réalisateurs ne prennent plus le risque d'engager les inconnus – le coût des films ne le leur permet tout simplement pas – mais s'il décrochait le Bon Rôle l'avenir pourrait lui sourire, comme il a souri à Manoj Bajpai qui a galéré des années avant qu'on lui propose de jouer le méchant dans *Satya*. Tôt ou tard, le tour d'Eishaan viendra. « Je sais ce que je vaux », dit-il modestement.

« Ces histoires de succès durement mérité sont les pires ennemies de la jeune génération, intervient Ali sur un ton lugubre. Pour un qui connaît le succès, mille autres gâchent leur vie. » Il pourrait nous parler longuement d'Anupam Kher, venu de Simla à Bombay pour crever l'écran. Il était si fauché qu'il faisait à pied le trajet de Bandra au cinéma Prithvi. Il possédait en tout et pour tout deux kurtas et deux pyjamas de khadi * qu'il lavait le soir pour qu'ils soient secs au matin, il se nourrissait de vada-pavs, il donnait des leçons particulières aux enfants du slum pour cinquante roupies par mois. Un beau jour, Mahesh Bhatt l'a remarqué, il l'a engagé pour *Saaransh* et maintenant, non content d'être une star, Anupam Kher est passé à la réalisation. « Quand ils entendent ça, les types de la campagne perdent la tête », conclut Ali.

Je raconte à Eishaan que j'ai fait une escale d'une journée à Dubaï à l'occasion d'un voyage aux États-Unis. Vivre là-bas lui plaisait, il en convient volontiers. « Les automobilistes sont tellement disciplinés. Tout le monde roule tranquillement dans sa file. »

Une partie de sa famille y vit toujours, et plutôt bien. Pourquoi n'y retournerait-il pas ?

« J'aime mon Inde », déclare-t-il, aussi embarrassé que s'il s'avouait adultère.

Il caresse parfois l'idée de reprendre son existence confortable à Dubaï, mais il hésite car, pour un acteur, Bombay présente des avantages exceptionnels : « Si tu sais regarder, tu vois de tout, à Bombay. Un acteur a besoin de s'imprégner de tant de choses. » Chaque fois qu'il atterrit à Bombay, il contemple les slums qui s'étendent autour de l'aéroport et comprend l'âpreté de l'existence. « Les gens qui vivent ici doivent se battre à mort. Il pleut à verse, à torrents, et ils continuent à se bagarrer. Cette vie nous a peut-être tous rendus complètement accros, à chaque seconde il nous faut de la nouveauté. » Quand il quitte Bombay, au bout de deux jours la ville lui manque.

Ali surenchérit : « Moi, au bout de vingt-quatre heures je n'y tiens plus. Il faut que je rentre, c'est plus fort que moi. »

Hors de Bombay, Ali ne se sent pas chez lui. Il n'y a pas long-temps, il est parti en déplacement dans la petite ville de Khambhat et pour tuer le temps il est allé au cinéma. Soudain, l'image a disparu de l'écran, remplacée par ce message : « Chan-dulal Shah est décédé. » Chandulal Shah était un notable du coin. La projection en est restée là et les spectateurs ont dû ren-trer chez eux.

Quand Eishaan a débarqué à Bombay pour faire carrière dans le cinéma, il savait que ce serait dur, mais, dit-il, « j'étais loin de me douter que ce serait chaque fois plus dur ». Il avait assez d'argent devant lui pour tenir deux ou trois ans et il pouvait compter sur le soutien de sa famille et de ses amis. Dans les pre-miers temps, il s'est installé dans un appartement qu'il louait cinq mille roupies par mois, mais au total ses dépenses men-suelles s'élevaient en moyenne à trente mille roupies. Tous les trois jours au moins il sortait dîner dehors, il invitait une multi-tude de cousins au restaurant, il régalait les amis de passage à Bombay dans les bars à bière.

Au fil des ans, en même temps que son étoile pâlissait sa bourse s'est aplatie et aujourd'hui il ne dispose plus que de onze mille roupies par mois. Il a la chance extraordinaire d'habiter gratuitement dans l'appartement d'un de ses meilleurs amis qui le lui a laissé pour deux ans. Eishaan ne va plus en discothèque et il prend tous ses repas chez lui. « Quand je pense qu'un plat de crevettes coûte trois cent cinquante roupies ! Quel gaspillage horrible ! C'est de la folie. » Il a appris à cuisiner et fait lui-même son ménage.

Les riches cousins en ont assez de l'aider financièrement, m'explique Hitesh qui pour sa part continue d'envoyer de l'argent à son frère et essaie de le persuader de reprendre sa vie facile à Dubaï. « Je lui téléphone pendant vingt minutes...

– Ça lui coûte dans les cinq mille roupies ! intervient Eishaan qui connaît la mesure de l'amour fraternel.

– ... pour lui dire qu'il vivrait mille fois mieux ailleurs. Il vient de passer par une phase terrible. Une tension énorme à chaque seconde, quatre années entières. » Hitesh reprend un à un les prétextes mis en avant par Eishaan pour justifier son impuissance à décrocher un rôle : c'était la faute à la mousson qui obligeait à annuler les tournages, la faute aux congés de Ganapati ou aux congés de Diwali, la faute au shradha * parce qu'on ne tourne pas dans ces moments-là. Hitesh a fini par se fâcher contre lui. Pas parce qu'il ne gagnait pas un sou mais « à cause des effets psychologiques : il souffre. C'est ça le plus important, en tout cas pour moi ». Il a peur qu'Eishaan finisse par se mettre en danger, passe du mauvais côté, celui « où les types te cognent dessus comme des brutes ».

Les choses se sont tellement dégradées qu'Eishaan ne met plus les pieds à Jaipur. « Tout le monde n'arrête pas de me demander, " Alors, ça y est ? " Un copain de Dubaï qui ne me connaît pas tant que ça m'appelle pour me dire, " Alors, tu tiens le bon bout ? " Mon père, ma mère, la famille, mon fan-club, tous répètent la même chose : " Il y a tellement de gens qui y arrivent, pourquoi pas toi ? " Je n'ai pas de réponse à cette question. Pourquoi pas moi, hein ? Des fois je leur dis de s'adresser à Dieu, des fois je ne réponds même pas. »

Eishaan est un adorateur de la déesse Durga [1] et de ses innombrables avatars. « J'ai... un petit temple à la maison,

1. La Mère divine. Un des noms de l'épouse de Shiva, manifestation de la force suprême associée sous certaines formes à l'amour et à la tendresse (Gauri), à la connaissance (Uma), à la nature (Parvati) et, sous d'autres (Kali), au pouvoir de destruction (N.d.T.).

avoue-t-il. Quand je sens que je déprime, je me confie à Dieu. Il
met ma patience à l'épreuve, je le sais depuis toujours. J'ai tendance à craquer tous les dix, quinze jours, environ. » Chaque
fois qu'il touche le fond, Eishaan gémit et sanglote devant la statue de la Mère. Pourquoi est-elle si cruelle envers lui ? Elle qui a
donné leur chance à tant d'autres, pourquoi refuse-t-elle cette
faveur au plus dévoué de ses fils ?

Ali m'apprendra quelques mois plus tard la bonne nouvelle :
Eishaan a signé un contrat pour un premier rôle dans un film B.
Selon Ali, j'y suis un peu pour quelque chose : « Eishaan t'a rencontré, me dit-il, et en l'espace de deux rendez-vous il est devenu
un héros. Que je sache, il attendait ça depuis quatre ans. »

Au Sun'n' Sand où je retrouve Eishaan et Ali, le galérien
me raconte comment la situation s'est débloquée. À Durga
Asthami *, il a prié la déesse qui a enfin entendu sa prière. Une
de ses admiratrices, secrétaire d'une actrice, l'a informé qu'un
réalisateur cherchait un acteur pour interpréter le personnage
principal de son film. Eishaan a tout de suite pris rendez-vous, il
a parlé avec ce type, vu les photographes et moins d'une heure
plus tard tout était arrangé. Il s'agit d'un film mythologique sur
Shakumbhari Devi, la déesse des plantes comestibles, un des
neuf avatars de Durga. Dans les périodes de disette, Shakumbhari apparaît et distribue de la nourriture. La famine lui arrache
des larmes qui irriguent la terre. Le pays connaît actuellement
une pénurie de légumes (la livre d'oignons est à trente roupies)
qui ébranle les gouvernements de certains États. Dans le nord de
l'Inde, il existe un temple dédié à cette devi * mais sans idole à
son image ; le film dans lequel joue Eishaan va lui en donner une
en Celluloïd. La déesse s'est incarnée exprès pour Eishaan qui
grâce à son intercession a enfin trouvé du travail.

Le film à tout petit budget sera tourné en seize millimètres,
puis gonflé en trente-cinq millimètres pour les besoins de la projection. Les cachets sont modestes et les producteurs devront se
charger eux-mêmes de la diffusion car, Eishaan en est sûr, « per-

sonne ne va vouloir l'acheter ». En ce qui le concerne au moins, c'est une consolation de savoir « qu'ils ont vraiment envie de le finir ». Les producteurs ont décidé de capitaliser leurs biens. M. Agarwal, le financier, possède sur les contreforts de l'Himalaya un gîte qu'il met à la disposition des acteurs et des techniciens. Par ailleurs les producteurs ont également fondé à Hardwar un ashram dominé par une statue de trois mètres vingt de haut à l'effigie de Vaishno Devi, autre personnification de Durga qui sera abondamment filmée, de même que les prêches du gourou de l'ashram. L'accumulation des mérites religieux aura des retombées positives sur les bénéfices financiers.

Le film « passera dans les villages; il y aura un maximum de pub sur la devi ». Les producteurs envisagent de le présenter sous des titres différents dans les grosses agglomérations et dans les campagnes. *Jai Mata Shakumbhari Devi* (gloire à toi, déesse mère Shakumbhari) a été retenu pour ces dernières; pour les villes, ils hésitent entre *Vilayati Saas*, *Desi Bahu* (belle-mère d'ailleurs, épouse d'ici) ou *Kudrat ka Kamaal* (miracle céleste). Ils ont d'ores et déjà enregistré cinq chansons avec des chanteurs de premier plan; Eishaan apparaît dans un duo et dans une ballade triste. Les points forts du film? Deux scènes chantées sont de véritables aartis. Dans les salles de cinéma, les hindous pieux ne manqueront pas de se lever, de taper dans leurs mains en signe de dévotion, de jeter des pièces de monnaie à chaque apparition de l'image de la déesse. On prévoit même que certains spectateurs viendront avec des lampes de poche qu'ils agiteront devant l'écran pendant les chansons. À en croire Eishaan, Shiv Kumar, le réalisateur, « vit une espèce de crise mystique ».

Shiv Kumar est quelqu'un d'important, à Bhojpur [1]. À ce jour il a commis trois films de sexe, ce dont il se sent très coupable car cet esprit profondément religieux est affilié au mouvement Radhaswami et a fait vœu de renoncer à l'alcool et à la viande. Ses accomplissements cinématographiques antérieurs s'intitulent

---

1. Bourgade du Madhya Pradesh, dans l'intérieur du pays, à une trentaine de kilomètres de Bhopal *(N.d.T.)*.

Be-Abroo (impudique), *Badnasib* (pas de chance) et *Badkar* (de mal en pis). Il a plus que récupéré l'argent qu'il y avait investi.

« Je lui ai mis le pied à l'étrier à l'époque où il galérait », explique Ali. Kumar est entré dans le cinéma en qualité d'assistant de production, puis il a décidé de voler de ses propres ailes. *Be-Abroo*, son premier film, « parle de ce qu'on fait aux femmes. Des hommes qui les vendent et des femmes qu'on achète. Il y a une scène de sexe toutes les trois minutes. On voit la fille qui s'apprête à se déshabiller, le type qui en fait autant, le lit, et puis... Coupez ! » Les chansons sont toutes à double sens mais, poursuit Ali, ce film délivre un message : « Ces choses-là ne devraient pas se produire ! C'est un scandale, c'est très mal ! Les censeurs ont trouvé ça super : " Oh, le beau message ! C'est génial ! " » – et le film a cartonné.

Prévu sur une durée d'un mois et demi, le tournage du quatrième film de Kumar se déroulera à Dehra Dun, Hardwar et Mussoorie. Rashee, l'héroïne, est grande et mince et « très indienne », précise Eishaan pour ne pas dire qu'elle a la peau sombre. Quant à lui, il était grand temps qu'il obtienne ce rôle. « Depuis la dernière fois qu'on s'est vus, ma famille n'a pas arrêté de me torturer psychologiquement. » Il a reçu la visite d'un astrologue qui, en présence de son frère et d'un cousin, lui a prédit qu'il n'arriverait à rien. « Tu vas gâcher ta vie. Rentre avant qu'il soit trop tard. » Sa famille, bien sûr, s'est emparée de la prophétie. « Ils m'attaquaient de tous les côtés. " Tu vois, tu vois ? Tu as compris ce qu'il t'a dit ? Il faut que tu arrêtes, maintenant. " »

Au dernier moment, Eishaan a pioché un atout maître : un premier rôle dans *Jai Shakumbhari Maa*.

Comment les siens ont-ils réagi ?

« Ils sont tout excités, c'est sûr. Ça ne peut pas être autrement. » Son frère n'y croyait pas jusqu'à ce qu'Eishaan lui montre les billets de train à destination des lieux du tournage, dans le Nord. Eishaan n'a toujours pas vu le scénario mais le réalisateur lui a raconté l'histoire. « Je préfère ne pas lui demander le script.

– Tu as raison, approuve Ali. Demander le scénario ça reviendrait presque à demander la disqualification, même si tu étais une star confirmée. " Tu te prends pour qui ? ils te diraient. Tu crois qu'on fait n'importe quoi ? " »

Eishaan a déjà prévu d'adopter l'humilité pour ligne de conduite. « Les autres n'auront pas trop de problèmes d'ego si je la joue humble. J'ai prévenu le directeur : je serai à mon poste même si le cuistot démissionne. » Ali lui conseillant de surveiller sa ligne, surtout si on le traite comme il faut là-bas, Eishaan nous explique qu'il emporte ses chaussures de jogging et compte se mettre au régime sucre roux et cacahouètes. Avec sa générosité coutumière, il laisse la clé de son appartement (prêté gratuitement par un ami) à des voisins musulmans qui vont fêter un mariage en son absence. À Bombay, les biens immobiliers sont par tradition collectifs, et les espaces de sommeil en rotation constante.

À son retour de la première partie du tournage, la star passe me voir à mon bureau d'Elco Arcade. Eishaan, l'air en pleine forme, vient de faire un jogging sur la plage. Il s'est jeté tête baissée dans le travail. « Ce rôle, je veux le sentir quand je dors, quand je respire. » Après, il aimerait bien tourner avec un réalisateur de renom, me dit-il, et il cite le nom de Vinod Chopra. Je ne crois pas, cependant, qu'il me demande indirectement de le lui présenter. Eishaan n'est pas assez arriviste pour ça. C'est en partie le problème, d'ailleurs : il n'est pas assez arriviste.

Le tournage de *Jai Shakumbhari Maa* a dû être momentanément interrompu (espérons seulement qu'il reprendra un jour !) parce que le réalisateur croule sous les demandes de la télé. La chaîne publique Doordarshan l'a sollicité pour deux projets de séries, dont l'une pourrait intéresser Eishaan, pressenti pour jouer le deuxième mari de l'héroïne. Il a reçu une partie du cachet de *Jai Shakumbhari Maa* – une avance de onze mille roupies pour une durée estimée à trois jours de travail qui, de fil en aiguille, sont devenus vingt-deux. Il y a tout de même un os : « Le chèque n'a toujours pas été crédité. »

Les producteurs avaient logé le héros dans leur propre hôtel, où il devait partager une chambre avec un acteur qui fume comme un pompier et ronfle la nuit. Eishaan est allergique à la fumée de cigarette. Il a enregistré les ronflements de son compagnon, et quand ils ont entendu la bande, les manitous ont accepté de lui attribuer une autre chambre.

Le budget étant plus que ric-rac, la production n'avait pas les moyens de donner à Eishaan la cassette des chansons ; il en a piqué une copie dans la cabine des preneurs de son. Elle n'avait pas non plus les moyens de lui donner une photo à même de prouver à son frère qu'il travaillait ; il en a fauché une dans l'album du tournage. Ces producteurs inexpérimentés n'avaient pas prévu d'assurer la sécurité sur les plateaux. « Quand je ne tournais pas, je filais un coup de main au réalisateur. Je criais *Silence !* et je fermais le clap. » D'où quelques altercations avec le public des badauds. Eishaan se méfie du samedi depuis qu'il a réalisé que le patron de cette journée, le dieu Shani Maharaj, a une mauvaise influence sur les esprits forts. Un samedi où il s'appliquait à rester hyper calme et maîtrisé, un tapori a commencé à semer la zizanie sur le tournage. La star apprentie vigile l'a prié de rester tranquille, le ton a monté et ça a dégénéré en bagarre. À l'appui de ses dires, Eishaan me tend une coupure de presse. Découpée dans un journal de Hardwar, elle porte ce titre en gras : « Le public donne une correction au héros ». En réalité c'était tout le contraire, dit Eishaan : « Je l'ai corrigé comme il faut. » Il remercie néanmoins le ciel qu'il y ait écrit tout autre chose dans le journal ; les petits durs du coin ne l'auraient plus lâché si on l'avait présenté comme un héros prêt à en découdre avec le public.

Les cinéastes gâchaient très peu de pellicule. « D'habitude, explique Eishaan, la première prise est aussi la dernière, sauf si quelqu'un du public passe trop près et se fait prendre dans le champ. » Bon gré, mal gré, force était alors de refaire la scène. Le service des accessoires et des costumes était tributaire des produits disponibles chaque jour sur le marché local. Tous les

matins la costumière partait chiner en quête de trouvailles vestimentaires pendant que le reste de l'équipe attendait son retour
dans un état de tension extrême. Il y avait une « boutique exposition-vente » de vêtements, dans l'hôtel où ils étaient logés, et la
production vit tout de suite le parti qu'elle pouvait en tirer : elle
envoyait Eishaan y chercher les tenues dont il avait besoin pour
les scènes prévues dans la journée ; le soir, la star les rapportait
au vendeur en prétextant qu'elles ne convenaient pas.

Sur le plateau de ce film dédié à la déesse des légumes, ces
derniers étaient sévèrement rationnés. Acteurs et techniciens ne
mangeaient que des pommes de terre. « Ils mettaient des patates
dans tous les plats. Même dans le yaourt il y avait des patates. »
Incommodé par ce régime à base de tubercules, Eishaan décida
d'évoquer discrètement son malaise en composant et en récitant
à voix haute des quatrains satiriques sur la pomme de terre.
La production ne lui envoya pas dire qu'il se plaignait
constamment. La journée de tournage était ponctuée à intervalles
réguliers par des ruées invraisemblables sur la nourriture. Les
techniciens rodés au protocole des films de série B avaient à cet
égard un net avantage : « Dès que c'était servi, ils prenaient
quatre ou cinq rotis chacun, plein de légumes, et ils disparais-
saient dans la nature. Nous, on restait là à attendre en rang avec
nos assiettes jusqu'à ce qu'ils apportent du rab. »

Le pire était encore à venir. Un jour qu'il mangeait sa ration de
kadhi aux pakodas (une soupe au yaourt agrémentée de boulettes),
Eishaan, comme à son habitude, examina la bouchée qu'il
s'apprêtait à porter à sa bouche. Précaution salutaire, car le pakoda
céda sous ses doigts, révélant le cafard tapi à l'intérieur. Le lendemain, c'est un ver qu'Eishaan trouva dans le riz. Le premier rôle
s'improvisa alors femme de ménage. Armé d'un balai et d'une
serpillière, il s'attaqua à la cuisine et la nettoya de fond en comble.

Eishaan avait emporté avec lui sa statue de Durga et confec-
tionné à son intention un petit temple dans sa chambre d'hôtel. Il
est persuadé qu'elle lui infligeait cette nourriture infecte pour
le punir d'un mauvais karma. « Je rêvais d'autre chose que d'une

khana * pareille. Ma déesse voulait me prouver que c'est la vie,
ça aussi. »

Au milieu de ce cauchemar, un héros de mon enfance surgit
sur le plateau. Eishaan me montre la photo d'un homme vêtu à la
mode des swamis d'une tunique safran : Dara Singh, trois syllabes qui me ramènent des années en arrière. Dara Singh contre
King Kong. C'était le plus grand lutteur professionnel indien, et
son prénom est devenu synonyme de costaud, de baraqué. Promu
dieu de la série B grâce à ses succès à la lutte, il a même été
désigné pour siéger au Rajya Sabha, la Chambre haute du Parlement. Le réalisateur qui a engagé Eishaan le connaît bien ; le fils
du champion a fait ses débuts dans un de ses précédents films.
Dans *Jai Shakumbhari Maa*, Dara est un saint adorateur de la
déesse. Il est connu sur tout le territoire indien et sa présence sur
le tournage n'est pas passée inaperçue : à l'approche de la ville,
les chauffeurs de bus s'arrêtaient au bord de la route et les passagers descendaient pour aller lui toucher les pieds en clamant :
« Daraji ! Daraji ! »

Dara Singh n'est resté qu'une journée. Eishaan le trouve encore
très souple pour son âge ; il ne mange jamais de riz et il a gardé une
force incroyable dans les mains. À l'heure du repas – « surprise ! Il
y avait des patates ! » – Eishaan engagea avec lui une conversation
sur la nourriture, sujet d'autant plus obsédant que l'équipe n'avait
pas le droit de toucher aux magnifiques paniers de légumes rouges
et verts qui servaient au décor. Le lutteur confirma Eishaan dans
l'idée qu'il est nécessaire de soigner son alimentation. « C'est le
ventre qui pousse l'homme à travailler, m'a-t-il dit. Si le ventre
n'est pas bien nourri, à quoi bon travailler ? » Eishaan est aussitôt
allé acheter des fruits et les lui a fait envoyer.

Las des sempiternelles patates, Eishaan se résolut à aller faire
ses provisions au marché. Désormais, tous les matins il préparait
un petit déjeuner diététique dans sa chambre avec pain, beurre,
fromage, confiture et fruits. Ses compagnons de galère prirent
vite le pli de lui rendre visite et de casser la croûte avec lui pour
tenir jusqu'au soir. La star poussait parfois l'amabilité jusqu'à

les inviter à dîner. Ces largesses avaient un prix. Sur les vingt et un mille roupies qu'il devrait toucher au total, il en a déjà dépensé treize mille en frais de bouche. Il éclate de rire quand je lui demande si la production va le rembourser. Le bus qui ramenait toute l'équipe à Delhi est tombé en panne sur la route ; c'était l'heure du dîner, et à cause de cet ennui technique ils n'arriveraient pas à Delhi avant deux heures du matin. Le producteur a généreusement distribué quatre cents roupies pour l'ensemble de ses vingt comédiens et techniciens afin qu'ils s'achètent de quoi manger. « C'est un musulman, persifle Eishaan, mais il est diplômé es-bania » – une caste de marchands. Cette somme étant à l'évidence trop juste, le galérien venu de Dubaï a sorti son portefeuille et offert à tous ses copains artistes un vrai repas qui lui a coûté douze cents roupies. Il ne leur a pas demandé de partager l'addition. « Je ne pouvais pas leur dire de me donner vingt roupies chacun ! » Pour la peine, l'actrice qui joue sa mère à l'écran l'a traité d'idiot.

L'expérience vécue sur le tournage de *Jai Shakumbhari Maa* aura au moins appris une chose à Eishaan : « Maintenant, je sais que je ne deviendrai jamais star si le déclic ne se produit pas. » Il a compris que Subhash Ghai et Yash Chopra ne miseraient pas des crores sur sa tête. Il fait trop confiance aux gens, voilà – par exemple à des gens comme ces producteurs qui lui promettaient le succès au début de sa carrière mais ne l'ont jamais engagé, ou qui sont morts tout de suite après. Il est aussi trop émotif, alors qu'il devrait réserver ses émotions à la caméra.

Son naturel optimiste reprend toutefois vite le dessus. « Nana Patekar est devenu star à quarante-deux ans », rappelle le galérien de vingt-cinq ans.

Eishaan tourne les pages de l'album de photos, s'arrête sur un cliché qui le montre, coiffé du chapeau de la cavalerie américaine, en train de griffonner au milieu d'un petit attroupement. « Le meilleur moment de ma vie », soupire-t-il. Il signe des autographes ; Eishaan l'ex-marchand de tissus signe enfin des autographes. Quand il sortait faire son jogging matinal, des tas de gens couraient à son côté. Ils déboulaient à l'hôtel, harcelaient le réceptionniste pour approcher le héros. « Ils arrivaient à cinq dans ma chambre. Ils venaient me serrer la main. Ah, j'aurais aimé que mon frère soit là pour voir ça. » La tantine chez qui Eishaan allait parfois manger a trois filles qui toutes les trois ont un petit faible pour lui. Elles l'appellent à Bombay, elles lui envoient des cartes. Une petite mignonne qui jouait dans le film a chargé une de ses copines de lui dire qu'elle l'aimait, et à son tour l'entremetteuse est tombée amoureuse de lui. Il les a découragées l'une et l'autre. « Vous comprenez, je leur ai dit, ça fait juste un an, un an et demi que je sors d'une méga rupture, alors je n'ai pas envie de replonger. » La lumière du couchant tombe sur son visage qu'il lève vers la fenêtre. « J'avais la cote, avec les filles. »

La fin du monde était prévue pour le 8 mai 1999. Dans la presse, il n'était plus question que de ça, de cette conjonction astrale éminemment maléfique. Des dizaines de milliers de personnes fuyaient les casses de navires d'Alang, dans le Gujerat, pour regagner leurs villages ; des centaines de milliers de personnes fuyaient Bombay, en particulier les Gujeratis. Sunil, l'homme de main du Sena, eut l'idée de génie d'ouvrir une agence de voyages pour exploiter le phénomène et il toucha le pactole en revendant à prix d'or des billets aller simple en bus. Cet été-là [1], quand j'appelle Ali pour lui demander des nouvelles d'Eishaan dont je n'ai plus entendu parler depuis un bout de temps, il s'esclaffe méchamment : « Ce garçon est un vrai crétin ! » Eishaan est retourné à Jaipur alors que sa situation commençait à s'arranger. On venait de lui proposer un nouvel engagement en plus de *Shakumbhari Maa* et de la série télé, mais son père l'a appelé de Dubaï : « Mon fils, la fin du monde est proche, autant mourir tous ensemble ! Reviens à Jaipur ! » Le père avait pris le premier avion en partance de Dubaï, et le 6 mai

---

1. En Inde, l'été, saison chaude et sèche, dure approximativement de fin mars à mai *(N.d.T)*.

Eishaan monta dans le train à destination de Jaipur. Il était toujours là-bas, en famille, à attendre l'apocalypse, et entre-temps le deuxième long-métrage lui était passé sous le nez. « J'ai vraiment cru que c'était une blague, dit Ali. Eishaan est coincé entre les deux extrêmes de l'orthodoxie et du modernisme et il ne sait pas comment s'en sortir. C'est tout son problème. »

Le monde ayant survécu, Eishaan repart dans le Nord pour la reprise du tournage de *Shakumbhari Maa*. À son retour à Bombay, il passe un soir à mon bureau pour une soirée comme je les aime, arrosée et bavarde, à laquelle assistent également Ali et mon amie Anuradha Tandon. La présence de cette jolie femme élégante rend Ali et Eishaan plus volubiles qu'à l'ordinaire ; ils ont l'air requinqués, comme si un petit vent frais soufflait de la mer. Eishaan raconte son film à Anuradha ; il essaie de trouver un élément de comparaison. « Tu n'as jamais entendu parler d'un autre film qui s'appelle *Jai Santoshi Ma* ?

– *Shakumbhari Maa* est sa tata[1] », marmonne Ali dans sa vodka.

Eishaan a apporté une petite caméra vidéo numérique pour nous montrer quelques séquences filmées de la deuxième séance du tournage. « Le *making of* de *Shakumbhari Maa* », annonce-t-il. On l'y voit dans une discothèque, attablé devant une bouteille d'alcool. Une troupe de danseuses habillées à l'occidentale chante, en anglais, *She Made Me Crazy*.

« Là, je viens de réaliser que ma femme avait une liaison avec mon cousin. Alors je bois.

– Message social », explique Ali.

En principe, les bouteilles d'alcool qui apparaissent dans les films hindis (dans les années soixante-dix c'était systématiquement du Vat 69) sont remplies de Coca. *Shakumbhari Maa* ne

---

1. Créée par Ganesh, le fils du dieu Shiva (et pour cette raison « nièce » de la mère divine qui est l'épouse de Shiva), Santoshi est « celle qui donne satisfaction ». Sorti dans les années soixante-dix, le film auquel fait allusion Eishaan a largement contribué à répandre son culte, qui connut son apogée au cours des deux décennies suivantes *(N.d.T.)*.

disposant pas d'un budget extensible, le Coca était distribué avec parcimonie. « Ils le mélangeaient avec de l'eau. Une canette de Coca leur faisait six bouteilles d'alcool. » Eishaan vide donc à la régalade ses bouteilles de Coca dilué et joue l'ivresse. Quand il est bien imbibé, il jette les cadavres pour manifester sa douleur. À cet instant, deux aides postés derrière le cameraman tendaient un drap à la manière d'un filet afin d'y recueillir les précieuses bouteilles en vue de leur réutilisation ultérieure. Une autre scène se passe dans un brouillard épais. En lieu et place de cette poudre fumigène qui sert à créer la brume, le chef des effets spéciaux faisait brûler de la bouse de vache. Son effet des plus irritants sur les yeux permit des économies supplémentaires : « Je n'avais plus besoin de glycérine pour les scènes dans lesquelles je suis censé pleurer. »

Très serré, l'emploi du temps de ce deuxième tournage mobilisait l'équipe de midi à minuit, sept jours sur sept. Soucieux d'éviter que les techniciens se conduisent à nouveau comme des malotrus et ne laissent que des miettes aux acteurs, les producteurs avaient eu l'idée de faire préparer des portions individuelles sous film plastique. Ces plats apprêtés dans les cuisines de l'hôtel d'un sardar étaient très bons et très copieux, ils comprenaient des ingrédients coûteux – « le paneer *, ils en mettaient des louches ! » –, mais la production n'avait pas jugé nécessaire d'investir dans de la vaisselle. Il fallait donc manger à même les sachets, au nombre de quatre par rations – un pour le riz, un pour le roti, un pour le dal, un pour les légumes –, les déchirer avec les dents pour accéder à leur contenu. Eishaan fit remarquer aux producteurs que si jamais on autopsiait leurs cadavres on y trouverait des centaines de mètres de plastique. « Ils ont tellement eu honte qu'ils ont demandé à leurs potes de l'ashram de nous livrer une centaine d'assiettes. »

L'ingestion de substances synthétiques finit à la longue par retentir sur la santé de la star. « J'avais des problèmes digestifs. Je n'arrivais pas à aller à la selle. » Chaque fois qu'il entendait l'autocuiseur se mettre à siffler chez les propriétaires de l'hôtel,

Eishaan était au supplice ; il salivait à la pensée de cette bonne nourriture préparée quotidiennement. La fille de la maison avait le béguin pour lui et il en profita sans vergogne ; pour soulager ses entrailles il mendiait du dal et du khichdi qu'elle lui apportait de bonne grâce.

Une autre séquence défile sur le petit écran de la caméra ; on y voit la jeune héroïne en train de se noyer dans un fleuve. Elle agite les bras en tous sens, appelle au secours à grands cris, se donne à fond. Enfin le héros se jette à l'eau et la sauve. Nous sommes unanimes pour trouver que l'actrice joue très bien.

« Elle ne jouait pas, dit Eishaan. Elle ne sait pas nager. Elle était vraiment en train de couler. »

Tourner sur les berges du Gange posait des problèmes particuliers. Eishaan raconte par exemple qu'un jour où il chantait une tendre chanson d'amour à sa partenaire – « Au bord de la mer », qu'il entonne en claquant des doigts – il fallut interrompre la prise de vues le temps que quelques cadavres charriés par le courant sortent du cadre.

Au détour d'une image, une tête chauve apparaît à l'arrière-plan. « C'est qui, ça ? » Un sâdhu *, répond Eishaan ; étant donné la proximité de Hardwar, « il y en avait toujours trente à quarante qui traînaient dans le coin, défoncés au hasch ». Rompant avec la règle ascétique, ils s'attroupaient autour des plateaux de ce film mythologique et restaient là des heures à quémander un petit bout de rôle. Il valait mieux ne pas prendre leurs exigences à la légère car c'étaient pour la plupart de dangereux individus. « Tous les dacoits du Bihar et de l'Uttar Pradesh, tous les types qui ont un casier vont se réfugier là-haut et ils se rasent la tête », explique Eishaan.

Sait-on quand le film va sortir ?

Silence, puis : « Ils doivent d'abord trouver à qui le vendre. »

Jai Shakumbhari Maa est en concurrence avec une autre réalisation d'inspiration mythologique, *Devi*, qui a dans ses bobines un nombre bien supérieur de miracles. Eishaan songe à acquérir les droits du film pour le Rajasthan, un État où son investissement de départ lui rapporterait facilement deux fois plus. Il n'aurait besoin que de deux ou trois lakhs pour les frais de publicité, lesquels, pour ce genre de film, se limitent à la location de rickshaws équipés d'un mégaphone qui sillonnent les villages en avisant la population de l'arrivée imminente d'un fabuleux spectacle. Les producteurs ont appris qu'un nouveau temple consacré à Shakumbhari Maa allait ouvrir au fin fond d'une banlieue nord de Bombay. Le réalisateur a donc expressément recommandé à tous les membres de la troupe et de l'équipe technique d'adresser leurs prières à cette déesse.

Eishaan est devenu beaucoup plus sûr de lui. Je dois souvent répéter mes questions plusieurs fois avant d'obtenir la réponse, du moins quand il consent à me la donner. Il me traite un peu de haut, ne me rappelle pas toujours. Ce n'est pas qu'il me snobe, mais sa situation a changé. Dans mon bureau, il prend systématiquement le fauteuil. Cela étant, il se charge de préparer les boissons et remplit nos verres dès qu'ils sont vides.

Je découvre enfin *Jai Shakumbhari Maa* lors de la projection en avant-première organisée dans une salle chic de Bandra. Le public est essentiellement composé de la famille et des amis d'Eishaan auxquels se sont joints deux ou trois distributeurs. C'est le genre de film dont le générique ne cite que le prénom des participants. Mon jeune ami galérien n'a pas tout à fait trouvé sa place sur ce mât totémique, à en juger à l'orthographe approximative qui transforme son nom en « Eisshan ».

Le film déborde du cadre strictement mythologique. Comme le dit Eishaan, « dedans il y a de tout, de l'amour, de l'action, tout ». J'ai appris par Ali que les réalisateurs en vue n'hésitent plus à fabriquer vite fait des films B et C, maintenant que les stars incontestées ne tournent pas à moins d'un crore. Pour survivre, ils avaient trois solutions : les films d'horreur, qui ne réclament pas de têtes connues, les films X et les films religieux – « ou alors une combinaison d'horreur, de sexe et de tantrisme ». *Shakumbhari Maa* joue sur ces trois registres.

Il décrit un combat entre les forces du mal, dirigées par un adepte du tantrisme, et les forces du bien, mobilisées par la déesse des légumes. C'est l'histoire d'une famille élargie installée au village, et qui compte en son sein deux frères, l'un marié à une femme vertueuse, l'autre à une harpie. Ce dernier voudrait émigrer en Amérique. Surgit une mendiante qui chante les louanges de Shakumbhari et convertit à son culte tous les habitants du village. Le frère qui souhaite partir chante et prie et, miracle, reçoit un télégramme lui proposant un emploi aux États-Unis. Sa belle-sœur à la belle âme vend ses bijoux pour qu'il puisse acheter son billet et celui de sa femme. Lorsqu'ils rentrent de l'étranger (voyage évoqué par deux plans d'un avion d'Air India, au décollage et à l'atterrissage) ils se sont « américanisés ». Ils ont rapporté une valise bourrée d'argent (dix lakhs) pour sauver le frère aîné de la faillite mais, hélas, ils l'ont enregistrée, et comme souvent avec Air India elle s'est perdue en route.

À sa première apparition à l'écran, Eishaan arbore une chemise denim assortie à son jean, et sur la tête un chapeau assez semblable au couvre-chef en faveur dans la cavalerie américaine. La mère et la fille portent des pantalons et des tee-shirts ; c'est normal, ce sont des INR. Les producteurs ont tiré un bon parti des vêtements de la vitrine exposition-vente de l'hôtel. Çà et là, parmi les costumes, se détachent une jupe longue fendue jusqu'en haut des cuisses, une veste à pois, la cravate rouge vif d'Eishaan, des robes en patchwork effilochées dont la mère méchante et sa fille doivent s'affubler après être tombées dans la misère.

Et en définitive Eishaan se révèle plus qu'un acteur, un héros. Héroïque jusqu'au bout des ongles, il mène chaque action à son terme. Il chante les chansons d'amour le pelvis projeté en avant en twistant du bassin, il affronte à mains nues trois bandits armés et sort victorieux du combat. Son direct est si puissant qu'on l'entend avant de le voir : le bruit du poing qui s'abat sur la mâchoire du méchant – *dishoon !* – retentit alors que le geste n'a pas encore été exécuté à l'écran. Il boit du whisky quand sa belle le quitte, il réussit en affaires.

Les voies suivies par l'intrigue sont aussi impénétrables que celles du Seigneur. Dans la meilleure tradition orale, le style du film repose sur un montage qui procède par coupes et faux rac-cords. Les personnages sont ainsi catapultés d'un événement biographique à l'autre – le mariage, l'expulsion hors de la famille, le chagrin d'amour –, et le public se voit épargné l'exposé fasti-dieux des détails intermédiaires de la motivation ou du projet. Tous les protagonistes vont directement du point A au point Z ; les actions correspondant au reste de l'alphabet se déroulent hors champ. Résultat, chaque scène est une heureuse surprise puisqu'on ne sait jamais ce qui va se passer après. Ce film capte autrement mon attention que le cinéma hindi conventionnel.

Ses auteurs sont au fait des problèmes et des préjugés qui pèsent de tout leur poids sur les mentalités de l'Inde rurale. À l'époque où il subissait les rigueurs du régime à base de pommes de terre, Eishaan leur avait déclaré : « Vous ne nous traiteriez pas plus mal si on était des femmes sans dot. » Dans le film, la fiancée d'Eishaan est dans ce cas, et elle sera sauvée par la déesse. La méchante mère interrompt le mariage de son fils en apostrophant le père très démuni de la mariée pour exiger qu'il dote sa fille. Pendant que le malheureux digère l'affront – cette situation est le pire cauchemar des paysans pauvres ayant une fille à marier – la fiancée prie Shakumbhari Maa ; en violation des dispositions énoncées dans le code pénal indien, la déesse prend alors l'aspect d'une vieille femme porteuse d'un trésor fabuleux : des piles de liasses de roupies, des monceaux de pierres précieuses et de saris. Autant de richesses qui se change-ront en cendres lorsque la méchante mère et le méchant frère, M. Bob, tenteront de les dérober.

Les interventions récurrentes de la déesse donnent sa trame à l'histoire. Quand tout espoir semble perdu, elle surgit sous les traits d'une jeune fille au teint et aux cheveux d'un bleu saisis-sant, chamarrée d'ornements trop dorés pour être honnêtes. Dans une scène, la puissance de sa volonté transporte par la voie des airs, de la table à la pièce où elle est vénérée, une série d'assiettes chargées de nourriture ; comme les méchants affamés suivent le mouvement, son idole d'argile se met en lévitation pour les frapper sans ménagement sur la tête et les épaules.

Shakumbhari Maa est parfois précédée de son dhoot – son agent –, le lutteur sachant chanter. Fakir baba * du film, Dara Singh a le safran pour couleur. Est-ce pour indiquer qu'il est musulman ? « Non, me répond Eishaan, c'est un pir *. On ne sait pas quelle est sa religion. » Un mystique, donc, musulman, voire hindou, qui bat la campagne en chantant les louanges d'une déesse du panthéon hindou. Rien là qui puisse choquer les villageois. Le compositeur et parolier auteur des chants votifs hindous est jaïn. Shaheed Khan, le producteur exécutif qui interprète le grand méchant (le frère, M. Bob), est musulman ; ce qui ne l'empêche pas de rendre un culte à Vaishno Devi.

Sitôt mariée, l'héroïne cesse de gambader en minijupe et bottines à talons pour revêtir le sari. Plan sur le lit nuptial recouvert de fleurs pour la nuit de noces. Eishaan sombre doucement dans le sommeil pendant que sa jeune épouse souffle dans une conque puis entonne un hymne religieux. Un peu plus tard, elle arrache sa belle-sœur célibataire à la tentation des rapports préconjugaux. Le séducteur dépité la traite de « ringarde ». Sait-elle seulement qu'à l'étranger tout le monde trouve ça normal ? « On est en Inde, ici », réplique l'épouse vertueuse avant de le chapitrer comme suit, dans un anglais aux accents furieusement bengalis : « Qu'est-ce que tu as dans le crâne, pour jouer avec la ceinture de chasteté ? C'est ça, la culture des autres pays ? Indique-moi une seule université où une conduite aussi vulgaire et immorale est enseignée et encouragée ! »

Je ne peux me retenir d'éclater de rire, à cette tirade, puis je me mords les lèvres, la main devant la bouche, car les vieilles dames présentes dans l'assistance n'ont pas l'air de trouver ça drôle. Le cynisme n'est pas le fort des amateurs de ce genre de film ; ils prennent tout au premier degré et n'ont aucune notion du kitsch. Pour ma part, j'en ris encore quelques jours plus tard en en parlant avec Mona Lisa.

La danseuse non plus ne saisit pas l'ironie. Elle me reprend tout de suite : « Ce n'est pas un film comique. C'est un film sur Dieu. »

Le cinéma indien se repaît des grands récits épiques, et *Sha-kumbhari Maa* ne fait pas exception. La méchante mère s'appelle Kaikeyi et le méchant oncle Shakuni, le cousin loyal compare Eishaan à Ram, son épouse à Sita et lui-même à Laksh-man [1]. Ces noms bien connus du public campagnard lui permettent d'associer chaque personnage avec une figure mytho-logique précise – la marâtre, le frère aimant, etc. Le spectateur indien n'aime pas les surprises. Les promoteurs du film ont même prévu une forme de bonus : le dossier de presse distribué lors de l'avant-première précise en note que Shakumbhari Maa ne manquera pas d'exaucer les désirs de quiconque verra le film, s'imprégnera de cette histoire et en répandra le message. Le préambule du *Mahabharata* et de la plupart des épopées hin-doues ne dit pas autre chose : l'écoute attentive est en soi dispensatrice de bienfaits spirituels.

Pendant l'entracte, Shiv Kumar, le réalisateur, m'explique qu'il a voulu délivrer un message aux jeunes sous une forme sus-ceptible de leur plaire. Sans doute est-ce pour cela que l'héroïne, juchée sur des talons de quinze centimètres, ondule de la croupe dans une des minijupes les plus courtes que j'aie jamais vues à l'écran avant d'endosser le sari et de se prosterner devant la déesse. Un certain nombre de trouvailles semblables devraient séduire la jeunesse – jupes qui s'arrêtent en haut des cuisses, chemisiers transparents, baisers sur la bouche, dialogues émail-lés d'allusions osées, tout cela judicieusement intercalé entre des scènes de dévotion fervente. Le cinéaste rappelle qu'au cours de sa longue carrière il a réalisé une œuvre très éclectique, surtout composée à vrai dire de films de sexe. Ici il aborde un genre très différent : la comédie de mœurs mythologico-sexuelle.

1. Kaikeyi : la plus jeune épouse du roi Dasaratha, père de Ram et « maître des dix sens », elle aurait voulu que son fils devienne roi à la place de Ram et après avoir fait la gloire de Dasaratha elle provoqua sa chute ; Shakuni : voleur, tricheur et traître ; Ram : incarnation solaire de Vishnou qui révèle la vérité, la beauté et la bonté ; Sita : épouse de Ram, modèle de chasteté et de fidélité ; Lakshman : frère de Ram *(N.d.T.)*.

Kumar prétend que le budget du film s'élevait à quatre-vingts lakhs ; Eishaan soutient que c'est bien le bout du monde s'il a atteint quarante lakhs. Tous les gens de cinéma se voient appliquer un « taux de décote » qui ramène leurs vantardises à de justes proportions. En l'occurrence, le taux de décote de Kumar est donc de cinquante pour cent. De toute façon, quel qu'ait été le budget du film il y a des chances pour qu'il rapporte largement la mise initiale, contrairement à bien des grosses productions. Ne serait-ce que parce que le gouvernement de l'Uttar Pradesh l'a exempté de la taxe sur les spectacles par déférence envers la déesse.

La critique, dans un premier temps, lui est favorable. Dans la revue spécialisée *Super Cinema*, on lit que « les recettes récemment engrangées dans le Nord par un film pieux laissent bouche bée. Le phénomène n'est pas nouveau, et il est déjà arrivé qu'un film religieux déferle sur le marché avec la force d'un ouragan ». Hélas, assez vite l'ouragan se transforme en petit crachin puis se dissipe complètement. Jamais Shakumbhari Maa ne s'incarnera sur l'écran d'une salle de Bombay devant des spectateurs ayant payé leur place. À Bombay, personne ne meurt de faim et la ville n'a que faire de la déesse des légumes ; ce qu'il lui faut, c'est une déesse du logement, une déesse de la circulation, une déesse de la bonne gouvernance.

La déesse aux nombreux avatars continue néanmoins à intervenir dans le cours de la vie d'Eishaan. Il est allé un soir chez un de ses cousins qui habite Worli. Ses hôtes insistaient pour qu'il passe la nuit sur place ; trois fois il s'est levé pour partir, et trois fois ils l'ont retenu en lui proposant de lui prêter un caleçon et une brosse à dents. Quelque chose, toutefois, le poussait à reprendre sa voiture pour rentrer à Andheri. Il était à peu près deux heures du matin quand, non loin de l'église de Mahim, il aperçut un groupe de gens au milieu de la rue. À ce moment-là, il songeait à son projet de pèlerinage au sanctuaire de Vaishno Devi, une marche de quelque trente kilomètres qu'il lui tarde d'accomplir. Le quartier qu'il traversait étant très majoritairement musulman, sa première pensée, en voyant ces gens, fut que les émeutes avaient repris. Plusieurs personnes se mirent en travers de la route, cognèrent aux vitres en exigeant qu'il ouvre la portière. Alors seulement il remarqua au milieu de la chaussée le corps inerte d'une femme qui venait d'être renversée par un taxi. Touchée à la tête et à une cuisse, elle saignait abondamment. Le chauffeur de taxi avait pris la fuite, il fallait emmener la blessée à l'hôpital. Les témoins l'installèrent sur la banquette arrière et Eishaan la transporta à l'hôpital Leelavati. Là-bas, il s'avéra qu'elle n'avait pas sur elle de quoi payer les soins. Le galérien au grand cœur soulagea son portefeuille des deux mille roupies réclamées par le médecin et passa la nuit au chevet de cette parfaite inconnue. Le lendemain, il s'occupa de prévenir la famille et mit tout le monde dans un taxi après avoir lui-même réglé le prix de la course jusqu'à un hôpital de Malad, où les frais de séjour sont moins onéreux.

Eishaan estime qu'en cette occasion la déesse a voulu le tester. « Dans la voiture je pensais à Vaishno Devi, à son sanctuaire, et je me disais qu'il fallait vraiment que j'aille fêter mon anniversaire là-bas. » Si la déesse ne l'avait pas sorti de la maison de son cousin en pleine nuit, si par la force de la volonté divine il ne s'était pas trouvé sur les lieux de l'accident, la blessée serait peut-être morte, à l'heure qu'il est. C'est donc la conscience tranquille que le jour de ses vingt-sept ans Eishaan ira se prosterner avec ses parents devant l'autel de Vaishno Devi ; il sait qu'il n'a pas déçu ses attentes.

Sur la lancée de *Shakumbhari Maa*, l'héroïne, Raashee, décroche un rôle important dans *Club Dancer Number One*. Après avoir joué les vertueuses par dévotion pour la déesse, voilà donc qu'elle se remet « à jouer avec la ceinture de chasteté ». Quant à Eishaan, il disparaît de Bombay et nul ne sait s'il est rentré à Jaipur ou s'il est reparti travailler pour son oncle à Dubaï.

Accusé Sanjay Dutt

Lorsque Vinod a appris à Ajay Lal qu'il avait définitivement retenu Sanjay Dutt pour interpréter le personnage de Khan dans *Mission Kashmir*, le policier a eu ce commentaire : « La vraie vedette de ton film, c'est la TADA [1]. » Il faisait allusion à la loi antiterroriste qui avait valu à l'acteur de passer deux ans derrière les barreaux pour sa participation aux attentats à la bombe. Un des meilleurs amis d'Ajay confiait le rôle principal de son film à un homme interrogé en son temps par Ajay. Sanjay n'est d'ailleurs pas la seule personne du film à avoir été condamnée pour meurtre et association de malfaiteurs. Ramesh Taurani, qui a acheté les droits de la bande-son de *Mission Kashmir*, a été libéré sous caution après avoir été inculpé pour l'assassinat du producteur de musique Gulshan Kumar.

Je fais la connaissance de Sanjay Dutt chez Vinod où il est venu écouter le scénario. Il n'aura pas la partie facile, dans la mesure où il doit reprendre un rôle imaginé au départ pour Amitabh Bacchan. Nous sommes installés sur la terrasse avec Vinod et Anu qui remarque en riant : « Vous devez vous sentir tout petits à côté de lui. » Sanjay est en effet bâti comme un brontosaure.

Comme j'évoque Dayanita Singh, mon amie photographe de Delhi, il déclare : « C'est ma sœur. Elle habite chez nous chaque fois qu'elle vient à Bombay. » Ils sont allés à l'école ensemble et il la considère comme sa sœur par la vertu d'un rakhi. En pension, Sanjay était le souffre-douleur de ses professeurs. Il a pour parents deux des plus grandes stars de cinéma du pays, Sunil Dutt, entre-temps devenu un député très influent, et l'actrice

---

1. TADA, pour « Terrorist And Disruptive Activities », acronyme désignant la loi contre le terrorisme et les menées subversives. Votée en 1985 (et théoriquement abrogée dix ans plus tard), elle prolonge la durée des détentions provisoires décidées en l'absence de toute inculpation et complique la procédure de mise en liberté sous caution. Les personnes arrêtées en vertu de ce texte sont jugées par des tribunaux spéciaux (dits TADA), lors de procès qui se tiennent généralement à huis clos *(N.d.T.)*.

musulmane Nargis. Les professeurs, sans doute pour démontrer que cela ne les impressionnait pas, s'acharnaient contre ce fils à papa de cinoche ; il allait voir ce qu'il allait voir. Un jour qu'il avait commis une entorse insignifiante au règlement, un prof l'obligea à grimper à quatre pattes un éboulis caillouteux ; quand il arriva au sommet, il avait les avant-bras et les genoux à vif. Le lendemain, le même enseignant arracha les pansements et exigea qu'il gravisse à nouveau la pente. Une autre fois, il reçut une correction si sévère que la gangrène se mit dans les plaies et que ses parents durent le faire hospitaliser à Delhi. À l'époque, Sanjay n'était pas de taille à supporter les rigueurs britanniques de cet internat. Afin de se concilier les durs, les sardars, il demandait à Dayanita de leur nouer un rakhi autour du poignet et en faisait ainsi ses frères par alliance, si l'on peut dire. Il était fasciné par les muscles et par les armes.

Mahesh m'a dit que jamais Sanjay ne nous parlerait de ce qu'il avait vécu en prison ; Dayanita a abondé dans le même sens. Sur la terrasse de Vinod, peut-être parce qu'il est mis en confiance par nos relations communes Sanjay s'exprime pourtant sans réserve devant moi. « J'ai vraiment touché le fond », déclare-t-il à propos de cette période. Quand il a été arrêté, les gens de cinéma lui ont tourné le dos. « Ce type, poursuit-il en indiquant Vinod, est le seul qui ne m'ait pas lâché. » Son cas ne sera pas définitivement jugé avant des années. Si le verdict lui est défavorable, il fera appel et, les choses étant ce qu'elles sont, le XXIe siècle sera largement entamé avant qu'il soit fixé sur son sort. Il m'invite à l'accompagner le lendemain au tribunal où il doit aller signer sa mise en liberté sous caution.

À peine sommes-nous sortis de la voiture qui nous a déposés devant la cour TADA d'Arthur Road, que dans la foule un passant qui a reconnu Sanjay hurle : *Kartoos!* La cartouche de poudre, en hindi, mais aussi le titre du dernier film dans lequel a joué l'acteur. Tous les regards se braquent sur nous. Sanjay s'entretient à mi-voix avec un de ses coïnculpés ; le gang Rajan vient d'abattre à Chowpatty un homme que Sanjay connaissait bien, lui aussi en instance de jugement pour sa participation aux attentats. J'ai un peu l'intuition que Sanjay a trouvé sa vraie famille parmi ces proscrits, les amis qu'il n'a jamais eus en pension, les durs capables de le protéger des méchancetés de ses camarades de classe et du sadisme de ses professeurs.

Nous repartons chez lui, dans l'appartement avec vue imprenable sur la côte de Bandra où il a emménagé il y a quinze jours. Le thé est servi dans le bureau meublé de bois clair. Il m'en sert une tasse, la sucre à mon goût, agite la cuillère dedans avant de me la tendre. Il me parle de son adolescence perturbée. Comme tous les fils de bonne famille de Bombay, il a goûté à la drogue « parce que ça se faisait... On fumait des joints, on allait chez les putes ». Très vite, toutefois, l'herbe ne lui a plus suffi. « Un type sur dix devient accro. Je suis ce type-là. » Il est donc passé à des substances plus fortes telles que le Quaalude, la cocaïne, l'héroïne. « J'ai tout essayé, répète-t-il à plusieurs reprises. J'étais tout le temps dans les vapes : je prenais ma dose et j'écrasais. » Il se trouve des excuses : « La vie n'avait pas été tendre avec moi. À vingt ans, j'ai perdu ma mère. » Sa mère est morte d'un cancer en 1981 (dans le même hôpital de Manhattan que sa femme, quelques années plus tard). Il marchait au hasard des rues de New York par un froid glacial, en pleurant.

Sanjay s'est longtemps fourni à Do Tanki, dans Null Bazaar. Je me rappelle en effet les paroles de Mohsin le tueur, me racontant que Sanjay fréquentait le quartier « pour aller fumer des charas avec les musulmans ». Les gens qu'il voyait là-bas étaient fiers de le connaître, fiers de sa mère musulmane. Quand il a compris qu'il ne décrocherait pas tout seul, Sanjay est parti en cure de désintoxication à Jackson, dans le Mississippi. Il en a gardé une fascination durable pour le cliché américain du cow-boy Marlboro. Dans le centre où il se faisait soigner, il s'est lié avec un éleveur texan de bétail et a décidé d'acheter un ranch avec lui en y mettant tout l'argent qui dormait sur son compte à Bombay. Il a passé un mois là-bas. Son père qui était venu le récupérer a dû discuter pied à pied avec lui pendant quarante-huit heures pour le convaincre de rentrer à Bombay.

Interrompu par la sonnerie de son téléphone mobile, Sanjay ment avec aplomb à son interlocuteur – sans doute un metteur en scène qui se demande pourquoi il n'est pas sur le plateau de tournage : « Je suis à Alibag », déclare-t-il. Puis, me tournant le dos, il passe un autre coup de fil à voix basse, sur un ton très tendre.

Je sais par Dayanita qu'il se montre volontiers protecteur envers les femmes de la famille. Lorsqu'elle logeait chez les Dutt à l'occasion d'un séjour à Bombay, chaque fois qu'elle rentrait tard le soir elle trouvait Sanjay qui l'attendait en bas, quelle que soit l'heure. Il regardait alternativement sa montre et Dayanita, puis quittait la pièce sans commentaires.

Il pousse à l'extrême sa conception de la protection. « J'aime les armes », reconnaît-il sans fard. Pendant les émeutes, il était hanté par l'idée que les siens étaient en danger et leurs vies menacées : parce qu'il a une mère musulmane et que son père avait nettement pris position contre le Shiv Sena, il lui paraissait évident que les hindous allaient s'en prendre à eux. Selon ce que m'a raconté Ajay Lal, il a donc contacté Abu Salem et Anees, le frère de Dawood Ibrahim, pour qu'ils le fournissent en « guitares » (des AK-56). L'échange impliquait une contrepartie : « Les types qui avaient préparé les attentats à la bombe ont envoyé à Bombay une Maruti trafiquée au Pakistan, avec un double fond bourré d'AK-56 et de grenades. Il leur fallait un endroit discret pour vider ce chargement – ils ne pouvaient pas faire ça en pleine rue, bien entendu –, et le garage de Sanju était tout indiqué. Comme des tas de gens de son milieu, Sanju est fasciné par le monde de la pègre. » Le flic n'a pas une très haute opinion de la star.

En 1993, à l'époque des attentats, Sanjay était au sommet de sa carrière. Son dernier film, *Khalnayak* (scélérat) pulvérisait les records d'audience. Il y jouait le rôle d'un assassin recruté par la pègre. « Portrait stupéfiant d'un scélérat au grand cœur », pouvait-on lire sur les affiches. Sanjay était sur un tournage à l'île

Maurice quand Ajay reprit en main l'enquête sur les attentats et lança ses filets sur les conjurés. L'acteur chargea des amis sûrs de subtiliser les armes planquées chez lui et de les détruire dans une fonderie, mais la police qui perquisitionna cette dernière y trouva le ressort et la tige d'un fusil. Ces preuves matérielles lui permirent de remonter jusqu'à Sanjay.

Le responsable des problèmes dans lesquels il se débat serait à l'en croire Sharad Pawar, puissant dirigeant du parti nationaliste du Congrès et adversaire déclaré de son père, le député Sunil Dutt qui bénéficie d'une cote de popularité extraordinaire. Je rapporte à l'acteur une conversation que j'ai eue avec un fonctionnaire de Jogeshwari ; comme je lui demandais pour qui il votait, cet homme me répondit : « Pour le parti de Sunil Dutt, de quelque bord qu'il soit. »

Pawar avait expliqué à Sunil Dutt que Sanjay serait relâché dans les quinze jours s'il plaidait coupable et acceptait de coopérer. « Coopérer, dit aujourd'hui Sanjay, c'était admettre que j'avais trempé dans le complot. De quoi ça aurait eu l'air, franchement ? Sans parler des répercussions sur ma famille... »

Fort des assurances que lui avait fournies Pawar (Sanjay ne passerait que quelques heures au poste et serait tout de suite libéré), Sunil Dutt insista pour que son fils rentre de l'île Maurice. Sanjay prit donc l'avion. À l'aéroport, deux cents commandos l'attendaient l'arme au poing devant la porte des arrivées. Ajay Lal avait fait le déplacement pour l'arrêter, et après avoir procédé à l'interrogatoire il le fit incarcérer à la prison d'Arthur Road. Ce soir-là, des prisonniers vinrent chercher Sanjay dans sa cellule pour le présenter à leur chef. Ingénieur de formation, celui-ci avait fait ses études à Londres et était revenu au pays pour s'associer avec son frère, le fondateur du gang d'Ashwin Naïk. (*Parinda*, le film policier de Vinod, s'inspire largement de la relation entre les deux frères.) Compatissant, le parrain lui demanda s'il tenait le choc et lui prêta son téléphone mobile pour qu'il puisse appeler son père. Lequel ne fut pas peu surpris de recevoir à onze heures du soir un coup de fil de son détenu de fils.

Il lui rendit visite peu de temps après sa mise en détention et lui déclara tout net qu'il ne pouvait plus rien pour lui. « J'ai pleuré toutes les larmes de mon corps », me dit Sanjay. Les autorités refusaient de le libérer sous caution et Patel, le premier juge chargé de l'affaire, faisait de sa condamnation une affaire personnelle. La démarche de son avocat qui demanda la révocation de ce magistrat n'a pas arrangé les choses, au contraire, estime Sanjay. Le juge ne voulait pas se dessaisir du dossier et il s'acharna de plus belle contre lui.

En prison, il n'avait pas de contacts avec le reste de la population carcérale. « Il paraît que j'étais en danger de mort et que pour ma sécurité il fallait me garder à l'isolement. Tu parles d'une blague ! » Pendant trois mois, Sanjay n'a quasiment pas vu la lumière du jour. Sa cellule de deux mètres cinquante sur deux mètres cinquante était en tout et pour tout équipée d'un water qui lui servait aussi bien à faire ses besoins que sa toilette, y compris se laver les dents. D'autres prisonniers se servaient avant lui dans les colis de nourriture que lui envoyait sa famille et il devait se contenter de la pitance à peine mangeable de l'établissement. La solitude, on le sait, peut rendre fou.

Faute de mieux, Sanjay se lia avec des créatures animales. Tous les soirs, il avait la visite de quatre hirondelles entrées par l'étroit conduit de ventilation ; elles picoraient les miettes qu'il leur tendait dans la grande mangeoire de sa main, elles le laissaient les caresser et cela lui faisait du bien, car il avait un besoin éperdu de contact. Il se passionnait également pour les fourmis qui sortaient du tuyau de vidange. « C'est des bestioles incroyables, les fourmis. Elles ont une espèce de langage pour communiquer entre elles. Quand il y en a une qui part dans la mauvaise direction, une de ses copines va tout de suite la prévenir. » Allongé à plat ventre sur le sol, il les observait des heures durant se débattre avec les débris de nourriture qu'elles transportaient jusqu'au tuyau. « Les miettes étaient parfois trop grosses pour elles, alors je les aidais en les posant moi-même sur le tuyau. J'assurais le transport par hélicoptère, si on veut. » Sanjay n'avait ni montre ni pendule, dans sa cellule, mais il savait l'heure grâce à un rongeur, un énorme bandicoot qu'il avait baptisé Général Saab : « Il arrivait tous les soirs à minuit pile pour repartir une heure plus tard. On aurait dit un général pendant sa tournée d'inspection. »

Les charmes de la vermine finirent toutefois par s'épuiser. Un jour, Sanjay qui n'avait pas vu sa famille depuis trois mois eut un accès de folie et se tapa la tête contre les barreaux. Il fallut lui faire dix points de suture. Les responsables de la prison le transférèrent alors dans une cellule déjà occupée par vingt et un terroristes du Penjab qui s'occupèrent de lui avec beaucoup de sollicitude. « C'étaient des sardars, mais hyper sentimentaux, adorables. » Pour améliorer l'ordinaire des cuisines, ils s'étaient fabriqué un âtre en pierre sur lequel ils transformaient la bouillie infâme en plat plus savoureux et plus nourrissant.

La prison favorisait le brassage des gangs. Sanjay a rencontré plus d'un tueur à gages, là-bas. Il a aussi pu observer comment s'opérait le recrutement dans le quartier des mineurs, où les gangsters repéraient les jeunes les plus dégourdis, s'arrangeaient pour que leur caution soit payée et que leurs familles n'aient plus de soucis d'argent. Une fois sa liberté recouvrée, il a partagé ce savoir avec des réalisateurs de films noirs en leur décrivant des personnages qu'il avait connus en taule. Lui-même y a acquis un talent hors pair pour interpréter les rôles de bandit. Son séjour derrière les barreaux a largement contribué à étoffer son jeu d'acteur. « On me dit souvent que la prison m'a mûri et que mes yeux expriment une grande tristesse. »

Il n'a pourtant pas, loin s'en faut, le physique des tueurs professionnels, qui sont généralement des petits gabarits secs et nerveux. Je lui en fais la remarque et il acquiesce. Il a observé la même chose. De plus, ajoute-t-il, « leur regard est d'une froideur impressionnante ». Les truands et les terroristes ont une caractéristique en commun : « Ils sont tous très croyants. En prison, ils priaient constamment et ils crachaient sur le gouvernement. » À force de les fréquenter, il leur a emboîté le pas ; comme ses codétenus, il passait plusieurs heures par jour en prière.

Quel est le pire souvenir qu'il conserve de cette expérience ?

« C'était de tout le temps me répéter, pourquoi on me traite comme ça ? pourquoi je suis au trou ? J'étais avec des types qui avaient trente morts sur la conscience. Alors, moi aussi j'ai commencé à avoir des envies de meurtre. Je me disais que j'allais tuer un paquet de gens une fois que je serais libéré. Quand je suis rentré en prison je pesais cent kilos de muscles ; en trois mois j'en ai perdu trente-sept. » Il y avait aussi la peur de la torture : « Ils menaçaient de me soumettre au niveau trois pour que je parle. »

En parler le met en colère. « On prétend que ce pays est la plus grande démocratie du monde. C'est un vrai merdier, oui ! » s'emporte l'homme qui dans notre film va jouer le rôle d'un flic musulman patriote prêt à donner sa vie pour l'Inde. La star a son analyse historique des ratés du pays : « Quand les Britanniques sont partis, ils nous ont laissé leur droit et ils nous ont laissés dans la merde. Ambedkar [1] a modifié la Constitution mais il n'a pas touché au droit. Tilak et tous les autres combattants de la liberté étaient des terroristes aux yeux des Britanniques. Si la Constitution tire d'un côté et le droit de l'autre, ça fout le merdier, c'est sûr. »

Sanjay a accroché à un mur de son bureau une caricature qui le montre en train de soulever des haltères, un mégot entre les lèvres. C'est une œuvre de Raj Thackeray, neveu du Saheb. Le seul politicien qui trouve grâce à ses yeux est en effet Bal Thackeray, le chef du parti politique à l'origine des émeutes dont Sanjay a eu si peur qu'il a demandé à ces gens de l'armer pour protéger sa famille. Après avoir démontré à Bombay qu'il pouvait remettre les musulmans à leur place, Bal Thackeray a prouvé sa magnanimité, et son amour du cinéma, en ordonnant

1. Bhimrao Ramji Ambedkar (1891-1956), juriste et homme politique indien issu de la classe des intouchables qui a combattu le système des castes avec plus d'énergie encore que Gandhi. Ministre de la Justice dans le premier gouvernement de l'Inde indépendante, il fut chargé par Nehru de rédiger la Constitution du pays *(N.d.T.).*

au gouvernement à sa botte de libérer sous caution Sanjay Dutt, fils de Nargis Dutt la musulmane.

Mahesh Bhatt ne cache pas ce qu'il pense de Sanjay : « Ce type est un criminel. Il a l'étoffe d'un criminel. » Cela ne l'a pas empêché de réaliser tout récemment un film dont Sanjay Dutt est la tête d'affiche. En l'an 2000, Sanjay fait son troisième come-back dans le septième art avec *Vastav* et *Mission Kashmir*. Pour avoir côtoyé la pègre de près, il est convaincu de la supériorité des truands sur les cinéastes. « Au moins, déclare-t-il à propos des premiers, ils sont honnêtes sur ce qu'ils font. Ils ne se mentent pas à eux-mêmes. Alors que le cinéma, c'est un panier de crabes, bhenchod ! Tout ce qui compte c'est de baiser le mec d'en face. Quand un type commence à grimper, on lui fait des salamalecs par-devant et par-derrière on écrit des trucs dégueulasses sur lui dans la presse. » Sa haine de ce milieu auquel appartient sa famille est aussi tangible qu'un des objets posés entre nous sur la table.

Que ferait-il s'il n'avait pas ce procès sur les bras ? Il veut gagner trois millions de dollars, partir à New York et vivre de ses intérêts. Il a un petit appartement à Manhattan, en face de Macy's. Il se verrait bien ouvrir un grill-room, il adore ces restaus et connaît les plus fameux : Peter Luger à Williamsburg, Morton à Chicago, Spark dans la 43ᵉ Rue. Quoi qu'il en soit il quittera Bombay. « J'aimais cette ville, avant, mais elle est devenue bien trop dangereuse. » La fille qu'il a eue de sa première femme est scolarisée à Bayside, dans un cours privé. Il s'en réjouit pour elle. « Là-bas, l'enseignement est intéressant. Rien de comparable avec ici. Ici on n'apprend que des conneries à l'école, genre : en quelle année Aurangzeb a-t-il envahi l'Inde ? Tout le monde s'en fout, non ? »

Il insiste pour que je reste déjeuner, mais lui-même se contente d'une poêlée d'épinards qu'il enfourne à grosses cuillerées, sans riz ni pain. Je m'en étonne, après tous ses discours dithyrambiques sur les grill-rooms. Il m'explique que le régime hyper protéiné qu'il suivait jusqu'à présent lui ayant détraqué les reins, il ne mange pratiquement plus que des plats végétariens. Son entraîneur privé vient d'être victime d'un infarctus provoqué par l'abus de stéroïdes anabolisants; il est retourné à Venice pour essayer de profiter de sa retraite. Sanjay fait sept petits repas par jour, principalement à base de légumes bouillis ou sautés.

Le lundi suivant, j'accompagne à nouveau Sanjay à la cour TADA, où il est convoqué pour une audition en bonne et due forme sur les attentats. Pas très loin de mon bureau, nous nous arrêtons en chemin pour prendre un certain Hanif Kadawala. Comme je lui demande s'il fait, lui aussi, partie des accusés, Sanjay répond à sa place : « Nous sommes tous innocents. »

Restaurateur et producteur de films à ses moments perdus, Hanif est une des personnes soupçonnées d'avoir fourni un AK-56 à Sanjay à la suite des émeutes. Je ne le sais pas encore, mais cet homme n'a plus que quelques mois à vivre. En février 2001, il sera abattu par le gang Rajan à quelques mètres de l'endroit où nous étions passés le chercher. Chotta Rajan tranchera ainsi sans autre forme de procès la question de sa culpabilité ou de son innocence. Cette année-là, sept des cent trente-six inculpés tomberont sous les balles de ses hommes ou de la police.

Sanjay jongle pendant tout le trajet avec le calendrier des fusillades. Chaque fois que nous passons devant un temple, il se touche les yeux et les lèvres et marmonne une prière.

Je passe une bonne partie de la matinée à tenter sans succès d'entrer dans la salle où la cour TADA tient audience. Tandis que je ronge mon frein devant les portes, un défilé ininterrompu de gens entrent et sortent du commissariat mitoyen de la prison : des avocats; des accusés libérés sous caution tenus de se présenter une fois par semaine au poste; une mère avec deux enfants en bas âge; un garçon et une fille tirés à quatre épingles qui viennent rendre visite à leur père écroué; une jeune femme d'une beauté renversante, sous sa burka noire, venue réconforter son homme qui purge une peine de prison.

Dans l'après-midi, le juge Kode accepte enfin de me recevoir car il estime de son « devoir d'aider les jeunes gens ». Il s'embarque dans un long soliloque où il est question, entre autres, de mon dharma d'écrivain, de la nature intrinsèque de Bombay, du rôle de l'appareil judiciaire. Son Honneur parle sans discontinuer en mastiquant un pan ; la boule de belle taille qui lui déforme la joue gauche est prémonitoire de la tumeur qui va se déclarer. Il me dit que je dois donner une bonne impression de mon pays à ces étrangers « qui nous prennent pour des primitifs », leur prouver par A + B que nous avons le meilleur système juridique du monde. Il a lui-même personnellement consigné huit mille témoignages par écrit, noirci au total treize mille pages. « Je n'ai jamais pris un seul jour de congé. Pas un jour pour convenance personnelle, pas un seul jour, Dieu soit loué, pour arrêt maladie. » Vingt-trois gardes du corps le protègent en permanence. Il en a demandé quinze de plus à Ajay Lal.

L'audience qu'il préside va commencer. « On est en famille », me glisse Sanjay à l'oreille. Effectivement, policiers et magistrats bavardent de choses et d'autres avec les inculpés, prennent des nouvelles de leurs épouses, de leurs enfants. Dans la salle, Sanjay me désigne une place au premier rang. « Tu t'assieds ici. Nous, on est les accusés », ajoute-t-il avec un sourire en allant s'installer dans le fond.

La cour monte sur l'estrade tandis qu'un greffier appelle un à un les cent vingt-quatre noms de sa liste. « Hanif Kadawala ! » L'interpellé se lève. « Salim Durrani ! Yakub Memon ! » Je me retourne pour regarder la troupe dépenaillée des durs à cuire assis sur les bancs en bois ; il y a aussi cinq femmes, qui toutes ont pris place en bout de rangée. « Sanjay Dutt ! » lance le greffier. La star perdue dans la masse des suspects soulève à peine les fesses de son siège.

Le juge s'assied. Sa silhouette se découpe sur les lambris de bois sombre dépourvus du traditionnel portrait du Père de la Nation. Il règle avant toute chose divers problèmes d'ordre administratif, examine les requêtes déposées par les avocats. La plupart voudraient que leurs clients soient dispensés d'assister à leur procès au motif qu'ils ont les tueurs du gang de Chotta Rajan à leurs trousses. Il y a des micros, mais personne ne s'en sert, et j'ai beau me trouver au premier rang, juste derrière les avocats et en face du juge, je n'entends pas un traître mot de ce qui se dit. Les accusés alignés dans mon dos non plus. Ils discutent entre eux à voix basse du championnat du monde de cricket et de leurs exploits criminels. À intervalles réguliers, un des assesseurs leur intime de se taire en agitant les bras : « Chut ! Chut ! » – et les chuchotements se calment pour reprendre de plus belle quelques secondes plus tard. Les ventilateurs fixés au plafond brassent l'air que laissent pénétrer les fenêtres grandes ouvertes, derrière lesquelles je vois un palmier et un grand ciel bleu. On est bien, somme toute, dans cette salle où règne une agréable quiétude, un calme si reposant que mon voisin, qui a gardé son portable au mépris des consignes en vigueur dans tous les tribunaux, finit par piquer du nez. Quand il se réveille, il se met à lire subrepticement un journal plié en quatre. Je regarde les aiguilles de la pendule avancer avec une lenteur désespérante et je rêvasse, je pense à ce que j'ai mangé et je pense à des femmes, exactement comme en classe, autrefois, quand le temps traînait en longueur. Le ronronnement des ventilateurs, le murmure constant qui monte dans mon dos, le bourdonnement des échanges entre le juge et les avocats, tout cela me rappelle irrésistiblement les heures léthargiques passées sur les bancs de l'école. La prochaine audience n'aura lieu que dans deux semaines pour cause de vacances d'été. C'est le dernier jour de classe, pour ces types sous le coup de la loi TADA, et l'ambiance est à la récré. À une différence près, mais de taille : les recalés à l'examen final qui aura lieu d'ici à une dizaine d'années seront pendus haut et court.

Son Honneur leur accorde quinze jours de relâche, quinze jours durant lesquels ils pourront voyager à leur guise en Inde. « Surtout, qu'il n'y ait pas de plainte déposée contre vous ! » les prévient le juge en bon maître d'école. « Tu parles d'une blague, me dit Sanjay quand je l'ai rejoint. On peut parfaitement filer au Népal en douce et personne ne le saura. »

Nous quittons le tribunal dans sa voiture. À un feu rouge, une nuée de petits vendeurs de journaux se précipitent sur les automobilistes. L'un d'eux colle son visage contre le pare-brise teinté et reconnaît Sanjay. Aussitôt ses copains rappliquent, chargés de revues et de quotidiens. « Sanjay Dutt ! On t'a vu dans *Border*, c'était génial ! Sanjay Dutt ! Sanjay Dutt ! Achète-moi un journal ! » Partagé entre l'amusement et l'exaspération, la star baisse sa vitre. « Ma ki chud ! Donne-moi *Mid-Day*. » Les gosses se pressent autour de la voiture pour le dévisager pendant qu'il feuillette le journal sans leur prêter attention. « Regarde ce qu'il fait, le gros malin », me dit-il le doigt posé sur une manchette annonçant que Sharad Pawar rompt avec le parti du Congrès. Les gamins sont en transe, mais cela ne dure pas. Dans l'autre rue, le feu va bientôt passer au rouge et ils ont du pain sur la planche. Ils nous plantent là pour s'égailler à droite et à gauche, gringalets gracieux à la tête pleine de rêves très concrets.

La trogne du suspect des attentats à la bombe sorti avec moi du tribunal s'étale sur les affiches géantes placardées dans les rues de Bombay.

DU RÊVE À LA RÉALITÉ

Le tournage de *Mission Kashmir* a enfin commencé. Vinod cite à tout bout de champ cette phrase de Fellini : « Le seul endroit où on puisse se conduire en dictateur en étant adulé, c'est un plateau de cinéma. »

La voix de Vinod résonne à travers le décor conçu pour *Mission Kashmir* dans les studios de Film City [1]. Silence ! La clim qui marche à fond rend le port du pull indispensable ; le rhume couve. Ça grouille de monde partout, il y a même des types juchés sur des passerelles à une hauteur vertigineuse. Que font-

---

1. Film City : autre nom de Bollywood ; textuellement, la « ville du cinéma » autrement dit la Cinecitta de Bombay (*N.d.T.*).

ils là, tous ces gens ? Ils sont vraiment indispensables ? « La moindre bricole réclame beaucoup de main-d'œuvre », répond Vinod. Chaque appareil nécessite une équipe à lui tout seul ; il faut trois bonshommes pour déplacer un projecteur. À cela s'ajoute la foule des sans-grade et des inconnus – galériens, touristes et badauds à qui personne ne s'intéresse sauf quand ils gênent la manœuvre. Plus les personnalités qui se succèdent au fil de la journée. Le ministre de l'Éducation débarque un jour en famille et Vinod obtient que son fils soit admis dans une école de bonne réputation.

Vinod est un bosseur comme j'en connais peu, capable tout à la fois de répondre au téléphone, de lire un article pour se documenter sur le film et de répondre aux questions que je lui pose. Sa devise, c'est : « Plus je travaille, plus la chance me sourit. » Pas un détail, si minime soit-il, ne lui échappe. « Tu vois quelqu'un à qui je pourrais déléguer ? me demande-t-il. Ici la médiocrité a valeur de norme. » Un soir, il passe à la maison vers minuit en sortant du tournage. Il a la voix cassée, et comme je m'en inquiète il me dit : « Que veux-tu ! J'ai hurlé, j'ai juré, j'en suis même venu aux mains. » Il a eu une explication musclée avec son principal assistant.

Le film est en partie tourné à Srinagar, ville du Cachemire dans laquelle Vinod ne se déplace qu'en véhicule blindé, entouré de gardes du corps. Au beau milieu d'une séquence, une pétarade éclate soudain. « Des pétards, lance Vinod à l'équipe. Ils fêtent Dussehra. » Sur ses instructions, le cameraman se dépêche de finir la prise de vues, et dès qu'il a terminé Vinod presse tout le monde de ranger vite fait le matériel et de quitter les lieux. Techniciens et acteurs réalisent alors qu'on ne fête pas Dussehra, dans le Cachemire musulman, et que les détonations qu'ils ont entendues provenaient d'armes à feu. Des roquettes ont été tirées sur le siège du gouvernement, à cinq cents mètres du tournage, quatre personnes ont trouvé la mort. Mais la scène est fixée sur la pellicule.

Lors d'un autre incident, un acteur interprétant un militant en fuite courait le long d'un canal quand il fut repéré par de vrais policiers postés de l'autre côté. Fusils à l'épaule, ils s'apprêtaient à tirer quand ils ont compris que c'était du cinéma. Pendant que de vraies bombes éclatent en ville, Vinod fait sauter des bateaux sur le lac Dal pour les besoins du spectacle. Entre les batailles dont la ville est le théâtre et celles mises en scène par le cinéaste, la marge est si mince qu'elle en devient presque invisible.

Vinod a décidé de supprimer toutes les mentions désobligeantes pour le Pakistan. Dans la version finale, les conjurés annoncent haut et clair devant la caméra, à l'intention des groupes terroristes, des parrains mafieux, des politiciens ou des universitaires que cela pourrait intéresser : « Nous ne sommes pas sous la coupe d'un gouvernement ou d'un État. Nous sommes un groupe indépendant. » Les films de Vinod marchent fort, au Pakistan. Au premier plan, apparaît cependant une silhouette noyée dans l'ombre que les autres protagonistes traitent avec déférence. Atul Tiwari, le dialoguiste, reçoit l'ordre de mentionner sa barbe. « Oussama », décrète Vinod en consacrant le personnage.

Dans la seconde partie, une chanson fantaisie transporte soudain le terroriste et sa bien-aimée loin des bombes et des massacres dans le royaume bienheureux de l'enfance, en l'espèce une luxuriante vallée de cinéma pleine de cascades et de fleurs. Cette séquence chantée a dû être filmée à Bombay car la région de Srinagar était devenue trop dangereuse pour que l'équipe puisse retourner sur les lieux. Elle se déroule donc dans un Cachemire revu et corrigé par Bollywood, un Cachemire recréé en studio avec prairies piquetées de fleurs et blizzards de neige ouatée. On a tort de prendre la guerre si au sérieux. Il y aura toujours une trêve dans les combats pour la musique et pour l'amour.

Il n'est pas si loin, le temps où Vikram se félicitait d'avoir concocté « une apothéose à toute épreuve » pour *Mission Kashmir*. Depuis, Hrithik Roshan, le petit nouveau recruté pour remplacer Shahrukh Khan, est devenu la plus grande star de cinéma du pays bien qu'il ait en tout et pour tout un film à son actif, *Kaho Na Pyaar Hai*, réalisé qui plus est par son père,

Rakesh Roshan. Dans les salles où est projetée cette histoire d'amour le même phénomène se répète systématiquement : les jeunes femmes tombent dans les pommes dès que Hrithik apparaît à l'écran. Ces évanouissements en série se produisent aussi bien en Inde qu'à l'étranger ; il paraît que la vue de l'idole a provoqué une pâmoison collective dans un cinéma de l'île Maurice.

Partout son image, son nom, suscitent quasiment l'émeute. Son père a reçu un coup de fil hystérique du propriétaire d'une salle de Raipur : le malheureux avait besoin de toute urgence de deux cent mille photos dédicacées de Hrithik pour calmer les furies qui assiégeaient son cinéma. La présence de Hrithik au café du Taj provoque une invasion de groupies déchaînées à qui il échappe de justesse, grâce à la présence d'esprit du personnel qui le fait sortir par les cuisines. Un soir qu'il dînait tranquillement en tête à tête avec sa fiancée dans un restaurant italien de banlieue, il a été repéré par des badauds ; un bus à étage qui passait dans la rue a pilé devant la vitrine, les passagers se sont rués dehors pour aller voir le jeune premier de près.

Son premier film est aussi le premier de l'histoire du cinéma hindi à se hisser aussi vite au sommet : dès la première semaine, il est programmé dans quatre-vingt-dix-neuf pour cent des salles de Bombay. Au fil des mois, au lieu de diminuer comme c'est généralement la règle, les recettes de *Kaho Na Pyaar Hai* ne cessent d'augmenter. Hrithik qui arrivait en troisième position dans la distribution de *Mission Kashmir* (le cachet prévu par son contrat se montait à onze lakhs, soit quatre de moins que ce qui est prévu pour Preity) passe d'un bond à la première place. Ses exigences aussi sont à la hausse : désormais il demande, et obtient, deux crores pour tourner avec d'autres cinéastes. « Je n'arrive plus à dormir, je nage en plein délire », confesse le novice à Vinod. Réalisateurs et producteurs font la queue devant chez lui, le carnet de chèques à la main.

L'adoration fiévreuse qui l'entoure tient en partie à la disgrâce qui frappe les champions de l'équipe nationale de cricket. Éclaboussés par le scandale des matchs truqués, les dieux vivants tombent de leur piédestal. Ce sont des vendus, ils ont bradé l'honneur du pays. Quand Sachin Tendulkar et Hrithik apparaissent côte à côte dans un stade où se dispute un match entre célébrités, la foule acclame la star de Bollywood, pas le sportif autrefois adulé. Et dire que Hrithik n'a joué que dans un seul film ! En cette époque où la télévision est reine, il a instantanément été porté au pinacle.

Du coup, l'apothéose à toute épreuve s'effondre. « Maintenant, il est hors de question que l'ISI trucide Hilal Kohistani », décrète Vinod. Le méchant ne peut pas simplement mourir sous les balles d'ennemis invisibles ; le héros du box-office doit devenir le héros du film. Vinod me charge de réécrire à l'intention de Hrithik une apothéose vraiment héroïque qui place son personnage, et non plus celui de Sanjay, sur le devant de la scène. Je propose pour finir qu'il tue Hilal au cours d'une confrontation épique avec ses deux pères : en tuant Hilal il anéantirait le pire aspect de lui-même. « Oui, acquiesce Vinod. Ainsi il devient un héros. » Vaincu par la force irrésistible du box-office, Khan le policier perd la vedette. Sanjay qui avait le premier rôle n'est plus qu'un des deux principaux personnages.

En vue de la nouvelle apothéose, Vinod a demandé qu'on dispose des maisons calcinées autour d'un lac artificiel creusé à Film City. Des camions-citernes remplis d'eau déversent leur chargement dans une large excavation. Une batterie de machines à fabriquer du brouillard nappe le décor de brumes cachemiries. La brochure éditée pour la sortie du film raconte la suite :

> Sous l'effet de la chaleur écrasante de l'été bombayite, les déchets organiques présents dans l'eau ont pourri et se sont décomposés en dégageant une puanteur épouvantable. Pendant plus d'un mois le réalisateur, les techniciens et les acteurs ont dû travailler dans ces miasmes, lutter à chaque instant pour maîtriser l'eau, le brouillard, le vent, tant et si bien qu'ils ont fini par s'imbiber durablement de cette odeur repoussante qui résistait aux passages répétés sous la douche.

J'emmène mon fils à Film City voir le bouquet final : une explosion impressionnante pour laquelle on a sacrifié mille litres d'essence. À la fin de ses films d'action, Vinod met un point d'honneur à démolir son œuvre. Le décor de *1942* a coûté quatre-vingts lakhs, partis en fumée lors de l'apothéose ; les maisons calcinées de *Mission Kashmir* connaissent le même sort : elles alimentent des colonnes de feu de trente mètres de haut, et c'est un sauve-qui-peut général pour échapper à la pluie de débris et de cendres que le vent rabat sur nous. Le souffle de la déflagration a renversé Vinod qui gît les quatre fers en l'air ; un appel insistant retransmis par les haut-parleurs réclame « de la glace pour Vinod Saab, touché au coccyx ». J'empoigne Gautama par la main et cours au sommet de la colline qui flanque le lac artificiel. Les tuyaux de gaz qui alimentaient le plateau explosent à la chaîne en crachant des jets de flammes multicolores. Des morceaux de décor embrasés tombés du ciel provoquent à terre une multitude de mini-incendies ; les techniciens se ruent dessus pour les empêcher de se propager. Un groupe de badauds venus en famille contempler le spectacle interrompt sa fuite à mi-pente, se retourne, et, cédant au pyromane qui sommeille en chacun d'entre nous, redescend la colline pour sentir le roussi de plus près.

Les ventes de la bande-son et de certains des droits de distribution ont permis à Vinod de rentrer dans ses frais longtemps avant la fin du montage. Le film va marcher, il pourrait même faire un malheur compte tenu du succès phénoménal de Hrithik. Toutes les admiratrices tombées en pâmoison à chacune de ses apparitions dans *Kaho Na Pyaar Hai* laissent d'emblée espérer des millions et des millions d'entrées, quels que soient les mérites ou les défauts du scénario, de la musique, de la prise de vues ou de tout autre élément propre au film. Je m'aperçois avec amusement que mon travail est sans rapport aucun avec les perspectives commerciales de l'œuvre.

Vinod apprécie Hrithik comme un maquignon une bête de concours. Il choisit pour son acteur fétiche des débardeurs très échancrés. « Il faut qu'on voie le plus de peau possible. Ils croyaient se rincer l'œil avec *Kaho Na Pyaar Hai*? On va leur en donner pour leur argent! » Hrithik, donc, s'exhibe, enfile sa chemise et l'enlève pour un oui ou pour un non. Ses biceps sont si saillants qu'on dirait qu'il les contracte en permanence, même quand ses bras pendent le long de ses flancs. Ils crèvent l'écran dans de nombreuses scènes purement gratuites où, tel un don du ciel, la star entre dans le champ en sautant du haut d'un toit.

Cette semaine, Hrithik fait la une des plus grands magazines d'actualité du pays. On ne compte plus les articles qui chaque jour paraissent sur lui dans la presse, et malgré cela il ne s'est pas départi de sa modestie coutumière. Quand nous visionnons une séquence sur le moniteur de contrôle, il s'assied en tailleur à même le sol alors que Vinod et moi sommes confortablement installés dans des fauteuils. Il a deux pouces à la main droite, un normal et un surnuméraire, de plus petite taille. On ne le lui a pas enlevé à la naissance car cette particularité est réputée porter bonheur – croyance qui dans son cas s'est vérifiée, et en cinéma-scope qui plus est. Pendant cinq ans il a travaillé comme un esclave en tant qu'assistant à la réalisation; il mangeait n'importe comment, il couchait sur place, sous la tente, et voilà qu'en une semaine il est devenu la plus grande star d'un pays d'un milliard d'habitants. Il va se marier à la fin de l'année, avec celle qu'il aime depuis toujours.

« Ça marche fort, pour toi, observe mon ami Rustom qui a fait toutes les photos du tournage.

– Trop fort, si tu veux mon avis. »

Hrithik a raison. La balance qui décide de la répartition de la chance et de la malchance de par le monde penche dangereuse-ment en faveur de ce jouvenceau; tôt ou tard elle reviendra à l'équilibre. Et c'est effectivement ce qui se passe, un jour de jan-vier, au moment où la personne que Hrithik aime le plus ici-bas – son père, Rakesh Roshan – monte dans sa Mercedes. Deux jeunes gens lui tirent six balles dessus avec un calibre 32. L'une se loge dans le sternum, épargnant le cœur de justesse. Le film qu'il a réalisé et produit est sorti il y a quatre jours. Roshan ayant eu le nez assez creux pour se réserver l'essentiel des droits de distribution, il devient du jour au lendemain un des plus gros magnats de Bollywood. Les gens de cinéma accourent à l'hôpital au chevet du blessé, compatissent, tremblent, s'interrogent : « Pourquoi ? »

Vinod me donne la réponse : « Ils veulent que Hrithik joue pour eux. »

Si grand est le succès de Hrithik que le parrain Abu Salem, un transfuge de la Compagnie-D, tient à l'engager dans son film. « Ils » – en l'occurrence le représentant de Salem, un réalisateur de Bollywood – sont allés trouver Rakesh Roshan pour qu'il convainque son fils de signer un contrat de film avec eux. Roshan a répliqué qu'il n'en était pas question. Smita Thackeray, la bru du Saheb, est intervenue dans le même sens ; il paraissait peu dangereux de lui opposer un refus puisque le Shiv Sena n'est plus au pouvoir. Alors Abu Salem lui-même a appelé Roshan, qui à la suite de ces coups de fil a conseillé la prudence à son fils, sans plus insister. Deux jours plus tard, les tueurs lui tiraient dessus. Les Roshan envisagent maintenant de s'entendre avec les truands, ce qui serait un vrai retournement de la trame classique des films hindis : un père se fait descendre et son fils, au lieu de le venger, accepte d'être la tête d'affiche du film de ceux qui ont voulu le tuer. Peut-être n'arrivera-t-il pas à endosser son rôle avec autant d'enthousiasme qu'il faudrait, mais il suffira qu'il apparaisse à l'écran pour que les femmes tournent de l'œil. Les caisses du gang vont se remplir. C'est le monde à l'envers : la star n'a pas couché pour décrocher son rôle ; on le lui inflige.

Si bien que nos deux acteurs principaux ont désormais partie liée avec la pègre. L'aîné, libéré sous caution, a fréquenté ce milieu de près ; le cadet a failli perdre son père à cause de son succès. À Bombay, il n'y a qu'un pas de la réalité la plus sordide au rêve le plus fou.

Cette proximité est en partie due aux pratiques de financement qui sévissent dans le cinéma depuis les années quatre-vingt-dix.

La plupart des productions bollywoodiennes n'empruntent pas sur le circuit bancaire traditionnel mais sont financées par des fonds privés. Les banquiers ne comprennent pas Bollywood, ou s'ils le comprennent ils s'en méfient. La moindre production requiert des sommes énormes, et il n'est pas rare qu'une dynastie de gens de cinéma travaille sur plusieurs projets à la fois. Projets qui ne seront parfois rentabilisés qu'au bout de plusieurs années, pour peu que les films produits marchent cahin-caha. Or qui, sinon la mafia, est en mesure d'avancer les liquidités nécessaires ? Les gangs ne demandent pas mieux que de transformer l'argent sale en rêves en Technicolor. Dans le mois qui suit sa sortie, un succès au box-office peut rapporter jusqu'à quatre fois la mise de départ. Placer de l'argent dans le cinéma représente donc pour la pègre une des méthodes les plus rapides de retour sur investissement illégal. Sans cet apport de fonds, l'industrie du cinéma hindi s'effondrerait du jour au lendemain. Force lui serait de se tourner vers des banquiers et des agents de change qui n'ont pas les mêmes goûts que les parrains, en matière de cinéma. Leurs rêves ne seraient sûrement pas aussi extravagants, violents et passionnés.

Les gangs ont un atout de taille, s'agissant du casting. Ils s'assurent d'abord les services d'un réalisateur et d'un producteur méconnus, mais malléables, ayant deux ou trois films de série B à son actif, puis ils font le tour des stars du moment en leur demandant d'annuler leurs engagements pour signer avec eux. Avec un acteur ou une actrice célèbre, le producteur a au moins la garantie de rentrer dans ses frais. Les gangsters tiennent tout particulièrement à acquérir les droits de distribution à l'étranger et ils ont quasiment la mainmise sur les tournées artistiques hors du pays – ces assemblages hybrides d'acteurs, de musiciens et de comédiens de music-hall qui sillonnent le globe de Barcelone à Boston, en s'arrêtant dans tous les endroits où vivent des Indiens et des amateurs de films hindis.

Il existe une curieuse symbiose entre les milieux de la pègre et du cinéma, ainsi que j'ai moi-même pu le constater à

Madanpura, avec Tanuja. Les réalisateurs hindis sont fascinés par la vie des gangsters, dont ils s'inspirent largement pour leurs films. Quant aux gangsters, du flingueur de base au parrain en exil qui tire les ficelles, ils observent attentivement les personnages censés les représenter à l'écran et calquent leur comportement sur le leur, copiant jusqu'à leurs tics de langage. Les gangsters ne sont pas moins éblouis par les stars que les autres habitants de Bombay. Ils tirent un plaisir sans mélange du pouvoir qu'ils ont sur elles. Quand ils en parlent, ils mettent un point d'honneur à les dénigrer. Au cours d'une conversation avec un producteur, Chotta Shakeel traite successivement Rakesh Roshan de takla (vieux chauve), Hrithik de china (dandy) et Shahrukh Khan de hakla (bègue). Il existe un moyen bête comme chou de montrer aux autres qui commande : il suffit, sur un simple coup de fil, d'obliger une vedette capable de mater à l'écran une horde de méchants baraqués à plier devant un tapori malingre, à l'implorer à genoux de lui laisser la vie sauve. L'immoralité des gens de cinéma choque des truands endurcis. Les hommes qui se retrouvent dans le bureau de Kamal entrelardent leurs conversations religieuses de considérations sur la vie sexuelle de la faune de Bollywood, sur les avanies que les producteurs et les réalisateurs font subir aux actrices. « C'est une bande de minables », assène le financier mafieux avec une moue de dégoût, et les autres, opinant du chef, le répètent après lui – « une bande de minables ». Mélange d'adoration et de haine de soi, les rapports qui unissent les truands aux stars sont éminemment complexes. Au bout du compte, l'argent n'a pas grand-chose à voir là-dedans.

Manmohan Shetty, un ami très proche de Vinod et le propriétaire de la meilleure société de développement de films du pays, a reçu des menaces téléphoniques d'Abu Salem qui lui demande de l'argent. (Le même Abu Salem a ordonné l'exécution du producteur de musique Gulshan Kumar parce qu'il refusait de passer à la caisse.) Sur le conseil de Vinod, Manmohan s'adresse à Ajay Lal pour savoir s'il doit ou non céder au chantage. Ajay qui est sur le point de quitter son poste lui explique que s'il obtempère il aura vite les autres gangs sur le dos. Le producteur ne veut pas de gardes du corps ; cela le gênerait de se promener partout avec des maniaques de la gâchette, et en conséquence il reste cloîtré chez lui la plupart du temps. Un jour qu'il sort de sa voiture pour se rendre à son bureau, un jeune d'à peine vingt ans le braque à deux mètres de distance. Par bonheur, l'arme s'enraye ; Manmohan a le temps de l'entendre cliqueter à vide avant de se ruer à l'intérieur. Il lui semblait pourtant que le parrain lui avait laissé un délai et n'exigerait rien de lui avant le mois de janvier.

Là-dessus, Abu Salem le rappelle : « Tu n'as vu que la bande-annonce. La séance va bientôt commencer. » Il veut faire un exemple avec Manmohan. L'opinion publique ne prend plus au sérieux les responsables des extorsions de fonds et pense que les « rencontres » avec la police les ont découragés. Il faut donc que le nom d'Abu Salem s'étale dans les journaux pour que ses victimes le situent tout de suite et s'exécutent la peur au ventre.

Chaggan Bhujbal, ministre de l'Intérieur du Maharashtra, a prévu de recevoir plusieurs producteurs de cinéma afin de s'entretenir avec eux de ce problème d'extorsion. Ajay a vainement essayé de convaincre Vinod de ne pas aller à cette réunion en le prévenant que la moitié des producteurs qui y assisteront sont liés d'une façon ou d'une autre à la pègre. Tout le monde est au courant de leurs agissements. Vinod ne va pas aller jouer les héros et prêcher la fermeté contre les gangs ; il sait par Ajay que les représentants des truands s'empresseront de leur rapporter par le menu qui a dit quoi chez le ministre, et qu'ils seront, qui plus est, relayés dans cette tâche par certains fonctionnaires du gouvernement.

Vinod et Tanuja m'emmènent à cette réunion organisée un samedi soir dans une immense salle de conférence de Sahyadri, la résidence dans laquelle l'État loge ses visiteurs de marque. Personne ne me demande mes papiers à l'entrée. Les portiers de Bombay laissent passer sans sourciller quiconque n'a pas l'air d'humeur à répondre aux questions. Des producteurs, quelques vedettes de moindre notoriété, le ministre Chaggan Bhujpal et toute une brochette de gradés de la police ont déjà pris place à l'intérieur, sous l'œil de dizaines de caméras de télévision et de journalistes ; à croire qu'il s'agit avant tout d'immortaliser des poignées de main. Au bout d'un moment, les représentants de la presse sont priés de sortir et le débat peut enfin commencer. Sivanandan, le chef de la brigade criminelle, ouvre les hostilités. Sommé d'expliquer pourquoi les gangs ne s'en prennent pas aux réalisateurs du sud du pays, il rétorque que c'est peut-être parce qu'ils ne se font pas subventionner par la mafia.

Le ministre et la police déplorent que trop de cinéastes victimes de chantage n'en informent pas les autorités compétentes ; ceux qui se placent sous leur protection sont à l'abri des menaces, affirment-ils. Un point que conteste Manmohan Shetty, en rappelant qu'il a informé Ajay Lal et Sivanandan des exigences d'Abu Salem, et s'est entendu dire par les deux que ce gang avait un « impact insignifiant » à Bombay. « Si je suis encore en vie, conclut Shetty, c'est que ces truands ont un matériel nul. »

Une kyrielle de producteurs prennent ensuite la parole pour dicter sa conduite au ministre. « Ces gens-là ne sont pas des délinquants ! s'emporte l'un d'eux. Ce sont des traîtres et il faut les traiter comme ils le méritent. Tout le monde sait que dès qu'ils se retrouvent au poste ils ont droit à un traitement de VIP. » Sa voix grimpe de quelques décibels quand il ajoute : « Ce qu'il faut, c'est arrêter toute leur famille, coller tout ce beau monde contre un mur et les descendre jusqu'au dernier ! »

Sivanandan donne lecture de statistiques attestant que le nombre de gangsters éliminés dans les rencontres est chaque année plus élevé ; en 1999, il y en a eu quatre-vingt-neuf, « un record absolu », souligne-t-il avec une évidente fierté. Personne ne signale que la courbe des crimes augmente dans les mêmes proportions. Le bilan des rencontres n'a pas supprimé la nécessité de cette réunion à laquelle nous assistons. Un producteur qui s'était placé sous la protection de la police raconte que son propre portier a été tué devant chez lui. « C'est vous qu'il s'agissait de protéger, pas votre portier, réplique le commissaire. Vous n'avez pas été touché. » Un portier, ça se remplace, évidemment.

Vinod se lève. Il s'étonne que le gouvernement ne demande pas l'extradition des parrains qui se cachent à l'étranger. Au lieu de ça, les autorités du Maharashtra ont récemment publié une liste nominative de professionnels du cinéma qui doivent des sommes astronomiques pour la sécurité que leur assure la police. Vinod trouve injuste qu'on fasse payer cette protection aux cinéastes et aux acteurs, dans la mesure où, comme tous les contribuables, ils sont en droit d'attendre de l'État qu'il protège leurs personnes et leurs biens. Si la situation ne s'arrange pas, Bollywood pourrait déménager à Hyderabad afin de profiter des facilités créées là-bas par Chandrababu Naidu [1]. Des lakhs de gens travaillent dans le cinéma à Bombay, remarque un producteur ; l'économie de la ville est tributaire de ce secteur.

Pour en avoir déjà discuté avec Vinod, je sais toutefois que la menace est de pure forme. « On peut dire tout ce qu'on veut, mais nulle part en Inde on ne vit mieux qu'à Bombay, m'a confié le réalisateur. L'industrie du cinéma hindi n'a pas le choix. » Ce n'est pas un hasard si elle s'est implantée et développée dans le Bombay marathi plutôt que dans le Delhi hindi. Le cinéma, hindi ou pas, n'est pas une question de langue. C'est d'abord et avant tout un rêve populaire porté par les masses, et Bombay est un rêve collectif pour les masses qui peuplent l'Inde.

Le ministre Bhujbal promet de prendre des mesures. « Puisque nous sommes en démocratie je ne peux pas le dire ouvertement, mais croyez-moi : je suis déterminé à punir les coupables d'extorsion avec la plus grande sévérité. À leur infliger le châtiment suprême. Je n'en dirai pas plus en public mais il s'agit bien du châtiment suprême. »

---

1. Chef du gouvernement de l'Andra Pradesh (un État durement touché par la sécheresse, où le revenu par habitant est un des plus bas de l'Inde), Chandrababu Naidu a fait le pari d'investir dans les technologies de pointe en créant en bordure d'Hyderabad (surnommée depuis Cyberabad) un parc technologique présenté comme la Silicon Valley indienne *(N.d.T.)*.

En sortant, nous tombons sur un commissaire affecté à une circonscription dans laquelle vivent beaucoup de gens de cinéma. « Je n'ai pas grand-chose à voir avec tous ces gros bonnets, mais soyez tranquille, dit-il à Vinod. Je voulais que vous sachiez que je m'implique à fond dans le boulot. Rien que ces derniers jours j'ai tué deux salopards. »

En traversant Juhu en voiture, nous passons devant un lopin en friche qui ressemble à une décharge ; « Ce terrain est la propriété du commissaire de police », indique la pancarte plantée devant.

« Tu as vu ? fait Vinod. Voilà dans quel état est la police. Ce pays est foutu. »

Le couperet tombe plus vite que prévu. Le premier appel arrive au bureau de la production alors que Vinod n'a pas encore achevé le tournage de son film. Son comptable décroche. Au bout du fil, quelqu'un demande à parler à Vinod ; apprenant que ce dernier est sur le plateau, il laisse un numéro de téléphone et une consigne : « Dites-lui de rappeler Abu Salem. » Le soir, nouveau coup de téléphone. « Pourquoi est-ce qu'il n'a pas rappelé ? On va lui éclater la gueule. »

Le directeur de la production déboule sur le plateau au beau milieu du tournage de l'apothéose. Il est d'une pâleur effrayante et à sa vue Vinod comprend tout de suite que la situation est grave. Cinq minutes plus tard, il s'est ressaisi et téléphone tous azimuts jusqu'à obtenir le sésame qui lui permet de joindre L.K. Advani en personne, le ministre de l'Intérieur de l'Union indienne. Lequel lui dit de ne pas s'inquiéter : tous les organismes de sécurité du pays sont derrière lui. Les ordres du ministre sont aussitôt exécutés et le soir même Vinod monte dans sa voiture flanqué d'un garde du corps ; une Jeep pleine de policiers armés le suit et quinze gorilles patrouillent autour de sa maison, de ses bureaux, du plateau de tournage.

Le lendemain il me dit que tout est réglé ; la personne qu'il a eue ce matin même au téléphone lui a déclaré : « Tu es un frère pour nous. » Quelqu'un a tiré les ficelles en coulisse, la main d'une marionnette a tressauté et lâché dans une secousse l'arme pointée sur Vinod. Je passe la soirée chez lui. De très bonne humeur, il danse avec exubérance autour de son fils. Nous contemplons la lune presque pleine en buvant un scotch, assis sur le rebord de la fenêtre du salon. En fait, ce n'est pas Advani qui a arrangé les choses avec Salem, mais Sanjay Dutt. La Maruti à double fond planquée dans le garage de Sanjay y avait été amenée par Salem. Après leur arrestation, les deux hommes se sont retrouvés dans la même fournée d'inculpés, Salem y portant le numéro 87. Dawood et ses courtisans l'ont traité de haut, et lui qui avait toujours eu envie de faire du cinéma est devenu le spécialiste de l'extorsion de fonds sur le territoire de Bollywood. Sanjay a décroché son téléphone pour rappeler à son vieux complice qu'il avait passé deux ans derrière les barreaux à cause de lui. « Vinod est un frère pour moi, a-t-il ajouté. Il ne m'a pas laissé tomber quand j'étais en prison. »

Vinod a vraiment eu la main heureuse pour le casting de son film. Engager Sanjay Dutt se révèle en définitive encore plus avantageux que le contrat signé avec Hrithik. Jamais Bacchan n'aurait pu dissuader les tueurs d'Abu Salem. Anu, elle, reste pétrifiée.

Les projets grandioses de son époux n'ont rien pour la rassurer. « Mon frère a des parts dans une station balnéaire aux Maldives, nous raconte-t-il. On va aller là-bas, on va former une milice privée et dans six ans on aura dégommé ces salauds. » Il va appeler Farouk Abdullah [1] (« Après tout, je suis un citoyen cachemiri ») pour qu'il affecte des commandos à sa sécurité. Il va emmener Hrithik à Delhi et organiser une conférence de presse où ils déclareront publiquement tous les deux qu'ils demandent l'asile politique à un pays étranger, vu que l'Inde est devenue « une république bananière ». Piqué au vif, le gouvernement central s'attaquera enfin sérieusement aux malfrats qui commanditent les extorsions. Et en tout état de cause Vinod va

1. Le chef du gouvernement du Cachemire indien *(N.d.T.)*.

s'acheter un revolver! Au troisième whisky, il lâche avec indignation qu'il ressent comme un affront personnel, une
émasculation (!), l'obligation de vivre retranché derrière un rempart de gardes armés. C'en est trop pour son machisme de
Penjabi. Il se répète ce qu'il aimerait cracher à la figure d'Abu
Salem : « Viens me retrouver sur Carter Road, espèce de fils de
pute! On réglera ça entre hommes! »

Les coups de fil ont cessé pour l'instant, mais on ne sait jamais ;
Vinod a bien l'intention de quitter le pays avant la sortie du film.

Une manne inespérée tombe du ciel : Sony-TriStar a décidé
d'acheter les droits étrangers de *Mission Kashmir*. Le lancement
aura lieu à Times Square dans le courant du mois d'octobre 2000.
C'est une première pour un long-métrage hindi, et plus la date
approche, plus le battage autour du film s'amplifie. Le fabricant
de colle Fevicol a approché Vinod alors que le montage n'était
pas terminé, parce qu'il souhaite être « associé » à l'affaire.
« Bharat Jodo » proclame le slogan publicitaire de la marque
– rien moins que recoller un pays déchiré. De l'avis de ses représentants, *Mission Kashmir* développe le thème de l'intégration
nationale et de la laïcité, seule colle à même de souder l'Inde, et
c'est la raison pour laquelle Fevicol estime avoir toute sa place
dans l'entreprise. La marque offre un crore en échange de ce privilège. Vinod rejette l'offre et réprimande son assistant pour y
avoir donné suite. Non parce qu'il la trouve de mauvais goût
mais parce que la somme proposée est trop basse.

Sony, en revanche, ne lésine pas ; afin de fêter dignement le
lancement du film à l'étranger, l'entreprise expédie quarante-
neuf personnes de par le monde en première ou en classe
affaires, et nous loge dans des hôtels haut de gamme à Londres
et à New York. À la surprise générale, Hrithik et Preity Zinta
n'assistent ni à la première londonienne ni à celle de New York.
Je m'en étonne auprès d'Anu.

« Abu s'y est opposé », répond-elle.

Les acteurs ne peuvent quitter le pays que si le parrain exilé le
juge opportun. Hrithik s'est déjà engagé pour une autre tournée

organisée par l'homme qui a essayé de descendre son père. À cette occasion, il montera pour la première fois sur les planches, mais pas avant l'an prochain. Son niveau de popularité dans la diaspora indienne laisse escompter des recettes sans précédent, et Abu Salem ne veut pas que la star passe les frontières pour promouvoir une autre entreprise que la sienne, quand bien même il ne s'agit que d'un film. Rakesh Roshan n'était pas encore remis de ses blessures par balle quand Salem lui a fait comprendre qu'il fallait que son fils reste en Inde. Il a personnellement appelé Preity pour lui donner des instructions similaires. Sanjay aussi était dans sa ligne de mire, mais les deux ans de taule qu'il a purgés avec Salem lui ont valu une dispense spéciale. Tel un fonctionnaire des services de l'émigration, le bhaï accorde ou refuse à sa guise les autorisations de sortie du territoire.

La presse est mitigée à propos de *Mission Kashmir*. La critique encense le jeu des acteurs et la musique mais déplore les failles du scénario. Certains soulignent à juste titre qu'il n'y est jamais question des souffrances et des épreuves quotidiennes qui précipitent tant de jeunes gens cachemiris dans l'action armée. D'autres remarques sont plus injustes ; elles émanent d'un ex-critique à la dent dure, passé depuis à la réalisation, un type que Vinod a un jour frappé en public parce qu'il avait insulté Anu. Il l'a giflé au balcon d'une salle de cinéma et regrette seulement de ne pas l'avoir fait basculer par-dessus bord et expédié au parterre.

Il y a tout de même de très bonnes choses dans le film. La virtuosité technique de Vinod et son sens inné du cinéma ont produit de grands moments, telle la scène où le jeune Altaaf guette Khan dans le noir, une arme à la main. Khan et sa femme qui viennent de rentrer chez eux passent d'une pièce à l'autre en allumant les lampes ; la caméra va et vient entre le clair et l'obscur, la lumière et la pénombre. Sanjay donne là une de ses meilleures interprétations ; son jeu tout en finesse permet de saisir le destin tragique de cet homme et son combat intérieur. Dès la première semaine, *Mission Kashmir* se classe en tête des films pour le nombre d'entrées. Chaque jour, un million de spectateurs découvrent ces personnages avec qui nous avons vécu pendant deux ans.

Sanjay Dutt et Ramesh Taurani, qui s'occupe des droits d'exploitation de la musique, assistent à une projection organisée au Rashtrapati Bhavan [1] en présence du président de l'Union indienne. Ils sont tous les deux inculpés de meurtre et libérés sous caution.

Le journaliste Ali Peter John a interviewé l'acteur pour le magazine *Screen* :

> ALI : Il y a quelques années à peine, vous croupissiez abandonné de tous, dans une geôle de la prison d'Arthur Road. Pouvez-vous nous dire à quoi vous avez pensé en montant les marches du Rashtrapati Bhavan ?
>
> SANJAY : Je n'arrivais pas à y croire. J'étais dans le brouillard, dans un état proche du délire. J'avais beau me pincer, je n'arrivais pas à croire que moi, un type que la justice considère toujours comme un criminel, j'avais été invité par le président de l'Inde. En même temps, j'y voyais le signe que les plus hautes instances du pays croient à mon innocence, savent que ma seule faute est d'être tombé dans le piège tendu par mes ennemis, des gens que je ne pourrais ni décrire ni reconnaître. J'ai vécu un moment inoubliable quand le président, M. Narayan, m'a serré la main et m'a tapé sur l'épaule. Cette nuit-là j'ai dormi comme jamais auparavant. L'Inde m'aimait. Le peuple de ce pays ne me souhaitait que du bonheur. Les Indiens ne demandaient pas mieux que de me donner l'amour que j'ai tant attendu.

Le succès a assaini la situation.

Lorsque le film sort au Cachemire, le public de la salle de Jammu se partage entre d'un côté les hindous, qui acclament Sanjay, et de l'autre les musulmans qui applaudissent Hrithik. Je n'avais cependant pas prévu que les militants allaient eux aussi s'approprier Hrithik : même si la fin laisse à désirer, ils sont trop

---

1. La résidence du président indien à New Delhi *(N.d.T.)*.

heureux que le jeune premier magnifique, la belle gueule la plus en vue du pays, incarne un des leurs à l'écran. Le film n'attirera pas sur Vinod la vindicte des terroristes. Il va au contraire pousser des tas de jeunes gens à se joindre au cortège parce qu'ils ont, eux aussi, envie de chanter et de danser avec Preity, envie de se prendre pour des dieux à l'image de Hrithik. D'autres Cachemiris apprécient ce film qui montre au moins que leur jeunesse ne s'engage pas dans la lutte sans raisons : Hrithik ne devient terroriste qu'après l'extermination de sa famille par les forces de sécurité. C'est dire comme ces gens attendent peu des images d'eux que leur renvoie l'Inde.

Au Pakistan, qui à trois reprises déjà a croisé le fer avec l'Inde à cause du Cachemire et qui continue de former des éléments subversifs ensuite expédiés par-delà la frontière, une des chansons du film, *Bumbro,* est désormais jouée à tous les mariages. Le peuple du pays ennemi ignore délibérément le message pour danser sur la musique ; faisant abstraction de l'actualité du récit, il se focalise sur les thèmes éternels qui en forment la trame : un garçon amoureux d'une fille, un père en conflit avec son fils. L'opposition au film vient en fait de la droite. Des représentants des forces de sécurité indienne protestent contre ce film trop indulgent envers les terroristes. La communauté qui s'en offusque n'est pas celle que nous avions prévue. Une organisation sikh publie un communiqué exigeant que Vinod présente des excuses publiques et supprime un plan montrant un policier sikh se pisser dessus de peur à cause de la bombe qui d'un instant à l'autre va pulvériser le bateau sur lequel il se trouve. Les sikhs estiment que cela ne rend pas justice aux prouesses martiales dont ils sont coutumiers.

La gloire de Hrithik atteint des proportions démentielles à la sortie de son troisième film. Les lycéennes se scarifient ses initiales sur les bras avec la pointe de leurs compas. Une pub de Pepsi tournée avec Shahrukh et un clone de Hrithik gentiment comique conduit une partie de la jeunesse à boycotter la marque. À Calcutta, la police appréhende une quinzaine d'adolescents

montés clandestinement à bord de trains et d'avions à destination
de Bombay dans l'espoir d'apercevoir la star. Les professeurs
s'avouent impuissants face au déferlement de posters et de
gadgets à l'effigie de Hrithik qui s'abat sur les salles de classe.
Son visage s'affiche sur les couvertures des cahiers, avec en
prime des formules édifiantes prononcées par l'acteur, dont celle-
ci : « Rêver à la personne qu'on voudrait être, c'est ne laisser
aucune chance à la personne qu'on est. » Des autorités du monde
enseignant estiment qu'il faudrait utiliser sa notoriété à des fins
éducatives. Le principal d'un collège préconise ainsi d'exploiter
le filon de son charme avec imagination pour intéresser les élèves
au contenu de leurs cours : « On pourrait leur dire que Bombay,
capitale du Maharashtra, est aussi la ville natale de Hrithik ; ou
que le fémur est l'os le plus long du corps de Hrithik. »

Les choses marchent à nouveau trop bien pour la superstar.
Un mois après la sortie du film, une rumeur s'empare de Katmandou : dans un entretien télévisé, Hrithik aurait déclaré qu'il
haïssait le Népal et les Népalais. Il me paraît impossible que
l'acteur très courtois et pacifique que je connais ait pu tenir de
tels propos, mais d'autres prennent ces on-dit pour argent
comptant. Sur les mots d'ordre de leurs syndicats, les étudiants
gauchistes du Népal descendent dans la rue. Ils vandalisent le
cinéma qui projette *Mission Kashmir*, brûlent les affiches et
les silhouettes en carton représentant l'acteur, marchent sur
l'ambassade de l'Inde dans l'intention de la mettre à sac. Il faut
une intervention musclée des forces de l'ordre pour les en dissuader : deux jeunes manifestants tombent sous les balles des
policiers, trois autres personnes mourront dans la nuit et on
dénombre cent cinquante blessés. Le gouvernement interdit les
films de Hrithik sur tout le territoire du royaume. À la radio,
l'acteur nie être l'auteur des remarques qu'on lui impute, proteste qu'il adore le Népal et les Népalais, évoque pour prouver sa
bonne foi le cuisinier népalais resté plusieurs dizaines d'années
au service de sa famille. Cela ne suffit pas à calmer les étudiants.
Des bandes d'émeutiers s'attaquent aux commerces tenus par les

Indiens, les pillent et y mettent le feu. Pendant plusieurs jours, personne ne peut plus entrer ni sortir de Katmandou. L'incident n'est pas loin de provoquer la chute du gouvernement népalais. Soixante des cent treize parlementaires du parti au pouvoir demandent la démission du Premier ministre alors que Hrithik s'est déjà expliqué à la radio. Le beau visage qui a mis tant de jeunes filles au bord de la syncope déclenche aujourd'hui la haine des masses. Cette réaction négative est tout aussi hystérique, et je comprends de mieux en mieux le souci de Vinod de ne surtout froisser personne avec le scénario. Dans cette partie du monde, les gens sont prêts à mourir pour un mensonge.

On va apprendre au cours des semaines suivantes d'où est partie la rumeur népalaise. Apparue d'abord dans un journal de Katmandou qui appartient au plus gros réseau câblé du pays, elle a ensuite été reprise par les étudiants maoïstes. Il y a longtemps que le Népal sert de base aux services secrets pakistanais pour lancer leurs attaques contre l'Inde, et ceux qui hébergent généreusement la Compagnie-D au Pakistan n'hésitent pas à se saisir du premier prétexte (ici, un film) pour attiser la violence dans ce pays ami du grand voisin. Selon les services secrets indiens, l'article qui a mis le feu aux poudres a été publié à l'instigation de la Compagnie-D, après quoi le réseau câblé a retiré tous les films indiens de la programmation en se gardant bien de diffuser le correctif apporté par Hrithik. Cette fois, ce n'est pas son père que visaient les assassins, mais le personnage même de l'acteur.

Vinod devient très riche grâce à *Mission Kashmir*, à ce jour le plus gros succès de sa carrière. Quand bien même le film perd sa place au sommet du box-office dès la deuxième semaine, les distributeurs et les détenteurs des droits dérivés peuvent se frotter les mains. Vinod est en pourparlers avec Columbia-TriStar à propos d'une version en anglais qui assurerait au film une diffusion internationale. Une façon pour lui d'assurer ses arrières, de se préparer à quitter l'Inde. « Je doute que les politiciens à qui nous donnons nos voix aient assez de dix ans pour rendre la vie acceptable dans ce pays. »

De retour à New York, un matin je reçois un paquet expédié la veille de Bombay par messagerie expresse. Dedans, l'affiche du prochain film de Vinod, *Chess* [1], qui à défaut d'avoir un scénario, des acteurs, un budget, dispose déjà d'une image, celle d'un damier d'échecs cauchemardesque, d'une accroche – « deux joueurs : un vivant, un mort. Une partie inachevée » – et, bien sûr, de la mention obligatoire, *Un film de Vidhu Vinod Chopra*. Pour lui, la première étape dans la création d'un film est la publicité.

Il veut que je travaille avec lui sur le scénario. « Oublie ton bouquin, me conseille-t-il. Un bouquin, ça a combien de lecteurs ? Des millions de gens vont au cinéma ! » Il a raison. Aucun livre, fût-ce un best-seller, ne saurait rivaliser avec le succès commercial phénoménal de certains films. C'est quand on m'a demandé d'écrire pour le cinéma, d'imaginer les vies dont rêvent mes compatriotes, que je me suis senti définitivement réintégré dans le pays où je suis né. Jamais un étranger, un firang *, ne sera autorisé à approcher nos rêves. Tout ce qui touche à Bollywood est atteint de démesure (c'est vrai des chiffres, des personnalités), mais cela étant dit, il s'agit d'abord et avant tout d'une histoire passionnelle.

1. Le jeu d'échecs, en anglais *(N.d.T.)*

TROISIÈME PARTIE
Passages

Le champ de mines de la mémoire

Bombay ne connaît pas d'autre perturbation climatique que la mousson. Cette année la pluie vient tôt, dès le milieu du mois de mai. Je la sens qui approche, portée par la mer, et l'annonce aux ouvriers qui travaillent dans l'appartement : « Il va pleuvoir.

– Déjà ? » s'étonnent-ils.

Déjà, oui. Je reconnaîtrais cette odeur entre mille.

C'était pareil quand j'étais petit : quatre jours durant, le tonnerre grondait et tout le monde observait le ciel gris pâle. Animaux et humains respiraient avec peine dans la chaleur moite qui les rendait fiévreux. Le vent se levait d'un coup, et il agitait la poussière assoupie, la soufflait çà et là en petits tourbillons. L'été qui s'achevait avait été plus chaud, plus long que ceux dont on conservait le souvenir, et tant pis si on avait dit la même chose de l'été dernier et de tous les étés précédents. On dit toujours ça quand la lune grossit.

La saison du cricket, sport par excellence des longues journées chaudes de l'été, s'achèverait bientôt pour laisser place au foot, à la marelle et aux billes. On maniait toujours la batte mais le cœur n'y était plus, on en avait assez d'attendre.

La tension montait dans le ciel de jour en jour. La terre plongeait parfois dans des ténèbres illusoires. Les oiseaux filaient à tire-d'aile, et nous, pensant qu'ils fuyaient la tempête, nous enfilions à la hâte des vieilles fringues pour sortir sur l'esplanade.

Énervés par l'attente, pour tuer le temps nous en venions aux mains, jouions des vilains tours aux faibles et aux idiots. Nous dégonflions les pneus des voitures, écrivions des vers obscènes sur les murs de l'école de filles. « Ça va tomber, c'est sûr », prédisaient les grands-mères.

Et pourtant non.

Les paysans et les gouvernements jugeaient la situation alarmante. Les journaux publiaient de sombres prédictions. L'herbe flétrissait sur le terrain de sport de l'école de filles dont l'accès nous était interdit, et nous mettions un point d'honneur à y entrer en douce histoire de jouer au hockey et de piétiner au passage les buissons de fleurs bien soignés.

La mer mollasse et flapie avait besoin de la pluie pour recharger ses batteries. Assis sur nos talons, nous pêchions à mains nues les minuscules créatures marines abandonnées dans les lacs qui se formaient soudain lorsque la mer se retirait des rochers.

Il n'y avait plus d'eau en ville, plus d'eau dans l'immeuble.

Rien avec quoi laver les corps ou les vêtements que les corps rendaient poisseux, et à peine de quoi boire. De l'intérieur des terres arrivaient les camions-citernes et les bonnes faisaient la queue devant avec leurs seaux, achetaient à un prix exorbitant cette eau saumâtre dont elles renversaient la moitié sur le sol assoiffé, au grand dam de leurs maîtresses qui se répandaient en cris indignés.

La nuit, les habitants épuisés rêvaient de rivières et de cascades ; ils allaient au cinéma pour les séquences chantées filmées sous la neige du Cachemire, pour les saris trempés de pluie factice, et, l'œil sec et avide, ils regardaient en silence l'eau tomber à verse ou couler à torrents. Ils payaient pour entendre des enregistrements de bruits océaniques, de murmures de ruisseau, d'eaux vives dans la montagne, et ils s'endormaient bercés par ces bruits.

Puis un beau jour, ça y était : on la sentait, on la voyait arriver par la mer. La bourrasque se levait, bientôt suivie de giboulées de poussière – une quantité de poussière dingue, toute la poussière du monde aspirée par les fenêtres restées grandes ouvertes. Dehors, les jeux cessaient aussitôt. Il fallait se couvrir la bouche et les yeux, on en avait plein les cheveux, plein le nez, on en avait surtout marre de l'été, marre de sa moiteur, franchement il était temps que ça s'arrête parce qu'on n'aurait pas tenu une seconde de plus.

Les nuages passaient à la vitesse grand V, porteurs de dépêches envoyées par un expéditeur inconnu à un destinataire dont nous ignorions tout. Le ciel était du même bleu-noir que le cou gorgé de poison de Shiva.

La première goutte était si légère qu'on n'y croyait pas tout à fait. Elle pouvait aussi bien venir d'un climatiseur qui fuyait.

Les feuilles, les branches s'agitaient avec frénésie. Les vantaux des fenêtres claquaient dans des tintements de verre brisé. Les oiseaux avaient compris. Ils tournoyaient follement dans le ciel, pris du désir éperdu de regagner leurs nids, d'aller se réfugier au fond des fentes et des fissures des immeubles.

Quelques gouttes, encore, et là c'était sûr. Bonnes et maîtresses ramassaient en hâte le linge mis à sécher aux balcons.

Au roulement assourdissant venu des nuées répondait sur terre le rugissement énorme des centaines de milliers de gosses de la ville qui acclamaient le déluge. Il a fait moite toute la journée, toute la journée le corps l'a attendue, l'a sentie dans l'air comme les corneilles et les vaches, et voilà qu'enfin elle vous tombe dessus. La première pluie ! Vos parents vous ont mis en garde contre elle, mille fois ils ont répété, « Ne sors pas sous la première pluie ! Elle est chargée de poussière et de pollution atmosphérique, tu vas tomber malade » – mais c'est le cadet de vos soucis. Tous les enfants du monde dansent dans les rues, sur les parkings et dans les caniveaux, et pour une fois les voitures sont clouées sur place par ce grouillement juvénile impressionnant, porté par la force invincible de la mousson. Les gouttes, énormes, tombent à un rythme de plus en plus soutenu, forment bientôt plus que des rideaux, des murs de pluie, des mondes de pluie. Pris sous le déluge on ne voit plus que l'eau. Un éclair déchire l'obscurité, il fait jour à nouveau mais un instant seulement. Le visage renversé en arrière, vous laissez l'eau vous laver de l'été. Elle vous entre dans les yeux, dans le nez, dans la bouche et emporte avec elle tous vos péchés, tous vos chagrins.

Quand il cesse de pleuvoir ça sent délicieusement bon. Les arbres, les buissons, les mauvaises herbes ont libéré leurs parfums. Des centaines de gros vers de terre marron émergent de la terre ameublie. Bombay peut rouvrir ses fenêtres à l'air rendu odorant par la pluie, Bombay dormira bien cette nuit. Et pour peu que la première pluie soit précoce, vous dormirez particulièrement bien vous-même car il reste encore quinze jours avant la rentrée des classes.

LE POLYVALENT MAYUR MAHAL

La cloche est toujours là. Je suis assis dans le bureau du principal quand le pion entre, se penche par la fenêtre et tire sur la grosse corde blanche. Le tintement me ramène des années en arrière. La corde qui traverse la cour jusqu'à l'autre bâtiment mène à une cloche en cuivre de belle taille qui sait sonner gaiement pour marquer la fin d'une journée de supplice, ou sur un timbre lugubre quand il s'agit d'annoncer Mme Qureshi et ses règles sempiternelles. Les règles qu'elle nous enseignait, mais cette prof d'hindi était toujours si mal lunée que le jeu de mots était tentant.

Cigarillo, mon ancien prof de sciences devenu entre-temps principal, m'adresse un sourire rayonnant. « Nous tenons à vous féliciter, commence-t-il. Le 14 novembre prochain, nous allons organiser une petite fête en votre honneur. Il y aura aussi Salil Ankola, le joueur de cricket, Shweta Shetty, un grand nom de la chanson, et Krishna Mehta, la dessinatrice de mode. Vous êtes tous passés par Mayur Mahal. » Il a découpé dans le journal un article sur ma personne et l'a punaisé au tableau d'affichage. Me voici donc promu parmi les « anciens élèves distingués pour leur succès ». « Nous sommes fiers de votre réussite remarquable dans le domaine de la littérature », disait l'invitation reçue au courrier. L'institution qui à l'époque où je la fréquentais ne semblait pas tirer de fierté particulière de ma présence dans ses murs, cet établissement où j'ai été battu pour la première fois de ma vie parce que j'écrivais mal et ne prenais pas de notes en classe veut rendre hommage à l'écrivain que je suis devenu.

Le polyvalent Mayur Mahal – ou, pour lui donner son titre complet, le Lycée polyvalent Shreemati Nandkunvar Ramniklal J. Parikh de Mayur Mahal – est surtout connu par la rue à laquelle il a donné son nom. Il l'a imposé à l'une des venelles qui relie la mer au sommet de la butte de Malabar Hill, mais l'appellation d'origine est encore visible au-dessus d'un antique coffret électrique : rue de la Friche ; la friche a disparu, et en bonne logique le nom a suivi.

Nous vivions à Bombay, nous vivions à Mumbai, et simultanément parfois. Mayur Mahal accueillait les rejetons des commerçants gujeratis et marwaris. Des écoles de la classe de Cathedral ou de Campion auraient été bien trop chic pour nous ; nos parents discutaient plus volontiers du cours des céréales que de Gershwin, nous mangions du fafda * de préférence au foie gras. Mayur Mahal dispensait un enseignement bilingue en gujerati et en anglais, mais la deuxième langue n'existait guère que sur le papier. L'administration avait beau se démener pour nous obliger à la parler en toutes circonstances, nous nous obstinions à baragouiner hindi et gujerati. « Gadherao, English ma bolo ne ! » s'écria un jour un prof pris d'un accès de rage resté dans les annales : « Ânes bâtés, vous allez parler anglais ? ! »

En arrivant à Mayur Mahal, je suis tombé sur le prof de gym, M. Maskawala, qui prenait le frais près du portail. Nous nous sommes serré la main ; la sienne était moite, comme dans mon souvenir. Il a toujours l'air d'un pitre, il a toujours son bec-de-lièvre et sans doute essaie-t-il toujours de draguer les enseignantes de l'école catholique. Il m'a fait un bout de conduite, et ensemble nous sommes passés devant l'éléphant de pierre et le petit autel à Saraswati ; devant la rangée de robinets sous

lesquels nous buvions dans le creux de nos mains en scrutant le
fond de l'auge pour deviner, aux restes d'aliments mâchouillés
tombés de la bouche des autres buveurs, ce que les uns et les
autres avaient mangé au déjeuner; devant le petit enclos où nous
apprenions à faire le pav bhaji en cours de scoutisme, puis nous
avons grimpé la double volée de marches et sommes entrés dans
le bureau du principal. Dedans se déroulait une scène maintes
fois rejouée : deux élèves se tenaient tête basse devant Cigarillo
en train de déclarer à M. Verma (le prof de sciences nat qui avait
scandalisé les administrateurs jaïns en nous donnant un poisson à
disséquer) : « J'ai trois plaintes écrites contre eux. Emmenez-les,
expliquez-leur qu'ils vont devoir quitter le lycée et qu'ils ne
pourront passer ni le SSC [1] ni quoi que ce soit d'autre. » Les
deux condamnés sont sortis en traînant les pieds pour aller
affronter leur destin de cancres refusés à l'examen. Ils me rappellent ce qui m'est arrivé ici même, à quatorze ans; un
professeur m'avait frappé au visage parce que j'avais fermé la
porte de la salle de classe pendant la récré, ensuite il m'avait
traîné dans ce bureau où le principal adjoint avait rédigé sous
mes yeux mon certificat d'expulsion. J'avais pleuré toutes les
larmes de mon corps, persuadé que pas une école ne voudrait de
moi dans le pays où j'allais bientôt émigrer. Le salaud m'avait
laissé dans les affres pendant deux jours puis, après que je lui
eus réitéré mes excuses, il avait annulé le papier. Il s'était juste
permis un petit intermède sadique.

Le corps enseignant a pris un coup de vieux et ses membres
ne se distinguent plus des surveillants comme avant. Cigarillo a
son idée sur les causes de la décrépitude. L'administration du
lycée a désormais pour politique de recruter ses élèves parmi
« les couches inférieures » – les habitants des slums qui proli-
fèrent autour de Malabar Hill et que j'ai découverts à l'occasion
de la campagne électorale de Jayawantiben Mehta. « Le conseil

1. « Secondary School Certificate », nom donné dans le Maharashtra et à
Goa à l'examen en deux temps qui sanctionne le passage de la classe de
seconde à la classe de première et la fin du cycle secondaire *(N.d.T.)*.

d'administration fait ce qu'il veut », soupire Cigarillo. Mayur
Mahal est un énorme lycée, aujourd'hui : il a dix-huit cents
élèves inscrits en alternance (le matin ou l'après-midi) et placés
sous la responsabilité d'une soixantaine d'adultes, enseignants et
personnel administratif compris. Un voile de tristesse, de mélancolie, de décadence recouvre les lieux. Les gamins qui se ruent
hors de l'établissement en fin d'après-midi sont plus noirauds et
moins soignés, moins bien coiffés qu'à mon époque. « C'est un
lycée pour les gosses des dhobis * et des chauffeurs », m'a dit
ma cousine. De mon temps, « l'élite envoyait ses enfants à
Mayur Mahal. Vous, maintenant, vous n'y mettriez pas votre
fils, renchérit le principal. Vous l'inscririez à New Era, car vous
n'avez pas envie que votre fils étudie dans la même classe que le
fils de votre chauffeur ». Cigarillo préside impuissant à la détérioration systématique et à la démocratisation concomitante de
l'institution.

Je le questionne sur les méthodes aujourd'hui utilisées pour
inculquer la discipline aux élèves.

« Il faut parfois utiliser la *menace*, dit-il en agitant les mains
pour donner plus de poids au mot. On y recourt moins souvent
qu'autrefois, bien sûr, mais de temps en temps, rien de tel
qu'une paire de claques pour les rappeler à l'ordre. » Il glousse,
puis ajoute : « Vous savez comme nous étions à cheval sur la
discipline, M. Verma et moi. J'avais quelquefois la main leste,
avec les élèves ! » En effet, et j'en ai des souvenirs cuisants.

Depuis deux jours, mon journal se fait l'écho des traitements
brutaux qui ont cours dans les écoles de Bombay. L'article
d'hier relatait ce qui est arrivé à un élève de quatrième au collège J.-B. Khot : parce qu'il n'avait pas remis son devoir, la
professeur lui a arraché sa chemise devant toute la classe avant
de lui ordonner d'enlever son short. Elle a tiré elle-même sur la
fermeture Éclair, si violemment que le pénis s'est coincé dedans.
L'adolescent dut s'aliter le soir même ; il ne peut plus pisser normalement et « il est très perturbé », selon son père. Dans le
même établissement, la maîtresse de maternelle a demandé à un

petit de lui montrer son calendrier, qu'il venait de prêter à d'autres enfants qui s'amusaient avec. Pour le punir, elle l'a traîné dans la classe d'à côté et l'a entièrement déshabillé sous les railleries de ses camarades. Le conseiller d'orientation cité dans l'article condamne ces incidents et préconise de mater les indisciplinés « en demandant à l'ensemble de la classe de réfléchir à la punition qu'ils méritent ». J'imagine ce que cela aurait donné si on avait proposé ce programme à une classe de Mayur Mahal ! Nous aurions sûrement passé un bon moment. Nous en aurions inventé de belles !

Autre histoire lue dans le quotidien du jour : à Jogeshwari, une petite fille de sept ans avait oublié de faire son devoir de dessin, une image de train qu'il fallait colorier. Pour lui donner une leçon, le maître l'a frappée sur les mains, les jambes, le dos, avec une règle en bois, puis il l'a violemment giflée à la figure et sur les bras. Après avoir reçu cette correction, la petite est gentiment rentrée chez sa grand-mère. Le lendemain, elle a vomi du sang ; de vilaines ecchymoses marquaient ses bras et son visage. Elle a le foie endommagé et, d'après les médecins, les veines de son front risquent d'éclater à tout moment. Si elle s'en sort, ses parents qui ont trois autres enfants scolarisés dans cette école envisagent de l'y remettre. Arrêté, le maître a été relâché sous caution le lendemain. Cela s'est passé à l'école Mahatma Gandhi.

Ce n'est pas un hasard si cet établissement s'appelle ainsi. Gandhiji savait que lorsque le pays secouerait son joug, sa marche vers l'Indépendance serait d'une sauvagerie sans précédent. Ici la violence commence dès l'âge tendre. Un Indien adulte qui se fait frapper replonge instantanément en enfance. Les profs de Mayur Mahal avaient effectivement la main très leste ; ils s'arrogeaient des privautés sur nos corps. « Tu sais qu'en réalité la loi interdit de battre les enfants ? » nous murmurions-nous à l'oreille. Quand ça chahutait au fond de la salle, toute la classe était punie et le traitement était le même pour les filles et les garçons : deux coups de règle sur la paume. Pour atténuer la douleur, le truc le plus efficace consistait à se passer les mains sur les cheveux (enduits d'huile tous les matins) et à les présenter inclinées selon un certain angle, de telle sorte que la règle dévie légèrement sur la paume. Plus d'un professeur a brisé sa règle en bois en nous tapant sur les mains comme un forcené.

J'étais assuré de recevoir une correction les jours où les profs vérifiaient les cahiers. Nous étions censés noter au mot près ce qu'ils disaient en classe – ou plutôt ce qu'ils nous lisaient, page à page, dans les manuels d'État –, le recopier ensuite de mémoire lors des examens, bref accomplir jusqu'au bout cet exercice de répétition auquel se résumait l'enseignement. « Savoir par cœur », telle était la consigne. Les cahiers comptaient pour vingt pour cent de la note finale. Quelque chose en moi se rebellait contre l'obligation de tout prendre en note pour perpétuer le cycle des vérités validées par les pouvoirs publics. La veille du jour fatidique, mes camarades échangeaient leurs cahiers pour compléter frénétiquement leurs notes. Quand ma mère venait me réveiller, la première pensée qui me traversait l'esprit n'avait rien de réjouissant : aujourd'hui je vais me faire battre. Je me levais, me lavais, enfilais un uniforme propre, avalais le verre de lait que ma mère m'avait servi et, propre comme un sou neuf, je quittais la maison pour l'école où j'allais être battu.

En classe, je gardais l'œil rivé sur la pendule en faisant des vœux pour que les aiguilles avancent plus vite vers la fin du cours. Il est arrivé que le prof oublie de regarder les cahiers ; quand la cloche sonnait enfin, j'éprouvais le soulagement du condamné dont l'exécution vient d'être annulée et connaissais pendant quelques heures un bonheur sans mélange ; puis progressivement, au fur et à mesure que la journée avançait, la peur m'enveloppait à nouveau comme un brouillard épais. Le châtiment n'avait pas été levé ; il était simplement ajourné.

Le corps enseignant se surpassait avec une sanction des plus ingénieuses : un simple morceau de carton blanc attaché à une ficelle et portant cette inscription, en lettres assez grosses pour être visibles du fond de la classe : « Je n'ai pas fait mes devoirs. » L'élève coupable de négligence devait se le mettre autour du cou. Un jour que je me trouvais dans ce cas, la prof me décora de ce signe infamant, et tandis qu'elle officiait je me demandais à quoi étaient dues les stries noirâtres qui maculaient le carton blanc. Je n'allais pas tarder à le découvrir. Le panonceau en pendentif, j'ai reçu l'ordre de me présenter non seulement devant ma classe, mais devant toutes celles de l'étage. Les portes s'ouvraient tour à tour devant moi et je les franchissais d'un pas mal assuré pour m'avancer jusqu'au tableau. Arrivé là, je me tournais pour faire face à une quarantaine de condisciples et restais planté devant eux sans mot dire. Il est bien connu que les enfants se réjouissent du malheur de leurs semblables, une vérité maintes fois vérifiée à Mayur Mahal où le malheur était si prégnant qu'il faisait partie des murs. Devant le spectacle de mon humiliation, mes camarades oubliaient la leur et me couvraient de risées, de quolibets, de sarcasmes. Au début, j'essayais de garder contenance, de sourire d'un air entendu comme si, moi aussi, je trouvais tout cela follement drôle – mais j'ai vite compris d'où venaient les stries noires : c'étaient les traces des larmes versées par ceux qui avaient vécu cette infamie avant moi, auxquelles les miennes venaient à présent s'ajouter. Une fois mon numéro exécuté devant une classe, il fallait passer à celle d'à côté, puis à la suivante, et ainsi de suite jusqu'au bout du couloir où, après les avoir toutes visitées, je dus rester au piquet en tentant désespérément de dissimuler l'annonce éclatante de ma honte à celles et ceux qui allaient et venaient.

Le rire était notre meilleure arme. Pas le rire gentil ou insouciant mais le rire moqueur, blasphématoire, mauvais. Nous riions méchamment de nos professeurs et ravalions les enseignantes au rang d'objets sexuels. Mlle Easo avait de gros nichons ? Dans son dos nous l'appelions Pompe à Essence. Nous riions de nos camarades quand ils étaient battus ou punis, et au bout d'un moment eux aussi finissaient par en rire. Quand je croise mes anciens condisciples de Mayur Mahal, nous évoquons les gifles cuisantes qui nous pleuvaient dessus et nous en rions ensemble ; nous nous souvenons des coups, comme d'autres, moins malheureux, se souviennent de leurs jeux à la récré ou de la distribution des prix.

Le jour de la fête des Enfants [1], j'emmène ma femme et mon fils aîné recevoir avec moi les honneurs de l'école où j'ai vécu neuf années tourmentées.

Sur l'estrade, Cigarillo me présente avec empressement à la petite brochette d'anciens élèves distingués par l'institution : « Voici Suketu Mehta. Il a reçu un prix littéraire des mains de Bill Clinton.

— Non, non. Pas du tout.

— De Bill Clinton en personne.

— Non, je vous assure, dis-je avec plus d'insistance, en secouant la tête de droite à gauche.

— Bill Clinton ne vous a pas remis un prix ? s'étonne Cigarillo sur un ton où je sens poindre le soupçon.

— Non.

— Alors, qui vous l'a donné, ce prix ? »

Il a la mine aussi sombre que s'il venait de me surprendre en train de tricher à un examen.

Je réfléchis. Le nom de Mme Giles Whiting ne lui dira sûrement rien, il faut trouver autre chose. « Une... une académie littéraire. »

Un quart d'heure plus tard, l'animateur — un jeune homme en jean, chemise blanche et cravate — me présente à son tour à l'assistance. « Nous sommes tout particulièrement fiers d'avoir parmi nous Suketu Mehta, éminent écrivain qui a reçu un prix littéraire des mains de Bill Clinton. »

1. Alors que sur la recommandation des Nations unies la fête des Enfants est célébrée dans le monde entier le 20 novembre, l'Inde l'a fixée au 14 novembre, jour anniversaire de Jawaharlal Nehru qui fut le premier des Premiers ministres de l'Inde indépendante (N.d.T.).

La licence poétique des éloges ne m'est pas réservée. Un des anciens élèves de marque est un entraîneur de karaté, titulaire, à en croire le maître de cérémonie, « d'une ceinture noire seizième dan ». Des gloussements s'élèvent dans le public : beaucoup des parents ici présents ont confié leurs enfants à cet instructeur pour qu'il leur apprenne les tactiques de survie dans les rues de Bombay. Un enseignant reprend à voix basse le jeune homme qui corrige aussitôt : « Pardon, je me suis trompé : ceinture noire sixième dan. » Le lycée si chiche en compliments à l'époque où nous suivions ses enseignements grossit à présent notre réussite au-delà de toute crédibilité. Il ne suffit pas d'avoir obtenu un mastère en gestion à l'Université Cornell, comme un autre des anciens élèves à l'honneur ; ce brillant sujet « a surclassé toute sa promotion ». Un champion de tennis sur gazon a accumulé vingt et un points dans les matchs qu'il a disputés, et « quand il en aura cent il sera sélectionné pour Wimbledon ». Il y a là « le magnat des roulements à billes », et des diamantaires, des bâtisseurs, des médecins, tous impériaux dans leurs métiers respectifs. La seule femme de cette honorable assemblée, « la meilleure styliste d'Asie », est assise à côté de moi et nous échangeons des souvenirs pendant que le type au micro s'étend sur les méfaits de l'éducation moderne. Arrivée en retard, la prof d'arts appliqués fait une entrée remarquée avec ses cheveux rutilants de henné et son sari semi-transparent. Sous sa férule, nous construisions des citernes avec des boîtes d'allumettes collées ensemble et rempotions des petits plants ; les miens crevaient tous. « Elle m'avait dit que je ne saurais jamais coudre ou piquer à la machine, me glisse en aparté la meilleure styliste d'Asie. J'ai presque envie de lui expliquer que c'est devenu mon gagne-pain. »

Le mastère en gestion de Cornell me rappelle que j'étais dans la même classe que son frère. « Hier, quand je lui ai dit qui serait là aujourd'hui, il s'est souvenu de toi. Il paraît que tu écrivais comme un cochon. » Ce trait me singularisait, à l'école. J'avais désappris à écrire en CE1, année de mon entrée à Mayur Mahal.

Dans l'école de Calcutta d'où je venais, on nous apprenait à écrire « en liant les lettres », alors qu'à Mayur Mahal il fallait au contraire les détacher. Ma main résistait à cette nouvelle façon de faire, et les coups de règle en bois qui pleuvaient dessus eurent pour effet de bloquer mon écriture à un stade inabouti entre lié et détaché, entre Calcutta et Bombay : je m'inventais ma police de caractères à moi, un code que j'étais le seul à pouvoir déchiffrer. Pris de migraine, mes profs en distribuaient des échantillons à tout va afin de montrer comme la vie des enseignants est ingrate. Ce que je couchais noir sur blanc ressemblait, non à des suites de mots, mais à de l'art moderne ou à une colonie de fourmis qui aurait envahi la page. Un prof qui m'aimait bien me déclara un jour que « Gandhiji aussi écrivait très mal ». Cette observation dont je tirais une vraie consolation m'entraîna dans une quête des reproductions des gribouillages du Mahatma, et je finis par me convaincre, non seulement que mes pattes de mouche trouveraient leur compensation dans la gloire que j'atteindrais à l'âge adulte, mais qu'elles en étaient aussi la condition préalable. Mon professeur d'anglais ne partageait pas cette théorie ; il refusa de lire ma dissertation de fin d'année et je fus collé dans cette matière censée être mon point fort. Excédé, mon père engagea alors un précepteur chargé de m'apprendre à écrire correctement.

Ce petit moustachu effacé, affublé de grosses lunettes noires, enseignait le dessin dans une école gujeratie. C'était également, ainsi que je le découvris dès la première leçon, un communiste convaincu. Il annonça d'emblée qu'il allait m'inculquer les principes de base du dessin en vue d'améliorer ma calligraphie. À cette fin, il me demanda de dessiner une poignée de main illustrant l'amitié entre l'Inde et l'Union soviétique. Sous sa gouverne, je dus par la suite transcrire des dithyrambes interminables sur le thème de l'amitié entre les peuples indien et soviétique. Mon diamantaire de père se rendit assez vite compte que ces leçons d'écriture ne donnaient pas les résultats attendus. Tandis que dans la journée il cherchait par tous les moyens à grossir son capital en exploitant ses ouvriers, chez lui, sous son toit et à ses frais, son fils unique se faisait endoctriner et devenait incollable sur la lutte des classes. Il se débarrassa promptement du calligraphe communiste. Mon écriture était tout aussi torturée qu'avant mais j'avais élargi mes connaissances sur l'Union soviétique.

Sur l'estrade, coiffé d'une calotte blanche à la Gandhi, Kanub-haï, le vénérable président du conseil d'administration (il a quatre-vingt-deux ans), doit sans arrêt se lever de son siège pour recevoir les hommages des anciens élèves qui défilent au compte-gouttes. Sitôt qu'un nom est proclamé, son voisin le pousse dans le dos et le vieillard tiré en sursaut du sommeil s'arrache à son fauteuil, fourre entre les mains de l'intéressé le châle remis en cadeau d'adieu, sombre à nouveau avec soulage-ment dans ses coussins et sa torpeur. Le médecin assis à ma gauche me glisse en aparté : « Je l'ai examiné pas plus tard que la semaine dernière. Son état de santé n'est franchement pas bril-lant. Je suis assez inquiet. » Il serait d'assez mauvais effet que Kanubhaï trépasse le jour de la fête des Enfants ; quoique, vu sous un autre angle, ce serait bien fait.

La cérémonie terminée, nous quittons la scène les yeux rivés vers la sortie. J'ai une envie impérieuse de partir, mais à mon corps défendant je me retrouve parqué avec les autres dans une arrière-salle d'où on ne s'échappe pas comme ça et force m'est donc de rester là, avec femme et enfant, encombré par l'assiette de samosas et de sandwichs qu'on m'a fourrée dans la main. Je suis tendu. Je n'ai pas envie de replonger dans le passé ; pas ici, pas avec ces gens-là.

« Salut, Suketu ! » lance une voix. Je me retourne et découvre devant moi un petit noiraud au visage disgracieux mais qui pour l'instant n'est que sourires. « Tu ne te souviens pas de moi ? »

En fait, si. Ça me revient aussitôt : « Urvesh ? »

Il me tend la main. Je la serre, mais je devrais tomber à genoux et implorer son pardon. Il y a de cela un quart de siècle, je l'ai blessé de la pire manière qui soit et j'en ai honte aujourd'hui encore.

Dans la bande de Dariya Mahal, Urvesh était un cafard, un faux frère qui n'aimait rien tant que dresser les grands les uns contre les autres et qui y parvenait avec un succès certain. Il allait raconter en catimini des salades à un caïd, servait une autre version à un autre et s'amusait ensuite à compter les points. Petit, la peau grêlée, il avait longtemps été le souffre-douleur des plus forts avant d'inventer cette tactique de survie. Un jour sa mère mourut, et on lui rasa la tête. Très peu de temps après, je me suis disputé avec lui et j'ai eu envie de lui faire vraiment mal. Souvent déjà je m'étais acharné contre lui, mais il ne pleurait jamais ; il avait appris à retenir ses larmes, comme la plupart des garçons trop petits. Alors, je lui ai crié : « Ta mère a clamecé, c'est bien fait ! » Un silence affreux est tombé sur le petit terrain de jeux, puis mon meilleur ami – qui jusqu'à cette minute aurait volontiers, lui aussi, flanqué une dérouillée à Urvesh – m'a frappé sur la nuque. Fort. Urvesh, lui, n'a rien dit, pas un mot. Pourquoi faut-il que de tous les revenants qui me hantent ce soit lui qui surgisse aujourd'hui devant moi ?

Urvesh ne se rappelle rien de tout ça, visiblement. Il a des tas de choses à me raconter : il vit toujours dans le quartier, il est dans les diamants, il a une femme, des enfants. Comment a-t-il pu oublier ce que je lui ai fait à un moment de sa vie où il était si vulnérable ? Oh, et puis après tout ce n'est pas moi – ce n'est plus moi. Je me demande avec terreur qui va encore venir me saluer et j'ai tout aussi peur du contraire : de rester seul dans mon coin, ignoré, délaissé. Les murs de la pièce se resserrent autour de moi, il devient urgent de trouver la sortie. Mon fils a fini de manger ses gâteaux, il voudrait un samosa. Je l'attrape par la main et l'entraîne, avec ma femme, hors de cet endroit, dans la rue où il s'agit de trouver au plus vite un taxi. Je suis plus nerveux que lors de mes rencontres avec les gangsters. Ici, je cours un danger bien réel. Je sais que je devrais rester, m'accrocher pour voir qui se souvient de moi, qui a des histoires à me raconter, mais tout cela est trop proche. Dehors non plus je ne suis pas en sécurité. Une femme très aimable m'aborde. Elle vit dans mon immeuble ; c'est la belle-sœur du type qui garait sa voiture à ma place. Elle ne savait pas, dit-elle, que j'avais été à Mayur Mahal. J'esquisse un sourire contraint, marmonne je ne sais quoi et pousse d'autorité ma petite famille dans le taxi.

Je ne pourrai cependant pas éviter de retourner dans cette école qui recèle neuf années de mon temps fantôme à moi. Il faut que je me les réapproprie. J'y reviens donc, bien obligé, le jour où je me rends compte qu'il ne sert à rien de repousser l'échéance plus longtemps.

Je m'engage dans l'escalier et aussitôt mon cœur se met à cogner dans ma poitrine. Je dois m'arrêter un moment à l'entresol, devant la présentation de la *Lettre de Lincoln au percepteur de son fils*. Ils ont toujours mes vieux bulletins de notes, mon dossier. Je vais les consulter. J'aurai ce courage, aujourd'hui. Dans le bureau de l'administration, l'employé extrait de mauvais gré d'une chemise datée de 1977 les pages témoignant de ma conduite passée. Dessus, mon nom, et plusieurs renseignements. « Caste : hindou bania * ». Sous la colonne intitulée « Progrès », la mention Bien figure en face de tous les noms de la classe sauf deux : un jugé Très insatisfaisant et le mien, juste Satisfaisant. Dans la colonne « Conduite », j'ai droit à un Bien.

Ma carrière scolaire dans cet établissement a culminé en classe de CM2, où je fus premier de la classe, puis elle a obstinément suivi la pente raide de son déclin : lorsque j'en suis parti j'occupais un rang à deux chiffres. Après la publication des résultats à l'examen de fin d'études, la photo des forts en thème paraissait dans le journal, sur des pubs pour les cours de soutien scolaire où les malheureux avaient sué sang et eau. Ils portaient des lunettes à verres épais, ils avaient l'air épuisés par le recours trop fréquent à la masturbation. « Bhavesh Sadasyachari, 6ᵉ au classement national ». Pas un qui ait l'air de jouir de son triomphe. On dirait qu'ils n'ont pas rigolé depuis des mois. Tous ou presque se destinaient à finir sur un fauteuil dans la fonction publique ou dans le privé et à rendre la vie infernale au commun des mortels qui, comme nous, chahutaient en classe, sortaient danser le soir, et en gros les rendaient jaloux depuis la maternelle.

Le pion m'introduit dans le bureau du surveillant général, M. Verma, à qui deux filles viennent de remettre une jolie liasse de billets. Il nous enseignait la géométrie avec un accent du Sud impayable – « Quand isse croise igresse... ». La somme posée devant lui est, m'explique-t-il, « destinée à payer le personnel. Les parents contribuent, parce qu'une grande partie de l'argent part à Surendranagar où nous avons une école pour les jeunes filles sans ressources. À part quatre ou cinq professeurs dans mon cas, qui gagnent correctement leur vie grâce aux cours particuliers, le reste du personnel n'est pas payé conformément au barème établi par la Cinquième Commission des salaires. Alors, les parents donnent ce qu'ils peuvent... » Bien qu'il n'aille pas plus loin, je crois deviner la raison de ce long exposé sur les finances de l'école et avance une proposition timide : « Je pourrais peut-être faire un don...

– Vous êtes là, c'est déjà bien suffisant ! répond-il aussitôt. Votre présence est un don en soi. »

Il me fait visiter l'école. Le rez-de-chaussée est maintenant entièrement réservé au corps enseignant et à l'administration, à l'exception d'une pièce où un groupe de filles chante une chanson patriotique, emmené par une enseignante assise en tailleur devant son harmonium. Chaque fois que nous pénétrons dans une classe, les élèves se lèvent avec un bel ensemble et restent debout aussi longtemps que M. Verma ne leur dit pas de s'asseoir. « Je vous présente Suketu Mehta, lance-t-il avec componction. Il est écrivain à temps plein et il a été décoré par le président des États-Unis. » Je rectifie une première fois et, décontenancé, il demande : « Qui vous a remis cette décoration ? » Alors je renonce. Telle une erreur d'ordinateur irréparable, l'origine présidentielle de la récompense restera à jamais accolée à mon nom dans cette école. « C'était, euh... le gouvernement. » La précision sied à M. Verma : « Suketu Mehta a reçu une bourse du gouvernement américain. » Les élèves applaudissent à tout rompre tandis qu'embarrassé je ressors dans le couloir. Cette approbation unanime m'est aussi insupportable que les punitions que mes maîtres m'infligeaient autrefois.

Dans une autre classe, M. Verma encourage les élèves à me poser des questions. « Il a publié plusieurs romans », leur dit-il. Ainsi encouragé, je leur demande s'ils pensent que je pourrais leur apprendre quelque chose. « La géométrie ! La géométrie ! » s'écrient-ils en chœur.

Accédant à mon désir d'assister à un cours d'anglais, M. Verma prend place avec moi au fond de la classe. Le prof guide les élèves à travers les méandres d'un poème tiré du Balbharti, le manuel officiel : « Un adieu » de Tennyson. Deux mots sont écrits au tableau : Somersby [1] et Lincolnshire. La fille assise à côté de moi a son livre ouvert à la page du poème. « Coule, froid ruisselet, vers la mer... » Elle a comblé à l'encre bleue les trous et les espaces des lettres, inscrit « exam final » au-dessus du titre (sa connaissance de ce poème sera évaluée lors de l'examen de fin d'année) et dessiné en face un smiley jovial. Un ruisseau impétueux illustre la page ; en travers, ma jeune voisine a écrit *varsha*, rivière, histoire d'indianiser le cours d'eau anglais, de l'apprivoiser pour le rendre moins intimidant.

« Le poète parle à la rivière, explique le prof. C'est une figure de rhétorique qu'on appelle l'apostrophe. » Je l'ignorais. Il faudra que je vérifie dans le dictionnaire, mais c'est bon de savoir que j'ai encore des choses à apprendre à Mayur Mahal. La salle de classe est quasiment identique à celles de mon enfance. Les murs ont toujours besoin d'un coup de peinture, au-dessus du tableau il y a toujours le haut-parleur d'où sortaient tous les matins des chants patriotiques et religieux entrecoupés des avertissements du principal. Un calendrier généreusement offert par les magasins Standard Wines indique les dates que doivent respecter les enfants dont les parents sont de stricte obédience hindoue ou jaïn. Les pupitres en bois balafrés, scarifiés, n'ont

---

1. La ville natale de Tennyson, dans le Lincolnshire *(N.d.T.)*.

pas changé, eux non plus ; ils ont toujours cette petite rigole destinée aux crayons et aux porte-plumes bien que les stylos à bille
soient désormais acceptés. Toutes les fenêtres d'une des façades
du bâtiment donnent sur les feuillages qui ombragent les belles
demeures de Malabar Hill. « Coule, froid ruisselet, vers la
mer... » Le prof détaille le thème du poème. « Il faut parfois partir pour aller vivre ailleurs, laisser derrière soi les souvenirs
d'école, les souvenirs d'enfance, et essayer de s'adapter à une
autre école, à une autre vie. » Un poète dit au revoir à son pays
natal, au pays qui l'a vu grandir.

> *Mille soleils ruisselleront sur toi,*
> *Mille lunes te feront palpiter*
> *Mais jamais, plus jamais*
> *Je ne marcherai près de toi.*

Dehors, dans le couloir, je n'ose me retourner de peur qu'un
gamin sorti en courant d'une de ces salles de classe pour se précipiter dans la cour de récré ne me bouscule et, levant les yeux
vers moi pour s'excuser, ne se retrouve nez à nez avec lui-même.

LE MONDE DES ENFANTS

Le dimanche, nous emmenons les enfants aux Jardins suspendus. J'aime bien voir mes rejetons se mêler aux banlieusards en
visite. Ces employés en famille, ces grands-mères qui ont soigneusement préparé les paniers de pique-nique, ces gosses
habillés à la mode occidentale *made in India* m'inspirent une
confiance inébranlable. J'adhère complètement à ce que ces gens
souhaitent pour leurs enfants : une maison, une bonne épouse,
une vie un peu plus facile que la leur.

Pour fêter l'anniversaire de Gautama, nous allons tous
ensemble au temple Mahalakshmi [1]. Dans le passage attenant,
une femme assise à côté d'une corbeille pleine de brins d'herbe
liés en petites gerbes garde sa vache. Je lui donne cinq roupies,

---

1. « La grande Lakshmi », la déesse de la fortune, de l'abondance et de la
beauté qui est aussi l'épouse de Vishnou *(N.d.T.)*.

en échange de quoi elle donne une gerbe à Gautama qui la donne
à manger à la vache, et ainsi les mérites se cumulent aux pro-
diges. Les éléphants, les chameaux, les paons, tous ces animaux
que mes enfants ont découverts sur les images des livres du Nord
se promènent en chair et en os dans les rues de l'Inde. Récemment, le meilleur ami de Gautama s'est fait mordre par un singe,
sur la pelouse de son immeuble huppé de Ridge Road. Les petits
citadins d'autres pays ont peu de chances de vivre pareille
mésaventure.

Tout en nous dirigeant vers le temple, nous avisions l'enseigne
de Motilal Banarsidas, « éditeur d'ouvrages d'indologie ». Il a à
Bénarès, Delhi et Madras, des succursales que je connais bien,
une jolie moisson de ses titres garnit ma bibliothèque et nous
décidons de faire une incursion dans cette antichambre du
temple. Remarquant tout de suite la calotte d'anniversaire que
porte Gautama, le libraire demande à son employé de lui rapporter une pleine poignée de chocolats. Nous passons là un bon
moment à feuilleter les livres et à choisir les titres que nous
allons acheter et reviendrons chercher sur le chemin du retour.
Puis nous repartons vers le temple afin d'aller voir de nos yeux
sous quelle forme se présente aujourd'hui la philosophie conservée entre ces pages.

Une grande banderole déployée au-dessus des marches
menant au lieu saint souhaite la bienvenue au chef du gouvernement du Maharashtra, Narayan Rane, un homme inculpé de
meurtre au début de sa carrière et acquitté sur un point de procédure. Tandis que Sunita et Gautama prennent leur tour dans la
file des femmes qui attendent de recevoir le darshan, je prends le
mien dans la file des hommes. Arrivé devant l'idole, Gautama
joint les mains et entame son petit discours à la déesse – « Merci
de m'avoir offert un bel anniversaire... » – mais la foule des ado-
ratrices les pousse par-derrière, sa mère et lui. Allez, allez,
circulez, il faut faire de la place aux suivants. Ils viennent me
retrouver devant la claire-voie au-delà de laquelle se déroule
l'aarti. Le rituel ne nous est pas familier ; nous ne connaissons

pas toutes les paroles des chants que les fidèles entonnent avec vigueur, soutenus par le vacarme des clochettes et des percussions. Nous nous tenons juste en dehors du cercle, aussi le prêtre ne s'approche-t-il pas de nous avec sa lampe à huile que les initiés coiffent un instant de leurs mains avant de les porter à leurs fronts pour s'attirer la bénédiction. Autrefois, je venais dans ce temple avec mes grands-parents; ils ne sont plus là pour m'indiquer ce qu'il faut faire pour avoir droit à une noix de coco du prasad, où aller acheter les fleurs à déposer en offrande aux dieux. Alors nous repartons, ma femme et mon fils étrangers et moi, et dans le vestibule nous achetons à Gautama une fleur de lotus, la fleur de Lakshmi, que nous payons sans discuter un prix exorbitant. Nous repassons par la librairie où nos achats nous attendent : une traduction de poèmes composés à la gloire de Vishnou par Antal, la grande poétesse tamoule du IXe siècle; une version en un volume du Bhagvata Purana [1]; et pour notre fils, la vie d'Ambedkar en bande dessinée. L'hindouisme tel que me l'a transmis ma grand-mère était une mystique rétive à l'analyse. Je l'ai redécouvert sous un angle bien différent dans les universités des États-Unis. Pour nous y retrouver dans ces histoires que les fidèles du temple connaissent par cœur, nous devons en passer par le savoir des universitaires américains.

Akash, mon fils cadet, est un bébé serein, un bébé heureux et foncièrement content de l'être. Son sourire découvre la rangée blanche des dents prêtes à percer les gencives comme le poussin sa coquille. Il garde encore en lui une petite trace de sa vie d'avant mais il n'y en a plus pour longtemps. Un beau matin il est debout, agrippé au canapé. Depuis quelques heures déjà il nous envoyait des signaux. Un peu de fièvre et cette toux bizarre, on croirait entendre un chiot japper. Toute la nuit il s'est agité, et quand je me suis réveillé je l'ai trouvé sur notre lit où il était grimpé tout seul. Je l'ai posé par terre; il a réitéré l'exploit et, dans la foulée, a émis un deuxième signal : il est passé de la

1. Texte sacré sur l'amour divin *(N.d.T.)*.

position assise à la station verticale. Là, debout près du canapé il se fait les dents sur une bouteille en plastique qui soudain lui échappe et roule sur le plancher. Il la regarde s'éloigner puis, tournant le dos au canapé, il lance une jambe en avant, prend appui dessus, soulève l'autre et recommence, encore, encore, jusqu'à ce qu'il arrive à la bouteille. Inconscient de ce qu'il vient de réaliser – cette victoire sur la pesanteur remportée de manière si désinvolte, impeccable et hasardeuse à la fois –, sans songer à célébrer sa maîtrise juste acquise, il se penche et s'assied par terre pour se remettre à mâchouiller la bouteille. La scène a eu deux témoins : mon fils aîné et moi. Voilà plusieurs jours que je râlais d'être obligé de travailler à la maison où les enfants me dérangent constamment. Grâces soient rendues à ce désagrément ! Il m'a permis d'assister aux premiers pas de mon petit bonhomme, et cette vision restera à jamais gravée sur ma rétine.

Je me rends compte depuis que je suis devenu père que le monde est peuplé d'enfants. Il n'y en avait pas quand j'avais vingt-cinq ans.

J'avais promis à mes fils de rentrer à la maison dans l'après-midi et à dix heures du soir je suis toujours dans mon bureau d'Elco Arcade. J'avise un taxi garé devant l'immeuble et me dirige vers lui quand mon attention est attirée par un petit groupe de gosses. Le propriétaire de l'échoppe de produits laitiers vient de les chasser ; « Haadi ! » a-t-il crié, l'interjection utilisée pour faire déguerpir les chiens errants. Je m'arrête. Ils sont quatre : une gamine d'environ six ans, une autre petite fille et un garçon qui doivent avoir quatre ans, et le plus petit, un garçon qui n'a sûrement pas plus de deux ans. Seules les filles sont habillées, de robes plissées trop grandes et très sales ; les garçons vont nus comme des vers, à l'exception du rang de perles blanches qu'ils portent en sautoir. Ils se pressent autour de la plus grande pour examiner ce qu'elle vient d'extirper des détritus amoncelés derrière les étals des gargotes : un sandwich ; deux tranches de pain tartinées de chutney vert qu'elle dévore avec concentration sous les regards affamés des trois autres. Le plus petit en a vite assez :

il est par trop évident qu'il n'aura pas une miette. Indolent, il se couche par terre et pour se distraire roule sur lui-même en effectuant un tour et demi – mouvement que je connais bien pour avoir souvent observé Akash : un tour et demi, cela suffit pour maculer d'eau fétide, de crotte de chien, de pulpe de fruit, de crachats de bétel et des habituelles cochonneries de la rue le corps brun tout nu, les petits bras, le ventre saillant. Il se relève et descend du trottoir avec cet air rêveur propre aux enfants. Taxis, bus, rickshaws foncent à vive allure, et lui a déjà parcouru tranquillement le quart du chemin vers le milieu de la rue sans que personne n'intervienne, ni la grande fille, ni les passants, ni moi. Il est trop petit, trop à ras du sol pour que les automobilistes le voient. Où est la mère, bon sang ? Mon cœur bat la chamade quand soudain le bambin s'arrête, son visage s'éclaire d'un sourire radieux et il rebrousse chemin vers le trottoir. Les trois autres se sont assis au beau milieu de l'allée qui mène à mon immeuble et le vendeur de produits laitiers les houspille mollement pour qu'ils sortent de là – ils ne voient pas les voitures ou quoi ? Où donc est passée la mère ? Il n'en sait rien. Il a demandé au vendeur de noix de coco de les surveiller mais l'autre a rétorqué qu'ils n'étaient pas à lui. Paralysé, je reste planté là, incapable d'aller jusqu'au taxi. J'ai du mal à respirer, une tristesse insondable m'envahit. Je ne peux pas me contenter de leur donner de l'argent. Le petit garçon a la tête rasée, tout comme Akash. Personne ne va donc rien faire pour eux ? Faites quelque chose, s'il vous plaît ! Il faut que j'y aille, mais comment laisser ici ce petit enfant perdu ? Je ne peux pas l'emmener chez moi. Alerter un flic n'est pas non plus une solution ; le gosse serait directement dirigé sur un centre d'éducation surveillée. Dans un de ces foyers de Bhiwandi où les enfants abandonnés sont placés « en observation », un gosse de trois ans est mort il y a quelque temps de mauvais traitements. Un gosse de trois ans ! Quel monstre faut-il être pour battre à mort un gosse de trois ans ? Comment un gosse de trois ans peut-il susciter tant de rage ?

La plus grande, soudain, croise mon regard et, pigeant au quart de tour elle s'avance vers moi la main tendue : « Saab, à

manger s'il te plaît. » Comme je m'inquiète de savoir où est sa
mère, elle me dit simplement qu'elle n'est pas là. Et à la question suivante – ont-ils mangé ? – elle répond bien sûr par la
négative. Je hèle un vendeur de cacahouètes qui passe avec son
plateau accroché autour du cou. « Non, ça on le mange pas. »
Que leur faut-il, alors ? « Du lait. »

Je m'avance vers l'échoppe, les quatre gosses sur les talons.
« Vous, ne vous approchez pas ! » leur lance le vendeur l'air
mauvais. Au moment où je passe commande, son aide sort de la
baraque avec un de ces grands bâtons qui servent à chasser les
singes et il l'agite en direction des enfants. Je me fâche, fais
observer qu'ils sont avec moi et que je leur achète du lait. Quatre
petits quarts de la marque Energee, parfum pistache, surgissent
sur le comptoir, et une minute plus tard les quatre mômes assis
sur le bord du trottoir les sifflent à l'aide de leurs pailles. Le petit
garçon me fascine ; rayonnant de plaisir, il fourre avec impatience la paille dans sa bouche et se met à tirer dessus
goulûment. Pressé de rentrer et d'embrasser mes fils, je les abandonne à leur sort.

Sone ki Chidiya

« Bambai to Sone ki Chidiya hai », m'a confié un musulman du slum de Jogeshwari dont le frère a été abattu par la police lors des émeutes. L'oiseau d'or chanteur en fait rêver plus d'un. Il est si vif et si rusé qu'il faut, pour l'attraper, s'appliquer sans relâche et affronter des périls innombrables. Mais si, à force de ténacité, vous lui mettez la main dessus, vous verrez surgir devant vous une fortune fabuleuse. Bombay, donc, est cet oiseau d'or chanteur, et cela explique que tout le monde accoure ici, quitte à renoncer aux agréments de la campagne, aux arbres et à l'espace ouvert du village pour l'atmosphère survoltée et violente, l'air et l'eau pollués de la métropole. Ceux qui délaissent leur village pour la ville trouvent maints villages en ville. Les slums et les trottoirs de Bombay grouillent de vies discrètes noyées dans la masse et que le cinéma bollywoodien ne songe pas à célébrer. Chacune, pourtant, se déroule à l'échelle du mythe. Chacune est une bataille du bien contre le mal, une affaire de vie ou de mort, d'amour et d'affliction à la poursuite incessante, forcenée, de l'oiseau d'or chanteur. Le point commun qui les rassemble – et que de fait je partage avec elles –, c'est la fébrilité, l'incapacité à rester tranquille ou le manque de goût pour la tranquillité. Ces gens-là et moi ne sommes jamais plus heureux qu'en transit.

Girish : un touriste dans sa ville

« Il te faut un sherpa », me disait un rédacteur en chef à l'époque où je rassemblais encore des renseignements pour écrire un article sur les émeutes. J'ai trouvé ce guide en la personne de Girish Thakkar, programmeur informatique dans la boîte d'un copain. Je ne pouvais pas mieux tomber ; Girish vit en touriste dans sa ville.

Les voyages que nous effectuons de concert commencent généralement à Churchgate, où Girish prend le train pour rentrer chez lui. La gare regorge d'annonces qui incitent à la fuite : « Postes disponibles à l'étranger », titre un journal à la une ; ou cette affichette sous vitrine, à côté d'un chien endormi qui s'est trouvé là une niche, destinée à ceux qui voudraient prendre le mouvement à contresens :

Ferme Encore (bâtiments + terrains)
2000 roupies seulement le mètre carré
40 arbres fruitiers
(20 manguiers, 10 noyers de cajou, 10 divers)
Village de Tukashi

Les banlieusards qui se ruent en ville le matin et se traînent pour rentrer chez eux le soir lui jettent peut-être un regard et peut-être gardent-ils dans un coin de leur tête, pendant les longues heures de travail, le long trajet dans le wagon bondé, la vision rafraîchissante d'un petit village, d'une petite maison entourée de toutes parts d'arbres abondants aux branches chargées de fruits mûrs à souhait, d'un verger baigné d'un silence placide. Images d'une enfance passée à la campagne chez bonne-maman.

Descendus du train à Jogeshwari, nous enjambons les voies qui traversent le slum pour arriver jusqu'à l'étroit passage non loin duquel se trouve la cabane de Girish. J'aurais été bien incapable de la trouver tout seul. La pièce ne désemplit pas. Les visiteurs s'y pressent du matin au soir, et quand de nouveaux arrivent ceux qui sont là depuis un bout de temps leur laissent la place sur le lit pliant, comme dans un jeu de chaises musicales sans fin. Tous se voient invités à déjeuner, et tous refusent car ce serait mal vu. Dedans, je dénombre une chaise pliante en métal, réservée aux hôtes de marque et qu'on m'a assignée d'autorité, un tabouret pour les gens qui viennent un peu trop souvent, un lit pliant métallique, une penderie métallique, une tablette qui supporte le réchaud à gaz, une télé, une table, quelques étagères. C'est tout le mobilier des sept personnes qui partagent cet espace : les parents et cinq enfants de vingt à trente ans. Assis à même le sol, le père écosse des petits pois. La lessive sèche sur les fils en plastique tendus au plafond et la porte reste ouverte jusqu'à une heure avancée ; de fait, il est exceptionnel de trouver porte close dans le slum. Toutes les fenêtres donnent du même côté que la porte, sur la venelle étroite. Un colporteur en tournée se plante sur le seuil pour proposer du « baume ayurvédique Vicks » qu'il propose à l'examen en tendant un flacon ouvert. Il est accueilli par des risées. On rit d'ailleurs beaucoup, ce soir. C'est jour de congé, et tout le monde a envie de profiter de cet événement rare : une soirée à la maison avec la famille au grand complet. Les garçons prennent leur tour pour piquer un roupillon sur le lit de camp, côté mur de façon à laisser libre le bord sur lequel les autres s'assoient. De toute sa vie Girish n'a jamais dormi chez lui seul dans un lit.

La maison Thakkar est un havre, un refuge. Pendant les émeutes, les femmes de trois familles sont restées cantonnées dans cette pièce réputée sûre, équipée qui plus est d'un téléphone dont voisins et amis venaient se servir pour s'enquérir avec angoisse de leurs proches. Elle a aussi abrité le marin bulgare qui s'était fait voler son argent et ses bagages à l'aéroport. Paresh, le jeune frère de Girish qui gagne sa vie en donnant des cours de danse disco, est tombé sur lui dans un hôtel, a vu son désespoir et l'a ramené chez ses parents. Le malheureux n'avait plus un sou pour gagner la côte du Gujerat où son navire était à l'ancre. La famille lui a donné l'argent du billet de train, puis elle s'est ravisée : ce type qui ne parlait pas la langue du pays allait forcément se faire à nouveau dévaliser. Pour être sûrs qu'il arrive à bon port, père et mère ont alors décidé que Paresh effectuerait avec lui jusqu'à la côte ce voyage de plusieurs jours. Leurs craintes étaient fondées. Lors d'un contrôle de police à bord du train, dans le Gujerat où l'alcool est prohibé, on trouva dans le sac à dos du Bulgare une bouteille de vin cuit et un jeu de couteaux. Le marin, cuisinier de son état, eut beau protester qu'il ne transportait là que des outils de travail, il écopa d'une amende de deux mille roupies que Paresh réussit à baisser à deux cents roupies, plus la bouteille de vin. On parle encore de cette aventure, dans la famille. Il en reste trace dans l'album de photo, sur un cliché qui montre le grand marin blanc, les bras passés autour des épaules de ses amis indiens. Il n'a plus jamais donné de ses nouvelles.

Quand les Thakkar ont emménagé ici, la pièce avait des murs en bambou et un toit en torchis. Au fil des ans, ils ont amélioré les lieux, posé un toit de tôle et enduit les murs de plâtre. La mère raconte : « Qu'est-ce qu'on pouvait espérer d'autre avec un salaire de cent cinquante roupies par mois ? Le père de Girish voulait que tous ses enfants réussissent. L'aîné ne s'en sort pas mal ; tout ce qu'on a là, on se l'est acheté avec son salaire. Girish n'a pas les moyens. Tout l'argent qu'il a perdu avec sa part dans le bazar ça l'a rendu malade. Maintenant, il n'est pas en bonne santé, il ne peut rien nous donner. Avant son père répétait tout le temps : Regardez mon fils cadet, il n'est pas capable de nous aider. »

Son sempiternel sourire aux lèvres, Girish hausse les épaules, mais c'est peut-être pour cela qu'il passe ses journées dehors. Il a vingt-cinq ans. Il devrait ramener une paye à la maison et ce n'est pas le cas. À l'âge qu'il a, Girish est une charge pour les siens.

L'immense majorité des familles de Bombay (soixante-treize pour cent, selon le recensement de 1990) sont logées dans une pièce unique où elles se débrouillent pour vivre, autrement dit dormir, faire la cuisine et manger. Le taux d'occupation étant en moyenne de 4,7 personnes par pièce, la famille de Girish a un excédent de 2,3 personnes par rapport à cette norme. Le mobilier n'arrête pas de changer de fonction au fil des heures : le lit de la nuit se transforme en divan au matin, entre les repas la table sur laquelle on mange sert aux devoirs et aux comptes. Les habitants sont eux aussi des artistes capables de changer de costume en deux temps trois mouvements ; dissimulés derrière une serviette ou un pan de rideau, ils vont si vite pour troquer leurs vêtements de nuit contre une tenue diurne que c'est à se demander s'ils ne deviennent pas invisibles. En réalité, ce don d'invisibilité leur est octroyé par les autres occupants de la pièce, qui détournent le regard pour ne pas suivre la transformation. Comment diable les parents ont-ils fait pour concevoir cinq enfants dans ce « studio » de bidonville ? Ici les yeux voient sûrement bien des choses sans les observer, les oreilles doivent en entendre autant sans les écouter.

Girish prend le train de sept heures du matin et ne rentre pas avant minuit, afin de passer le moins de temps possible à Jogeshwari. Le dimanche, au lieu de s'octroyer une petite sieste sous le toit familial, il file à Kandivili donner deux heures de cours dans une école d'informatique tenue par un de ses copains. Toutes sortes d'arrangements implicites président au temps d'occupation des uns et des autres, dans la pièce unique. L'espace est insuffisant pour qu'ils s'y retrouvent tous ensemble, hormis lorsqu'ils dorment et que leurs mouvements sont réduits au minimum. Ils ne peuvent s'entasser ici qu'endormis ou morts. Dans le slum, le foyer ne se conçoit que découpé en tranches horaires.

Je demande à Girish comment ils se débrouillent pour tenir la nuit dans la pièce. Il me regarde, attrape un stylo. « Bon, en tout on est sept. » Je lui tends mon carnet pour qu'il dessine le plan de ces arrangements nocturnes mais il le repousse, lui préférant une serviette en papier. « Moi et mon frère aîné, on dort sur le lit. (Et il case deux ronds dans un rectangle.) Mes deux petits frères sont par terre. (Deux autres ronds à côté du rectangle.)

Mes parents se mettent dans la cuisine (séparée de l'espace commun par une cloison toute théorique) et ma sœur (il trace un trait au-dessus duquel il écrit le mot table) sous la table. »

Après avoir ainsi satisfait à ma curiosité, Girish prend la serviette en papier, la plie en deux, en quatre, la roule en boule et la serre dans sa main, la serre de toutes ses forces, et maintenant qu'elle est ridiculement petite, si petite qu'elle en devient insignifiante, il donne une pichenette dedans. Puis il lève les yeux vers moi et me sourit.

Nous sortons dans le lacis de ruelles du slum. Les activités poursuivies par ici sont d'une diversité sans équivalent dans les quartiers plus prospères. Girish me montre un antre bourré de coquillages qu'un artiste transforme en objets décoratifs ou utiles, comme ces veilleuses équipées d'une ampoule. Près de la gare, il croise une connaissance, un galérien du cinéma qui nous parle en ces termes du film dans lequel il va jouer : « Une histoire d'amour sur fond de mafia. » Il va ensuite présenter ses respects à un dada mafieux du coin, Ramswamy, qui loge au-dessus d'une salle de paris d'où il dirige une grosse entreprise de contrebande. Le salon s'orne de plusieurs photos de ce personnage à la moustache luxuriante, qui pose sans jamais sourire. Il nous reçoit allongé sur le flanc, torse nu. « Un homme a besoin de se remplir l'estomac », déclare le dada en tapotant sa panse douée d'une vie et d'une forme propres, étalée sur le lit comme un phoque, marquée sur le côté de deux belles entailles au couteau semblables aux vergetures d'une mère de douze enfants. Ramswamy a trois femmes officielles et dix à douze autres non officielles. En règle générale il truffe ses discours de tonitruants « Bhenchod ! », mais avec Girish il s'abstient car ce garçon le « traite avec respect ». Une fois dehors, je demande à Girish pourquoi Ramswamy ne s'est pas offert un appartement plus confortable, à l'écart du slum. « Il ne peut vivre que là où il commande », répond Girish.

Chemin faisant, nous arrivons devant une baraque signalée par cette pancarte : *Cours d'informatique tous niveaux.* « Tous les

gosses du quartier se sont initiés à l'informatique ici »,
m'explique Girish. Les bidonvilles de Bombay sont pleins de
programmeurs formés à maîtriser Visual Basic, C++, Oracle,
Windows NT. Le nouvel univers des logiciels et des systèmes
d'exploitation accueille à bras ouverts les brillants éléments
des slums de la ville, ceux qui comme Girish placent autant
d'espoirs en lui que les enfants de Harlem dans la boxe ou le
basket. La presse fourmille d'annonces d'entreprises proches ou
lointaines offrant à nos jeunes des boulots honnêtes et bien payés
dans des bureaux climatisés, avec à la clé une chance de découvrir le vaste monde. Le travail de Raju, la jeune sœur de Girish,
consiste à transplanter ces jeunes d'ici à là-bas. Elle les prépare à
passer leurs examens au deuxième étage de cette baraque pourrie. Dharmendra, l'aîné des Thakkar, assure les cours d'histoire
quand il a le temps.

Une fille de première année se lève à la demande de Raju pour
réciter le serment national :

L'Inde est mon pays.

Tous les Indiens sont mes frères et sœurs.

[Ici, de mon temps on rajoutait in petto, *Et donc nous
sommes tous des bhenchod...]*

Je suis fière de mon pays.

Je...

Confuse, elle baisse les yeux. Elle a oublié la suite et se rassied par terre en tailleur.

Raju consacre une bonne partie de son temps à s'occuper
d'adolescents issus de foyers perturbés et elle transforme ces
jeunes habitués au redoublement en battants dont le taux de réussite aux examens excède les quatre-vingts pour cent. Elle n'en tire
pourtant que la satisfaction du devoir accompli ; cette année, elle
ne touchera pas une roupie pour les cours qu'elle donne, car une
fois payés le loyer et les salaires des autres enseignants il ne reste
rien dans les caisses. Quand elle rentre chez elle, elle aide sa mère
à préparer le repas. Son père croise mon regard et hoche la tête :
« Elle travaille dur. » Raju est parfaite avec son père, ses frères, sa

mère. Elle sera tout aussi parfaite avec son mari et ses enfants, quand elle en aura. Je la suis des yeux tandis qu'elle s'éloigne dans les ruelles du slum encombrées d'immondices, en se débrouillant Dieu sait comment pour rester fraîche et charmante.

Tous les ans les Thakkar retournent à leur village de Padga Gam, près de Navsari, pour deux à trois semaines merveilleuses. Ils possèdent là-bas une petite ferme sur laquelle on cultive la canne à sucre, des aubergines et, cette année, du riz. La maison se dresse au milieu d'un espace dégagé sur plusieurs kilomètres à la ronde, et « elle est grande », me dit Girish. Elle ne se résume pas à une seule pièce. Au village, dès qu'il se lève le matin il passe à table. Sa mère leur sert des produits frais de la ferme, cuits dans des récipients en terre sur un fourneau en terre chauffé au bois. Girish traîne au lit longtemps. Il se lève, il mange, il se rendort, il mange. Le soir, la famille se rassemble autour du petit téléviseur noir et blanc portatif. C'est toujours à contrecœur que Girish regagne Bombay. « Je déprime quand on arrive à Virar. J'ai vraiment le cafard et le premier qui me cherche, je suis capable de le frapper. »

Je suis passé chercher Girish en ville, au bureau, et en chemin nous décidons de nous acheter des bhelpuris. À Bora Bazaar, nous nous arrêtons devant la carriole de Shree Khrisna, station-née au milieu de monceaux de pelures d'oignons et de pommes de terre avec cet écriteau bien en vue : « Ici on échange les billets anciens et les billets déchirés. » Girish me montre du doigt le tas de vieilles coupures qui s'empilent derrière le bhaiyya. Hier, il lui a remis vingt-quatre roupies en triste état, contre vingt impeccables. Tous les services imaginables sont réunis à Bombay.

Non loin du bureau de Girish, les écrivains publics officient juste en face de la Poste centrale. Ils sont installés devant le kabutarkhana * où des milliers de pigeons viennent picorer les graines laissées à leur intention par les jaïns, autour d'une fontaine à sec. Ils proposent aux étrangers de préparer leurs paquets, servent de boîtes aux lettres aux sans-abri, remplissent formulaires et mandats pour ceux qui ne comprennent rien au jargon administratif bien qu'ils sachent lire et écrire, rédigent les lettres que les analphabètes souhaitent envoyer au village. Les écrivains publics font le lien entre la métropole et le village. Ils traitent « toutes les affaires d'ordre privé », m'explique Ahmed, l'un d'entre eux. Annonces de naissance ou instructions données à une épouse à propos de problèmes domestiques. Lettres que les immigrés de l'intérieur envoient à leurs femmes pour leur recommander de mettre les enfants à l'école, de prendre soin des vieux parents. Lettres qui au village seront lues à leurs destinataires par le facteur, encyclopédie vivante de la vie et des secrets de ses concitoyens. Une des questions récurrentes de ces missives concerne le comportement de l'épouse. Les hommes venus travailler à la ville ne passent parfois pas un mois par an dans leur foyer. D'où cette blague qui circule à Bombay : « La femme de mon jardinier vient d'accoucher d'un fils au village alors que ça fait trois ans qu'il ne l'a pas vue. Il est aux anges. Je lui ai fait remarquer que le bébé n'était probablement pas de lui, mais tout ce qui l'intéresse c'est qu'il porte son nom. Peu importe qui a semé la graine à partir du moment où le fruit lui revient. Il m'a offert des bonbons pour fêter ça. »

Dans les nouvelles transmises par les écrivains publics, il y a du bon et du mauvais : surtout du bon, me dit Ahmed, car les gens préfèrent se charger eux-mêmes d'annoncer les mauvaises nouvelles. « Et puis il y a les histoires de cœur. Les lettres de l'amour.

— Des lettres d'amour ?

— Oui. Un jeune homme qui veut écrire à une femme vient nous trouver. Nous lui arrangeons ça avec nos mots à nous.

— Par exemple ?

— Oh, ce qui se fait tout le temps. " Attends-moi. " Un jeune qui est loin de sa chérie va écrire pour lui dire : " Ne te marie pas avec un autre que moi. Je serai bientôt de retour. Je construis une maison ici. Attends-moi. " Les filles, elles, se font écrire des lettres qu'elles envoient à des Arabes du Golfe.

– Il y a des spécialistes des lettres d'amour, parmi vous ?

– Lui ! » s'exclament les écrivains massés sur ce bout de trottoir en montrant du doigt l'ivrogne que j'avais ignoré. Le visage du pochard s'éclaire, le discours qu'il se marmonnait en anglais devient plus audible. « Anil ! lancent ses collègues. Hé ! Ashok Sinha. » Anil n'est peut-être qu'un *nom de plume* [1]. « Il ne s'est pas encore remis de Holi », déclarent-ils en riant dans une allusion à la bacchanale de la veille.

Les prostituées ont longtemps été la catégorie professionnelle la mieux représentée dans leur clientèle. Elles venaient leur dicter les lettres qu'elles destinaient à leurs parents : « J'ai un bon travail à la ville. Votre fille est secrétaire et tout va bien pour elle. Ci-joint un peu d'argent. Surtout, s'il vous plaît faites faire des études au frère et mariez bien la sœur. Je vous en enverrai un peu plus tous les mois. » Les écrivains publics ne prennent qu'une somme modique pour fournir une adresse d'expéditeur, service qu'ils assurent également auprès des sans-abri et des fugueurs en rupture de ban. Il est déjà arrivé que des parents déboulent en ville à l'improviste pour voir comment leur fille est installée et visiter la capitale au passage. Ils débarquent à la gare Victoria Terminus, située juste derrière la Poste centrale, et, croulant sous leur chargement de sacs, de cartons et de paniers garnis des plus beaux fruits du verger, se rendent à l'adresse indiquée. À la mine ébahie des vieux parents, l'écrivain public devine tout de suite à qui il a affaire ; il les invite à s'asseoir sur des tabourets, les oblige à accepter un verre de thé, les occupe pendant que son commissionnaire court prévenir la prostituée que ses parents sont là et qu'elle doit rappliquer en vitesse. « On ne donne jamais l'adresse de la fille », me dit mon interlocuteur.

Les écrivains publics aident encore les prostituées à rédiger les suppliques pitoyables qu'elles adressent à leurs clients résidant hors de Bombay. « Envoie l'argent et viens vite. Envoie-moi dix mille. J'ai des gros, gros problèmes. » Nombreuses à avoir des enfants, elles jouent sur la culpabilité pour

1. En français dans le texte.

manipuler les pères présumés : « Il me faut de l'argent pour tenir la maison, m'occuper des petits, s'il te plaît, envoie l'argent je t'en prie, ce que tu as donné la dernière fois est déjà dépensé, tout est parti dans les intérêts du crédit. » À écouter les écrivains publics dévider leur stock de phrases toutes faites, il est évident qu'ils n'ont pas une très haute opinion de la sincérité de leurs clients. Le plus souvent, ces missives sont rédigées dans le langage des rues de Bombay, mélange d'hindi, de marathi et d'anglais émaillé d'emprunts au tamoul et au gujerati.

Si comme moi vous allez bavarder avec les écrivains publics, vous vous verrez offrir un tabouret sous la toile de bâche bleue. Au moindre coup de vent un peu violent, la bâche se soulève et vous déverse sur la tête une avalanche de crottes de pigeon. Tandis que je discute avec Ahmed, quatre ou cinq de ses collègues s'emploient à débarrasser mes cheveux des fientes qui s'y sont collées. Je m'étonne qu'eux-mêmes ne soient pas plus incommodés. Ils ont tous la tête couverte de petites plumes blanches et de petites boules de caca d'oiseau. « On s'en débarrasse quand on s'en va, répond Ahmed. S'il fallait qu'on se nettoie chaque fois que ça arrive, on y passerait la journée. » C'est un spectacle des plus pittoresques que cette rangée d'hommes installés devant le petit square avec leurs planches de timbres et leur cire à cacheter, au milieu des pigeons qui, par milliers, s'élèvent dans les airs ou fondent en piqué, et leur chient dessus pendant qu'ils s'appliquent à écrire des lettres d'amour.

Ils risquent toutefois de bientôt disparaître, et s'en plaignent amèrement. « Le métier rapporte deux fois moins qu'avant. La proportion d'analphabètes a dû baisser de quatre-vingt-dix pour cent. » La possibilité de téléphoner pour pas cher au village se traduit, elle aussi, par une baisse de leur chiffre d'affaires ; les télégrammes sont passés de mode. De nos jours, les écrivains publics ne sont guère plus que des postiers sans statut qui se chargent essentiellement de préparer des paquets et de coller des timbres dessus.

Quand je me décide à partir, Anil, le spécialiste des lettres d'amour, se met à gesticuler en souriant jusqu'aux oreilles. Tout à l'heure, en me présentant, j'ai précisé que je venais d'Amérique. « Saddam ! éructe Anil. Saddam, je l'aime. »

Pour la toute première fois en l'espace d'une génération, les Thakkar sont sur le point de quitter le slum. Ils ont réuni leurs économies pour s'acheter un séjour-chambre à coucher dans la ville nouvelle de Mira Road, à la périphérie de Bombay mais hors du territoire municipal. La famille exulte à l'idée de ce déménagement qui pourtant l'effraie. Enfants et parents trouvent bien difficile de partir de Jogeshwari à cause de la « communauté » qui vit ici. En même temps, Girish se réjouit de ne bientôt plus vivre sous un toit de tôle et de toile.

À la sortie de la gare de Mira Road, trois jeunes filles bavardent entre elles en anglais. Du groupe d'hommes désœuvrés qui les matent à distance jaillit soudain un son, pas un sifflement mais un bruit de succion appuyé, comme un gazouillis répugnant et d'une obscénité sidérante ; le chuintement de l'air aspiré entre les lèvres transmet une menace sexuelle évidente. Du haut de la passerelle squelettique jetée par-dessus les voies, on ne peut pas ne pas voir le panneau gigantesque qui surmonte une école proche de la gare : FORMATION ENRICHIE. Les gens qu'attire la ville nouvelle savent ce qu'ils attendent de l'éducation : l'enrichissement matériel et non plus l'élévation de l'esprit vers un bien supérieur. Il n'y a que des agences immobilières, autour de la gare : Mira Road est une ville tout entière occupée à se vendre. Des tas de choses restent possibles, ici. C'est une cité qui s'invente à l'écart de Bombay.

Girish me guide vers le nouvel appartement à travers un décor urbain très kitsch mais encore très vide. Deux colonnes soutenant un énorme fronton grec se dressent d'un côté de la rue, jaillies de la boue où elles sont plantées loin de tout. C'est tellement incongru qu'on dirait un accessoire de cinéma, une fantaisie si déplacée dans les banlieues nord de Bombay que je dois y regarder à deux fois pour être sûr que je ne rêve pas. Dans l'ensemble, les immeubles existants donnent dans le postmoderne pas cher :

frontons bizarrement disposés, détails de style Chippendale, balustres et épis de faîtage, façades aux tons pastel que la première pluie s'empressera de délayer pour couvrir les alignements d'une nuance uniforme tirant vers le jaune pisseux. Les immeubles de Mira Road se veulent « européens ». Des centaines ont déjà surgi de terre au petit bonheur ; d'autres, encore à l'état de carcasses, attendent que les prix grimpent. L'immobilier est à la baisse, en ce moment ; l'appartement acheté trois lakhs et demi par la famille de Girish a déjà perdu le tiers de sa valeur. Une pièce dans le slum de Jogeshwari vaut plus.

Le choix des façades décoratives est un argument de vente : les promoteurs veulent donner aux futurs acquéreurs une impression de luxe forcément associée à l'ailleurs – à une autre époque, un autre pays. Un vrai Bombayite peut se passer d'appareils électroménagers, d'eau courante, de rues conçues pour circuler, etc., mais pas de shaan * – de style, de prestige. Les complexes résidentiels de Mira Road sont tout en façade ; derrière les colonnes palladiennes et les balustres Chippendale se cachent des logements rudimentaires. Les cloisons neuves sont déjà fissurées. La plupart des immeubles de plusieurs étages n'ont de l'ascenseur qu'une cage sans cabine, sans machinerie. L'habitant du slum ne peut espérer trouver mieux. N'ayant pas les moyens de s'offrir les commodités, il se contente du faste clinquant, moins coûteux que le solide fait pour durer. Les entrées majestueuses correspondent bien au shaan tel qu'on le conçoit à Bombay : l'extérieur en trompe-l'œil doit amener à penser que l'intérieur est somptueux. À Bombay même, il est courant que les cages à lapins des chawls soient précédées de péristyles imposants.

Des jeunes couples se promènent le long de la rue principale pour profiter de la brise du soir. L'air est moins étouffant qu'en ville, et en descendant du train on a une agréable impression d'espace vert, à l'ouest, là où les puits salants et les marais rebutent les investisseurs. La banlieue gagne sur l'est, à l'inverse de la tendance générale à Bombay où l'ouest, bordé par la mer, est le versant le plus prisé. La zone a beau être infestée de moustiques, ici les nuits sont plutôt calmes ; la plupart des habitants sortent pour la première fois de leurs slums et leurs finances ne leur permettent pas de s'acheter une voiture. De toute façon, les routes creusées d'ornières sont impraticables. Pour arriver à l'immeuble de Girish, nous devons longer un marécage qui n'a pas été asséché et d'où s'élèvent des nuages de moustiques féroces. Un vendeur ambulant attaqué par les insectes se cogne dans un réverbère éteint qui, sous le choc, se met à clignoter.

Les constructions forment d'immenses complexes qui portent le nom du promoteur ou de ses chers disparus. Tous les immeubles du complexe où habite Girish portent ainsi le prénom de Chandresh : Chandresh Darshan, Chandresh Mandir, Chandresh Heights, Chandresh Accord. Girish loge dans Chandresh Chhaya (l'ombre de Chandresh). Je demande à Girish qui a construit ces logements.

« Mangal Prabhat Lodha. »

Lors des dernières législatives, je me suis longuement baladé dans Malabar Hill au côté de ce député du BJP pour suivre sa campagne. Chandresh était son père, et j'ai moi-même vécu « à l'ombre de Mangal » puisqu'il se trouve – ce qui ne laisse pas d'impressionner Girish – que Mangal Prabhat Lodha habitait deux étages au-dessus de l'appartement que j'ai loué un temps à Dariya Mahal.

« Si tu es indien tu es quelqu'un », proclame l'autocollant fixé en évidence sur la porte des Thakkar, un slogan imaginé par l'importateur de matériel de sport Proline. Dès que M. Thakkar entend l'hymne national à la télé, il oblige tous les occupants de la maison à l'écouter debout. « Si on dort, il nous réveille et il faut qu'on se lève. Il n'y a que quand on est malade qu'on a le droit de rester assis », me dit Dharmendra.

Sa foi inébranlable en la nation se voit enfin récompensée. Il y a des années, la mère de Girish a eu une vision de l'avenir en feuilletant un magazine gujerati au fond du slum de Jogeshwari : elle a vu une fenêtre frangée de rideaux, avec à côté une lampe qui pendait du plafond. Quand aurai-je moi aussi quelque chose de pareil ? a-t-elle demandé à son Dieu. On me montre la fenêtre du salon de l'appartement : elle est garnie de rideaux, et à côté il y a une lampe qui se balance au bout de son fil accroché au plafond.

C'est la fête en permanence, chez les Thakkar. Pendant plusieurs semaines encore ils vont accueillir un flux ininterrompu de visiteurs, surtout d'anciens voisins de Jogeshwari mais aussi de la famille, les collègues de Girish et de Dharmendra, les étudiants de Raju, les amis danseurs de Paresh. Il aura fallu deux générations aux Thakkar pour accéder à une « pukka-house * », un logement en dur, symbole de réussite sociale. La trajectoire de la famille Thakkar résume l'histoire de la croissance de Bombay. Le père a quitté le quartier du Fort, où il vivait dans une maison spacieuse avec sa famille élargie, pour un taudis de Jogeshwari, et de là il est passé aux deux-pièces de Mira Road. Si Girish réalise son rêve d'aller vivre en Amérique, il atteindra le point culminant de cette ascension.

Pour la première fois de leur vie, les enfants ne sont plus obligés de dormir avec leurs parents. La répartition des lits, si luxueuse comparée à ce qu'ils ont connu jusque-là, a été définie dès la prise de possession des lieux. Dans la chambre : Dharmendra (le propriétaire en titre de l'appartement, dont le salaire fait vivre toute la famille) et Paresh, le plus jeune de la fratrie, qui se partagent le lit. Le quatrième frère, Sailesh, a trouvé une place de vendeur quelque part dans le Maharashtra mais il passe souvent. Dans le séjour : la mère sur le divan ; le père sur la banquette ; Girish à côté, mais pas à le toucher ; Raju sur un matelas près de la cuisine. Les deux pièces, exiguës à mes yeux, paraissent trop vastes aux Thakkar. « Un soir, raconte Dharmendra, je me sentais vraiment mal. Je n'arrivais pas à dormir. » Aussi passent-ils presque toutes leurs nuits rassemblés dans le salon, autour de la télé neuve réglée pour s'éteindre automatiquement trente minutes après l'heure du coucher. Ils aiment s'endormir bercés par le son familier de voix humaines. Habitués à vivre dans une seule pièce, ils ne savent pas comment occuper cette chambre supplémentaire maintenant qu'ils l'ont enfin.

Dans le salon, il y a de jolis vases de fleurs peints à la main. La fenêtre encadrée de plantes déverse une belle lumière dans la pièce, mais aussi des tas de moustiques contre lesquels les Thakkar semblent immunisés. Trois dessins de Paresh – une tour Eiffel, une statue de la Liberté et un homme en train de se débarrasser de ses vêtements, en même temps, dirait-on, que de sa peau – trônent en évidence sur la vitrine. Un des murs du séjour est entièrement carrelé de pierres plates brun foncé, pas du tout dans le ton du badigeon blanc qui recouvre les trois autres. Deux spots fixés en hauteur, juste sous le plafond, font ce qu'ils peuvent pour éclairer cette paroi rébarbative. « Les gens croient que c'est pour décorer qu'on a mis des pierres. En réalité c'est parce qu'il y avait des fuites dans le mur. » L'eau infiltre déjà de toutes parts la structure flambant neuve et suinte à travers les cloisons. Dharmendra se garde toutefois de doucher l'enthousiasme des visiteurs qui s'extasient sur le bel effet de la pierre.

Il me montre la brochure qui a alléché sa famille et les autres occupants de Chandresh Chhaya. Outrageusement colorée dans le style années cinquante avec des rouges, des jaunes, des bleus éclatants, elle reprend pour la composition du texte ces caractères tape-à-l'œil, extra-larges, utilisés par les compagnies foncières américaines pour attirer les migrants vers le soleil de la Californie.

En 1980, un groupe de jeunes entrepreneurs dynamiques a fait un rêve. Ils rêvèrent de créer une oasis de beauté et de tranquillité qui romprait avec l'aride monotonie des logements urbains. Sous la gouverne de son fondateur, le regretté Chandresh Lodha, le Groupe rêvait de mettre à la disposition des mal-logés de Bombay un environnement verdoyant, luxuriant. [...]
Aujourd'hui le Groupe Lodha est le symbole d'un foyer chaleureux et confortable, rayonnant de beauté, éclatant de bonheur, étincelant de prospérité. Aujourd'hui, un logement Lodha peut faire votre bonheur.

Les illustrations présentent un ensemble de gratte-ciel artistiquement esquissés, deux croquis d'immeubles bas entourés de palmiers, des couples en promenade, des limousines glissant en douceur le long de rues absolument vides, un espace aménagé pour les enfants, une vague bleue sur le point de se briser. La kyrielle d'« équipements spéciaux » énumérés dans ces pages (liaison par bus jusqu'à la gare, court de tennis, club-house, bibliothèque) n'est toujours pas matérialisée. C'est vrai, mais imaginez-vous dans le taudis de Jogeshwari avec l'égout à ciel ouvert qui glouglloute devant la porte, les moustiques énormes qui entrent par l'unique fenêtre en même temps que les braillements des ivrognes et des taporis, et imaginez-vous en train de feuilleter cette brochure : est-ce que vous n'auriez pas envie d'y croire, vous aussi, et d'ajouter foi à ses belles promesses ? Qui sait si cette nuit-là vous ne feriez pas un rêve enchanteur ? Imaginez : vos enfants jouent sur l'aire de jeux noyée de verdure, votre femme prépare le repas sur le plan de travail en marbre qui équipe la cuisine, et vous-même, rentrant à pied de la gare un samedi soir, grisé par le bon air de la campagne vous flânez tranquillement sur cette avenue large de trente mètres.

Chandresh Chhaya est à frémir. À l'intérieur, les murs irréguliers sont percés de trous béants destinés à accueillir les futures prises électriques, et bien entendu il n'y a pas de cabine dans la cage d'ascenseur. C'est ennuyeux, car l'escalier non plus n'est pas terminé. Le promoteur a promis des équipements, entre autres un jardin et un « chauffe-eau de marque ISI ». L'emplacement du jardin a été bétonné par l'immeuble voisin et les résidents de Chandresh Chhaya ont longtemps attendu leur chauffe-eau. Dharmendra a fini par se plaindre, alors on lui en a installé un. Il est ridiculement petit, si petit qu'« un rat n'aurait pas assez d'eau chaude pour se laver », mais ce n'en est pas moins un chauffe-eau, selon les termes du contrat, et vu la quantité d'eau qu'il peut chauffer il devrait tenir longtemps. L'eau dite courante à usage domestique ne coule ici qu'un jour sur deux. Les Thakkar récupèrent l'eau de pluie dans des citernes au grenier.

Quant à l'eau potable traitée par la municipalité, elle est livrée une fois par semaine dans des camions-citernes, mais pour venir jusqu'ici les chauffeurs se font payer cent roupies de la main à la main. Comme c'est de toute façon loin d'être suffisant, la copropriété achète chaque jour trois camions-citernes d'eau à des sociétés privées, au prix de trois cent vingt-cinq roupies par camion. Ces entreprises qui possèdent l'eau et les camions forment le lobby politique le plus puissant de Mira Road. Elles se sont réparti les trajets de livraison et empêchent la municipalité de prolonger le réseau d'adduction pour ne pas perdre ce marché juteux. Avoir de l'eau n'est donc pas simple, mais il est tout aussi problématique de s'en débarrasser. Les systèmes d'évacuation ayant été construits en dépit du bon sens, la copropriété verse quatre cents roupies par mois à une compagnie qui draine l'eau accumulée dans le sol. Périodiquement, quand pour une raison ou pour une autre l'approvisionnement en eau n'est plus assuré, les ménagères et les comptables sortent de leurs immeubles et vont s'asseoir sur les voies de chemin de fer pour obliger le reste de la ville à s'intéresser à leur sort.

Les résidents s'offrent également sur leurs deniers les services d'une entreprise privée qui collecte leurs ordures pour les emporter Dieu sait où. Il y a bien des éboueurs municipaux, mais ils ne passent que deux fois par mois. Pas un seul bus ne dessert la banlieue. Un temps, la copropriété des Thakkar a imaginé de payer un chauffeur équipé d'un minibus huit places pour transporter les gens du complexe à la gare et retour en échange de la somme modique de deux roupies par personne. Les rickshaw wallahs de Mira Road qui prennent vingt roupies pour le même trajet ont cerné le minibus et l'ont bloqué sur place. Alertés, la police et les édiles ont pris le parti des conducteurs de rickshaw. À ce train, les habitants de la ville nouvelle dépensent la majeure partie de leurs revenus dans ces services municipaux de base que sont l'eau (adduction et égouts), le ramassage des poubelles et les transports. Mira Road se trouve juste en dehors de la juridiction du Conseil municipal du grand Mumbai. D'où son attrait, et ses carences : c'est ni plus ni moins une ville-frontière. L'un dans l'autre, cependant, les Thakkar y sont plus heureux qu'à

Jogeshwari. Là-bas, parents et amis mieux lotis qui venaient les voir s'étonnaient systématiquement qu'ils n'aient pas encore déménagé. « Ça devenait énervant, dit Dharmendra. Évidemment qu'on aurait aimé déménager, mais Père avait fait des mauvais placements. L'argent était immobilisé. » À Jogeshwari, ajoute-t-il, « jamais je ne donnais mon adresse ni rien aux copains. Je ne pouvais pas appeler mes collègues de bureau. Je n'allais pas chez eux. Maintenant nous sommes libres de les inviter et les cousins ou les oncles peuvent rester coucher. Ce n'est pas gênant quand les gens viennent. »

Le père de Girish passe ses journées à explorer les alentours en quête de commerces, à comparer les prix et la fraîcheur des produits. « Il n'avait sans doute jamais imaginé qu'un jour il vivrait dans un endroit comme ça. Aujourd'hui on a un mixer, une machine à laver, la télé. Qu'est-ce qui nous manque ? Une voiture. On n'en a pas besoin. Peut-être que d'ici deux ans on s'en achètera une quand même. » L'immeuble est construit en bordure des voies de chemin de fer ; les trains de banlieue défilent sous les fenêtres dans une cacophonie de sifflets de locomotive rythmée par le cliquetis des roues sur les rails en acier. Dharmendra met deux heures pour se rendre à son travail. « Heureusement, je suis dans la vente, alors on se débrouille », lance-t-il, l'œil pétillant de malice. Il triche un peu avec les horaires.

Le père compare Mira Road au bidonville qu'il vient de quitter et trouve qu'il n'a pas perdu au change. « Ici, c'est calme. À Jogeshwari il y avait toujours du chahut, une bagarre quelque part. » (À Jogeshwari, me dis-je par-devers moi, Sunil et Amok auraient mis le feu à la mairie pour obliger la municipalité à se pencher sur le problème de l'eau.) Chaque fois que quelqu'un sort de l'appartement, un membre de la famille referme la porte derrière lui. Je m'en étonne, car à Jogeshwari la porte restait toujours ouverte pendant la journée. « C'est le système appartement qui veut ça », explique Dharmendra. L'ascension sociale et l'appartement qui va avec amènent à prendre au pied de la lettre la notion de vie « privée ». Cette illusion ne résiste pas aux conditions de vie dans le slum.

Toujours célibataire à vingt-cinq ans, Raju est presque une vieille fille au regard des critères de son milieu social. Les Thakkar jugeaient préférable de s'installer ici avant de lui chercher un fiancé et de trouver une épouse pour Dharmendra, qui vient d'avoir trente ans. Qui voudrait se marier dans un slum ? Ni Girish ni Paresh n'ont envie d'aller voir ce que devient la cabane de Jogeshwari. Il y a eu trois effractions depuis le déménagement mais cela ne semble pas préoccuper la famille outre mesure. Seule Raju va là-bas tous les jours pour ses cours de soutien scolaire ; les parents non plus n'ont pas envie d'y retourner. Propriétaire d'un appartement sis au troisième étage et chef de rayon dans une parfumerie, Dharmendra n'a que mépris pour le lieu où il est né et où il a grandi : « Jogeshwari, c'était un chawl, et encore.

– Qui sont les gens qui viennent s'installer ici ? Des Gujeratis, des Marathes, des musulmans ?

– C'est cosmopolite. »

Les nouveaux promus sur l'échelle sociale forment une corporation à part entière. Si les réseaux recréés à Mira Road ne sont pas aussi soudés qu'à Jogeshwari, ils sont sans conteste plus présents qu'à Nepean Sea Road. Le soir, quand Girish rentre à la maison vers dix heures, il ne manque jamais de passer chez un voisin qui vit dans l'immeuble d'à côté pour jouer avec sa petite fille de deux ans. Il reste là une bonne demi-heure, histoire de se détendre avant d'aller dormir. Le dimanche, il va à Naigaon avec le voisin du dessus acheter la sève fermentée et les fruits du toddy *. Il revient ensuite chez le voisin pour boire un litre et demi de vin de palme et manger deux douzaines de tadgolas *, une purge qu'il me recommande : « La sève du toddy te lave tout l'intérieur et après ça tu te vides les intestins vraiment bien. Tout sort sans problème. »

La vue des amoureux qui se promènent sur Marina Drive rend Girish mélancolique. « Un jour, promet-il, moi aussi je viendrai ici. Et pas seul. » Girish et ses frères passaient pour des enfants modèles, dans le slum de Jogeshwari. Les parents les citaient en exemple à leurs enfants en leur demandant pourquoi ils n'étaient pas aussi sages que ces petits Gujeratis.

Girish n'a jamais eu de petite amie. À sa décharge, il avance que dès sa première année de fac (à l'âge auquel la progéniture des classes moyennes indiennes découvre traditionnellement l'autre sexe), il a dû travailler pour payer ses études. Dès la fin des cours, à treize heures trente, il filait chez ses élèves et n'arrêtait qu'à neuf heures du soir. « Je n'avais pas le temps de courir après les nanas. » Nouer une relation avec une fille, cela implique selon lui de se pointer dix jours de suite en même temps qu'elle à l'arrêt de bus. « Il faut être aux petits soins, c'est ça le plus important. » Il y en avait bien une qui lui plaisait ; il l'a invitée à prendre un café mais elle a refusé. « Je lui ai dit, Va te faire voir ! Tu crois qu'on a le temps de te courir après ? J'ai pas de temps à perdre, moi. Désolé. »

Il a par ailleurs correspondu via l'Internet avec une jeune Gujeratie qui vivait au Japon. « Avec elle je tchatchais autrement. J'essayais de toucher son cœur. Qu'est-ce que tu penses de la vie, sous l'angle philosophique et tout ? Elle a fini par rentrer en Inde. Son père lui avait acheté un appart à Walkeshwar. Une fois revenue à Bombay elle ne m'a plus recontacté. » Il ne semble pas le regretter, ou alors il cache bien son jeu. Après tout, cette fille qui fait maintenant partie des snobs de Walkeshwar est plus inaccessible pour lui que lorsqu'elle vivait au Japon.

Comme tous les amis de Girish, Kamal, le trésorier mafieux, trouve préoccupante cette virginité prolongée : « Il a besoin d'une vidange complète, et à mon avis c'est urgent. » Aussi lui prodigue-t-il des conseils pressants : « Le sexe est connecté au cerveau ; quand on se relaxe on pense mieux. C'est pour ça que tu es si confus dans ta tête. Il faut que tu baises. Tu n'arrêtes pas de nous bassiner avec tes contacts mais tu n'es pas foutu de les utiliser. Les autres n'ont pas confiance en toi parce que tu ne sais pas où tu en es. Paye-toi une poule, ça te détendra. » Il lui indique une adresse où Girish trouverait ce qu'il lui faut : le salon de coiffure Tip-Top de Goregaon, où les coiffeuses commencent par vous masser la tête et descendent de plus en plus bas.

Srinivas, son ami habitué des bordels, l'admire pour ses relations, sa connaissance de milieux très divers, mais ne croit pas à ses perspectives d'avenir. Si, contrairement à ses anciens copains de fac, Girish « n'a pas été capable de construire son avenir », c'est parce qu'il est « trop honnête », estime Srinivas. Il a essayé de le convaincre de s'inscrire au Landmark Forum, un organisme qui propose un programme de motivation en petits groupes répartis sur cinq niveaux ; Srinivas en est au quatrième. Cette formation lui apprend à réussir dans la vie. Il se vante d'avoir su « motiver » Girish pour qu'il ne se sente plus aussi triste au retour de Navsari, quand, à Virar, le train entame la traversée des banlieues. Girish est même allé à une journée portes ouvertes du Forum, mais pour finir il ne s'est pas inscrit à la session accélérée sur trois jours à cause du prix : trois mille roupies.

Élevé et nourri par Bombay, Girish pense aujourd'hui qu'il est temps de tourner une page. « Je suis loin de récupérer ce que je me suis bagarré pour investir, constate le programmeur. Des fois je n'ai même pas cent balles devant moi. » Son travail ne contribue pas de façon essentielle au bonheur de l'humanité. « Je suis dans le secteur des services. Personne n'attend après moi pour se débrouiller dans la vie. » Pendant ce temps, la parfumerie dans laquelle travaille Dharmendra commence à souffrir de la crise. Il n'y a pas eu de licenciements mais il n'y a plus d'augmentations et les postes qui se libèrent ne sont pas pourvus. La famille mise désormais tout sur Girish. Le prochain déménagement – à Borivali, où ils ont vu un appartement de quatre-vingt-dix mètres carrés qui leur a tapé dans l'œil – est subordonné à une hausse régulière des revenus familiaux qui place Girish, et l'informatique, en première ligne.

Girish occupe en ce moment la pièce principale de l'appartement où vit son associé à Pedder Road. Travailler dans ce quartier chic lui plaît. « Jamais je n'aurais cru que je finirais par me retrouver à Pedder Road, moi qui étais coincé à Jogeshwari. » Cette adresse prestigieuse est à peu près la seule raison qui a poussé Girish à s'associer avec un type rencontré à la Bourse. « Il ne m'est d'aucune aide pour les affaires. Même consulter les Pages jaunes et donner de coups de fil c'est encore trop pour lui. » L'associé préfère veiller jusqu'à trois heures du matin pour télécharger des films pornos. Oui, mais il appartient au gratin de la société bombayite. « Je me suis mis avec lui dans l'espoir de m'élever. (Les doigts crochetés vers le bas, Girish mime l'action d'un palan qui soulève une charge.) Il va me hisser à son niveau. »

J'ai parlé à Girish d'un de mes amis qui travaille au consulat américain, au service des visas, et ça lui a donné des idées. En se réclamant de moi, il pourrait peut-être obtenir la fameuse carte verte. « Je ne t'ai pas demandé de m'emmener là-bas, tu sais bien. J'ai juste dit que j'aimerais bien y aller, alors j'apprends tous ces langages informatiques. Je battrai le fer quand il sera chaud. » Il s'estimerait heureux si, une fois ses frais couverts là-bas, il pouvait envoyer huit cents euros par mois à son père.

« Avec ça, vous pourriez acheter l'appartement d'à côté à Mira Road.

– On irait à Dariya Mahal. Il faut viser haut. Si un seul d'entre nous part, les six autres vivront à l'aise. » Girish ne pense pas qu'à sa famille. « Si je pars, j'emmènerai un ou deux types avec moi. » Il pense que Srinivas aurait intérêt à quitter le pays, lui aussi ; son père vient de mourir et il a trois sœurs à charge, plus sa mère. Il pense également à un autre ami qui travaille dans la boutique de vêtements de son oncle. « Je tiens à l'emmener. Je sais que c'est un gars bien et lui non plus le boulot ne lui fait pas peur. » Si Girish a un peu d'argent devant lui, il donnera à son copain de quoi se louer une boutique pendant un an. Je trouve ça formidable, ce réseau d'aide invisible, ce garçon qui projette de s'exiler pour envoyer au pays des petites sommes destinées à monter un commerce, payer des études ou des mariages. Girish ne rêve pas de s'acheter une Mercedes ou un costume Armani ; il rêve de donner leur chance à des gens comme lui.

Quelle image a-t-il de l'Amérique ?

« Il y a au moins une chose dont je suis sûr : là-bas, si tu te défonces autant qu'ici ça te rapporte deux cents fois plus. »

Et l'argent mis à part ?

Il me rappelle un accident dont nous avons tous deux été témoins, une vendeuse de ballons renversée par un rickshaw à moteur. L'air au plus mal, la femme se tenait la tête à deux mains. Les ballons gaiement colorés qui l'instant d'avant se balançaient au bout de leurs ficelles gisaient lamentablement sur le trottoir. J'étais prêt à intervenir quand Girish m'a stoppé net : « Attends, tu vas voir. Elle va se relever et lui demander du fric. » Sur ce, la pluie s'est mise à tomber à verse et la blessée, se relevant d'un bond, a couru s'abriter sous un auvent. Une autre vendeuse de ballons s'est alors approchée du conducteur de rickshaw et l'a insulté en exigeant de l'argent pour sa collègue.

« Tu vois le pouvoir de cette vendeuse de ballons ? poursuit Girish. Elle provoque l'accident et elle dit qu'elle est victime. En Amérique ça ne se passerait pas comme ça. Tu as bien vu la bonne femme foncer sur le rickshaw et demander de l'argent. Là-bas, on analyserait les faits pour savoir qui est responsable. La bonne femme ne peut pas simplement te rentrer dedans et dire tu payes ou je bloque ton rickshaw. » Un point de vue de classe intéressant : Girish qui est tout sauf riche estime que les gens plus pauvres que lui ont beaucoup plus de pouvoir. Comment au juste considère-t-il les très pauvres ?

« Je ne les aime pas, je les hais », déclare-t-il tout net. Il ne fait pas de doute pour lui que les mendiants de Bombay boivent l'argent qu'on leur donne ou s'en servent pour satisfaire leurs vices. Beaucoup d'entre eux gagnent plus que les fonctionnaires du gouvernement, et ce n'est pas un secret. Girish qui ne rechigne pas à aider un ami dans le besoin ne donnera pas une paise à un mendiant. Ils lui répugnent. « Ils te touchent les pieds! Des gamins hauts comme ça t'attrapent les pieds et posent leurs fronts dessus! » Cette véhémence que je ne lui connaissais pas tient sans doute à une trop grande proximité. Les pauvres entretiennent avec les très pauvres des rapports éminemment complexes. Pour s'en distinguer, ils doivent les tenir à distance en luttant contre la compassion naturelle qu'ils inspirent. Une attitude ambivalente, qui oscille entre « Dieu merci je ne suis pas tombé si bas » et « Je n'ai rien de commun avec ces gens-là ».

Est-ce qu'il retournerait vivre à Jogeshwari?

« Pourquoi veux-tu me réexpédier à Jogeshwari? J'ai plus d'ambition que ça. Après Mira Road je veux aller à Vile Parle, de Vile Parle j'irai à Bandra et de Bandra à Pedder Road. » La mobilité sociale vue par un usager du chemin de fer qui sait où descendre de l'omnibus pour prendre l'express jusqu'à son point de destination : les quartiers Sud de Bombay. Il voudrait atteindre Vile Parle d'ici trois à quatre ans, mais pour arriver dans cette banlieue bourgeoise il doit impérativement monter dans le rapide pour l'Amérique. « Si je reste à Bombay je n'irai jamais à Vile Parle. Les vingt lakhs qu'il me faut, je mettrai vingt ans à les gagner à Bombay. Je peux toujours dépenser quatre mille par mois si ça me chante mais je ne peux pas m'acheter dix mètres carrés dans Bombay. Je ne peux pas. »

Un changement aussi conséquent – de Mira Road aux quartiers Sud – ne serait à son avis tout simplement pas possible dans une ville de la taille de Navsari, d'où sa famille est originaire. « Pour une bonne raison : là-bas la population est très réduite. Tout le monde sait d'où tu viens. À Bombay, si je ne te l'avais pas dit tu n'aurais jamais su que j'ai vécu dans les slums. Mon associé ne sait pas que j'ai vécu dans les slums. Je lui ai simplement dit que j'habitais dans un immeuble type chawl. »

N'a-t-il pas au moins eu une enfance heureuse dans son « chawl » de Jogeshwari? Question que je lui pose car pour ma part je n'ai pas que des bons souvenirs de mon enfance à Bombay.

« C'est loin tout ça maintenant, alors je ne peux pas te dire si j'étais heureux ou pas. En tout cas, le foot je ne savais même pas ce que c'était. Je jouais avec une balle en mousse. Une balle rouge », précise-t-il en faisant mine de la tenir dans le creux de sa main. Elle était toute petite.

Dharmendra passe chez moi pour m'inviter à son mariage qui sera célébré au village. Étourdiment je lui conseille de bien profiter du temps des fiançailles, de se promener en ville avec sa fiancée. Il me regarde, l'air sidéré.

« Je ne la connais même pas ! »

En fait, il ne l'a pas revue depuis qu'il est allé chez elle avec ses parents, et de toute façon ils n'ont pas échangé un mot, ce jour-là. Elle s'appelle Mayuri. Il a chargé Raju de lui parler. Dharmendra ne reverra celle qu'il va épouser que lorsque la jeune femme, relevant sa tête couverte du sari rouge, l'acceptera officiellement pour swami. Ils doivent se marier un mois après s'être vus pour la première et unique fois.

« Elle est belle ?

– Moyen.

– Qu'est-ce qui t'a plu, chez elle, par rapport à toutes les autres ?

– C'est surtout que ça tombe bien », répond Dharmendra en haussant les épaules. Il en a vu cinq ou six autres, avant, mais ça lui paraissait prématuré. À présent, la famille est installée à Mira Road, il a largement la trentaine et après lui il y a encore trois frères à caser et surtout une sœur. Il serait grand temps que Raju se marie, mais pour cela elle doit attendre que l'aîné de la fratrie en ait fait autant. Mayuri s'est donc présentée au bon moment, et sans l'avoir vraiment regardée, sans avoir parlé avec elle, Dharmendra a accepté de la prendre pour femme.

« Qu'est-ce qui te dit que vous allez bien vous entendre, tous les deux ? Que vous ne vous chamaillerez pas ?

– On s'arrangera. Il faudra bien ; elle aussi il va falloir qu'elle s'y fasse. »

Ce n'est pas exactement comme s'il disait, Je m'y ferai. Sa famille au grand complet va devoir s'y faire. À l'instar de la grande majorité des habitants de Bombay, Dharmendra vit à l'abri du « on » protecteur et tyrannique à la fois. Il y a cependant des chances pour que Mayuri « se fasse » assez facilement à sa nouvelle situation. Les Thakkar, en effet, sont contre la dot. L'usage veut que la famille de la jeune fille offre au promis un costume et une alliance. Les parents de Mayuri ont demandé à Dharmendra de choisir le tissu d'un costume sur mesure. Conscient qu'il leur en coûterait plus de six mille roupies, Dharmendra s'est rabattu sur un blazer, ce qui réduit considérablement la dépense.

Toute la journée Padga Gam va résonner des chants de mariage entonnés par les femmes. Des haut-parleurs répandent à travers le village leurs voix atonales, monocordes. Installé dans la maison de campagne des Thakkar, je discute avec un grand homme jaune. Les femmes de la famille et les épouses des invités se sont déchaînées contre ce pauvre Dharmendra dont les cheveux, les cuisses, le torse, toutes les parties du corps qu'il est possible de toucher en public sont tartinées de pâte au tamarin du plus beau jaune. Quand on se marie au village, m'explique Dharmendra, il faut choisir une des trois dates du « tiercé gagnant ». Demain soir, quand le soleil se couchera, il n'y aura plus de jour propice avant Diwali, d'ici à cinq mois, ce qui explique aussi la hâte de ces épousailles. Le mariage de Dharmendra ayant été conclu en premier, il a pris d'office une des trois bonnes dates. Les autres n'ont pas pu en faire autant.

« Pourquoi ? Ce sont des parents à toi ?

— Non, mais on est du même village. » Or, la cuisine, la préparation des lits laissés à la disposition des invités, tout cela ce sont les villageois qui s'en chargent. À Padga Gam, les mariages ne se célèbrent ni dans l'intimité ni en famille : le village entier participe. La plupart des habitants de Padga Gam assistent à celui de Dharmendra, comme cela s'est fait pour les noces d'avant et comme cela se fera pour celles qui suivront. Les voisins ont ouvert leurs maisons pour accueillir les hôtes des Thakkar. Ceux qui n'habitent pas sur place sont revenus exprès de Bombay, pour être de la fête et vérifier au passage que les gens logés chez les voisins sont confortablement installés. Le chef du village a fait le voyage depuis la Nouvelle-Zélande. Ce sens de la communauté si fort chez les Thakkar et les habitants des slums de manière générale a été importé à Bombay par les immigrés de l'intérieur, les campagnards de souche.

Cousins et oncles sont venus en foule au mariage. L'un travaille sur une plate-forme pétrolière d'Abu Dhabi, « Tu bosses quarante jours, tu te reposes trente » ; un autre, marchand de biens à Bombay, a bâti sa fortune en six ans : établi au Nigeria dans les années quatre-vingt, il s'est enrichi grâce à des opérations de change frauduleuses. Le soir, assis sur un drap à l'arrière de la maison, les hommes boivent de la bière tiède, d'autant plus appréciée qu'elle est prohibée ; la consommation d'alcool est en principe interdite au Gujerat.

Je me promène dans le village en compagnie de Girish. Nous entrons dans une des plus vieilles maisons, frais sanctuaire au toit de chaume, au sol de terre et de bouse battues. On aimerait s'attarder ici, jouir longtemps de ce calme serein qui pourtant n'a plus d'avenir, au village. Il s'y construit aujourd'hui des structures de brique et de ciment semblables au pavillon du voisin des Thakkar : étouffantes en été et glaciales en hiver. Girish m'entraîne au-delà des manguiers, vers les rizières et les plantations de canne à sucre, pour me montrer un rebord en ciment associé au plus grand plaisir de ses vacances au village : chier dans la nature. Accroupi sur la saillie, il laisse son regard errer sur les terres cultivées qui s'étendent jusqu'à l'horizon et prend tout le temps qu'il lui faut. Une demi-heure ? « Trois quarts d'heure ! » réplique-t-il joyeusement. Je me mets à rire, puis je revois les toilettes de Jogeshwari, ces latrines qu'il a dû utiliser tous les jours jusqu'à l'an dernier. Là-bas, un trou au-dessus d'une fosse d'aisances, un réduit obscur à vocation collective, mal fermé par une porte sur laquelle d'autres viennent régulièrement cogner pour intimer à l'occupant de se dépêcher; ici, une pastorale idyllique où le temps suspendu invite à faire tranquillement ses petites affaires en ruminant les beautés de la verdure créée par Dieu, avec du bon air frais plein les narines et derrière soi le sol qui se laisse doucement fertiliser. « J'aime bien sentir les herbes me chatouiller le cul ! » ajoute Girish. Cette raison de venir ici en vaut bien une autre.

Il n'empêche. Je passe une nuit épouvantable, la veille du mariage. L'anti-moustiques que je me suis passé sur la peau attire les sales bêtes au lieu de les faire fuir. Le matelas loué est un nid de puces, qui, vu l'absence de drap, ont un accès direct à ma personne. La serviette de toilette que j'ai enroulée autour de ma tête pour ne plus entendre le vrombissement des moustiques ne me protège pas de la musique de l'orchestre qui n'arrête de jouer qu'au lever du soleil. Ceux qui dorment alentour sur la terrasse n'ont pas l'air si incommodés. Tout de même, à quatre heures un gamin secoue son père et la voix pâteuse de sommeil balbutie : « Les moustiques d'ici sont très petits et très toxiques. » Cela ne m'aide pas à m'endormir. Ces moustiques habitués à prélever leur ration de sang en perçant le cuir épais du bétail me piquent à travers mes vêtements. Au matin, tandis qu'hébété je fends la cohue des abrutis qui encombrent les champs en quête d'un coin tranquille où pisser, une vision surgit dans mon esprit : celle d'un manuscrit enluminé admiré autrefois à Chantilly dont je ne peux m'empêcher de claironner le titre : *Les Très Riches Heures du duc de Berry!*

Je fuis le village avant la cérémonie. De même que le fils de famille bombayite avec qui Girish s'est associé et le marchand de biens qui a fait fortune au Nigeria. Enfin le train traverse la banlieue, dehors il y a des bus rouges, des rues, des immeubles, un paysage métropolitain qui nous rend tout excités et joyeux.

Je vois Girish une dernière fois avant de repartir pour les États-Unis. Au Shiv Sagar qui vient d'ouvrir sur Hill Road, où

nous mangeons des idlis – des sandwichs végétariens – et de
l'anone accompagnée de crème glacée. Sa situation financière ne
s'est pas arrangée, loin s'en faut. La femme de Dharmendra est
enceinte et maintenant c'est vers lui que la famille se tourne pour
acheter l'appartement d'à côté ; pour cela il faudrait qu'il gagne
quinze mille roupies par mois. Il est entré à Phone-in Services et
travaille désormais avec Kamal, le trésorier de la pègre, mais
cette nouvelle activité ne lui rapporte pas plus. De toute façon, le
montant des factures de téléphone de Phone-in Services est si
élevé que le dépôt de bilan est sans doute inévitable. Girish ne
voit pas d'issue mais se refuse à chercher un emploi salarié. « Ça
manque de charme d'avoir un patron. » La pente naturelle des
Gujeratis les pousse vers la petite entreprise.

Girish comble mes lacunes sur les derniers rebondissements
familiaux. La jeune mariée a trouvé sa place au sein du foyer et
Girish n'a rien à y redire dans la mesure « où on ne l'entend pas
beaucoup ». Quand il sort de la salle de bains le matin, elle lui
apporte en silence son petit déjeuner – des chapatis beurrés, un
légume, une tasse de café aux trois quarts pleine. « Ma mère l'a
vraiment regrettée quand elle est repartie trois jours chez ses
parents. Et depuis que mon père sait qu'elle aime le poisson il
n'achète plus que ça. »

La chambre du petit deux-pièces a été allouée au jeune couple.
Les Thakkar viennent par ailleurs d'investir dans un quatre-
vingt-cinq mètres carrés à Borivali – sur un lotissement construit
pour les pauvres à l'initiative d'un socialiste –, ainsi que dans un
appartement à Bangalore et dans trois taudis en dur à Borivali.
Ils vendront probablement les trois pièces du slum pour acheter
encore un autre logement. Aucun de ces appartements n'est
encore construit, mais tous finiront par se matérialiser dans un
avenir confortable et les cinq enfants, à tout le moins les quatre
fils, vivront un jour sous leur propre toit.

Qu'est-ce qui retient les gens à Bombay ? À chaque minute,
ici, vos sens sont agressés, du saut du lit au moyen de transport
qui vous convoie vers votre lieu de travail, puis des espaces

dévolus au travail aux formes de distraction qui vous sont imposées. Les fumées des gaz d'échappement donnent à l'air la
consistance d'une soupe épaisse. Trop de corps vous touchent et
vous bousculent dans les trains, les ascenseurs, à la maison
quand vous allez vous coucher. La ville est en bord de mer, mais
la grande majorité de ses habitants ne profitent de cette exposition qu'une heure le dimanche après-midi, et sur une plage
répugnante. Même quand vous dormez vous êtes agressé, car la
nuit apporte jusque chez vous les moustiques qui pullulent dans
les marécages à paludisme, les voyous de la pègre, les éclats
bruyants des réceptions des gens riches et des fiestas des
pauvres. Qu'est-ce qui pousse les ruraux à abandonner les maisons en brique du village, les manguiers et la jolie vue sur les
ondulations de collines à l'est pour venir s'installer ici ?

Comme les Thakkar ils espèrent qu'un jour le fils aîné pourra
acheter deux pièces à Mira Road et que le cadet ira plus loin
encore, jusque dans le New Jersey. La gêne dans laquelle ils
vivent est un investissement. Semblables aux insectes sociaux,
les gens d'ici sont prêts à sacrifier leurs plaisirs individuels à
l'ascension familiale. Le fils qui aura un bon métier fera vivre
ses frères, et ce sera pour lui un motif de satisfaction profonde
de voir que le cadet s'intéresse à l'informatique, de penser
qu'il finira, sûrement, par aller aux États-Unis. L'ascension de
son petit frère ancrera en lui la certitude que sa vie a un sens,
qu'il a fait le bon choix en entrant dans l'industrie du parfum,
en affrontant jour après jour la fournaise pour démarcher des
commerçants blasés et leur proposer Drakkar Noir à prix cassé.

Les familles comme celle des Thakkar ne sont pas composées
d'individus, elles forment un unique organisme. Les faits et
gestes de chacun – le désir de Girish de partir à l'étranger pour
gagner de l'argent et en envoyer ici, la décision de Dharmendra
de prendre une épouse, le célibat prolongé de Raju – concourent
au bien supérieur de l'ensemble. On distingue dans l'organisme
global des cercles d'allégeance et de responsabilité concen-
triques dont le plus petit correspond à la famille. Il n'y a pas de
cercle autour de l'individu.

Tout en discutant ainsi avec Girish, je lui demande s'ils ont enfin trouvé à caser sa sœur. Elle sera mariée à Diwali, me répond-il. La perspective n'a pas l'air de l'enchanter.

« Il y a un problème ? »

Il opine.

« Un mariage d'amour ? »

C'est cela même. Raju a jeté son dévolu sur un Marwari, un créateur de mode qui possède deux ou trois boutiques à son nom. Il gagne assez bien sa vie, il vient d'une bonne famille. Peu importe. Girish et ses frères, tous les quatre sans exception, n'adressent plus la parole à Raju depuis deux, trois mois, alors qu'ils vivent sous le même toit.

« Dans notre milieu, tout le monde vient demander conseil à mon père. Comment pourrait-il conseiller les gens, à présent ? » se lamente Girish.

Je crois d'abord qu'il fait référence à leur réseau d'amis et de connaissances, puis m'aperçois qu'il parle en fait de sa caste. Les frères ne pardonnent pas à leur sœur unique de vouloir se marier en dehors de sa caste. Les parents, en revanche, se sont faits à cette idée. Je ne cache pas à Girish que je trouve sa réaction stupide. Il devrait accepter le choix de Raju et s'en réjouir puisque le fiancé a l'air plutôt bien. Peut-être, mais il n'apprécie pas la manière dont elle l'a mis au courant. Elle a voulu qu'il descende en bas trois minutes parce qu'elle avait quelque chose à lui dire. Il a obtempéré mais il avait le moral à zéro ; il croyait qu'elle allait lui remonter les bretelles parce qu'il vit toujours aux crochets de la famille et que sa situation ne s'arrange pas. Au lieu de ça, elle lui a parlé de ce garçon. Girish l'a écoutée jusqu'au bout. Quand elle a eu fini, il lui a rappelé qu'avec tout ce qu'il avait démarré sur l'Internet, dans six mois il toucherait le jackpot et qu'il se chargerait lui-même, avec leur père, de lui trouver quelqu'un de convenable dans leur caste. Girish mélange tout : le fait qu'elle ait pris les devants et qu'en plus elle ait jeté son dévolu sur un Marwari devient pour lui indissociable de sa propre incapacité à gagner sa vie et à contribuer à la prospérité familiale – prospérité qui bien sûr attirerait quantité de bons partis pour la fille unique des Thakkar. Raju ne veut pas en démordre : elle épousera son Marwari. Dans ces conditions, Girish ne lui parle plus.

Je le secoue, lui répète que sa sœur a besoin de lui, qu'elle ne vit pas des choses faciles et qu'il devrait la soutenir. Il se bute : elle a terni la réputation de leur père dans le milieu auquel ils appartiennent. J'insiste : qu'est-ce qu'il a contre ce garçon, après tout ? N'est-ce pas au contraire une bonne chose que Raju ait pris sa décision seule ? Il faut que Girish se réconcilie avec elle. Moi-même, lui dis-je, j'ai fait un mariage d'amour.

« Toi ce n'est pas pareil. C'est différent, pour toi. »

Il en reste là, mais la remarque est limpide : je suis un étranger, je ne peux pas comprendre les coutumes indiennes. La voilà, toute la différence entre nous, et elle vient enfin d'éclater au grand jour.

Babbanji, le poète fugitif

Mon ami le poète Adil Jussawala feuilletait des livres exposés sur le trottoir en face du Bureau du télégraphe quand le jeune homme qui tenait l'éventaire engagea la conversation avec lui à propos d'un recueil de nouvelles françaises. Le trouvant intéressant, Adil l'invita à venir à un salon d'écrivains qui se tenait en plein air, non loin de là, derrière le théâtre Tata. Ce garçon, me dit Adil, est un fugitif du Bihar. Il a informé son patron qu'il s'absenterait à l'heure indiquée, cinq heures de l'après-midi. L'employeur n'était pas d'accord ; il l'a prévenu : « Si tu t'en vas tu perds ta place. » Le Bihari est allé au salon ; il a perdu sa place.

Svelte et gracieux, ce jeune homme qui aime la poésie porte une fine moustache et des favoris clairsemés qui ressemblent à une amorce de barbe. Il a l'air très sûr de lui, entêté, même. Est-ce la perspective de rencontrer des poètes, qui l'a attiré vers le groupe, ou l'espoir de trouver un vrai travail par relations avec des anglophones? Les deux, peut-être. Il se tait pendant la majeure partie de la soirée, les yeux baissés sur la table, incapable de se mêler à la conversation qui se déroule en anglais. Lorsque quelqu'un veut une tasse de thé, une chaise, il se lève et va la chercher sans qu'on le lui ait demandé. Il est à sa place.

Un poète architecte l'invite à nous présenter un morceau de sa composition. Il récite de bonne grâce un poème rimé en hindi, sur les destinations. Ça sonne bien, ça me plaît. À la fin, personne ne s'exclame « wah, wah » comme le font sans doute ses auditeurs au Bihar. Un silence embarrassé tombe au contraire sur l'assemblée. A-t-il autre chose? s'enquiert l'architecte. Il nous en lit un deuxième, rédigé la veille au soir – un trottoir sous la lumière d'un réverbère –, qui produit la même réaction. Je lui demande s'il a aussi écrit sur Bombay. Il me sort une liasse de feuilles entièrement couvertes, jusqu'à la dernière, d'une écriture serrée sans blancs ni marges. Trop tard, cependant; les gens assis autour de la table ne s'intéressent plus à sa poésie. Il sort encore un agenda, lui aussi complètement noirci. Encore des poèmes?

« Non, c'est mon journal. J'écris dedans tous les jours. »

Je lui donne mon nom et mon numéro de téléphone. D'une écriture appliquée, il note à son tour son nom dans mon carnet : Babbanji. Il s'arrête là. C'est tout? Oui. Il n'a pas le téléphone. Ce soir, il va essayer de se trouver un bout de trottoir où dormir. Il pense essayer du côté de Churchgate. Tout ce qu'il possède se trouve dans son sac fourre-tout. Il m'appellera après-demain. Je vais essayer de lui trouver un boulot.

À cette fin, j'enrôle Girish, qui bien qu'il n'arrive pas à gagner sa vie n'a pas son pareil pour trouver du travail à des tas de gens. Je l'observe interroger Babbanji : « Tu as combien de sous devant toi? Tu ne connais vraiment personne à Bombay? Il n'y a pas quelqu'un qui pourrait te recommander? » Puis il me demande mon mobile et appelle son ami Ishaq. Le Dr Shahbuddin, le cousin d'Ishaq, a décidé d'ouvrir un dispensaire et il aurait besoin d'un assistant pour le seconder de neuf heures du matin à treize heures trente, puis de six heures à neuf heures du soir. Cela laisserait à Babbanji tout l'après-midi pour écrire, ce qui n'est tout de même pas si mal. En plus, il pourrait habiter au dispensaire, dire adieu au trottoir.

Il n'est pas enthousiaste. « Je veux bien faire n'importe quoi en lien avec l'écriture ou la lecture. Je pensais plutôt à une revue, un journal. »

Alors, tant pis. Girish a fait ce qu'il a pu. Il a tendu la main à ce parfait inconnu, il a essayé de lui rendre la vie plus facile.

« Les Biharis sont tous des voleurs ! » Ainsi Ishaq a-t-il accueilli la perspective d'engager Babbanji, lui qui vient d'Azamgarh, capitale du crime de l'Uttar Pradesh. Les deux États sont limitrophes mais le Bihar a plus mauvaise réputation encore. L'Inde moderne est polarisée entre le Bihar et Bombay, symboles l'un du désastre, l'autre de la réussite. J'ai déjà entendu des gens bien affirmer qu'il suffirait de débarrasser Bombay des migrants biharis pour en faire une ville-État en plein essor, à l'image de Singapour ou de Hongkong. Les Biharis de Bombay sont serviles et sournois. Aussi indélébile que la marque de Caïn, la réputation de son État colle à la peau de Babbanji : les Biharis sont tous des voleurs. C'est au mot près ce qu'a déclaré Azharuddin, le capitaine de l'équipe de cricket indienne, quand à l'issue d'un match au Bihar il n'a pas retrouvé sa casquette.

Dans l'appartement de mon oncle, Babbanji reste longtemps planté devant la fenêtre à contempler la mer depuis le dix-huitième étage. Il a amené son sac de voyage en toile bleue frappé du logo Marlboro, il porte la même chemise écossaise que la dernière fois, avec des boutons en métal. Elle n'est pas sale ; sans doute se débrouille-t-il pour la laver quand il fait ses ablutions. Sans mot dire, il s'assied, prend une feuille et se met à composer un poème. De temps en temps, il lève la tête vers la vue qui l'inspire. Quand il a fini, il me le lit tout haut : il y parle de la mer où les rivières du monde peuvent venir se jeter ;

ouverte à toutes, elle n'en refuse aucune. Le poète promet de ne jamais quitter la mer.

Il s'étonne que tout le monde parle anglais, à Bombay. Avant de venir ici il est allé à Matunga, et il a entendu le fils d'un chai-wallah s'adresser à son père dans cette langue – « Hey, Dad ! » Le vendeur de thé a crânement essayé de répondre, car la mère du gamin tient à ce qu'il s'exprime en anglais. Cela ne dit rien qui vaille à Babbanji ; au Japon, souligne-t-il, on trouve très bien de parler japonais, alors qu'en Inde c'est un handicap de parler hindi.

D'autres qui comme moi ont pris Babbanji en amitié au salon d'écrivains décrochent leur téléphone pour essayer de lui trouver du travail. Madan, le photographe avec qui j'ai passé une soirée dans le quartier chaud, lui présente le scénariste Javed Akhtar et sa femme, l'actrice Shabana Azmi. Babbanji est frappé par la simplicité de leur mode de vie – « ils parlent très simplement » – et le fait que lorsqu'il est arrivé chez eux la grande actrice était à sa table en train d'écrire. Elle siège au Parlement et milite beaucoup. C'est l'héroïne préférée de son père.

Dommage qu'Akhtar se soit moqué de ses origines biharies. Ses certificats, lui a-t-il déclaré, sont sûrement des faux – tout le monde, n'est-ce pas, sait qu'on fabrique ce genre de documents au Bihar. Il a même mis en doute sa capacité à lire et à écrire. Akhtar plaisantait, mais cela participe de la suspicion très répandue chez les citoyens de cette ville à l'égard du malheureux Bihar. Adil a des amis qui travaillent au *Navbharat Times*, le plus grand quotidien en hindi du pays. Quand il leur a parlé de Babbanji ils lui ont ri au nez. « On cherche des gens capables d'écrire l'hindi d'Allahabad. L'hindi bihari, franchement ce n'est pas notre truc. » Pataliputra, la capitale du Roi Soleil Vikramaditya, se trouve au Bihar. Le Bouddha a vu le jour dans cet État et il y a connu l'illumination. La grande université bouddhiste de Nalanda, un des centres d'enseignement les plus prestigieux du monde entre le ve et le xie siècle, se trouve également au Bihar. Tout cela appartient au passé. De nos jours le

Bihar est l'État du bouffon Laloo Prasad Yadav, assez vil pour voler des aliments pour animaux [1]. Babbanji ne peut pas échapper à l'histoire tragique de sa terre natale. Il est venu à Bombay comme un voleur. Il n'a dans ses bagages qu'une liasse de poèmes.

Je lui dis pourquoi Ishaq estime qu'il ne pourra pas lui trouver du travail : « Tous les Biharis sont des voleurs. »

– C'est la vérité ! » répond le jeune homme avec l'amertume de quelqu'un qui a presque renoncé à se battre contre les idées toutes faites. Le libraire pour lequel il travaillait venait du Rajasthan et il ne s'était pas gêné pour le lui dire en face : « Ces salauds de Biharis ne sont qu'une bande de voleurs. » Là-dessus, il l'a renvoyé. « Les gens du Bihar ne savent ni lire ni écrire, m'explique Babbanji. Le taux d'alphabétisme est de 39,51 pour cent : vingt et un points en dessous de la moyenne du pays. Le simple paysan qui ne sait ni lire ni écrire vient à la ville pour travailler. Il est innocent, mais du travail il n'arrive pas à en trouver, alors il traîne. La première personne qui le prend en pitié devient un dieu pour lui. Sauf que de nos jours, quand quelqu'un te donne deux rotis c'est toujours avec une bonne raison ; sa charité a un mobile. Et si jamais le protecteur est un brigand, un filou, il entraînera le paysan dans ses affaires louches. Le Bihari acceptera un roti de n'importe qui. Mais s'il glisse entre les mailles du filet et s'il prend la fuite, les autres le traitent de voleur. » D'où la réputation qu'ont partout les gens du Bihar.

Babbanji n'a pas encore dix-sept ans. Que je veuille écrire sur lui le trouble et l'embarrasse, il me met en garde contre la difficulté de la tâche : conseil d'ami d'un écrivain à un autre. « Une

---

1. Chef du parti nationaliste Janata Dal, Laloo Prasad Yadav a dirigé le Bihar une quinzaine d'années avant de devoir renoncer à ses fonctions en 1997 à la suite de son inculpation pour détournement de fonds : en l'occurrence des subventions agricoles fédérales s'élevant à plusieurs dizaines de millions d'euros. Cela n'empêche pas ce populiste de soutenir qu'il veut « rendre leur dignité aux pauvres ». Sa femme qui ne sait ni lire ni écrire l'a remplacé à la tête de l'État (N.d.T.).

histoire, on l'écrit sur ceux qui ont une destination en tête. Je suis venu ici pour que mon histoire démarre. Si elle t'intéresse, il va falloir que tu attendes longtemps. La route est longue et je dois encore la parcourir. Je dois laisser l'histoire se dérouler. Qu'est-ce qu'on peut écrire sur seize années ? »

Son sac est presque exclusivement rempli de papiers : ses certificats, ses poèmes, un carnet. Il écrit sur des bouts de papier ramassés n'importe où. Il m'en montre un échantillon, une jaquette de livre trouvée dans la rue : *Les Mouvements positifs*, d'Angela Lansbury. *Mon programme personnel de mise en forme et de bien-être.* Le texte de la quatrième de couverture est une profession de foi : « Je crois qu'il n'est jamais trop tard pour prendre certaines mesures destinées à entretenir la mobilité et à s'engager plus pleinement dans la vie [...] En vous impliquant de manière positive, vous serez tout de suite récompensés et vous pourrez aller de l'avant, pleins d'enthousiasme pour la vie et la multitude de possibilités qu'elle recèle. »

À l'intérieur, sur l'espace laissé vierge, Babbanji a écrit un poème sur Bombay :

> *Qu'a-t-il à vendre, ce carnaval ?*
> *La terre est-elle intoxiquée*
> *pour que les innocents naïfs*
> *affluent au carrefour des pressés, des voleurs ?*
> *Ils viennent y chercher des rêves*
> *Incompatibles avec les leurs.*

Il me le lit, puis s'absorbe dans la contemplation de la photo d'Angela Lansbury. « Il fallait que je vienne à Bombay », dit-il. Il s'apprête à me raconter quelque chose, me regarde : « Tu garderas tout ça pour toi ?

– Bien sûr. »

Son père enseigne la géologie dans une université ni bien ni mal cotée de Sitamarhi, une petite ville du Bihar, et il aurait voulu que son fils devienne scientifique. Babbanji qui était bon en chimie a participé à un concours de sciences organisé dans son école ; son procédé de fabrication du pétrole à partir de déchets plastiques lui a valu le troisième prix. La fille arrivée deuxième est venue le féliciter. Elle s'appelle Aparna Suman et il sourit en évoquant ce moment.

« Elle voulait peut-être me taquiner. D'habitude j'étais toujours premier.

– Elle est jolie ?

– Non. Moyenne. »

Babbanji s'inscrivit dans la fac où son père travaille, de même qu'Aparna, mais il ne l'apprit qu'après. Elle lui emprunta un jour un manuel de géologie. Quand elle le lui eut rendu, il trouva entre les pages un poème qui commençait sur ces mots : « Je te parle du fond de ma solitude... » Elle lui emprunta un autre bouquin, et cette fois il trouva dedans une photo d'elle et les paroles de chansons de film. Le bruit se répandit qu'ils sortaient ensemble et arriva aux oreilles de mauvais sujets qui avaient été renvoyés de la fac à cause de son père. Aiguillonnés par un rival jaloux – un garçon qui louait une chambre aux parents d'Aparna – ils firent irruption dans la salle de classe et s'en prirent à Babbanji devant le professeur. « Le Bihar, c'est le genre d'endroit où le prof n'interviendra pas si tu te fais agresser sous ses yeux. » S'il s'interposait il se ferait battre lui aussi. Les crétins sortirent des couteaux et sous les yeux de tous ses camarades hilares, sous ceux aussi d'Aparna, ils ordonnèrent au jeune poète de monter sur le banc et d'exécuter, plus vite que ça, mains croisées au-dessus de la tête, bras collés sur les oreilles, quinze redressements assis-debout.

Le lendemain, Babbanji s'éveilla avec des idées de suicide. Préférant ne pas montrer à ses parents son visage tuméfié, il alla se plaindre à ceux d'Aparna de la conduite de leur pensionnaire. Convoqué, ce dernier prétendit que Babbanji tournait autour d'Aparna. Pour preuve de sa bonne foi, Babbanji présenta aux parents les lettres d'amour que lui avait écrites leur fille.

Devant tout le monde, la mère demanda à Aparna : « Tu l'aimes ?

– Non. » Et elle se mit à lire un poème qu'il lui avait envoyé et qu'elle avait montré au pensionnaire :

Tu dis ta solitude mais pourquoi rechercher
Celui qui demain peut-être sera parti ?
Léger comme le vent je vais ici, puis là...
Oublie-moi, fleur de mon jardin.

« J'avais les larmes aux yeux mais je me retenais de pleurer. À cet instant j'ai décidé que la science n'était pas pour moi. La raison pour laquelle je voulais me tuer, ce poème, devenait ma destination, ma raison de vivre. J'ai décidé que j'écrirais. »

Rentré chez lui, il rédigea un mot pour ses parents qui étaient partis travailler – « Quand je reviendrai à Sitamarhi je serai quelqu'un. Je reviendrai avec la réponse qu'attendent tous ceux que je laisse derrière moi » –, et prit le bus pour la gare la plus proche. « Je n'avais que ce sac (il exhibe un sac en plastique jaune, sorte de cabas à provisions) avec dedans mon dossier (ses poèmes), un drap et ça. » Plongeant la main au fond du cabas jaune, il en sort un vêtement, un maillot de corps tout froissé et pas très net qui a dû être blanc mais a pris une teinte bleuâtre à force d'être lavé et porté des années, dirait-on. Il le déplie en le tenant à bout de bras et pour la première fois depuis qu'il a entamé son récit il est au bord des larmes. « J'aime mon papa. J'ai pris son tricot de peau. En souvenir. Depuis que je suis tout petit, papa est un père et une mère pour moi. » Sa voix se brise. Il baisse la tête et fourre à la hâte le vêtement dans le sac.

Il prit le train pour Lucknow, dans le Nord. Le matin, quand il s'éveilla à l'arrivée à Lucknow, il regarda son poignet : la montre que son père lui avait donnée en récompense d'une place de premier avait disparu. Il descendit sur le quai et réfléchit à la prochaine étape. Deux trains allaient bientôt partir, l'un en direction de Delhi, l'autre vers Bombay. Le premier, moins qu'à moitié plein, n'attirait apparemment que des politiques, des journalistes. En revanche toute une masse de gens attendaient de pouvoir embarquer à bord du train de Bombay. Des policiers contenaient la foule. Se mêlant à elle, Babbanji remarqua qu'elle était composée d'individus très divers : des riches, des pauvres, des voyageurs qui avaient réservé leurs places, d'autres qui avaient l'air de fugitifs comme lui. Il n'avait jamais été ni à Delhi ni à Bombay, mais il avait de la famille dans la première de ces villes. Il savait par ailleurs que Delhi était moins encombrée que Bombay, que la vie quotidienne y était moins difficile pour les pauvres. Babbanji ne connaissait pas le Bombay du cinéma hindi ; il savait seulement par son père que l'Institut de recherche fondamentale Tata et le Centre de recherche atomique Bhabha se trouvaient dans la grande ville lointaine.

Toutes ces pensées se bousculaient dans sa tête pendant qu'il hésitait entre les deux destinations sur un quai de gare de Lucknow. D'un côté, le train pour Delhi, presque vide, le conduirait rapidement dans une ville où il avait des oncles prêts à l'héberger, où au pire il trouverait assez de place pour dormir sur les vastes trottoirs. De l'autre côté, le train pour Bombay dans lequel la foule allait bientôt s'entasser l'emmènerait beaucoup plus loin, dans une ville soumise à des tensions et des contraintes inimaginables et où il ne connaissait pas âme qui vive. « Je me disais, pourquoi tous ces gens vont-ils à Bombay ? Qu'est-ce qu'il y a à Bombay pour que de toutes parts monte ce cri, " Bombay ! Bombay ! " » Sur ce quai où il attendait entre les deux trains, le jeune homme prit sa décision. Tous ces gens qui partaient pour Bombay n'y allaient pas sans raison. Ils savaient sûrement quelque chose qu'il ignorait. Babbanji se résolut à forcer la main du destin, à prendre sa place dans la multitude qui allait embarquer dans le train pour Bombay.

Le voyage dura deux jours. Il en passa un tout entier debout et le reste à défendre son petit bout de plancher dans le compartiment sans réservations. Aux arrêts, les policiers évacuaient les gens qui voyageaient sur les bogies découverts et en laissaient monter d'autres qui leur avaient graissé la patte. Ces conditions de voyage très inconfortables étaient largement compensées, aux yeux du jeune poète, par la possibilité exaltante d'observer les masses de près. « Ce fut une grande expérience, pour moi, de voir en direct comment on arrive à Bombay. Il y avait une centaine de places assises pour deux mille personnes environ. Tous des gens pauvres, paysans, ouvriers ; on les poussait comme du bétail pour qu'ils tiennent, on les mettait les uns sur les autres. »

L'express Lucknow-Bombay arriva enfin en gare de Victoria Terminus et Babbanji posa le pied sur le quai. « J'ai touché le sol et j'ai fait mon pranaam *, dit-il en mimant le geste, une main levée vers le front. J'ai reçu la bénédiction de cette terre. Intérieurement je pensais, c'est mon karmabhoomi », la terre de son destin.

Des agents lui demandèrent son billet, et comme il était bien incapable de le leur présenter ils le conduisirent dans une pièce où il apprit le montant de l'amende : trois cents roupies ou quinze jours de prison. Babbanji n'avait que cent trente roupies sur lui. Ils lui fouillèrent les poches et le laissèrent repartir après l'avoir soulagé de cent roupies. Quittant Victoria Terminus, il prit un train local qui l'emmena jusqu'à Bandra où il traîna un moment du côté de Carter Road, près de la mer. Il lui restait vingt-deux roupies – son billet pour Bandra lui en avait coûté huit. La faim le tenaillait, car depuis trois jours il n'avait avalé que de l'eau. Il tomba alors sur le gardien d'un magasin tout en marbre qui, remarquant son état, le renvoya dans les quartiers Sud de Bombay, à Horniman Circle, chez quelqu'un qui ne fut d'aucun secours à Babbanji. Il repartit au hasard des rues, passa devant l'étal du libraire Ram Babu Joshi, réussit à se faire engager. « Il vendait ses livres un prix exorbitant à la tête du client » et avait tout le temps l'injure à la bouche. Babbanji qui en avait assez de ses grossièretés ne fut pas malheureux que Joshi le licencie parce qu'il avait été au salon d'écrivains.

Il a trouvé du côté de Flora Fountain un libraire plus aimable, Vijay, qui le paie cinquante roupies la journée. Dès le matin au lever il commence à dépenser de l'argent en sacrifiant une roupie pour aller aux toilettes et cinq autres pour se laver. Le gardien des lieux lui a indiqué une dhaba où l'on mange pour dix-sept roupies à midi, mais Babbanji arrive à se rassasier avec six roupies et demie de rotis et deux roupies de banane. Il dîne dans un « hôtel » voisin pour quatorze roupies, de rotis accompagnés d'un petit plat de légumes. « J'ai la chance d'être végétarien, sinon ça me coûterait au moins quarante roupies. » Miraculeusement, Babbanji parvient donc à économiser sur son salaire. Il a un petit pécule devant lui, qu'il dépense en livres dénichés sur le trottoir, aux éventaires qui pullulent à Bombay. Il me montre une de ses récentes acquisitions, *L'Éducation en Inde : historique et problèmes* (trente roupies), qu'il a achetée parce qu'il s'intéresse à l'éducation musulmane.

L'étal de son patron en jouxte un autre qui vend des sandales. Le soir, après la fermeture, le marchand de sandales range sa marchandise, recouvre les planches d'une bâche en plastique, et la table se transforme en chambre pour quatre à cinq personnes habituées à dormir dehors : lui, Vijay le libraire, un cordonnier et un autre homme qui vient s'allonger à côté de Babbanji alors qu'il dort déjà et se lève le matin avant qu'il soit réveillé si bien qu'il ne lui a jamais parlé et ne l'a jamais vu ; il sait seulement qu'il dort près de lui la nuit.

Babbanji me montre les dhabas et les toilettes qu'il fréquente : les endroits où il se nourrit et ceux où il se soulage. Dans la tente dressée sur le maidan * qui s'étend derrière Churchgate, des hommes en nage tournent les préparations qui mijotent dans de grandes marmites. C'est là que pour dix roupies on peut se procurer une ration de riz et de dal qui permettra de tenir un jour de plus. Il faut avoir de bonnes raisons de chercher cet endroit pour savoir qu'il existe au cœur de Bombay ; les banlieusards qui se ruent vers la gare passent tout près sans le voir. Deux toilettes publiques se trouvent à proximité ; les pires sont de loin celles du Sulabh Sauchalaya qui dépendent d'un organisme caritatif privé. À cette heure-ci encore, dans la touffeur de l'après-midi, il faut prendre son tour pour accéder à l'une des trois cabines. Le matin la file d'attente s'allonge au-delà du seuil, sur les marches et jusque sur le trottoir. Babbanji a fait le calcul : un être humain a besoin de passer huit minutes en moyenne aux toilettes. « Seulement le temps que tu te déshabilles, les autres cognent à la porte ; ils commencent au bout de deux minutes et ils sont vite cinquante à taper sur la porte des toilettes pour que tu te dépêches. » Il a pris l'habitude de se lever à six heures et demie pour être tranquille.

La première journée qu'il a passée à Bombay a appris à Babbanji une autre tactique de survie des sans-abri : ne jamais relâcher sa vigilance quand on se lave. Au Sulabh Sauchalaya, il faut remplir un seau à l'aide d'un tuyau branché au robinet de l'évier. Après avoir longtemps patienté dans la file, Babbanji s'accroupit devant le seau, mit de l'eau dedans et commença à se savonner. Un mouvement dans son dos le poussa à se retourner : l'homme qui se trouvait derrière en profita pour s'emparer du seau et se le vider sur la tête, lui volant son eau. Babbanji aurait bien rouspété, mais le type n'avait pas l'air commode et il se résigna à se rincer tant bien que mal la tête sous le petit filet qui gouttait du tuyau. Le suivant le prit en pitié et lui laissa sa place devant le seau – « Allez, finis de te laver. » Ces ablutions se déroulent au vu et au su de tous ceux qui attendent pour aller au petit coin. La toilette n'a rien d'une occupation intime : on se lave en sous-vêtements, devant des centaines de paires d'yeux. Des bagarres éclatent souvent entre les clients. Le Népalais qui dirige l'endroit prend cinq roupies pour le seau d'eau et une pour les cabinets, au mépris des tarifs affichés : trois roupies le seau, une demi-roupie les cabinets. Comment protester, quand la ruée est telle que devant l'édicule la chaussée est abîmée et le pavage creusé par le flot d'eau savonneuse qui vient lécher les pieds de ceux qui patientent dehors et s'étale en flaques dans la rue ?

Babbanji n'en a pas assez de vivre sur le trottoir ?

« Ça me plaît beaucoup. Je n'ai aucun problème. Dans une maison je serais moins libre que dans la rue. »

Je lui pose la question de rigueur, celle à laquelle j'ai moi-même dû répondre maintes fois : « Comment trouves-tu Bombay ? Les appartements, ici, toutes ces voitures ?

– Tout cela ne me tente pas. Je n'ai pas envie de vivre en appartement ; on y est comme en prison. Sur les trottoirs, on se fait des connaissances, on noue des amitiés. Si je devenais riche ces relations se gâteraient ; quand mes amis pauvres me rendraient visite les vigiles ne les laisseraient pas entrer. Le trottoir est bon pour le pauvre. Pense à tous ces gens qui y trouvent une place la nuit ! »

Une enquête a récemment révélé que les deux tiers de la surface des trottoirs de la ville sont inutilisables par les piétons, en grande partie à cause de ceux qui vivent comme Babbanji. La bataille des trottoirs est un combat pour les droits de diverses catégories d'usagers : les piétons qui y marchent (leur fonction première) ; les sans-abri qui y dorment ; les colporteurs et les petits marchands qui gagnent leur vie dessus ; les automobilistes qui s'y garent. Savoir qui en a le plus besoin est ici l'objet de débats interminables et déchirants.

Babbanji pense-t-il parfois au Bihar ?

Oui, et quand il y pense il se rappelle deux choses. D'abord son père et les recommandations qu'il lui adressait : « Applique-toi à devenir quelqu'un, mon fils. Fais quelque chose de ce que tu as dans les mains. Si tu deviens un voleur, au moins sois le meilleur des voleurs. » Ensuite, « le grand cœur des Biharis, leur hospitalité, leur empressement à aller vers les étrangers. Je ne retrouve pas cela ici ». À Bombay, il faut tout payer, même l'eau qu'on boit ; remplir une bouteille d'eau potable coûte entre une et deux roupies. « À Bombay les gens n'ont pas de cœur, je n'ai pas mis un mois à m'en apercevoir. » Quoi qu'il en soit, maintenant Babbanji sait exactement ce qu'il attend de l'avenir : « Je veux faire partie des écrivains. Je veux continuer à écrire. » Il a intitulé sa collection de poèmes *La bougie brûle toujours*.

Quand ils apprennent qu'il est poète, la plupart des gens lui demandent de réciter un shayri, forme de composition rimée qui s'est répandue comme un fléau dans l'Inde moderne. « Je n'aime pas les shayris. Moi, j'écris de la poésie. Les shayris sont un divertissement alors que la poésie dit la vérité. Un shayri

BOMBAY MAXIMUM CITY

déclenche les applaudissements, pas un poème » – et c'est toute la différence, souligne-t-il. Il aime le cercle de poètes qui fréquente le salon de plein air : « C'est une rencontre d'intellectuels, de gens du monde. Un échange de pensées. » Il commence à voir les choses de leur point de vue, à manier le langage des critiques littéraires. Il cite un poète londonien qui a passé quelque temps à Bombay : « Il l'a dit très justement : dans l'Inde contemporaine la poésie est morte. » Ces gens de plume l'aident et Babbanji se demande parfois pourquoi. Qu'avons-nous à y gagner ? « Ils ont peut-être envie d'encourager le talent, et quand je serai reconnu à mon tour je parlerai d'eux. Si on me demande, " Comment avez-vous réussi à vous élever en partant des trottoirs ? " je vous remercierai tous : Adil, toi, Madan. »

Il veut bien que je mette son histoire dans mon livre, il a même pensé à un titre qui pourrait convenir. Lequel ? « " Vie indicible " : la vie dont on ne dit rien. On parle en long et en travers de la vie des riches mais la vie des pauvres est passée sous silence. » Il a un autre titre en option : « Secrets de nouveau venu », mais je préfère le premier et le lui dis. Les autres – et dans ces autres je mets les habitants du Bombay dans lequel j'ai grandi – ignorent tout de ces vies parce qu'on ne leur en a jamais rien dit.

Babbanji a surtout faim de temps, de temps pour écrire. « Si j'avais le temps j'écrirais un livre par jour. Je compose au minimum cinq à six poèmes par jour. » La librairie est ouverte de huit heures du matin à huit heures du soir. En sortant du travail, il parcourt à pied le petit trajet jusqu'au bord de mer, près de Marine Drive, s'installe au pied de l'immeuble où vivent des gens qui ont acheté leur appartement deux millions cinq cent mille euros, contemple gratuitement la vue qui s'étend sous leurs fenêtres et se met à écrire. Maintenant qu'il a vu le soleil se coucher sur la mer d'Oman, jamais, il en est convaincu, il n'a vu de couchers de soleil au Bihar. « C'était très beau, très, très beau. Je me suis penché pour écrire et quand j'ai levé la tête, deux secondes plus tard, le soleil s'était couché. » Au crépuscule, autrefois, muni d'un papier et d'un crayon moi aussi j'allais m'asseoir sur les rochers derrière le Dariya Mahal pour assister à la jonction de la beauté immense avec la tristesse infinie, et, clignant des yeux, j'essayais de voir la ligne où l'incendie s'arrêtait, où l'eau prenait le dessus.

Atal Bihari Vajpayee est un des poètes préférés du jeune homme. Il a recopié dans son carnet un des poèmes du Premier ministre, « La peau du lait chaud », une allégorie sur la Partition autour d'une querelle entre deux frères. « Pour qui est-ce que j'écris ? se demande-t-il. Je voudrais que mes poèmes touchent le public de Bombay, je ne veux pas les garder pour moi. Il faudrait que les pauvres puissent les lire. Je ne les publierai pas dans des livres à cinq cents roupies. J'ai envie d'écrire pour une publication de l'Association d'aide au Bihar. » Il écrit pour dire aux Biharis ce qu'est Bombay, ce qu'est le trottoir.

À ses moments libres, Babbanji voyage à travers la ville pour observer les couchers de soleil et le dénuement. Il va sur les sites de catastrophes, dans cette zone par exemple où un immeuble s'est récemment écroulé, et il écrit un poème qu'il intitule « Les mains rougies des bâtisseurs ». Il m'entraîne dans le lacis des ruelles qui serpentent derrière Flora Fountain, domaine d'un groupe de revendeurs de drogue africains et de camés qui dorment et tractent sur place. Un matin que Babbanji passait dans le coin, il a été attiré par des mouvements de foule : la police s'apprêtait à charger les drogués couchés de part et d'autre de la rue. Des grappes de flics sautés à bas des camions leur tombaient dessus. Ceux qui en étaient capables prenaient la fuite, mais pas l'amputé des deux pieds qui claudiquait sur des béquilles. Les policiers le rattrapèrent facilement, brisèrent ses béquilles, le flanquèrent par terre en le frappant avec leurs lathis. Puis, devant la foule amassée, ils s'acharnèrent sur l'infirme, firent pleuvoir sur lui une grêle de coups qu'il tentait d'esquiver en se tordant par terre. Très ému, Babbanji composa un poème sur ce qu'il venait de voir, du point de vue du toxicomane.

Il a été à Santacruz, aussi, dans un bidonville où les gens vivent au-dessus d'un égout à ciel ouvert. Il avait pris le train, des gens s'étaient mis à chanter et il avait sorti trois roupies de sa poche pour qu'ils lui chantent *Zindagi ka Safar*. Descendu au même arrêt qu'eux, il avait continué à les suivre. La vue de l'égout qui charriait tous les types de plastique imaginables – sacs en plastique, bouteilles en plastique, bouts et morceaux de plastique divers détachés de l'entité qu'ils avaient constituée – lui rappela le projet qu'il avait présenté au concours de science, ce procédé pour changer le plastique en pétrole. « Alors j'ai pensé, mais quel trésor ! »

Il me recommande également d'aller voir le fossé de quelque cinq cents mètres de long creusé entre Bandra et Mahim et rempli d'une eau d'égout complètement noire. Il m'explique ainsi comment m'y rendre : « Tu verras une petite jungle, des immeubles et au-delà, sur des centaines de mètres le long des berges, des slums. Pendant les deux à trois cents premiers mètres il faut se couvrir le visage à cause de l'odeur. » Toute une colonie s'est installée là, des migrants comme lui. De huit heures du matin à sept heures et demie du soir, l'endroit est désert ; les migrants ne sont pas des mendiants. Il y est allé pour voir comment ces gens survivaient dans de telles conditions, et il a écrit des poèmes sur eux. « Ils se servent de l'eau du fossé pour faire pousser des épinards », me dit-il. Il trouve cela remarquable. Moi aussi.

Babbanji a beau chercher depuis des mois, il ne parvient pas à trouver un travail correct à Bombay. Quantité de raisons le conduisent à refuser les emplois stables. « Je veux être libre. Si j'accepte un vrai travail je serai lié. La poésie, ce n'est pas quelque chose qu'on peut faire sans voir. Si je ne vois pas Bombay, comment l'écrire ? » Les exigences de son art l'ont donc contraint à quitter l'éventaire du libraire ; à présent il cherche un mi-temps qui lui laisserait le temps d'écrire. Il va et vient selon l'humeur du libraire qui par dépit lui interdit les abords de l'étal aux heures diurnes. Babbanji passe désormais l'essentiel de ses journées sur les marches du perron de la Cour suprême.

Il a besoin de mes services.

« Suketuji, commence-t-il humblement, l'argent manque vraiment.

– Tu as besoin de combien ? fais-je, soudain méfiant.

– Cent cinquante. »

Une somme dérisoire – même pas trois euros – mais si je la lui donnais j'influerais directement sur le cours de sa vie, sur le cours de l'histoire. Aussi je lui offre pour cinq cents roupies de bons d'achat au Samovar, le restaurant du musée Jehangir. Il pourra s'offrir quinze bons repas de riz et de curry aux légumes mais je ne lui donnerai pas de liquide. « Je ne veux pas de la pitié », m'a-t-il dit un jour. Babbanji va souvent au musée et il se promène parmi les tableaux. Il a beaucoup aimé l'exposition Sabhavala, bien que je le soupçonne de répéter les propos tenus par ses illustres amis du salon des poètes. Assis en face de lui au Samovar, je le regarde ruser avec son sandwich au fromage. Il s'abstient d'abord de toucher à l'assiette posée devant lui, puis s'attaque au sandwich qu'il mange un quart après l'autre, très lentement. Tant qu'il en reste un peu dans l'assiette les serveurs ne l'obligeront pas à vider les lieux, alors Babbanji met sa faim en balance avec le besoin de rester au frais une partie de l'après-midi. Il se livre à un calcul précis pour déterminer quelle part de sandwich il va se permettre de manger, et à quel rythme.

Babbanji est tiraillé entre la science et la poésie, entre le Bihar et Bombay. Il a travaillé trois années sur le phénomène de la transformation du plastique en pétrole et les résultats de sa recherche ont été présentés au niveau national. La responsabilité de sa découverte lui pèse. « Si je m'y remettais officiellement, je serais obligé de réintégrer le secteur de la recherche. Or, je veux être poète. La solution, ce serait de confier à mon père le soin de poursuivre. » Il pense d'ailleurs qu'il peut concilier la science et la poésie : « Je deviendrai poète, mais d'une façon ou d'une autre la science aura sa place dans mes poèmes. » Il envisage de retourner au Bihar pour décrocher une bourse en science, et comme je le soupçonne d'avoir envie de rentrer chez lui, il

proteste : « Bombay est mon karmabhoomi. Si je meurs, ce sera
à Bombay. J'ai oublié ma vie d'avant, à Sitamarhi. »

À quoi je réponds que ses parents, eux, ne l'ont probablement
pas oublié. Sur mes instances, il leur écrit une carte postale :

Cher papa, chère maman,
Je vous touche les pieds.
Je vous prie de me pardonner d'avoir brisé vos rêves en venant
ici, mais ces rêves brisés je m'efforce de les réparer. J'ai abandonné la science pour entrer en littérature. J'entame ma carrière
sur les trottoirs de Bombay, j'essaie de faire passer quelque
chose dans mes poèmes.

Au cas où ils le chercheraient, il indique son adresse – Flora
Fountain, Churchgate. Ils le trouveront tout de suite, me dit-il.
Cette éventualité lui met les larmes aux yeux.

La sonnerie du téléphone me tire du lit un dimanche matin de
bonne heure. « Suketuji ! s'exclame Babbanji à l'autre bout du
fil. Mon papa est venu !

– Où est-il ?

– Ici, avec moi. Je rentre au Bihar par le train de onze heures.
Un travail important m'attend. Un travail très, très important. »

À neuf heures et demie nous nous retrouvons au café Monde-
gar, non loin du coin de trottoir où Babbanji passe ses nuits.
Grand ouvert aux courants qui traversent Colaba, le café Monde-
gar incite à la gaieté. La bière très fraîche arrive dans des pichets
aux formes inventives, telle cette imitation de bocal à poissons.
Les tables sont serrées et une sorte de bonhomie pompette lie la
jeunesse locale, les routards, les couples qui se sont donné rendez-vous ici. Dommage que le serveur se montre si obséquieux
envers les deux Biharis qui ne savent pas quoi choisir. Il s'obstine à leur parler anglais. Je finis par commander à leur place
deux breakfasts.

Le père de Babbanji n'a pas pu se raser pendant le long
voyage de trois jours en train. Il a un beau sourire et son crâne

dégarni, ses lunettes lui donnent tout à fait l'allure de ces profs de fac quadragénaires vieillis avant l'heure. Aujourd'hui, il parle, il parle, il parle, et c'est un plaisir de l'entendre parler en hindi car il a de jolies tournures de phrase. Babbanji a dû au moins hériter de lui sa flamme poétique.

Il est arrivé à cinq heures et demie ce matin à Victoria Terminus, avec son beau-père, et il a parcouru à pied le trajet de la gare à Churchgate en s'arrêtant en chemin devant chaque étal de libraire. Près de l'un d'eux, quelques personnes dormaient par terre sur le trottoir ; en se retournant, un dormeur a soulevé un instant le drap rabattu sur sa tête et le professeur a poussé un cri : « Fils ! » Babbanji avait sur lui la même chemise que lorsqu'il l'avait vu la dernière fois. « Père et fils se sont étreints en pleurant », dit le professeur. Babbanji a toujours été un enfant très délicat ; sa naissance fut particulièrement difficile, raconte le père avec une émotion palpable. « Il ne pouvait pas boire le lait de sa mère : sa mâchoire ne tenait pas fermée. Je m'en occupe depuis qu'il a quatre ans. Il ne m'a jamais demandé quoi que ce soit. »

Babbanji écoute, les yeux embués. Son père lui prend la main et la soulève, s'afflige de la trouver si décharnée. « Comment a-t-il traité ce corps que ses parents se sont évertués à amener jusqu'à ce stade ! De la maison il n'a rien emporté, pas même un pull, pas un sou. » Ses parents ont remarqué qu'il avait pris un simple drap de khadi, pas une couverture en laine. « Ma maison était en verre et elle a volé en éclats. Ce garçon était le soutien de son père, il a très mal agi. » Et tout de suite il essaie de m'expliquer la conduite de son fils, comme pour s'excuser et me persuader que ce n'est pas la faute de Babbanji. « La vraie raison est qu'il a acquis trop tôt plus de savoir que nécessaire. Il aurait dû s'ouvrir à son père de ses problèmes, mais il n'a pas voulu inquiéter son père. C'est à cause de moi que les étudiants l'ont battu. »

Après la disparition de Babbanji, sa mère s'est mise à rêver de lui. Dans l'un de ses rêves, il était à genoux sur une route, la tête entre les mains ; il avait de la fièvre, un homme assez gentil lui portait secours. Par la suite, chaque fois qu'elle rencontrait un garçon qui avait la migraine elle croyait voir son fils. Les parents ne savaient pas à qui s'adresser pour retrouver la trace de Babbanji. Alors ils ont fait ce qui se fait dans les moments de crise, quand le savoir ne suffit plus : ils sont allés chez un astrologue. L'astrologue consulta les astres et leur dit que leur fils vivait à Varanasi, chez un homme dont le prénom commençait par la syllabe Ra. Par la suite il précisa que Babbanji habitait une maison peinte en jaune et blanc.

Le père a donc entamé ses pérégrinations dans la ville sainte et les cités du nord de l'Inde à la recherche de son fils disparu. À Varanasi, il frappait à toutes les portes, cherchait des murs jaune et blanc, interpellait des étudiants pour leur demander s'ils connaissaient un garçon prénommé Babbanji. Il est allé à Deoband, à Saharanpur, à Aligarh. Son cœur battait plus vite chaque fois qu'il croisait un groupe de garçons et il les dévisageait un à un dans l'espoir de reconnaître enfin son fils. Personne ne pouvait lui dire ce qu'il était devenu.

Le 2 avril, le professeur de géologie vit son fils en rêve. Il traversait le campus de l'université pour venir à sa rencontre. Le rêve était silencieux ; pas un mot n'était échangé entre eux. Ce jour-là, une lettre de Babbanji arriva enfin. « Le pion a porté une lettre à sa maman. Tous les jours elle avait guetté le pion qui distribuait le courrier. L'adresse était en anglais. Elle a couru me porter la lettre. J'ai eu peur qu'il ne s'agisse que d'une enveloppe-réponse pour un concours. » La carte était signée « Babbanji de Flora Fountain ». Le père l'a lue et l'a relue trois fois. Seuls deux des mots qu'elle contenait l'ont fâché. Il la sort, à présent, il nous lit cette formule inscrite par Babbanji au-dessus de sa signature : « Votre fils vaurien et vagabond. »

« Ces deux mots m'ont fendu le cœur. Mon beta n'est ni un vaurien ni un vagabond.

– Pour le monde entier je suis un vagabond, non ? intervient Babbanji les larmes aux yeux.

– Un fils n'est jamais un vagabond pour sa mère et pour son père. »

Derrière nous, le juke-box joue une chanson des Bee Gees, *It's Only Words* [1].

Après l'arrivée de la lettre, le professeur et le grand-père de Babbanji ont pris le premier train pour Bombay avec la certitude qu'ils allaient trouver le garçon devant un mur blanc et jaune. Le père ne savait pas encore que le premier à avoir tendu la main à son fils était le libraire Ram Babu Joshi.

Il en veut aussi à Babbanji de lui avoir caché qu'il avait des ennuis à l'université. « Je ne laisserai pas mon fils à Sitamarhi. Je vais essayer d'obtenir une mutation. »

Babbanji s'y oppose : « Je resterai à Sitamarhi. Quand je reviendrai à Sitamarhi, je ne serai plus un provincial. » Il aura été à Bombay et désormais les petites brutes le regarderont autrement.

Le père reconnaît volontiers le côté positif des aventures de Babbanji dans la grande ville. « Il n'a pas déraillé. Il s'est instruit. À présent il faut l'aider, ajoute-t-il en s'adressant à moi. Nous ne sommes que ses parents.

– Dis-moi en ami ce que je dois faire », ajoute Babbanji. Doit-il rentrer, doit-il rester ?

J'évoque le triste état dans lequel se trouve le Bihar.

Oubliant leurs divergences, père et fils prennent comme un seul homme la défense de leur État.

« Le Bihar compte de nombreux scientifiques. Nous avons là-bas un enfant de dix ans qui vient d'obtenir sa licence de biologie. Tous ils sont brillants chez nous.

– C'est une terre féconde », renchérit Babbanji, d'avis que les meilleurs poètes hindis sont biharis.

Le père veut que son fils retourne au Bihar et à la science. « Un scientifique est toujours un grand littérateur, déclare-t-il.

– C'est à Bombay que j'écrirai ; mon karmabhoomi est à Bombay, répète Babbanji autant pour convaincre son père que

1. « Ce ne sont que des mots » *(N.d.T.).*

pour s'en persuader. Si le destin n'avait pas voulu que je travaille à l'étal du libraire je n'aurais pas rencontré Adil. »

Je lui rappelle la vie qu'il a menée.

« Le trottoir ne me fait pas peur, me répond-il. Maintenant que je me suis mis en route je veux suivre ma voie. »

Il nous lit un poème qu'il vient de composer sur un train de Bombay « qui les porte par milliers sur son dos et les ramène au point de départ ». Personne, estime le poète, ne comprend le triste sort du train.

« Où a-t-il appris tout cela ? s'étonne le père stupéfait. Comment est-il entré dans le monde de la littérature ? Ce supplément de qualités, je ne comprends pas d'où il le tire. Peut-être lui vient-il de mon grand-père qui avait beaucoup d'ouvrages littéraires. » En cherchant des indices sur les mobiles de la fuite de son fils, il est tombé sur un carnet qui lui a révélé le secret de Babbanji : dedans, il y avait un long poème écrit de sa main. « J'étais surpris. Quand ce garçon s'était-il mis à la poésie ? Je serais incapable d'écrire comme ça. Dans la situation actuelle au Bihar, même un étudiant en maîtrise ne pourrait pas écrire comme ça. » Il faut cependant que Babbanji décroche ses diplômes. Le professeur a un grand regret, dans la vie : il n'a jamais passé sa thèse. « L'an dernier, j'ai fait un vœu : j'aurai ma thèse par l'intermédiaire de mon fils. Il doit avoir deux diplômes de mieux que moi, pas moins. »

Il aimerait que son fils enseigne ou devienne médecin, « mais pas un médecin qui ne pense qu'à l'argent ». Il essaie de trouver des arguments pour me convaincre de pousser Babbanji à reprendre ses études. « Ce travail que tu as commencé ne va pas s'arrêter », dit-il à son fils en évitant délicatement le mot. « L'inspiration qui te vient, rien ne t'empêche de la coucher tout de suite par écrit, une demi-heure par jour. Ça ne va pas s'arrêter. » De plus, « quand obtiendra-t-il la reconnaissance ? Combien y aura-t-il de gens pour apprécier ses poèmes ? Ils sont si nombreux, les poètes, les écrivains. Les seuls à bien s'en sortir travaillent pour le cinéma. Qui lit de la littérature aujourd'hui, qui lit la vérité ? » Il récite un shloka en sanskrit : « Tu diras la vérité mais tu la tairas si elle est cruelle. » Autant d'arguments solides, pratiques, contre la littérature. Il me semble entendre la voix de mon père qui à New York, dans un autre monde, utilisait les mêmes termes avec moi, presque mot pour mot. Le père de Babbanji ne lui interdit pas expressément la carrière littéraire. Puisant dans son amour et dans ses craintes, il projette l'anxiété de sa quarantaine sur le jeune homme de dix-sept ans. Babbanji se conçoit comme un poète ; lorsqu'il arpente la ville qui lui livre les strates d'expérience venues enrichir ses poèmes, cette idée de lui l'exalte et le place cent coudées au-dessus des milliardaires du vingt-troisième étage.

Son père souhaite quitter au plus tôt la ville où il est arrivé il y a quelques heures. Ce matin, quand ils se sont retrouvés il a dit à Babbanji : « Viens, fils. Partons tout de suite. C'est une maya ki nagri [une ville d'illusions]. Tous ces grands immeubles ne contiennent pas une parcelle de vérité ; pour les bâtir il a fallu priver des gens de ce qui leur appartenait. » À moi il dit : « C'est une ville vouée à l'argent et pour ma part je n'accorde pas tant d'importance à l'argent. » Et puis Bombay est hiérarchique, chacun s'y compare aux autres en permanence. « Il y a toujours quelqu'un au-dessus de toi, et quelqu'un au-dessus de lui. »

Babbanji suggère à son père d'aller retrouver le grand-père qu'ils ont laissé à la gare pendant que lui-même ira récupérer ses affaires. Le père refuse catégoriquement : il ne quittera pas son fils d'une semelle. Il l'a accompagné tout à l'heure aux toilettes publiques et il est resté devant la porte. Les gens qui vivent sur le trottoir se réjouissaient de les voir enfin réunis, tous les deux, mais « ils ne voulaient pas qu'il parte », rappelle le père. Son fils a trouvé une deuxième famille parmi eux. Le père a payé toutes ses dettes et prié Dieu d'accorder sa bénédiction à celui qui l'avait hébergé. Pour sa part, Babbanji a tenu le compte précis du nombre de fois où il est allé manger au Samovar, avec la date en face. Il n'a pas dépensé la totalité des cinq cents roupies.

Tous les trois, nous nous dirigeons donc vers l'étal de livres pour aller chercher les affaires de Babbanji. Que rapporte au

village celui qui a vécu dans la grande ville ? S'il s'appelle
Babbanji, ce sont ces quatre livres, un assortiment des trésors
dénichés sur les tables à tréteaux :

> *Bruit : les sons à bannir.*
>
> *L'Éducation en Inde : historique et problèmes.*
>
> *L'Histoire de Wilde Sapte* (un cabinet d'avocats
> d'affaires londonien).
>
> *L'Eau : nature, utilisation et avenir de la ressource la
> plus précieuse et la plus menacée de l'humanité.*

Ensemble, toujours, et à pied, nous allons ensuite à la gare où
le grand-père de Babbanji attend, assis sur son sac, en mastiquant tranquillement un pan. Le vieil homme en dhoti préfère ne
pas parler de son petit-fils ; il voudrait que je vienne avec eux au
Bihar. « Il y a beaucoup de choses à voir, au Bihar », déclare-t-il
avec fierté : le lieu de naissance du Bouddha, Patna, des tas de
sites naturels d'une grande beauté. J'essaie de retenir le père, lui
suggère de prendre plutôt le train de nuit pour profiter de sa présence à Bombay et visiter un peu la ville, lui qui a traversé le
sous-continent pour venir jusqu'ici. « Quand je vois mon fils, je
vois le monde, explique le père de Babbanji. Il est ma lumière.
Je vois le monde à travers lui. Je vous verrai à travers lui, je verrai l'Amérique à travers lui. Mon fils est mon écran de cinéma. »
Et devant le sourire rayonnant dont me gratifie le jeune homme
de dix-sept ans, aux yeux et au cœur impatients de découvrir, de
réagir, de vivre, devant le sourire qui éclaire aussi le visage du
père, je comprends qu'il dit vrai. Quand ils se seront expliqués,
tous les deux, quand la mère aura corrigé le fils comme il le
mérite, quand l'agitation sera retombée, Babbanji passera sûrement plus d'une soirée à parler avec son père sur le lit de camp
qu'ils auront sorti devant la porte, dans la petite ville étouffante
du Bihar. Il lui parlera du Collier de la Reine, de la déesse de
cinéma qui tressait une guirlande de jasmin dans ses cheveux,
des grosses voitures et des gens qui vivent sur l'égout, des
poètes anglais qui aiment la boisson, de l'immeuble écroulé et
des gens ensevelis dessous, des bagarres autour de l'eau dans les

toilettes publiques, des petites attentions des occupants du trottoir. Après tout, n'est-ce pas pour cela que nous avons des enfants ? Pour voir le monde une deuxième fois, sur leur écran de cinéma ?

Babbanji me dit au revoir sous la grande horloge de Victoria Terminus, dans la cohue des voyageurs pressés d'arriver ou de s'en aller. « J'ai l'impression de partir de chez moi. Au Bihar, je rencontrerai des gens de Bombay qui rentrent pour les vacances et je leur demanderai des nouvelles de la ville. Pour moi, c'est juste une parenthèse, pas un point final. »

Pourquoi tout de même se sent-il si proche de cette ville ? « Elle est dans mes pensées parce qu'elle m'a donné de quoi écrire. » Cette vérité simple me touche directement.

Nous nous embrassons. Babbanji me prend la main, s'incline avant de la porter à son front, et je le quitte là-dessus, dans la gare gigantesque qui résonne des annonces des arrivées et des départs.

« J'irai au bureau de Patna du *Time Magazine* et j'écrirai pour eux ! » crie-t-il dans mon dos tandis que je m'éloigne.

PETITS ARRANGEMENTS

Bombay vit sur un rythme rapide, trépidant, mais tout bien pesé ce n'est pas une ville où l'esprit de compétition est très développé.

Qu'ils aient ou non une place « réservée », les passagers des trains indiens sont prêts à tous les arrangements. Vous êtes assis sur la banquette réglementairement occupée par trois personnes quand arrive un quatrième voire un cinquième quidam qui vous souffle : « Psst... On va s'arranger. » Tout le monde se serre. S'arrange.

Dans cette ville grouillante il est normal d'être en nombre. Nos voisins de Manhattan trouvaient curieux que les parents de Sunita viennent passer six mois avec nous dans notre studio. La dame qui nous le louait préleva une part de la caution versée,

« en raison de l'usure excessive » entraînée par la présence de deux adultes supplémentaires. À Bombay, personne ne nous a demandé combien de gens nous comptions loger chez nous ; il allait de soi que nous hébergerions les parents, amis et amis d'amis qui passeraient nous voir. Quant à savoir comment nous nous débrouillerions pour les caser, cela ne regardait que nous.

Une publicité récente pour une Ambassador, robuste berline qui laboure les routes de l'Inde, illustre parfaitement cet état d'esprit. La voiture, version brute de la Morris Oxford des années cinquante, roule au pas sous une averse diluvienne. La publicité ne s'attarde pas lascivement sur les sièges en cuir, l'affichage numérique du tableau de bord, l'injection électronique ou les lignes épurées de la carrosserie. L'Ambassador est décidément moche, mais avec son pare-soleil incliné selon un angle guilleret et le grand sourire de son capot ça ne l'empêche pas d'être aussi chouette et sympathique qu'un éléphant. Trois personnes bavardent, tassées sur la banquette avant. Un piéton qui traverse la rue sa mallette sur la tête pour se protéger de la pluie contourne le pachyderme disgracieux.

« Arre... Ce n'est pas Joshi ?

– Si. Dis-lui de monter.

– On est déjà nombreux...

– Regarde-le, le pauvre. On va s'arranger. »

Dans la plupart des pays, les publicités pour les automobiles mettent en valeur le cocon luxueux promis au conducteur que vous êtes. Au mieux, elles font place à la femme séduisante que vous prendrez en route, en arrêtant à sa hauteur l'engin aux jantes étincelantes. La pub de l'Ambassador n'insiste pas vraiment sur les mérites de l'espace intérieur. Elle ne vante pas la capacité du volume disponible, comme c'est le cas pour les monospaces. Elle dit simplement que les gens susceptibles d'acheter une Ambassador se débrouilleront toujours pour faire de la place aux autres. Elle plaide vraiment pour la réduction de l'espace physique individuel et l'expansion de l'espace collectif. Les habitants d'une ville aussi populeuse que Bombay n'ont pas le choix ; ils doivent trouver des arrangements.

Le rapide pour Virar dans lequel je suis monté à l'heure de pointe est sans doute le plus bondé des trains locaux. Cramponné à deux mains à la barre qui surmonte la porte grande ouverte, je ne peux me reposer que sur la partie avant de mes pieds ; le reste de mon corps, une bonne partie en tout cas, déborde du train lancé à pleine vitesse. À la première bousculade je risque d'être éjecté par la pression des passagers massés dans le wagon, mais on me rassure : « Ne t'en fais pas. Si tu tombes on te rattrapera. »

Une voix proteste. « On est parqués comme du bétail. »

Girish m'a dessiné sur un bout de papier un schéma de la danse, de la chorégraphie des trains de banlieue. De Borivali à Churchgate, le contingent de passagers pour la Gare centrale se tient au milieu du compartiment. La spirale qui se forme autour se déplace dans le sens des aiguilles d'une montre en plusieurs temps : à Jogeshwari d'abord, puis à Bandra, puis à Dadar. Le novice qui ne sait pas comment fonctionnent les trains de Bombay et qui a prévu de descendre à Dadar, mettons, doit répéter à voix haute : « Dadar ? Dadar ? », et se laisser diriger jusqu'à l'endroit précis où il pourra descendre dans les meilleures conditions. Le quai n'est pas toujours du même côté et il n'y a pas de portières, rien que deux ouvertures béantes de part et d'autre du compartiment. À l'approche de la gare il faut être en place pour sauter d'un bond dehors avant que le train se soit immobilisé, car si on attend qu'il s'immobilise on est refoulé à l'intérieur par ceux qui le prennent d'assaut. Le matin, quand le train stoppe à Borivali, la première station, c'est la foire d'empoigne. « Pour avoir une place assise ? » Girish me regarde comme si j'étais débile. « Non. Pour monter » : à cause de la correspondance avec le train de Dadar, qui deux arrêts plus haut, à Malad, a chargé une multitude de gens en route pour le centre de Bombay.

Il ne sert pas à grand-chose de voyager en première, à peine moins bondée aux heures de pointe. Dharmendra, le frère de Girish, a un coupon de transport en première, mais quand vraiment il y a du monde il préfère voyager en seconde. « En seconde, explique-t-il, les gens sont plus souples. En première il y a forcément des bourges de Nepean Sea Road. Ils ne bougent pas. Ils restent plantés là où ils sont. »

Je cite à Girish une statistique selon laquelle, « aux périodes de plus grande affluence », les trains transporteraient douze personnes au mètre carré. Il estime au jugé la longueur de son bras, un mètre, et fait un rapide calcul : « C'est plus. À l'heure de pointe, si je reste comme ça le bras collé le long du corps ce n'est pas la peine que j'essaye de le lever. » Dans ces conditions, les mouvements sont pour l'essentiel réflexes. On se laisse transporter, et pour peu qu'on soit léger on n'a même pas besoin de bouger les jambes. Les chiffres donnés par le gouvernement précisent qu'en 1990 un train de neuf voitures chargeait en moyenne trois mille quatre cent huit passagers aux heures de pointe ; en dix ans ce chiffre est passé à quatre mille cinq cents. Une lettre de G.D. Patwardhan publiée dans le *Times* s'en indigne :

> C'est se moquer de nos lois qui fixent le nombre précis d'animaux – vaches, buffles, chèvres, ânes et ainsi de suite – que l'on peut transporter dans un wagon aux dimensions spécifiées. Toute infraction à ces règles est un délit passible des mesures disciplinaires prévues par les Chemins de fer et réprimé également par les lois sanctionnant les mauvais traitements envers les animaux. Aucun règlement ou texte législatif de ce genre ne régit en revanche le transport des êtres humains.

Les gens à qui je demande comment ils supportent de voyager dans de telles conditions haussent les épaules. On s'y habitue, répondent-ils. On s'y fait.

Les banlieusards se déplacent en groupe. Girish prend le train avec une quinzaine de passagers montés avant lui dans des gares plus loin sur la ligne. Ils lui font une place sur leurs genoux et ensemble ils partagent un petit déjeuner à la fortune du pot. Chacun a apporté sa contribution maison (batatapauua * des Gujeratis, upma * des Telugus, alu-poori * des bhaiyyas), qu'il déballe dans le compartiment bondé. L'heure de trajet file agréablement ; ils se racontent des blagues, jouent aux cartes, chantent et parfois même jouent des castagnettes avec leurs doigts. Girish sait dans quelle voiture de quel train se trouvent les meilleurs chanteurs. Dans la dix-huit, par exemple, il y a un groupe très fort en chants nationalistes et anti-musulmans. D'autres sont plus spécialisés dans les bhajans ou dans les mélopées avec antiennes et répons. De la sorte, le voyage devient supportable pour ceux qui ont une place assise, et divertissant pour ceux qui doivent rester debout. Quand Girish travaillait pour Kamal, quasi en bas de chez lui, à Mira Road, une fois par semaine il prenait quand même le train jusqu'à la Gare centrale de Bombay, juste pour le plaisir de partager un petit déjeuner avec son groupe de passagers.

Les trains sont des ruches bourdonnantes d'activité. Des femmes vendent des sous-vêtements dans le compartiment pour dames, de gigantesques culottes montant haut sur le ventre, qui passent de main en main pour être inspectées et occasionnent, lorsqu'elles trouvent preneuse, une circulation d'argent en sens inverse. Des ménagères pèlent et hachent les légumes du dîner familial qu'elles mettront à cuire sitôt rentrées à la maison. Les affichettes publicitaires qui égaient les compartiments sont de la même veine que celles qu'on voit dans le métro de New York : elles traitent de problèmes personnels aussi peu avouables que les hémorroïdes, l'impuissance, l'odeur de pieds. Le passager fondu dans la masse anonyme les déchiffre sans crainte, réconforté par l'idée que ces maux universels affligent indistinctement les corps qui se pressent alentour. Eux aussi ont besoin de pilules, de potions, d'interventions mineures.

La ligne Ouest se termine en beauté, la ligne Est dans l'horreur. Après la station de Charni Road d'où l'on aperçoit la mer, après les gymkhanas musulmans, catholiques, hindous, parsis dont les baraques s'éloignent enfin, vu du train de Churchgate c'est un autre Bombay qui apparaît, une ville plus ancienne,

magnifique. Brusquement le ciel bleu et les eaux claires de
Marine Drive emplissent le champ de vision et tout le monde se
tourne vers la baie et recommence à respirer.

Près de son terme la ligne Est, ou ligne du Port, traverse carrément les chambres à coucher des pauvres : les taudis qui
s'étalent à perte de vue commencent à moins d'un mètre des
voies. S'ils tombent du lit leurs occupants risquent de se retrouver sur les rails. Les petits enfants se promènent entre les
traverses. Chaque année, plus d'un millier d'habitants des slums
meurent écrasés par les trains. D'autres, passagers de ces trains
qu'ils empruntent en s'y agrippant de l'extérieur, meurent tués
par les poteaux électriques plantés trop près des voies. Un seul
de ces poteaux malencontreusement placé à l'abord d'un virage
tue quelque dix voyageurs par mois. Un ami de Girish qui voyageait cramponné à une fenêtre du 9 h 05 de Jogeshwari n'a pas
résisté au poteau dont il s'approchait trop vite, trop près ; il en
est mort. L'année précédente, un autre membre du groupe qui
tentait le diable en voyageant sur le toit d'un wagon a heurté
l'arche d'un pont et il a survécu. Le fanfaron s'en est sorti alors
que le petit gars timide qui s'accrochait à la fenêtre y est resté ;
cinq minutes avant Girish lui avait offert une place à l'intérieur.

Paresh Nathvani, un marchand de cerfs-volants de Kandivili,
assure un service singulier : il fournit des linceuls gratuits aux
victimes des accidents de train. Il y a de cela une dizaine
d'années, le marchand de cerfs-volants a vu un homme mourir
écrasé sous un train à Grant Road. Les ouvriers du chemin de fer
ont simplement déchiré un calicot publicitaire pour en recouvrir
le corps. Nathvani rappelle que « toutes les religions prescrivent
de couvrir le corps des défunts d'un linge blanc et propre ».
Aussi, tous les jeudis, il se rend tour à tour dans quatre gares fer-
roviaires qu'il fournit en linceuls frais à raison de deux mètres
chacune, sauf la plus importante, Andheri, qui a droit à dix linceuls par semaine. Le chef de gare a ouvert un registre que
Nathvani tient scrupuleusement à jour en apposant son tampon
en face de chaque livraison. Il sacrifie six cent cinquante mètres

de tissu par an. Ce n'est pas suffisant; c'est même très loin de suffire. Les trains de Bombay tuent quatre mille personnes chaque année.

Le directeur du réseau de transport ferroviaire de la périphérie de Bombay s'est vu récemment demander quand le système serait enfin assez performant pour transporter dans de bonnes conditions les six millions d'usagers qui l'empruntent tous les jours. « Pas de mon vivant », a-t-il répondu tout net. Si vous faites partie des usagers en question, vous avez une idée très précise de la température du corps humain qui se love contre le vôtre, s'adapte à la moindre de ses courbes. Des amoureux ne s'étreignent pas plus étroitement.

Asad bin Saïf travaille pour un organisme de défense de la laïcité et inlassablement il arpente les slums, répertorie les incidents et les affrontements innombrables entre communautés religieuses, assiste jour après jour à la détérioration du tissu social de la ville. Asad est lui-même originaire de Bhagalpur, une ville du Bihar où les violences à caractère religieux ont atteint un niveau paroxystique, le site qui plus est d'exactions policières atroces contre de petits délinquants qui ont eu les yeux crevés avec des aiguilles à tricoter puis brûlés à l'acide. Asad, donc, connaît l'humanité sous son jour le plus terrible. Je lui ai demandé s'il n'était pas pessimiste quant à l'avenir de l'espèce.

« Pas du tout, a-t-il répondu. Pense aux trains et à toutes ces mains tendues. »

Vous êtes en retard sur l'horaire pour aller travailler à Bombay, quand vous arrivez à la gare le train quitte le quai, vous courez pour rattraper les wagons bondés et des mains innombrables se tendent vers vous comme autant de pétales pour vous hisser à bord. Vous courez le long du train, des mains vous attrapent, des pieds s'écartent pour laisser aux vôtres quelques centimètres au bord de l'ouverture. Ensuite, à vous de vous débrouiller. Tout en vous retenant au cadre du bout des doigts, vous prendrez garde à ne pas trop vous pencher en arrière au risque d'être décapité par un poteau planté trop près des voies. Certes, mais réfléchissez à ce qui vient de se passer. Entassés dans des conditions jugées inadmissibles pour le bétail, leurs chemises déjà trempées de sueur dans le compartiment mal ventilé où ils sont comprimés depuis des heures, vos compagnons de voyage ont néanmoins compati à votre sort, compris que si vous ratiez ce train votre patron allait vous hurler dessus, retirer une journée sur votre paye, et ils ont réussi à faire de la place là où il n'y en avait pas pour prendre encore quelqu'un avec eux. À l'instant du contact, aucun n'a songé à se demander si la main qu'il fallait saisir appartenait à un hindou, un musulman ou un chrétien, à un brahmane, à un intouchable ; il importait peu que vous soyez un natif de la ville ou un migrant débarqué le matin même, un résident de Malabar Hill, de New York ou de Jogeshwari – un Bombayite, un Mumbayite, un New-Yorkais. Vous vouliez aller dans la ville de l'or et seul cela comptait aux yeux de vos compagnons. Allez, monte, camarade. On va s'arranger.

Adieu, monde cruel

J'en ai par-dessus la tête de rencontrer des assassins. Depuis des années je m'emploie à en trouver à Varanasi, au Penjab, en Assam, à Bombay pour leur poser à tous la même question : « Qu'est-ce que ça fait de supprimer une vie ? » Le catalogue de leurs meurtres commence à me peser. Aussi, quand à l'occasion d'un coup de fil mon oncle me parle d'une famille de diamantaires qui s'apprête à renoncer au monde – à embrasser la diksha * – je tire un trait sur tout le reste pour aller voir ces gens. Ils sont l'exact opposé de Sunil, Salaskar, Satish et autres individus de même acabit. Ce sont des jaïns ; ils envisagent de mener une vie monacale au sein d'une religion qui depuis deux mille cinq cents ans se construit sur l'abjuration absolue de la violence. Ils se préparent à entrer dans un ordre ayant une tout autre conception de la vie et de la valeur de la vie, dont la règle les contraindra à rester enfermés pendant les quatre mois de la saison des pluies, car si, par inadvertance, ils marchaient dans une flaque d'eau, ils attenteraient à la vie – tueraient non seulement d'infimes organismes aquatiques mais détruiraient aussi l'unité de l'eau. Parce que je connais des hommes qui dorment sur leurs deux oreilles après avoir supprimé un être humain, j'ai envie d'aller trouver cette famille pour qui c'est péché d'interrompre la vie d'une flaque d'eau.

Je connais les jaïns depuis que je suis tout petit. Plusieurs de mes meilleurs amis en Inde et en Amérique le sont, et lorsque le

marieur est venu proposer à mon oncle des partis susceptibles de
m'intéresser, il lui a proposé un choix de familles gujeraties
aussi bien hindoues que jaïns, car souvent ce n'est qu'une question de nuance. Mon oncle est marié avec une jaïn. À Sripal
Nagar, à Bombay, nous habitions au-dessus d'un temple jaïn ;
tous les matins, dans l'entrée de l'immeuble, des moines se tri-
potaient mutuellement les cheveux. Je ne savais pas ce qu'ils
fabriquaient ; on aurait dit qu'ils s'épouillaient. J'ai appris plus
tard que c'était une technique pour garder les cheveux courts, en
les arrachant à la racine. Certains jours, ils chantaient des
hymnes au renoncement sur l'air de chansons de films hindis.
À une date particulière, les jaïns payaient les oiseleurs qui travaillaient aux alentours du temple pour qu'ils ouvrent leurs
cages ; chaque âme ainsi libérée ajoutait au crédit de leur salut
personnel dans le grand livre comptable. Les petits oiseaux
s'envolaient pour aller se percher sur les toits de la ville où les
corbeaux, les milans et les aigles n'en faisaient qu'une bouchée.
Et les vendeurs retournaient dans la forêt en attraper d'autres qui
l'année suivante connaîtraient le même sort.

Dans ma famille, on n'a jamais considéré que les jaïns étaient
d'une autre religion. Ils passaient simplement pour des hindous
très à cheval sur l'orthodoxie, et passablement fêlés. Les hindous sont une minorité sur le marché du diamant ; la plupart des
diamantaires sont jaïns. En Amérique, j'ai découvert que le jaïnisme était quasiment inconnu. Cette religion est la moins
accessible qui soit. Personne n'abandonne ses études à Berkeley
pour devenir moine jaïn. On n'entend jamais les acteurs ou
les rock stars déclarer en public leur dévotion à des gourous
jaïns.

La famille vit à proximité d'Ali Haji, dans les étages supérieurs d'un bel immeuble qui abrite également un temple jaïn.
Quand la porte s'ouvre, j'ai l'impression d'entrer dans une case
paysanne, ou encore dans un restaurant indien à l'étranger dont
les propriétaires se seraient efforcés de recréer l'ambiance indi-

gène. L'espace n'est éclairé que par des lampes à huile suspendues au plafond dans des lanternes en verre ; aux murs, des tapisseries à motifs religieux et cette exhortation, tracée à la craie : « Autant le samsara * (la vie ici-bas) mérite que tu y renonces, autant le moksha (le salut) mérite que tu l'atteignes. » Le sol d'une des pièces est recouvert d'un mélange de terre et de bouse, revêtement fréquent dans les maisons paysannes indiennes. Cet appartement est la reconstitution d'une demeure de village. J'ai déjà vu à Bombay des logements décorés dans ce style, mais pour des raisons différentes ; le « look ethnique » était à la mode il y a quelques années.

Mon guide, diamantaire lui aussi, me conduit à l'autre bout de la pièce, jusqu'au divan placé près de la fenêtre (il n'y a pas de ventilateur), sur lequel est allongé un quadragénaire mince et sombre de peau dont la lèvre supérieure s'orne d'une fine moustache ; vêtu d'une kurta en soie bordée de galons dorés, il porte des diamants aux oreilles et aux doigts. Je suis en présence de Sevantibhaï Ladhani, le patriarche de la famille disposée à renoncer à tout. Il est lui-même issu d'une grande famille de plusieurs garçons qui doit sa fortune à la métallurgie et s'est diversifiée dans le commerce des diamants. Il ressemble à un tout petit prince. S'approchant de lui, mon guide qui est nettement plus âgé touche les pieds du gisant et reçoit sa bénédiction.

D'ici à un mois, les cinq personnes du foyer – un père et une mère d'une petite quarantaine d'années, un garçon de dix-neuf ans et deux jumeaux (un fils et une fille) de dix-sept ans – auront laissé derrière elles cet appartement, cette ville et tout ce qu'elles possèdent. Elles passeront le restant de leurs jours à parcourir les routes du pays, hommes et femmes chacun de leur côté, et plus jamais elles ne formeront une famille. Parlant de celle qui fut son épouse pendant vingt-deux ans (il l'appelle shravika, « la femme profane ») et des trois enfants qu'elle lui a donnés, le père déclare : « Nous ne sommes plus unis que par l'intérêt égoïste. À cent pour cent. » Dans un mois ils partiront pour une bourgade au nord du Gujerat, et là Sevantibhaï leur fera ses adieux. Tous ils se feront mutuellement leurs adieux. À partir de cet instant, les fils iront avec leur père et la fille avec sa mère, mais en tant que disciples, car ils ne seront plus leurs enfants. Ses fils cesseront de l'appeler papa ; pour eux, il sera désormais gurudeva *, et pour sa fille gurubhagvan *. Désormais, hommes et femmes iront leur chemin séparément. La mère ne reverra plus ni ses fils ni son mari, sauf s'ils venaient à se croiser sur la route. Sevantibhaï ne posera plus les yeux sur sa fille, ou alors par hasard, et en présence du gourou maharaj de son ordre en sorte de ne pas entacher son vœu de célibat. Les liens familiaux formés de leur vivant vont être volontairement brisés au cours d'une grande cérémonie publique.

Ils agissent ainsi pour rompre définitivement avec le samsara et atteindre le moksha. Ramené à sa plus simple expression, le moksha n'implique pas la renaissance. Sevantibhaï y aspire pour mettre un terme, non seulement à sa vie et à l'existence des siens, mais à sa lignée tout entière. Auparavant, ils montreront cependant à la face du monde qu'ils ne quittent pas ce dernier sur un échec ; ils sortiront au grand jour à midi pour exposer en pleine lumière leurs succès terrestres. D'ici à un mois, ils seront dans cette ville du Gujerat et distribueront, se débarrasseront concrètement de tout ce qu'ils auront gagné à cette date : entre un million et demi et deux millions et demi d'euros. Ce sera un rejet spectaculaire de Bombay, de l'unique raison qui y attire les foules. Une fois que le désir de gagner de l'argent s'est épuisé, il ne reste qu'à partir par le premier train.

Sevantibhaï n'a pas toujours été un jaïn très pratiquant. Il fut un temps où il n'allait même pas prier dans le temple en bas de l'immeuble. Vivant la vie des Bombayites aisés il profitait de la ville et de ses plaisirs. Une nuit, à onze heures, il entama la lecture d'un livre écrit par un swami jaïn, *Si au moins j'étais humain*, et tomba sur une phrase qui l'électrifia : « Serez-vous congédié ou allez-vous démissionner ? » Il y réfléchit, puis alla réveiller sa femme et lui annonça qu'il avait décidé d'opter pour la diksha. Il démissionnerait plutôt que d'attendre d'être renvoyé.

La décision était moins subite qu'il semble. Quelques années plus tôt, à Chowpatty il avait par hasard entendu le discours d'un gourou jaïn, Chandrashekhar Maharaj, qui l'avait mis sur la voie en l'amenant progressivement à renoncer à la modernité. Son regain d'intérêt pour la religion s'était d'ailleurs amorcé dix-huit ans auparavant, quand il avait cessé de recourir à la médecine allopathique. À la naissance, les jumeaux étaient souffreteux. Sevantibhaï avait consulté un médecin ayurvédique de Khetwadi, qui avait prescrit de l'urine de vache à raison de vingt et une prises par jour en biberon ; les bébés s'en étaient bien portés.

Ensuite, ç'avait été le tour du diesel et de l'essence. Sevantibhaï, qui ne roule plus en voiture, m'expose en détail les graves péchés auxquels donne lieu l'extraction des énergies fossiles : les forages à travers les strates de l'écorce terrestre, le massacre des serpents et autres formes de vie souterraine qui en résulte. Cette activité est aussi préjudiciable au pays : « Il faut importer le pétrole d'Arabie saoudite, en échange des souris de laboratoire et du sang humain qu'on envoie là-bas. » Qui plus est, la vie paye un lourd tribut à l'automobile : « Un homme renversé par un char à bœufs n'en meurt pas, et au moins le bœuf sert à quelque chose. » Il envisageait de convoyer en chars à bœufs de Bombay à Dhanera, où sera célébrée la diksha, tous les invités à la cérémonie, mais le voyage aurait pris des jours et devant les protestations véhémentes de sa famille élargie il s'est rabattu à contrecœur sur le train.

Vint ensuite l'électricité. Cela fait maintenant sept ans que Sevantibhaï vit dans son appartement haut perché sans ampoules ni appareils électriques. Il énumère les péchés qu'inflige la production de cette énergie. Lorsqu'elle est générée au moyen d'un barrage, la force de l'eau qui s'engouffre dans les turbines supprime tant de poissons et de crocodiles que toutes les demi-heures les employés du barrage doivent nettoyer les pales. La catastrophe de Tchernobyl, souligne-t-il, est la conséquence directe du désir des hommes d'avoir l'électricité. Même les lampes à huile qui brûlent dans l'appartement tuent des germes.

Sevantibhaï a honte de reconnaître que son problème de dos l'oblige depuis un an et demi à prendre l'ascenseur de l'immeuble au lieu de gravir l'escalier. Il me demande de réfléchir à tous les branchements électriques de Bombay, à l'immense accumulation de péchés à l'origine des lumières qui éclairent la ville.

Puis-je néanmoins me servir de mon ordinateur pour noter ce qu'il dit? Il marche sur pile et ne fera donc pas tourner le compteur de l'appartement. Bien que sceptique, Sevantibhaï y consent, au motif que ce que j'écris devrait contribuer à répandre le message jaïn de par le monde. Une façon, dit-il, de « combattre le mal par le mal ». Nous poursuivons donc la conversation à la clarté de l'écran qui met mon visage en lumière dans l'appartement chichement éclairé.

Sevantibhaï a commencé à étudier au Gujerat sous la gouverne de Chandrashekhar Maharaj, le gourou jaïn confirmé qu'il avait entendu à Chowpatty, et petit à petit il a entraîné toute la famille. Les enfants fréquentaient alors des écoles en anglais de Bombay (le fils aîné était inscrit à Tinkerbell), mais Sevantibhaï les en a retirés il y a sept ans pour les initier au dharma, à la maison d'abord puis avec Chandrashekhar Maharaj. À l'époque où les enfants ont quitté l'école il n'était pas encore question de diksha. Sevantibhaï estimait simplement que l'enseignement qu'ils recevaient comportait des lacunes. Ils ont ainsi pu étudier les Saintes Écritures du jaïnisme dans le texte, en sanskrit et en prakrit, langues qu'ils maîtrisent mieux que Sevantibhaï parce que leurs esprits sont plus jeunes, plus vifs. « Ils lisent le Tilakmanjari, l'ouvrage sanskrit le plus difficile », se félicite le père.

Longtemps il a observé les préceptes religieux en profane, dans le confort de son bel appartement. Tout l'enseignement du gourou reposait toutefois sur un principe sous-jacent : pour atteindre le moksha il faut renoncer au monde, opter pour la diksha. Le maharaj conseillait à la famille de commencer avec l'aîné, Snehal, mais les frères de Sevantibhaï s'y opposèrent ; cette solution, annoncèrent-ils, n'aurait leur assentiment que si Sevantibhaï s'engageait dans cette voie en même temps que son fils. Lui-même ne se sentait pas prêt et la famille resta donc à Bombay.

À l'été 1997, il apprit qu'un groupe de soixante-dix personnes s'apprêtait à embrasser la diksha, et il demanda à son maître l'autorisation de s'associer à eux avec sa famille. Le maharaj saheb insista pour qu'il obtienne l'aval de ses frères ; il ne fallait pas susciter de rancœurs au sein de la famille élargie. Sevanti-bhaï, sa femme et leurs enfants qui avaient déjà préparé leurs bagages allèrent donc solliciter l'approbation des frères. On les pria d'attendre encore une année, car une des sœurs devait bien-tôt se marier ; si au terme de ce délai Sevantibhaï était toujours dans les mêmes dispositions, il pourrait partir. Sevantibhaï accepta de repousser son départ de six mois. Les autres cher-chaient à gagner du temps, dans l'espoir qu'à la longue il se fasse une raison, mais sa détermination a fini par l'emporter sur leur désir de le retenir dans le monde. Dans un mois, les cinq personnes qui vivent dans cet appartement diront définitivement adieu au samsara, à Bombay, à la modernité.

Sevantibhaï se réfère constamment à l'Inde d'antan pour stig-matiser sa décadence actuelle : « Autrefois, en Inde, il y avait des familles de vingt-cinq à trente personnes. Quand quelqu'un arrivait à l'heure du repas, douze femmes se mettaient en cui-sine. Aujourd'hui, les familles se sont réduites à trois personnes, et quand quelqu'un vient dîner à l'improviste les visages se ren-frognent. Autrefois, chacun connaissait tout le monde dans le village. Aujourd'hui, on ne connaît même pas les voisins de l'appartement d'à côté. » La céréale la plus consommée était le millet, qui pousse sans problème à côté de l'herbe dont se nourrit le bétail. Le blé a supplanté le millet, et comme l'herbe lui porte tort il faut protéger les champs du bétail. On n'utilisait pas l'argent, jadis ; tout reposait sur le troc et « vendre du lait passait pour un péché ». Le partage de l'autorité était clair : « Quand le mahajan apparaissait, personne n'aurait osé lever les yeux sur lui. » L'Inde des campagnes, l'Inde de l'ancien temps tournait rond, régie qu'elle était par le vyavastha, l'ordre de l'univers :

« Le vyavastha auquel nous nous conformions a été brisé. Nous voulons le restaurer. »

La modernité provoque la guerre entre les villes et les campagnes. Les tremblements de terre politiques qui secouent le pays s'expliquent par la précarité propre aux citadins qui ne produisent pas ce qu'ils mangent : en 1998, la hausse spectaculaire du prix des oignons a failli renverser le gouvernement national. L'indignation s'exprime essentiellement dans les agglomérations, ce qui est compréhensible puisque l'augmentation du prix des légumes profite aux paysans. L'eau est le plus gros enjeu des conflits qui dressent les unes contre les autres les zones rurales et urbaines. Les barrages dont les villes ont besoin pour avoir de l'eau et de l'électricité détruisent les villages. Sevantibhaï veut déserter le camp citadin pour rallier le camp paysan.

Toutes les villes, cependant, ne se ressemblent pas. Il y a ainsi une immense différence entre Bombay et Ahmadabad, affirme-t-il. En bas de chez lui, tous les lieux de plaisir imaginables sont rassemblés sur une toute petite distance. Rien n'est interdit : on trouve là un bar, des restaurants qui proposent des plats non végétariens, un magasin où l'on vend du whisky. Bombay est « paap ni bhoomi » – la ville du péché, acquiesce un visiteur assis aux pieds de Sevantibhaï.

Les sâdhus n'ont pas leur place à Bombay, explique Sevantibhaï. Lorsqu'ils passent dans les étages des immeubles afin de recueillir des offrandes de nourriture, ils trouvent généralement porte close. Sevantibhaï n'assimile pas cette collecte à de la mendicité – celui qui a sa place dans la communauté commerçante à laquelle appartiennent les jaïns ne saurait être un mendiant ; il parle de gocari, le mode d'alimentation des ruminants qui broutent des brins d'herbe, jamais la touffe entière. Ils effectuent cette tournée avec un profane qui appuie pour eux sur les sonnettes (eux-mêmes doivent s'abstenir d'utiliser les appareils électriques). « Quand on leur ouvre, dedans la télévision est généralement allumée, et un sâdhu va directement en enfer si son regard se pose par mégarde sur un téléviseur allumé. »

L'accompagnateur profane doit donc s'assurer que la télévision ne marche pas avant que le moine aille se servir dans la cuisine. « Dharma Labh * », annonce-t-il pour inviter les occupants des lieux à acquérir plus de mérite religieux, puis il inspecte le contenu des casseroles et y prélève le minimum, afin que la famille ne soit pas obligée de refaire à manger, auquel cas le péché de la deuxième cuisson retomberait sur lui. Une fois par jour, le moine va ainsi brouter dans différents foyers et verse quelques cuillerées de ses trouvailles dans le récipient dont il s'est muni : un peu de légumes, du riz, du dal et des chapatis issus de cuisines différentes, mélangés ensemble et qui seront consommés froids pour leur seule valeur nutritive. Le mode de vie bombayite complique singulièrement le gocari. Dans les villes comme Ahmadabad, le moine sait d'avance si la télévision marche dans telle ou telle maison, car dans la journée les portes restent ouvertes.

Le fils aîné de Sevantibhaï, Snehal, dort étalé de tout son long sur le canapé, un pull sur le dos, les fenêtres hermétiquement fermées pour empêcher le froid de janvier de pénétrer à l'intérieur. Utkarsh, le cadet, entre dans l'appartement avec sa mère, Rakshaben. Eux aussi sont couverts d'or et de diamants. Parents et enfants se parent de bijoux exprès, afin de bien montrer tout ce qu'ils vont laisser derrière eux, l'étendue de leur richesse, le mépris dans lequel ils tiennent les attraits du samsara. Leurs habits de soie sont absolument magnifiques. Pour mon mariage, célébré dans la tradition de l'Inde du Sud, je n'ai pas eu le droit de porter de la soie car la communauté brahmane estime que c'est un péché de détruire les vers à soie. Les jaïns considèrent pour leur part que la fabrication de la soie est moins immorale que le tissage du coton : les créatures qu'elle détruit ne possèdent que deux sens, alors que dans les filatures les accidents du travail détruisent des créatures à cinq sens, dont la perte s'ajoute à l'utilisation condamnable de l'électricité. Tous les actes de la vie – manger, boire, s'habiller, voyager – obligent à soupeser les risques en connaissance de cause, à prendre en permanence les décisions qui s'imposent pour léser le moins possible de matière karmique.

Lorsque je m'adresse à la mère, le plus jeune fils lui reproche ses réponses approximatives d'une voix sourde où l'on sent poindre l'irritation. Elle a un sourire ravissant ; il la reprend sur un ton péremptoire.

« Nous allons vivre une vie d'où tout péché sera banni, dit Rakshaben rayonnante. Nous vivrons un bonheur sans mélange. »

Utkarsh enfonce le clou : ils seront tout le temps sur les routes et observeront les cinq vœux : non-violence, franchise, probité, célibat, dénuement. Ils se promèneront vêtus en tout et pour tout de deux bouts de tissu blancs non cousus ensemble ; tous les six mois ils se feront arracher les cheveux et ils renonceront à porter des chaussures, à se servir d'un véhicule quelconque, du téléphone, de l'électricité. Le jour où ils vont publiquement s'engager dans la diksha ils prendront un bain pour la dernière fois de leur vie. Ils ne mettront plus jamais le pied dans une flaque d'eau, resteront au même endroit, à couvert, pendant toute la saison des pluies, ne se baigneront ni dans des étangs, ni dans des rivières, ni dans la mer, et s'abriteront à l'intérieur dès qu'il se mettra à pleuvoir. Si vraiment ils ont très chaud, ils pourront exceptionnellement se passer un linge humide sur la peau. Ils ne laveront leurs vêtements qu'une fois par mois, et après avoir mangé ils rinceront leur écuelle de gocari. « Mon père, mon frère et moi nous vivrons ensemble, explique Utkarsh. Sœur et maman resteront avec leur sadhvin *. Si nous passons par hasard dans le même village, nous pourrons nous rencontrer ; autrement, non. » La perspective de la séparation prochaine n'a pas l'air de lui déplaire.

Je demande à la mère pourquoi elle devra s'abstenir de voir les membres de sa famille après la diksha.

« Parce que nous voulons rompre l'attachement, l'affection. Ce n'est qu'à cette condition que nous pourrons atteindre le moksha. » Rakshaben qui a grandi à Ulashnakar et fréquenté une école catholique n'a pas été élevée dans la stricte orthodoxie jaïn. « Mon mari estime que nous devons opter tous ensemble pour la diksha », dit-elle. Il arrive que des femmes mariées qui ne s'entendent plus avec leur époux choisissent la diksha de préférence au divorce; dans la société gujeratie traditionnelle, il est toujours assez mal vu d'être une divorcée. Rakshaben accepte la diksha pour des motifs exactement inverses, afin de maintenir envers et contre tout l'unité de sa famille. J'ai le sentiment qu'elle aime son mari au point de le suivre jusques et y compris dans une séparation définitive.

Une fois devenues nonnes, sa fille et elle seront libres d'aller partout où leurs pas les porteront, à l'exception notable de Bombay. La sadhvin de l'ordre dans lequel elles vont entrer leur a à jamais interdit le territoire qui s'étend au sud de Virar, dernier point desservi par les lignes de chemin de fer locales. « L'environnement n'est pas bon. Les gens des villages pensent bien, mais pas ceux de la ville. » L'anathème ne s'applique cependant pas à toutes les grandes métropoles : « Seulement à Bombay, poursuit Rakshaben. Delhi, Calcutta et les autres villes, ça va. » Bombay est la Sodome et Gomorrhe du jaïnisme, la « paap ni bhoomi » par excellence.

Le téléphone sonne et la fille, Karishma, va répondre. C'est le seul appareil électrique qui fonctionne, dans l'appartement, et je suis presque étonné de voir qu'elle sait s'en servir. Mince et menue, la peau sombre, Karishma est la moins diserte des cinq. Elle reste timidement assise entre son jumeau et sa mère.

En bas, avant de m'éloigner en taxi je contemple le visage nocturne de la paap ni bhoomi. Le rez-de-chaussée de l'immeuble des Ladhani est occupé par un concessionnaire Fiat; en face se trouvent une banque qui invite les consommateurs à emprunter, et juste à côté un bar, le Gold Coins [1]. Les meurtriers dont j'ai fait récemment la connaissance n'habitent pas très loin.

En rentrant de chez Sevantibhaï, je trouve à la maison mon ami Jaïman, le sang-mêlé mi-marwari, mi-américain qui vient d'être nommé rédacteur en chef de l'édition russe de *Playboy*. Il m'entraîne dans une fête organisée à la Casbah Room, au-dessus

---

1. Pièces d'or, en anglais *(N.d.T.)*.

du restaurant Khyber ; trois pièces en enfilade pleines de gens qui boivent, dansent, flirtent et ripaillent. Les femmes sont habillées très court. Jaïman est tout de suite assailli par des Bombayites désireux de savoir l'effet que ça fait de diriger *Playboy* et s'il choisit les filles lui-même. Il dit que des femmes superbes passent à son bureau tous les jours, qu'il leur demande de se déshabiller pour une séance photo et que tout de suite elles déboutonnent leurs chemisiers, dégrafent leurs jupes. Il rentre d'un séjour en famille à Bhilwara, dans le Rajasthan, et il n'a pas pu raconter à ses parents marwaris ce qu'il fait à Moscou. Incroyablement orthodoxes, ils ressemblent beaucoup aux jaïns. Une grande fille penjabie bien bâtie embrasse à tour de rôle les hommes réunis dans la pièce. « Je ne devrais pas mettre cette robe. Ma mère dit que ça déborde de partout », s'exclame-t-elle en montrant ses seins du doigt. Elle s'assied sur les genoux d'un type, un bras autour de ses épaules, une longue jambe émergeant de la jupe fendue haut. L'alcool coule à flots ; ici, il n'y a pas d'heure de fermeture. Dès qu'un fumeur sort une cigarette de son paquet, un serveur surgit pour lui tendre du feu. Les grandes tables proposent tout un assortiment de spécialités penjabies et italiennes : étalage de chair de centaines d'oiseaux, de mammifères et de poissons découpés, cuits et présentés pour ne plus ressembler aux créatures vivantes qu'ils furent. Des pulsations électroniques soutenues sortent d'une pièce à peine éclairée où des gens se convulsent sur la piste de danse. Jaïman est à l'affût de quelqu'une à mettre dans son lit pendant les trois nuits qu'il doit passer à Bombay. Il a tout du chien de chasse quand il avise une jolie fille. Son poil se hérisse, son corps pivote instinctivement dans la direction de la belle. Tant qu'il n'aura pas couché avec elle ou à tout le moins entamé les travaux d'approche, il sera sur des charbons ardents, malade d'anxiété. Il a tout prévu pour son séjour en Inde ; fouillant discrètement dans son sac il en sort un petit cachet blanc : du Viagra. À Chicago, la direction du magazine l'a sondé sur l'éventualité de lancer une édition indienne de *Playboy* ; les pontes estiment que ça marcherait du tonnerre, ici.

Quelques jours plus tard, j'entre dans le salon d'honneur du siège de l'Association des diamantaires où une grande banderole accrochée au mur souhaite la bienvenue aux purs joyaux aspirant au moksha. La riche corporation des diamantaires s'apprête à féliciter les renonciateurs, ou diksharthis. Les tikas appliquées sur nos fronts portent au centre un brillant à la place du traditionnel grain de riz. On nous distribue en prime des sachets de fruits secs – amandes, noix de cajou, raisins, pistaches – qui doivent bien valoir cinquante roupies chacun. Le président de l'association, un hindou, m'entraîne à l'écart pour me demander ce que je pense de toute cette histoire. Lui-même ne cache pas sa désapprobation. Les enfants sont si jeunes ; rien ne dit qu'ils en savent assez long pour choisir en connaissance de cause. Dix-sept ans, c'est beaucoup trop tôt, selon lui. Il vient d'une famille qui compte plusieurs dirigeants du BJP. « Nous allons être mêlés à ces rituels, vous et moi », soupire-t-il. Le jaïnisme est un culte prémoderne, aux antipodes de ce que revendiquent les hindous nationalistes. « Quelle religion, tout de même, pour associer tout et son contraire », observe le président en faisant allusion aux milliardaires installés sur l'estrade, qui aiment l'argent pardessus tout, et aux diksharthis qui poussent l'abnégation à l'extrême.

Le programme débute. Un chanteur religieux entonne des bhajans arrangés sur des airs de films hindis en s'accompagnant des sons d'instruments traditionnels – hautbois shehnaï, tabla – qu'il arrache à un synthétiseur Casio. La salle se remplit. La journée de travail bat son plein et pourtant les gens se pressent ici par centaines. Ce sont surtout des hommes, simplement habillés d'un pantalon noir et d'une chemise en coton de teinte pastel. La plupart d'entre eux sont richissimes mais cela ne se voit pas à leur tenue. J'aperçois parmi eux des amis de mon oncle, des types que mes parents fréquentaient déjà à Calcutta, des marchands de Dariya Mahal, des visages que je reconnais sans pouvoir mettre un nom dessus. En attendant les Ladhani, ils discutent des tailles et des poids des cailloux brillants dont ils font commerce. « Il me faudrait des demi-carats, des cognac, des noirs... » Ces conversations me sont familières depuis l'enfance ; elles font partie des constantes de ma vie instable et elles m'apaisent, comme une berceuse souvent entendue.

La famille vient d'entrer dans le grand salon. Tout de soie vêtu et coiffé d'un turban, Sevantibhaï ressemble à un peshwa * et Rakshaben est resplendissante dans son sari chamarré d'or. Tous portent des diamants fabuleux sur les parties découvertes de leurs corps : les mains, les oreilles, le nez. Ces babioles étant l'ornement le plus superflu qui soit, leur décision de s'en débarrasser ne changera rien pour eux, pas plus d'ailleurs que le fait de s'en parer. Ils prennent place sur le matelas et les coussins blancs disposés sur l'estrade, hommes et femmes aussi loin que possible les uns des autres. Durant la cérémonie, Sevantibhaï ne se tourne pas une seule fois vers sa femme et sa fille alors qu'il converse avec ses fils et leur sourit de temps en temps.

Tandis que l'animateur, un barbu en kurta de khadi, nous expose l'essentiel de ce que nous devons savoir sur leur décision de renoncer au monde, le diamantaire assis à côté de moi se met à sangloter éperdument. Des tremblements le secouent, mais il garde, je le vois, les yeux ouverts pour ne rien perdre de ce qui se passe sur scène.

Les discours s'enchaînent. Des marchands de diamants expriment leur désir de s'engager dans cette voie, soulignent que chaque année plusieurs membres de la corporation renoncent au monde. « Nous sommes réunis ici pour nous faire à cette idée, déclare l'un d'eux. Avant de passer à l'acte nous avons besoin de nous imprégner de l'idée, mais tous nous y viendrons tôt ou tard, et si ce n'est pas dans cette vie, ce sera dans une troisième ou dans une cinquième réincarnation. » Un autre affirme : « Il a deux étapes d'avance sur nous en ce qui concerne la compréhension du monde. » En effet, comme nous tous Sevantibhaï a vu le jour en Inde (« Si nous étions nés en Amérique ce serait tout simplement impossible »), mais la famille Ladhani observe depuis plusieurs années la règle que le jaïnisme impose aux profanes. Mon oncle et ma tante ont récemment participé à un immense pèlerinage qui pendant dix jours les a conduits de temple en temple dans le Gujerat; ils se sont complètement passés d'électricité et ont suivi plus ou moins à la lettre le dharma jaïn en compagnie de milliers d'autres diamantaires. Reste la deuxième étape, que les Ladhani ont franchie en décidant de suivre la diksha. À l'occasion d'une réincarnation ultérieure, si le compteur de notre karma est remis à zéro notre âme pourra renaître à l'image du prophète Mahavir [1], et à la fin de cette vie-là nous atteindrons le moksha. La perspective, rassurante, se situe dans un futur indéterminé.

L'animateur nous raconte qu'avec deux autres membres d'une organisation jaïn il s'est un jour rendu dans un abattoir de chiens et d'autres animaux errants. Équipés de magnétophones et de petites caméras vidéo, ils demandèrent au directeur de cet établissement ce que devenaient les carcasses : on faisait fondre la graisse pour fabriquer du suif vendu seize roupies le kilo pour la qualité courante et vingt-deux roupies le kilo pour la qualité supérieure. Qui achète un produit pareil? s'enquirent les jaïns. « Aujourd'hui encore, quand je repense à la réponse que nous a donnée cet homme, j'en ai des sueurs froides », dit l'animateur. Les principaux fournisseurs des sites de restauration rapide de la ville passent commande à l'abattoir : les beignets et autres galettes dont raffolent les Gujeratis sont frits dans de la graisse de chien. Si nous assimilons dans nos corps un péché pareil, comment pouvons-nous espérer progresser? tonne l'animateur. Et c'est la même chose avec les crèmes glacées : savons-nous seulement ce que deviennent les os, les sabots, les cornes des vieilles vaches? Il s'est étonné auprès du propriétaire d'une usine de glace de ce que les produits qu'il fabriquait ne fondaient pas : c'est parce qu'ils contiennent, sous forme de gélatine, des dérivés bovins. La révélation suscite des murmures et des grimaces de

---

1. Mahavir ou Mahavira (le valeureux). Fils de roi né en 599 av. J.-C. et contemporain du Bouddha, il s'engagea sur la voie de l'ascèse, devint jina (omniscient) et fixa les principes du jaïnisme (N.d.T.).

dégoût dans l'assistance. « Dès maintenant, faisons tous le vœu de ne plus jamais manger de glace ! » nous exhorte l'animateur.

Les interventions ne mentionnent Dieu que très rarement. Elles se taisent également sur l'aide à apporter aux pauvres. Le plus grand service que l'on puisse rendre à autrui est de le détourner du samsara. Il n'est jamais question ni du paradis, ni de la félicité du moksha. Cette idéologie cultive un pessimisme noir. L'animateur décrit la situation dans laquelle se trouve aujourd'hui la communauté jaïn, riche à l'en croire de dix millions de membres, dont vingt mille moines seulement. « La communauté jaïn ressemble à un homme qui aurait avalé du poison. Le poison est dans son ventre et voilà qu'il est agressé par un homme armé d'un couteau. Il recule pour lui échapper, mais ce faisant il se rapproche dangereusement du bord de la terrasse sans garde-fou : un pas de plus, et il basculera dans l'abîme. »

Nous sommes assis à même le sol. La pièce spacieuse donne de tous côtés sur les fenêtres et les balcons d'autres immeubles qui, dans ce quartier densément bâti, sont très proches les uns des autres. Une femme sort sur son balcon à quelques mètres de la fenêtre près de laquelle je suis assis. Elle se penche par-dessus le parapet et, comme plongée dans sa méditation, laisse échapper de ses lèvres un mince filet de mucus blanc, quelque chose entre le crachat et le vomi. Peut-être est-elle enceinte, mais ce n'est pas un haut-le-cœur de nausée. Le marchand placé devant moi soigne ses lèvres gercées avec un tube de pommade Vicks.

L'orateur le plus attendu de la journée vient de prendre le micro. C'est le frère d'Atulbhaï, un richissime diamantaire qui lui aussi a pris la voie de la diksha à Ahmadabad ; des processions d'adieu en son honneur ont eu lieu dans toute l'Inde et jusqu'à Anvers et New York. Sevantibhaï a consulté Atulbhaï avant de prendre sa décision.

Le frère nous invite à réfléchir à ce que nous faisons de nos vies. Il nous brosse un tableau de ce qui attend les Ladhani après le 13 de ce mois : ils iront de village en village dans la fournaise écrasante du Kutch sans savoir s'ils trouveront de quoi subsister dans le suivant, ils mangeront à même leur écuelle une mixture de cinq variétés de légumes et de six types de dal. « Nous devons réfléchir à ce que nous entendons en ce moment, à ce que nous ferons tout à l'heure au bureau. Nous ne pouvons plus vivre sans l'air conditionné. Nous râlons si le compartiment de première dans lequel nous sommes montés pour aller à Ahmadabad n'est pas climatisé. Pensons pourtant à cette famille, qui va connaître les pics de température du Kutch ! Pensons à la pauvre petite Karishmaben ! » Il nous invite aussi à réfléchir à notre attitude pleine d'impatience à l'égard du temps ; nous qui nous plaignons quand nous ne pouvons pas réserver une place de train, réfléchissons au peu de signification que cette famille va bientôt accorder au temps, à l'espace immense qu'elle va parcourir à pied. « Toujours plus ! Toujours plus ! Voilà ce qu'est devenue notre culture ! » Dans un gujerati rapide et énergique, il décrit le monde de folie dans lequel vivent les diamantaires : monde de téléphones mobiles, de plans d'expansion mondiale à Bangkok, New York ou Anvers, de transactions qui chaque jour brassent des milliards de roupies, de listes d'attente pour les vols internationaux, d'accumulation constante − « Toujours plus ! Toujours plus ! » − et il compare tout cela avec le mode de vie que cette famille est sur le point d'embrasser, voué au « dé-ta-che-ment ». L'affluence est telle que tout le monde n'a pas pu trouver place dans la vaste salle, moite de la chaleur animale des centaines de corps qui s'y pressent en cet après-midi hivernal.

On hisse sur scène un vieux diamantaire respecté par tous ses pairs ; il a bâti sa fortune à Anvers avec la contrebande de diamants et a bien connu mon grand-père. Il renonce à prendre la parole et se lève, à grand-peine, pour bénir Sevantibhaï. Sa famille possède un manoir à Malabar Hill et un appartement à Manhattan au-dessus d'un concessionnaire Rolls-Royce. Un autre de ses collègues, Arunbhaï, vêtu sans apprêt d'une chemise à manches courtes mais milliardaire, et pas en roupies, prend le micro pour nous raconter que sa propre mère aurait voulu opter pour la diksha. Il l'en a dissuadée, mais il évoque la vie des moines errants sur un ton vibrant de désir, comme une vocation qu'il suivra à son tour, le moment venu.

Un des intervenants parle en toute franchise du passé de Sevantibhaï : « Pas un péché dont il ne se soit rendu coupable. Un de ses amis m'a dit : " Chaque fois que nous avons pris l'avion ensemble il s'est montré radin. " » D'autres, la mine sombre, évoquent les errements d'une vie dont Sevantibhaï a pleinement profité avant de s'engager sur la voie de l'ascèse. Un marchand me glisse à l'oreille que ses premières fiançailles ont été rompues par la famille de la jeune fille tant il avait mauvaise réputation. Un courtier qui travaille pour mon oncle se souvient d'avoir passé trois jours d'affilée au poste avec Sevantibhaï ; il était accusé de vol, mais quand les policiers ont su de qui il s'agissait ils l'ont salué bien bas. Le courtier pense que la décision du diamantaire d'embrasser la diksha est motivée par « quelque chose d'énorme » : une fraude massive ou un désastre financier. Sevantibhaï est de notoriété publique un homme qui a commis plus que sa part de péchés.

Mais aujourd'hui Sevantibhaï Chimanlal Ladhani n'est plus simplement un diamantaire dont les affaires marchent relativement bien. Le petit homme à la peau sombre et au sourire facile est une figure qui fait autorité, un guide sur la voie que le milliardaire Arunbhaï empruntera tôt ou tard. D'un seul bond il a dépassé des gens qui jusqu'alors avaient beaucoup mieux réussi que lui. Cet après-midi, dans le grand salon du siège de leur association, il est pour tous un objet d'admiration, sinon d'envie.

Les personnalités les plus en vue de la corporation congratulent maintenant les diksharthis, leur remettent la plaque, le tilak, le châle et la guirlande. Leurs épouses félicitent les femmes, distinguées pour la toute première fois. Les discours ont à peine mentionné le nom de Karishma, la fille. Elle ne tire pas grande gloire de la cérémonie ; la plupart des intervenants s'en sont tenus à exalter le sacrifice de son père. Voilà pourtant une jeune Bombayite qui renonce pour le restant de ses jours à aller au cinéma, à se maquiller, à sortir avec un garçon, à poursuivre ses études. De sa vie elle ne remettra plus les pieds dans la ville de son enfance.

Sur le balcon d'en face, la femme vient de resurgir, cette fois avec un cerf-volant. L'air ravi, elle le fait voler dans le petit bout de ciel visible entre les immeubles.

La métropole moderne est un ramassis de gens en transit entre deux lieux, deux ailleurs. New York attire les migrants venus d'autres villes du monde; Bombay, des paysans qui ont quitté leurs villages pour la capitale et qui s'efforcent de les y recréer. L'angoisse citadine est une angoisse du transitoire, de gens qui ignorent où ils seront l'an prochain, eux et leurs enfants. Ils ne peuvent pas nouer de liens d'amitié durables puisque leurs amis non plus ne passeront pas leur vie ici. Au village, le grand-père savait où il mourrait et sur quel tumulus funéraire son corps serait brûlé, dans quelle rivière ses cendres seraient dispersées; il savait que les amis et les cousins avec qui il avait grandi reste-raient dans les environs jusqu'à l'heure de sa mort. Le citadin ne peut pas avoir cette confiance dans la stabilité des relations. Jamais Satish n'exécuterait ses missions mortelles au village : il a trop besoin de la protection de l'anonymat. Mona Lisa non plus n'y a pas sa place : son oreille compatissante, son statut de bien de consommation public n'ont de raison d'être qu'en ville. L'allure à laquelle les choses changent dans nos métropoles est trop rapide pour que l'intelligence arrive à suivre. Espèce d'abord villageoise, l'humanité ne s'est pas encore faite à la vie urbaine. C'est pour cela que Sevantibhaï cherche à fuir la ville; il renonce à elle au moins autant qu'à tout le reste, qu'à sa for-tune, qu'à sa famille.

Un sourire éclaire le visage de Sevantibhaï lorsqu'il me repère dans la foule qui a envahi sa demeure ancestrale de Dhanera pour assister au grand départ. « Vous avez mangé ? » me demande-t-il avant toute chose. Dehors, un de ses frères psalmo-die « Mon frère bien-aimé prend la voie de la diksha » pendant que le chœur répond « Wah bhaï wah ! » Une femme hurle le premier couplet, puis tous les membres de la famille élargie scandent le refrain à gorge déployée, peut-être pour se convaincre qu'ils sont bien là pour célébrer quelque chose. Il y aura même un défilé somptueux dans Dhanera pour fêter ça : le dernier jour des Ladhani dans le samsara.

Un vacarme fantastique éclate quand Sevantibhaï sort de la maison sur les épaules de ses frères. Tous les spécialistes de musique traditionnelle ont été convoqués à des kilomètres à la ronde pour accompagner la procession. Grimpé sur la terrasse d'une maison offrant un beau point de vue sur le trajet du cortège, je m'installe pour regarder. Je ne suis pas seul, loin s'en faut; les gens se pressent contre la rambarde malgré les avertissements du propriétaire : « Ne vous appuyez pas dessus! Ça risque de s'effondrer! » À nos pieds défilent les merveilles des campagnes gujeraties. Hiératiques sur leurs dolis, ces plates-formes légères que des fidèles portent sur les épaules, des sâdhus jaïns tout de blanc vêtus annoncent l'arrivée du cortège. En tête, viennent les joueurs de dhol et les joueurs de cymbales, des hommes qui soufflent dans de longues trompettes, un autre perché sur la bosse d'un chameau qui frappe sur deux énormes tambours barbouillés de curcuma. Puis ce sont les chevaux à la robe blanche comme neige et richement caparaçonnés qui caracolent, montés par deux jeunes garçons enturbannés. Suit un essaim de beautés villageoises qui avancent avec chacune un pot en cuivre sur la tête, chaque pot étant à son tour surmonté d'une noix de coco posée en équilibre. Les nombreux membres de la famille Ladhani passent sur des chars tirés par des chameaux qui tous représentent une petite hutte au toit de paille. Derrière, enfin, les diksharthis, mais précédés par des hommes en costume tribal qui soufflent, on croit rêver, dans des cornemuses! Les trois enfants Ladhani sont assis au centre de deux grands oiseaux sculptés – ici un paon, là un cygne – posés sur un char que tire un éléphant. Sevantibhaï et Rakshaben siègent quant à eux sur des trônes immensément hauts, juchés sur un char également tiré par un éléphant. Un homme qui brandit deux épées les suit à dix pas, et derrière c'est une gigantesque bousculade car Sevantibhaï et

Rakshaben jettent l'argent à la volée. Ils arrosent littéralement la multitude de poignées de riz mêlées à des pièces d'or et d'argent, à des billets de banque, manne prodigieuse qu'ils puisent dans les paniers posés à leurs pieds. À ce stade de la procession, ils ont suffisamment d'entraînement pour que leurs gestes soient devenus automatiques : ils se penchent en avant, ramassent une brassée de richesses, se redressent en ouvrant grands les bras et le mélange scintillant de riz, d'or et d'argent fuse haut et loin, décrit un ample arc de cercle et retombe sur la foule en folie. Redescendu dans la rue, je perçois la jubilation du couple malgré la distance qui nous sépare et la cohue impénétrable qui s'empare frénétiquement de la fortune jetée sans compter. Les dents blanches de Rakshaben brillent dans son visage sombre. Mari et femme sont visiblement soulagés. Ils me rappellent les clients du Sapphire, soulagés eux aussi de laisser couler l'argent sur la tête des danseuses. Ils dilapident leurs trésors de la même manière, à deux mains, pour s'en débarrasser le plus vite possible.

À la suite des diksharthis dansent deux chevaux humains (des hommes harnachés avec du matériel grandeur nature) ; des musiciens soufflent dans des conques, un autre tape sur une assiette en métal, un moine incline une cruche pour arroser le sol d'un filet d'eau. Le dernier char transporte une statue du prophète Mahavir lui-même, en posture de méditation sous le capuchon d'un cobra doré. Cette idole est étonnamment petite. Derrière vient une carriole chargée d'un monceau de cartons contenant des dattes en grappe et des cylindres de sucre brun qui sont également destinés aux pauvres. Autour, c'est l'affluence, et les malabars qui distribuent ces présents agitent également des bâtons pour tenir la foule en respect.

Hommes et femmes, tous les membres des tribus de Dhanera et des villages environnants ont revêtu leurs plus beaux atours de coton et de soie aux couleurs extravagantes. Quand le cortège passe devant la statue d'Ambedkar, les diksharthis redoublent de générosité envers la masse, surtout constituée d'intouchables, qu'ils attirent comme d'autres les pigeons en jetant du grain à la volée. Le grand libérateur des dalits tend un bras devant lui, l'index levé en signe de censure ou d'interdiction.

Une ambiance de kermesse règne sur l'aire du festin dont les diksharthis sont à présent tout près. Depuis des heures les paysans battent la semelle autour de la tente du don où seront distribuées des offrandes en grain et en vêtements prélevées sur la fortune de Sevantibhaï. Au-dessus de la foule, un acrobate marche sur un fil. Sevantibhaï et Rakshaben approchent sur leur char, aussi majestueux qu'un roi et une reine sur leurs trônes. Des hommes qui les précèdent en carriole braillent à tue-tête : « Renoncez au monde ! Renoncez au monde ! » Quelque chose alors attire le regard de Sevantibhaï et d'un signe il l'indique à celle que pendant vingt-quatre heures encore il peut considérer comme son épouse : Regarde. Elle lève les yeux. Le funambule se tient en équilibre au sommet d'un poteau, haut, très haut au-dessus de la marée humaine, silhouette menue qui se détache à contre-jour sur le ciel clair de janvier. Le couple le salue, les mains jointes, mais il est sans doute le seul à ne pas s'en apercevoir. Leur tournant le dos, il se suspend tête en bas à son fil. Sevantibhaï et Rakshaben admirent l'artiste de foire avec une expression ravie.

Les hôtes de Sevantibhaï ont été nourris sept jours durant. Aujourd'hui, huitième et dernier jour, toutes les âmes des cinquante-sept villages du district de Dhanera ont été invitées à un grand festin. Trente-cinq mille personnes ont pris place côte à côte – hommes et femmes sous des tentes à part – pour participer à ce repas dont les éléments, comestibles et autres, ont été achetés chez eux. Les chefs de village ont reçu instruction de les préparer à la manière des anciens : l'eau ne vient pas des robinets, il a fallu la tirer au puits ; l'huile a été produite dans des pressoirs actionnés par des bœufs ; la vaisselle en cuivre est fabriquée à la main ; le beurre clarifié est issu du lait de vaches élevées sur place et pas du lait de bufflonne ; le sucre candi et le sucre roux sont biologiques ; céréales et légumes ont été récoltées et cueillis dans les champs et les potagers de la région ; la farine a été moulue à la main et pas dans des moulins mécaniques, pour ne pas être contaminée par des cadavres d'insectes. Tout est conforme aux volontés exprimées par Sevantibhaï. Comme quoi, à l'aube du xxıᵉ siècle, il reste possible de préparer un repas strictement jaïn, composé et cuisiné sur place en quantités suffisantes pour nourrir trente-cinq mille personnes, selon des techniques d'une nocivité minimale pour l'environnement. Les mets sont bons et sains : deux desserts par personne, deux farsaan * savoureux, un puri, deux légumes, deux dals, des papadams, du riz, un piment farci, du chutney. Il n'y a ni oignons, ni ail, ni pommes de terre dans la cuisine, rien qu'il aurait fallu arracher à la terre. En revanche, l'eau que l'on verse dans mon verre est boueuse, pleine de sable.

Je suis logé avec de vieux amis de mon grand-père chez un médecin qui pour l'heure, assis sur la véranda de sa maison, me prodigue d'utiles éclaircissements sur le jaïnisme. Quand la procession est passée devant l'hôpital, il n'est sorti que quelques secondes pour y jeter un coup d'œil. De son point de vue les Ladhani se livrent là à un simulacre. Lui-même appartient à la branche Sthanakvasi de la secte jaïn Svetambara qui condamne le culte des idoles – « comme dans l'islam » – et préconise de réserver le temple à la prière. Sevantibhaï appartient pour sa part à la secte Deravasi que le docteur qualifie de murtipujak, adoratrice d'idoles. Aujourd'hui, m'explique-t-il, il existe quatre-vingt-quatre sectes jaïns et seuls dix pour cent des sâdhus sont authentiques; les autres volent l'argent destiné aux pauvres. Quant aux diksharthis, ils prennent soin de mettre de l'argent de côté au cas où ils décideraient de revenir au samsara, et s'ils vont eux-mêmes à pied d'un endroit à l'autre ils se débrouillent pour que leurs disciples et proches parents les accompagnent en voiture et pourvoient à tous leurs besoins, leur procurent si nécessaire des médicaments modernes, préparent à l'avance les itinéraires de leurs pérégrinations. Chaque responsable de secte a à cœur d'attirer vers son ordre autant de diksharthis que possible. Les enfants Ladhani se sont engagés dans cette voie pour obéir à leur père. Tout le monde le sait, mais le médecin se garde bien de le crier sur les toits. Il n'a pas envie de prendre des coups.

Dhanera est une ville de trente mille habitants qui a perdu une grande partie de sa population jaïn ; une centaine de familles seulement sont restées sur place. Malgré cela, elle s'enorgueillit d'être le berceau familial de cinquante jaïns dont la diksha a été célébrée ici même au cours des dix dernières années. Le faste qui entoure l'entrée des Ladhani dans la vie monastique est toutefois exceptionnel. « On n'avait jamais vu ça à Dhanera », confirme le médecin. Selon lui, c'est poussé par « une foi aveugle » que le diamantaire a opté pour la diksha. Comme je l'interroge sur les rituels du renoncement, il me répond par une parabole. Autrefois, il y a très longtemps, un homme avait été chargé de conduire un mariage. Un chat lâché dans la salle d'honneur perturbait le déroulement de la cérémonie et l'homme prit sur lui de l'attacher à un pilier. Depuis, chaque fois qu'un mariage est célébré dans cette famille on attache un chat à un pilier en croyant respecter une coutume ancestrale, mais tout le monde a oublié la raison de ce geste, répété génération après génération. Le renoncement aux institutions s'est institutionnalisé.

Quand je retourne dans la soirée chez Sevantibhaï, je suis accueilli comme un des leurs par ses parents et amis qui ont envahi le jardin. « Cent ans dans le métier », déclare à propos de ma famille un diamantaire qui s'est fait en même temps que mon grand-père. La plupart de ces gens connaissent mon grand-père, mon oncle, mon père. On me présente à un homme de haute taille et très sombre de peau, qui porte des lunettes et parle anglais avec un fort accent gujerati mâtiné d'américain. Hasmukh, qui habite Los Angeles et travaille lui aussi dans les diamants, est un neveu de Sevantibhaï, bien qu'il n'ait qu'un an et demi de moins que lui. Il est, surtout, le meilleur ami du renonciateur et ne demande pas mieux que de m'expliquer à quel point ils sont proches. Il adore son oncle depuis l'âge de cinq ans ; on dit d'eux qu'ils sont aussi inséparables qu'une paire de bœufs sous le même joug. Quand Sevantibhaï et Rakshaben sont partis en lune de miel à Srinagar, il était du voyage. L'oncle et le neveu se sont lancés ensemble dans le commerce des diamants. Le dimanche, ils emmenaient leurs femmes au Copper Chimney, buvaient et mangeaient tout leur saoul dans ce restaurant. « On a tout fait. On buvait tous les samedis, tous les dimanches ; il nous fallait du whisky. On lorgnait le verre de l'autre, on disait, tu en as plus que moi, et on s'en reversait une rasade. Après la prière, on se tapait un pav bhaji [spécialité riche en oignons, pommes de terre et ail interdits] : il fallait qu'on mange un pav bhaji après la prière. On se permettait tout : l'alcool, le théâtre, le cinéma... tout ! » Sevantibhaï est quelqu'un de très sensuel, me confie Hasmukh. Il apprécie particulièrement les massages ; avant, il y avait toujours deux personnes pour le masser à domicile. Hasmukh s'est disputé avec son meilleur ami, à Dhanera, il l'a traité de tous les noms. « Hier soir encore je lui ai dit, bhenchod, chutiya, ne fais pas ça. C'est quoi encore ce truc de chodu * que tu as inventé ? J'ai été très franc. Il m'a dit que si je m'engageais dans la diksha avec lui j'atteindrais le moksha le premier. »

Depuis que Sevantibhaï suit la voie de la piété, leurs liens se sont quelque peu distendus. Hasmukh qui revient régulièrement en Inde ne se précipite plus chez son ami comme avant. Pas parce que les pénitences qu'il s'inflige le mettent mal à l'aise, mais parce qu'il craint de le retarder sur le chemin du moksha. Quand Hasmukh venait le voir, Sevanti interrompait la récitation des prières pour bavarder avec lui et ensuite il fallait qu'il jeûne tout le lendemain pour expier ce péché. Leurs conversations prenaient un tour de plus en plus didactique. Un jour, Sevanti a entretenu Hasmukh pendant quatre heures de la nature de la goutte d'eau, de la vie qu'elle contient, de l'importance cosmique de cette goutte unique. Ce jour-là, Hasmukh a appris que toute la famille de son oncle allait renoncer au monde.

Un gémissement perçant s'élève soudain par-dessus le joyeux brouhaha. Laxmichand, frère aîné de Sevantibhaï et roi de la métallurgie, s'abandonne au chagrin. Il geint et se lamente et tout le monde se précipite pour le consoler : les femmes de la maisonnée (qui ont déjà beaucoup pleuré), les hommes, et les swamis jaïns qui traînent dans le coin et ne veulent pas être en reste. (Plus tard, Laxmichand aura ce commentaire acide à propos des gourous qui n'ont pas arrêté de lui ressasser leurs instructions sur le déroulement de la cérémonie : « Ils n'ont rien d'autre à faire ou quoi ? ») L'atmosphère festive qui régnait jusque-là dans la maison Ladhani devient brusquement lugubre. Un vieillard rappelle au triste Laxmichand qu'il devrait au contraire se réjouir, et entre deux sanglots Hasmukh me glisse : « Regarde un peu. Cet homme est le père de Raksha. Il va perdre sa propre fille et il est en train de consoler Laxmichand. Sacré bonhomme ! » Hasmukh est sûr que malgré tout ce qui s'est passé Laxmichand préférerait que Sevanti arrête ce cirque et choisisse le samsara. Les deux frères se sont âprement disputés ; certains membres de la confrérie des diamantaires croient savoir que les diksharthis auraient subi des pressions pour rester dans la famille, d'autres soutiennent que les querelles portaient sur la répartition des biens.

Utkarsh, le plus jeune des fils de Sevanti, est assis dehors. J'apprends maintenant seulement les surnoms que le clan immense leur a donnés, à son frère et à lui : Chiku pour Utkarsh et Vicky pour Snehal. « Demain, il faudra que je te donne du maharajsaheb et que je me prosterne devant toi, mais pour l'instant tu es encore mon Chiku », lui dit Hasmukh, et ils continuent à plaisanter ensemble sur ce ton. Au cours du dernier repas, l'ensemble de la famille élargie – une centaine de personnes – leur offre pour la toute dernière fois des mets préparés à la maison. Un des enfants réclame des bhelpuris. Demain, le plaisir associé à la nourriture sera proscrit et ces gamins qui ont grandi à Bombay n'auront plus jamais le droit de mordre dans un bhelpuri. Le dîner terminé, les femmes se mettent à chanter tandis qu'un homme sort dans le jardin pour allumer des centaines de lampes à huile à l'aide d'une longue mèche au bout de laquelle brûle une petite flamme. Puis quelqu'un se lance dans la lecture à voix haute d'un document aux allures de testament. Sevantibhaï répartit les restes de sa fortune entre ses parents. À tous il laisse quelque chose – une somme qui varie de quelques lakhs à deux mille cent roupies pour la plus modeste. Les mains jointes devant lui il s'adresse ensuite à la foule de ses parents : « J'ai commis de nombreuses erreurs. Pardonnez-moi s'il m'est arrivé de vous blesser. »

La soirée est déjà bien avancée quand Hasmukh m'entraîne dans la pièce où Sevantibhaï se fait masser par quelques-uns de ses parents. Le diksharthi avoue se sentir bouleversé. « J'ai essayé de réfléchir mais je suis trop troublé. Sans arrêt je me demande, Que vais-je faire demain ? Où serai-je ? Je suis souffrant, j'ai de la fièvre, et là, pour le moment, j'ai tout ce qu'il me faut, cela me fait du bien qu'ils me massent les bras et les jambes mais je me demande, Et demain ? Comment vais-je supporter cette maladie, demain ? » Il est le seul des cinq à reconnaître publiquement ses doutes et ses hésitations – peut-être parce qu'il est le seul à pouvoir le faire impunément. A-t-il au moins un projet auquel il pense se consacrer ? « Je vais passer les dix prochaines années à étudier le sanskrit. Il me faudra bien dix ans avant de pouvoir le parler. »

Pense-t-il à la séparation imminente de sa famille, au fait qu'il ne reverra plus jamais ni sa femme ni sa fille ? Pour le moment il se sent assez tranquille mais, ajoute-t-il, « je ne passerai le test pour de vrai qu'après-demain, ou après-après-demain, quand je serai vraiment séparé d'elles ». Et Bombay, il n'envisage vraiment pas d'y retourner ? « Le désir de revenir à Bombay m'a quitté comme il a quitté mon gourou. » Des centaines de personnes voudraient le voir, aussi je le salue et quitte la pièce plongée dans la pénombre.

Désireux de m'entretenir avec les autres diksharthis, je passe d'abord voir Rakshaben. La femme native d'Ulhasnagar me dit éprouver tant de ulhas, tant de bonheur, que son mari et ses fils ne lui manqueront pas. Snehal aussi déclare renoncer au samsara « pour le vrai bonheur », le moksha que l'on ne peut atteindre qu'en s'engageant dans la diksha. C'est une tautologie : le bonheur est moksha, le moksha est bonheur. Laxmichand qui reste obstinément assis sous un tube néon convoque ensuite Karishma en lui annonçant que je veux « l'interviewer ». Quelqu'un la taquine sur le pouvoir qu'elle aura dès demain, jour de la diksha, d'exiger ce qui bon lui semble de tel ou tel membre de la famille. Pourquoi ne demanderait-elle pas à Laxmichand d'arrêter de fumer ? « Je ne peux pas lui prescrire une telle règle, dit la jeune fille. Il n'arrêtera que si ça vient de lui. » Tout à l'heure, lorsque son oncle a éclaté en sanglots on lui a demandé de venir consoler le pauvre Laxmi. « Pourquoi pleure-t-il en ce jour si joyeux ? » s'est-elle étonnée. Quand elle est partie de Bombay elle ne s'est pas retournée pour regarder l'immeuble dans lequel elle avait vécu toute sa vie. La plus jeune de tous les diksharthis est celle dont les réponses sont le plus exemptes de doute et d'hésitation. Peut-être parce qu'elle n'a jamais posé de questions.

Sevantibhaï a prolongé très tard la dernière nuit qu'il devait passer dans le monde ; il était trois heures et quart quand il s'est décidé à aller se coucher. « Il ne pouvait pas trouver le sommeil, me confie Hasmukh. Je voyais qu'il était vraiment en train de se demander, Comment vais-je vivre à partir de demain ? » Quarante-cinq minutes plus tard, il s'est levé et il est allé au temple dire ses prières, faire son puja. Pour la dernière fois, là aussi. Quand il sera devenu moine, il ne pourra plus procéder à ce rituel. Les maharajsahebs adultes n'ont même pas le droit de s'incliner mains jointes devant les divinités. Le jaïnisme est une religion athée dans le plus pur sens du terme. Sa foi en Dieu n'est pas le moindre des réconforts terrestres auxquels Sevantibhaï s'apprête à renoncer.

Le matin où les Ladhani vont définitivement dire adieu au samsara, il fait si froid que le moteur diesel de ma voiture refuse de démarrer. Le grand ciel qui recouvre la région aride est encore piqueté d'étoiles quand je sors de chez le docteur à six heures. Les rares personnes que je croise dehors se dirigent toutes vers la maison Ladhani. Dedans, il y a encore plus de monde que pendant la nuit, car le moment est venu pour les diksharthis d'embrasser parents et amis. Les femmes célèbrent l'instant par leurs lamentations :

Quel est donc ce jour que vous fêtez ?
[Le chœur :] Il est plus précieux que l'or
Qu'est-ce qui a plus de prix que l'or ?
La frugalité ! La frugalité !

Encore un qui se lève
Pour quitter le samsara !

Les Ladhani se recueillent dans le hangar, puis soudain un cordon se forme devant les portes tandis qu'on aligne sur quelques mètres de grandes assiettes en métal pleines de riz, de monnaie, de pierreries et des clés de leurs différents domiciles. Je me tiens tout près du premier récipient. Vêtu de son plus beau costume, Sevantibhaï sort du hangar comme un diable de sa boîte et donne un coup de pied dans l'assiette contenant ce qu'il possède encore. Sa femme et ses enfants agissent de même, l'un après l'autre ; quand vient le tour de Karishma il n'y a quasiment plus rien à renverser. Un peu plus loin, des hommes solidement campés sur leurs jambes barrent le chemin avec les lames entrecroisées de leurs épées, mais les renonciateurs les repoussent pour continuer d'avancer. Au moment où ils quittent la maison de leurs ancêtres, il est essentiel qu'ils ne se retournent pas, fût-ce une seconde, pour contempler ce qu'ils laissent derrière eux.

Le trajet de la maison à la place où va avoir lieu la diksha est bordé tout du long d'autres assiettes aussi richement garnies et les gosses du village scrutent le sol à la recherche des trésors éparpillés à coups de pied par les Ladhani. Cinq éléphants flanquent l'entrée du mandap *. À l'intérieur, sous la tente immense dressée dans l'enclos, des milliers de gens attendent assis par terre, rangés par groupes. Je gagne ma place dans la section réservée aux diamantaires. On distribue au public des sachets de grains de riz mêlés à des perles en l'invitant à jeter ces confettis fabuleux sur les diksharthis. Eux sont sur la scène où déjà la cérémonie des adieux se déroule au vu et au su de tous, comme le rituel du bidaï lors d'un mariage (l'instant où la famille de la mariée lui dit au revoir) ; les diksharthis se séparent de leurs parents par le sang et de leurs associés en affaires. Puis un second testament est lu à voix haute ; plus de deux crores vont aller à des organismes de bienfaisance, dont des refuges pour animaux, un autre sera distribué à des institutions religieuses. L'animateur qui a déjà officié au siège de l'Association des diamantaires nous communique une nouvelle de bon augure : la veille, la Cour suprême a condamné en appel le conseil municipal de Bombay à respecter le verdict d'une juridiction inférieure qui interdisait le massacre des chiens errants ; la pétition présentée en justice par une famille jaïn sauvera ainsi de la mort quelque cinquante mille chiens par an. L'assistance applaudit à tout rompre.

Le moment est venu. Devant trente-cinq mille personnes, Sevantibhaï demande à son gourou la permission de prendre la voie de la diksha. Les trompettes retentissent pour proclamer le consentement du gourou et le diksharthi se met à danser comme un fou tout autour de la scène en agitant un grand chiffon blanc. Le reste de la famille suit, puis tous sortent pour aller se faire raser le crâne entièrement, à l'exception de sept cheveux que le maharajsaheb arrachera de ses mains. Pendant ce temps nous allons participer aux enchères qui conféreront à certains d'entre nous le privilège d'acheter les effets monastiques que les diksharthis vont bientôt endosser. Le premier article, un vêtement destiné à Sevantibhaï, part pour cent cinquante et un mille roupies. Un rang de perles de prière blanches pour Snehal est adjugé soixante-huit mille roupies. Tout autour de moi, c'est une cacophonie de chiffres ; les commissaires-priseurs qui circulent parmi les spectateurs braillent les offres à pleins poumons, incitent les enchérisseurs à investir dans ce placement spirituel comme s'il s'agissait d'actions cotées en bourse. « C'est une occasion de labh unique ! Elle ne se représentera pas de sitôt. Trente et un mille seulement, bande de veinards ! » Il y a de l'argent sur scène et beaucoup d'argent dans le public, où millionnaires et milliardaires rivalisent pour afficher leur piété.

Une autre enchère s'ouvre ensuite. Sur scène, on vient de déplier la page des noms : ceux que le gurumaharaj a attribués aux hommes, ceux que la sadhvin supérieure a attribués aux femmes. L'assistance brûle de savoir quelle sera désormais l'identité des diksharthis. On lance d'abord les offres pour le privilège de révéler celle de Sevantibhaï, qu'un profane annoncera publiquement ; les enchères grimpent jusqu'à trois cent soixante et un mille roupies et le gagnant monté sur la scène proclame le nom du moine : « Raj Ratna Vijayji ! » Un tonnerre d'applaudissements fait vibrer l'immense espace. Dans l'ordre, les enchérisseurs acquièrent le droit de prononcer le nom de Snehal, dit Vicky : « Raj Darshan Vijayji ! » ; d'Utkarsh, dit Chiku : « Ratna Bodhi Vijayji ! » ; de Rakshaben : « Divya Ruchita Sreeji ! » Quand vient le tour de Karishma, ses trois tantes paternelles qui ont eu la prérogative de la baptiser à la naissance et lui ont donné un prénom associé dans l'esprit de la plupart des Indiens à une héroïne de cinéma très sexy, surenchérissent audacieusement jusqu'à cent cinquante mille roupies (un lakh et demi) et, surmontant leur tristesse, se placent face au public pour crier ces trois mots : « Darshan Ruchita Sreeji ! »

Quand les Ladhani réapparaissent sur scène, ils sont métamorphosés. Leurs robes et leurs saris uniformes en soie crème ont disparu au profit de draps blancs uniformes drapés sur le buste et autour des jambes ; ils n'ont quasiment plus de cheveux sur la tête. En sortant, Hasmukh me dira : « J'ai remarqué que Sevanti ne regardait pas Raksha et que Raksha ne regardait pas Sevanti. Les enfants, oui, ils ont regardé, mais le couple semblait ne voir personne. » Sa femme s'est mise à pleurer en réalisant ce qu'avait subi Raksha. « Quand il a fallu qu'elle se fasse raser la tête, Raksha est restée le visage entre les mains et elle n'a pas jeté un seul regard à quiconque pendant que ses cheveux, marque de la beauté féminine en Inde, tombaient par terre. »

Hasmukh m'explique également qu'au cours de la cérémonie de la tonte, les membres de la famille ont aspergé les diksharthis d'eau pour une dernière toilette symbolique ; au mois de janvier et au petit matin, l'eau est bien entendue glaciale. Ils l'ont néanmoins versée sur Sevantibhaï qui frissonnait de fièvre, puis sur les quatre autres. Après quoi, Rakshaben et Karishma ont commencé elles aussi à se sentir fiévreuses. « Il fallait qu'ils se lavent à l'eau froide. Je ne comprends pas pourquoi », déclare Hasmukh en secouant la tête comme un enfant devant une coutume ou une règle dont la logique lui échappe. Il a fait ses adieux à son oncle et meilleur ami. « Je lui ai dit : " Quand je reviendrai en Inde, on se reverra " », mais Sevanti est resté muet. « Il avait son bâton à la main, ses biens autour du cou et il n'a pas croisé mon regard, il s'est contenté de hocher la tête. » Les quatre autres non plus n'ont pas répondu à ses au revoir.

Sevanti et Raksha sont mariés depuis vingt-deux ans. Ils se touchent pour la dernière fois lorsque Raksha pose le tilak sur le visage de Sevanti, répétant le rituel qu'elle a observé pour le toucher la première fois, le jour de son mariage. La petite femme se hisse sur la pointe des pieds et dépose du bout du pouce une pastille de pâte safran entre les sourcils du père de ses enfants ; les époux échangent un sourire, se mettent à rire. La main légère qui vient de l'effleurer pour la dernière fois a rafraîchi le front brûlant.

Pour finir, les cinq diksharthis s'assoient au bord de la scène pour recevoir les hommages de leur famille élargie. Le maharaj-saheb s'adresse à Laxmichand : « Regarde, Laxmichand bhaï, ils étaient tiens et ils restent tiens mais désormais ils sont aussi des nôtres. » Laxmichand ne peut retenir ses larmes en entendant le maharaj lui rappeler, avec beaucoup de délicatesse, que ces cinq personnes ont désormais quitté l'orbite des Ladhani pour entrer dans le vaste monde. Renonçant à la vie qu'elles avaient menée jusqu'alors, elles ont effacé de leur apparence toute trace de Sevantibhaï le diamantaire, de Rakshaben la maîtresse de maison, de Vicky, Chiku et Karishma, les trois jeunes Bombayites choyés. Elles se sont, enfin, dépossédées de tout. Sauf de leurs lunettes. Les deux garçons ont toujours leurs lunettes sur le nez. Ils en auront besoin pour avancer sur le chemin.

Cette nuit, ils seront hébergés à l'upsara, la maison d'hôtes. Demain matin à quatre heures et demie, ils entameront le premier jour de leur vie de renoncement en collectant leur premier repas (aujourd'hui était pour eux jour de jeûne), et la première porte à laquelle ils iront frapper sera celle des Ladhani. Cette pratique est une métaphore de leur dépouillement : ils doivent d'abord aller mendier chez eux, dans la maison où ils ont vécu. Ensuite ils se mettront en route et quitteront Dhanera, malgré la fièvre qui brûle toujours les deux adultes et Karishma. Ils ne reverront pas la ville de leurs ancêtres avant au moins cinq ans. Après Bombay, c'est le deuxième endroit à leur être interdit.

Le Rajput taciturne et bourru qui me sert de chauffeur s'interroge : « Pourquoi ont-ils choisi la diksha tous les cinq ? Ils sont milliardaires.

— Ils sont dans les diamants.

— Le gang de Dawood devait les serrer de près, si vous voulez mon avis. »

Il m'emmène de Dhanera à Ahmadabad où je prendrai le train pour Bombay après m'être arrêté chez des parents que j'ai là-bas. C'est la branche la plus pauvre de ma famille, et quand j'entre chez eux je reconnais les vêtements qui habillent plusieurs de mes cousins et cousines : neufs, ils ont appartenu à mon père, à ma mère, à mes sœurs ou à moi. Je fais la connaissance du nouveau-né mais son père, mon cousin, ne sera pas là de la journée. Employé dans une taillerie de diamants, il ne voit quasiment jamais sa première-née, un nourrisson d'à peine deux mois, car il part travailler à l'aube et ne rentre qu'à la nuit tombée. Il est souvent pris le dimanche, aussi ; même à Diwali, fête traditionnellement fériée chez les diamantaires, il arrive qu'il soit réquisitionné quand le carnet de commandes est plein. Il est payé à la pièce, par diamant taillé, et en échange de ce labeur exigeant, du sacrifice de sa vie, il ne gagne pas ce que je donne à mon chauffeur à Bombay. Du matin au soir il taille des cailloux et se prive de sa petite fille pour que les marchands de la classe de Sevantibhaï puissent jeter à brassées les bénéfices réalisés sur son dos.

Dans la semaine qui suit je retrouve Hasmukh à Bombay, dans l'appartement que son frère possède à Tardeo. Hasmukh est assez pratiquant, lui aussi. À chacun de ses voyages à Bombay il se rend avant toute chose au temple de Sankeshwar et ce n'est qu'après s'être recueilli qu'il s'occupe d'acheter ses diamants. À Los Angeles, il s'est affilié à la secte Swaminarayan, hindoue mais selon lui très proche de l'esprit du jaïnisme. Cela étant, il s'est marié en dehors de sa religion, et même en dehors de la nation gujeratie : sa femme vient d'une famille de Bangalore propriétaire de seize restaurants à Bombay. Hasmukh a fait un mariage d'amour. C'est bien mais ce serait encore mieux si les cuisines d'un restaurant n'étaient pas des nids de péché, pour les jaïns. Le choix de Hasmukh a déplu à la communauté dans laquelle il est né. Personne ne refuse de les recevoir, lui et les siens, mais ce n'est plus pareil ; il se sent tenu à l'écart et voit bien que les autres ne savent pas comment se comporter avec sa femme.

Il est en train de m'expliquer tout cela quand un jeune garçon portant un tee-shirt vert à l'emblème de Nike entre dans la pièce. Le fils de Hasmukh revient du cinéma où son oncle l'a emmené voir un film hindi. Tous deux ne sont pas d'accord sur le message de cette comédie dramatique, l'histoire d'un Indien chauffeur de taxi à New York qui hésite entre une Indienne occidentalisée et une Indienne élevée dans la tradition. L'enfant est en sixième dans un collège de Diamond Bar, en Californie, et il s'exprime avec un accent américain prononcé. « Je veux simplement dire que bien sûr il y a de l'amour en Inde mais qu'en Amérique aussi il y en a. »

Son oncle en doute : « Il y a moins d'amour en Amérique qu'en Inde », et il en donne pour preuve le taux de divorces élevé des Américains.

« Si les gens divorcent, ce n'est pas pour rien », rétorque le garçon. Se tournant vers moi, il me dit que Sevantibhaï lui a demandé de revenir vivre en Inde. « J'aimerais bien, mais j'ai fait ma vie là-bas », déclare-t-il du haut de ses douze ans.

C'est dans cet appartement qu'au détour de la conversation j'apprends qu'un contrat d'assurance protège les Ladhani, au cas où ils trouveraient le chemin du moksha trop rude, comme d'autres renonciateurs avant eux. Un fonds administré par quatre membres de la famille a été constitué, et il est substantiel ; la somme, qui se compte en crores, sera dépensée selon les instructions de Sevantibhaï. Si sur sa route ils croisent des nécessiteux ou des institutions méritantes, les administrateurs leur enverront de l'argent. « Si les enfants veulent revenir, ils n'auront pas besoin de demander la charité. On pourra tout de suite leur procurer une voiture, une maison. » C'est une sécurité, pour Sevantibhaï : il peut changer d'avis en sachant qu'il a encore un petit quelque chose dans le samsara. Certes, il a distribué une bonne partie de sa fortune, mais ce qui reste est suffisant pour assurer aux cinq ascètes novices un niveau de confort raisonnable à Bombay. Étrange façon de voir les choses : sur un simple coup de fil, le moine errant peut doter un temple ou changer la fortune d'un village entier. L'assurance de retrouver les agréments de la vie s'il tourne casaque rend-elle plus facile ou plus dure l'existence du renonciateur ? Sevantibhaï et les siens auront toujours ce choix. Chaque pas sur le chemin de l'errance affirmera leur libre arbitre. Et quand ils seront fatigués d'avoir marché sous le grand soleil, la voix de la tentation leur soufflera qu'ils pourraient voyager en Rolls-Royce, s'ils voulaient. Il suffirait qu'ils s'avouent vaincus.

Sept mois après la cérémonie de la diksha, je pars voir comment Sevantibhaï mène sa vie de moine. Avec les deux garçons il passe la mousson tout au nord du Gujerat, à Patan où mon grand-père allait à l'école. Le temple jaïn et les institutions attenantes se trouvent dans un quartier calme aux rues bordées de vieilles maisons en bois peint.

Après avoir quitté Dhanera, Sevantibhaï a sillonné le Gujerat de ville en ville ; son trajet l'a mené de Tharad, à Deesa, puis à Patan, Bhabhar, Ahmadabad, et de nouveau à Patan où il loge dans une maison commune. Sept mois se sont écoulés au calendrier lunaire depuis le jour de la diksha, et je retrouve

Sevantibhaï – devenu le maharajsaheb Raj Ratna Vijayji – dans une pièce aux proportions gigantesques. Il est là depuis deux mois et ne s'en ira que dans deux mois. À l'entrée de cette salle qui abrite temporairement les vingt-deux moines de l'ordre, un grand tableau intitulé *Regard compatissant sur la vie ici-bas* montre un homme qui s'accroche à un arbre au-dessus d'un puits grouillant de serpents et de crocodiles ; des rats rongent la liane à laquelle il se retient tandis qu'un éléphant secoue le tronc de l'arbre.

Je le vois tout de suite, au fond de la salle immense, et lui aussi m'a vu ; il l'indique en levant sa main vers son crâne pour signifier que mes cheveux ont bien poussé. Lui a dû au contraire subir son premier lochan à l'entrée dans la vie monastique : au cours d'une séance qui a duré plusieurs heures, son supérieur a arraché, un par un ou par touffes, les poils qui lui poussaient sur la tête, sur la figure, autour des lèvres. Il avait le cuir chevelu en sang. « Ce n'est qu'un échantillon des tortures infernales que je mérite pour mes péchés. On arrache les cheveux à la main pour fortifier le corps et t'amener à comprendre les souffrances d'autrui. » Il a enduré cette épreuve en pensant aux supplices infligés aux gourous jaïns du temps jadis. Quand, non contents de leur arracher les cheveux, les ennemis de leur foi les écorchaient vivants, les gourous demandaient à leurs bourreaux : « Dans quelle position voulez-vous que je me mette pour que vous puissiez tranquillement m'écorcher en prenant le moins de peine possible ? » Le courage de ces martyrs a redoublé le sien.

Le paushadhshala, ou salle de retraite, est une immense pièce tout en longueur éclairée par des ouvertures sur deux côtés. Elle n'appartient pas aux moines. Ils sont hébergés par la communauté, la sangha, qui a construit ce lieu à leur intention. Assis devant les tables basses, ils lisent des manuscrits anciens et prennent des notes dans leurs carnets. Des laïcs passent les voir pour leur demander des conseils sur la manière de conduire leur vie quotidienne ; les plus prometteurs de ces profanes sont incités à s'engager dans la diksha. Ils sont un certain nombre à être venus ici pour avoir un avant-goût de la vie monacale. Ils peuvent choisir d'observer le comportement des sâdhus pendant une journée ou, pour le test le plus simple, une courte période de quarante-huit minutes très exactement. Pendant ce laps de temps, ils doivent s'appliquer à purifier leurs pensées et leurs actions de toute trace de violence. Nous sommes en août et la salle est dépourvue de ventilateurs. Assis en tailleur devant Sevantibhaï, je transpire à grosses gouttes et agite la main pour écarter les mouches. Sans cette hauteur de plafond, la chaleur serait insupportable. La nuit, les moines dorment sur place, mais avec une restriction : il leur est interdit de s'allonger dans le courant d'air afin de ne pas attenter aux formes de vie qui se laissent porter par lui. D'autant que ce serait aussi s'autoriser le plaisir physique du souffle rafraîchissant. Si les fenêtres sont fermées, ils n'ont pas le droit de les ouvrir pour les mêmes raisons. Sevantibhaï doit épurer sa vie de tous les éléments de confort, de plaisir. Telle est la condition pour qu'il continue d'aspirer au moksha : il faut que son séjour ici-bas soit si dénué de luxe et pour tout dire si atroce qu'il finira par s'abandonner sans résistance aux eaux noires de la non-existence.

En s'engageant dans la diksha, Sevantibhaï a prononcé cinq vœux. Le premier est de ne jamais user de violence envers une forme vivante, de ne jamais inciter quiconque à la violence, de ne jamais approuver la violence commise par autrui. Cela implique, par exemple, que jamais il ne s'extasiera sur la qualité du dal qu'on lui donne lors de sa tournée de gocari, qu'il ne s'écriera pas, « Comme ça a l'air bon », car cela voudrait dire qu'il approuve les meurtres en chaîne entraînés par la seule confection de ce plat. Le deuxième vœu concerne la vérité : Sevantibhaï ne doit pas mentir, encourager quelqu'un à mentir ou approuver le mensonge proféré devant lui. Le troisième l'oblige à la probité : il ne peut pas voler, pousser autrui à voler ou approuver le vol. Par exemple, m'explique-t-il, si mon stylo tombait par terre et qu'il me l'emprunte une minute sans m'avoir demandé l'autorisation, ce serait du vol. Le quatrième vœu est le célibat : Sevantibhaï ne peut pas être autre chose que célibataire, il ne doit ni encourager autrui à vivre hors du célibat, ni approuver un autre mode de vie. En conséquence il s'interdit à jamais de faire l'éloge d'une cérémonie de mariage ou de suggérer que telle jeune fille serait un bon parti pour tel jeune homme. Les ascètes parcourent les routes pour ne pas rompre ce vœu de célibat, et durant leurs déplacements ils ne doivent pas être amenés à rencontrer des personnes du sexe féminin. Si lorsqu'il effectue la démarche du gocari un moine se rend régulièrement chez une laïque pieuse, si en son for intérieur elle admire la noblesse de ce moine ou si lui-même la trouve par-devers lui d'une piété admirable, il tombe dans le péché et rompt son vœu. La vie nomade est un obstacle à l'intimité entre les sexes. Le cinquième vœu enfin a trait à la pauvreté. Sevantibhaï ne possède rien, pas même le simple drap de coton dont il couvre sa nudité ; il lui a été donné par un profane.

Le chef de l'ordre, Chandrashekhar Maharaj, siège au bout de la salle, à l'affût du moindre dérapage qui entraînerait ses moines à rechuter dans le samsara. Il avait onze ans quand les six personnes composant sa famille ont toutes opté ensemble pour la diksha. Devant lui, se tiennent une mère et son petit garçon ; le gamin, habillé normalement, n'a pas l'air d'avoir dix ans. Il boude pendant que sa mère, souriante, tente tendrement de le persuader de faire je ne sais quoi. Il fait comme s'il n'entendait pas et joue avec ses orteils. Au bout d'un moment, le maharajsaheb prend le relais ; il s'adresse à lui à voix basse, gentiment mais avec insistance, sans se laisser déconcerter par le mutisme de l'enfant qui les ignore obstinément, sa mère et lui, et ne les regarde même pas. Sevantibhaï éclaire ma lanterne. Le petit garçon et sa mère habitent Bombay et il vient de passer trois mois ici à étudier sous la gouverne du maharaj pour se préparer à la diksha. À présent il en a assez ; Bombay lui manque, sa famille aussi et il a envie de partir quatre jours en vacances avec sa mère dans la grande ville. Le maharaj lui propose à la place une autre option : sa mère pourrait rester quatre jours ici avec lui. S'il retournait à Bombay maintenant, il reculerait au lieu de continuer à progresser et il lui faudrait bien plus de quatre jours pour combler son retard. Le petit garçon, un gamin brillant, n'a pas envie de penser à ses études ; il a envie de jouer. Il voit des enfants, dehors, les enfants venus avec les visiteurs, il aimerait regarder la télévision. La mère qui porte écrit sur sa figure l'amour qu'elle voue à son fils persiste à le convaincre de rester – de telle sorte que lorsque le temps sera venu tous les liens qui les attachent l'un à l'autre soient définitivement tranchés.

L'enfant s'approche du coin où je discute avec Sevantibhaï. « Je regrette de n'avoir pas opté pour la diksha trente ans plus tôt », me dit ce dernier. Son corps, alors, se serait plié plus facilement à ce qu'on exige de lui. Les choses étant ce qu'elles sont, Sevantibhaï a parfois des faiblesses et n'arrive pas à imposer à son corps autant qu'il le voudrait. « Je regrette de n'avoir pas opté pour la diksha trente ans plus tôt », répète-t-il en présence de l'enfant indécis.

Ses fils, ou ex-fils, ne sont pas aussi résolus que lui, ou autant qu'il serait souhaitable. « Une fois toutes les vingt-quatre heures au moins ils veulent jouer avec les autres jeunes moines, explique celui qui a renoncé à être père. Ce n'est pas souhaitable, mais c'est compréhensible. » À quel genre de jeu jouent-ils ? Il me montre du doigt des étiquettes de couleur collées sur des étagères : « Ils s'amusent à coller ces étiquettes, ils dessinent, ils ramassent les livres et les mettent côte à côte, ils veulent laver leurs vêtements une fois par semaine au lieu d'attendre un mois comme nous. Ils sont jeunes, encore, et ils ont envie de jouer. Pas au cricket, bien sûr – la batte qui frappe la balle relève du himsa [la violence], mais coller des étiquettes, laver leur linge, ça les distrait. »

Avant de s'asseoir dans la grande salle, Sevantibhaï essuie méthodiquement le sol avec son chiffon à poussière pour éloigner les formes vivantes. Tous les moines faisant de même, le carrelage est impeccable de propreté. Devant moi il entreprend de nettoyer une portion non négligeable de la surface, recueille la poussière dans une petite pelle en plastique, se dirige vers une fenêtre ouverte et dépose scrupuleusement les balayures sur l'appui en prenant garde à ne pas les faire tomber. Puis il examine le petit tas de poussière avant de l'éparpiller du bout des doigts. S'il le jetait d'une hauteur supérieure à la largeur de sa paume, il pourrait tuer des formes de vie aériennes. C'est la raison pour laquelle, me dit-il, les moines n'ont pas le droit d'utiliser des toilettes pour uriner ou déféquer. Parmi les bruits désobligeants qui circulent à propos des moines jaïns, il y a celui qui les présente comme des êtres dégoûtants qui pissent et chient dans la rue. Sevantibhaï me donne le fin mot de l'histoire. Après avoir été expulsées du corps, l'urine et les fèces doivent sécher quarante-huit minutes à l'air libre, sinon le liquide ou la masse molle favoriseraient la création de vies invisibles à nos yeux, mais perceptibles par l'Âme Universelle. Quand Sevantibhaï s'arrête dans un endroit où il n'y a pas, comme à Patan, de carrière de sable à proximité, il sort de la ville, va du côté des voies de chemin de fer ou sur les rochers du bord de mer et étale soigneusement ses excréments pour qu'ils sèchent plus vite ; s'il les laissait amoncelés en pile ou en motte il leur faudrait plus des quarante-huit minutes maximum requises pour sécher. La saison des pluies complique les choses. « C'est pour cela que nous ne pouvons pas aller en Amérique ou à Anvers. Il y fait humide toute l'année. » L'Occident est un territoire interdit aux jaïns qui n'y trouveraient pas d'équipements sanitaires adéquats.

Sevantibhaï ne regrette nullement Bombay et n'a aucune envie d'y retourner. Il n'ira que si son maître, son acharya *, le lui ordonne. La ville offre trop de tentations et d'occasions de pécher. « Seuls ceux qui ont une grande force d'âme peuvent aller à Bombay. Je ne pense pas en être capable avant au moins dix ans. » Les maux qui affligent la ville sont la conséquence directe de l'appauvrissement des campagnes, comme l'illustre l'exemple qu'il me donne : « Aujourd'hui, tout le monde consomme de l'huile d'arachide, alors que l'huile de sésame est bien meilleure pour la santé. Pour la diksha, on n'a utilisé que de l'huile de sésame. Les graines étaient broyées sous une meule actionnée par des bœufs, les humains récupéraient l'huile et les bœufs mangeaient la pulpe écrasée. Il y a encore quarante ans, les pressoirs à huile actionnés par des bœufs étaient au nombre de six lakhs [six cent mille]. Chacun employait deux bœufs, ce qui faisait un cheptel de douze lakhs [un million deux cent mille] pour les pressoirs. Où ont fini tous ces bœufs ? À l'abattoir. Et ceux qui les menaient, où ont-ils fini ? Que sont devenues leurs familles ? Ils sont partis chercher du travail en ville. Tu as déjà été à Dharavi [un des plus grands slums de Bombay] ? Il est plein de gens qui pourraient mener des bœufs, s'il y en avait toujours. Ils ne trouvent pas plus de travail là-bas que chez eux, d'où le crime et la corruption. » Remarquablement juste, cette explication de l'exode rural repose ni plus ni moins sur la différence radicale qui sépare une cacahouète d'une graine de sésame.

Autrefois, poursuit-il, il n'y avait pas de concurrence au village. Le potier fabriquait la quantité de pots et de bols que les villageois pouvaient lui acheter, avec les paysans il troquait sa production contre des produits frais. Il n'y avait pas besoin de plus d'un atelier de poterie par village et le potier tournait à la main. Aujourd'hui, il a un tour électrique et fabrique bien plus de récipients qu'il ne peut en vendre au village. « Que va-t-il faire de tous ces pots ? Il faut qu'il essaie de les écouler ailleurs, et ce faisant il crée de la concurrence. » Le secteur des diamants a connu la même évolution ; l'apparition des machines électriques permet désormais de tailler une quantité prodigieuse de pierres. « Un diamant ne s'abîme pas, il ne vieillit pas avec le temps, et puisqu'on taille de plus en plus de diamants les gens en achètent de plus en plus. Seulement une fois qu'ils ont des bagues aux dix doigts, que font-ils ? » Le progrès technique se traduit par un excédent de production qui favorise la concurrence, condamne à terme le mode de vie paysan et l'économie de troc, encourage à consommer sans nécessité. C'est du marxisme version jaïn.

Au cours de la journée, dès que les moines ont un petit moment à me consacrer entre leurs méditations et leurs lectures je reviens dans la salle. Sevantibhaï me conseille de m'adrresser à sur acharya, plus qualifié que lui pour répondre à mes questions, mais le gourou a l'habitude de se lancer dans un long discours sur le sujet de son choix et il est difficile de l'interrompre. Sevantibhaï est sans doute moins expert, mais il reste possible de l'interroger. Je lui demande donc à quoi il a eu le plus de mal à renoncer : à sa famille, à sa fortune, à sa maison confortable ? Au bout d'un long silence, il lâche : « La famille. Le plus dur ç'a été de quitter ma famille. » Veut-il parler de sa famille élargie ou de sa femme et de ses enfants ? « Pas la famille élargie, non. Tous mes parents ne sont pas religieux. Je parle de ma propre famille. Nous avons appris ensemble. » Il n'a pas revu celle qui fut sa femme depuis quatre mois ; après la diksha, pendant six semaines ils ont marché côte à côte — mais pas ensemble, ainsi qu'il prend soin de me le préciser. Il ignore quand il les reverra, elle et celle qui fut sa fille. Il en va de même pour les garçons qui furent ses fils : « Si mes remarques les chagrinent, ils n'ont pas de mère vers qui se tourner pour retrouver la paix. Heureusement, ils ont Chandrashekhar Maharaj, s'empresse-t-il d'ajouter avec un signe de tête en direction du gourou. Il est plus qu'une mère. »

Qu'est-ce qui lui a été le plus difficile à accepter, après la dik sha ? Il prend le temps de réfléchir, puis dit : « Nous sommes vingt et un sâdhus dans ce groupe. Nous avons tous des origines différentes, des familles différentes. Les uns ont été riches, les autres pauvres, et de ce fait nous ne voyons pas les choses de la même façon, nous n'avons pas tous le même caractère. Il faut du temps pour s'y habituer. Pendant un mois et demi, ç'a été très éprouvant. » Il a entendu ses compagnons dire des choses dures ; il a vu leurs visages s'aigrir pendant le gocari quand la nourriture déposée dans leurs bols ne leur plaisait pas. Il a bien fallu qu'il apprenne à composer avec ce compagnonnage forcé. Les conflits de personnalité qui perturbent le groupe sont dus selon lui à la disparition de la famille élargie. « J'ai connu des familles qui comprenaient jusqu'à cent personnes, sous la conduite d'un seul patriarche. On lui obéissait, c'était une question d'éducation.

Avant, les sâdhus étaient issus de ces grandes familles et ils obéissaient sans problème à l'acharya. Aujourd'hui ils viennent de familles beaucoup plus restreintes, ils n'ont pas l'habitude de vivre en groupe. S'ils sont quarante, mettons, chacun pense à sa façon. Ils n'ont pas non plus la même capacité de travail. Il me faudra des années pour m'y faire. » Tous les sâdhus ont renoncé à leurs biens terrestres pour adopter cette vie austère, mais la valeur des sacrifices consentis par Sevantibhaï et les siens excède largement les dons faits par tous les autres membres de son ordre. Je crois deviner que cette pensée contraire à la diksha et à la règle monastique perturbe Sevantibhaï. La société de classes persiste peut-être jusque dans la société égalitaire des sâdhus. Un peu comme à l'armée, quand le millionnaire dans le civil se retrouve sous les ordres d'un gradé qui n'était qu'un petit employé.

La modernité n'est pas tendre pour les sâdhus. Ils ne peuvent boire que de l'eau bouillie, par exemple, alors que de nos jours très peu de gens font encore bouillir l'eau ; la plupart des jaïns laïcs la filtrent, comme tout le monde. Jadis, les paysans mettaient de l'eau à bouillir en quantité en même temps qu'ils préparaient la pâtée des bêtes, et les moines passaient suffisamment tôt pour pourvoir à leurs besoins. On ne peut cependant pas commander aux gens de bouillir l'eau pour l'usage exclusif des moines. Cela ne gênait pas ces derniers de laisser les profanes pécher en préparant de l'eau bouillie pour l'usage de tous, puisque ce n'était pas eux qui commettaient ce péché ; en revanche, si l'eau n'est bouillie que pour les moines, la faute retombe directement sur eux. L'état des routes pose un autre problème. Durant leurs pérégrinations, les moines empruntent de préférence des voies pavées qui deviennent chaque jour plus rares. Les routes bitumées sont dures pour leurs pieds et surtout pour leurs yeux ; les miroitements du goudron leur abîment la vue, un sens pourtant essentiel à l'étude prolongée des textes anciens et à l'observation attentive du terrain si l'on veut éviter de marcher sur des formes vivantes.

L'épreuve la plus pénible physiquement qu'ait traversée Sevantibhaï a eu lieu lors d'un voyage de Bhabhar à Ahmadabad, où il devait assister à une cérémonie de diksha. Ils parcouraient une trentaine de kilomètres par jour, en marchant cinq heures le matin après le lever du soleil et plus encore le soir. Un jour, ils durent s'arrêter au bout de six kilomètres et se reposer au bord d'un champ tant ils avaient mal aux pieds. Il fallut bien repartir, cependant, car à la nuit tombée ils devaient arriver dans un village où il y avait une maison jaïn. La dernière demi-heure de marche fut un supplice. Quand Sevantibhaï examina ses pieds, il s'aperçut qu'ils étaient déformés par de gros furoncles et des ampoules. Il perça ces dernières avec une épine, les vida de leur humeur et de leur pus. Et comme il ne croit pas à la médecine allopathique, il nettoya les plaies avec un mélange d'huile de castor et de curcuma. Il me montre la plante de ses pieds : craquelée, calleuse, fendillée et noircie, épaissie par des couches de peau qui s'entrecroisent, aussi creusée de cratères que la surface de la Lune, elle dit en effet ce qu'endurent ces pauvres pieds. De toute façon, la règle « ne nous permet pas d'arrêter nos pensées sur le mal de pieds » ; et se déplacer à pied sur des routes goudronnées expose à des périls autrement plus graves : « Toute la violence liée à la construction des routes s'accumule sur nous. » De nos jours, de nombreux sâdhus meurent dans des accidents de la route, car rien n'est prévu le long de ces voies pour la circulation des piétons.

Le monde dans lequel nous vivons est néanmoins presque idyllique comparé à ce qui se prépare. Le temps du jaïnisme se déroule sur un cycle de six ères qui se répètent perpétuellement et dont la première est la plus idéale. Dans celle qui est la nôtre, la cinquième selon la cosmologie jaïn, l'espérance de vie maximale des êtres humains est de cent trente ans. Dans celle qui s'annonce et qui bouclera le cycle, ils vivront vingt ans au mieux. Il n'y aura plus de vie végétale, plus de religions – pas même en dehors du jaïnisme – et les hommes se terreront dans des grottes sous le lit des rivières pour fuir la chaleur implacable qui régnera à l'air libre. Au début de la sixième ère, les êtres humains ne seront pas plus grands que deux fois la longueur du

bras, du coude au poignet, et leur taille diminuera progressivement de moitié. Selon la conception jaïn du monde, la période
historique la plus lugubre est par conséquent la nôtre, et pas la
suivante : en effet, les gens de la sixième ère auront au moins
l'espoir que les choses changent pour le mieux (le cycle
recommencera ; il se déroulera, cinquième ère comprise) ; nous
qui vivons aujourd'hui n'avons même pas ce réconfort. Les
choses vont mal et elles iront de mal en pis.

Sevantibhaï est sûr de ne pas atteindre la libération à partir de
sa dernière naissance. Il ne peut que franchir un pas considérable
sur le chemin qui y mène en se consacrant corps et âme au
moksha. Le seul fait de vivre sur la planète telle qu'elle est
actuellement suffit à grever son karma. Pourquoi, dans ce cas, ne
met-il pas fin à ses jours ? Il existe des ordres monastiques jaïns
tels les Sthanakvasis qui choisissent délibérément de quitter ce
monde immoral et cruel. Ils cessent simplement de manger et
invitent les profanes à venir les regarder mourir lentement de
faim dans leur salle de retraite. L'ordre dont se réclame Sevantibhaï est plus rigoureux : « Nous n'avons pas la liberté de nous
suicider. Il n'y a pas de raccourci qui mène vers la prochaine
renaissance. » À une exception près, cependant : si pour finir
Sevantibhaï trouve l'attrait du samsara trop irrésistible, s'il se
révèle incapable de suivre la règle de son ordre, il vaudra mieux
qu'il se suicide plutôt que de retourner dans le monde.

Le maharajsaheb Chandrashekhar est seul en mesure de
m'accorder l'autorisation de parler aux deux jeunes moines.
Sevantibhaï explique que je suis rentré en Inde après avoir vécu
vingt et un ans à l'étranger. « Vous avez pris une excellente
décision », déclare le maître gourou avec un hochement de tête
approbateur.

Sevantibhaï admet éprouver encore des sentiments paternels
diffus. Il me désigne un jeune moine assis par terre, adossé à un
pilier : « Je ne peux pas le gronder comme je le ferai avec mes
fils. J'ai beau m'en défendre, je les considère toujours comme
les miens. Ils m'écoutent. Si le maître gourou nous demande à

tous de venir manger, je peux leur ordonner de venir manger tout de suite. Quand ils n'étudient pas, je me fâche, ce que je ne me permettrais pas avec les maharajsahebs de leur âge. Pourquoi? Est-ce que j'estime avoir sur eux des droits que je n'aurais pas sur les autres?» Il me parle d'eux sans jamais les nommer – peut-être parce que cela le met mal à l'aise d'appeler Raj Darshan Vijayji et Ratna Bodhi Vijayji ses fils qui si récemment n'étaient pour lui que Vicky et Chiku.

L'aîné est plongé dans une forme de méditation particulière qui le met physiquement en contact avec tout ce qu'il possède: les huit morceaux de tissu qui composent sa garde-robe, son bâton, ses bols de gocari. Les swamis qui se trouvent à proximité sont en train de manger et l'odeur de transpiration, d'urine et de nourriture est à soulever le cœur. Les moines ont mauvaise haleine – il leur est interdit de se laver les dents, acte qui a pour finalité d'éliminer les bactéries – et il faut prendre sur soi pour discuter avec eux d'un peu près. Pendant un mois, Vicky doit rester toute la journée dans cette posture. Sa nouvelle vie, dit-il, lui apporte la paix et la joie, le délivre de la compulsion «à courir partout comme avant». Levé à quatre heures, il consacre sa journée à l'étude et à la prière; le soir, à neuf heures et demie il s'allonge par terre et s'endort. «Quatre ou cinq fois par jour, je me demande, quand vais-je connaître le moksha? Quand serai-je libéré?»

Le cadet continue d'étudier alors que ses compagnons mangent. Il a quelque chose d'attendrissant, comme s'il s'obligeait à faire bonne figure. «Il a toujours été très proche de sa mère», me confie Sevantibhaï. Quand le père le gronde, il prend la plume pour se plaindre à la nonne qui fut sa mère. Et elle lui répond. Ils s'écrivent à raison d'une lettre chacun par semaine. Le maharaj Chandrashekhar ne s'y oppose pas. Quand j'interroge le fils sur cette relation épistolaire, il élude à la manière d'un adolescent qui feint l'indifférence vis-à-vis de la fille dont il est fou amoureux: «Si elle m'écrit, je lui réponds.»

Ni lui ni son frère n'appellent Rakshaben mère ou maman. À la place, ils utilisent le nom qu'elle a reçu lors de la diksha: Divya

Ruchita Sreeji. Ils ne parlent pas de leur sœur. Le lien qui existe entre les jumeaux Utkarsh et Karishma va pourtant bien au-delà de l'affection normale de mise entre frères et sœurs. Pas une fois Chiku ne mentionne la jumelle sacrifiée sur l'autel du renoncement. L'aîné précise que s'il leur arrive de retrouver les deux femmes ils ne pourront pas s'asseoir près d'elles. « Il faut se tenir loin », dit-il en m'indiquant du bras la distance réglementaire qui doit séparer, non plus une mère et un fils, un frère et une sœur, mais un homme et une femme qui sans le frein de la règle monastique seraient susceptibles de céder à la tentation. Ils peuvent se réunir pour discuter de points de doctrine à condition d'avoir l'autorisation de leurs gourous respectifs, mais ils ne peuvent pas se dévisager et doivent en permanence garder un linge sur la bouche. La mère ne pourra jamais, plus jamais toucher le garçon qu'elle a mis au monde. « Une dame ne peut pas s'asseoir avant cent quarante-quatre minutes à la place où je me suis assis, et je ne peux pas m'asseoir avant quarante-huit minutes à la place où une dame s'est assise parce que l'aura de son corps s'y attarde tout ce temps. »

Sevantibhaï et les deux garçons ne mangeaient qu'une fois par jour, au début; entre-temps le cadet a eu la jaunisse et son régime a été adouci à deux repas. Les prescriptions alimentaires sont levées si nécessaire en cas de maladie, car le corps, véhicule du sâdhana *, doit rester en vie. Ce qui ne veut pas dire qu'il doit se sentir bien. Quand l'adolescent a eu la jaunisse, le gourou maharaj a décrété qu'il avait les cheveux trop longs et devait se soumettre au lochan. Affaibli par la maladie, le teint brouillé, il a donc dû s'asseoir aux pieds du gourou, qui après lui avoir étalé sur la tête de la cendre de charbon lui a attrapé les mèches à poignées pour les arracher à la racine. Ce moment, m'avoue Chiku, fut ce qu'il a vécu de plus dur ces derniers mois.

L'adolescent ne se rappelle pas grand-chose de son passé, de Bombay. Je lui demande comment il envisage l'avenir. « Je ferai ce que me dira le gourou maharajsaheb. » Peut-il expliquer ce qui l'a poussé vers la diksha? Les yeux baissés sur le cahier d'écolier avec lequel il révise ses leçons de sanskrit, il répond, et c'est presque un aveu : « On dit que celui qui opte pour la diksha atteindra le moksha. Au stade où j'en suis, je l'ignore. » Il a fait confiance à son père, mais avait-il vraiment le choix ?

Sevantibhaï m'a donné cette définition du moksha : « La félicité du moksha abolit le désir. » On ne saurait exprimer les choses plus franchement : le salut est dans le non-désir.

En rentrant sur Patan, je décide de m'arrêter au temple du Soleil de Modhera, construit au xiᵉ siècle. Le chauffeur trouve en effet qu'il vaut le détour et il m'emmène donc jusqu'au village pour se garer devant une bâtisse flambant neuve, aux murs de couleur pastel sur lesquels les noms des généreux donateurs s'étalent en gros caractères. Je lui affirme qu'il en existe un autre, plus ancien.

Le temple du Soleil est absolument exquis. L'idole centrale y était positionnée de façon à recevoir directement les rayons du soleil levant à l'équinoxe. Le lieu saint ne contient plus d'idole mais en longeant les murs de l'ancien édifice en pierre je remarque qu'ils sont couverts de scènes érotiques. Ici, une femme penchée en avant tient dans sa bouche le pénis d'un homme tandis qu'un autre lui rend hommage par-derrière. Là, un homme embrasse une femme passionnément en lui soulevant la cuisse gauche pour la caler contre sa taille et une autre femme agenouillée sous la première fait une fellation à l'amant. Ces personnages poursuivent leurs activités au milieu de plantes et d'éléphants taillés dans la pierre, entourés de serviteurs, et sous l'œil de Dieu ; rien là de secret, de honteux. La sexualité célébrée dans les temples hindous se déploie dans toute sa gloire. Des touristes entrent ici, des villageois, des membres des tribus, des bourgeois citadins venus en famille de la ville, et les enfants gambadent parmi les amants. Les figurines vibrent d'érotisme ; certaines des têtes ont été cassées, effacées par l'usure du temps ou les déjections acides des centaines de pigeons qui nichent dans les creux des murs, mais leurs postures sont révélatrices du plaisir pris à jouer du corps et de ses possibilités. Cette jouissance aussi est sacrée, sanctifiée.

Il n'est pas facile de parler des jaïns sans les ridiculiser. Leurs croyances excitent la verve des Occidentaux spirituels, que l'on pense au portrait au vitriol du prophète Mahavir dépeint par Gore Vidal dans *Création* ou au pathétique Merry, le frère convers jaïn que décrit Philip Roth dans *Pastorale américaine.* Même à Bombay j'ai du mal à expliquer pourquoi je ne considère pas ces gens comme des fous furieux, des idiots ou des fanatiques. Leurs conditions de vie extrêmes – ces privations terribles qu'ils s'infligent – terrifient les citadins ; ce que je leur en dis les fait encore plus frissonner que mes histoires de tueurs. « C'est de la violence ou je ne m'y connais pas, commente Mahesh, réalisateur d'une pelletée de films sanglants. Ça me traumatise. » Sevantibhaï poursuit sa recherche avec une rigueur qui ne laisse aucune place au compromis. Tant de pureté et de persévérance paraît incompréhensible, dans la ville qui offre à foison des occasions de distraction.

Tout en cheminant dans les campagnes du Gujerat, Sevantibhaï se pose de grandes questions qui l'amènent à réfléchir au but et à l'ordre de l'Univers, à la vanité du nationalisme, à la structure atomique de la réalité. Plus que toute autre personne de ma connaissance, il a continûment, inlassablement conscience de la somme de violence perpétrée à chaque minute, à chaque instant par notre espèce, violence qu'elle ne retourne pas seulement contre elle mais dirige contre la vie même, contre la création. Les diamantaires que je côtoie depuis l'enfance ne sont pas, dans l'ensemble, ouverts à ce type d'interrogation. Leurs affaires marchent bien. Ces questions, ce sont surtout les gens aux prises avec des difficultés financières qui se les posent. Les diamantaires jaïns de Bombay sont plutôt contents de leurs belles maisons et de leurs bureaux somptueux, des voyages qui de temps en temps les amènent à Anvers, des visites à Disneyworld avec les enfants ou des week-ends dans la station de Lonavla. Ils soutiennent presque à l'unanimité le BJP et trouvent que le barrage de Narmada – gigantesque projet dénoncé par les écologistes – sera une bénédiction pour le Gujerat.

La décision prise par Sevantibhaï le place dans une sphère de pensée complètement différente. Il est contre le barrage parce qu'il va favoriser le développement de la pêche ; il a entendu parler du conflit du Cachemire, mais de son point de vue la vie d'un Indien n'a ni plus ni moins de valeur que la vie d'un Pakistanais ou d'un Américain ; le mot nation n'a pas de sens pour lui. Les moines jaïns sont pour la plupart apolitiques, contrairement à maints gourous indiens contemporains qui flirtent avec la droite. Sevantibhaï a résolument jeté aux orties les valeurs tant prisées par les classes moyennes : l'éducation à l'occidentale, le consumérisme, le nationalisme, la famille sacro-sainte. Et voilà que ces gens à qui il a tourné le dos le traitent avec révérence ; des diamantaires à la tête de sociétés autrement plus importantes que la sienne, qui ne l'auraient pas fréquenté dans la vie qu'il a quittée, parcourent des distances considérables pour se prosterner devant lui, toucher ses pieds et ceux de ses fils. Ses enfants étudient le sanskrit, alors que dans leur ancien immeuble de Bombay les adolescents du même âge en sont toujours aux BD d'Archie. Ces élèves jusqu'alors plutôt médiocres passent maintenant plusieurs heures par jour à étudier une théorie de la connaissance qui compte parmi les plus sophistiquées jamais produites par l'esprit humain. Là où la logique aristotélicienne pose qu'une proposition est nécessairement soit vraie, soit fausse – il n'y a pas de moyen terme –, la logique jaïn discerne pas moins de sept possibilités. Cette conception raisonnée de la vérité a reçu le nom de syadvada, « la doctrine du peut-être ». Les Ladhani ont tout loisir pour étudier. La structure rigide de la vie monacale ménage un espace de liberté à la vie de l'esprit.

Et puis il y a cette joie qui se lit sur son visage, ce sourire si prompt à surgir. J'ai plus de doutes s'agissant des enfants. Son entreprise a essuyé des pertes énormes. Est-ce la vraie raison qui l'a poussé à quitter le monde ? Qu'est-ce qui lui pesait tant ? Est-ce qu'il ne s'entendait plus avec sa femme ? « J'ai un passé épouvantable, m'a dit Sevantibhaï. Tout Dhanera est au courant. » Il a eu plus que sa part de soucis pendant les sept ans qui ont précédé la diksha, des soucis d'argent, des soucis familiaux. Il m'a montré les deux récipients rouges creusés dans une calebasse dont il se sert pour le gocari : « Je mange, je nettoie. Je ne m'inquiète plus de savoir si la bonne va venir faire la vaisselle. Je ne suis plus stressé. Je ne me demande pas ce que je vais faire demain. » L'esprit libre, il peut se concentrer sur le moksha. Le sort de sa famille, la réussite ou la faillite de son affaire ne le préoccupent plus.

Dans les villes où je réside, je continuerai longtemps à penser à Sevantibhaï, à la simplicité absolue de l'existence qu'il a choisie. À New York je me débats dans les ennuis d'argent. Comment vais-je élever mes enfants ? Aurai-je jamais les moyens d'être propriétaire ? J'approche du milieu de ma vie et j'ai l'impression d'être chaque jour plus pauvre, en comparaison de mes anciens condisciples qui s'enrichissent dans les technologies de pointe ou à la Bourse, s'achètent des appartements et des voitures et mènent un train de vie hors de ma portée. Je n'ai jamais gagné autant de sous et malgré cela je ne me suis jamais senti plus pauvre. Il me semble que j'y suis presque, qu'enfin je vais savoir ce que c'est – la sécurité financière (sinon la fortune), une carrière digne de ce nom –, mais chaque fois ce que je croyais saisir me glisse entre les doigts comme les grenouilles de la mare de l'école Walshingham. Nous les attrapions à mains nues et les serrions si fort que cela tenait du miracle impossible de les sentir soudain jaillir d'un bond hors de nos poings fermés. Sevantibhaï a dépassé tout cela. Il a une longueur d'avance sur ses soucis, il a été plus rapide, plus malin qu'eux. Désormais, la réponse qu'il oppose à l'éventuelle faillite de son entreprise est simple : je n'ai plus rien, je n'ai donc rien à perdre. Il a la même attitude vis-à-vis de ceux qu'il a aimés : ils ne sont plus rien pour moi, aussi ne suis-je pas affecté par leur mort ou par la maladie qui les frappe. Il a de lui-même renoncé à tout ce qui pouvait lui être retiré. Quant à moi je m'obstine toujours à accumuler des choses que je finirai par perdre, à m'angoisser à l'idée de ne pas en avoir suffisamment ou, lorsque je les ai, d'en être privé. La mort aussi m'angoisse.

Il n'y a pas plus grande violence que sa propre mort – pour autant du moins qu'on lutte contre. Sevantibhaï triomphe sur tout, y compris sur sa mort. Il s'est dépouillé de tout ce qui revient de droit à la mort – la famille, les biens matériels, les plaisirs. Il lui reste en tout et pour tout son corps, mais il a renoncé d'avance au titre qu'il avait dessus et il le traite comme une chemise sale qu'il aurait empruntée. Il lui tarde de l'ôter. Sevantibhaï a battu la mort, pour finir. Il a démissionné avant d'être renvoyé.

Un parmi des milliers

Pour Utran *, j'emmène les enfants chez mon cousin par alliance qui vit en ville à Prarthana Samaj. J'ai de bons souvenirs de cette fête. Ce jour-là, nous faisions voler des cerfs-volants, des bidules tout simples fabriqués avec du papier de soie et des baguettes, qui planaient dans l'azur et que nous nous appliquions à guider avec précision, laissant filer la ficelle ou la retenant fermement avec l'impression de voler nous aussi haut, très haut au-dessus de la ville massive. Mon cœur bondissait dans le ciel. Quand les joujoux se déchiraient, nous les réparions avec une pâte faite d'une bouillie de reste de riz cuit mélangée à de l'eau. Montés sur les terrasses des toits, nous engagions des duels avec les immeubles voisins. Les éclats de verre fichés dans les ficelles sectionnaient proprement les fils des concurrents, et ces échardes ont mutilé plus d'un gamin en lui tranchant net un doigt. *Kaaayyypooo* – ce cri lancé à pleins poumons saluait la victoire d'une équipe. Les garçons d'aujourd'hui installent de gros baffles sur les toits des immeubles. À la fin d'un duel, les enceintes envoient résonner à travers les cieux victorieux la voix de Freddie Mercury, qui fut un enfant de Bombay : *We are the champions!*

Avec nous sur la terrasse, les proches parents de mon cousin sont éperdus d'amour pour son dernier-né. Ils sont aussi très gentils avec mes fils, mais ce n'est pas pareil ; nos liens familiaux sont plus lâches. Mes deux rejetons ne me quittent pas d'une semelle, ce qui rend la différence plus criante encore. Une fois de plus, ils regardent de l'extérieur les autres jouer au cerf-volant.

« Pourquoi veux-tu retourner en Amérique ? » Je pose cette question à Gautama un jour où nous rentrons à pied de Pali Hill après avoir déjeuné là-bas sur le pouce. Il a cueilli une fleur de champak et je lui ai montré comment confectionner avec une broche pour sa mère : en rabattant les pétales en arrière, en les tressant ensuite avec la tige. Je lui ai montré la gousse pleine de graines qui ferait une crécelle parfaite pour Akash.

Comme il se taisait, je me suis baissé pour me mettre à sa hauteur et, très sérieusement, je lui ai demandé de me répondre.

« Parce que la famille là-bas voudrait bien que je revienne. Ils le disent tout le temps au téléphone. »

Voilà une raison largement suffisante de rentrer : la famille a envie de le revoir. C'est la raison pour laquelle je suis revenu moi-même, maintes et maintes fois. La famille est là-bas – pas simplement papa et maman mais les grands-parents, les tantes, les cousins –, et plus que la culture, plus qu'un pays, la famille est ce qu'il faut aux petits enfants. Juste au moment où nous commencions enfin à vivre agréablement à Bombay, nous allons donc déménager dans l'autre sens, repartir pour New York. Et c'est très bien ainsi, car les questions avec lesquelles j'étais arrivé ont trouvé leurs réponses. Je peux revenir, et je peux repartir. Parcourir à nouveau le monde en confiance.

Le dernier jour que je passe à Bombay est un dimanche, qui marque le début ou la fin de la semaine. Je m'offre un déjeuner plantureux dans un bouge de Madhavbagh, le Khichdi Samrat. On y prépare diverses variétés de khichdi qui mijotent dans de grands bacs et l'on vous apporte à table celle de votre choix accompagnée d'un petit bol de khadi et de pickles. Avec en plus des parathas au chou-fleur, du sev tamatar ki sabzi *, des papadams, du babeurre bien frais servi dans une bouteille de bière, cela fait un excellent repas. Ainsi lesté, je vais me promener autour de CP Tank[1] et en cours de route j'achète de l'encens, bois un Coca marsala, cherche surtout des ustensiles en fonte à rapporter à New York. La fonte n'est plus très à la mode dans les cuisines modernes; on lui préfère l'Inox, l'alu ou le non-adhésif. Les quelques personnes croisées en chemin affirment ne pas connaître de boutiques qui en vendent encore et me disent que si par miracle j'arrive à en trouver une elle sera sûrement fermée. On est dimanche après-midi; Bombay se permet de souffler. Repus de pulpe de mangue et de puris, les gens du quartier s'affalent sous les ventilateurs. Le revendeur de vieux papiers à qui je m'adresse envoie un gamin réveiller le bonhomme qui habite au-dessus d'un magasin au rideau tiré. J'explique ce que je cherche au type descendu en lunghi. Il se glisse sous le rideau, ressort avec quatre petites cocottes en fonte qu'il propose au prix de quinze roupies pièce, autrement dit rien. J'achète le lot. Il s'est arraché à son paisible somme dominical pour une vente qui ne lui rapporte qu'un bénéfice insignifiant. C'est d'ailleurs à se demander pourquoi il a fait une entorse aux horaires d'ouverture de son petit commerce; a-t-il été sensible au fait que je poursuivais ma quête sous la chaleur torride de juillet? Quoi qu'il en soit, et tout particulièrement parce que c'est le dernier jour que je passe ici, sa bonne volonté me conforte dans le sentiment que j'ai ma place dans la ville de mon enfance.

Un petit geste, et le Pays du Non devient le Pays du Oui. Je comprends maintenant qu'il suffit de feindre de ne pas comprendre le Non, de faire comme s'il n'existait pas, comme s'il n'avait même pas été prononcé, pour que, piqué au vif, il se transforme aussi sec en Oui. À défaut, il induira au moins un branlement du chef à interpréter au choix de manière positive ou négative. Soyez généreux et charitable et vous obtiendrez satisfaction.

1. CP Tank : le premier grand réservoir de Bombay, construit en 1775 grâce aux fonds généreusement alloués dans ce but à la ville par un certain Cowasjee Patel (N.d.T.).

Nous nous sommes battus avec Bombay, de toutes nos forces, et la ville nous a fait une place. Je suis rentré à la maison, les gens d'ici m'ont ouvert la porte, ils m'ont accueilli, et avec moi ma femme et mes enfants venus d'ailleurs en faisant en sorte qu'eux aussi se sentent ici chez eux. Ils m'ont servi mes plats préférés, m'ont joué mes musiques préférées dont j'avais fini par oublier combien je les aime. Ils m'ont demandé d'écrire pour eux – pour leurs films, pour leurs journaux. « Je serais heureux d'avoir votre point de vue de citoyen sur le Kargil », m'a dit l'éditeur d'un recueil d'essais sur ce conflit. Ils m'ont donné une place que je n'ai jamais eue dans le pays où je vais repartir – la possibilité de participer au débat national. Les actrices, les comptables, les putes, les assassins que j'ai rencontrés me demandent : « Comment peux-tu retourner à New York après tout ça ? Tu vas t'embêter à New York. »

En deux ans et demi, j'ai appris à voir, derrière le naufrage de la ville concrète, la vie incandescente qui anime ses habitants. On associe trop facilement Bombay à la mort. Une ville ne meurt pas lorsque tous les jours cinq cents nouveaux arrivants bien décidés à vivre y débarquent. Bombay est peut-être une ville qui tue mais ce n'est pas une ville à l'agonie. Au début, j'ai cru à tort qu'elle n'en avait plus pour longtemps. Et puis j'ai emménagé dans un appartement plus agréable. Chacun mesure la prospérité ou la décadence de sa ville à l'espace qu'il y occupe. Les Bombayites ont tous leur petit Bombay.

Longtemps parti puis revenu, je remarquais tout de suite ce qui avait changé : les couleurs vives des façades avaient pâli, le banian qui ombrage l'abribus avait poussé. Si on l'avait coupé, je me serais souvenu qu'il y en avait eu un à cet endroit. Après avoir vécu vingt et un ans dans les contrées froides de la planète, je rentrais pour reprendre une adolescence interrompue. Libre – ou, mieux, tenu – de suivre tous ceux qui attisaient ma curiosité d'enfant : les flics, les gangsters, les femmes peinturlurées, les stars de cinéma, les gens qui renoncent au monde. Pourquoi avoir choisi de m'intéresser à eux plutôt qu'à d'autres ? Ce sont, pour la plupart, des gens moralement compromis, formés chacun à sa manière par les exigences de la vie urbaine. La liberté, voilà ce que j'ai trouvé chez une majorité de ces personnages bombayites. Leurs parcours de vie ne s'encombrent pas des détails annexes de l'existence. Rares sont ceux d'entre eux qui payent des impôts, remplissent des formulaires. Ils sont trop nomades, y compris sur le plan sentimental, pour se construire un petit capital. Quand je serai rentré, il faudra que je m'attelle aux détails annexes de l'existence : que j'envoie mes paiements à temps, que j'équilibre mes comptes, que je me préoccupe de l'assurance. Dans un pays moderne, il est impératif de consacrer une bonne partie de son temps à trier et ranger les papiers. Ne pas se laisser ensevelir sous les paperasses : telle est la règle d'or pour gagner.

Chacun d'entre nous a sa limite intérieure. Généralement, nous essayons de nous protéger, de résister à ce qui nous en rapprocherait trop. D'autres au contraire la repoussent, et nous les regardons faire, les suivons parfois jusqu'à un certain point avant de reculer, retenus par la crainte, par la famille. J'ai rencontré à Bombay des gens qui vivent au bord de cette limite séduisante, sont avec elle dans une proximité dont je ne connais pas d'équivalent ailleurs. Ils vivent comme on crie. Ajay, Satish, Sunil incarnent la violence au dernier degré ; Mona Lisa et Vinod, le spectacle au dernier degré ; Honey danse à la limite du genre ; les jaïns s'abandonnent au dénuement extrême. Ces êtres hors du commun vivent jusqu'au bout les fantasmes des gens ordinaires. Le travail auquel ils se livrent touche tous les autres aspects de leur vie puisqu'il n'y a pas de séparation, justement, entre leur vie et ce qu'ils font pour vivre. Ils ne cessent pas de travailler une fois qu'ils ont quitté le bar, le poste de police, le siège du parti. En ce sens, ce sont tous des artistes. Séduction, oui, immense soulagement que cette perspective de rupture totale, le trait tiré une bonne fois pour toutes sur l'ordre et sur la somme d'efforts à fournir pour que la vie ressemble à quelque chose. N'en étant pas moi-même capable, j'ai suivi ceux qui osaient et m'invitaient à les regarder. Assis tout au bord de la scène, je les dédommage en leur lançant ces bouts de papier. Je les ai regardés faire et ils m'ont amené tout près de ma propre limite, plus près que je ne l'avais jamais été.

Bombay aussi atteint sa limite : en 2015 la ville comptera vingt-trois millions d'habitants. Sa population devrait diminuer de moitié, mais non : elle double. Pour chaque personne croisée aujourd'hui dans la foule qui encombre la rue il y en aura une de plus demain. Et année après année, Bombay devient un peu plus la ville de tout le monde au fur et à mesure que l'espace extérieur rogne sur l'espace intérieur. Dans la cohue insensée d'un compartiment de chemin de fer, un mécanisme de survie pousse chacune des têtes du troupeau à se concentrer sur ce qu'elle est, d'abord et avant tout. Deux choix s'offrent à l'être humain solitaire : il peut s'inclure dans la foule, considérer qu'il n'est après tout qu'une des cellules d'un grand organisme (condition nécessaire au déclenchement d'une émeute), ou au contraire s'accrocher obstinément à son individualité et ne pas en démordre. Tous les voyageurs de ce train cultivent un style particulier : une façon de se coiffer comme ci plutôt que comme ça, un talent original pour sculpter des coquillages, un souffle assez puissant pour gonfler une bouillotte jusqu'à la faire éclater. Une manie, une excentricité extrapolée en théorie de la personnalité. Rien de plus facile, à mon avis, que d'engager la conversation au milieu d'une foule à Bombay, car ici chacun a des opinions très personnelles, voire farfelues. Les gens ne sont pas encore formatés.

La Bataille de Bombay est la bataille de l'individu contre la multitude. Quelle est la valeur du chiffre un dans une ville de quatorze millions d'habitants ? Cette bataille de l'homme contre la métropole n'est jamais que le prolongement à l'infini de la lutte de l'homme avec le démon, combat à poursuivre sans relâche au risque d'être anéanti. Une ville est une agglomération de rêves individuels, la somme des rêves de la foule. Pour que la vie rêvée de la ville conserve sa vitalité, il est primordial que les rêves individuels soient bien vivants. Mona Lisa a besoin de croire qu'elle sera sacrée Miss Inde. Ajay a besoin de croire qu'il quittera la police. Girish a besoin de croire qu'il deviendra un géant de l'informatique. Un être humain peut vivre dans un slum de Bombay et rester sain d'esprit si et seulement si sa vie rêvée est plus belle et plus vaste que son logement sordide. Elle se déploie dans un palais.

Chaque Indien n'en nourrit pas moins le désir, secret ou avoué, de se consacrer corps et âme à un grand tout collectif. Les tueurs musulmans de la Compagnie-D s'imaginent être les guerriers du qaum, la nation islamique. Girish voudrait pouvoir donner de l'argent à sa famille. Et quand Sunil pense à autre chose qu'au business il affirme travailler pour la nation. Dans ce pays où, plus que dans toute autre civilisation, la vie intérieure – la forme, la structure, la finalité du moi – est depuis la nuit des temps au centre de l'attention, nous sommes en effet individuellement multiples, seuls solidairement.

Sorti dans la rue par un beau matin clair et tout de suite avalé par la marée humaine, j'ai eu une vision : tous ces individus qui chacun, chacune, ont leurs chansons et leurs coupes de cheveux préférés, leurs démons personnels qui s'ingénient à les tourmenter, ne forment que les cellules distinctes d'un même organisme géant, d'une même intelligence, sensibilité, conscience démesurée mais singulière. Chacun, chacune, est le produit abouti d'une spécialisation remarquablement perfectionnée et il remplit une fonction particulière, ni plus ni moins importante que celles exécutées par les six milliards d'autres cellules de l'organisme. Cette image est terrifiante. Elle m'écrase, me prive du sentiment d'être unique, mais pour finir elle est pourtant réconfortante car elle illustre à merveille le sentiment d'appartenance. Cette masse d'individus disparates qui se dirigent vers la grande horloge de Churchgate, c'est moi : ils sont ma chair et mon sang. La foule est le moi : quatorze millions d'avatars du moi, quatorze millions de formes qui le célèbrent. Je ne me fondrai pas dans la foule car je me suis constitué à partir d'elle. Et si je la comprends bien, elle finira par se fondre en moi et la multitude ne fera plus qu'un : un moi unique aux multiples splendeurs.

Postface

La première chose que j'ai remarquée, ce fameux matin de septembre, c'est la poussière grise épaisse chassée devant mes fenêtres : soufflés par-delà l'East River, les débris du World Trade Center arrivaient jusqu'à Brooklyn. L'événement qui venait d'avoir lieu dans la ville où j'étais revenu allait entraîner une réaction en chaîne qui changerait radicalement la nature de la guerre des gangs dans la ville que je venais de quitter.

En décembre 2001, l'attaque du Parlement de Delhi par des séparatistes cachemiris amena l'Inde et le Pakistan au bord de la rupture, et la guerre qui menaçait d'éclater entrava la circulation des hommes et du matériel de part et d'autre de la frontière. Le président Pervez Mucharraf a toujours démenti officiellement la présence de Dawood Ibrahim au Pakistan. Le soutien apporté aux talibans par les services secrets pakistanais et le meurtre de Daniel Pearl avaient sérieusement écorné l'image de son pays ; admettre qu'il hébergeait des gangsters n'aurait rien arrangé. En octobre 2003, les services du Trésor américain accusèrent publiquement Dawood Ibrahim d'avoir partie liée avec « le terrorisme mondial » et de faire « cause commune avec Al-Qaïda en mettant son réseau de contrebande à la disposition de l'organisation terroriste et en finançant les attentats fomentés par les extrémistes islamistes pour déstabiliser le gouvernement indien ». Selon leurs renseignements, le parrain résidait à Karachi ; ils publièrent le numéro de son passeport pakistanais.

Les chefs de la Compagnie-D vivent désormais dans les affres ; ils ont peur d'être tués ou extradés en Inde par leurs hôtes pakistanais désireux de prouver leur bonne volonté au grand voisin ; ils ont peur d'être assassinés par les hommes de Rajan ; surtout, ils se méfient les uns des autres. Par un juste retour des choses, la peur dont ils faisaient leur fonds de commerce pour amener les victimes d'extorsion à se défaire de quelques millions de roupies les empêche à présent de dormir. En août 2003, deux voitures piégées ont explosé à Bombay, l'une à la Porte de l'Inde, l'autre près du marché aux diamants, faisant cinquante-deux morts et cent cinquante blessés graves. Une fois de plus, il s'agissait d'un acte de représailles : pour venger les émeutes survenues quelques mois plus tôt dans le Gujerat voisin, lors desquelles des centaines de musulmans avaient été brûlés vifs par des hindous. Redevenu indispensable à sa ville, Ajay Lal fut détaché de la police des Chemins de fer pour reprendre l'enquête.

En septembre 2000, à Bangkok, plusieurs hommes de Chotta Shakeel investirent la maison dans laquelle Chotta Rajan était en train de dîner et déclenchèrent la fusillade. Avant de vider leurs chargeurs les assassins avaient allumé leurs téléphones mobiles : dans sa résidence de Karachi, Chotta Shakeel se délecta d'entendre le traître hurler sous les balles qui lui trouaient la peau. Puis, dans un rebondissement digne d'un parrain de film hindi, Rajan sauta par-dessus le balcon et réussit à s'enfuir en se traînant sur ses jambes brisées. Il paraît qu'à l'heure actuelle il serait au Luxembourg, d'où il contrôlerait toujours, par téléphone, ce qui reste de son gang à Bombay. Abu Salem, l'homme qui a commandité la tentative de meurtre contre Rakesh Roshan et essayé de faire chanter Vinod, a été arrêté à Lisbonne en 2003 en compagnie d'une starlette de Bollywood ; il est sous le coup d'une extradition en Inde.

Pendant ce temps, sur le terrain, les flics de Bombay lançaient une vaste opération de rencontres éliminatoires. En 1998, quarante-neuf hommes qualifiés de gangsters par la police trouvèrent la mort lors de ces mises en scène; ce chiffre passa à quatre-vingt-trois en 1999 avant de connaître en 2000 un léger fléchissement qui le ramena à soixante-quatorze. Il est remonté en flèche en 2001, année où les spécialistes de la police de Mumbai ont tué plus de cent personnes. Depuis que la guerre des gangs a perdu en intensité, le crime inorganisé a la part belle dans la rubrique faits divers des journaux locaux : c'est fou le nombre de domestiques qui assassinent leurs employeurs, d'amoureux éconduits devenus meurtriers par dépit.

En 2003 le grand public a appris l'existence d'Abdul Karim Telgi. Cet ancien vendeur de cacahouètes qui avait imprimé de faux timbres fiscaux pour une valeur totale de trois cent vingt milliards de roupies est à l'origine d'une des plus grosses affaires de corruption qui aient secoué la nation. Il échappa à l'inculpation pour faux et usage de faux en arrosant généreusement, en gros et dans le détail, la classe politique et les forces de l'ordre de Bombay. Le scandale éclaboussa toute la hiérarchie policière, y compris le commissaire principal, arrêté et écroué. De même que des spécialistes des rencontres, tel Pradeep Sawant, expédié aussitôt en prison, lui qui jusqu'alors éliminait des êtres humains en toute impunité. On découvrit que Telgi aimait dépenser ses liasses de roupies pour les danseuses d'un bar à bière nommé Sapphire, l'établissement que Honey venait de quitter pour cause de paternité : son beau petit garçon aux yeux brillants porte le doux prénom de Love.

Remerciements

Je tiens à remercier les personnes suivantes :

À Bombay : Vasant et Naina Mehta, Anupama et Vidhu Vinod Chopra, Farrokh Chothia, Manjeet Kripalani, Dayanita Singh, Mahesh Bhatt, Tanuja Chandra, Rahul Mehrotra, Naresh Fernandes, Meenakshi Ganguly, Anuradha Tandon, Ali Peter John, Eishaan, Asad bin Saïf, Kabir et Sharmistha Mohanty, Adil Jussawala, Rashid Irani, Kumar Ketkar, Foy Nissen, Sameera Khan.

À New York : Ramesh et Usha Mehta, Sejal Mehta, Monica et Anand Mehta, Ashish Shah, Amitav Ghosh, Akhil Sharma, Zia Jaffrey, Somini Sengupta.

À Londres : Viswanath et Saraswati Bulusu, Ian Jack.

Mes gourous : James Alan McPherson et U.R. Ananthamurthy, et mon agent, Faith Childs.

Mes éditeurs : David Davidar, Sonny Mehta, Deborah Garrison, Geraldine Cook, Ravi Singh, Vrinda Condillac, Janice Brent.

La Whiting Foundation, la New York Foundation for the Arts et la MacDowell Colony.

Beaucoup des noms cités dans ces pages ont été changés, comme d'ailleurs celui de la ville. Des parties entières de ce livre n'auraient pu être écrites sans l'aide que m'ont généreusement prodiguée des gens que je ne peux nommer ici. Je les en remercie sincèrement.

Enfin et surtout, merci à Sunita, à Gautama et à Akash de me ramener au temps présent. Je vous dois tout.

Glossaire

Aarti : rituel consistant à décrire un cercle avec un flambeau ou une bougie pour clore une cérémonie.

Acharya : maître spirituel très versé dans la connaissance des textes sacrés.

Alu-poori : galette de pomme de terre.

Amma : mère, maman.

Anna : pièce de monnaie aujourd'hui supprimée qui valait un seizième de roupie.

Armaan : désir.

Asthami : anniversaire, commémoration.

Azan : appel à la prière des musulmans.

Baba : terme en principe respectueux utilisé pour s'adresser à un homme plus âgé ou, par dérision, à un petit garçon.

Bakri : fête musulmane traditionnelle au cours de laquelle il est d'usage de sacrifier une chèvre.

Bambaiyya : la langue, le dialecte, l'argot de Bombay.

Bania : caste de commerçants à laquelle appartenait notamment Gandhi.

Batatapauua : préparation à base de pommes de terre et de riz, frite à la casserole avec de l'oignon, des piments et des épices, et saupoudrée de coriandre.

Bekaar : terme péjoratif désignant les oisifs, les chômeurs, et plus généralement tout ce qui est nul et ne fonctionne pas.

Beta : garçon, gars. Terme affectueux.

Bhaï : frère, et dans l'argot des gangsters, caïd, chef.

Bhaiyya : frère, et dans une acception péjorative une façon, à Bombay, de désigner les Indiens du Bihar et de l'Uttar Pradesh, immigrés de l'intérieur venus du Nord du pays.

Bhajan nirguna : chant dévotionnel dédié à l'Absolu (nirguna) sans attributs ni qualités.

Bhangi : personne appartenant à la catégorie la plus basse des intouchables, et chargée des tâches les plus déplaisantes.

Bharat Ma (ou Bharat Mata) : la Terre Mère ou, textuellement, la Mère Inde.

Bharata natyam : danse sacrée de l'Inde du Sud.

Bhelpuri : galette de riz frite recouverte d'un mélange de légumes.

BJP : Bharatiya Janata Party, ou parti du Peuple indien. Formation politique fondée en 1980 autour d'un programme nationaliste hindou, portée au pouvoir entre 1998 et 2004 avec l'élection d'Atal Behari Vajpayee au poste de Premier ministre.

Chaddi : caleçon court.

Chai : thé.

Chakka : eunuque, ou encore travesti.

Chapati : petit disque de pâte fine à base de farine de blé, que l'on fait cuire sur une plaque chaude.

Chappals : sandales.

Charas : nom hindi du haschisch.

Chhava : le petit d'un animal et, en argot, le petit copain d'une fille.

Chawl : ensemble de logements sociaux au confort rudimentaire, typiques de Bombay. Les premiers chawls étaient des immeubles de rapport construits au début du xxe siècle.

Chodu : injure très grossière, enfoiré, enculé, etc.

Choli : corsage féminin court et ajusté, porté sous un sari.

Chowk : carrefour important dans une ville et, par extension, le marché permanent ou le bazar qui y est installé.

Chutiapanthi : foutaises, conneries.

Chutiya : vagin, et par extension « con » ou « connard », une des injures les plus fréquentes en hindi.

Crore : unité de mesure ou de compte qui équivaut à cent lakhs, soit dix millions.

Dacoit : membre d'une bande armée, bandit de grand chemin.

Dada : grand-père, ou plus familièrement papi.

Dadi : grand-mère, ou plus familièrement mamie.

Dal : terme générique hindi désignant l'ensemble des légumineuses, aussi bien des haricots et des pois frais que des légumes secs comme les lentilles et les pois chiches.

Dalit : intouchable.

Darshan : l'énergie, la force vitale émanant d'un individu (ou d'une statue divine, d'une rivière, d'une montagne...) que l'on incorpore en soi par la vision, selon l'expression consacrée « prendre le darshan ».

Devi : déesse ; mère divine.

Dhaba : petit restaurant bon marché, gargote.

Dhanda : transaction.

Dharma : la loi ou l'ensemble des lois régissant l'univers, et avec lui la vie sociale et individuelle.

Dhobi : blanchisseur.

Dhol : petit tambour d'origine arménienne.

Dhoti : vêtement masculin fait d'une pièce de tissu qui s'attache autour de la taille et tombe aux chevilles.

Didi : grande sœur, ou sœur aînée ; terme respectueux qui s'utilise aussi en dehors du contexte familial.

Diksha : dans le culte jaïn, initiation à la vie spirituelle au moyen de pratiques ascétiques.

Diwali : la fête des Lumières, célébrée entre octobre et novembre, qui marque le 1er jour du calendrier hindou.

Dupatta : longue écharpe que les femmes portent avec le salwaar kameez traditionnel.

Durbar : assemblée solennelle et, par extension, palais.

Dussehra : important festival hindou surtout célébré dans le nord de l'Inde pendant dix à douze jours, voire plus, entre les mois d'octobre et de novembre selon le calendrier rituel. Il commémore le retour d'exil de Ram.

Fafda : mince bâtonnet frit à base de farine de pois chiches.

Falooda : boisson glacée aromatisée au sirop de rose, souvent enrichie de fruits, de noisettes et d'agar-agar.

Farsaan (farsham) : croquettes de légumes, spécialité du Gujerat.

Filmi : au départ, musiques de film mêlant les apports indiens et occidentaux, et par extension une façon de qualifier des qualités physiques ou des ambiances consacrées par le cinéma hollywoodien.

Firang : étranger ; surtout fréquent dans le Sud de l'Inde, ce terme désignait à l'origine les Français.

Ganapati : autre nom du dieu Ganesh.

Gandu : pédé ; terme injurieux.

Ganja : chanvre indien, ou cannabis.

Gaon : village.

Garam masala : mélange d'épices pilées à base de cannelle, de cardamome, de coriandre, de cumin, de girofle, de muscade et de poivre noir.

Ghati : littéralement, quelqu'un originaire des ghats, autrement dit, à Bombay, des régions montagneuses du nord et de l'est du Maharashtra ; plus familièrement et péjorativement, un péquenaud, un plouc.

Ghazal : chant d'amour érotique ou mystique qui s'inscrit dans une longue tradition littéraire d'origine persane puis en ourdou, introduite en Inde vers le xiie siècle.

Ghee : beurre fondu puis passé au tamis.

Ghungroo : clochette, grelot.

Goonda : homme de main, nervi.

Gotra : généralement, famille ou clan exogame, et plus particulièrement, lignée brahmane issue d'un sage mythique.

Gulal : poudre colorée qu'il est d'usage de jeter sur les passants lors des fêtes et en particulier à Holi, la fête des Couleurs.

Gurkha : tribu indienne installée au Népal depuis le xvie siècle et dont la langue, le gurkhali, est devenue langue officielle de ce pays. Leur bravoure lors de la guerre anglo-gurkha (1814-1816) impressionna tellement les Britanniques qu'après les avoir vaincus ils les recrutèrent en tant que mercenaires. Depuis, leur nom est souvent utilisé comme synonyme de mercenaire, soldat à la solde de l'étranger.

Gurubhagvan : mot composé à partir de guru (ou gourou) : maître ou guide spirituel, et de bhagvan (ou bhagavan), celui qui donne la lumière, le Seigneur.

Gurudeva : avatar divin.

Hakim : dans la culture musulmane, le hakim est un médecin ou un guérisseur qui est aussi scientifique et philosophe.

Harikatha : récitation en partie chantée des textes sacrés consacrés à Hari, un des noms du dieu Vishnou.

Hawala (*hundi* en hindi) : mot arabe qui signifie « confiance » et, dans la pratique, désigne un mode de transfert de fonds ne passant pas par les réseaux bancaires officiels. Il repose sur des réseaux ethniques ou familiaux et permet notamment de changer, par exemple en dollars, des monnaies non convertibles telles que les roupies indienne ou pakistanaise.

Hijda : travesti.

Hindutva : « indianité », ou « hindouité ». Ce terme qui connote la fierté d'être hindou est essentiellement un concept fondamentaliste, au cœur du programme de formations politiques comme le BJP ou le Shiv Sena.

Holi : la fête des Couleurs, un rituel hindou marquant la fin de l'hiver.

Idli : gâteau de riz fermenté.

ISI : les services secrets pakistanais.

Izzat : (arabe) honneur.

Jaï Maharashtra : chanson populaire en marathi.

Jalebi : beignet de farine de blé et de pois chiches mélangé à du yaourt et parfumé au safran, qu'on plonge dans un sirop de sucre avant de le mettre à frire.

Janata Dal : ce parti de la coalition de centre gauche constitué en 1988 a été au pouvoir à deux reprises, en 1989-1991 et en

1996-1998. Son influence s'est considérablement réduite depuis sa défaite, en 1998, contre l'alliance de droite constituée autour du BJP.

Ji : marque de respect généralement employée comme suffixe (Gandhiji, Shivaji...) mais qui peut aussi être utilisée seule.

Jnani : « libéré vivant » : sage hindou ayant accédé à l'état ultime de la conscience humaine parce qu'il a découvert l'unité de sa nature profonde avec l'Absolu.

Kabbadi : sport de contact et de lutte très populaire en Inde et au Pakistan, qui se joue par équipes.

Kabutarkhana : pigeonnier, et de manière plus informelle, aire de nourrissage des pigeons.

Kadhi : potage au yaourt.

Kafir : (arabe) terme péjoratif désignant les non-musulmans, ou infidèles.

Kar seva : grand service religieux organisé autour d'un travail collectif effectué bénévolement.

Karkhana : petite manufacture, fabrique, atelier.

Khadi : coton filé à la main.

Khana : nourriture préparée, cuisine.

Khichdi : sorte de ragoût à base de riz et de lentilles que l'on peut accommoder avec de la viande ou du poisson.

Kulfi : crème glacée à base de lait concentré, aromatisée à la pistache, aux amandes et au sirop de rose.

Kurta : chemise assez ample et longue, à col ras, qui se porte traditionnellement sur le pantalon en coton appelé pyjama.

Labh : obtenir, acquérir.

Lafda : bagarre et, par extension, liaison amoureuse tumultueuse.

Lakh : unité de mesure ou de compte qui équivaut à cent mille.

Landya : terme injurieux désignant un musulman.

Lathi : long bâton utilisé par la police en guise de matraque.

Lok Sabha : la Chambre du Peuple, qui correspond à la Chambre basse du Parlement, assemblée élue au suffrage universel. La Chambre haute, le Rajya Sabha, est le Conseil des États de la fédération indienne.

Lunghi : sorte de pagne en tissu noué à la taille qui descend jusqu'aux pieds.

Madharchod : salaud (terme injurieux).

Maharao : roi (équivalent de maharadjah).

Maidan : espace dégagé autour d'un temple ou d'un édifice public, où se tiennent parfois des manifestations festives ou des matchs de cricket improvisés.

Mala : chapelet utilisé pour la récitation des mantras, fabriqué avec les graines de couleur brun-rouge du fruit d'un arbuste, le rudraksha.

Malayali : groupe ethnique de l'État du Kerala dont la langue, le mayalam, également parlée à Singapour, comprend près de trente-six millions de locuteurs.

Mallu : abréviation de Malayali ; terme familier mais non péjoratif communément utilisé en Inde, sauf au Kerala où il est perçu comme insultant.

Mandap : colonnade précédant l'accès à un lieu saint, ou plateforme cérémonielle.

Marwari : du Marwar, une région du Rajasthan proche de la frontière pakistanaise.

Masala : en cuisine, mélange d'épices divers ; et par dérision, toute création peu originale conçue pour tous les goûts.

Masjid : mosquée, maison d'Allah.

Memsahib : madame ; terme de respect autrefois donné aux épouses des administrateurs coloniaux, aujourd'hui souvent utilisé vis-à-vis des femmes blanches.

Methi : graines de fenugrec.

Mia : terme injurieux adressé à un musulman.

Moksha : voir Mukti.

Mukti (ou moksha) : dans l'hindouisme et le jaïnique, état de salut et de libération ou de délivrance suprême des contraintes de la forme corporelle, qui rompt le cycle des réincarnations. Cet état qui ne correspond pas exactement à la mort peut se produire soit avant (*jîvan-mukti*), soit après (*vidêha-mukti*).

Munshı . secrétaire, petit employé de bureau.

Muqabla : négociation, marchandage.

Nagar : prestigieuse communauté brahmane originaire de la ville de Vadnagar, d'où sont issus plusieurs grands administrateurs ainsi que des poètes, des écrivains, des musiciens renommés.

Nari : femme.

Neta : politicien.

Paise : pièce de monnaie valant un centième de roupie.

Pakoda : boulette à base d'un hachis de légumes.

Palanpuri : de Palanpur, une ville du Gujerat où est établie une communauté jaïn spécialisée dans le commerce des diamants.

Panchayat : conseil de notables.

Paneer (ou panir) : fromage blanc non fermenté de consistance solide, servi découpé en cubes pour accompagner les plats végétariens.

Pani-puri : petit puri servi avec une sauce liquide très épicée.

Panwallah : vendeur de pain.

Papadam : galette très fine et croustillante, frite à l'huile.

Paratha : galette feuilletée à base de farine de blé ou de maïs.

Pav bhaji : curry de légumes.

Peda : gâteau plat et rond à base de lait concentré sucré.

Peshwa : haut dignitaire (Premier ministre) de l'empire marathe, dont la charge devint héréditaire au XVIIIᵉ siècle.

Pir : saint ou mystique.

Pramukh : chef.

Pranaam : salutation respectueuse adressée aux dieux.

Prasad : rituel au cours duquel les offrandes faites aux dieux sont ensuite redistribuées aux fidèles.

Puja : rituel de vénération hindouiste et bouddhiste qui peut prendre diverses formes, privées ou publiques (prière, procession, pèlerinage...).

Pukka : bon. Ce terme entre dans de nombreux mots composés en « hinglish » : par exemple pukka-house, un « bon logement », et plus précisément une maison en dur.

Puri (poori) : galette de farine frite.

Rakhi : bracelet de fils de couleur que les femmes nouent autour du poignet d'un homme, le désignant ainsi comme leur frère.

Rath yatra : procession religieuse avec chars.

Roti : une variété de pain.

RSS : sigle désignant le Rashtriya Swayamsevak Sangh (Association des volontaires nationaux), mouvement constitué dans les années vingt sous la pression des nationalistes hindous. Il forme une vaste nébuleuse présente sur tout le territoire national par le biais de ses filiales, syndicales ou autres.

Rudraksha : arbuste dont le nom signifie « œil de Rudra », Rudra étant le dieu védique de la Tempête, prototype de Shiva.

Sabzi (sabji) : assortiment de légumes cuits.

Sâdhana : la discipline spirituelle et les exercices qu'elle suppose.

Sâdhu : saint, ermite, mystique errant, mais aussi vagabond voleur et mendiant.

Sadhvin : sainte femme, mystique et mendiante.

Saïnik : militant du Shiv Sena.

Salwaar kameez : tenue vestimentaire féminine composée d'un pantalon noué à la taille (le salwaar) et d'une longue tunique (le kameez).

Samsara : l'existence ici-bas, la vie prise dans le cycle des naissances et des morts.

Saraf : prêteur sur gages (Gujerat).

Sardar : sikh du Penjab.

Sev : une variété de nouilles à la farine de pois chiches.

Sev tamatar ki sabzi : petit plat de nouilles (sev) à la tomate (tomatar) accompagnées de légumes variés (sabri), généralement servi en entrée.

Shaan : prestige, honneur (hindi et ourdou) et par extension le style, la classe.

Shakha : section ou cellule d'un parti ou d'une organisation.

Sheera : sorte de semoule sucrée que l'on sert aux visiteurs pour leur souhaiter la bienvenue et qui entre souvent dans les offrandes du puja.

Sherwani : longue veste sans col.

Sheth : riche homme d'affaires, grand patron (Gujerat).

Shiv Sainik : membre du Shiv Sena.

Shloka : distique ou verset de quatre octosyllabes entrant dans la composition des grands textes sacrés.

Shradha (ou shradka) : cérémonie aux morts, comportant un rite funéraire pour nourrir les défunts honorés ce jour-là avec tous les ancêtres.

Sindhi : du Sind, province pakistanaise bordée par la mer d'Oman, à l'ouest, et par l'Inde au sud et à l'est.

Sindhoor (sindul) : poudre rouge orangé que selon la tradition les hindoues mariées doivent se passer sur la tête.

Sudra : caste des manœuvres et des laboureurs.

Supari : mélange de petites graines servi pour faciliter la digestion et, dans l'argot de la pègre, un contrat de meurtre.

Swami : guide spirituel, souvent religieux.

Tadgola : fruit du palmier borasse.

Tamatar : tomate.

Tapori : enfant mendiant; petit voyou des rues.

Tata-Birlas : les grands patrons; expression forgée à partir des noms de deux des plus puissants groupes industriels indiens, respectivement fondés par la famille Tata et la famille Birla.

Thali : récipient de forme ronde à plusieurs compartiments dans lequel on sert le riz et divers accompagnements.

Tika : « le troisième œil » : marque que les hindous du Nord s'impriment sur le front avec une poudre de couleur rouge, en signe de dévotion et pour s'attirer la protection des dieux.

Tilak : synonyme de tika.

Toddy : (ou toddy tree), mot anglo-indien désignant plusieurs variétés de palmier, en particulier la borasse dont la sève sert à fabriquer le vin de palme et dont les fruits sont très appréciés.

Ulloo : la chouette (l'oiseau de nuit) et, en argot, une pute. Traiter quelqu'un d'« ulloo ka path » (fils de chouette) est très injurieux, quoique relativement courant.

Undhiyu : ragoût végétarien à la préparation complexe qui, dit-on, est aux Gujeratis ce que le rôti de bœuf et le pudding sont aux Anglais.

Upma : spécialité culinaire du sud de l'Inde, à base de semoule mélangée à des légumes et des épices et parfumée à la noix de coco.

Utran (Uttarayan) : fête célébrée à la mi-janvier dans le Gujerat pour marquer la fin de l'hiver et qui donne lieu à de grands concours de cerfs-volants dans toutes les villes ; notamment à Ahmadabad où se tient le Festival international du cerf-volant.

Vada : voir Vadapav.

Vadapav : le hamburger bombayite. Spécialité végétarienne à base d'un mélange de pommes de terre écrasées avec de l'ail, du piment, du gingembre, de la coriandre, du citron, que l'on met à frire avant de l'agrémenter de chutney et de le servir dans un petit pain rond coupé en deux (le pav).

Varanasi : Bénarès.

Vasuli : fonds extorqués.

Vidhan Sabha : assemblée législative existant dans chacun des États de la fédération indienne ; ses membres sont élus tous les cinq ans au suffrage universel.

Wallah : (pluriel walli) suffixe désignant une personne en fonction de son activité, professionnelle ou autre. Un rickshaw wallah est un conducteur de rickshaw ; un panwallah un vendeur de pain, etc.

Zopadpatti : bidonville.